SARAH LARK

Das Lied der Maori

ROMAN

BASTEI LÜBBE TASCHENBUCH
Band 15 867

1.-4. Auflage: Juni 2008
5. Auflage: August 2008

Bastei Lübbe Taschenbücher
in der Verlagsgruppe Lübbe

Originalausgabe

Dieses Werk wurde vermittelt durch
die Literarische Agentur Thomas Schlück GmbH,
30827 Garbsen
Lektorat: Wolfgang Neuhaus
Titelillustration: Jochen Schlenker/Masterfile und
Oxford Scientific/Mauitius images
Umschlaggestaltung: Bettina Reubelt
Satz: Urban SatzKonzept, Düsseldorf
Druck und Verarbeitung: GGP Media GmbH, Pößneck
Printed in Germany
ISBN 978-3-404-15867-6

BASTEI
LÜBBE

Von Sarah Lark sind bei Bastei Lübbe Taschenbücher lieferbar:

15 713 Im Land der weißen Wolke

Über die Autorin:

Sarah Lark, geboren 1958, arbeitete lange Jahre als Reiseleiterin. Ihre Liebe für Neuseeland entdeckte sie schon früh. Seine faszinierenden Landschaften haben sie seit jeher magisch angezogen. Mit ihrem farbenprächtigen und fesselnden Schmöker entführt sie die Leser buchstäblich ans andere Ende der Welt.
Sarah Lark arbeitet derzeit an einer Fortsetzung von *Das Lied der Maori.*

Das Lied der Maori

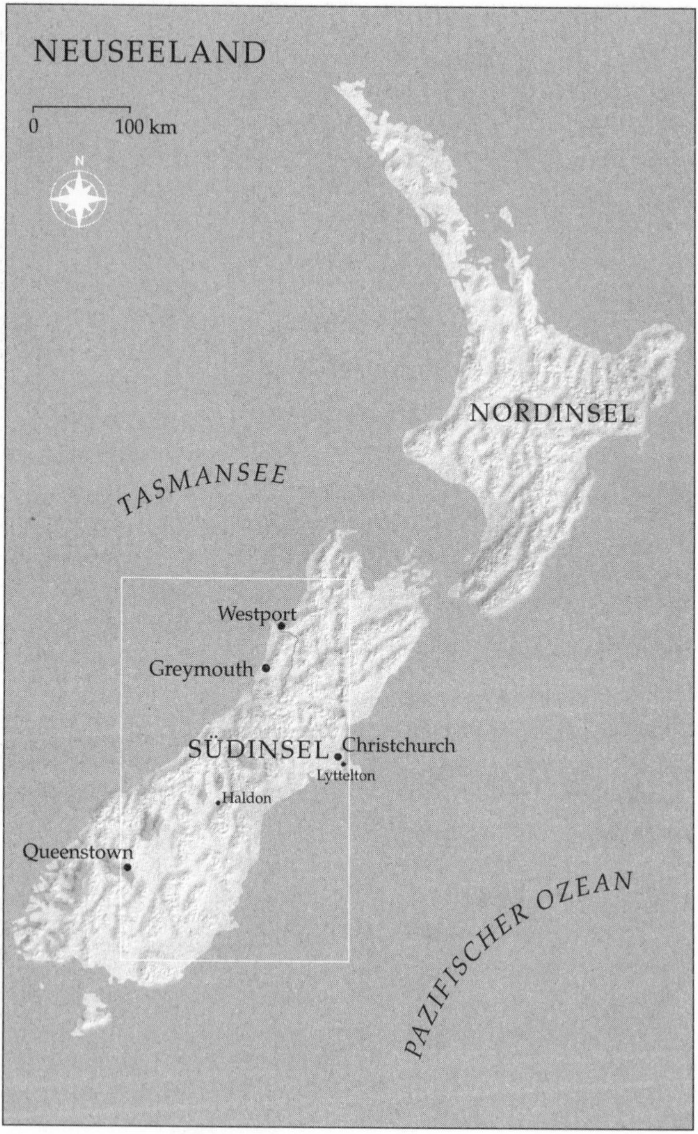

NEUSEELAND

0 100 km

N

NORDINSEL

TASMANSEE

Westport

Greymouth

SÜDINSEL

Christchurch

Lyttelton

Haldon

Queenstown

PAZIFISCHER OZEAN

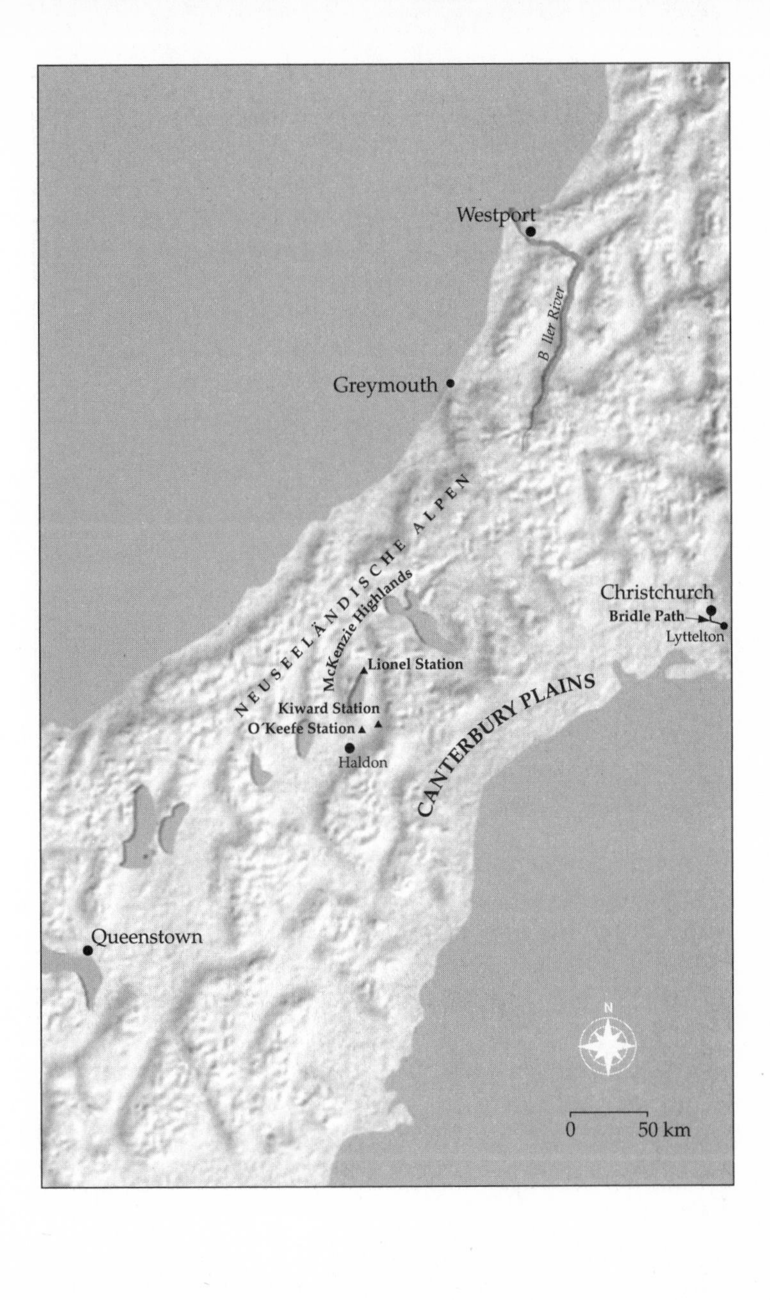
Westport
B ller River
Greymouth
NEUSEELÄNDISCHE ALPEN
McKenzie Highlands
Christchurch
Bridle Path
Lyttelton
Lionel Station
Kiward Station
O´Keefe Station
Haldon
CANTERBURY PLAINS
Queenstown
N
0
50 km

DIE ERBIN

Queenstown, Canterbury Plains
1893

1

»Sie sind Mrs. O'Keefe?«

William Martyn schaute verdutzt auf das rothaarige, zierliche Mädchen, das ihn an der Rezeption des Gästehauses willkommen hieß. Die Männer im Goldgräberlager hatten ihm Helen O'Keefe als ältere Dame geschildert, ja als eine Art weiblichen Drachen von der Sorte, die mit zunehmendem Alter Feuer spie. In Miss Helens Hotel herrschten strenge Sitten, hieß es. Das Rauchen sei verboten, ebenso Alkohol, erst recht das Mitbringen von Gästen anderen Geschlechts, sofern keine Heiratsurkunde vorlag. Die Erzählungen der Goldgräber hatten eher ein Gefängnis als ein Gasthaus erwarten lassen. Immerhin gäbe es keine Flöhe und Wanzen in Miss Helens Etablissement, dafür aber ein Badehaus.

Letzteres hatte William endgültig davon überzeugt, alle Warnungen seiner Bekannten in den Wind zu schlagen. Nach drei Tagen auf dem Gelände der alten Schaffarm, die sich die Goldgräber als Unterschlupf gesichert hatten, war er zu allem bereit gewesen, um dem Ungeziefer dort zu entrinnen. Sogar den »Drachen« Helen O'Keefe wollte er über sich ergehen lassen.

Nun aber begrüßte ihn hier keineswegs ein Drache, sondern dieses ausnehmend hübsche, grünäugige Geschöpf, dessen Gesicht von einer unbezähmbaren rotgoldenen Lockenpracht eingerahmt war. Alles in allem der erfreulichste Anblick, seit William in Dunedin, Neuseeland, das Schiff verlassen hatte. Seine Laune, seit Wochen auf dem Tiefpunkt, hob sich beträchtlich.

Das Mädchen lachte.

»Nein, ich bin Elaine O'Keefe. Helen ist meine Großmutter.«

William lächelte. Er wusste, dass er damit Eindruck machte. In Irland hatte sich stets ein aufmerksamer Ausdruck auf die Gesichter der Mädchen geschlichen, wenn sie den Schalk in seinen blauen Augen aufblitzen sahen.

»Das tut mir ja fast leid. Sonst hätte ich nämlich glatt eine Geschäftsidee gehabt: ›Wasser aus Queenstown – entdecken Sie den Jungbrunnen!‹«

Elaine kicherte. Sie hatte ein schmales Gesicht und eine kleine, vielleicht ein bisschen zu spitze Nase mit unzähligen Sommersprossen.

»Sie sollten sich mit meinem Vater zusammentun. Der macht ständig solche Sprüche: ›Spaten gut, alles gut. Goldgräber, kauft eure Ausrüstung im O'Kay Warehouse!‹«

»Ich werde es beherzigen«, versprach William und merkte sich den Namen tatsächlich. »Wie ist es jetzt? Bekomme ich ein Zimmer?«

Das Mädchen zögerte. »Sie sind Goldgräber? Dann ... na ja, es gibt schon noch freie Zimmer, aber die sind ziemlich teuer. Die meisten Goldgräber können sich die Unterkunft hier nicht leisten ...«

»Sehe ich so aus?«, fragte William mit gespielter Strenge. Dabei runzelte er die Stirn unter seinem blonden, üppigen Haarschopf.

Elaine musterte ihn jetzt ungeniert. Auf den ersten Blick unterschied er sich nicht allzu sehr von den anderen Goldgräbern, die sie in Queenstown täglich zu sehen bekam. Er wirkte ein wenig schmutzig und abgerissen, trug einen Wachsmantel, blaue Denimhosen und feste Stiefel. Auf den zweiten Blick jedoch erkannte Elaine – als Tochter eines Kaufmanns – die Qualität seiner Ausstattung: Unter dem offenen Mantel war eine teure Lederjacke zu sehen; an den Beinen trug er lederne Chaps; die Stiefel waren aus hochwertigem Material, und das

Hutband um seinen breitkrempigen Stetson war aus Pferdehaar geflochten. Das kostete ein kleines Vermögen. Auch seine Satteltaschen – er hatte sie zunächst lässig über seine rechte Schulter gehängt, jetzt aber zwischen seinen Beinen auf dem Boden deponiert – schienen eine solide und teure Arbeit zu sein.

Das alles war keineswegs typisch für die Glücksritter, die nach Queenstown kamen, um in den Flüssen und Bergen nach Gold zu suchen, denn nur die wenigsten wurden reich. Die große Mehrheit verließ die Stadt früher oder später so arm und abgerissen, wie sie gekommen war. Das lag auch daran, dass die Männer die Erträge ihrer Minen in der Regel nicht sparten, sondern gleich in Queenstown wieder verprassten. Wirklich zu Geld gekommen waren nur die Zuwanderer, die sich hier angesiedelt und ein Geschäft gegründet hatten. Zu ihnen gehörten Elaines Eltern, Miss Helen mit ihrer Pension, Stuart Peters' Schmiede und Mietstall, Ethans Post- und Telegrafenamt – und vor allem natürlich der verrufene, aber allgemein beliebte Pub in der Main Street und das darüberliegende Freudenhaus namens Daphne's Hotel.

William erwiderte Elaines abschätzenden Blick geduldig mit leicht spöttischem Lächeln. Elaine schaute in ein jungenhaftes Gesicht, in dessen Wangen Grübchen erschienen, wenn er den Mund verzog. Und er war frisch rasiert! Auch das war ungewöhnlich. Die meisten Goldgräber griffen höchstens am Wochenende zum Rasiermesser, wenn bei Daphne Tanz war.

Elaine beschloss, den Neuankömmling ein bisschen zu necken und damit vielleicht aus der Reserve zu locken. »Sie riechen zumindest nicht so streng wie die meisten.«

William lächelte. »Bislang bietet der See ja auch kostenlose Bademöglichkeit. Aber nicht mehr lange, hat man mir gesagt, und es wird kalt. Außerdem scheint das Gold Körpergeruch zu mögen. Wer am seltensten badet, holt die meisten Nuggets aus dem Fluss.«

Elaine musste lachen. »Daran sollten Sie sich aber kein Beispiel nehmen, sonst gibt's Ärger mit Grandma. Hier, wenn Sie das ausfüllen würden ...« Sie schob ihm ein Anmeldeformular zu und versuchte, nicht allzu neugierig über den Tresen zu linsen. Möglichst unauffällig las sie mit, während William schwungvoll seine Eintragungen machte. Auch das war ungewöhnlich; die wenigsten Goldgräber schrieben so flüssig.

William Martyn ... Elaines Herz schlug höher, als sie seinen Namen las. Ein schöner Name.

»Was soll ich denn hier eintragen?«, fragte William und wies auf das Feld, das nach seiner Heimatadresse fragte. »Ich bin gerade erst angekommen. Das ist meine erste Adresse in Neuseeland.«

Elaine konnte ihr Interesse jetzt nicht mehr verbergen. »Wirklich? Wo kommen Sie denn her? Nein, lassen Sie mich raten. Das tut meine Mutter bei neuen Kunden auch immer. Man hört es am Akzent, woher jemand kommt ...«

Bei den meisten Einwanderern war es einfach. Natürlich irrte man sich hin und wieder. Für Elaine beispielsweise klangen Schweden, Niederländer und Deutsche fast gleich. Aber Iren und Schotten konnte sie meist ohne Schwierigkeiten auseinanderhalten, und Leute aus London waren besonders leicht zu erkennen. Experten konnten sogar den Stadtteil benennen, aus dem jemand kam. William allerdings war schwer einzuschätzen. Er klang wie ein Engländer, doch irgendwie sprach er weicher, dehnte die Vokale ein bisschen mehr.

»Sie sind aus Wales«, riet Elaine auf gut Glück. Ihre Großmutter mütterlicherseits, Gwyneira McKenzie-Warden, war Waliserin, und Williams Aussprache erinnerte ein bisschen an sie. Allerdings sprach Gwyneira keinen ausgeprägten Dialekt. Sie war die Tochter eines Landadeligen, und ihre Erzieherinnen hatten stets Wert auf akzentfreies Englisch gelegt.

William schüttelte den Kopf, doch ohne dabei zu lächeln,

wie Elaine gehofft hatte. »Wie kommen Sie denn darauf?«, meinte er. »Ich bin Ire aus dem County Connemara.«

Elaine wurde rot. Darauf wäre sie nie gekommen, obwohl es viele Iren auf den Goldfeldern gab. Die aber sprachen meist einen ziemlich plumpen Dialekt, während William sich eher gewählt ausdrückte.

Wie um seine Herkunft zu unterstreichen, setzte er jetzt seine letzte Adresse mit großen Buchstaben in das Kästchen: Martyn's Manor, Connemara.

Das klang nicht nach dem Hof eines Kleinbauern, das klang nach einem Landgut ...

»Dann zeige ich Ihnen jetzt Ihr Zimmer«, sagte Elaine. Eigentlich sollte sie die Gäste nicht selbst hinaufbegleiten, erst recht keine männlichen. Grandma Helen hatte ihr eingeschärft, für diese Aufgabe stets den Hausdiener oder eins der Mädchen zu rufen. Aber bei diesem Mann machte Elaine gern eine Ausnahme. Sie kam hinter der Rezeption hervor und hielt sich dabei so gerade, wie ihre Großmutter es ihr als »damenhaft«, beigebracht hatte: den Kopf mit natürlicher Anmut erhoben, die Schultern zurück. Und bloß nicht in den aufreizenden, wiegenden Gang verfallen, den Daphnes Mädchen so gern zur Schau trugen!

Elaine hoffte, dass ihr gerade erst halbwegs zur Reife gelangter Busen und ihre seit neuestem geschnürte, sehr schmale Taille zur Geltung kamen. Eigentlich hasste sie es, sich zu schnüren. Aber wenn dieser Mann dadurch auf sie aufmerksam wurde ...

William folgte ihr und war froh, dass sie ihn dabei nicht im Blick hatte. Konnte er sich doch kaum bezähmen, ihre zierliche, an den richtigen Stellen aber schon sanft gerundete Figur lüstern anzustarren. Die Zeit im Gefängnis, dann acht Wochen Überfahrt und jetzt der Ritt von Dunedin zu den Goldfeldern bei Queenstown ... insgesamt war er seit fast vier Monaten keiner Frau mehr auch nur nahegekommen.

Eigentlich undenkbar lange. Es wurde Zeit, hier Abhilfe zu schaffen! Die Jungs im Goldgräberlager hatten natürlich von den Mädchen bei Daphne geschwärmt; angeblich waren sie ziemlich hübsch und die Zimmer sauber. Doch die Vorstellung, dieser süßen kleinen Rothaarigen den Hof zu machen, gefiel William erheblich besser als der Gedanke an eine schnelle Befriedigung in den Armen einer Prostituierten.

Auch das Zimmer gefiel ihm, das Elaine jetzt für ihn aufschloss. Es war ordentlich und mit Möbeln aus hellem Holz schlicht, aber liebevoll möbliert. Es gab Bilder an den Wänden, ein Krug mit Wasser zum Waschen stand bereit.

»Sie können auch das Badehaus benutzen«, erklärte Elaine und wurde dabei ein bisschen rot. »Aber da müssen Sie sich vorher anmelden. Fragen Sie Grandma, Mary oder Laurie.«

Mit diesen Worten wollte sie sich abwenden, doch William hielt sie sanft zurück.

»Und Sie? Sie kann ich nicht fragen?«, erkundigte er sich mit weicher Stimme und blickte sie aufmerksam an.

Elaine lächelte geschmeichelt. »Nein, ich bin meist nicht hier. Nur heute vertrete ich Grandma. Aber ich ... also, normalerweise helfe ich im O'Kay Warehouse. Das Geschäft gehört meinem Vater.«

William nickte. Also war sie nicht nur hübsch, sondern auch aus gutem Hause. Das Mädchen gefiel ihm immer besser. Und diverse Utensilien zum Goldgraben brauchte er sowieso.

»Ich schau bald mal vorbei«, sagte William.

Elaine schwebte förmlich die Treppe hinunter. Es war ein Gefühl, als hätte ihr Herz sich in einen Heißluftballon verwandelt, der sie nun in lebhaftem Aufwind über alle Erdenschwere hinweghob. Ihre Füße berührten kaum den Boden, und ihr Haar schien im Wind zu wehen, obwohl sich im Haus natürlich kein Lüftchen regte. Elaine strahlte; sie hatte das Gefühl, am Beginn eines Abenteuers zu stehen und dabei so schön und unbesiegbar zu sein wie die Heldinnen in den Romanheften, die sie heimlich in Ethans Kramladen las.

Mit diesem Ausdruck im Gesicht tanzte sie in den Garten des großen Stadthauses, das Helen O'Keefes Pension beherbergte. Elaine kannte es gut; sie war in diesem Haus geboren. Ihre Eltern hatten es für ihre wachsende Familie errichten lassen, als das Geschäft erste Gewinne machte. Dann aber war es ihnen mitten in Queenstown zu laut und zu städtisch geworden. Vor allem Elaines Mutter, Fleurette, die von einer der großen Schaffarmen in den Canterbury Plains stammte, vermisste das freie Land. Deshalb hatten Elaines Eltern auf einem traumhaften Grundstück am Fluss neu gebaut, dem eigentlich nur eines fehlte: Goldvorkommen. Elaines Vater hatte es ursprünglich als Claim abgesteckt, doch gleich wie viele Talente Ruben O'Keefe auch besaß – als Goldsucher war er ein hoffnungsloser Fall. Zum Glück hatte Fleurette das schnell erkannt und ihre Mitgift deshalb nicht in das aussichtslose Unternehmen »Goldmine« investiert, sondern in Warenlieferungen. Hauptsächlich Spaten und Goldpfannen, die sich die Goldgräber aus den Händen rissen. Später war daraus das O'Kay Warehouse entstanden.

Das neue Haus am Fluss nannte Fleurette scherzhaft »Goldnugget Manor«, doch irgendwann hatte der Name sich eingebürgert. Elaine und ihre Brüder waren dort glücklich aufgewachsen. Es gab Pferde und Hunde, sogar ein paar Schafe, ganz wie in Fleurettes Heimat. Ruben fluchte, wenn er die Tiere alljährlich scheren musste, und auch seine Söhne Stephen und George fanden wenig Gefallen an der Farmarbeit. Ganz im Gegensatz zu Elaine. Für sie kam das kleine Landhaus nie an Kiward Station heran, die große Schaffarm, die ihre Großmutter Gwyneira in den Canterbury Plains leitete. Zu gern hätte sie auch auf so einer Farm gelebt und gearbeitet, und so war sie ein bisschen neidisch auf ihre Cousine, die den Hof später erben sollte.

Elaine war allerdings kein Mädchen, das lange grübelte. Sie fand es fast genauso interessant, im Laden zu helfen oder ihre Großmutter in der Pension zu vertreten. Dagegen hatte sie wenig Lust, aufs College zu gehen wie ihr älterer Bruder Stephen, der nun in Dunedin Jura studierte und damit den Traum seines Vaters erfüllte, der sich als junger Mann selbst gewünscht hatte, Anwalt zu werden. Ruben O'Keefe war seit fast zwanzig Jahren Friedensrichter in Queenstown, und für ihn gab es nichts Schöneres, als mit Stephen über juristische Themen zu fachsimpeln. Elaines jüngerer Bruder, George, ging noch zur Schule, schien aber der Kaufmann in der Familie zu sein. Schon jetzt half er mit Feuereifer im Laden und hatte tausend Verbesserungsideen.

Helen O'Keefe, die von der Hochstimmung ihrer Enkelin und deren Ursprung, dem Neuankömmling William Martyn, vorerst nichts ahnte, füllte mit eleganten Bewegungen Tee in die Tasse ihrer Besucherin Daphne O'Rourke.

Diese Teeparty in aller Öffentlichkeit bereitete beiden Damen ein diebisches Vergnügen. Sie wussten, dass halb Queenstown über die seltsame Beziehung zwischen den beiden »Hotel«-Besitzerinnen tuschelte. Helen hatte jedoch keine Berührungsängste. Ungefähr vierzig Jahre zuvor war die damals erst dreizehnjährige Daphne unter ihrer Aufsicht nach Neuseeland geschickt worden. Ein Londoner Waisenhaus wollte sich einiger Zöglinge entledigen, und in Neuseeland wurden Hausmädchen gesucht. Auch Helen reiste damals in eine ungewisse Zukunft mit einem ihr noch unbekannten Mann. Die Church of England bezahlte ihr die Überfahrt als Aufsichtsperson der Mädchen.

Helen, bislang Gouvernante in London, nutzte die dreimonatige Reise, um den Kindern ein wenig gesellschaftlichen Schliff beizubringen, wovon Daphne heute noch zehrte. Ihre Anstellung als Dienstmädchen war dann allerdings zu einem Fiasko geworden – genau wie langfristig Helens Ehe. Beide Frauen fanden sich in unerträglichen Verhältnissen wieder, aber beide hatten das Beste daraus gemacht.

Nun sahen sie auf, als sie Elaines Schritte auf der hinteren Terrasse hörten. Helen hob ihr schmales, von tiefen Falten durchzogenes Gesicht, dessen spitze Nase die Verwandtschaft mit Elaine verriet. Ihr Haar, ursprünglich dunkelbraun mit kastanienfarbenem Schimmer, war inzwischen von grauen Strähnen durchzogen, aber immer noch lang und kräftig. Helen steckte es meist zu einem großen Knoten im Nacken auf. Ihre grauen Augen leuchteten lebensklug und immer noch neugierig – vor allem jetzt, da sie den strahlenden Ausdruck auf Elaines Gesicht bemerkte.

»Nanu, Kind! Du sieht aus, als hättest du eben ein Weihnachtsgeschenk bekommen. Gibt's was Neues?«

Daphne, deren katzenartige Züge selbst dann ein wenig hart wirkten, wenn sie lächelte, schätzte Elaines Ausdruck weniger unschuldig ein. Sie hatte ihn auf den Gesichtern Dutzender leichter Mädchen gesehen, die meinten, unter ihren Freiern den Märchenprinzen gefunden zu haben. Und dann hatte Daphne jedes Mal lange Stunden damit verbracht, die Mädchen zu trösten, wenn der Traumprinz sich schließlich doch als Frosch oder gar als widerwärtige Kröte erwies. In Daphnes Gesicht spiegelte sich deshalb Wachsamkeit, als Elaine jetzt so vergnügt auf sie zukam.

»Wir haben einen neuen Gast!«, erklärte sie eifrig. »Einen Goldsucher aus Irland.«

Helen runzelte die Stirn. Daphne lachte, und ihre leuchtend grünen Augen blitzten spöttisch.

»Hat der sich nicht verlaufen, Lainie? Irische Goldsucher landen sonst eher bei meinen Mädchen.«

Elaine schüttelte heftig den Kopf. »Es ist nicht so einer ... Verzeihung, Miss Daphne, ich meine ...« Sie verhaspelte sich. »Er ist ein Gentleman ... glaube ich.«

Die Falten auf Helens Stirn wurde noch tiefer. Mit Gentlemen hatte sie so ihre Erfahrungen.

»Schätzchen«, sagte Daphne lachend, »irische Gentlemen gibt es nicht. Alles, was da von Adel ist, kommt ursprünglich aus England, denn die Insel ist seit Urzeiten in englischem Besitz – ein Umstand, über den die Iren immer noch heulen wie Wölfe, wenn sie ein paar Gläser getrunken haben. Die meisten irischen Clanvorsteher wurden abgesetzt und von englischen Adligen verdrängt. Und die tun seitdem nichts anderes, als sich an den Iren zu bereichern. Zuletzt ließen sie ihre Pächter zu Tausenden verhungern. Echte Gentlemen! Aber dazu dürfte dein Goldsucher kaum gehören. Die hängen an ihrer Scholle.«

»Woher wissen Sie denn so viel über Irland?«, erkundigte Elaine sich neugierig. Die Besitzerin des Freudenhauses faszinierte sie, aber leider hatte sie nur selten Gelegenheit, ausführlich mit ihr zu sprechen.

Daphne lächelte. »Süße, ich bin Irin. Zumindest auf dem Papier. Und wenn die Einwanderer bei mir ihren Moralischen kriegen, tröstet sie das ungemein. Ich hab sogar den Akzent geübt ...« Daphne verfiel in breites Irisch, und jetzt lachte auch Helen. Tatsächlich war Daphne irgendwo im Londoner Hafenviertel geboren. Sie lebte allerdings unter dem Namen einer irischen Einwanderin. Bridie O'Rourke hatte die Überfahrt nicht überlebt, ihr Pass jedoch war über einen englischen Matrosen in die Hände der jungen Daphne geraten.

»Komm, Paddy, darfst mich Bridie nennen.«

Elaine kicherte.

»So redet er aber nicht ... William, der neue Gast.«

»William?«, fragte Helen indigniert. »Der junge Mann hat sich mit dem Vornamen vorgestellt?«

Elaine schüttelte rasch den Kopf, um ja keine Ressentiments gegen den neuen Mieter aufkommen zu lassen.

»Natürlich nicht. Ich hab's auf dem Meldezettel gesehen. Er heißt Martyn. William Martyn.«

»Nicht gerade ein irischer Name«, bemerkte Daphne. »Kein irischer Name, kein Akzent ... Wenn das mal alles mit rechten Dingen zugeht. Wenn ich Sie wäre, würde ich dem Knaben erst mal gründlich auf den Zahn fühlen, Miss Helen!«

Elaine warf ihr einen feindseligen Blick zu. »Er ist ein feiner Mann, das weiß ich! Er wird sogar sein Goldgräberwerkzeug bei uns im Laden kaufen ...«

Der Gedanke tröstete sie. Wenn William in den Laden kam, würde sie ihn wiedersehen, egal, wie Grandma über ihn dachte.

»Das macht ihn natürlich zu einem Ehrenmann!«, spottete Daphne. »Aber kommen Sie, Miss Helen, lassen Sie uns über etwas anderes sprechen. Ich habe gehört, Sie bekommen Besuch aus Kiward Station. Ist es Miss Gwyn?«

Elaine hörte dem Gespräch noch ein Weilchen zu, zog sich dann aber zurück. Über den Besuch ihrer anderen Großmutter und ihrer Cousine war in den letzten Tagen schließlich schon ausgiebig geredet worden. Wobei Gwyneiras Stippvisite keine Sensation war. Sie besuchte ihre Kinder und Enkel öfter und war vor allem mit Helen O'Keefe eng befreundet. Wenn sie in ihrer Pension logierte, plauderten die Frauen oft nächtelang. Außergewöhnlich war eher, dass Gwyn diesmal von Elaines Cousine Kura begleitet werden sollte. Das war bisher noch nie vorgekommen, und es schien ein bisschen ... ja, skandalumwittert! Elaines Mutter und Großmutter senkten meist die Stimmen, wenn es um dieses Thema ging, und sie hatten die Kinder auch Gwyneiras Brief nicht lesen lassen. Kura schien sich sonst nämlich nicht viel aus Reisen zu machen, zumindest nicht zu ihrer Verwandtschaft nach Queenstown.

Elaine kannte Kura kaum, obwohl die beiden im gleichen Alter waren. Kura war gerade ein gutes Jahr jünger als Elaine. Trotzdem hatten die Mädchen sich bei Elaines seltenen Besuchen auf Kiward Station nie viel zu sagen gehabt. Die Unterschiede im Wesen der beiden waren einfach zu groß. So hatte Elaine nichts anderes im Kopf als Reiten und Schafe zu treiben, sobald sie Kiward Station erreichte. Die Weite des endlosen Graslandes und die Aberhunderte von Wolllieferanten, die darauf grasten, faszinierten sie. Hinzu kam, dass ihre Mutter Fleurette auf der Farm richtiggehend aufblühte. Es war aufregend für sie, mit Elaine um die Wette zu reiten, in Richtung der schneebedeckten Gipfel der Alpen, die trotz des verwegenen Galopps keinen Zoll näher zu rücken schienen.

Kura dagegen saß am liebsten im Haus oder im Garten und hatte nur Augen für das neue Klavier, das mit einem Warentransport für die O'Keefes von England nach Christchurch gekommen war. Elaine hatte sie deshalb für ein reichlich dummes Ding gehalten; aber natürlich war sie damals erst zwölf Jahre alt gewesen. Und sicher spielte auch der Neid eine Rolle. Kura war die Erbin von Kiward Station. Ihr würden einmal all die Pferde, Schafe und Hunde gehören – und sie wusste es kein bisschen zu schätzen!

Nun, inzwischen war Elaine sechzehn und Kura fünfzehn. Bestimmt gab es mittlerweile mehr Gemeinsamkeiten zwischen den Mädchen, und diesmal würde Elaine der Cousine ihre Welt zeigen können! Sicher gefiel ihr die quirlige kleine Stadt Queenstown am Lake Wakatipu, die den Bergen so viel näher war als die Canterbury Plains und die sehr viel aufregender war, mit den vielen Goldsuchern aus aller Herren Länder und einem Pioniergeist, der sich nicht auf pures Überleben beschränkte. Queenstown hatte eine florierende Laientheatergruppe unter Leitung des Pfarrers, es gab Squaredance-Gruppen, und ein paar Iren hatten sich zu einer Band zusammengeschlossen und spielten im Pub oder im Gemeindezentrum Irish Folk.

Elaine überlegte, dass sie das auch William unbedingt einmal erzählen musste – vielleicht hatte er ja Lust, mit ihr zum Tanz zu gehen! Jetzt, da sie die skeptischen Damen im Garten verlassen hatte, kehrte das verklärte Leuchten in Elaines Gesicht zurück. Hoffnungsvoll begab sie sich erneut an die Rezeption. Vielleicht kam William ja noch einmal vorbei ...

Zunächst allerdings erschien Grandma Helen. Sie dankte Elaine freundlich für die Vertretung und gab ihr damit zu verstehen, dass ihre Anwesenheit nicht länger vonnöten war. Inzwischen wurde es fast schon dunkel – sicher ein Grund, weshalb Helen und Daphne ihr Treffen nicht weiter ausdehnten. Gegen Abend öffnete der Pub, und Daphne musste dort nach dem Rechten sehen. Helen drängte es, einen Blick auf die Anmeldung des neuen Gastes zu werfen, der einen so nachhaltigen Eindruck auf ihre Enkelin gemacht hatte.

Daphne, bereits im Aufbruch, schaute ihr dabei über die Schulter.

»Er kommt von Martyn's Manor ... hört sich nobel an«, meinte sie. »Also doch ein Gentleman?«,

»Das werde ich sehr schnell herausfinden«, erklärte Helen resolut.

Daphne nickte und lächelte in sich hinein. Dem jungen Mann standen inquisitorische Befragungen bevor. Für emotionale Beziehungen hatte Helen wenig Gespür.

»Und passen Sie auf die Kleine auf!«, bemerkte Daphne deshalb noch im Hinausgehen. »Die ist diesem irischen Wunderknaben nämlich schon verfallen, und das kann Folgen haben. Gerade bei Gentlemen.«

Zu Helens Verwunderung fiel die Begutachtung ihres neuen Gastes aber gar nicht so negativ aus. Im Gegenteil – als der junge Mann sich ihr erstmals zeigte, war er sauber gewaschen, rasiert und ordentlich gekleidet – auch Helen erkannte, dass sein Anzug aus bestem Tuch gefertigt war. Höflich erkundigte er sich, wo man hier zu Abend essen könne, und Helen bot ihm den Beköstigungsservice an, den sie für ihre Pensionsgäste bereithielt. Eigentlich musste man sich dazu anmelden, doch ihre eifrigen Köchinnen, Mary und Laurie, würden schon ein zusätzliches Essen zaubern. William fand sich also in einem geschmackvoll gestalteten Esszimmer an einem fein gedeckten Tisch wieder, gemeinsam mit einer etwas steifen jungen Dame, die als Lehrerin an der neu eröffneten Schule tätig war, sowie zwei Bankangestellten. Die Bedienungen irritierten ihn zunächst: Mary und Laurie, zwei fröhliche dralle Blondinen, entpuppten sich als Zwillinge, die William auch bei genauestem Hinsehen nicht auseinanderhalten konnte. Die anderen Gäste versicherten ihm jedoch lachend, das sei ganz normal. Lediglich Helen O'Keefe könnte Mary und Laurie auf einen Blick unterscheiden. Helen lächelte dabei. Sie wusste, dass Daphne es ebenfalls konnte.

Das gemeinsame Essen bot natürlich den idealen Rahmen, William Martyn auszuhorchen. Helen brauchte ihn nicht einmal selbst zu befragen, das besorgten schon die neugierigen anderen Gäste.

Ja, doch, er sei wirklich Ire, bestätigte William mehrmals und ein bisschen unwirsch, nachdem ihn auch die beiden Banker auf seinen fehlenden Akzent angesprochen hatten. Sein Vater habe eine Schafzucht in der Grafschaft Connemara. Diese Auskunft bestätigte die Annahme, die Helen gleich hegte, seit sie William das erste Mal hatte sprechen hören: Er war ein bestens erzogener junger Mann, dem man breites Irisch niemals hätte durchgehen lassen.

»Aber Sie sind englischstämmig, nicht wahr?«, erkundigte sich einer der Banker. Er stammte aus London und schien sich mit der irischen Frage ein wenig auszukennen.

»Die Familie meines Vaters kam vor zweihundert Jahren aus England!«, erklärte William gereizt. »Wenn Sie da noch von Einwanderern reden wollen …«

Der Banker hob beschwichtigend die Hände. »Schon gut, mein Freund! Wie ich sehe, sind Sie Patriot. Was hat Sie denn von der grünen Insel fortgetrieben? Ärger über die Sache mit der Home Rule Bill? Es war zu erwarten, dass die Lords das abschmettern. Aber wenn Sie doch selbst …«

»Ich bin kein Großgrundbesitzer«, bemerkte William eisig. »Geschweige denn ein Earl. Es mag sein, dass mein Vater in gewisser Hinsicht mit dem House of Lords sympathisiert, aber …« Er biss sich auf die Lippen. »Verzeihen Sie, das gehört nicht hierher.«

Helen beschloss, das Thema zu wechseln, bevor dieser Heißsporn noch heftiger reagierte. Was sein Temperament anging, war er zweifellos Ire. Obendrein hatte er sich mit seinem Vater überworfen. Gut möglich, dass dies ein Grund für das Auswandern war.

»Und nun wollen Sie Gold suchen, Mr. Martyn?«, erkundigte sie sich beiläufig. »Haben Sie schon einen Claim abgesteckt?«

William zuckte die Schultern. Er wirkte mit einem Mal sehr unsicher.

»Nicht direkt«, erwiderte er verhalten. »Mir wurden ein paar Stellen avisiert, die vielversprechend sind, aber ich kann mich nicht entscheiden …«

»Sie sollten sich einen Partner suchen«, riet der ältere der beiden Banker. »Am besten einen erfahrenen Mann. Es sind doch genug Veteranen auf den Goldfeldern, die schon beim Goldrausch in Australien dabei gewesen sind.«

William schürzte die Lippen. »Was soll ich mit einem Partner, der seit zehn Jahre schürft und immer noch nichts gefunden hat? Diese Erfahrung kann ich mir sparen.« Seine hellblauen Augen blitzten verächtlich.

Die Banker lachten. Helen dagegen fand Williams herrische Attitüde eher unpassend.

»Ganz Unrecht haben Sie nicht«, meinte der ältere Banker schließlich. »Aber hier macht kaum einer ein Vermögen. Wenn Sie einen ernsthaften Rat wollen, junger Mann: Vergessen Sie die Goldsucherei. Unternehmen Sie lieber etwas, von dem Sie was verstehen. Neuseeland ist ein Paradies für Gründer. Praktisch jeder normale Beruf verspricht mehr Einkommen als die Goldgräberei.«

Fragt sich nur, ob dieser Jüngling einen vernünftigen Beruf erlernt hat, dachte Helen. Ihr erschien er bisher als zwar ordentlich erzogener, aber ziemlich verwöhnter Spross aus reichem Hause. Man würde ja sehen, wie er reagierte, wenn er sich bei der Goldsuche die ersten Blasen an den Fingern holte.

2

»Was macht ihr denn hier?«

James McKenzies ohnehin gereizte Stimmung entlud sich über seinem Sohn Jack und dessen zwei Freunde Hone und Maaka. Die drei hatten einen Korb an einem der Cabbage Trees befestigt, die der Auffahrt zum Herrenhaus von Kiward Station ein exotisches Flair verliehen, und übten sich im zielsicheren Bällewerfen. Jedenfalls bis Jacks Vater erschien, dessen verärgerte Miene die Jungen innehalten ließ.

Sie verstanden gar nicht, warum er sie so heftig anging. Gut, der Gärtner wäre vielleicht nicht begeistert von der Umgestaltung der Auffahrt zum Spielplatz. Schließlich machte es große Mühe, den hellen Kies gleichmäßig zu harken und die Blumenrabatten zu pflegen. Auch Jacks Mutter legte Wert auf eine repräsentative Gestaltung der Front von Kiward Station, und sie mochte unwillig reagieren, wenn sie hier einen Basketballkorb und zertretenes Gras sah. Doch Jacks Vater waren solche Äußerlichkeiten im Grunde ziemlich gleichgültig. Die Jungs hätten eher erwartet, dass er den Ball auffing, der eben vor seinen Füßen gelandet war, und ebenfalls einen Korbwurf versuchte.

»Solltet ihr um diese Zeit nicht in der Schule sein?«

Ah, daher wehte der Wind! Erleichtert strahlte Jack seinen Vater an.

»Eigentlich schon, aber Miss Witherspoon hat uns frei gegeben. Sie muss noch packen und so … für die Reise. Dabei wusste ich gar nicht, dass sie mitfährt.«

Den Gesichtern der Jungen – sowohl Jacks sommersprossigen Zügen als auch den breiten braunen Gesichtern der

Maori-Jungs – war die Freude anzusehen, dass ihnen damit offensichtlich weitere freie Tage vergönnt sein würden. James dagegen stand kurz vor der Explosion. Heather Witherspoon, die junge Erzieherin, bot ein weitaus gefälligeres Ziel für seinen Zorn als die drei Basketballspieler.

»Das ist mir allerdings auch neu!«, grollte McKenzie. »Ihr solltet euch keine voreiligen Hoffnungen machen. Der Dame werde ich die Reisepläne sehr schnell austreiben!«

Er hob den Ball jetzt wirklich auf, warf ihn zum Korb und landete zu seiner eigenen Verblüffung einen Volltreffer.

Monday, seine Hündin, die ihm überall auf dem Fuße folgte, sprang aufgeregt nach dem Ball. Jack hatte Mühe, ihr zuvorzukommen. Nicht auszudenken, wenn sie den echten Basketball zerbiss, dem er wochenlang entgegengefiebert hatte, bis er endlich aus Amerika geliefert worden war. Christchurch, von Kiward Station aus gesehen die nächste größere Ansiedlung, mauserte sich zwar langsam zu einer richtigen Stadt, doch eine Basketballmannschaft gab es noch nicht.

James grinste seinen Sohn an, während Monday dem Ball mit einem ebenso beleidigten wie begehrlichen Blick in ihrem hübschen, dreifarbigen Collie-Gesicht nachsah.

Jack rief die Hündin zu sich, streichelte sie und erwiderte James' Lächeln erleichtert. Offensichtlich war alles wieder in Ordnung. Vater und Sohn hatten selten Streit; sie waren einander nicht nur wie aus dem Gesicht geschnitten – lediglich den Rotstich seines Haares und die Neigung zu Sommersprossen hatte Gwyneira ihrem Sohn vererbt –, sondern auch charakterlich ähnlich. Schon als ganz kleiner Junge folgte Jack seinem Vater wie die Welpen seiner Hütehunde durch die Ställe und Scherschuppen, saß vor ihm im Sattel, wobei es ihm gar nicht schnell genug gehen konnte, und balgte sich mit den Hunden im Stroh. Inzwischen war der Dreizehnjährige durchaus schon eine Hilfe auf der Farm. Beim letzten Abtrieb der Schafe von den Sommerweiden hatte er erstmals mitreiten dürfen und war unbändig stolz darauf, hier »seinen Mann« zu stehen. James und Gwyneira McKenzie ging es ebenso. Beide waren jeden Tag aufs Neue glücklich über das Wunder dieses spät geborenen Kindes. Hatte doch keiner von ihnen mehr an Kinder gedacht, als sie sich nach endlosen Jahren der unglücklichen Liebe, der Trennungen, Missverständnisse und widrigen Umstände endlich das Jawort gaben. Gwyneira hatte ihr vierzigstes Lebensjahr damals bereits überschritten, und kein Mensch rechnete noch mit einer weiteren Schwangerschaft. Der kleine Jack hatte sich allerdings nicht darum gekümmert, sondern es fast etwas zu eilig gehabt: Sieben Monate nach der Hochzeit erblickte er das Licht der Welt, nach einer völlig unproblematischen Schwangerschaft und verhältnismäßig leichten Geburt.

Trotz seiner gereizten Stimmung, die ihn die Auffahrt zum Haus jetzt in langen Schritten erklimmen ließ, lächelte James zärtlich beim Gedanken an Jack. Alles, was mit diesem Kind zu tun hatte, war einfach: Jack war unkompliziert, aufgeweckt, schlug bei der Farmarbeit hervorragend ein und wäre wohl auch ein sehr guter Schüler gewesen, wenn diese Miss Witherspoon sich nur ein kleines bisschen angestrengt hätte!

James runzelte die Stirn. Schon der Gedanke an die junge Lehrerin, die Gwyneira zwei Jahre zuvor vor allem für ihre Enkelin Kura ins Haus geholt hatte, ließ seine Wut wieder aufflammen. Wobei er seiner Frau keinen Vorwurf machte: Kura-maro-tini, die Tochter ihres Sohnes aus erster Ehe und dessen Maori-Frau Marama, benötigte dringend eine Erzieherin von außerhalb. Gwyneira – erst recht ihrer Mutter Marama – war das Mädchen längst über den Kopf gewachsen. Dazu war zumindest Gwyn nicht gerade die begnadetste Pädagogin. So viel Geduld sie mit Pferden und Hunden aufbrachte, so schnell verlor sie die Nerven, wenn sie jemanden beim ungelenken Zeichnen von Buchstaben beaufsichtigen sollte. Marama war da gelassener, doch sie hatte zwei

Jahre zuvor wieder geheiratet und daher andere Interessen. Außerdem hatte sie selbst nur Helens improvisierte Schule im »Busch« besucht – und für die Erbin von Kiward Station wünschte Gwyneira sich denn doch eine umfassendere Bildung.

Heather Witherspoon schien die ideale Wahl gewesen zu sein – auch wenn James argwöhnte, dass Gwyn sich vor allem deshalb für diese Gouvernante entschieden hatte, weil ihr Vorname »Heather« ein bisschen wie »Helen« klang. James hätte Gwyneira jederzeit zugetraut, die komplette Mannschaft für eine Schererkolonne zusammenzustellen. Aber was die Beurteilung der Qualifikation von Lehrpersonal anging, fehlten ihr die Kenntnisse und das Interesse. Die Entscheidung war denn auch schnell und flüchtig gefallen – und nun hatten sie diese Heather am Hals, die zwar sicher hochgebildet war, aber im Grunde selbst noch ein halbes Kind, nicht minder verwöhnt als ihr Zögling Kura. James hätte sich längst wieder von ihr getrennt; heute war es nicht mehr so, dass eine Passage nach Neuseeland eine Reise fürs Leben sein musste. Seit es Dampfschiffe gab, war die Überfahrt kürzer und sicherer. Binnen acht Wochen hätte Miss Witherspoon ihre Talente wieder in England entfalten können. Damit hätte man jedoch gegen den ausdrücklichen Willen Kura-maro-tinis gehandelt, die sich gleich mit ihrer neuen Gouvernante angefreundet hatte. Und einen Wutanfall dieses Kindes hätten weder Gwyneira noch Marama riskiert!

James knirschte vor Zorn mit den Zähnen, während er seinen Mantel im Eingangsbereich des Hauses ablegte. Ursprünglich war es die Diele eines noblen Empfangszimmers gewesen, mit einer Silberschale auf einem kleinen Beistelltisch zum Ablegen von Visitenkarten. Inzwischen hatte Gwyneira das Schälchen längst entfernt. Sowohl sie als auch die Maori-Hausmädchen empfanden es als überflüssig, ständig das Silber zu putzen. Stattdessen stand dort nun eine Blumenvase mit Zweigen des einheimischen Rata-Strauches und machte den Raum heimelig.

James konnte der Anblick an diesem Tag allerdings nicht besänftigen; nach wie vor hegte er Groll auf die junge Lehrerin. Seit nun schon zwei Jahren schauten die McKenzies zu, wie Miss Witherspoon ihre Pflichten gegenüber Jack und den anderen Kindern sträflich vernachlässigte! Dabei sah ihr Vertrag ausdrücklich vor, dass sie neben den Privatstunden für Kura auch für die grundlegende Bildung der Kinder im Maori-Dorf zu sorgen hatte. Sie sollte dort täglich Unterricht halten. Jack hätte es nichts ausgemacht und Kura ganz sicher nichts geschadet, an den Stunden teilzunehmen. Doch Heather Witherspoon drückte sich darum, so oft sie nur konnte. Die erwachsenen Eingeborenen, sagte sie, machten ihr Angst und deren Kinder könne sie nicht leiden. Wenn sie sich trotzdem dazu herabließ, Unterricht zu erteilen, richtete sie die Unterrichtsinhalte ganz auf das Mädchen Kura aus – was die meisten Kinder im Dorf überforderte und somit langweilte. Heather Witherspoon las zum Beispiel ausschließlich reine Mädchenbücher, vorzugsweise solche, in denen kleine Prinzessinnen geduldig das Schicksal eines Aschenputtels durchlitten, bis sie endlich für all ihre guten Taten belohnt wurden. Den Maori-Mädchen sagte das gar nichts. Es war ihrer Wirklichkeit völlig fremd, und Heather unternahm keine Anstrengungen, es ihnen näherzubringen. Die Maori-Jungen trieb es schier zum Wahnsinn: Duldsame Prinzessinnen interessierten sie nicht. Sie wollten Geschichten über Piraten, Ritter und Abenteurer hören.

James warf einen raschen Blick in das einstige Empfangszimmer, das Gwyneira nun als Büro diente. Seine Frau war nicht anwesend, deshalb durchquerte er den mit teuren englischen Möbeln eingerichteten Salon, noch immer vor sich hin grummelnd. Konnte diese Miss Witherspoon nicht einmal die »Schatzinsel« vorlesen oder die Geschichten über Robin

Hood oder Ritter Lancelot, die Fleurette und Ruben in ihrer Kindheit so entzückt hatten?

Aus dem früheren Herrenzimmer – nunmehr in eine Art Schul- und Musikzimmer umgewandelt – drang Klaviermusik in den Salon. James schaute auch hier kurz hinein, denn theoretisch war es ja möglich, dass sein Opfer Kura gerade eine Stunde erteilte. Doch das Mädchen saß allein vor ihrem vergötterten Klimperkasten und spielte selbstvergessen Beethoven. Im Grunde hatte James nichts anderes erwartet. Es war typisch für Kura, ihrer Großmutter und ihrer Gouvernante sämtliche Reisevorbereitungen zu überlassen, während sie selbst ihren Vergnügungen nachging. Später beschwerte sie sich dann darüber, dass man nicht die richtigen Kleider eingepackt hatte.

James ließ die Tür wieder zufallen, ohne das schlanke, schwarzhaarige Mädchen anzusprechen. Er hatte keinen Blick für Kuras auffallende Schönheit, die sonst eigentlich jeder rühmte, der dieses exotisch anmutende Geschöpf zum ersten Mal sah. Besonders seit Kura zur Frau heranreifte, stockte den Betrachtern oft der Atem. James McKenzie sah nach wie vor nur das Kind in ihr – ein verzogenes Kind, dessen Launen seine Familie und die Hausangestellten von Kiward Station oft zur Verzweiflung trieben.

James stieg die breite Treppe hinauf, die das Obergeschoss mit den Gesellschafts- und Wirtschaftsräumen im unteren Trakt verband, als er aus Kuras Zimmern zornige Stimmen hörte. Gwyneira und Miss Witherspoon. James grinste. Anscheinend war seine Frau ihm zuvorgekommen.

»Nein, Miss Heather, Kura braucht Sie keineswegs. Sie wird durchaus ein paar Wochen ohne Gesangsstunden auskommen – zumal ich mich ohnehin nicht erinnern kann, Sie als Gesangslehrerin angestellt zu haben. Sie jammern doch sowieso dauernd, dass Sie Kura hier kaum noch etwas beibringen können! Und was die Klavierstunden und die sonstige Bildung angeht ... wenn Kura wirklich ohne das alles, wie Sie sagen, vertrocknet wie eine Blüte in der Wüste, wird meine Freundin Helen einspringen. Helen hat in ihrem Leben mehr Kindern das ABC beigebracht, als Sie sich vorstellen können, und sie spielt seit Jahren in der Kirche die Orgel.«

James lächelte in sich hinein. Gwyneira verstand sich fabelhaft darauf, Leute abzukanzeln. Er hatte das oft am eigenen Leib erfahren müssen – und war immer hin und her gerissen zwischen Zorn und Bewunderung. Allein schon, wie Gwyn sich bei einer Schimpftirade vor ihm aufzubauen pflegte! Sie war eher klein und sehr schlank, aber ungemein energisch. Wenn sie wütend war, schien sich ihr rotes Haar elektrisch aufzuladen, und ihre aufregend azurblauen Augen sprühten Funken. Nach wie vor sah man ihr auch ihr Alter nicht an. Zwar versuchte sie neuerdings, ihre Locken in einem Knoten zu bändigen, statt sie wie früher einfach im Nacken zusammenzubinden, aber ein paar Strähnen schafften es immer, sich zu befreien. Natürlich hatten die Jahre ein paar Fältchen in ihr Gesicht gegraben. Gwyn hatte nie viel von Sonnenschirmen gehalten, ebenso wenig von Regenschutz – sie setzte ihre Haut seit jeher ungeschützt der Natur der Canterbury Plains aus. Doch James hätte nicht eins ihrer Lachfältchen missen wollen oder die steile Falte, die sich zwischen ihren Augen bildete, wenn sie verärgert war, so wie jetzt.

»Nichts aber!«

Heather Witherspoon musste etwas erwidert haben, das James entgangen war.

»Der Platz, an dem Sie wirklich gebraucht werden, Miss Heather, ist hier! Einige Maori-Kinder können noch immer nicht lesen und schreiben. Und mein Sohn könnte eine altersgemäßere Förderung brauchen. Also packen Sie das Zeug wieder aus, und begeben Sie sich an Ihre eigentliche Arbeit. Die Kinder sollten jetzt Schule haben. Stattdessen spielen sie draußen Ball!«

Das war Gwyn also auch nicht entgangen. James applaudierte ihr, als sie jetzt aus dem Zimmer rauschte.

Gwyneira erschrak über ihren Zusammenstoß; dann lachte sie ihn an.

»Was machst du denn hier? Warst du auch auf dem Kriegspfad? Die Eigenmächtigkeiten unserer Miss Heather sind wirklich die Höhe!«

James nickte. Wie stets besserte sich seine Laune, wenn Gwyneira bei ihm war. Inzwischen waren sie seit sechzehn Jahren kaum einen Tag getrennt gewesen, aber ihr Anblick machte ihn immer noch glücklich. Umso schlimmer, dass er sie jetzt, möglicherweise für Wochen, nicht um sich haben würde.

Gwyneira merkte ihm die Verstimmung sofort an.

»Was ist los mit dir? Du rennst schon den ganzen Tag mit einer Miene herum wie drei Tage Regenwetter! Passt es dir nicht, dass wir wegfahren?«

Gwyneira wollte ihrem Mann zunächst die Treppe herab folgen, hörte dann aber Kuras Klavierspiel. Beide bogen wie auf ein unsichtbares Kommando in Richtung ihrer Privaträume ab. Im Salon mochten die Wände Ohren haben.

»Ob es mir ›passt‹, ist wohl kaum von Belang«, meinte James mürrisch. »Ich weiß einfach nicht, ob diese Reise das Richtige ist ...«

»Um Kura in den Griff zu kriegen?«, fragte Gwyn. »Leugne es nicht. Ich hab gehört, wie du im Stall mit Andy McAran darüber gesprochen hast. Nicht gerade diskret, wenn du mich fragst ...«

Gwyneira nahm ein paar Sachen aus ihrem Schrank und packte sie in einen Koffer. Ihre Reise, so signalisierte sie damit, war beschlossene Sache. James' Unbehagen wuchs zu echtem Zorn aus.

»Es war Andys Ausdruck. Wenn du's genau wissen willst, sagte er: ›Ihr müsst sehen, dass ihr die Kleine in den Griff kriegt, sonst verkuppelt Tonga sie mit dem nächsten Maori-Bengel, der ihm hörig ist.‹ Wie hätte ich da deiner Ansicht nach reagieren sollen? Andy McAran entlassen? Wo er nichts anderes sagt als die Wahrheit?«

Andy McAran gehörte zu den ältesten Arbeitern auf Kiward Station. Ebenso wie James war Andy schon hier gewesen, bevor Gwyneira als Braut des Hoferben, Lucas Warden, nach Neuseeland geschickt worden war. Zwischen Andy, James und Gwyn gab es eigentlich keine Geheimnisse.

Gwyneira behielt ihren provozierenden Tonfall somit auch nicht bei. Stattdessen ließ sie sich mutlos auf der Kante ihres Bettes nieder. Monday schmiegte sich sofort an ihre Beine, um gekrault zu werden.

»Was sollen wir denn sonst tun?«, fragte sie, die Hündin streichelnd. »›In den Griff kriegen‹ hört sich einfach an, aber Kura ist kein Hund oder ein Pferd. Ich kann ihr nicht einfach befehlen ...«

»Gwyn, deine Hunde und Pferde haben dir immer gern gehorcht, auch ohne Gewalt. Weil du sie von Anfang an richtig erzogen hast. Liebevoll, aber konsequent. Nur Kura lässt du alles durchgehen! Und Marama war da auch nie eine Hilfe.« James hätte seine Frau gern in die Arme genommen, um seinen Worten die Schärfe zu nehmen, überlegte es sich dann aber anders. Es wurde Zeit, dass die Sache ernsthaft zur Sprache kam.

Gwyneira biss sich auf die Lippen. Sie konnte es nicht leugnen. Niemand hatte Kura-maro-tini, der Erbin von Kiward Station und Hoffnungsträgerin sowohl des örtlichen Maori-Stammes als auch der weißen Gründer der Farm, jemals wirklich Grenzen gesetzt. Weder von den Maoris, die ihre Kinder ohnehin nicht streng erzogen, sondern ihre Disziplinierung getrost dem Land überließen, in dem sie überleben mussten, noch von Gwyneira, die es eigentlich besser hätte wissen müssen. Schließlich hatte sie schon bei ihrem Sohn Paul, Kuras

Vater, allzu sehr die Zügel schleifen lassen. Aber das war etwas anderes gewesen. Paul entstammte einer Vergewaltigung; Gwyneira hatte ihn nie wirklich lieben können. Das Ergebnis waren erst ein schwieriges Kind und dann ein zorniger, streitsüchtiger junger Mann gewesen, dessen Fehde mit dem Maori-Häuptling Tonga ihm schließlich den Tod gebracht hatte. Tonga, intelligent und gebildet, triumphierte letztendlich mit einem Beschluss des Gouverneurs: Der Ankauf des Landes für Kiward Station war nicht rechtens gewesen. Wollte Gwyneira die Farm behalten, müsste sie die Ureinwohner entschädigen. Doch Tongas Forderungen waren unannehmbar gewesen. Erst Marama hatte schließlich den Friedensschluss erwirkt. Ihr Kind, von *pakeha*- und Maori-Blut, sollte Kiward Station erben, und das Land würde somit allen gehören. Niemand machte den Maoris das Recht streitig, hier zu lagern, andererseits würde Tonga keinen Anspruch auf das Kernland der Farm erheben.

Gwyneira und die meisten Mitglieder des Maori-Stammes waren mit dieser Regelung mehr als zufrieden – nur in dem jungen Häuptling schwelte immer noch der Zorn auf die *pakeha*, die verhassten weißen Siedler. Paul Warden war zeitlebens sein Rivale gewesen, nicht nur um den Landbesitz, sondern auch um das Mädchen Marama. Nach Pauls Tod hatte Tonga sicher gehofft, die schöne junge Frau würde sich ihm nach einer angemessenen Trauerzeit doch noch zuwenden. Aber zunächst suchte Marama gar keinen neuen Partner, sondern zog ihr Kind im Herrenhaus auf. Und dann entschied sie sich nicht für Tonga oder einen anderen Mann aus seinem Stamm, sondern verliebte sich Hals über Kopf in einen Schafscherer, der im Frühjahr mit seiner Kolonne nach Kiward Station kam. Dem jungen Mann ging es mit ihr nicht anders, und die beiden wurden sich schnell einig. Rihari war ebenfalls Maori, gehörte aber einem anderen Stamm an. Trotzdem entschloss er sich zu bleiben. Er war umgänglich und freundlich und erkannte Maramas außergewöhnliche Situation sofort: Weder konnte man ihre Tochter Kura von Kiward Station fortholen, noch würde sie ihm allein zu seinem Stamm nach Otago folgen. So bat er um Aufnahme bei ihren Leuten, was Tonga zähneknirschend gewährte. Das Paar lebte nun im Maori-Dorf; Kura war auf eigenen Wunsch im Herrenhaus geblieben.

Doch in letzter Zeit führte ihr Weg sie immer häufiger zu der Siedlung am See, wobei der Besuch bei ihrer Mutter nur vorgeschoben war. Kura hatte die Liebe entdeckt. Der junge Tiare machte ihr den Hof – und das leider nicht so unschuldig, wie es unter *pakeha*-Kindern im gleichen Alter üblich war.

Gwyneira, die einstmals die Verliebtheit ihrer Tochter Fleur und Ruben O'Keefe gelassen geduldet hatte, war jetzt alarmiert. Schließlich wusste sie um die lockere Sexualmoral der Maoris. Mann und Frau durften hier beliebig miteinander verkehren. Eine Ehe galt erst als geschlossen, wenn zwei im Gemeinschaftshaus des Stammes das Lager teilten. Was vorher geschah, war dem Stamm egal, und Kinder waren stets willkommen. Kura schien sich an diesen Sitten orientieren zu wollen – und Marama machte keine Anstalten einzuschreiten.

Gwyneira, James und alle anderen denkenden Menschen auf Kiward Station befürchteten allerdings Tongas Einflussnahme. Natürlich hoffte Gwyneira auf eine Eheschließung Kuras mit einem Weißen ihrer Gesellschaftsschicht – eine Sache, von der Kura vorerst nichts hören wollte. Die Fünfzehnjährige hatte sich in den Kopf gesetzt, Sängerin zu werden, und ihre außergewöhnlich schöne Stimme und ausgeprägte Musikalität boten sicher das Potenzial dafür. Doch eine Opernkarriere in diesem jungen Land, das obendrein puritanisch geprägt war? In Christchurch baute man erst mal eine Kathedrale, im restlichen Land Eisenbahnen ... kein Mensch dachte an ein Theater für Kura Warden! Heather Witherspoon hatte Kura natürlich die Idee von Konservatorien in Europa in den Kopf gesetzt, von Opernhäusern in London, Paris und Mailand, die nur auf eine Sängerin ihres Kalibers warteten. Aber selbst wenn Gwyneira – und Tonga – dies befürwortet hätten: Kura war zur Hälfte Maori, eine exotische Schönheit, die jeder bewunderte, aber würde man sie ernst nehmen? Würde man sie als Sängerin sehen, nicht als Kuriosum? Wo würde das verwöhnte Kind landen, wenn Gwyneira es tatsächlich nach Europa schickte?

Tonga schien das Problem jetzt auf seine Weise lösen zu wollen. Nicht nur Andy McAran vermutete seine Fäden ziehende Hand hinter Kuras junger Liebe. Tiare war Tongas Cousin; eine Verbindung mit ihm hätte die Stellung der Maoris auf Kiward Station erheblich gestärkt. Und der Junge war erst sechzehn, dazu nach Gwyneiras Dafürhalten nicht der Klügste. Tiare als Herr auf Kiward Station, neben einer an allen Belangen der Farm desinteressierten, nur auf dem Klavier klimpernden Kura – für Tonga wäre das zweifellos der Höhepunkt seines Lebens, aber undenkbar für Gwyn.

»Es wird nichts helfen, Kura jetzt ein paar Wochen nach Queenstown zu schaffen«, meinte James. »Im Gegenteil. Da werden nur Dutzende von Goldsuchern vor ihr auf den Knien liegen. Sie wird in Komplimenten baden, jeder wird sie hinreißend finden – und am Ende hat sie noch mehr Oberwasser. Und wenn sie zurückkommt, ist Tiare immer noch da. Und falls du daran denkst, ihn hier irgendwie wegzuloben – Tonga findet einen anderen. So bringt das nichts, Gwyn.«

»Sie wird immerhin älter und verständiger«, wandte Gwyneira ein.

James verdrehte die Augen. »Gibt es dafür irgendwelche Anzeichen? Bis jetzt wird sie nur immer verrückter! Und diese Heather Witherspoon macht es auch nicht besser. Die würde ich als Erstes nach England zurückschicken, ob es der kleinen Prinzessin passt oder nicht.«

»Aber wenn Kura sich sturstellt, ist auch nichts gewonnen. Damit treiben wir sie den Maoris in die Arme ...«

James hatte sich zu Gwyn aufs Bett gesetzt, und sie schmiegte sich trostsuchend an ihn.

»Dass das aber auch alles so schwer sein muss«, seufzte sie schließlich. »Ich wünschte, Jack wäre der Erbe, dann müssten wir uns keine Gedanken mehr machen.«

James zuckte die Achseln. »Die bräuchten wir uns auch nicht zu machen, wenn Fleurette die Erbin wäre. Aber nein, dieser Gerald Warden musste ja unbedingt noch einen männlichen Nachkommen zeugen, und sei es mit Gewalt. Es bereitet mir immerhin eine gewisse Genugtuung, dass er sich jetzt zweifellos im Grabe herumdreht! Sein Kiward Station nicht nur in der Hand eines halben Maori, sondern obendrein eines Mädchens!«

Gwyneira musste lächeln. Was Erbschaftsangelegenheiten anging, waren die Maoris jedenfalls entschieden vernünftiger. Hier hatte es keine Probleme gegeben, als Marama ein Mädchen zur Welt brachte; Männer und Frauen waren in der Erbfolge gleichberechtigt. Schade nur, dass Kura so völlig aus der Art schlug und von der tatkräftigen und weniger musisch als praktisch orientierten Gwyneira nicht mehr geerbt hatte als die azurblauen Augen.

»Jetzt nehme ich sie erst mal mit nach Queenstown«, sagte Gwyn schließlich entschieden. »Vielleicht kann Helen ihr ja den Kopf zurechtsetzen. Manchmal findet ein Außenstehender eher Zugang. Helen spielt immerhin Klavier. Die wird Kura ernst nehmen.«

»Und ich muss ohne dich zurechtkommen«, schmollte James. »Der Viehtrieb ...«

Gwyneira lachte und legte ihm die Arme um den Hals. »Der Viehtrieb sollte dich ausgiebig beschäftigt halten. Jack freut sich schon darauf. Und du könntest Miss Heather mitnehmen – auf dem Küchenwagen. Vielleicht geht sie hinterher freiwillig!«

Es war März, und vor dem kommenden Winter mussten

die halbwild lebenden Schafe im Bergland zusammengesucht und zurück zur Farm getrieben werden. Jedes Jahr eine mehrtägige Beschäftigung, die alle Arbeiter einer Farm in Anspruch nahm.

»Sei vorsichtig mit deinen Ratschlägen!« James streichelte ihr übers Haar und küsste sie zärtlich. Ihre Umarmung hatte ihn erregt. Und was war auch gegen ein bisschen Liebe am Vormittag einzuwenden? »Ich habe mich schon mal in eine Frau verliebt, die auf dem Küchenwagen mitfuhr!«

Gwyneira lachte. Auch ihr Atem ging jetzt schneller. Geduldig hielt sie still, während James die Haken und Ösen an ihrem leichten Sommerkleid löste.

»Aber nicht in eine Köchin«, erklärte sie. »Ich erinnere mich noch gut, wie du mich gleich am ersten Tag herausgeschickt hast, um versprengte Schafe einzutreiben.«

James küsste ihre Schulter, dann ihre immer noch recht festen Brüste.

»Das diente der Lebensrettung der Truppe«, bemerkte er lächelnd. »Nachdem wir deinen Kaffee probiert hatten, musste ich dich aus dem Weg schaffen ...«

Während Gwyneira und James die ruhige Stunde genossen, begab sich Heather Witherspoon zu ihrem Zögling Kura. Sie traf das Mädchen am Klavier an – und würde ihr jetzt vom Beschluss ihrer Großmutter berichten müssen, die Lehrerin nicht mit nach Queenstown zu nehmen. Kura nahm es erstaunlich gelassen auf.

»Ach, sehr lange werden wir sowieso nicht bleiben«, bemerkte sie. »Was sollen wir bei diesen Hinterwäldlern? Wenn es noch Dunedin wäre. Aber dieses Goldgräberkaff? Und mit den Leuten da bin ich kaum verwandt. Fleurette ist so etwas wie meine Halbtante und Stephen, Elaine und George sozusagen meine Viertelcousins, oder? Was hab ich mit denen zu tun?«

Kura wandte ihr hübsches Gesicht wieder den Noten zu. Glücklicherweise stand auch in Queenstown ein Klavier, dessen hatte sie sich versichert. Und vielleicht verstand diese Miss Helen ja wirklich etwas von Musik, womöglich mehr als Miss Heather. Tiare würde sie sowieso nicht vermissen. Natürlich war es nett, sich von ihm bewundern, küssen und streicheln zu lassen, aber sie würde doch niemals riskieren, schwanger zu werden! Vielleicht hielt Grandma Gwyn sie ja für dumm, und Miss Heather lief sowieso immer gleich rot an, wenn es irgendwie um »Geschlechtliches« ging. Aber Kuras Mutter war nicht so prüde; das Mädchen wusste durchaus, wie Kinder entstanden. Und in einem war sie sich sicher: Von Tiare wollte sie keins. Im Grunde hielt sie nur deshalb an der Beziehung zu ihm fest, um Grandma Gwyn ein bisschen zu ärgern.

Wenn sie es recht bedachte, wollte Kura überhaupt keine Kinder. Das Erbe von Kiward Station war ihr herzlich egal. Sie war bereit, jeden und alles hinter sich zu lassen, wenn sie damit ihrem eigentlichen Ziel näherkam. Kura wollte Musik machen, sie wollte singen. Und egal, wie oft Grandma Gwyn das Wort »unmöglich« sagte – Kura-maro-tini würde an ihren Wünschen festhalten!

3

William Martyn hatte Goldwaschen bisher stets für eine ruhige, ja kontemplative Tätigkeit gehalten. Man hielt ein Sieb in einen Bach, schüttelte es ein wenig – und dann blieben Goldnuggets darin hängen. Vielleicht nicht gleich und jedes Mal, aber doch genug, um auf die Dauer Millionär zu werden. In Queenstowns Realität gestaltete sich die Sache jedoch ganz anders. Genau genommen hatte William überhaupt kein Gold gefunden, bis er sich mit Joey Teaser zusammengetan hatte. Und das, obwohl er sich für die hochwertigsten Gerätschaften aus dem O'Kay Warehouse entschieden und dabei erneut das Vergnügen genossen hatte, mit Elaine O'Keefe zu plaudern. Die Kleine hatte sich dabei vor Begeisterung kaum halten können, ihn wiederzusehen, und je länger dieser erste Tag des Goldschürfens mit Joey voranschritt, desto intensiver überlegte William, ob in der Bekanntschaft mit diesem Mädchen nicht vielleicht die wahre Goldader schlummerte. Sofern er überhaupt zum Überlegen kam. Joey, ein erfahrener Goldsucher von fünfundvierzig Jahren, der aber wie sechzig aussah und sein Glück vorher schon in Australien und an der Westküste versucht hatte, begutachtete Williams frisch abgesteckten Claim nur kurz, erklärte ihn für durchaus aussichtsreich und fing sofort an, Holz für den Bau einer Waschrinne zu schlagen. William hatte dabei ein wenig verwirrt dreingeschaut, worauf Joey ihm eine Säge in die Hand drückte und den Befehl erteilte, die Stämme zu Brettern zu schneiden.

»Kann man ... kann man die Bretter nicht kaufen?«, erkundigte William sich unglücklich, nachdem der erste Versuch kläglich gescheitert war. Wenn sie tatsächlich eine zwanzig Meter lange Rinne selbst bauen wollten, wie Joey vorzuhaben schien, würden sie mindestens zwei Wochen brauchen, bevor das erste Gold darin hängen blieb.

Joey verdrehte die Augen. »Man kann alles kaufen, Junge, wenn man Geld hat. Aber haben wir welches? Ich zumindest nicht. Und du solltest deins auch zusammenhalten. Lebst sowieso auf ganz schön großem Fuß, mit deiner Pension und dem ganzen Kram, den du da gekauft hast...«

Neben den wichtigsten Gerätschaften zum Goldschürfen hatte William auch in eine ordentliche Campingausrüstung und ein paar Jagdwaffen investiert. Konnte schließlich sein, dass man hier auf dem Claim mal die Nacht verbringen musste – spätestens dann, wenn es Gold zu bewachen galt. Und dann wollte William sein Lager auf keinen Fall unter freiem Himmel aufschlagen.

»Hier jedenfalls haben wir Bäume, eine Axt und eine Säge. Da bauen wir die Waschrinne doch am besten selbst. Greif dir jetzt die Axt. Beim Umhauen von Bäumen kannst du nichts falsch machen. Ich nehme die Säge und mach die Feinarbeit!«

Seitdem fällte William Bäume, wenn auch nicht sonderlich schnell; er hatte gerade mal zwei mittelgroße Südbuchen geschafft. Aber die Arbeit war schweißtreibend. Während die Männer morgens noch beim Paddeln zu ihrem Claim gefröstelt hatten, schufteten sie jetzt, gegen zehn Uhr, schon mit bloßem Oberkörper. Und William konnte kaum glauben, dass nicht einmal der halbe Tag zu Ende war.

»Versuchen Sie es lieber mit einer Arbeit, die Ihnen wirklich liegt.« Die Bemerkung des Bankers ging William im Kopf herum. Zunächst hatte er das als Phrasendrescherei eines risikoscheuen Bürohengstes abgetan, aber jetzt erschien ihm das Leben eines Goldsuchers gar nicht mehr so abenteuerlich. Natürlich war man an der frischen Luft – und die Landschaft hier um Queenstown war fantastisch. Nachdem William seine erste Missstimmung überwunden hatte, kam er nicht umhin, das festzustellen. Allein die majestätischen Berge rund um den Lake Wakatipu, die das Land zu umarmen schienen, und das Farbenspiel, das die üppige Vegetation vor allem jetzt im Herbst in einem Kaleidoskop von Rot-, Lila- und Brauntönen aufgehen ließ. Die Pflanzen schienen teils exotisch wie der palmähnliche Cabbage Tree, teils seltsam verfremdet wie die violetten Lupinen, die der Gegend um Queenstown besonders um diese Jahreszeit ihre besondere Note gaben. Die Luft war klar wie Kristall, desgleichen die Bäche. Aber wenn William noch ein paar Tage mit Joey arbeiten sollte, würde er zweifellos bald anfangen, zumindest die Bäume und Wasserläufe zu hassen.

Joey entpuppte sich im Laufe des Tages als wahrer Sklaventreiber. Mal war William ihm zu langsam, mal machte er zu oft Pausen, und dann rief er ihn selbst von seiner Holzfällertätigkeit weg, weil er Hilfe beim Sägen brauchte. Und dazu fluchte er auf die unflätigste Weise, wenn etwas schiefging – was leider vor allem dann passierte, wenn William zur Säge griff.

»Aber das lernst du noch, Junge!«, meinte der Alte letztlich ermunternd, sobald er sich wieder beruhigt hatte. »Zu Hause haste wohl nicht so viel mit den Händen geschafft.«

William wollte ihm zunächst wütend widersprechen, aber dann überlegte er, dass der Alte damit nicht ganz Unrecht hatte. Gut, er hatte auf den Feldern gearbeitet. Zusammen mit den Pächtern, gerade in den letzten Jahren, nachdem ihm die schreiende Ungerechtigkeit aufgegangen war, die auf den Ländereien seines Vaters herrschte. Frederic Martyn verlangte viel und gab wenig – der Pachtzins war für die Bauern kaum aufzutreiben, und nicht nur, dass ihnen in guten Jahren wenig zum Leben blieb, sie hatten auch keinerlei Hilfe zu erwarten, wenn die Ernte schlecht ausfiel. Bis jetzt hatten die Familien sich kaum von der großen Hungersnot in den Sechzigerjahren erholt. Praktisch jede hatte Opfer zu beklagen. Dazu fehlte hier fast eine ganze Generation – kaum ein Bauernkind in Williams' Alter hatte die Jahre der Kartoffelfäule überlebt. Heute lag die Arbeit auf den Feldern also hauptsächlich in den Händen der ganz Jungen und ganz Alten; praktisch jeder war überfordert, und eine Verbesserung schien nicht in Sicht.

Frederic Martyn berührte das in keiner Weise – und auch Williams Mutter, obwohl Irin, machte keine Anstalten, sich für die Leute einzusetzen. William hatte dann erst in stummem Protest begonnen, den Pächtern bei der Landarbeit zu helfen. Später engagierte er sich in der Irischen Landliga, die ihnen zu fairen Zinsen verhelfen wollte.

Frederic Martyn schien die soziale Attitüde seines jüngeren Sohnes zunächst eher unterhaltsam als besorgniserregend zu finden. William würde auf seinen Ländereien ohnehin nie viel zu sagen haben, und sein älterer Sohn, Frederic junior, zeigte keine menschenfreundlichen Anwandlungen. Doch als die Landliga erste Erfolge verbuchen konnte, wurden seine Spöttereien und Frotzeleien über Williams Engagement immer bösartiger und trieben den jungen Mann noch tiefer in die Opposition.

Als er schließlich einen Aufstand unter den Pächtern unterstützte – wenn nicht gar anzettelte –, kannte der Alte kein Pardon. William wurde nach Dublin geschickt. Sollte er ein bisschen studieren, wenn es sein musste Jura, um seinen geliebten Pächtern später mit Rat und Tat zur Seite zu stehen. Was das anging, war Martyn großzügig. Hauptsache, der Junge wiegelte ihm nicht mehr die Leute auf!

Zunächst hatte William sich begeistert in die Arbeit gestürzt, aber schon bald erschien es ihm zu langwierig, sich mit den Feinheiten des englischen Rechts auseinanderzusetzen, wo doch ohnehin bald eine Irische Verfassung zu entwerfen war. Aufgeregt verfolgte er die Debatten um die Home Rule Bill, die den Iren erheblich mehr Mitspracherechte bieten sollte, wenn es um die Belange ihrer Insel ging. Und als das Oberhaus sie dann wieder ablehnte …

Aber darüber wollte William nicht weiter nachgrübeln. Die Sache war zu peinlich gewesen und die Folgen fatal. Aber immerhin hätte es für ihn viel schlimmer enden können als hier in der lieblichen Umgebung des friedlichen Queenstown.

»Was haste überhaupt gemacht, drüben in Irland?«, fragte Joey jetzt. Die beiden hatten ihr Tagewerk endlich beendet und paddelten müde heimwärts. Auf William wartete das Badehaus und ein gepflegtes Nachtmahl in Miss Helens Pension – auf Joey ein whiskygeschwängerter Abend am Lagerfeuer der Goldgräberkolonie Skippers.

William zuckte die Achseln. »Auf einer Schaffarm gearbeitet.«

Im Wesentlichen entsprach das der Wahrheit. Das Land der Martyns war weitläufig und bot erstklassige Weidegründe. Deshalb hatte Frederic Martyn auch kaum Einbußen durch die Kartoffelfäule erlitten. Die betraf nur seine Pächter und Landarbeiter, die sich auf kleinen Anbauflächen selbst ernährten.

»Wolltste dann nich' lieber in die Canterbury Plains?«, erkundigte Joey sich gemütlich. »Da gibt's Millionen Schafe.«

Das hatte William auch gehört. Aber seine Anteile an der Farmarbeit hatten eigentlich eher Verwaltertätigkeiten beinhaltet als tatsächliches Zugreifen. Er wusste zwar theoretisch, wie man ein Schaf schor, aber tatsächlich hatte er es noch nie getan und erst recht nicht in Rekordzeit wie die Männer der Schererkolonnen in den Canterbury Plains. Die besten sollten achthundert Schafe am Tag von ihrer Wolle befreien! Das waren kaum weniger Tiere, als die Farm der Martyns insgesamt beherbergte! Andererseits hätte vielleicht mancher Farmer im Osten einen fähigen Verwalter oder Aufseher gebraucht – ein Job, den William sich durchaus zutraute. Nur reich werden konnte man dabei wohl kaum. Und bei allem sozialen Engagement: Auf die Dauer hatte William nicht vor, bei der Lebensqualität Abstriche zu machen!

»Vielleicht kauf ich mir 'ne Farm, wenn wir hier genug Gold gefunden haben«, meinte William. »So in ein, zwei Jahren …«

Joey lachte. »Sportsgeist haste jedenfalls! So, hier kannste aussteigen …« Er lenkte das Boot ans Ufer. Der Fluss schlängelte sich im Osten an Queenstown vorbei und mündete dann im Süden der Stadt, unterhalb des Goldgräberlagers, in den See. »Ich hol dich morgen wieder hier ab, sechs Uhr früh, frisch und munter!«

Joey winkte seinem neuen Partner vergnügt zu, während William sich ein wenig mühsam auf den Weg in die Stadt machte. Nach der Ruhepause im Boot schmerzten ihn jetzt alle Knochen. An einen weiteren Tag Holzfällen mochte er gar nicht denken.

Immerhin begegnete ihm gleich auf der Main Street etwas Erfreuliches. Elaine O'Keefe kam mit einem Korb Wäsche aus der chinesischen Wäscherei und steuerte Miss Helens Pension an.

William schenkte ihr ein Lächeln. »Miss Elaine! Ein schönerer Anblick als ein Goldnugget! Kann ich Ihnen das abnehmen?«

Trotz schmerzender Muskeln griff er, ganz Gentleman, nach dem Korb. Elaine zierte sich nicht. Erfreut lud sie ihre Last bei ihm ab und schlenderte dann unbeschwert neben ihm her. Sofern man sich gleichzeitig damenhaft und unbeschwert bewegen konnte! Mit dem schweren Korb am Arm wäre ihr das kaum möglich gewesen. Wie hatte Miss Daphne mal ketzerisch erwähnt: »Eine Dame zu sein muss man sich leisten können.«

»Haben Sie denn heute schon so viele Nuggets gefunden?«, erkundigte sich Elaine. William überlegte, ob sie nur naiv war oder ob sie es ironisch meinte. Dann beschloss er, die Sache als

Neckerei zu nehmen. Elaine verbrachte schon ihr ganzes Leben in Queenstown. Sie musste wissen, dass man auf den Goldfeldern nicht so schnell reich wurde.

»Das Gold in Ihrem Haar ist das erste an diesem Tag«, gab er zu und verband das Geständnis so immerhin mit einer Schmeichelei. »Aber das hat ja leider schon eine Besitzerin. Sie sind reich, Miss Elaine!«

»Und Sie sollten sich bei den Maoris einführen. Die würden Sie glatt zum *tohunga* erklären. Ein Meister des *whaikorero* ...«, kicherte Elaine.

»Des was?«, fragte William. Maoris, die Eingeborenen Neuseelands, waren ihm bisher noch kaum begegnet. Es gab Stämme am Wakatipu wie in ganz Otago, aber die aufstrebende Goldgräberstadt Queenstown war den Maoris zu hektisch. Nur selten verirrte sich einer von ihnen in die Stadt, auch wenn sich inzwischen ein paar Männer den Goldsuchern angeschlossen hatten. Sie hatten ihre Dörfer und Familien meist nicht ganz freiwillig verlassen, sondern waren Versprengte und Verlorene – so wie die Mehrzahl der weißen Männer, die hier ihr Glück versuchten. Sie unterschieden sich im Verhalten auch kaum von ihnen, und keiner bediente sich so seltsamer Worte.

»*Whaikorero.* Das ist die Kunst der schönen Rede. Und *tohunga* heißt ›Meister‹ oder ›Experte‹. Mein Vater ist einer, sagen die Maoris. Sie lieben seine Urteilsbegründungen ...« Elaine öffnete William die Tür zur Pension. Der weigerte sich jedoch, vor ihr hindurchzugehen und hielt die Pforte geschickt mit dem Fuß für Elaine offen. Das Mädchen strahlte.

William erinnerte sich, dass ihr Vater hier als Friedensrichter tätig war und ihr Bruder Stephen Jura studierte. Vielleicht sollte er seine eigenen Bemühungen in dieser Richtung auch einmal erwähnen.

»Nun, so weit bin ich mit meinen juristischen Studien nicht gediehen«, bemerkte er wie nebenbei. »Und Sie sprechen Maori, Miss Elaine?«

Elaine zuckte die Achseln. Doch bei der Anspielung auf sein Jurastudium hatten ihre Augen wie erwartet aufgeleuchtet.

»Nicht so gut, wie ich sollte. Wir haben immer ziemlich weit weg vom nächsten Stamm gewohnt. Aber meine Mutter und mein Vater können es gut; die sind in den Plains mit Maori-Kindern zusammen zur Schule gegangen. Ich sehe aber eigentlich nur Maori, wenn es mal Streitigkeiten zwischen ihnen und den *pakeha* hier gibt und mein Vater schlichten muss. Und das kommt zum Glück selten vor. Sie haben wirklich Jura studiert?«

William berichtete sehr vage von seinen drei Semestern in Dublin. Aber jetzt mussten die beiden sich sowieso trennen. Beim Betreten der Pension brachte der Luftzug einen melodischen Windfang zum Klingen, woraufhin umgehend sowohl Mary als auch Laurie erschienen und fröhlich auf William und Elaine einzwitscherten. Ein Zwilling nahm William die Wäsche ab und wusste sich vor Begeisterung über seine Mithilfe kaum zu halten; der andere erklärte ihm, dass sein Bad bereitet sei. Er müsse sich bloß beeilen, weil das Essen bald auf dem Tisch stünde; die anderen Kostgänger seien alle schon da, und bestimmt wollte keiner warten.

William verabschiedete sich höflich von Elaine, der die Enttäuschung deutlich anzumerken war. Er musste hier unbedingt einen weiteren Vorstoß in Angriff nehmen.

»Was tut man denn in Queenstown, wenn man eine junge Dame zu einem ehrbaren Vergnügen einladen möchte?«, erkundigte er sich kurze Zeit später vor dem Essen beim jüngeren der beiden Banker.

Am liebsten wäre ihm gewesen, Miss Helen hätte nicht mitgehört, aber die alte Dame hatte wohl noch scharfe Ohren. Jedenfalls schien sie ihre Aufmerksamkeit unauffällig, aber doch erkennbar auf die Unterhaltung der beiden Männer zu lenken.

»Kommt darauf an, wie ehrbar«, seufzte der Banker. »Bezogen auf die Dame. Es gibt Ladys, denen praktisch kein Vergnügen tugendhaft genug ist ...« Der Mann wusste, wovon er redete. Er versuchte seit Wochen, seiner Hausgenossin, der jungen Lehrerin, den Hof zu machen. »Die kann man dann höchstens am Sonntag zur Kirche begleiten ... was wiederum nicht unbedingt ein Vergnügen ist. Aber normale junge Damen kann man wohl zum Gemeindepicknick einladen, wenn gerade eins stattfindet. Oder vielleicht sogar zum Squaredance, wenn der Hausfrauenverein ein Tanzvergnügen anregt. Bei Daphne gibt es das natürlich jeden Samstag, aber das ist wiederum nicht ehrbar ...«

»Lassen Sie sich doch einfach von der kleinen Miss O'Keefe die Stadt zeigen«, bemerkte der ältere Banker. »Das macht sie bestimmt gern, sie ist doch hier aufgewachsen. Und ein Spaziergang ist auf jeden Fall eine unschuldige Angelegenheit.«

»Wenn er nicht in die Wälder rundum führt«, warf Miss Helen trocken ein. »Und wenn es sich bei der fraglichen jungen Dame tatsächlich um meine Enkelin handelt, also eine ganz besondere junge Dame, sollten Sie vorher vielleicht die Genehmigung ihres Vaters einholen ...«

»Was weißt du Genaues über diesen jungen Mann?«

Es war ein anderes Dinner, aber das Thema war das gleiche. In diesem Fall examinierte Ruben O'Keefe seine Tochter. Denn obwohl William bislang noch nicht gewagt hatte, eine Einladung auszusprechen, hatte Elaine ihn doch gleich am nächsten Tag wieder getroffen. Erneut »ganz zufällig«, diesmal vor dem Eingang zum Bestattungsinstitut. Ein schlecht gewählter Treffpunkt, denn Elaine fiel bei aller Fantasie nichts ein, was sie dort dringend hätte erledigen müssen. Außerdem war Frank Baker, der Totengräber, ein alter Freund ihres

Vaters, und seine Frau war eine schwatzhafte Dohle. Von Elaine O'Keefes Beziehung zu William Martyn – »einem Kerl aus dem Goldgräberlager«, wie Mrs. Baker es zweifellos darstellen würde – wusste deshalb schon der ganze Ort.

»Er ist ein Gentleman, Daddy. Wirklich. Sein Vater hat ein Gut in Irland. Und er hat sogar Jura studiert!«, verkündete Elaine, Letzteres nicht ohne Stolz. War es doch ein echter Trumpf im Blatt ihres Schwarms.

»Aha. Und dann ist er ausgewandert, um Gold zu suchen? Gibt's in Irland zu viele Anwälte, oder was?«, erkundigte sich Ruben.

»Du wolltest auch mal Gold suchen!«, erinnerte ihn seine Tochter.

Ruben lächelte. Elaine wäre wohl auch keine schlechte Anwältin geworden. Im Grunde fiel es ihm schwer, ihr gegenüber streng zu sein, denn sosehr er seine Söhne liebte – seine Tochter vergötterte er. Elaine glich aber auch zu sehr seiner geliebten Fleurette. Abgesehen von ihrer Augenfarbe und dem vorwitzigen Näschen kam sie ganz nach ihrer Mutter und Großmutter. Der Rotton ihres Haares wich ein bisschen von der ihrer weiblichen Verwandten ab. Elaines Haar war dunkler und vielleicht noch feiner und krauser als Fleurettes und Gwyneiras. Ruben selbst hatte seine ruhigen grauen Augen und sein braunes Haar nur seinen Söhnen vererbt. Besonders Stephen galt als »ganz der Vater«. Sein Jüngster, Georgie, war unternehmungslustig und immer zu Streichen aufgelegt. Im Grunde passte es hervorragend: Stephen würde in Bezug auf die Juristerei in Rubens Fußstapfen treten, Georgie interessierte sich für den Handel und träumte von Filialen des O'Kay Warehouse. Ruben war ein glücklicher Mann.

»Es gab einen Skandal um William Martyn«, bemerkte Fleurette beiläufig, während sie einen Auflauf auf den Tisch stellte. Das Gleiche gab es heute in Helens Pension; Fleurette hatte also nicht gekocht, sondern bei Laurie und Mary ein »Dinner zum

Mitnehmen« bestellt. Im Laden war sie allerdings nicht gewesen.

»Woher weißt du das denn?«, fragte Ruben, während Elaine vor Verblüffung fast ihre Gabel fallen ließ.

»Wieso Skandal?«, murmelte sie.

Über Fleurettes immer noch elfenhaftes Gesicht ging ein Strahlen. Sie war stets eine begnadete Spionin gewesen. Ruben konnte sich noch gut daran erinnern, wie sie ihm einst das »Geheimnis um O'Keefe und Kiward Station« enthüllt hatte.

»Nun, ich habe heute Nachmittag die Brewsters besucht«, meinte sie jetzt leichthin. Ruben und Fleurette kannten Peter und Tepora Brewster seit ihrer Kindheit. Peter war Import-Export-Kaufmann und hatte zunächst einen Wollhandel in den Canterbury Plains aufgebaut. Aber dann hatte seine Frau Tepora, eine Maori, in Otago Land geerbt, und die beiden waren hierher gezogen. Sie lebten nun in der Nähe von Teporas Stamm, zehn Meilen westlich von Queenstown, und Peter dirigierte den Weiterverkauf des hier geförderten Goldes in aller Herren Länder. »Sie haben gerade Besuch aus Irland. Die Chesfields.«

»Und du bist der Meinung, dieser William Martyn sei in ganz Irland bekannt wie ein bunter Hund?«, erkundigte sich Ruben. »Wie kamst du auf die Idee?«

»Nun, ich hatte Recht, oder?«, erwiderte Fleurette spitzbübisch. »Aber ohne Scherz, wissen konnte ich das natürlich nicht. Doch Lord und Lady Chesfield gehören zweifellos zum englischstämmigen Adel. Und nach dem, was Grandma Helen schon herausgefunden hat, stammt der junge Mann aus ähnlichen Kreisen. Und sooo groß ist Irland ja auch wieder nicht.«

»Und was hat Lainies Schatz jetzt angestellt?«, fragte Georgie neugierig und grinste schadenfroh zu seiner Schwester hinüber.

»Er ist nicht mein Schatz!«, brauste Elaine auf, verkniff sich aber weitere Bemerkungen. Auch sie wollte schließlich wissen, welcher Skandal sich um William Martyn rankte.

»Nun, so genau weiß ich das auch nicht. Die Chesfields ergingen sich da in Andeutungen. Jedenfalls ist Frederic Martyn ein durchaus gewichtiger Landlord, da hat Lainie schon Recht. William hat allerdings nichts zu erben, er ist der jüngere Sohn. Und außerdem das schwarze Schaf der Familie. Er sympathisierte mit der Irischen Landliga ...«

»Das spricht ja eher für den Knaben«, warf Ruben ein. »Was die Engländer sich da in Irland leisten, ist ein Verbrechen. Wie kann man die Hälfte der Bevölkerung verhungern lassen, wenn man selbst auf gefüllten Kornspeichern sitzt? Die Pächter arbeiten für einen Hungerlohn, und die Landlords werden dick und fett. Ist doch schön, wenn der junge Mann sich für die Bauern einsetzt!«

Elaine strahlte.

Ihre Mutter hingegen blickte eher besorgt. »Nicht, wenn der Einsatz in terroristische Aktivitäten ausartet«, bemerkte sie. »Und genau so etwas hat Lady Chesfield angedeutet. William Martyn soll an einem Attentat beteiligt gewesen sein.«

Ruben runzelte die Stirn. »Wann denn? Soweit ich weiß, fanden die letzten größeren Aufstände in Dublin 1867 statt. Und von Einzelaktivitäten der Fenier oder ähnlicher Vereinigungen stand nichts in der *Times*.« Ruben erhielt englische Zeitungen zwar meist mit einer Verspätung von einigen Wochen, doch er las sie aufmerksam.

Fleurette zuckte die Achseln. »Wahrscheinlich wurde es früh genug vereitelt. Oder es war nur geplant, was weiß ich. Schließlich sitzt dieser William ja auch nicht im Gefängnis, sondern macht hier ganz offen und unter seinem richtigen Namen unserer Tochter den Hof. Ach ja, in der Angelegenheit fiel übrigens noch ein Name. Es ging um einen John Morley ...«

Ruben lächelte. »Dann ist es sicher ein Irrtum. John Morley of Blackburn ist Chief Secretary for Ireland und residiert in Dublin. Er unterstützt die Home Rule. Das heißt, er ist auf Seiten der Iren. Es läge ganz und gar nicht im Interesse der Landliga, ihn umzubringen.«

Fleurette begann die Teller zu füllen. »Ich sag's ja, die Chesfields drückten sich nicht sehr klar aus«, meinte sie dabei. »Kann durchaus sein, dass an der Sache gar nichts dran ist. Eins steht jedenfalls fest: William Martyn ist jetzt hier und nicht in seinem geliebten Irland. Seltsam für einen Patrioten. Wenn die aus eigenem Antrieb auswandern, dann doch höchstens nach Amerika, wo sie Gleichgesinnte treffen. Ein irischer Aktivist auf den Goldfeldern von Queenstown scheint mir ungewöhnlich.«

»Aber doch nichts Schlimmes!«, erklärte Elaine eifrig. »Vielleicht will er Gold finden und dann seinem Vater das Land abkaufen und ...«

»Sehr wahrscheinlich«, sagte Georgie. »Warum kauft er nicht gleich ganz Irland von der Queen?«

»Wir sollten uns den jungen Mann auf jeden Fall mal ansehen«, beendete Ruben schließlich das Thema. »Wenn er wirklich mit dir spazieren gehen sollte«, er zwinkerte Elaine zu, der bei dieser Aussicht beinahe der Atem stockte, »und das ist eine von ihm geäußerte Absicht, die mir ein Vögelchen gezwitschert hat, darfst du ihn zum Abendessen einladen. So, und nun zu dir, Georgie. Was hörte ich heute Morgen von Miss Carpenter über deine Mathematikarbeit?«

Während ihr Bruder sich möglichst um nähere Auskünfte herumwand, konnte Elaine vor Aufregung kaum etwas essen. William Martyn interessierte sich für sie! Er wollte mit ihr spazieren gehen! Vielleicht auch mal tanzen! Oder erst mal zur Kirche. Ja, das wäre fabelhaft! Jeder würde sehen, dass sie, Elaine O'Keefe, eine umschwärmte junge Dame war, die es geschafft hatte, den einzigen britischen Gentleman, der sich je nach Queenstown verirrt hatte, für sich zu interessieren. Die anderen Mädchen würden platzen vor Neid! Und erst ihre Cousine. Diese Kura-maro-tini, von der alle erzählten, wie schön sie sei. Und um deren Besuch in Queenstown es ein dunkles Geheimnis gab, das bestimmt mit einem Mann zu tun hatte! Was gab es schließlich sonst für dunkle Geheimnisse? Elaine konnte kaum abwarten, dass William sie fragte. Und wohin ging er wohl mit ihr spazieren?

Elaine ging schließlich mit William spazieren – nachdem er sie artig gefragt hatte, ob sie Lust hätte, ihn einmal durch Queenstown zu führen. Elaine fragte sich allerdings, wozu er eine Führung nötig hatte. Schließlich bestand Queenstown nach wie vor praktisch nur aus der Main Street, und der Friseurladen, die Schmiede, das Postamt und der General Store benötigten eigentlich keine weiteren Erklärungen. Spannend war höchstens Daphne's Hotel, aber um dieses Etablissement würden Elaine und William natürlich einen großen Bogen machen. Elaine entschloss sich schließlich, den Begriff »Stadt« ein bisschen weiter zu fassen und ihren Schwarm über die Uferstraße zum See zu führen.

»Der Wakatipu ist riesig, auch wenn er wegen der Berge im Umland gar nicht so groß wirkt. Aber tatsächlich misst er hundertfünfzig Quadratmeilen. Und er ist dauernd in Bewegung. Ständig steigt und fällt das Wasser. Die Maoris sagen, das sei der Herzschlag eines Riesen, der am Boden des Sees schläft. Aber das ist natürlich nur eine Geschichte. Die Maoris kennen viele solcher Märchen, wissen Sie.«

William lächelte. »Mein Land ist ebenso reich an Geschichten. Von Feen und Seelöwen, die bei Vollmond menschliche Gestalt annehmen …«

Elaine nickte eifrig. »Ja, ich weiß. Ich habe ein Buch, in dem irische Märchen erzählt werden. Und mein Pferd ist nach einer Fee benannt. ›Banshee.‹ Möchten Sie Banshee mal kennen lernen? Sie ist ein Cob! Meine andere Großmutter hat Banshees Vorfahren aus Wales mitgebracht ...«

William tat, als höre er ihr aufmerksam zu, interessierte sich aber nicht sonderlich für Pferde. Banshee wäre ihm auch egal gewesen, hätte Gwyneira Warden ihre Ahnen aus Connemara importiert. Viel wichtiger fand er den Umstand, dass er am Abend, nach diesem Spaziergang, Elaines Eltern, Ruben und Fleurette O'Keefe, kennen lernen sollte. Natürlich hatte er beide bereits gesehen und sich kurz mit ihnen unterhalten. Schließlich tätigte er alle Einkäufe in ihrem Laden. Aber nun war er bei ihnen zum Dinner geladen, würde also private Kontakte knüpfen. Und das war bitter nötig, wie es aussah. Schließlich hatte Joey ihm am Morgen ihre Zusammenarbeit aufgekündigt. Während der alte Goldsucher in den ersten Tagen noch geduldig gewesen war, ging ihm Williams »mangelnder Biss«, wie er es nannte, schon nach einer knappen Woche auf die Nerven. Dabei fand William es ganz normal, die Sache mit der Goldrinne nach den ersten Tagen Schwerstarbeit ein bisschen langsamer angehen zu lassen. Schließlich musste sein Muskelkater erst mal nachlassen. Und man hatte ja Zeit. William zumindest war nicht in Eile. Joey dagegen hatte ihm unmissverständlich klargemacht, dass für ihn jeder Tag ohne Goldfunde ein verlorener Tag war. Wobei er nicht von murmelgroßen Nuggets träumte, sondern nur von ein bisschen Goldstaub, der ihm seinen Whisky und seine tägliche Portion Stew oder Hammelfleisch am Lagerfeuer sicherte.

»Mit so 'nem verwöhnten Bürschchen wie dir gibt das nie was!«, hatte er William entgegengeschleudert. Anscheinend hatte sich ein anderer Partner gefunden, der einen mindestens ebenso vielversprechenden Claim vorzuweisen hatte und bereit war, mit Joey zu teilen. Joeys eigener Claim war längst ausgebeutet; er hatte bei der Zuteilung wenig Glück gehabt.

William jedenfalls musste nun allein weitermachen oder sich eine andere Beschäftigung suchen. Wobei er Letzteres vorgezogen hätte. Denn schon jetzt boten die frühen Morgen- und späten Abendstunden einen Vorgeschmack des Winters in den Bergen. Queenstown sollte im Juli und August völlig verschneit sein, was sicher sehr hübsch aussah. Aber Goldwaschen an vereisten Flüssen? William konnte sich Schöneres vorstellen. Vielleicht hatte Ruben O'Keefe ja eine Idee.

William hatte das Haus der O'Keefes bereits beim Vorbeifahren auf dem Fluss gesehen. Verglichen mit Martyn's Manor war es nicht sehr beeindruckend – ein heimeliges Holzhaus mit Garten und ein paar Ställen. Aber hier in diesem neuen Land musste man wohl Abstriche machen, was herrschaftliches Wohnen anging. Und abgesehen von der etwas primitiven Architektur hatte Goldnugget Manor durchaus einiges mit den Wohnsitzen englischer Landadeliger gemeinsam – zum Beispiel die Hunde, die auf einen zusprangen, sobald man das Grundstück betrat. Williams Mutter hatte Corgies gehabt, hier verlegte man sich auf eine Art Collie. Hütehunde, und, wie Elaine gleich darauf begeistert ausführte, ebenfalls ein Import aus Wales. Elaines Mutter Fleurette hatte die Hündin Gracie aus den Canterbury Plains mitgebracht, und Gracie hatte sich eifrig vermehrt. Wozu man die Tiere hier brauchte, war William ein Rätsel, doch für Elaine und ihre Familie gehörten sie wohl einfach dazu. Ruben O'Keefe war noch nicht eingetroffen, und so musste William denn auch noch eine Führung durch die Ställe über sich ergehen lassen und Elaines wunderbare Banshee kennen lernen.

»Sie ist etwas Besonderes, weil sie ein Schimmel ist! Das hat man ganz selten unter Cobs. Meine Großmutter hatte sonst nur Rappen und Braune. Aber Banshee geht auf ein Welsh Mountain Pony zurück, das Mutter bekam, als sie ein Kind war. Es ist unheimlich alt geworden, ich bin sogar selbst noch darauf geritten ...«

Elaine plapperte unaufhörlich, aber das störte William nicht sonderlich. Er fand das Mädchen entzückend, ihr übersprudelndes Temperament hob seine Stimmung. Elaine schien niemals stillstehen zu können. Ihre roten Locken wippten im Rhythmus jeder Bewegung. Heute hatte sie sich außerdem für ihn hübsch gemacht. Sie trug ein grasgrünes Kleid, abgesetzt mit brauner Klöppelspitze. Ihr Haar versuchte sie mit Samtbändern in einer Art Pferdeschwanz zu halten, aber das war hoffnungslos; schon bevor Elaine ihre Stadtführung beendet hatte, war es so zerzaust, als hätte sie es gar nicht frisiert. William begann darüber nachzudenken, wie es wäre, diesen Wildfang zu küssen. Er hatte Erfahrungen mit vielen mehr oder weniger käuflichen Mädchen in Dublin sowie den Töchtern seiner irischen Pächter; einige der Mädchen waren sehr entgegenkommend gewesen, wenn dafür ein paar Vergünstigungen für ihre Familien heraussprangen, andere gaben sich äußerst tugendhaft. Elaine allerdings weckte Beschützerinstinkte. William sah sie zumindest vorerst eher als reizendes Kind denn als Frau. Sicher eine faszinierende Erfahrung – aber was war, wenn das Mädchen die Sache ernst nahm? Zweifellos war es verliebt bis über beide Ohren. Elaine konnte sich nicht verstellen; die Gefühle, die sie für William hegte, waren unverkennbar.

Fleurette O'Keefe blieb das natürlich auch nicht verborgen. Sie war nicht wenig besorgt, als sie die beiden jungen Leute jetzt auf ihrer Veranda begrüßte.

»Willkommen auf Nugget Manor, Mr. Martyn!«, sagte sie lächelnd und streckte William die Hand entgegen. »Kommen Sie herein, und nehmen Sie einen Aperitif mit uns. Mein Mann kommt auch gleich, er zieht sich nur noch um.«

Zu Williams Überraschung war die Hausbar der O'Keefes gut bestückt. Fleurette und Ruben schienen Weintrinker zu sein. Elaines Vater entkorkte als Erstes einen Bordeaux, um den Wein vor dem Essen atmen zu lassen, aber es gab auch erstklassigen irischen Whisky. William ließ ihn in seinem Glas kreisen, bis Ruben mit ihm anstieß.

»Auf Ihr neues Leben in einem neuen Land! Ich bin sicher, dass Sie Irland vermissen, aber dieses Land hat Zukunft. Wenn Sie sich darauf einlassen, ist es nicht schwer, es zu lieben.«

William stieß mit ihm an. »Auf Ihre wunderschöne Tochter, die mir den Einzug in die Stadt so märchenhaft erscheinen ließ!«, gab er zurück. »Vielen Dank für die Stadtführung, Elaine. Von heute an werde ich dieses Land nur noch mit Ihren Augen sehen.«

Elaine strahlte und nippte am Wein.

Georgie verdrehte die Augen. Na, die sollte noch mal leugnen, verliebt zu sein!

»Waren Sie wirklich bei den Feniern, Mr. Martyn?«, fragte der Junge neugierig. Er hatte von der irischen Unabhängigkeitsbewegung gehört und lechzte nach Abenteuergeschichten.

William wirkte plötzlich alarmiert. »Bei den Feniern? Ich verstehe nicht ...«

Was wusste diese Familie über sein Vorleben?

Ruben war die Sache sichtlich unangenehm. Auf keinen Fall sollte der junge Mann gleich in den ersten fünf Minuten ihrer Bekanntschaft von Fleurettes Spionageaktionen erfahren! »Georgie, was soll das? Selbstverständlich war Mr. Martyn kein Fenier. Die Bewegung ist in Irland praktisch aufgelöst. Als es zu den letzten Aufständen kam, muss Mr. Martyn noch in den Windeln gelegen haben! Entschuldigen Sie, Mister ...«

»Sagen Sie William!«

»William. Aber mein Sohn hat Gerüchte gehört ... Für die Jungs hier ist jeder Ire ein Freiheitsheld.«

William lächelte. »Jeder ist es leider nicht, George«, wandte er sich an Elaines Bruder. »Sonst wäre die Insel längst frei … aber lassen wir das. Ein wunderschönes Anwesen haben Sie hier …«

Ruben und Fleurette erzählten ein bisschen von »Nugget Manor«, wobei Ruben die Geschichte seiner erfolglosen Goldgräberei durchaus launig vortrug. William machte das Mut. Wenn Elaines Vater selbst in den Minen versagt hatte, würde er bestimmt Verständnis für seine Probleme aufbringen. Vorerst brachte er diese jedoch nicht zur Sprache, sondern ließ die O'Keefes während des gesamten Dinners die Themen bestimmen. Wie nicht anders zu erwarten horchten sie ihn dabei gründlich aus, aber das brachte William nicht ins Schleudern. Artig gab er weitgehend zutreffende Auskünfte zu seiner Herkunft und Ausbildung. Letztere entsprach der Norm für seine Gesellschaftsschicht: ein Hauslehrer für die ersten Jahre, dann ein elitäres englisches Internat und schließlich College. Letzteres hatte William nicht beendet, doch die Geschichte ließ er aus. Er gab auch über seine Mitarbeit auf dem Hof seines Vaters nur vage Auskünfte. Das Jurastudium in Dublin schmückte er dagegen aus. Er wusste, dass Ruben O'Keefe sich dafür interessierte, und da Ruben das Gespräch dann gleich auf die Home Rule Bill brachte, konnte William gut mitreden. Gegen Ende des Dinners war er ziemlich überzeugt, einen guten Eindruck gemacht zu haben. Ruben O'Keefe wirkte entspannt und freundlich.

»Und was macht nun die Goldgräberei?«, fragte er schließlich. »Sind Sie dem Reichtum schon etwas nähergekommen?«

Das war die Gelegenheit. William setzte eine bekümmerte Miene auf. »Ich fürchte, das war ein Fehlgriff«, bemerkte er. »Wobei ich nicht sagen kann, dass man mich nicht gewarnt hätte. Schon Ihre reizende Tochter machte mich bei unserem ersten Treffen darauf aufmerksam, dass Goldschürfen wohl doch mehr etwas für Träumer als für ernsthafte Siedler ist.« Er lächelte Elaine zu.

Ruben blickte verwundert. »Letzte Woche klangen Sie aber noch ganz anders! Haben Sie nicht die gesamte Ausrüstung erstanden, einschließlich Campingzelt?«

William machte eine entschuldigende Geste. »Manchmal lässt man sich seine Irrwege einiges kosten«, meinte er bedauernd. »Aber ein paar Tage auf den Claims haben mich schnell ernüchtert. Der Ertrag steht einfach nicht im Verhältnis zum Aufwand ...«

»Das kommt darauf an!«, warf Georgie eifrig ein. »Meine Freunde und ich waren letzte Woche Gold waschen, und Eddie – das ist der Sohn vom Schmied – hat ein Goldkorn rausgeholt, für das er achtunddreißig Dollar gekriegt hat!«

»Aber du hast den ganzen Tag geschuftet und hattest nicht mal einen Dollar!«, erinnerte ihn Elaine.

Georgie zuckte die Achseln. »Das war eben Pech!«

Ruben nickte. »Womit das Problem um den Goldrausch auch schon zusammengefasst wäre. Es ist ein Glücksspiel, und nur selten fällt ein echter Hauptgewinn ab. Meistens geht es auf und ab. Die Männer halten sich mit den Erträgen ihrer Claims gerade so über Wasser, aber jeder hofft auf das große Glück!«

»Ich glaube, das Glück wartet anderswo«, erklärte William und streifte Elaine mit einem kurzen Blick. Elaines Gesicht leuchtete auf – schließlich waren all ihre Sinne nur auf den jungen Mann neben ihr konzentriert. Aber auch Ruben und Fleurette blieb der Blickkontakt nicht verborgen.

Fleurette wusste nicht, was sie störte, aber trotz der untadeligen Vorstellung, die der junge Einwanderer hier gab, hatte sie ein ungutes Gefühl. Ruben schien es nicht zu teilen. Er lächelte.

»Und was planen Sie dann stattdessen, junger Mann?«, fragte er freundlich.

»Tja ...« William machte eine wirkungsvolle Pause, als hätte er sich diese Frage bisher kaum gestellt. »Am Abend meiner Ankunft sagte mir einer der hiesigen Bankmitarbeiter, ich sollte mich besser auf die Dinge konzentrieren, die ich wirklich kann. Na ja, und die beziehen sich natürlich am ehesten auf die Leitung einer Schaffarm …«

»Also wollen Sie wegziehen?«, Elaine klang erschrocken und enttäuscht, obwohl sie versuchte, unbeteiligt zu tun.

William zuckte die Achseln. »Ungern, Elaine, äußerst ungern. Aber das Zentrum der Schafzucht sind natürlich die Canterbury Plains …«

Fleurette lächelte ihm zu. Sie fühlte sich seltsam erleichtert.

»Vielleicht könnte ich Ihnen da eine Empfehlung geben. Meine Eltern haben eine große Farm bei Haldon und erstklassige Kontakte.«

»Aber das ist so weit weg …« Elaine versuchte, ihre Stimme zu kontrollieren, doch Williams Ankündigung hatte sie getroffen wie ein Dolch ins Herz. Wenn er jetzt wegzog und sie ihn womöglich niemals wiedersah … Elaine spürte, wie das Blut aus ihrem Gesicht wich. Gerade jetzt, gerade er …

Ruben O'Keefe registrierte sowohl die Erleichterung seiner Frau als auch die Enttäuschung seiner Tochter. Fleurette würde diesen jungen Mann lieber heute als morgen von Elaines Seite bannen, auch wenn ihm der Grund dafür nicht ganz klar war. Bis jetzt machte William Martyn schließlich einen guten Eindruck. Ihm eine Chance in Queenstown zu geben bedeutete schließlich noch keine Verlobung.

»Nun … vielleicht beschränken Mr. Martyns Fähigkeiten sich ja nicht allein auf das Schafezählen«, meinte er launig. »Wie steht es mit Buchhaltung, William? Ich könnte im Laden jemanden brauchen, der mir die leidige Schreiberei abnimmt. Aber wenn Sie natürlich gleich eine leitende Stellung anstreben …«

Rubens Ausdruck machte deutlich, dass er das für illusorisch hielt. Weder Gwyneira Warden noch die anderen Schafbarone im Osten warteten auf einen unerfahrenen jungen Schnösel aus Irland, um ihnen zu sagen, wie ihre Farm zu führen war. Ruben selbst interessierte sich zwar nicht übermäßig für Schafe, aber er war in einem entsprechenden Betrieb aufgewachsen und nicht dumm. Viehzucht und Viehhaltung in Neuseeland hatte mit der Landwirtschaft in Britannien und Irland nur wenig zu tun – Gwyneira Warden hatte immer wieder darauf hingewiesen. Schon die Farm seines Vaters war zu klein gewesen, um Profit abzuwerfen, und der hatte immerhin dreitausend Schafe besessen. Gwyneiras Vater in Wales hatte nicht einmal tausend Tiere gehabt und galt trotzdem als einer der größten Züchter des Landes. Überdies traute er William kaum zu, die Raubeine, die in Neuseeland als Viehhüter oder in den Schafschererkolonnen arbeiteten, in den Griff zu bekommen.

William lächelte ungläubig. »Heißt das, Sie bieten mir einen Job an, Mr. O'Keefe?«

Ruben nickte. »Wenn Sie interessiert sind. Reich werden können Sie als mein Buchhalter nicht, aber immerhin sammeln Sie Erfahrungen. Und wenn mein Sohn die Sache mit den Filialen in anderen Kleinstädten wirklich mal in Angriff nimmt«, er nickte Georgie zu, »gibt es Aufstiegsmöglichkeiten.«

William hatte kaum die Absicht, irgendwann als Filialleiter in einer Kleinstadt Karriere zu machen. Eher dachte er an eine eigene Ladenkette oder eine Einheirat in diese, wenn die Dinge sich weiterhin so erfreulich entwickelten. Doch Rubens Angebot war immerhin ein Anfang.

Erneut schenkte er Elaine einen diesmal um Sekundenbruchteile längeren, strahlenden Blick, den sie selig erwiderte, abwechselnd rot und blass werdend. Dann stand er auf und hielt Ruben O'Keefe die Hand entgegen.

»Ich bin Ihr Mann!«, erklärte er gewichtig.

Ruben schlug ein. »Auf gute Zusammenarbeit. Wir sollten

das mit einem weiteren Whisky begießen. Diesmal mit einem hiesigen. Schließlich wollen Sie sich ja für längere Zeit in diesem Land einrichten.«

Elaine brachte William nach draußen, als der schließlich aufbrach. Die Gegend um Queenstown zeigte sich heute von ihrer schönsten Seite. Die gewaltigen Berge wurden vom Mondlicht erhellt, und am Himmel funkelten Myriaden Sterne. Der Fluss schien aus flüssigem Silber zu bestehen, und der Wald war erfüllt von den Rufen der Nachtvögel.

»Es ist seltsam, dass sie im Mondlicht singen«, sinnierte William. »Als wäre man in einem Zauberwald.«

»Nun ja, singen würde ich das Gekrächze nicht nennen ...« Elaine hatte im Grunde wenig Sinn für Romantik, aber sie tat ihr Bestes. Unauffällig schob sie sich neben ihn.

»Für ihre Weibchen ist das Gekrächze der lieblichste Gesang«, bemerkte William. »Die Frage ist nicht, wie gut man eine Sache macht, sondern für wen.«

Elaines Herz strömte über. Natürlich, er hatte es für sie getan! Nur ihretwegen hatte er auf einen gut bezahlten Job in der Leitung einer Schaffarm verzichtet, um bei ihrem Vater Hilfstätigkeiten zu leisten. Sie wandte sich ihm zu.

»Sie hätten ... ich meine, Sie mussten das nicht tun«, sagte sie vage.

William blickte in ihr offenes, vom Mondlicht erhelltes Gesicht, das sie ihm mit einem Ausdruck zwischen Unschuld und Erwartung entgegenhob.

»Manchmal hat man keine Wahl«, flüsterte er und küsste sie.

Für Elaine explodierte die Nacht in diesem Kuss.

Fleurette beobachtete ihre Tochter vom Fenster aus.

»Sie küssen sich!«, bemerkte sie und schüttete den Rest des Weins so heftig in ihr Glas, als könnte sie mit der Flasche auch Elaines Gedächtnis leeren.

Ruben lachte. »Was hast du anderes erwartet? Sie sind jung und verliebt.«

Fleurette biss sich auf die Lippe und leerte das Glas dann mit einem Schluck. »Wenn wir das bloß nicht mal bereuen …«, murmelte sie.

4

Gwyneira McKenzie hatte vor, sich mit Kura einem Warentransport für Ruben O'Keefe anzuschließen und in dessen Schutz nach Queenstown zu reisen. Ihr Gepäck konnten sie dann auf die Frachtwagen laden und selbst in einer leichten Chaise fahren. Zumindest Gwyneira empfand das als die angenehmste Art des Reisens; ihre Enkelin äußerte sich nicht dazu. Kura stand der Fahrt nach Queenstown nach wie vor mit einem fast beunruhigenden Gleichmut gegenüber.

Das Schiff mit der Lieferung für Ruben ließ allerdings auf sich warten, sodass der Aufbruch sich immer weiter verzögerte. Offensichtlich machten erste Herbststürme die Überfahrt schwierig. So ging der Abtrieb der Schafe vorbei, bevor Gwyneira endlich fahren konnte – was die besorgte Züchterin jedoch eher beruhigte als ärgerte.

»So habe ich wenigstens meine Schäfchen im Trockenen«, scherzte sie, als ihr Mann und ihr Sohn das letzte Gatter hinter den heimgekehrten Herden schlossen. Jack hatte sich auch diesmal wieder ausgezeichnet. Die Arbeiter lobten ihn als »ganzen Kerl«, und der Junge schwärmte vom Lager in den Bergen und hellen Nächten, in denen er sich aus dem Schlafsack schälte und hinausging, um Vögel und andere Nachtgeschöpfe zu beobachten. Davon gab es viele auf Neuseelands Südinsel. Auch der Kiwi, der seltsam plumpe Vogel, der als Symboltier der Siedler galt, war nachtaktiv.

James McKenzie zeigte sich ebenfalls erfreut, dass er Gwyneira noch antraf, als er vom Viehtrieb zurückkehrte. Die beiden feierten ein ausgiebiges Wiedersehen. Dabei brachte Gwyn ihre wachsende Sorge um Kura zur Sprache.

»Sie zieht immer noch ganz ungeniert mit diesem Maori-Jungen herum, obwohl Miss Witherspoon sie dafür rügt. Wenn es um Schicklichkeit geht, hat sie Augen im Hinterkopf! Und Tonga wandert mal wieder über die Farm, als ob sie bald ihm gehört. Ich sollte ihm nicht zeigen, dass es mich rasend macht, das weiß ich, aber ich fürchte, man sieht es mir an ...«

James seufzte. »Wie es aussieht, musst du das Mädchen bald verheiraten, egal an wen. Sie wird immer Ärger machen. Sie hat dieses ... Ich weiß nicht. Aber sie ist sehr sinnlich.«

Gwyn warf ihm einen indignierten Blick zu. »Du findest sie sinnlich?«, fragte sie misstrauisch.

James verdrehte die Augen. »Ich finde sie verwöhnt und unausstehlich. Aber ich kann durchaus erkennen, was andere Männer in ihr sehen. Und zwar eine Göttin.«

»James, sie ist fünfzehn!«

»Aber sie entwickelt sich atemberaubend schnell. Selbst in den paar Tagen des Viehtriebs ist sie gereift. Sie war immer eine Schönheit, aber jetzt wird sie eine Schönheit, die Männer verrückt macht. Und sie weiß das. Wobei ich mir über diesen Tiare die geringsten Sorgen machen würde. Einer der Maori-Viehhüter hat sie wohl vorgestern belauscht, und angeblich hat sie ihn behandelt wie ein ungezogenes Hündchen. Kein Gedanke, dass sie mit ihm das Lager teilt. Der Junge wird beneidet, muss sich von Kura und den anderen Männern aber auch einiges anhören. Der wird froh sein, wenn er das Mädchen los ist.« James zog Gwyneira noch einmal in die Arme.

»Und du meinst, es findet sich dann gleich ein anderer?«, fragte Gwyn verunsichert.

»Einer? Du machst Witze! Wenn sie auch nur mit dem kleinen Finger winkt, steht die Schlange bis Christchurch!«

Gwyneira seufzte und schmiegte sich in seine Arme.

»Sag mal, James, war ich eigentlich auch ... hm ... sinnlich?«

Dann endlich trafen die Frachtwagen in Christchurch ein. Rubens Fahrer lenkten prachtvolle Kaltblutgespanne vor schweren Planwagen.

»Da drin ist auch Platz zum Schlafen«, erklärte einer der Fahrer. »Wenn wir unterwegs kein Quartier finden, können wir Männer in einem Wagen schlafen, und Ihnen lassen wir den zweiten, Madam. Wenn Sie damit vorliebnehmen wollen ...«

Gwyneira wollte gern. Sie hatte in ihrem Leben schon weniger komfortabel genächtigt, und eigentlich freute sie sich sogar auf das Abenteuer. Deshalb war sie bester Laune, als sie die Chaise, bespannt mit einem braunen Cob-Hengst, hinter den Planwagen einreihte.

»Owen kann da oben ein paar Stuten decken«, erklärte sie die Entscheidung, den Hengst anzuspannen. »Damit Fleurette die reinrassigen Cobs nicht ausgehen!«

Kura, an die sie diese Worte gerichtet hatte, nickte gleichmütig. Wahrscheinlich hatte sie gar nicht darauf geachtet, welches Pferd ihre Großmutter gewählt hatte. Umso interessiertere Blicke warf Kura den jüngeren Fahrern der Frachtwagen zu – Blicke, die nicht minder begehrlich erwidert wurden. Die beiden Jungen begannen sofort, Kura zu hofieren oder besser noch: anzubeten. Doch offen mit der kleinen Schönheit zu flirten, wagte keiner.

Gwyneira kam noch mehr in Reisestimmung, als sie Haldon, den nächsten Ort, endlich hinter sich ließen und auf die Alpen zuhielten. Die schneebedeckten Gipfel, vor denen sich das schier endlose Grasland der Canterbury Plains wie ein Meer erstreckte, faszinierten sie seit ihrer Ankunft in der neuen Heimat. Sie konnte sich noch genau an den Tag erinnern, an dem sie zum ersten Mal den Bridle Path zwischen dem Hafen Lyttleton und der Stadt Christchurch überquert hatte. Zu Pferd statt per Maultier, wie die anderen Damen, mit denen sie auf der *Dublin* aus London gekommen war. Sie wusste noch, wie ihr Schwiegervater sich darüber aufgeregt hatte. Doch ihre Cob-Stute Viviane hatte sie sicher durch eine Landschaft getragen, die anfangs so kalt, felsig und unwirtlich wirkte, dass ein Wanderer sie mit den »Hills of Hell« verglichen hatte. Aber dann hatten sie den höchsten Punkt erreicht, und in der Ebene vor ihnen lagen Christchurch und die Canterbury Plains. Das Land, zu dem sie gehörte.

Gwyneira hielt locker die Zügel, als sie ihrer Enkelin von dieser ersten Begegnung mit dem Land erzählte, was Kura jedoch kommentarlos an sich abprallen ließ. Lediglich die Erwähnung der »Hills of Hell« aus dem Lied *Damon Lover* schien sie aus der Reserve zu locken. Sie begann sogar, das Lied zu summen.

Gwyneira hörte zu und fragte sich, von welchem Zweig der Familie Kura wohl ihre ausgeprägte Musikalität geerbt hatte. Ganz sicher nicht von den Silkhams, Gwyneiras Familie. Gwyns Schwestern hatten zwar mit größerer Begeisterung Klavier gespielt als sie selbst, aber auch mit ähnlich geringer Begabung. Deutlich mehr Talent hatte Gwyns erster Mann. Lucas Warden war ein Schöngeist, der exzellent Piano spielte. Aber das hatte er sicher von seiner Mutter, und mit der wiederum war Kura nicht blutsverwandt … Nun, über die verwandtschaftlichen Verwicklungen innerhalb der Familie Warden dachte Gwyneira lieber nicht länger nach. Wahrscheinlich war es allein Marama, die Maori-Sängerin, die ihr Talent an Kura weitergegeben hatte. Es war Gwyns eigene Schuld, dem Mädchen das vermaledeite Klavier gekauft zu haben, nachdem sie Lucas' Instrument vor Jahren verschenkt hatte. Andernfalls hätte Kura sich vielleicht auf die traditionellen Instrumente und die Musik der Maoris beschränkt.

Die Fahrt nach Queenstown dauerte mehrere Tage, wobei die Reisenden fast immer auf irgendeiner Farm ihr Nachtlager fanden. Gwyneira kannte fast alle Schafzüchter der Gegend, aber auch Fremde wurden im Allgemeinen gastlich aufgenommen. Viele Farmen lagen sehr abgelegen an selten befahrenen Wegen, und die Besitzer freuten sich über jeden Besucher, der Neuigkeiten brachte oder gar Post beförderte – so wie die Fahrer des O'Kay Warehouse es taten, die diese Route seit Jahren immer wieder nahmen.

Die Reisenden waren schon fast in Otago, als ihnen dann doch keine andere Wahl blieb, als in der Weite des Landes ihr Lager im Planwagen aufzuschlagen. Gwyneira versuchte, daraus ein Abenteuer zu machen, um Kura endlich aus der Reserve zu locken; sie hatte während der gesamten Reise meist unbeteiligt neben ihr gesessen und offenbar auf nichts anderes gehört als auf die Melodien in ihrem Kopf.

»James und ich haben in solchen Nächten oft wach gelegen und den Vögeln gelauscht. Hör mal, das ist ein Kea. Die hört man nur hier in den Bergen, bis runter nach Kiward Station kommen sie nicht ...«

»In Europa soll es Vögel geben, die richtig singen«, bemerkte Kura mit ihrer melodischen Stimme, die an die Stimme Maramas erinnerte; aber während diese eher hell und süß klang, war Kuras Stimme voll und samtig. »Richtige Melodien, sagt Miss Heather.«

Gwyn nickte. »Ja, ich erinnere mich. Nachtigallen und Lerchen ... es klingt hübsch, wirklich. Wir könnten eine Schallplatte mit Vogelstimmen kaufen, die kannst du dann auf deinem Grammophon abspielen.« Das Grammophon war Gwyns letztes Weihnachtsgeschenk für Kura gewesen.

»Ich würde die Stimmen lieber in der Natur hören«, seufzte Kura. »Und ich würde lieber nach England reisen und singen lernen als nach Queenstown. Ich weiß doch gar nicht, was ich da soll.«

Gwyneira nahm das Mädchen in den Arm. Eigentlich mochte Kura das seit Jahren nicht mehr, doch hier, in der grandiosen Einsamkeit unter der Sternen, war sogar sie zugänglicher.

»Kura, ich hab's dir schon tausendmal erklärt. Du hast eine Verantwortung. Kiward Station ist dein Erbe. Du musst es übernehmen oder an die nächste Generation weitergeben, wenn es dich schon so nicht interessiert. Vielleicht hast du ja mal einen Sohn oder eine Tochter, der es wichtig ist ...«

»Ich will keine Kinder, ich will singen!«, stieß Kura hervor.

Gwyneira strich ihr das Haar aus dem Gesicht. »Wir bekommen aber nicht immer, was wir wollen, Kleines. Zumindest nicht gleich und nicht jetzt. Finde dich damit ab, Kura. An ein Konservatorium in England ist nicht zu denken. Du wirst etwas anderes finden müssen, das dich glücklich macht.«

Gwyneira war heilfroh, als der Lake Wakatipu endlich vor ihnen auftauchte und die Stadt Queenstown in Sicht kam. Die Reise mit der mürrischen Kura war ihr in den letzten Tagen zunehmend lang geworden, und zum Schluss hatten sie gar keine Gesprächsthemen mehr gefunden. Doch der Anblick der sauberen kleinen Stadt vor der Bergkulisse und dem riesigen See stimmte sie gleich wieder optimistischer. Vielleicht brauchte Kura ja nur gleichaltrige Gesellschaft. Mit ihrer Cousine Elaine würden sich bestimmt Gemeinsamkeiten finden, und Elaine war Gwyn immer vernünftig vorgekommen. Vielleicht würde sie Kura ja den Kopf zurechtsetzen. Gut gelaunt überholte Gwyn die Frachtwagen und führte Owen, den eleganten Hengst, auf die Main Street. Tatsächlich wurde ihr einige Aufmerksamkeit zuteil, und viele Siedler, die sie von früheren Aufenthalten kannten, riefen ihr Grüße zu.

Gwyn verhielt den Hengst schließlich vor Daphne's Hotel, als sie Helens früheren Zögling davorstehen und mit einem Mädchen plaudern sah. Auch sie kannte Daphne seit über vierzig Jahren und hatte keine Berührungsängste. Daphnes

Anblick beunruhigte sie allerdings ein wenig; sie schien ihr seit ihrem letzten Besuch gealtert. Zu viele Nächte in verqualmten Bars, zu viel Whisky und zu viele Männer – in Daphnes Gewerbe alterte man schnell. Das Mädchen neben ihr war dagegen eine Schönheit mit langem schwarzem Haar und schneeweißer Haut. Schade nur, dass sie sich zu stark schminkte und dass ihr Kleid mit all den Rüschen und Volants derart überladen wirkte, dass ihre natürliche Schönheit nicht unterstrichen, sondern eher unterdrückt wurde. Gwyn fragte sich, wie dieses Mädchen in einem Etablissement wie Daphnes gelandet war.

»Daphne!«, grüßte sie. »Eins muss man dir lassen, du hast einen Blick für hübsche Mädchen! Wo holst du die bloß immer her?«

Gwyn stieg aus und gab Daphne die Hand.

»Die finden *mich*, Miss Gwyn.« Daphne lächelte und erwiderte den Gruß. »Es spricht sich herum, wenn die Arbeitsbedingungen stimmen und die Zimmer sauber sind. Glauben Sie mir, es erleichtert den Job ungemein, wenn nur die Kerle stechen und nicht auch noch die Flöhe. Aber meine Mona hier ist ja wohl nichts im Vergleich mit Ihrer Begleitung! Ist das die Maori-Enkelin? Donnerwetter!«

Daphne hatte eigentlich nur einen kurzen Blick in Gwyneiras Chaise werfen wollen; dann aber saugten ihre Blicke sich gleichsam an Kura fest, wie es sonst nur bei den Männern der Fall war. Kura jedoch blickte ungerührt geradeaus. Daphne gehörte sicher zu den Frauen, vor denen Miss Heather sie stets gewarnt hatte.

Nach der ersten Begeisterung schlich sich aber auch Besorgnis in Daphnes Katzengesicht.

»Kein Wunder, dass Sie mit diesem Mädchen Probleme haben«, bemerkte sie leise, bevor Gwyn wieder in den Wagen stieg. »Die sollten Sie ganz schnell verheiraten!«

Gwyn lachte ein wenig gezwungen und ließ ihr Pferd wieder antreten. Sie war ein bisschen verärgert. Daphne war zweifellos diskret, aber wem mochten Helen und Fleurette wohl noch davon erzählt haben, dass Gwyneira und Marama sich mit Kura hoffnungslos überfordert fühlten?

Ihr Zorn schwand allerdings, als sie die Fassade des O'Kay Warehouse passierten und Ruben und Fleurette mit den Fahrern ihrer Frachtwagen sprechen sah. Die beiden wandten sich ihr zu, als sie Owens kräftige Hufschläge hörten, und gleich darauf konnte Gwyn ihre Tochter wieder in die Arme schließen.

»Fleur! Du hast dich kein bisschen verändert! Und ich habe immer noch das Gefühl, eine Zeitreise angetreten und dann in den Spiegel gesehen zu haben, wenn ich dir gegenüberstehe.«

Fleurette lachte. »So alt siehst du auch noch nicht aus, Mommy. Es ist nur ungewohnt, dich nicht vom Pferd steigen zu sehen. Seit wann reist du per Kutsche?«

Wenn James und Gwyneira ihre Tochter gemeinsam besuchten, pflegten sie einfach zwei Pferde zu satteln. Proviant und die anderen notwendigen Dinge passten in die Satteltaschen – und Gwyn und James genossen die gemeinsamen Nächte unter dem Sternenzelt noch immer. Allerdings pflegten sie auch im Sommer zu reisen, nach der Schur und dem Auftrieb der Schafe, und dann war das Wetter deutlich beständiger.

Gwyn verzog das Gesicht. Fleurettes Bemerkung erinnerte sie an die eher unerfreuliche Reise.

»Kura reitet nicht«, sagte sie und versuchte, nicht enttäuscht zu klingen. »Wo sind denn George und Elaine?«

Elaines und Williams Beziehung hatte sich in den letzten Wochen gefestigt. Kein Wunder, schließlich sahen sie sich praktisch täglich. Elaine half ja ebenfalls im O'Kay Warehouse. Und auch nach der Arbeit oder in der Mittagspause gab es immer irgendeinen Grund, zusammen zu sein. Elaine überraschte ihre Mutter durch plötzliche, hausfrauliche Aktivitäten. Immer wieder musste eine Pastete gebacken werden, von der man William dann zwanglos in der Mittagspause etwas anbieten konnte, oder sie lud ihn nach dem Sonntagsgottesdienst zum Picknick ein und verbrachte den gesamten Samstag mit der Vorbereitung verschiedenster Leckereien. William küsste sie jetzt auch häufiger, was der Sache allerdings keineswegs den Reiz nahm. Noch immer schien Elaine vor Glück zu vergehen, wenn er sie in den Arm nahm, und wenn sie seine Zunge in ihrem Mund spürte, schmolz sie in seinen Armen dahin.

Ruben und Fleurette duldeten die Romanze zwischen ihrer Tochter und ihrem neuen Buchhalter mit gemischten Gefühlen. Fleurette war immer noch besorgt, während Ruben die Angelegenheit inzwischen mit einem gewissen Wohlwollen betrachtete. William hatte sich in seinem neuen Job hervorragend eingeführt. Er war intelligent und verstand sich auf Kontoführung und Buchhaltung; die Unterschiede zwischen der Verwaltung einer Farm und eines Warenlagers lernte er schnell. Außerdem nahm er die Kunden mit seinen guten Manieren und seinem zuvorkommenden Wesen für sich ein. Besonders die Damen ließen sich gern von ihm bedienen. Gegen einen solchen Schwiegersohn hätte Ruben nichts einzuwenden gehabt – wäre er nur ein paar Jahre später aufgetaucht. Vorerst musste Ruben O'Keefe seiner Frau zustimmen. Elaine war zu jung für eine engere Bindung; er würde ihr auf keinen Fall erlauben, jetzt schon zu heiraten. Insofern würde es auf die Bereitschaft des jungen Mannes ankommen, auf sie zu warten. Brachte William ein paar Jahre Geduld auf, war es gut; wenn nicht, würde Elaine bitter enttäuscht werden. Während Fleurette genau dies befürchtete, sah Ruben die Sache gelassener. Mit wem sollte William seiner Tochter denn schon davonlaufen? Die anderen ehrbaren Mädchen im Ort waren noch jünger als Elaine. Und irgendeine Neusiedlertochter von den umliegenden Farmen kam für William sicher nicht in Frage: Ruben schätzte William nicht so ein, als würde er sich Hals über Kopf in ein mittelloses Mädchen verlieben, mit dem er dann irgendwo neu anfangen musste. Der Junge machte sich schließlich kaum Illusionen, wem er seine Stellung im O'Kay Warehouse verdankte.

Insofern ließ Ruben die Zügel locker – und Fleurette schloss sich zähneknirschend an. Schließlich wussten die beiden aus eigener Erfahrung, dass eine junge Liebe kaum zu kontrollieren war. Ihre eigene Geschichte war sehr viel komplizierter gewesen als Elaines und Williams Liebelei und der Widerstand ihrer Väter und Großväter viel größer als Fleurettes Ressentiments. Trotzdem waren sie zusammengekommen. Das Land war groß und die gesellschaftliche Kontrolle gering.

Am frühen Morgen des Tages von Gwyneiras Ankunft in Queenstown waren Elaine und William gemeinsam zu einer größeren Tour aufgebrochen. William hatte sich erboten, eine Warenlieferung zu einer entfernten Farm zu bringen; Elaine begleitete ihn mit einer Kollektion Kleider und Kurzwaren aus der Damenabteilung des Store. Die Farmersfrau konnte dann in Ruhe auswählen, anprobieren und sich von Elaine beraten lassen – ein Service, den Fleurette seit den Anfängen des Unternehmens anbot und der gern genutzt wurde. Bot er den abgeschieden lebenden Frauen doch nicht nur die Möglichkeit zum Einkauf, sondern obendrein zum Austausch von Klatsch und Neuigkeiten aus der Stadt, die aus weiblichem Mund stets anders klangen, als wenn nur der Fahrer sie verbreitete.

Natürlich hatte Elaine außerdem ein Picknick für William organisiert und dafür sogar eine Flasche leichten australischen Wein aus den Beständen ihres Vaters mitgehen lassen. Die beiden hatten an einem idyllischen Hang am See fürstlich gespeist und dabei dem Herzschlag des Riesen gelauscht, der das Wasser steigen und sinken ließ. Und zum Schluss hatte Elaine geduldet, dass William ihr Kleid ein Stück öffnete, den Ansatz ihres Busens liebkoste und mit kleinen Küssen bedeckte. Jetzt war sie erfüllt von dieser neuen Erfahrung, hätte vor Glück die ganze Welt umarmen können und ließ kaum die Hände von William, der – ebenfalls zufrieden mit dem Verlauf des Tages – gelassen die Zügel ihres Gespannes führte. Zumindest, bis die beiden Stuten interessiert die Köpfe hoben und einem dunkelbraunen Pferd vor dem Laden zuwieherten. Elaine erkannte den Hengst sofort.

»Das ist Owen! Grandma Gwyns Zuchthengst! Oh, William, dass sie den mitgebracht hat! Banshee kann ein Fohlen haben! Und Caitlin und Ceredwen wollen sofort flirten. Ist das nicht wundervoll?«

Caitlin und Ceredwen waren die Cob-Stuten vor dem leichten Frachtwagen, die sich jetzt nur mit einiger Mühe auf Linie halten ließen. Die vierbeinigen Damen wussten eindeutig, was sie wollten. William verzog indigniert den Mund. Elaine war zweifellos gut erzogen, aber manchmal benahm sie sich wie eine derbe Farmerstochter! Wie konnte sie so ungeniert und in aller Öffentlichkeit von Zucht sprechen? Er überlegte, ob er sie tadeln sollte, doch Elaine war schon vom Wagen gesprungen und eilte auf die lässig-elegant gekleidete ältere Dame zu, in der man unschwer ihre Großmutter erkannte. Wenn man Fleurette betrachtete, wusste man, wie Elaine mit vierzig aussehen würde, und Gwyneira gab einen Ausblick auf ihre Gestalt mit sechzig.

William schwankte zwischen Lächeln und Seufzen. Das war der einzige Wermutstropfen bei seiner Werbung um Elaine: Wenn er sich für dieses Mädchen entschied, hielte das Leben keinerlei Überraschungen mehr für ihn bereit. Beruflich und privat würde er sich vorwärtsbewegen wie ein Zug auf Schienen.

Er parkte sein Gespann hinter einem der schweren Wagen ein und achtete darauf, seine Zugpferde gut festzubinden. Dann machte er sich gemessenen Schrittes auf den Weg, um sich Elaines Großmutter und der Cousine vorstellen zu lassen. Wahrscheinlich eine weitere Auflage von Rotschopf mit Wespentaille.

Elaine begrüßte derweil Gwyneira, die soeben Fleurette aus ihren Armen entließ. Offensichtlich war sie gerade erst eingetroffen.

Gwyneira küsste Elaine, drückte sie und hielt sie dann ein Stück weit von sich, um sie anschauen zu können.

»Da bist du ja, Lainie! Und hübsch bist du geworden, eine richtige Frau! Siehst genauso aus wie deine Mutter in dem Alter. Hoffentlich bist du genauso ein Wildfang. Falls nicht, habe ich das falsche Geschenk für dich mitgebracht ... Wo steckt es überhaupt? Kura, hast du den Hundekorb? Was machst du überhaupt noch im Wagen? Steig aus, und sag deiner Cousine guten Tag!« Gwyn klang jetzt ein wenig gereizt. Kura musste nicht so deutlich zeigen, dass dieser Besuch in Queenstown ihr im Grunde egal war.

Aber das Mädchen hatte wohl nur auf eine Aufforderung gewartet. Gelassen und mit geschmeidigen, anmutigen Bewegungen erhob sich Kura-maro-tini Warden, um Queenstown in Besitz zu nehmen. Und sie bemerkte mit Genugtuung, dass ihr Auftritt seine Wirkung nicht verfehlte. Selbst auf dem Gesicht ihrer Tante und ihrer Cousine stand Bewunderung, beinahe Ehrfurcht.

Elaine hatte sich selbst eben noch hübsch gefunden. Die Liebe zu William tat ihr gut. Sie strahlte von innen heraus; ihre Haut war rein und rosig, ihr Haar glänzte, und ihre Augen schienen wacher und ausdrucksvoller als zuvor. Doch vor dem Anblick ihrer Cousine schrumpfte sie sofort zum hässlichen Entlein –

wie wahrscheinlich jedes Mädchen, das die Natur nicht mit so vielen Vorzügen überhäuft hatte wie Paul Wardens Tochter. Elaine erblickte ein Mädchen, das sie um eine halbe Haupteslänge überragte, was sicher nicht nur daran lag, dass es sich natürlich gerade hielt und mit katzenhafter Anmut bewegte.

Kuras Haut besaß die Farbe von Kaffee, in den man großzügig dicke weiße Sahne gerührt hatte. Ihre Haut hatte einen leichten Goldglanz, der sie warm und einladend wirken ließ. Kuras glattes, hüftlanges Haar war tiefschwarz und schimmernd, sodass es aussah, als fiele ein Vorhang aus Onyx über ihre Schultern. Auch ihre langen Wimpern und ihre weich geschwungenen Augenbrauen zeigten dieses tiefe Schwarz, was ihre Augen, die groß und azurblau leuchteten wie die ihrer Großmutter Gwyn, umso bemerkenswerter machte. Ihre Augen neigten allerdings nicht, wie bei Gwyn, zu spöttischem oder mutwilligem Aufblitzen, sondern wirkten ruhig und verträumt, beinahe ein wenig gelangweilt, was dieser exotischen Schönheit einen geheimnisvollen Anstrich verlieh. Auch ihre schweren Lider unterstrichen den Eindruck einer Träumerin, die nur darauf wartete, erweckt zu werden.

Kuras Lippen waren voll, von dunklem Rot, und schimmerten feucht. Ihr Zähne waren klein, vollkommen ebenmäßig und schneeweiß, was sie unwiderstehlich wirken ließ. Ihr Gesicht war schmal, der Hals lang und schön geschwungen. Sie trug ein dunkelrotes, schlichtes Reisekleid, doch ihre Körperformen hätten sich wohl auch unter einer Kutte abgezeichnet. Ihre Brüste waren fest und voll, ihre Hüften breit. Sie schwangen lasziv bei jedem ihrer Schritte, doch es wirkte nicht eingeübt, wie bei Daphnes Mädchen, sondern war Kura angeboren.

Ein schwarzer Panther ... William hatte einmal eines dieser Tiere im Londoner Zoo gesehen; die geschmeidigen Bewegungen dieses Mädchens und ihre rassige Schönheit weckten sofort Erinnerungen daran. William konnte nicht umhin, Kura zuzulächeln, und es verschlug ihm den Atem, als sie das Lächeln erwiderte. Ganz kurz natürlich nur, denn was kümmerte diese Göttin das Gesicht eines jungen Mannes am Straßenrand?

»Du ... äh ... bist Kura?« Fleurette fing sich als Erste und lächelte dem Mädchen ein wenig gezwungen zu. »Ich muss gestehen, ich hätte dich nicht wiedererkannt ... Woran man sieht, dass wir sträflich lange nicht auf Kiward Station gewesen sind. Kennst du Elaine noch? Und Georgie?«

Gerade eben war die Schule zu Ende, und George hatte sich dem Laden genähert, als Kura ihren Auftritt inszenierte, den er mit ebenso dümmlich-gaffendem Gesichtsausdruck verfolgt hatte wie der Rest der männlichen Zuschauer. Jetzt aber nutzte er gleich seine Chance, schob sich an seine Mutter und damit auch an die wunderschöne Cousine heran. Wenn er nur wüsste, was er zu ihr sagen könnte!

»*Kia ora*«, rang er sich schließlich ab und kam sich dabei ausgesprochen weltgewandt vor. Kura war schließlich Maori; es würde ihr gefallen, wenn sie in ihrer Sprache begrüßt wurde.

Kura lächelte. »Guten Tag, George.«

Eine Stimme wie ein Lied. George erinnerte sich, diese Beschreibung einmal irgendwo gehört und unglaublich albern gefunden zu haben. Aber das war, bevor er Kura-marotini Warden »Guten Tag« hatte sagen hören ...

Elaine bemühte sich, ihren Frust abzuschütteln. Zugegeben, Kura war schön, aber vor allem war sie ihre Cousine. Ein ganz normaler Mensch also und obendrein jünger als sie. Es bestand absolut kein Grund, sie anzugaffen. Elaine lächelte und versuchte, Kura ganz normal zu begrüßen. Aber ihr »Hallo, Kura« klang ein wenig gepresst.

Kura machte Anstalten, etwas zu erwidern, aber dann stahl ihr ein Fiepen und Heulen aus dem Wagen die Schau. In dem Hundekorb, den Kura natürlich nicht mit herausgebracht hatte, kämpfte ein Welpe heroisch um seine Freiheit.

»Was ist das denn?«, fragte Elaine. Sie hörte sich gleich wieder natürlich an. Aufgeregt näherte sie sich der Kutsche und hatte Kura fast schon vergessen.

Gwyneira folgte ihr und öffnete den Korb. »Ich dachte, ich tue was zur Traditionspflege. Gestatten – Kiward Callista. Eine Ururenkelin meiner ersten Border-Collie-Hündin, die mit mir aus Wales kam.«

»Für ... mich?«, stammelte Elaine und blickte in ein winziges, dreifarbiges Hundegesicht mit großen wachen Augen, die gleich bereit schienen, ihre Befreierin anzubeten.

»Als ob wir noch nicht genug Hunde hätten!«, rief Fleurette. Doch auch sie fand das vierbeinige neue Familienmitglied interessanter als die kühle Kura.

Für Ruben, George und vor allem William galt das jedoch nicht. George rang immer noch um eine kluge Bemerkung, und sein Vater raffte sich jetzt erst dazu auf, Kura förmlich in Queenstown willkommen zu heißen.

»Wir freuen uns sehr, dich näher kennen zu lernen«, sagte er. »Miss Gwyn meinte, du interessierst dich für Musik und Kunst. Da wird es dir in der Stadt vielleicht besser gefallen als oben in den Plains.«

»Wenngleich das Kulturangebot in unserer kleinen Stadt noch zu wünschen übrig lässt.« William hatte seine Fassung endlich wiedergefunden und damit auch seine Begabung zum *whaikorero*. »Doch ich bin sicher, alle werden zu großer Form auflaufen, wenn Sie, Kura, im Publikum sitzen. Oder es wird ihnen die Stimmen verschlagen, damit müssen wir natürlich auch rechnen ...« Er lächelte.

Kura reagierte nicht so prompt wie die meisten Mädchen. Statt ihm ein spontanes Lächeln zu schenken, blieb ihre Miene ernst. Doch Interesse war vorhanden, das sah er in ihren Augen.

William versuchte einen weiteren Vorstoß. »Sie machen

selbst Musik, nicht wahr? Elaine hat es mir erzählt. Sie sind eine begnadete Pianistin. Was bevorzugen Sie, Klassik oder Folklore?«

Das war offensichtlich die richtige Strategie. Kuras Augen leuchteten auf.

»Meine Liebe gilt der Oper. Ich möchte Sängerin werden. Ansonsten sehe ich auch keinen Hinderungsgrund, klassische und folkloristische Elemente zu verknüpfen. Ich weiß, das gilt als gewagt, aber es kann durchaus auf hohem Niveau geschehen. Ich habe versucht, einige der alten Maori-Gesänge mit einer konventionellen Klavierbegleitung zu unterlegen, und das Ergebnis ist ganz reizvoll ...«

Elaine bemerkte den Wortwechsel zwischen Kura und William nicht. Sie hatte nur Augen für den kleinen Hund. Doch Fleurettes und Gwyns Blicke trafen sich.

»Wer ist der Jüngling?«, erkundigte sich Gwyn. »Großer Gott, ich sitze jetzt seit einer Woche neben ihr und versuche, ein Gespräch anzufangen, aber sie hat während der ganzen Reise keine drei Sätze gesagt. Und nun ...«

Fleurette verzog den Mund. »Tja, unser William versteht es eben, die richtigen Fragen zu stellen. Der Mann arbeitet seit einigen Wochen für Ruben. Ein heller Kopf mit klarer Zukunftsplanung. Er wirbt heftig um Elaine.«

»Elaine? Aber sie ist doch noch ein Kind ...« Gwyn brach ab. Elaine war fast zwei Jahre älter als Kura. Und bei der dachte alles an eine baldige Verheiratung.

»Wir finden auch, sie ist zu jung. Ansonsten aber würde es passen. Ein irischer Landadeliger ...«

Gwyneira nickte mit leicht verwundertem Ausdruck. »Donnerwetter. Was macht der denn hier, statt in Irland seine Scholle zu pflegen? Oder haben seine Pächter ihn rausgeschmissen?« Auch in Haldon kamen inzwischen gelegentlich englische Zeitungen an.

»Eine lange Geschichte«, meinte Fleurette. »Aber lass uns

jetzt erst mal dazwischengehen. Wenn Kura sich gleich damit einführt, Lainie eifersüchtig zu machen, sehe ich schwarz für eine glückliche Familienzusammenführung.«

William hatte sich inzwischen vorgestellt und ein paar kluge Bemerkungen zum altirischen Liedgut gemacht, das sich anschickte, die Welt zu erobern.

»Es gibt eine Fassung von *The Maids of Mourne Shore* zu einem Text von William Butler Yeats. Wir Iren mögen es eigentlich nicht, wenn man alte gälische Lieder auf Englisch neu textet, aber in diesem Fall ...«

»Ich kenne das Lied. Heißt es nicht *Down by the Sally Gardens?* Meine Hauslehrerin hat es mir beigebracht.«

Kura unterhielt sich offensichtlich prächtig, was inzwischen auch Ruben aufging.

»William, möchten Sie sich nicht wieder um den Laden kümmern?«, fragte er freundlich, aber bestimmt. »Meine Familie und ich werden gleich nach Hause fahren, aber Miss Helen schickt Ihnen bestimmt gern einen Zwilling als Hilfe herüber. Sie müssen ja die neuen Waren aufnehmen ... Und es wird bestimmt weitere Gelegenheiten geben, sich mit meiner Nichte über Musik auszutauschen.«

William verstand den Wink, verabschiedete sich und fühlte sich mehr als geschmeichelt, als Kura enttäuscht zu sein schien. Elaine hatte er über der Begegnung mit ihr ganz vergessen, aber jetzt, als er sich abwenden wollte, machte sie sich bemerkbar.

»William, sieh mal, was ich habe!« Strahlend hielt sie ihm ein hechelndes Wollknäuel vor die Nase. »Das ist Callie. Sag guten Tag, Callie!« Sie nahm ein Hundepfötchen und winkte damit. Das Hündchen bellte leise, aber empört. Elaine lachte. Noch vor ein paar Stunden hätte William dieses Lachen unwiderstehlich gefunden, aber jetzt ... neben Kura wirkte Elaine kindlich.

»Ein niedlicher kleiner Hund, Lainie«, sagte er ein wenig gezwungen. »Aber ich muss jetzt gehen. Dein Vater will sich frei nehmen, und es gibt viel zu tun.« Er zeigte auf die Ladung, die abgeladen und registriert werden musste.

Elaine nickte. »Ja, und ich muss mich jetzt wohl um diese Kura kümmern. Hübsch ist sie ja, aber sonst wohl ziemlich uninteressant.«

Georgie kam zu dem gleichen Ergebnis, nachdem er auf dem ganzen Weg nach Nugget Manor versucht hatte, Kura in ein Gespräch zu verwickeln. Das Mädchen kam von einer Schaffarm, also versuchte er es zunächst mit Viehzucht.

»Wie viele Schafe habt ihr denn jetzt wohl auf Kiward Station?« Kura gönnte ihm keinen Blick.

»Um die zehntausend, Georgie«, antwortete stattdessen Gwyn. »Aber die Zahl schwankt. Und wir konzentrieren uns auch mehr und mehr auf Rinder, seit es diese Kühlschiffe gibt, die Fleischexporte ermöglichen.«

Kura zeigte keine Regung. Aber sie war Maori. Sicher wollte sie über ihr Volk sprechen.

»Habe ich *kia ora* eigentlich richtig ausgesprochen?«, erkundigte er sich. »Du sprichst sicher fließend Maori, Kura?«

»Ja«, entgegnete sie einsilbig.

George zermarterte sich das Hirn. Kura war schön, und schöne Menschen sprachen bestimmt am liebsten von sich selbst.

»Kura-maro-tini ist ein ungewöhnlicher Name!«, sagte der Junge. »Hat es eine besondere Bedeutung?«

»Nein.«

George gab es auf. Es war das erste Mal, dass er sich für ein Mädchen interessierte, doch scheinbar war dieser Fall hoffnungslos. Sollte er jemals heiraten, dann zumindest eine Frau, die mit ihm sprach, egal wie sie aussah!

Fleurette, die kurz darauf Tee servierte, war auch nicht viel erfolgreicher, was Konversation anging. Kura hatte das Haus betreten, die relativ schlichte Möblierung – die O'Keefes hatten örtliche Schreiner damit betraut, statt sich Möbel aus England kommen zu lassen – mit einem undefinierbaren, aber zweifellos eher ungnädigen Blick bedacht und seitdem geschwiegen. Ab und zu fixierte sie begehrlich das Klavier in einer Ecke des Salons, doch sie war zu gut erzogen, um einfach dorthin zu gehen. So knabberte sie stattdessen missmutig an einem Teekuchen.

»Schmecken dir die Plätzchen?«, erkundigte sich Fleurette. »Elaine hat sie selbst gebacken, wenn auch nicht für uns, sondern für ihren Freund ...« Sie zwinkerte ihrer Tochter zu, die allerdings nach wie vor ganz auf ihren Welpen konzentriert war.

Gwyneira seufzte. Grundsätzlich war das Geschenk ja ein voller Erfolg, doch in Anbetracht der Zielsetzung, die beiden Cousinen einander näherzubringen, war das Hündchen eher hinderlich.

»Ja, danke«, sagte Kura.

»Möchtest du noch Tee? Du bist bestimmt durstig nach der Reise, und wie ich deine Großmutter kenne, gab es unterwegs nur schwarzen Kaffee und Wasser wie beim Viehtrieb.« Fleurette lächelte.

»Ja, bitte«, sagte Kura.

»Wie ist denn so dein erster Eindruck von Queenstown?« Fleurette versuchte verzweifelt, eine Frage zu formulieren, auf die man weder mit Ja noch mit Nein, danke oder Ja, bitte antworten konnte.

Kura zuckte mit den Schultern.

Ein bisschen mehr Glück hatte später Helen, die gemeinsam mit Ruben eintraf. Er hatte sie abgeholt und mitgebracht, sobald sie sich im Hotel freimachen konnte.

Nun unterhielt sie sich recht flüssig mit Kura über ihre musikalischen Studien, die Stücke, die sie auf dem Klavier einübte, und ihre Vorlieben für verschiedene Komponisten. Dabei machte die äußere Erscheinung des Mädchens auf Helen nicht den geringsten Eindruck; sie ging völlig natürlich mit ihr um. Kura schien das zunächst befremdlich zu finden, taute dann aber auf. Leider konnte niemand anders mit den Gesprächsthemen der beiden etwas anfangen, sodass Kura es im Grunde auch diesmal schaffte, jedes Tischgespräch zum Erliegen zu bringen. Außer Elaine, die mit dem Hündchen beschäftigt war, langweilten sich alle zu Tode.

»Vielleicht möchtest du uns etwas vorsingen…?«, regte Helen schließlich an. Sie spürte, dass sich besonders bei Gwyn und Fleurette Spannung aufbaute. Georgie war schon auf sein Zimmer geflohen, und Ruben schien irgendwelchen juristischen Überlegungen nachzuhängen. »Elaine könnte dich begleiten.«

Elaine spielte ordentlich Klavier. Sie war musikalisch deutlich begabter als Gwyneira, deren Musikerziehung in Wales eine Qual gewesen war. Helen unterrichtete Elaine seit Jahren und war stolz auf ihre Erfolge. Sicher ein Grund für ihren Vorschlag. Kura sollte bloß nicht denken, alle anderen Neuseeländer seien Kulturbanausen.

Elaine stand bereitwillig auf. Kura hingegen blickte eher skeptisch drein und wirkte regelrecht entsetzt, als Elaine die ersten Takte gespielt hatte, denn Callie stimmte ein und heulte in den höchsten Tönen. Der Rest der Gesellschaft fand den Gesang des Welpen urkomisch. Elaine lachte Tränen, sperrte das Hündchen dann aber weisungsgemäß weg. Natürlich heulte Callie nun herzzerreißend im Nebenzimmer und störte damit die Konzentration ihrer jungen Herrin. Wahrscheinlich war das der Grund dafür, dass Elaine sich mehrmals verspielte. Kura verdrehte die Augen.

»Wenn du nichts dagegen hast, begleite ich mich lieber selbst«, sagte sie. Elaine hatte das Gefühl zu schrumpfen, wie zuvor, als Kura aus der Chaise gestiegen war. Dann aber warf sie trotzig den Kopf zurück. Sollte ihre Cousine das Klavier doch haben! Dann konnte sie sich wenigstens wieder um Callie kümmern.

Die Musik, die dann aber durch die geschlossene Tür zu ihr drang, ließ Elaine noch kleiner werden. Niemals hatte das Klavier so wundervoll geklungen, wenn sie selbst spielte – ja nicht mal bei Grandma Helen. Es musste am Anschlag liegen oder daran, dass Kura mit Seele spielte; Elaine wusste es nicht. Sie ahnte nur, dass sie ein solches Spiel nie beherrschen würde, und wenn sie ihr Leben lang übte.

»Komm, wir gehen raus«, flüsterte sie ihrem Hündchen zu. »Bevor sie auch noch singt. Für heute habe ich genug von Perfektion und makelloser Schönheit.«

Sie versuchte an William zu denken und an seine Küsse in der Bucht am See. Und wie immer hob das ihre Stimmung. Er liebte sie, er liebte sie ... Elaines Herz sang mit Kuras Stimme um die Wette.

»Wie findest du sie?«

Gwyneiras Geduld war auf eine lange Probe gestellt worden, bevor sie Helen endlich für sich allein hatte. Aber nun war nicht nur der Tee, sondern auch das kleine, familiäre Dinner zu Ende, und sie hatten die Kinder ins Bett geschickt. Elaine und Georgie waren ohnehin gleich nach dem Essen freiwillig gegangen, und auch Kura schien froh, sich zurückziehen zu können. Sie müsse noch einen Brief schreiben, erklärte sie – und Gwyneira konnte sich lebhaft vorstellen, was sie Miss Witherspoon über ihre Familie berichten würde.

Helen nahm einen Schluck Wein. Sie liebte den Bordeaux, den Ruben regelmäßig aus Frankreich kommen ließ. Zu viele Jahre hatte sie ohne solche Annehmlichkeiten des Lebens auskommen müssen.

»Was willst du hören? Wie schön Kura ist? Das weißt du

doch. Wie musikalisch? Das weißt du auch. Das Problem liegt nur darin, dass sie selbst es auch nur zu gut weiß.«

Gwyneira lächelte. »Du bringst es auf den Punkt. Sie ist schrecklich eingebildet. Aber was ist zum Beispiel mit ihrer Stimme? Reicht das wirklich für die Oper?«

Helen zuckte die Schultern. »Ich war seit fünfundvierzig Jahren in keiner Opernaufführung. Was soll ich also sagen? Was meint ihre Lehrerin? Die sollte sich doch auskennen.«

Gwyneira verdrehte die Augen. »Miss Witherspoon wurde nicht als Musiklehrerin engagiert. Tatsächlich sollte sie allen Kindern auf Kiward Station zu einer ordentlichen Schulbildung verhelfen. Aber wie es aussieht, habe ich mich mit der Dame gründlich vergriffen. Sie stammt aus sehr gutem Hause, weißt du. Erstklassige Erziehung, Pensionat in der Schweiz ... auf dem Papier sah das alles großartig aus. Aber dann hat ihr Vater sich wohl bei irgendeinem Deal übernommen, sein ganzes Geld verloren und sich aus dem Fenster gestürzt. Und plötzlich musste Klein-Heather für sich selbst aufkommen. Leider kann sie sich damit nur schwer abfinden. Und kaum war sie da, setzte sie Kura auch schon all die Dinge in den Kopf, die ihren eigenen Kopf noch immer füllten.«

Helen lachte. »Aber sie muss doch Musik studiert haben. Kura spielt hervorragend, und ihre Stimme ... also, ein bisschen Ausbildung erkennt man da schon.«

»Miss Witherspoon hatte in der Schweiz Gesangs- und Klavierunterricht«, gab Gwyn Auskunft. »Wie lange, habe ich nicht gefragt. Ich weiß nur, dass sie darüber klagt, es wäre viel zu wenig gewesen, sie könne Kura jetzt schon kaum noch etwas beibringen. Aber alles, was mit Musik zu tun hat, saugt Kura auf wie ein Schwamm. Selbst Marama sagt, sie könne dem Mädchen nichts mehr beibringen, und wie du weißt, gilt sie als *tohunga*.«

Marama war eine anerkannte Sängerin und Musikerin bei den Maoris.

»Tja, dann sollte es vielleicht für die Oper reichen. Ein Konservatorium könnte Kura nur guttun. Da wäre sie endlich mal eine unter vielen und würde nicht von allen angebetet, mit denen sie zu tun hat.«

»Ich bete sie nicht an!«, begehrte Gwyn auf.

Helen lächelte. »Nein, du hast Angst vor ihr, das ist noch schlimmer! Du lebst in der Furcht, dieses Kind könnte irgendetwas anstellen, das zum Verlust von Kiward Station führt …«

Gwyn seufzte. »Aber ich kann sie nicht wirklich nach London schicken.«

»Besser als in die Arme irgendeines Maori-Jünglings, der Tongas Marionette spielt. Sieh es mal so, Gwyn: Auch wenn Kura nach London geht und sich in Europa verheiratet – sie bleibt die Erbin. Und wenn Kiward Station sie nicht weiter interessiert, wird sie es auch nicht verkaufen – zumindest nicht, solange sie kein Geld braucht. Und an Geld mangelt es euch doch nicht, oder?«

Gwyn schüttelte den Kopf. »Wir könnten sie mit einem großzügigen Salär bedenken.«

Helen nickte. »Dann tut es! Sollte sie in Übersee heiraten, werden die Karten natürlich neu gemischt, aber so gefährlich ist das auch nicht. Falls sie nicht gerade einem Betrüger oder Spieler oder einem anderen Kriminellen in die Hände fällt, wird ihr Mann die Hand nicht auf eine Farm in Neuseeland legen, die noch dazu monatlich Geld abwirft. Desgleichen ihre Kinder. Wenn sich eins davon zum Farmer berufen fühlt, kann es ja herkommen. Vielleicht aber nehmen sie lieber das Geld und machen sich ein schönes Leben.«

Gwyneira kaute auf den Lippen. »Das hieße, wir müssen nur weiterhin für stetigen Geldfluss sorgen – und später Jack, wenn er die Farm übernimmt. Schlechte Zeiten können wir uns dann nicht mehr leisten.«

»Aber nach dem, was du sagst, scheint Jack sich doch zu einem fähigen Farmer zu mausern«, meinte Helen. »Wie ist denn sein Verhältnis zu Kura? Hätte sie etwas dagegen, wenn er die Farm übernimmt?«

Gwyn verneinte wieder. »Jack ist ihr egal. Wie alles andere auf der Welt, das man nicht in Notenschrift übertragen kann.«

»Na also! Dann würde ich auch nicht zu lange darüber nachgrübeln, was wie warum passieren könnte, wenn die Farm mal nicht mehr so gut läuft. Du musst nicht immer vom Schlimmsten ausgehen. Es ist gar nicht gesagt, dass Kura von euren Zuwendungen abhängig bleibt. Sie könnte sich ja zu einem international berühmten Opernstar hocharbeiten, der im Geld schwimmt. Oder sie macht etwas aus ihrem Aussehen und heiratet einen Fürsten. Ich kann mir nicht vorstellen, dass euch dieses Mädchen sein Leben lang auf der Tasche liegt. Dafür ist es zu schön und zu selbstbewusst.«

Gwyneira lag in dieser Nacht noch lange wach und dachte über Helens Vorschläge nach. Vielleicht war ihre bisherige kategorische Ablehnung von Kuras Plänen ja wirklich falsch gewesen. Bei Licht gesehen gab es ohnehin nichts, was Kura auf Kiward Station hielt – wenn Tonga mit seinen Plänen nicht erfolgreich wäre, konnte sie die Farm verkaufen, sobald sie volljährig würde. Bisher hatte Gwyn sich mit dieser Möglichkeit noch gar nicht befasst, aber Helen hatte ihr die Sache drastisch vor Augen geführt. Ihre Vormundschaft über Kura würde in absehbarer Zeit enden, und dann war Kiward Station den Launen der jungen Frau auf Gedeih und Verderb ausgeliefert.

Als der Morgen graute, hatte Gwyn ihre Entscheidung fast schon getroffen. Sie musste noch mit James darüber sprechen, aber wenn sie ihm Helens Argumente vortrug, würde er zu dem gleichen Ergebnis kommen.

Kura-maro-tini Warden war der Erfüllung ihrer Wünsche nie so nahe gewesen wie an diesem strahlend schönen Herbsttag – an dem William Martyn zum Dinner nach Nugget Manor kam.

5

Ruben O'Keefe hatte sich am ersten Abend mit Gwyn und Kura ausgiebig gelangweilt – und er hatte nicht vor, das so bald zu wiederholen. Nun würden die beiden auch nicht viel länger auf Nugget Manor bleiben; das Haus war für Logierbesuch zu abgelegen, erst recht für solchen, der noch nie auf einem Pferd gesessen hatte! Helen hielt Zimmer für ihre Freundin und ihre Enkelin bereit, und Gwyn wollte bald umziehen. Die ersten Tage ihres Besuches aber waren stets ihren gemeinsamen Interessen mit Fleurette und Elaine gewidmet. Elaine musste ihr vorführen, welche Fortschritte sie im Reiten gemacht hatte. Sie brannte darauf, ihre Großmutter Banshee reiten zu lassen und zu hören, was sie von ihrem geliebten Pferd hielt – und natürlich würden Fleurette und Gwyn sich bis in die kleinste Kleinigkeit über alle Interna austauschen, die Kiward Station und Haldon zu bieten hatten. Ruben gönnte seiner Frau und seiner Schwiegermutter diesen Spaß und Elaine erst recht. Die sprach schon seit Gwyns Ankunft nur davon, den Hengst zu reiten, den ihre Großmutter mitgebracht hatte – jedenfalls dann, wenn sie nicht gerade von ihrem neuen Hund redete. Wo immer Kura-maro-tini schwieg, neigte Elaine zum Plappern, und Ruben graute es schon vor einem weiteren Dinner mit zwei Teenagern, von denen einer mürrisch und der andere entschieden zu aufgedreht war. Dann aber traf er William im Laden, fleißig beschäftigt mit der Registrierung der neuen Warenlieferung, und schon kam ihm eine blendende Idee, um der Sache auszuweichen.

Sein junger Buchhalter und Möchtegernschwiegersohn

hatte sich am Tag zuvor ganz angeregt mit dieser Kura unterhalten. Außerdem sorgte er zuverlässig dafür, dass Elaine nicht von Hunden und Pferden redete; William machte sich aus beidem nichts, das hatte Ruben schon herausgefunden. Und in Williams Anwesenheit äußerte Elaine sich nur zu Themen, die William genehm waren. Fleurette regte sich darüber auf, Ruben dagegen fand es ganz praktisch. So praktisch, dass er gegen Mittag die Einladung aussprach, nachdem William die Mammutaufgabe, die gesamten neuen Waren zu registrieren und in die Regale zu ordnen, praktisch allein und bravourös erfüllt hatte.

»Kommen Sie heute Abend zu uns zum Essen, William! Elaine wird sich freuen, und mit meiner Nichte haben Sie sich doch auch gleich gut verstanden.«

William Martyn schien überrascht und erfreut. Selbstverständlich würde er kommen, er hatte natürlich noch nichts anderes vor – nur Helen und die Zwillinge müsste er davon in Kenntnis setzen, dass er beim Abendessen fehlen würde. In der Mittagspause ging William also hinüber zur Pension und fand dort Elaine am Klavier, das Hündchen Callie natürlich bei sich. Der Hund begleitete ihren Klaviervortrag mit durchdringendem Jaulen, sodass die Zwillinge sich vor Lachen ausschütteten. Auch der Hausdiener und einer der Bankangestellten amüsierten sich köstlich. Sogar die gestrenge Miss Carpenter rang sich ein Lächeln ab.

»Ich finde, dass sie viel besser singt als meine eingebildete Cousine«, erklärte Elaine gerade. »Aber bis jetzt will sie zum Glück noch nicht zur Oper ...«

William wusste nicht, warum er sich über diese an sich harmlose Stichelei ärgerte, aber er hatte schon leichten Zorn gespürt, als Ruben O'Keefe sich abfällig über das Verhalten seiner Nichte geäußert hatte. Wie konnte Kura Warden »mürrisch« sein? Das hatte er seinem Chef jedoch schnell vergeben; schließlich dankte er dem Himmel für dessen Einladung. Seit er Kura am letzten Mittag gesehen hatte, dachte er nur darüber nach, wann er sie wieder treffen und was er dann zu ihr sagen könnte. Sie war zweifellos ein besonders kluges Mädchen. Natürlich hatte sie keine Lust, sich über Nichtigkeiten auszutauschen wie ...

In diesem Moment entdeckte Elaine ihren Freund, und ihre Augen leuchteten auf. Sie hatte damit gerechnet, William in der Stadt zu treffen, und sich entsprechend hübsch gemacht. Ihr Haar wurde von einem grünen Reif aus dem Gesicht gehalten, und sie trug ein grün-braun kariertes Batistkleid, für das es draußen fast schon ein bisschen zu kalt war.

»Komm, William!«, forderte sie ihn jetzt mit heller Stimme auf. »Spiel ein Stück mit mir! Oder hast du keine Zeit? Ich verspreche dir auch, dass ich Callie solange ruhig halte.«

Mary – oder Laurie – verstand den Wink sofort und hob das Hündchen auf, um damit in der Küche zu verschwinden. Laurie – oder Mary – schob derweil einen zweiten Klavierhocker neben Elaine.

William konnte ein bisschen Klavier spielen und hatte Elaine vor kurzem damit entzückt, ein paar leichte Stücke vierhändig mit ihr einzuüben. Jetzt aber zierte er sich.

»Doch nicht hier in aller Öffentlichkeit, Lainie! Vielleicht heute Abend. Dein Vater hat mich zum Dinner eingeladen.«

»Wirklich?« Elaine wirbelte vergnügt auf ihrem Hocker herum. »Wie schön! Er hat sich gestern mit meiner fürchterlichen Cousine beinahe zu Tode gelangweilt. So eine Langweilerin, das glaubt man nicht! Na ja, du wirst ja selbst sehen. Sie ist wirklich hübsch, aber sonst ... wäre ich an Grandma Gwyns Stelle, würde ich sie eher heute als morgen nach London schicken.«

William musste wieder gegen aufkommenden Unmut ankämpfen. »Wirklich hübsch?« Das Mädchen, das er gesehen hatte, war eine Göttin! Und was redete Elaine davon, sie wegzuschicken? Das konnte er nicht zulassen, er ...

William!, rief er sich energisch zur Ordnung. Was hatte er mit diesem Mädchen zu tun? Kura Warden ging ihn absolut nichts an; er durfte sich da in nichts hineinsteigern. Gezwungen lächelte er Elaine an. »So schlimm wird es schon nicht sein. Du siehst heute Morgen übrigens auch besonders hübsch aus.«

Damit verabschiedete er sich, um Helen zu suchen, während Elaine ihm enttäuscht nachblickte. »Auch besonders hübsch ...?« Gewöhnlich hörte sie von William geschliffenere Komplimente.

Fleurette O'Keefe erfuhr am Nachmittag von Rubens Einladung und war nicht allzu begeistert. Sie hatte eigentlich nur ein kleines, informelles Dinner vorbereitet. Nicht einmal Helen wollte herauskommen. Mit William als Hausgast würde sie aufwändiger kochen und servieren müssen, dazu war noch jemand zu unterhalten, den Fleurette nicht eben einfach fand. Sie wurde nicht richtig warm mit dem redegewandten jungen Iren; sie wusste nie, wann William seine Meinung sagte und wann er ihr oder ihrem Mann nur nach dem Mund redete. Außerdem hatte sie die Andeutungen von Mrs. Chesfield noch längst nicht vergessen. Ein Attentat auf den Chief Secretary for Ireland ... Wenn William wirklich darin verwickelt gewesen war, konnte er gefährlich sein.

Zudem waren Fleurette die Blicke nicht entgangen, die bislang ausnahmslos alle männlichen Wesen in ihrer Umgebung auf Kura gerichtet hatten. Sie hielt es für keine gute Idee, Elaines jungen Mann hier in Versuchung zu führen. Aber daran ließ sich jetzt nichts ändern. William hatte zugesagt, und Kuramaro-tini zeigte erstaunliche Lebensregungen, als sie Gwyn und ihrer Enkelin davon erzählte.

»Ich sollte das rote Kleid tragen!«, erklärte das Mädchen. »Und auch sonst muss ich mich ein bisschen zurechtmachen.

Kannst du mir nicht ein Mädchen zur Hilfe heraufschicken, Tante Fleur? Es ist schwierig, sich selbst zu schnüren.«

Kura war Hauspersonal gewöhnt. Zwar versuchte Gwyn stets, mit einem Minimum an Haus- und Küchenmädchen auszukommen, aber das Herrenhaus von Kiward Station war zu weitläufig, um es allein in Ordnung zu halten, und Gwyns hausfrauliche Fähigkeiten waren nicht sonderlich ausgeprägt. So arbeiteten etliche Maori-Mädchen unter der Ägide ihres »Butlers« Maui und ihrer ersten Hausmädchen Moana und Ani. Als Kura klein war, hatten diese Mädchen auch das Kind umsorgt, und Ani, ein geschicktes, kleines Ding, war später zu einer Art »Zofe« gediehen, die Kuras Kleider in Ordnung hielt und sie frisierte.

Fleur blickte ihre Nichte an, als wäre diese nicht recht bei Trost.

»Du kannst dich doch wohl allein anziehen, Kura! Dies ist kein großes Haus, wir haben nur eine Haushaltshilfe und einen Gärtner, der obendrein die Ställe versorgt. Ich glaube nicht, dass einer von denen dich schnüren möchte.«

Kura würdigte dies keiner Antwort, sondern ging mit einem Flunsch nach oben. Fleurette schüttelte den Kopf und wandte sich an Gwyneira.

»Was hat die Kleine bloß für Ideen? Also, dass sie sich für etwas Besseres hält als uns niederes Volk, das habe ich ja inzwischen begriffen. Aber du erlaubst ihr nicht wirklich eine eigene Zofe!«

Gwyn zuckte resignierend die Achseln. »Sie hält nun mal viel auf ihr Äußeres. Und Miss Witherspoon unterstützt sie da noch ...«

Fleurette verdrehte die Augen. »Diese Miss Witherspoon würde ich als Erstes feuern!«

Gwyn wappnete sich für einen Disput mit ihrer Tochter, wie sie ihn seit Jahren immer wieder mit James führte – und erwärmte sich dabei mehr und mehr für Helens Vorschlag.

Ein Aufenthalt in England konnte Kura wirklich nur guttun! Falls sie jetzt noch zu jung für das Konservatorium war, fand sich vielleicht eine Mädchenschule. Gwyn dachte an Uniformen und einen prall gefüllten Stundenplan ... Aber würde Kura sie dann nicht ihr Leben lang hassen?

William kam pünktlich, und sein zweiter Blick auf Kura ließ ihn genauso ehrfürchtig erstarren wie am Tag zuvor der erste. Zumal das Mädchen diesmal kein schlichtes Reisekostüm trug, sondern ein raffiniert geschnittenes rotes Kleid, bedruckt mit bunten Blütenranken. Die satten Farben standen ihr; sie brachten ihre Haut noch mehr zum Leuchten und boten einen reizvollen Kontrast zu ihrem üppigen schwarzen Haar. Das trug sie an diesem Tag in der Mitte gescheitelt; rechts und links des Gesichts hatte Kura eine Strähne geflochten und die Zöpfe am Hinterkopf zusammengebunden. Es betonte ihre klassisch schönen Züge, ihre hohen Wangenknochen, die aufregenden Augen und ihren exotischen Touch. William Martyn hätte nicht gezögert, vor so viel Schönheit niederzuknien.

Die Höflichkeit gebot allerdings, sich erst um Elaine zu kümmern, die ihm als Tischdame zugeteilt war. Fleurette hatte, da sie nun schon aufwändig kochte, auch Helen und deren langjährigen Freund hinzugebeten, den Police Constabler McDunn. Der untersetzte, schnauzbärtige Mann führte Helen mit großer Aufmerksamkeit zum Tisch, und William beeilte sich, es ihm mit Lainie nachzutun. Als Kuras Tischherr sollte George fungieren, der inzwischen allerdings jedes Interesse an seiner schönen Cousine verloren hatte. Eher desinteressiert rückte er ihr den Stuhl zurecht. William stellte entzückt fest, dass er sie dabei genau ihm gegenüber platzierte.

»Haben Sie sich schon eingewöhnt in Queenstown, Miss Warden?«, fragte er, als die Höflichkeit es endlich gestattete, auch allgemeine Tischgespräche zu führen.

Kura lächelte. »Bitte sagen Sie ›Kura‹, Mr. William ...« Ihre Stimme machte jeden einfachen Satz zur Melodie eines ganz besonderen Liedes. Selbst Leonard McDunn blickte von seiner Vorspeise auf, als das Mädchen antwortete. »Und um Ihre Frage zu beantworten ... ich bin die Weite der Plains gewöhnt. Die Landschaft hier ist lieblich, aber ihre Schwingungen sind gänzlich anders.«

Gwyn runzelte die Stirn. Schwingungen? Elaine und Georgie unterdrückten ein Kichern.

William strahlte. »Oh, ich verstehe, was Sie meinen. Jede Landschaft hat ihre Melodie. Manchmal, im Traum, höre ich Connemara singen ...«

Elaine warf ihm einen verwirrten Seitenblick zu.

»Sie sind aus Irland, junger Mann?«, fragte McDunn, offensichtlich bemüht, das Gespräch auf eine weltlichere Ebene zurückzuführen. »Was wird das nun mit dieser Home Rule Bill, von der alle reden? Und wie ist die Lage im Land? Die größten Unruhestifter haben sie ja wohl unter Kontrolle. Von den Feniern habe ich zuletzt gehört, dass sie in Amerika zu einem Überfall auf Kanada aufgerufen haben, um dort Irland neu zu errichten. Ein hirnverbrannter Plan ...«

William nickte. »Da stimme ich Ihnen zu, Sir. Irland ist Irland. Das kann man nicht irgendwo neu aufbauen.«

»Irland hat eine ganz eigene Klangvielfalt. Melodien, die melancholisch sind und doch mitunter von einer mitreißenden Fröhlichkeit.«

Elaine überlegte, ob sich wohl auch Kura in der Kunst des *whaikorero* übte. Oder hatte sie diesen Satz irgendwo gelesen?

»Einer manchmal herzzerreißenden Fröhlichkeit«, bestätigte William.

»Nun, solange es den Befürwortern des Gesetzes nicht gelingt, das Oberhaus umzustimmen«, meinte Ruben.

»Wozu mir übrigens einfällt ...« Fleurette mischte sich in dem süßen, harmlosen Tonfall in die Diskussion, den sie immer dann bemühte, wenn die Spionin in ihr erwachte. »Haben Sie etwas von einem Attentat auf Mr. Morley of Blackburn gehört, Leonard? Den Chief Secretary for Ireland?« Sie beobachtete William dabei aus den Augenwinkeln. Der junge Mann verschluckte sich fast an seinem Bratenstück. Elaine blieb seine Reaktion ebenfalls nicht verborgen.

»Ist was, William?«, erkundigte sie sich besorgt.

William tat es mit einer ungeduldigen Handbewegung ab.

Der Police Constabler zuckte die Achseln. »Ach, Fleur, irgendwas ist immer in diesem Land. Soviel ich weiß, verhaften sie alle Naselang irgendwelche Möchtegern-Terroristen. Ich bekomme manchmal Auslieferungsgesuche, wenn die Kerle entwischen. Aber geschnappt haben wir hier noch nie einen, die gehen ja alle in die Staaten, und normalerweise nehmen sie da Vernunft an. Dummejungenstreiche – in den letzten Jahren Gott sei Dank ohne gefährliche Folgen.«

William fuhr auf. »Sie betrachten den Kampf um ein freies Irland als Dummejungenstreich?«, fragte er erbost.

Elaine legte ihm die Hand auf den Arm. »Pssst, Lieber, so hat er das doch nicht gemeint. William ist Patriot, Mr. Leonard.«

William schüttelte sie ab.

Leonard lachte. »Das sind die meisten Iren. Und sie haben da ja auch durchaus unsere Sympathie, Mr. Martyn. Aber deshalb darf man niemanden erschießen oder in die Luft sprengen! Denken Sie an die unbeteiligten Personen, die dabei nur zu oft zu Schaden kommen!«

William antwortete darauf nicht mehr; ihm war inzwischen aufgegangen, dass er auf dem besten Weg war, sich schlecht zu benehmen.

»Sie sind also ein Freiheitsheld, Mr. William?«, kam es plötzlich von Kura-maro-tini. Ihre großen Augen suchten seinen Blick. William wusste nicht, ob er darunter hinschmolz oder um mehrere Längen wuchs.

»So würde ich das nicht unbedingt bezeichnen«, murmelte er, um einen bescheidenen Tonfall bemüht.

»Aber William hat sich für die Irische Landliga eingesetzt«, erklärte Elaine stolz, und diesmal wanderte ihre Hand besitzergreifend auf seinen Arm. Unter dem Tisch knurrte Callie. Das Hündchen mochte es gar nicht, wenn seine Herrin jemanden berührte, und umgekehrt war es noch schlimmer. »Für die Pächter auf der Farm seines Vaters.«

»Ihr Vater hat eine Farm?«, erkundigte sich Gwyneira.

William nickte. »Ja, Madam, Schafzucht. Aber ich bin der jüngere Sohn, da gab es nichts zu erben. Nun muss ich sehen, wie ich mein Glück mache.«

»Schafe ... wir haben auch welche«, bemerkte Kura, als wären die Tiere ein lästiger Anhang.

Fleurette entging allerdings nicht, wie interessiert William lauschte, als Gwyneira gleich darauf von Kiward Station berichtete.

Für Elaine zog dieser Abend sich ähnlich hin wie der Abend zuvor. Dabei war William bei ihr, und eigentlich konnte sie sich kaum langweilen, wenn er bei ihr war. Bisher war er immer auf sie eingegangen, hatte kleine Scherze gemacht, sie verstohlen unter dem Tisch berührt oder beiläufig zärtlich über ihre Hand gestreichelt. Aber heute wandte er seine ganze Aufmerksamkeit Kura zu. Vielleicht hätte sie nicht so deutlich sagen sollen, wie sehr das Mädchen ihr auf die Nerven ging; bestimmt wollte William sie jetzt ablenken. Aber ein paar nette Worte hätte er sich doch auch für seine Liebste aufsparen können! Elaine tröstete sich mit dem Gedanken, dass sie ihn nachher hinausbegleiten durfte. Er würde sie unter dem Sternenhimmel küssen wie bei den vielen früheren Gelegenheiten, und sie würden noch ein paar intime Worte wechseln. Callie musste sie allerdings vorher einsperren. Die kleine

Hündin protestierte immer heftiger, sobald William ihrem Frauchen zu nahe trat.

Wenn nur Kuras Musikstunde schon vorbei wäre! Wie am vergangenen Tag spielte sie auch jetzt für die Familie und die Gäste, und William lauschte mit scheinbar aufrichtiger Hingabe. Kura spielte zweifellos sehr gut; das musste der Neid ihr lassen. Und heute sang sie irische Lieder, anscheinend für William. Elaine fühlte Stiche der Eifersucht.

»Sing doch einfach mit!«, meinte Helen, die Elaines wachsende Frustration bemerkte. »Du kennst die Lieder schließlich auch.«

Elaine warf Gwyneira einen fragenden Blick zu, aber auch die nickte.

»Das klingt sicher nett«, erklärte sie. Gwyneira hätte es allerdings auch »nett« gefunden, hätte man Callie zu Kuras Klavierspiel heulen lassen.

Tapfer stand Elaine auf, orientierte sich kurz und fiel dann in Kuras Vortrag von *Sally Gardens* ein. Für Helen klang es wirklich ansprechend. Elaines klarer Sopran harmonierte mit Kuras aufregend tiefer Stimme. Außerdem sahen die Mädchen sehr hübsch zusammen aus. Die schwarzhaarige exotische Kura und die zarte hellhäutige Elaine. Zweifellos hatte der große Dichter Yeats sich genau so ein rothaariges irisches Mädchen vorgestellt, als er den Text des Liedes geschrieben hatte. Helen sagte etwas zu William, aber der schien sie gar nicht zu hören, zu sehr war er in den Anblick der Mädchen vertieft – oder zumindest eines von ihnen.

Kura unterbrach allerdings schon nach wenigen Takten.

»Ich kann nicht singen, wenn du nicht den Ton triffst«, sagte sie anklagend.

Elaine errötete über das ganze Gesicht. »Ich ...«

»Das war ein Fis, und du hast ein F gesungen«, führte Kura gnadenlos aus. Elaine wäre am liebsten im Boden versunken.

»Kura, das ist ein Volkslied«, erklärte Helen. »Da muss man nicht sklavisch an den Noten hängen.«

»Man kann nur richtig oder falsch singen«, beharrte Kura. »Wenn sie ein Gis oder sogar ein G gesungen hätte ...«

Elaine ging zurück an ihren Platz. »Sing doch alleine!«, sagte sie trotzig.

Das tat Kura dann auch.

Elaine war immer noch missgestimmt, als die Gesellschaft sich kurz darauf auflöste. Der Zwischenfall hatte alle ernüchtert, zumal Elaines kleiner Fehler niemandem aufgefallen war. Fleurette dankte im Stillen dem Himmel, dass Gwyn und ihre Enkelin am kommenden Tag ausziehen würden. Dabei hatte sie ihre Mutter sonst gern bei sich. Aber Kura, das gestand sie sich jetzt ein, mochte sie genauso wenig wie William. Wobei ihr wieder die Sache mit dem Attentat einfiel. Ob Ruben Williams Reaktion bemerkt hatte?

Auch Elaine ging die Angelegenheit durch den Kopf, als sie William hinausbegleitete. Endlich legte er tatsächlich die Arme um sie, aber es war nicht so berauschend wie sonst, sondern erschien fast wie eine Pflichtübung. Und die schönen Worte, die er sich dazu abrang, begeisterten sie auch nicht so sehr.

»Diese Musik ... und meine rothaarige Liebste ... ich komme mir vor wie in den Sally Gardens.« William lachte und küsste sie sanft. »Es ist seltsam mit diesen Melodien, sie lassen Irland für mich auferstehen.«

»Die Schwingungen ...«, lag es Elaine schon auf der Zunge, doch sie hielt sich im letzten Moment zurück. William sollte nicht denken, sie mache sich über ihn lustig.

»Ich wünschte, das Land wäre frei und ich könnte zurückkehren.«

Elaine runzelte die Stirn. »Kannst du das denn nicht, solange Irland unter englischer Verwaltung steht? Du wirst doch nicht etwa gesucht?«

William lachte, wenn auch ein wenig gezwungen. »Natürlich nicht. Wie kommst du denn darauf? Ich möchte nur nicht zurück in ein Land in Fesseln.«

Elaine blieb skeptisch. Alarmiert suchte sie seinen Blick.

»William, du hast doch nichts mit dem Attentat zu tun? Auf diesen ... wie heißt er? Morley?«

»Viscount Morley of Blackburn«, presste William fast bedrohlich hervor. »Chief Secretary for Ireland, oberster Unterdrücker!«

»Aber du hast nicht auf ihn geschossen oder eine Bombe gelegt, nicht wahr?«, fragte Elaine ängstlich.

William funkelte sie an. »Wenn ich auf ihn geschossen hätte, wäre er jetzt tot. Ich bin ein guter Schütze. Und die Bombe ... leider Gottes kamen wir nicht in seine Nähe.«

Elaine war erschrocken. »Aber du hast es versucht? Oder davon gewusst? William ...!«

»Wenn niemand etwas tut, wird mein Land niemals frei! Und wenn wir ihnen nicht zeigen, dass wir zu allem entschlossen sind ...«

William verstummte und straffte sich. Elaine, die sich kurz zuvor noch an ihn gelehnt hatte, wich ein wenig zurück.

»Aber mein Vater sagt, Viscount Morley wäre für die Home Rule Bill«, wandte sie ein.

»Für oder gegen, was spielt es für eine Rolle? Er ist der Vertreter Englands. Mit ihm treffen wir das House of Lords und die ganze verfluchte Bande!« William spürte wieder den heftigen Zorn, den er empfunden hatte, als man Paddy Murphy und ihn am Eingang des Regierungsgebäudes stoppte. Die Bombe war bei seinem Freund gefunden worden – ein Zufall, der ihm letztlich das Leben gerettet hatte. William hatte seine Mitschuld zwar freimütig zugegeben, doch sein Vater hatte einige Hebel betätigt und die richtigen Leute angesprochen. Schließlich war Paddy, ein armer Pächtersohn, am Galgen geendet, während man William frei gelassen hatte. Allerdings mit der inoffiziellen Auflage für Frederic Martyn, seinen aufmüpfigen Sohn möglichst schnell aus Irland herauszuschaffen. William hatte nach New York gewollt, aber das schien seinem Vater nicht weit genug weg zu sein.

»Dann höre ich womöglich von neuen Dummheiten. Da drüben wimmelt es doch von Aufrührern!«, hatte er seinen Sohn beschieden und am nächsten Tag die Passage nach Neuseeland erstanden. Nach Dunedin auf der Südinsel, weit weg von jeder Terrorzelle der Freiheitskämpfer.

Und jetzt hielt ihm dieses Mädchen auch noch vor, er hätte womöglich den Falschen ermorden wollen!

»Ich finde, das macht schon einen Unterschied,«, meinte Elaine mutig. »Im Krieg tötet man doch auch nur seine Gegner und nicht die Verbündeten.«

»Du verstehst das eben nicht!« Aufgebracht wandte William sich ab. »Du bist ein Mädchen ...«

Elaine funkelte ihn wütend an. »Mädchen verstehen nichts von so etwas? Sieht so aus, als wärst du im falschen Land, William. Hier bei uns dürfen Frauen sogar wählen.«

»Da wird das Richtige bei rauskommen!«, rutschte es William heraus. Sofort tat es ihm leid. Er wollte Elaine nicht erzürnen. Aber sie war solch ein Kind!

In seinem Kopf hörte er Kuras singende Stimme. Kura verstand ihn. Sie wirkte erwachsener, auch wenn sie auf dem Papier jünger war als ihre Cousine. Aber sie war schon entwickelter, fraulicher ...

Er ertappte sich bei dem Gedanken an Kuras volle Brüste und breite Hüften, als er Elaine jetzt entschuldigend an sich zog.

»Tut mir leid, Lainie, aber Irland ... mit diesen Dingen darfst du mir einfach nicht kommen. Nun beruhige dich, Lainie, sei wieder gut!«

Elaine hatte sich zunächst verärgert von William zurückgezogen, ließ sich nun aber besänftigen. Seinen Kuss erwiderte sie jedoch nicht sofort. Sie schien immer noch ein wenig verstimmt, als sie ihn schließlich verabschiedete.

William winkte ihr zu, während er sein Kanu flussabwärts treiben ließ. Am kommenden Tag musste er besonders nett zu ihr sein, auch wenn ihr Schmollen ihm auf die Nerven fiel. Er wollte Kura schließlich wiedersehen. Und zumindest vorerst führte der Weg zu Kura nur über Elaine.

6

Der Herbst in Queenstown lockte mit vielen kulturellen und sportlichen Veranstaltungen, hauptsächlich organisiert von der Kirchengemeinde. Auch ein paar größere Farmer in der Gegend veranstalteten Feste, und natürlich waren die O'Keefes eingeladen – mitsamt ihren Gästen aus den Canterbury Plains. William erhielt seine Einladung durch Elaine, so wie erhofft. Er begleitete sie ganz selbstverständlich zu Kirchenpicknicks und Basaren, Musikabenden und Bingo-Spielen für wohltätige Zwecke. Zu Gwyns Freude und Verwunderung schloss sich dabei meist auch Kura an und schien sich zu amüsieren. Dabei hatte das Mädchen Festlichkeiten auf Kiward Station oder den Nachbarfarmen bislang nur widerwillig mit ihrer Anwesenheit beehrt.

»Und dabei hatte ich anfangs gar nicht den Eindruck, als würden Lainie und Kura sich besonders mögen«, sagte sie zu Helen. »Aber jetzt stecken sie dauernd zusammen.«

»Wobei Lainie dabei nicht den glücklichsten Eindruck macht«, bemerkte die scharfsinnige Helen.

»Glücklich? Das Kind guckt wie ein Tier in der Falle«, warf Daphne ein. Die beiden »Hotelbesitzerinnen« hatten sich zum wöchentlichen Tee getroffen, und diesmal war Gwyn natürlich mit von der Partie. »Ich würde eingreifen, Miss Helen. Kura ist hinter Lainies Kerl her.«

»Daphne! Was sind das für Ausdrücke!«, empörte sich Helen.

Daphne verdrehte die Augen. »Entschuldigen Sie, Miss Helen. Aber ich glaube ... also, nach meinem Dafürhalten zeigt Miss Warden ein ungebührliches Interesse an Miss O'Keefes Verehrer.«

Gwyn schmunzelte. Daphne wusste ihre Ausdrucksweise dem Anlass anzupassen. Ihr selbst war Kuras Interesse an William natürlich auch nicht gänzlich entgangen – wobei sie nicht recht wusste, wie sie die Sache werten sollte. Natürlich war es Elaine gegenüber unfair, aber andererseits: William Martyn war ihr als Verehrer ihrer Enkelin zehnmal lieber als der Maori-Junge Tiare.

»Aber bislang verhält Mr. Martyn sich den Mädchen gegenüber doch völlig korrekt«, bemerkte Helen. »Ich habe jedenfalls noch nicht bemerkt, dass er eine der anderen vorzieht.«

»Das ist es ja gerade«, sagte Daphne. »Er sollte Elaine vorziehen. Der hat er anfangs schließlich Hoffnungen gemacht. Und jetzt kriegt sie bestenfalls genauso viel Aufmerksamkeit wie Kura. Das muss sie tief treffen!«

»Ach, Daphne, sie sind doch noch Kinder«, raffte Gwyn sich zu einer halbherzigen Äußerung auf. »Bisher kann er um keine von ihnen ernsthaft werben.«

Daphne zog die Augenbrauen hoch. »Kinder!«, schnaubte sie. »Machen Sie sich bloß nichts vor. Passen Sie lieber auf! Miss Helen auf Elaines zarte Seele und Miss Gwyn auf Ihre Erbin. Denn selbst wenn Sie davon überzeugt sein sollten, dass Kuras Charme diesen Martyn noch nicht um den Schlaf bringt ... er kann im Bett auch anderes tun. Schäfchen zählen zum Beispiel, Miss Gwyn. Sehr viele Schäfchen.«

Kura Warden wusste selbst nicht, was mit ihr los war. Warum sie zu diesen Kirchenpicknicks ging und sich von zahllosen Hinterweltlern anschmachten ließ. Warum sie drittklassigen Musikern lauschte und dabei so tat, als gefiele ihr deren dilettantisches Gefiedel. Warum sie ihre Zeit mit Bootsfahrten und Picknicks verschwendete und dabei Plattitüden über die wunderschöne Landschaft rund um den Wakatipu-See von sich gab. Das alles war anstrengend und sinnlos, gewann aber dennoch an Reiz, weil sie dabei mit William zusammen war. Bisher hatte sie nie etwas Vergleichbares erlebt; Menschen waren ihr stets ziemlich gleichgültig gewesen. Ein Publikum, ein Spiegel, um ihre Wirkung zu kontrollieren, aber niemals mehr. Und nun war da dieser William mit seinem frechen Lächeln, den Grübchen, den blitzenden Augen und dem unfassbar strohblonden Haar. Kura hatte noch nie so goldblonde Menschen gesehen, allenfalls Schweden oder Norweger in Christchurch. Die waren aber meist auch blass und hellhäutig gewesen, während William gebräunte Haut hatte, die einen perfekten Kontrast zu seinem vollen blonden Schopf bildete. Und dann diese wachen blauen Augen, die ihr folgten, wohin sie auch ging. Die Komplimente, die er ihr machte, ohne dabei im Entferntesten anzüglich zu werden. Seine Manieren waren untadelig. Manchmal schon zu untadelig ...

Kura wünschte sich oft, William würde sich ihr sinnlicher nähern, so wie Tiare es ständig versucht hatte. Natürlich würde sie ihn abwehren, aber sie würde den Puls der Erde spüren, wenn er ihr etwa die Hand auf die Hüfte legte. Den »Puls der Erde«, so nannte es Marama, wenn eine Frau dieses Kribbeln zwischen den Beinen empfand, dieses wohlige Aufsteigen von Wärme im Körper, das Herzklopfen der Erwartung. Kura hatte es bei Tiare nur selten empfunden, aber William löste es schon aus, wenn sein Bein unter dem Tisch versehentlich ihre Röcke streifte. Kura wünschte sich deutlichere Zeichen, aber William war immer korrekt. Mehr als eine flüchtige Berührung seiner Hand, wenn er ihr zum Beispiel aus dem Boot oder der Kutsche half, hatte er ihr bislang nicht gegönnt. Zumindest spürte Kura, dass diese Berührungen weder zufällig noch unschuldig waren. Auch William elektrisierten ihre Begegnungen, auch er brannte für sie, und Kura fachte das Feuer an, wo immer sie konnte.

Dabei wäre sie erstaunt gewesen, hätte man ihr gesagt, wie sehr sie Elaine damit verletzte. Deren unglückliches Gesicht und ihre zunehmende Einsilbigkeit fielen ihr gar nicht auf. Allerdings hätte Kura ihre Bemühungen sicher nicht unterlassen, um die Cousine zu schonen. Kura dachte gar nicht an Elaine; die war nur ein weiteres, unmusikalisches und durchschnittliches Geschöpf, mit dem diese Erde bevölkert war, aber die Götter waren eben auch nicht vollkommen, wie es schien. Bestimmt gelang ihnen nur selten ein Meisterstück wie Kura – oder William Martyn. Dem fühlte sie sich seelenverwandt. Dagegen Leute wie Elaine ... Kura sah zwischen ihr und sich selbst weniger Gemeinsamkeiten, als es zwischen einem Schmetterling und einer Motte gab.

Insofern achtete sie auch nicht bewusst darauf, was sich immer noch zwischen Elaine und William abspielte. Kura hatte keinerlei Bedenken, ihren Auserwählten mit ihrer Cousine allein zu lassen. Und so brachte William Elaine immer noch heim, und immer noch küsste er sie. Das war das Einzige, was das Mädchen in diesem Herbst überhaupt noch aufrecht hielt.

Elaine litt Höllenqualen, wenn sie Kura und William reden hörte – über Musik und Kunst, über die Oper, die neuesten Bücher –, alles Dinge, die in Queenstown niemanden wirklich beschäftigten. Dabei war Elaine selbst keineswegs ungebildet – als Helen O'Keefes Enkeltochter war sie unweigerlich mit Kultur in Berührung gekommen. Und jetzt, da William sich offensichtlich so für Kunst interessierte, bemühte sie sich auch gezielt, zumindest auf dem literarischen Sektor alle Neuerscheinungen zu lesen und sich vielleicht eine Meinung zu bilden. Doch Elaine war ein pragmatischer Mensch. Mehr als ein Gedicht pro Tag machte sie kribbelig, die geballte Poesie ganzer Lyrikbände schien sie zu erschlagen. Elaine mochte auch nicht erst an einer Geschichte herumdeuten müssen, bevor ihr deren Sinn und dann die Schönheit aufging. Sie konnte mit den Helden eines Buches leiden und lachen, aber pausenlose Nabelschau, weinerliche Monologe oder endlose Landschaftsschilderungen langweilten sie. Wenn sie ehrlich sein sollte, stibitzte sie am liebsten die Literaturzeitschriften ihrer Mutter und ergötzte sich an den Fortsetzungsgeschichten, in denen Frauen liebten und litten.

Aber das konnte sie vor Kura natürlich nicht sagen, und jetzt eben auch nicht mehr vor William. Der war ihr eigentlich gar nicht als ein solcher Schöngeist erschienen, als sie sich kennen gelernt hatten. Nun schien er plötzlich nichts Befriedigenderes zu kennen, als mit Kura Gedichte zu rezitieren oder ihrem Klavierspiel zu lauschen. Seine langatmigen Gespräche mit Kura verdarben Elaine all die Unternehmungen, die ihr sonst Spaß machten, beispielsweise Picknicks und Bootsregatten. Und sie schien dabei ja auch nie etwas richtig zu machen! Wenn sie aufsprang und dem Achter, in dem George ruderte, lauthals zujubelte, schauten Kura und William sie an, als hätte sie sich auf der Main Street des Mieders entledigt. Und wenn sie sich beim Kirchenpicknick in eine ausgelassene Runde von Squaredancern ziehen ließ, rückten die beiden hinterher regelrecht von ihr ab. Das Schlimmste aber war, dass Elaine mit niemandem richtig darüber reden konnte. Manchmal meinte sie, verrückt zu werden, weil sie scheinbar die Einzige war, die all diese Veränderungen in Williams Verhalten erkannte.

Ihr Vater war nach wie vor begeistert von seinem Einsatz im Laden, und Grandma Helen fand es völlig normal, dass ein junger Mann sich »korrekt« verhielt. Elaine konnte ihr ja schlecht sagen, dass William sie vorher schon geküsst und an Körperstellen gestreichelt hatte, die … nun ja, die eine Lady ihm eher nicht zugänglich machte. An ihre Mutter wollte sie sich nicht wenden, wusste sie doch, dass Fleurette William nie wirklich gemocht hatte. Und Grandma Gwyn … unter normalen Umständen wäre sie sicher die ideale Ansprechpartnerin gewesen. Elaine spürte schließlich, dass Kuras ständiges Gerede über Kunst und ihre endlosen Vorträge über Musiktheorie auch ihr auf die Nerven gingen. Aber Grandma Gwyn liebte Kura über alles. Auf Kritik an ihrer Enkelin reagierte sie bestenfalls mit eisigem Schweigen, oder sie nahm Kura sogar in Schutz. Und Williams Beziehung zu Kura schien sie auch zu billigen; zumindest hatte sie nichts gegen den jungen Mann. Elaine sah Gwyn und William oft miteinander plaudern. Kein Wunder, denn dieses *whaikorero*-Naturtalent konnte ebenso beredt über Schafe sprechen wie über Musik.

Inzwischen war der Winter hereingebrochen. In den Bergen lag Schnee, und mitunter stürmte und schneite es auch in Queenstown. Gwyneira erstand einen Pelz für Kura, in dem das Mädchen aussah wie eine Südseeprinzessin, die sich verlaufen hatte. Das schwarze Haar und die exotischen Züge, umrahmt von der weiten Kapuze des Silberfuchsmantels, verblüfften den Betrachter und lenkten wieder mal alle Blicke auf Gwyneiras Enkelin. Elaine litt Höllenqualen, wenn William dem ungeschickten Mädchen fürsorglich über die vereiste Straße half und mit ihr lachte, wenn sie versuchte, die Melodie der Schneeflocken zu erspüren. Für Elaine fielen sie lautlos. Inzwischen war sie fast schon selbst davon überzeugt, gänzlich unmusikalisch zu sein und keinen Sinn für Romantik zu haben. Schließlich aber hielt sie es nicht mehr aus. Sie würde William fragen, ob er sie noch liebte.

Gelegenheit dazu fand sie an einem der nächsten Abende. Helen hatte einen Musikabend in ihrer Pension arrangiert. Es gab einige klassische Musikliebhaber auf den umliegenden Farmen, die auch selbst die Geige, die Bratsche oder den Bass spielten. Sie kamen gern nach Queenstown, musizierten zusammen und verbrachten die Nacht in Helens Pension. Früher hatte Elaine bei diesen Hauskonzerten den Klavierpart übernommen, jetzt spielte natürlich Kura. Elaine wagte sich im Beisein ihrer Cousine schon längst nicht mehr an ein Instrument. Auch die O'Keefes blieben in dieser Nacht in der Stadt; das Wetter machte den weiten Weg hinaus nach Nugget Manor zu beschwerlich. So konnten Elaine und William sich nach dem Konzert, als alle noch entspannt bei einem Glas Wein beisammensaßen, zu ein paar verstohlenen Zärtlichkeiten hinausschleichen. Elaine hatte dabei allerdings das Gefühl, dass William Kura nur ungern im Kreis der Bewunderer ließ. Ihre Cousine hielt regelrecht Hof: Die Komplimente für ihr Spiel und ihre Schönheit nahmen kein Ende. Denkt William wirklich an mich, fuhr es Elaine durch den Kopf, als er sie jetzt an sich drückte und küsste? Oder stellt er sich vor, Kura in den Armen zu halten?

»Hast du mich eigentlich noch gern?«, platzte sie heraus, als er sie schließlich freigab. »Ich meine, richtig gern? Bist du ... bist du noch in mich verliebt?«

William schenkte ihr einen freundlichen Blick. »Dummerchen! Wäre ich hier, wenn es nicht so wäre?«

Genau das hatte Elaine wissen wollen. Aber er brüskierte sie schon wieder, indem er sie »dumm« nannte.

»Im Ernst, William. Findest du Kura nicht schöner als mich?« Elaine hoffte, dass ihre Frage nicht wie ein Flehen klang.

William schüttelte den Kopf und wirkte jetzt beinahe verärgert.

»Lainie, der Unterschied zwischen dir und Kura besteht darin, dass sie mich so etwas nie fragen würde!« Damit ließ er sie stehen und ging ins Haus. War er beleidigt? Weil sie ihn falscher Gefühle verdächtigt hatte? Oder eher deshalb, weil er ihr nicht ins Gesicht sehen wollte?

Hinter einem Vorhang stand Kura und beobachtete das Geschehen. Tatsächlich. Er küsste Elaine. Sie hatte schon so etwas vermutet, es bisher aber nie gesehen. Kura war nicht erzürnt. Wenn William dieses Mädchen küsste, dann sicher als

Notbehelf. Männer brauchten Mädchen; auch das hatte sie bei den Maoris gelernt. Wenn sie längere Zeit keiner Frau beilagen, wurden sie unleidlich. Aber William hatte etwas Besseres verdient. Er war zweifellos ein Gentleman. Kura würde ihm vorsichtig zu verstehen geben, dass auch der Puls der Erde eine Melodie besaß – und dass es schöner war, sie mit einer Hörenden zu erforschen.

Im Juni erhielten Ruben O'Keefe und seine Familie eine seltsame Einladung. Die Schweden im Goldgräberlager feierten Mittsommer – ohne Rücksicht darauf, dass der 21. Juni in Neuseeland nicht der längste, sondern der kürzeste Tag des Jahres war und dass zu dieser Zeit nicht die Wiesen blühten, sondern allenfalls Eisblumen an den Fenstern. Doch so etwas focht die rauen Nordländer nicht an; Bier und Schnaps schmeckten auch auf dieser Hälfte der Erdkugel, Feuer ließen sich genauso entzünden, und beim Tanzen wurde einem sowieso warm – nur mit dem Blumenpflücken würde es etwas schwierig werden. Aber das ging ja ohnehin eher die Mädchen an; die Männer konnten darauf verzichten. Damit es überhaupt ausreichend Mädchen gab, luden die Goldgräber Daphne und die ihren ein.

»Je leichter die Mädels, desto besser können sie mit uns übers Feuer springen!«, meinte Søren, einer der Organisatoren des ungewöhnlichen Festes. »Aber Sie können Ihre Tochter ruhig mitbringen, Mr. Ruben. Wir wissen schon, wer eine Lady ist!«

Fleurette fand die Idee lustig. Sie hatte von Mittsommerbräuchen gelesen und wollte nun unbedingt durchs Johannisfeuer tanzen. Ruben nahm die Einladung auch schon deshalb an, weil die Goldgräber zu seinen besten Kunden zählten. Helen allerdings lehnte ab.

»Das ist zu kalt für meine alten Knochen. Lass die Kinder

tanzen, Gwyn, wir machen uns einen gemütlichen Abend. Daphne kann ja auch kommen, wenn sie möchte.«

Daphne jedoch schüttelte lachend den Kopf. »Nööö, Miss Helen. Ich muss da hin und ein Auge auf meine Mädchen haben!«, erklärte sie. »Nicht dass die sich an die Kerle verschenken und dann womöglich noch einen kleinen Schweden im Bauch mit nach Hause tragen! Es soll ja ein Fruchtbarkeitsritual sein, dieses Springen durchs Feuer, da muss man aufpassen ...«

Elaine freute sich auf das Fest, während Kura ihm mit gemischten Gefühlen entgegenblickte. Es würden wieder schrecklich raue Kerle zugegen sein und eine Kapelle, die sich bei jedem zweiten Ton verspielte. Sie würde frieren, und alle würden dummes Zeug reden. Aber auch William würde da sein, und es wurde getanzt. Vielleicht gab es sogar richtigen Tanz, nicht dieses Herumgehopse beim Kirchenpicknick. Kura hatte bei Miss Heather tanzen gelernt; zumindest beherrschte sie Walzer und Foxtrott. Es musste traumhaft sein, sich mit William zu echter Musik zu wiegen, in seinen Armen zu liegen und sich vom Rhythmus tragen zu lassen... Natürlich hätte man dabei eigentlich ein Ballkleid tragen müssen! Kura empfand leichtes Bedauern, dass sie keins hatte. Aber die O'Keefes hätten sie dann sowieso ausgelacht. Bei dieser Veranstaltung würde jeder das tragen, was ihn am ehesten warm hielt.

Die Mädchen auf dem Festplatz hüllten sich denn auch fröstelnd in Mäntel und Umschlagtücher. Ein oder zwei Schwedinnen trugen Tracht. Dabei wirkte die Szenerie beinahe unwirklich, denn natürlich war es längst dunkel, der Mond stand über den verschneiten Bergen, und der Maibaum und die darumtanzenden Mädchen mit ihren roten, bunt geschmückten Hauben wurde zwar von den Feuern erhellt, schienen aber eine seltsame Zeitreise hinter sich zu haben. Immerhin sorgten die

Männer dafür, dass niemand übermäßig fror. Schnaps und Bier sowie Glühwein für die Frauen flossen in Strömen und sorgten für innere Wärme. Daphnes kleine Schar war schon ziemlich angeheitert und tändelte mit den Goldgräbern herum. Die beiden Schwedinnen erklärten ihnen den Tanz um den Maibaum, und die Mädchen verhedderten sich kichernd in bunten Bändern.

Elaine schaute interessiert zu, während Kura angewidert zu sein schien. Die beiden nippten zunächst nur am Wein, doch als sie zu frieren begannen, wussten sie das heiße Getränk zu schätzen, das ihre Berührungsängste schnell vergessen machte. Elaine drängte es dazu, sich den Tanzenden anzuschließen. Schließlich wirbelte sie lachend an der Hand eines weißblonden blauäugigen Mädchens namens Inger um den Maibaum. Dann kam Inger zu ihr und Kura und hielt ihnen ein paar welke Pflanzen entgegen.

»Hier, ihr habt noch gar keine Blumen! Aber das gehört dazu. An Mittsommer muss ein Mädchen sieben verschiedene Blüten sammeln und in der Johannisnacht unter ihr Kopfkissen legen. Dann träumt sie von dem Mann, den sie mal heiratet.«

Inger sprach mit lustigem Akzent und schien überhaupt ein nettes Ding zu sein. Elaine nahm das eher traurige Sträußchen, das sie ihr reichte, denn auch dankend entgegen. Kura hingegen blickte das ihre kaum an. Sie war wieder mal mürrisch und langweilte sich. William sprach mit Ruben und ein paar Goldgräbern auf der anderen Seite des Feuers, und Elaine versuchte schon lange nicht mehr, sich mit Kura zu unterhalten.

»Wir haben sie beim ersten Morgengrauen heute früh gesammelt, wie es Brauch ist«, erläuterte Inger die Herkunft der »Blumen«, wobei die Ausbeute zwangsläufig gering war. »Es sind alles Küchenkräuter und Zimmerpflanzen. Wenn ihr jetzt also nur von Köchen und Stubenhockern träumt, müsst ihr's nicht so ernst nehmen.«

Elaine lachte und fragte das Mädchen nach Schweden. Inger antwortete bereitwillig. Sie war gemeinsam mit einem Jungen ausgewandert, den sie heiß und innig liebte. Aber kaum hatten sie Dunedin erreicht, fand er eine andere.

»Ist ülkig, nicht?«, fragte Inger mit ihrem netten Akzent, klang aber immer noch verletzt. »Da bringt er sich extra eine mit, und dann ... Aber das Geld für die Reise hatte ja sowieso ich verdient.«

Offenbar im horizontalen Gewerbe, denn Inger ließ durchblicken, dass sie für diesen Mann so ziemlich alles getan hätte.

Elaine musterte William. Würde sie auch für ihn alles tun? Würde er für sie alles tun?

Das Fest kam spät in Schwung, doch als die Feuer schließlich heruntergebrannt waren, hatten alle ihren Spaß – außer Kura. Sie hätte an andere Tänze gedacht, erklärte sie würdevoll, als ein angetrunkener junger Goldgräber den Mut aufbrachte, sie aufzufordern. Schließlich ließ sie sich aber doch von William zu einem Sprung durchs Feuer überreden. Elaine blickte missmutig. War das nicht ein Brauch für Verliebte?

Schließlich riefen Ruben und Fleurette zum Aufbruch, bevor das Fest zu wüst wurde. Schon jetzt musste Daphne ihre Mädchen scharf im Auge behalten; doch sie sah darüber hinweg, dass Inger und Søren sich küssten. Vielleicht wird Inger ja in dieser Nacht von ihm träumen, dachte Elaine und hob ihre Blüten sorgfältig auf. Søren schien ein netter Kerl zu sein, und der weißblonden Schwedin war Besseres zu gönnen als ein Leben als Freudenmädchen.

Ruben und Fleurette machten sich gleich vom Goldgräberlager aus auf den Weg nach Nugget Manor. Sie wollten in dieser Nacht nicht in der Stadt übernachten, denn auch ihr Maori-Hauspersonal war auf einer Feier, und so war George allein – ein Umstand, über den er sich natürlich bitter beklagt hatte. Auch er wäre gern durchs Feuer getobt, doch am nächsten Tag war Schule. So lag Fleurette viel daran, möglichst bald herauszufinden, ob der Knabe auch brav im Bett lag.

Elaine bestand allerdings darauf, noch mit William und Kura in die Stadt zu fahren. Sie hatte ihr Pferd in Helens Stall gelassen und war mit den beiden in der Kutsche gekommen. So hatte sie jetzt eine Ausrede.

»Aber du kannst dir doch hier ein Pferd leihen«, meinte Ruben verständnislos. »Warum hast du Banshee überhaupt in der Stadt gelassen? Du hättest doch hinter der Kutsche herreiten können.«

Fleurette legte ihm begütigend die Hand auf den Arm. Wie konnten Männer so unsensibel sein! Sie selbst verstand sehr gut, dass Elaine ihren Verehrer keine Sekunde mit Kura allein lassen wollte.

»Ich erkläre dir das später«, wisperte sie ihrem Gatten zu, woraufhin Ruben verstummte. »Aber du bleibst mir nicht zu lange, Lainie. Reite schnell, und halte unter keinen Umständen an!«

William schaute ein wenig indigniert. Er fand es nicht ladylike, dass Elaine den langen Weg bei Nacht allein reiten sollte. Ob man von ihm erwartete, sie zu begleiten? Elaine lachte nur, als er dies halbherzig anbot. Sie war noch auf einen Tee mit in die Pension gekommen. Nach der Kutschfahrt musste sie sich aufwärmen, und Helen und Gwyn saßen sowieso noch am Feuer.

»William, ich reite dir auf und davon! Du jammerst doch schon bei Tag darüber, dass ich über diesen ›gefährlichen Weg‹ galoppiere. Jetzt in der Nacht würdest du mich nur aufhalten.«

Das ist zweifellos richtig, aber nicht sonderlich geschickt ausgedrückt, dachte Helen. Schließlich ließ kein Mann sich gern sagen, dass er ein eher hasenfüßiger Reiter war. William blickte denn auch entsprechend säuerlich, aber Elaine fiel das gar nicht auf. Sie berichtete fröhlich vom Maibaum und von den Blüten, die sie unter ihr Kopfkissen legen müsse.

Sie ist ein Kind, überlegte William, und in seinem Innern klang das wie eine Entschuldigung dafür, dass sie ihn eben brüskiert … und dafür, dass er sich in Kura verliebt hatte.

Als Elaine kurz darauf aufbrach, begleitete er sie hinaus. Das war selbstverständlich; schließlich war er ein Gentleman. Der Abschiedskuss fiel allerdings knapp aus, aber das schien Elaine nicht aufzufallen. So nah an den wachen Augen ihrer gestrengen Großmutter wagte auch sie keine Zärtlichkeiten, denn Helen würde unweigerlich aufmerksam werden, wenn Callie weiterhin bellte. Nach wie vor mochte die kleine Hündin es nicht, wenn William ihre Herrin umarmte und küsste.

William schaute Elaine fast erleichtert nach, als Banshee antrat. Sie würde das Pferd zum Aufwärmen Schritt gehen lassen, bis sie die Main Street hinter sich hatte, und dann flott nach Hause reiten, gefolgt von dem verrückten kleinen Hund. Wahrscheinlich würde es ihr sogar Spaß machen. William schüttelte den Kopf. Vieles an Elaines Verhalten würde ihm immer fremd bleiben. Ganz im Gegensatz zu Kuras …

Kura-maro-tini schlich sich aus dem Haus. Das Licht in Helens Salon war soeben erloschen. Man hatte sie auf ihr Zimmer geschickt, doch sie wohnte im Erdgeschoss. Von ihrem Fenster aus hatte sie verfolgt, wie William Elaine verabschiedete.

William war froh, Elaine nicht ernsthaft geküsst zu haben. Es wäre ihm nicht recht gewesen, hätte Kura, die jetzt rechts vom Eingang wie zufällig an der Hauswand lehnte, ihn in der Umarmung mit einer anderen ertappt. Man konnte Kura von keinem Fenster aus sehen. Sie hatte den Pelz übergeworfen, aber nicht geschlossen; man sah das Mantelkleid, das sie darunter trug. Die obersten drei Knöpfe waren bereits geöffnet.

Kura trug ihr Haar offen; es floss über das helle Fuchsfell, der Mond ließ es silbern leuchten.

»Ich brauchte frische Luft, da drin ist es heiß«, sagte sie nun und spielte mit dem vierten Knopf ihres Kleides.

William trat näher an sie heran. »Sie sind wunderschön«, sagte er ehrfürchtig und hätte sich dafür ohrfeigen können. Warum fiel ihm kein geistreicheres Kompliment ein? Sonst fiel es ihm doch nicht schwer, Worte zu finden.

Kura lächelte. »Danke«, sagte sie leise und dehnte das Wort zu einer Melodie, die den Himmel versprach.

William wusste nichts zu erwidern. Langsam, ehrfürchtig, beinahe furchtsam berührte er ihr Haar. Es war glatt wie Seide.

Kura zitterte. Sie schien zu frösteln. Aber hatte sie nicht eben noch gesagt, ihr sei heiß?

»Seltsam, dass jetzt woanders Sommer ist«, sang ihre Stimme. »Sie feiern auch in Irland diese Feste ...«

»Eher am ersten Mai als Ende Juni«, antwortete William, der plötzlich heiser zu sein schien. »Früher nannte man es Beltane. Ein Frühlingsfest ...«

»Ein Fruchtbarkeitsfest«, sagte Kura, ihre Stimme war ein einziges Locken. *»Wenn der Sommer kommt und die Bäume lieblich blühen ...«*

Als Kura sang, schien die vereiste Straße von Queenstown zu versinken, und William befand sich wieder in Irland, küsste Bridget, die Tochter seines Pächters, spürte ihre Wärme und ihre Lust.

Und dann hielt er Kura in den Armen. Es war einfach passiert. Er hatte es nicht wirklich gewollt ... Sie war so jung, und da war Elaine, trotz allem, und seine Stellung hier in Queenstown ... aber vor allem war da Kura. Ihr Duft, ihr weicher Körper ... Kura war der Anfang und das Ende. Er hätte sich in ihrem Kuss verlieren können. Kura war die Erde und das Mondlicht, sie war der silbern funkelnde See und das ewige

Meer. William küsste sie anfangs langsam und behutsam, doch sie zog ihn fester an sich und erwiderte die Liebkosungen wild und scheinbar erfahren. Da war nichts Tastendes, Ängstliches wie bei Elaine: Kura war nicht zart und zerbrechlich, nicht scheu wie das Mädchen in den Sally Gardens, sondern offen und lockend wie die Blüten, die man zu Beltane auf den Altar der Göttin häufte. William schob ihr Kleid ein Stückchen herunter und streichelte über die glatte, weiche Haut ihrer Schultern, und Kura rieb sich an ihm, zerzauste sein Haar, platzierte kleine Küsse, dann winzige Bisse an seinem Hals. Beide hatten die Deckung des Hauses längst vergessen; es war, als tanzten sie miteinander auf der Terrasse des Hotels.

Elaine hatte die Main Street gerade hinter sich gelassen und Banshee den Weg am Fluss entlanggelenkt, als ihr siedend heiß etwas einfiel. Die Blüten! Sie hatte Ingers mühsam zusammengesuchte sieben Blüten neben Helens Kamin liegen lassen. Ob es wohl noch wirkte, wenn sie in der kommenden Nacht darauf schlief? Wahrscheinlich nicht; die Johannisnacht war heute. Und Inger würde sie vielleicht danach fragen. Elaine wünschte es sich jedenfalls. Inger mochte ein leichtes Mädchen sein, aber sie war fast eine Art Freundin, und Elaine wollte so gern über ihre Träume mit ihr tuscheln und kichern. Und wenn sie wissen wollte, wie ihr künftiger Gatte aussah, musste sie jetzt zurückreiten. Wenn sie trabte, würde sie höchstens fünf Minuten verlieren.

Banshee wendete unwillig. Elaine hatte möglichst rasch nach Hause gewollt und war entsprechend schwungvoll angetrabt. Jetzt noch mal zurück auf die Main Street? Der Stute passte das gar nicht, aber sie war ein gehorsames Pferd und ließ sich antreiben.

»Komm, Banshee, wenn ich reingehe, klaue ich dir auch ein Stück Teegebäck«, raunte Elaine ihr zu.

William und Kura hätten die Hufschläge eigentlich hören müssen, doch die beiden waren in dieser Nacht nur Teil ihrer eigenen Melodie, hörten nichts als den Atem und den Herzschlag des anderen, spürten den Puls der Erde.

Elaine hätte das Paar vielleicht gar nicht bemerkt, wäre es im Schatten des Hauses geblieben. Sie erwartete die Pension abgeschlossen und wollte durch die Ställe hinein. Doch Kura und William standen im Mondlicht, angestrahlt wie auf einer Bühne. Banshee scheute, als sie die beiden sah, und rammte die Hufe in den Boden. Elaine stockte der Atem. Sie konnte es nicht fassen. Das konnte doch nur Einbildung sein! Wenn sie jetzt die Augen schloss und wieder öffnete, würde sie William und Kura bestimmt nicht mehr sehen.

Sie versuchte Atem zu holen und zu blinzeln, doch als sie wieder hinschaute, küsste das Paar sich immer noch. Selbstvergessen, eine Silhouette im Mondlicht, das die Straße erhellte. Plötzlich flammte Licht im Haus auf, und die Tür öffnete sich.

»Kura! Was tust du da, um Himmels willen?« Grandma Helen! Also war es keine Einbildung. Helen hatte es auch gesehen. Und jetzt …

Helen hätte später selbst nicht sagen können, was sie bewogen hatte, vor dem Schlafengehen noch einmal nach unten zu gehen – vielleicht die Blumen, die Lainie vergessen hatte. Sie hatte so erwartungsvoll davon gesprochen. Bestimmt kam sie zurück, wenn sie den Verlust noch unterwegs bemerkte. Und dann waren da diese Schatten vor dem Haus, oder dieser eine Schatten.

Und Hufschläge …

Helen sah, wie Kura und William auseinanderfuhren – und blickte einen Herzschlag lang in die entsetzt aufgerissenen Augen ihrer Enkelin, bevor sich deren Schimmelpony auf der

Hinterhand herumwarf und wie vom Teufel getrieben die Main Street heruntergaloppierte. Nur weg.

»Du kommst augenblicklich herein, Kura! Und Sie, Mr. William, suchen sich bitte gleich eine andere Bleibe. Sie werden keine Nacht mehr mit dem Kind unter einem Dach verbringen. Geh auf dein Zimmer, Kura, wir sprechen uns morgen!« Helens Lippen bildeten einen schmalen Strich, und zwischen ihren Augen stand eine steile Falte. William verstand plötzlich, warum seine Goldgräberkollegen so einen Heidenrespekt vor ihr hatten.

»Aber ...« Das Wort blieb ihm im Hals stecken, als Helen ihn anschaute.

»Kein Aber, Mr. William. Ich will Sie hier nicht mehr sehen.«

7

»Glaub es mir, Fleur, ich habe ihn nicht gefeuert!«

Ruben O'Keefe war die inquisitorischen Fragen seiner Frau allmählich leid. Er hasste es, wenn Fleurette ihre schlechte Laune an ihm ausließ, obwohl er doch nun wirklich unschuldig war an der familiären Katastrophe um Elaine, William und Kura.

»Er hat von selbst gekündigt. Will in die Canterbury Plains, sagt er. Er brauchte auf Dauer eben doch Schafe ...«

»Das glaube ich!«, giftete Fleurette. »Er hat vermutlich zehntausend ganz bestimmte Schafe im Auge! Ich hab dem Kerl nie getraut! Wir hätten ihn gleich hinschicken sollen, wo der Pfeffer wächst!«

Fleurette merkte selbst, dass sie Ruben auf die Nerven fiel, doch am Ende dieses Tages brauchte sie einen Blitzableiter. Am Abend zuvor hatte sie Elaine zwar heimkommen hören, aber nicht mehr gesprochen. Am Morgen war das Mädchen dann nicht zum Frühstück heruntergekommen, und Fleur hatte Banshee ungenügend abgewartet in ihrem Stall gefunden. Natürlich hatte Elaine sie gefüttert und ihr eine Decke übergeworfen, aber abgewaschen oder wenigstens abgerieben hatte sie die Stute nicht. Dabei sprachen der angetrocknete Schweiß in ihrem Fell für einen scharfen Ritt, und es sah Elaine gar nicht ähnlich, das Pferd zu vernachlässigen. Schließlich war sie hinaufgegangen, um nachzusehen, was dem Mädchen fehlte, und hatte ihre Tochter weinend und offensichtlich untröstlich im Bett gefunden, das Hündchen Callie an sich gedrückt. Fleurette bekam nichts aus ihr heraus; erst Helen berichtete am Nachmittag, was geschehen war.

Auch das war kaum zu glauben: Helen kam allein mit Leonards Pferd vor einem geliehenen Dogcart nach Nugget Manor. Dabei umging sie es zumeist, selbst zu kutschieren oder gar zu reiten. Früher in den Canterbury Plains hatte sie zwar ein Maultier gehabt, doch nach Nepumuks Tod kein neues Reittier angeschafft. Und an diesem Morgen hatte sie auch Gwyns Hilfe nicht in Anspruch genommen.

»Gwyneira packt«, erklärte sie schmallippig, als Fleurette sie darauf ansprach. »Es tut ihr alles schrecklich leid, und sie sieht ein, dass man Elaine Kuras Anblick in der nächsten Zeit besser nicht zumutet. Ansonsten aber hat sie sich mit Strafmaßnahmen sehr zurückgehalten. Und von einem Internat in England oder noch besser in Wellington war auch nicht mehr die Rede. Dabei wäre das die einzige Lösung für diesen verwöhnten Fratz. Sie müsste lernen, dass sie nicht alles kriegt, was sie will.«

»Du meinst, sie hat William verführt?«, fragte Fleurette. Sie war eigentlich nicht gewillt, dem jungen Mann auch nur in Gedanken mildernde Umstände einzuräumen.

Helen zuckte die Achseln. »Zumindest hat sie sich nicht gewehrt. Er hat sie nicht aus dem Haus gezerrt; sie muss ihm und Elaine gefolgt sein. Ansonsten war da natürlich nicht viel zu verführen. Oder wie Daphne es ausdrückt: Die Kerle fallen dem Mädchen zu wie reife Pflaumen.«

Fleurette musste beinahe lachen. Diese Ausdrucksweise war sie von Helen nun wirklich nicht gewohnt.

»Und nun wird er ihr in die Canterbury Plains folgen. Was sagt Mommy dazu?«, fragte sie.

Helens Schultern zuckten wieder. »Ich glaube, sie weiß es noch nicht. Aber ich habe einen ziemlich hässlichen Verdacht. Ich fürchte, Gwyn sieht in diesem William die Antwort auf ihre Gebete ...«

»Elaine wird darüber hinwegkommen.«

Das war es, was Fleurette in den kommenden Wochen hörte. Immer und immer wieder, denn Williams Abgang war natürlich Stadtgespräch. Zwar war nur Elaine Zeuge seiner Zärtlichkeiten mit Kura geworden, doch bei seiner Kündigung hatten etliche Kunden und Angestellte mitgehört. Und besonders die Frauen von Queenstown zählten spätestens eins und eins zusammen, als die Worte Canterbury Plains fielen – und Gwyneira und Kura Warden praktisch am gleichen Tag abreisten wie Rubens Buchhalter. Elaine traute sich kaum in die Stadt, obwohl Fleurette ihr vorhielt, dass sie sich nun wirklich nicht zu schämen brauche. Die meisten der Leute waren auch eher mitfühlend. Die älteren Bürger von Queenstown hatten Elaine ihren Verehrer nicht geneidet, und so viele ehrbare Mädchen in ihrem Alter, die sich über ihr Unglück genüsslich die Mäuler zerrissen hätten, gab es nicht. Trotzdem weinte Elaine unaufhörlich. Sie vergrub sich in ihrem Zimmer und schluchzte, als könne sie nie wieder aufhören.

»Das gibt sich wieder«, meinte Daphne, als Helen ihr beim Teetrinken davon berichtete. Elaine bewachte nicht mehr die Rezeption, und sie half auch nicht mehr im Laden. Wenn sie gerade nicht weinte, trieb sie sich mit ihrem Hund und ihrem Pferd in den Wäldern herum. Unweigerlich kam sie an Stellen vorbei, an denen sie sich mit William getroffen, mit ihm Picknick gemacht oder ihn geküsst hatte – mit der Folge, dass sie wieder in Tränen ausbrach.

»Es war halt die erste Liebe. Da muss man durch. Ich weiß noch, wie ich damals geheult habe. Ich war zwölf, und er war Seemann. Er hat mich entjungfert, der Mistkerl, und dafür nicht mal bezahlt. Stattdessen hat er mir erzählt, dass er mich heiratet und in die weite Welt mitnimmt. Was war ich für ein dummes Ding! Seit wann nehmen Matrosen ihre Liebchen mit auf See? Aber er spann sein Garn, er würde mich in einem Rettungsboot verstecken. Als er dann verschwunden war, brach für mich die Welt zusammen. Seitdem traue ich keinem Mann mehr. Aber das ist die Ausnahme, Miss Helen. Die meisten fallen gleich auf den nächsten Kerl rein. Es wäre fein, wenn Ihre Lainie was zu tun kriegte. Herumsitzen und weinen tut ihr nicht gut.«

Also versuchte Helen mit Bitten – Fleurette und Ruben mit sanftem Druck –, Elaine zur Aufgabe ihres Exils zu bewegen. Doch es gelang erst nach einigen Wochen, sie wieder in den Ort zu locken und zur Mitarbeit im Laden oder im Hotel zu bewegen.

Das Mädchen, das schließlich wie früher Stoffmuster herumzeigte und Gästelisten schrieb, war nicht mehr die alte Elaine. Nicht nur, dass sie abgenommen hatte und blass und übernächtigt wirkte – das waren die Folgen des Liebeskummers, wie Daphne erklärte. Alarmierend war eher Elaines Verhalten. Sie lachte die Leute nicht mehr an, ging nicht mehr hocherhobenen Kopfes durch den Ort, ließ nicht mehr ihre Locken fliegen. Stattdessen versuchte sie, sich unsichtbar zu machen. Sie half lieber in der Küche als an der Rezeption, arbeitete lieber im Lager als in der Beratung der Kunden. Wenn sie ein Kleid kaufte, wählte sie nichts Fröhliches, Buntes mehr, sondern etwas Unauffälliges. Und ihr Haar … »als hätten Engel Kupfer gesponnen«. Wieder so ein Spruch, den William niemals ernst gemeint hatte. Früher hatte Elaine es gemocht, wenn ihre Locken sie wie elektrisiert umtanzten. Jetzt glättete sie es ungeduldig mit Wasser, bevor sie die Locken im Nacken zusammenband, statt sie zu bürsten und damit noch weiter aufzuladen.

Das Mädchen schien auf seltsame Weise geschrumpft zu sein; sie schlurfte mit gesenktem Blick und gebeugtem Rücken umher. Und jeder Blick in den Spiegel war für Elaine eine Qual, sah sie doch nur ein hässliches, bestenfalls durchschnittliches Gesicht. Dumm und untalentiert – nichts im Vergleich zu der wunderbaren Kura Warden. Elaine hielt sich für mager und flachbrüstig, wo sie sich früher zierlich und schlank gefunden hatte. »Elfenhaft« hatte William gesagt. Damals hatte sie das für ein wunderbares Kompliment gehalten. Aber welcher Mann wollte schon eine Elfe? Eine Göttin wollten die Kerle, so was wie Kura!

Elaine erging sich in Selbstzerfleischung, obwohl Inger ihr immer wieder gut zuredete. Die Mädchen hatten sich angefreundet, und wenigstens die Nachricht, dass ihr Vater nun Søren statt William im Laden beschäftigte und der junge Schwede seine Inger in wenigen Wochen heiraten wollte, hatte Elaine eine Zeit lang aus ihrer Trauer gerissen. Eine rechte Hilfe war Inger allerdings auch nicht. Zumindest empfand Elaine es nicht unbedingt als Schmeichelei, als die Freundin harmlos bemerkte, Daphne würde sich nach einem Mädchen wie ihr die Finger lecken. Sicher, für ein Freudenhaus mochte sie gut genug sein, doch ein Mann wie William würde sie niemals lieben.

Mit der Zeit verlor Williams Gesicht sich immer mehr in ihrer Erinnerung. Sie konnte jetzt an seine Berührungen und Küsse denken, ohne dabei den entsetzlichen Schmerz des »Nie mehr« zu verspüren. Im Grunde geschah genau das, was Daphne und alle anderen vorhergesagt hatten. Elaine kam über William hinweg ... aber nicht über Kura.

William war am gleichen Tag in die Canterbury Plains aufgebrochen wie Gwyneira und Kura, aber natürlich reisten die drei nicht zusammen. Gwyn hatte nur leichtes Gepäck in ihren Buggy gepackt und Ruben gebeten, ihr den Rest ihrer Sachen mit dem nächsten Transport nach Christchurch mitzuschicken. Dann ließ sie ihren Hengst nach Norden traben. William, der vorerst wieder im Goldgräberlager untergeschlüpft war, musste zunächst ein Pferd kaufen, bevor er sich auf den Weg machen konnte. Letztlich aber war er schneller als Gwyn und Kura, denn die zwei übernachteten diesmal auf Farmen ihrer Bekanntschaft und mussten dafür mitunter Umwege auf sich nehmen.

William hielt seine Pausen kurz. Er schlief nicht gern im Busch, und jetzt im Winter war es empfindlich kalt. So erreichte er Haldon zwei Tage eher als Gwyn, mietete sich im örtlichen Hotel ein, einem eher schmuddeligen Etablissement, und suchte erst mal Arbeit im Ort. Die Ansiedlung gefiel ihm dabei nicht besonders. Haldon bestand lediglich aus einer Main Street, die von den üblichen Läden gesäumt wurde – es gab einen Pub, einen Arzt, einen Bestatter, einen Schmied, einen Kramladen mit großem Holzlager. Aus Holz war auch der gesamte Ort errichtet, höchstens zweistöckige Häuser, denen ein neuer Anstrich durchweg gutgetan hätte. Die Straße war ungenügend befestigt; jetzt im Winter schlammig, im Sommer sicher staubig. Das Ganze lag ziemlich im Nichts – in der Umgebung gab es zwar einen kleinen See, ansonsten aber nur Grasland, das trotz der kalten Jahreszeit noch verhalten grünte. In der Ferne konnte man an klaren Tagen die Alpen sehen. Sie schienen relativ nah zu sein, doch dieser Eindruck täuschte. Man musste stundenlang reiten, um den Bergen sichtbar näher zu kommen.

Überall im weiten Umland von Haldon gab es größere und kleinere Schaffarmen, die aber alle viele Meilen voneinander entfernt lagen. Auch von Maori-Siedlungen war im Ort die Rede, doch wo sie lagen, wusste kaum jemand. Die Eingeborenen waren wohl auch öfter auf Wanderschaft.

Kiward Station, die Farm der Wardens, kannte allerdings jeder. Mrs. Dorothy Candler, die Krämersfrau und offensichtliche Klatschbase des Ortes, gab umfassend Auskunft über die Familiengeschichte. Ehrfürchtig berichtete sie, dass Gwyneira Warden eine echte Landadelige aus Wales sei, die ein gewisser Gerald Warden, der Gründer von Kiward Station, vor langer Zeit nach Neuseeland gebracht hatte.

»Denken Sie nur, auf demselben Schiff, mit dem auch ich gekommen bin! Gott, hatte ich damals Angst vor der Überfahrt! Aber nicht Miss Gwyn, die ist gern gekommen, die suchte das Abenteuer. Sie sollte hier heiraten, den Sohn von Mr. Gerald, Mr. Lucas. Ein reizender Mensch, dieser Lucas, wirklich, ein ganz liebenswerter, zurückhaltender Herr – nur mit der Farmarbeit hatte er's nicht so. Der war mehr ein Künstler, wissen Sie. Er hat gemalt. Später ist er dann verschwunden – nach England, sagt Miss Gwyn, um seine Bilder zu verkaufen. Aber ob das stimmt? Man hat da manches munkeln hören. Irgendwann wurde er für tot erklärt, Gott sei seiner Seele gnädig. Und Miss Gwyn hat diesen James McKenzie geheiratet. Der ist ja auch ein angenehmer Mensch, wirklich, ich will nichts gegen Mr. James sagen, aber er war natürlich ein Viehdieb! Die McKenzie Highlands wurden nach ihm benannt! Da hat er sich versteckt, bis ihn dieser Sideblossom erwischte. Tja, und Mr. Gerald hat's dann eben auch erwischt, am gleichen Tag wie Mr. O'Keefe. Schlimme Sache das, schlimme Sache. O'Keefe hat Warden umgebracht, und sein Enkel hat ihn dann erschossen. Später wollten sie es als Unfall hinstellen ...«

Nach einer halben Stunde mit Mrs. Candler schwirrte William der Kopf. Bis er das alles auf die Reihe bringen konnte, würde sicher noch einige Zeit vergehen. Aber schon dieser erste Eindruck von den Wardens war ermutigend: Verglichen mit all den Verfehlungen dieser Familie war ein vereiteltes Attentat auf einen irischen Politiker wohl eher eine lässliche Sünde.

Trotzdem: Er würde sich anstrengen müssen, um einen guten Eindruck zu machen. Nach dem Eklat, den Helen O'Keefe aus seinen paar Küssen mit Kura gemacht hatte, war Miss Gwyn sicher nicht gut auf ihn zu sprechen. Das war der Grund, weshalb William sich direkt auf die Suche nach einer Arbeit machte. Er musste eine sichere Stellung haben, bevor er bei den Wardens vorsprach. Schließlich sollte Miss Gwyn nicht denken, er sei hinter Kuras Erbe her. Eine Unterstellung, der William jederzeit kategorisch widersprochen hätte! Finanzielle Überlegungen mochten bei seiner Werbung um Elaine eine kleine Rolle gespielt haben, aber Kura ... William hätte sie auch gewollt, wäre sie ein Bettelmädchen gewesen.

Auf den umliegenden Schaffarmen sah es jedoch nicht gut aus, was offene Stellen anging. Leitende Positionen wurden überhaupt nicht angeboten; William hätte allenfalls als Viehtreiber anfangen können, und selbst da waren die Stellen im Winter rar. Ganz abgesehen von der erbärmlich schlechten Bezahlung, den primitiven Unterkünften und der harten Arbeit. Allerdings half ihm seine Erfahrung als Buchhalter in Rubens Laden weiter. Die Candlers waren geradezu begeistert, als er sich nach einem Job erkundigte. Dorothys Gatte, der wohl selbst nur Dorfschulen besucht hatte, reagierte fast euphorisch auf Williams bisherigen Ausbildungsweg.

»Ich tue mich immer schwer mit den Büchern!«, gab er freimütig zu. »Im Grunde ist es eine Strafe für mich. Ich gehe gern mit Menschen um und verstehe mich auf An- und Verkauf. Aber Zahlen ...? Die hab ich eher im Kopf als in den Büchern.«

Dementsprechend sahen seine Unterlagen aus. William fand schon nach flüchtiger Durchsicht verschiedene Möglichkeiten zur Vereinfachung der Lagerhaltung und vor allem zum Steuersparen. Candler strahlte wie ein Honigkuchenpferd und zahlte sofort einen Bonus. Außerdem kümmerte sich Dorothy, eine mustergültige Hausfrau, um Williams standesgemäße Unterbringung. Sie vermittelte ihm ein Zimmer zur Untermiete im Haus ihrer Schwägerin und lud ihn fast täglich zum Essen ein. Wobei sie natürlich nichts unversucht ließ, ihm die Reize ihrer hübschen Tochter Rachel vor Augen zu führen. Unter anderen Umständen hätte William vielleicht nicht Nein gesagt. Rachel war ein großes Mädchen mit dunklen Haaren und sanften braunen Augen. Durchaus eine kleine Schönheit, aber verglichen mit Kura fiel sie ebenso ab wie Elaine.

Von den Wardens oder McKenzies ließ sich vorerst niemand im Ort sehen. Kiward Station tätigte zwar durchaus Einkäufe, aber Gwyneira schickte nur Angestellte, um die Sachen abzuholen, bei denen es sich nicht um persönliche Dinge handelte. Dorothy verriet ihm in einer ihrer regelmäßigen geschwätzigen Teestunden, dass Gwyneira fast all ihre Kleider in Christchurch kaufe.

»Jetzt, wo die Straßen besser ausgebaut sind, ist das ja keine große Sache mehr. Früher war es eine Weltreise, aber jetzt ... und die Kleine, ihre Enkelin, ist wohl ziemlich verwöhnt. Ich kann mich nicht erinnern, dass die je auch nur einen Fuß in unseren Laden gesetzt hat! Da muss jede Kleinigkeit aus London kommen!«

William fand diese Auskunft enttäuschend. Natürlich war es schön, dass Kura Geschmack hatte, das Kleiderangebot der Candlers wäre wirklich unter ihrem Niveau gewesen. Doch die Hoffnung, sich in Haldon mit ihr treffen zu können – zunächst zufällig und später vielleicht sogar heimlich –, konnte er wohl begraben.

Immerhin erschien endlich Miss Gwyn, fast sechs Wochen nach Williams Ankunft in den Canterbury Plains. Sie saß auf dem Bock eines Planwagens neben einem schon etwas älteren, aber großen und kräftigen Mann. Beide grüßten selbstbewusst die Einwohner des Ortes, wobei der Mann nicht den Eindruck machte, als wäre er Angestellter. Eher hatte man es hier mit dem Ehemann zu tun, James McKenzie. William nutzte seine versteckte Position im Kontor des Kramladens, um sich das Paar näher anzuschauen. McKenzie hatte braunes, ein wenig struppiges Haar, in das sich schon weiße Strähnen mischten. Seine Haut war braun gebrannt und wettergegerbt. Lachfältchen beherrschten sein Gesicht, ähnlich wie bei

Miss Gwyn; die beiden schienen eine harmonische Ehe zu führen. Besonders auffällig waren jedoch James' wache braune Augen, die freundlich erschienen, doch er war sicher ein Mann, dem man nicht leicht etwas vormachte.

William überlegte, ob er gleich James' Bekanntschaft suchen sollte, entschied sich aber dagegen. Miss Gwyn mochte sich über ihn beschwert haben; es war besser, die Sache noch ein paar Wochen ruhen zu lassen. Allerdings drängte es ihn nun sehr, Kura endlich wiederzusehen. Am folgenden Sonntag sattelte er sein in letzter Zeit ziemlich unterbeschäftigtes Pferd und ritt nach Kiward Station.

Wie die meisten Besucher fühlte auch William sich fast erschlagen vom Anblick des Herrenhauses mitten im Busch. Eben noch war er durch weitgehend unerschlossenes Land geritten, vorbei an endlosen Grasflächen, die nicht einmal abgeweidet wirkten und nur hier und da von Steinformationen oder einem kleinen, glasklaren See unterbrochen wurden. Und dann ritt man um eine Wegbiegung und meinte sich plötzlich ins ländliche England versetzt. Eine sorgfältig mit Kies bedeckte, akkurat gepflegte Einfahrt führte zunächst durch eine Art Allee, gesäumt von Südbuchen und Cabbage Trees, die schließlich den Blick freigab auf ein mit rot blühenden Sträuchern bepflanztes Rondell. Dahinter lag die Auffahrt von Kiward Station. Das war keine Farm, das war eher ein Schloss! Das Haus war offensichtlich von englischen Architekten entworfen und errichtet aus dem landestypischen grauen Sandstein, den man auch in Städten wie Christchurch und Dunedin für »Monumentalbauten« verwendete. Kiward Station war zweistöckig; die Fassade wurde belebt durch Türmchen, Erker und Balkone. Ställe waren nicht zu sehen; sie befanden sich, wie William vermutete, hinter dem Haus, ebenso wie die Gartenanlagen. Er zweifelte nicht daran, dass diese

Residenz über gepflegte Landschaftsgärten, vielleicht sogar einen Rosengarten verfügte – auch wenn Miss Gwyn eigentlich nicht den Eindruck erweckt hatte, als gehöre Gartenbau zu ihren Leidenschaften. Kura würde so etwas eher liegen. William gab sich einem Tagtraum von einer weiß gekleideten Kura mit blumengeschmücktem Strohhut hin, die an Rosenbüschen zupfte und schließlich mit einem Korb voller Blumen die Freitreppe hinaufstieg.

Doch der Gedanke an Kura brachte ihn auch in die Wirklichkeit zurück. Es war unmöglich, hier einfach einzudringen! Das Mädchen auf diesem Gelände »zufällig« zu treffen war undenkbar, zumal er Kura nicht gerade als Naturliebhaberin kannte. Wenn sie dieses Haus verließ, dann sicher nur in die Gartenanlagen, und die waren vermutlich eingezäunt. Außerdem wimmelte es dort sicher von Gärtnern; dafür, dass es mehrere Gärtner gab, sprach allein schon die sorgsam gepflegte Auffahrt.

William wendete sein Pferd. Er wollte hier möglichst nicht gesehen werden. In trübe Gedanken versunken, machte er sich daran, das Anwesen weiträumig zu umrunden. Tatsächlich führten sowohl rechts als auch links des Herrenhauses Wirtschaftswege zu den Ställen und Koppeln, auf denen Pferde am kargen Wintergras knabberten. William bog dort jedoch nicht ab; die Gefahr, Leute zu treffen, die ihn dann ausfragten, erschien ihm zu groß. Stattdessen nahm er einen schmalen Fußweg durchs Grasland und stieß auf ein lichtes Wäldchen. Man fühlte sich dabei fast an England oder Irland erinnert; die Südbuchen und das kaum vorhandene Unterholz muteten europäisch an. Durch das Wäldchen führte in abenteuerlichen Windungen ein Pfad, ausgetreten eher von Menschenfüßen als Pferdehufen. William folgte diesem Weg voller Neugier – und wäre nach einer Biegung beinahe mit einer dunkel gekleideten jungen Frau zusammengestoßen, die ebenso gedankenverloren schien wie er selbst. Sie trug ein strenges Kleid, kombiniert mit einem dunklen Hütchen, das sie älter wirken ließ. Auf William machte sie den surrealen Eindruck einer englischen Gouvernante auf dem Kirchweg.

Der junge Mann verhielt sein Pferd im letzten Moment und setzte sein schönstes, entschuldigendes Lächeln auf. Ihm musste jetzt rasch eine Ausrede für sein Hiersein einfallen.

Die Frau wirkte nicht gerade wie eine Viehzuchtspezialistin. Vielleicht hielt sie ihn für einen der Arbeiter. William grüßte höflich und fügte eine Entschuldigung an. Wenn er jetzt gleich weiterritt, würde die Frau sich bestimmt kaum an ihn erinnern.

Sie antwortete zunächst knapp und desinteressiert, ohne zu ihm aufzublicken. Erst nach der Entschuldigung gönnte sie ihm einen genaueren Blick. Anscheinend war ihr an seiner Sprache etwas aufgefallen. William verfluchte seinen Oberschichtakzent. Er sollte wirklich versuchen, sein Irisch zu kultivieren!

»Sie brauchen sich nicht zu entschuldigen, ich habe Sie auch nicht bemerkt. Die Wege hier sind eine Zumutung.« Die Frau verzog unwillig das Gesicht, versuchte es dann aber doch mit einem schüchternen Lächeln. Sie war hellblond und blass. Ihr Haar, ihr Teint und ihre graublauen Augen wirkten verwaschen, ihr Gesicht war ein wenig lang, aber fein geschnitten. »Kann ich Ihnen irgendwie helfen? Sie wollen doch nicht wirklich zu den Maoris?«

So, wie die Frau das Wort aussprach, konnte man meinen, es handele sich um einen Kannibalenstamm, den zu besuchen ein Akt des Wahnsinns wäre. Und sie selbst ginge gut als Missionarin durch – mit ihrem dunkelgrauen schlichten Kleid und dem schwarzen langweiligen Hut. Unter dem Arm trug sie eine Art Gesangbuch.

William lächelte. »Nein, ich wollte nach Haldon«, behauptete er. »Aber ich fürchte, das ist nicht der richtige Weg.«

Die Frau runzelte die Stirn. »Ja, Sie haben sich arg verritten.

Dies hier ist der Fußweg zwischen dem Maori-Lager und Kiward Station ... das Gebäude hinter Ihnen ist das Herrenhaus, und am Maori-Lager sind Sie vermutlich auch schon vorbeigeritten, aber man sieht es nicht von der Straße aus. Am besten reiten Sie zum Haus zurück und nehmen den Hauptweg.«

William nickte. »Wie könnte ich dem Rat so reizender Lippen zuwiderhandeln?«, fragte er galant. »Aber was macht eine junge Lady wie Sie bei den Maoris?«

Letzteres interessierte ihn wirklich. Auch diese Frau sprach schließlich lupenreines Oberschichtenglisch. Sie näselte dabei sogar ein wenig.

Die Frau verdrehte die Augen. »Man hat mich beauftragt, bei diesen Wilden so etwas wie ... nun, seelsorgerisch tätig zu werden. Der Pfarrer bat mich, sonntags in den Lagern eine Andacht zu halten. Die frühere Lehrerin, Miss Helen, hat das wohl immer gemacht, und danach Mrs. Warden ...«

»Mrs. Gwyneira Warden?«, fragte William verwundert, auch wenn er damit seine Tarnung gefährdete. Doch Miss Gwyn war ihm so gar nicht wie eine Betschwester erschienen. Zu Miss Helen passte das eher.

»Nein, Mrs. Marama Warden. Sie ist selbst Maori, aber sie ist wieder verheiratet und lebt jetzt bei O'Keefe Station im nächsten Lager. Da hält sie auch Schule.« Die junge Lady sah nicht aus, als mache ihr die Missionstätigkeit allzu viel Freude. Aber halt – hatte sie eben nicht von »Lehrerin« gesprochen? Konnte er hier auf die Gouvernante von Kura Warden gestoßen sein?

William konnte sein Glück kaum fassen. Zumindest, wenn das Verhältnis zwischen Kura und ihrer angebeteten Miss Witherspoon wirklich so eng war, wie das Mädchen in Queenstown angedeutet hatte.

»Sie unterrichten bei den Maoris?«, erkundigte er sich. »Nur dort oder ... ich wage es kaum zu hoffen ... Aber Miss Warden sprach so liebevoll von Miss Heather!«

»Liebevoll« hatte Kura zwar nicht von ihrer Lehrerin gesprochen, bestenfalls von einem Zweckbündnis gegen all die Kulturbanausen in ihrer Umgebung. Aber immerhin war diese Miss Witherspoon die Einzige auf Kiward Station, der sie überhaupt halbwegs freundschaftlich gegenüberstand. Und die junge Frau brauchte eindeutig ein wenig Aufmunterung.

Über Miss Witherspoons strenges Gesicht zog sich denn auch ein strahlendes Lächeln. »Wirklich? Kura hat mit Wärme von mir gesprochen? Ich habe sie sehr gern, obwohl sie oft ein bisschen kühl ist. Aber woher kennen Sie Kura überhaupt?«

Forschend blickte die junge Frau ihn an, und William bemühte sich um einen schuldbewussten, zugleich etwas schelmischen Ausdruck. Konnte es wirklich sein, dass Kura nichts von ihm erzählt hatte? Dann schien Miss Heather aber Schlüsse zu ziehen.

»Warten Sie mal. Sie sind doch nicht …?« Miss Witherspoons misstrauischer Blick wich Begeisterung. »Doch, Sie müssen es sein! Sie sind William Martyn, nicht wahr? Kuras Beschreibung nach …«

Kura hatte William bis in die letzte Einzelheit beschrieben. Sein blondes Haar, das Grübchenlächeln, die strahlend blauen Augen – Miss Heather strahlte ihn an. »Wie romantisch! Kura wusste, dass Sie kommen. Sie wusste es einfach! Sie war schrecklich deprimiert, nachdem Miss Gwyn so plötzlich aus Queenstown abberufen wurde …«

Abberufen? William wunderte sich. Aber wahrscheinlich hatte man der Gouvernante einfach nicht alles erzählt. Auch Kura schien sich ihr nur begrenzt anzuvertrauen. William beschloss, vorsichtig zu sein. Andererseits war dieses farblose Geschöpf seine einzige Hoffnung. Er ließ seinen Charme wieder spielen.

»Ich habe keinen Tag gezögert, Miss Heather. Nachdem

Kura abgereist war, habe ich gekündigt, mir ein Pferd gekauft, und hier bin ich. Ich habe eine Stellung in Haldon ... noch keine leitende, das muss ich zugeben, aber ich werde mich hocharbeiten! Eines Tages möchte ich offen um Kura werben können.«

Miss Heathers Gesicht glühte. Genau das hatte sie hören wollen. Offensichtlich hatte sie ein Faible für romantische Geschichten.

»Bisher ist das leider noch nicht so einfach.« William ließ offen, warum, aber da fielen der jungen Frau gleich ein paar Gründe ein.

»Kura ist natürlich noch sehr jung«, bemerkte sie. »Da muss man Mrs. McKenzie schon verstehen, obwohl das Mädchen selbst es nicht einsieht. Kura war sehr erbost, als man sie so plötzlich ... äh ... von Ihrer Seite wegriss ...« Miss Heather errötete.

William senkte den Kopf. »Auch mir hat es das Herz zerrissen«, bekannte er. Hoffentlich war das nicht zu dick aufgetragen, doch Miss Heather blickte verständnisvoll. »Wobei Sie mich nicht missverstehen dürfen. Ich bin mir der Verantwortung wohl bewusst. Kura ist wie eine Blume, die in voller Schönheit steht, obwohl sie noch nicht gänzlich erblüht ist. Es wäre unverantwortlich, sie jetzt schon zu ...« Wenn er jetzt »pflücken«, sagte, würde diese junge Dame vermutlich vor Scham zerfließen. William ließ den Satz lieber unvollendet. »Ich bin jedenfalls bereit, auf Kura zu warten. So lange, bis sie erwachsen ist ... oder Miss Gwyn sie als solches anerkennt.«

»Kura ist sehr reif für ihr Alter!«, ergänzte Miss Heather. »Es ist sicher ein Fehler, sie wie ein Kind zu behandeln.«

Tatsächlich schmollte Kura seit der Rückkehr aus Queenstown, und erst heute Morgen hatte es wieder einen sehr unerfreulichen Auftritt zwischen ihr und James McKenzie gegeben. Bei der fünften Wiederholung des Bach-Oratoriums, an dem Kura gerade übte, während der Rest der Familie frühstückte, war James der Kragen geplatzt.

Kura brauche nicht mit ihnen zu essen, erklärte er, aber dann solle sie ihnen auch ihre Launen ersparen. Diese depressive Musik würde er sich jedenfalls keinen Moment länger anhören. Dabei verginge ja einer Kuh der Appetit! Jack hatte kichernd die Partei seines Vaters ergriffen, während Miss Gwyn wie fast immer geschwiegen hatte. Schließlich floh Kura beleidigt in ihre Räume, und Heather musste sie trösten. Woraufhin sie die Nächste war, über die ein Donnerwetter niederging. Sie solle Kura nicht in ihren Dummheiten bestärken, beschied sie Miss Gwyn, sondern lieber ihren Pflichten nachgehen und die Andacht bei den Maoris halten.

William wusste von alledem natürlich nichts, doch er spürte Heathers Ressentiments gegen Miss Gwyn und McKenzie. Er musste es wagen.

»Miss Heather ... ob wohl die Möglichkeit besteht, Kura einmal zu sehen? Ohne ihre Großeltern zu involvieren? Ich will nichts Unehrenhaftes, auf gar keinen Fall ... schon ein Blick auf sie, ein Gruß von ihr würden mich glücklich machen. Und ich hoffe so sehr, dass auch sie sich nach mir sehnt ...« William betrachtete sein Gegenüber aufmerksam. Hatte er den richtigen Nerv getroffen?

»Nach Ihnen sehnt?«, fragte Miss Heather aufgewühlt und mit schwankender Stimme. »Mr. William, sie verzehrt sich nach Ihnen! Das Kind leidet ... Und Sie sollten Ihren Gesang hören! Ihre Stimme ist noch ausdrucksvoller geworden, so tief empfindet sie ...«

William freute sich, das zu hören, auch wenn er Kura als nicht gar so sentimental in Erinnerung hatte. In Tränen aufgelöst konnte er sie sich zum Beispiel gar nicht vorstellen. Aber wenn diese Miss Heather sich in der Rolle einer Lebensretterin gefiel, die einen Selbstmord aus Liebeskummer gerade noch verhindern konnte ...

»Miss Heather«, unterbrach er ihren Sermon. »Ich möchte nicht drängen, aber gibt es irgendeine realistische Möglichkeit?«

Endlich schien die Frau nachzudenken. Und kam sehr rasch zu einem Ergebnis.

»Vielleicht in der Kirche«, meinte sie schließlich. »Ich kann nichts versprechen, aber ich werde sehen, was sich machen lässt. Besuchen Sie auf jeden Fall am nächsten Sonntag die Messe in Haldon …«

»Kura will nach Haldon?«, fragte James McKenzie verdutzt. »Die Prinzessin ist bereit, sich unter das gemeine Volk zu mischen? Woher die plötzliche Wandlung?«

»Nun freu dich doch, James, statt alles nur in den düstersten Farben zu sehen!« Gwyneira hatte ihrem Mann soeben erläutert, dass Miss Heather und Kura die Absicht hätten, am kommenden Sonntag die Messe zu besuchen. Der Rest der Familie könne mitfahren oder sich einen ruhigen Sonntagmorgen gönnen, garantiert ohne Arien und Adagios. Das allein war schon ein Grund, sich die Messe zu sparen. Und wenn James und Jack hören würden, warum genau es Kura nach Haldon zog, brächten sie wahrscheinlich keine zehn Pferde in den Ort. Gwyn freute sich auf ein ungestörtes Familienfrühstück mit Jack – oder sogar zu zweit mit James in ihrem Zimmer. Das hätte ihr noch besser gefallen. »Kura arbeitet nun schon so lange an diesem komischen Bach-Stück. Nun will sie es mal auf der Orgel hören. Das ist doch verständlich.«

»Und sie will es tatsächlich selbst spielen? Vor Krethi und Plethi in Haldon? Gwyn, irgendwas ist da merkwürdig!« James runzelte die Stirn und pfiff seinem Hund. Gwyn hatte ihn bei den Ställen aufgesucht. Andy und ein paar andere Männer entwurmten die Mutterschafe, während James die

Hütehunde dirigierte, die sie ihnen zutrieben. Monday setzte gerade vergnügt hinter einem dicken, aufmüpfigen Wollknäuel her.

»Wer soll es denn sonst spielen?«, fragte Gwyn und zog sich die Kapuze ihres Wachsmantels über den Kopf. Es regnete mal wieder. »Die Organistin in Haldon ist jämmerlich schlecht.« Letzteres war ein Grund, weshalb Kura die Kirche in Haldon seit Jahren nicht betreten hatte.

James regte das Winterwetter zu einem weiteren Einwand an. »Sag mal, Gwyn, ist dieses Stück nicht das Osteroratorium? Wir haben August ...«

Gwyn verdrehte die Augen. »Von mir aus kann es auch das Weihnachtsoratorium sein oder das ›Papa liebt Rangi‹-Oratorium ...« James grinste bei Erwähnung der Maori-Schöpfungsgeschichte, die von der Trennung der Liebenden Himmel und Erde handelte, wobei Rangi den Himmel verkörperte und Papa die Erde. »Hauptsache, Kura läuft hier nicht mehr mit einem Gesicht wie das Leiden Christi herum, sondern kommt endlich mal auf andere Gedanken.«

8

Kura Warden an der Orgel in Haldon war ein Erlebnis. Und der Gottesdienst so gut besucht, wie seit Monaten nicht mehr. Kein Wunder, schließlich brannte jeder Einwohner des Dorfes darauf, die geheimnisvolle Warden-Erbin zu sehen und zu hören. Auf die Messe hatte das nur positive Auswirkungen; tatsächlich wurden die Gebete mit außergewöhnlicher Inbrunst gesprochen. Sämtliche Männer verfielen sofort in unterschiedliche Stadien der Anbetung, sobald sie Kuras Gesicht und ihre Figur sahen, während die Frauen von Rührung überwältigt wurden, als sie das Mädchen singen hörten. Kuras Stimme füllte die kleine Kirche mit Wohlklang, und ihr Orgelspiel war virtuos, obwohl sie nur ein einziges Mal geübt hatte.

William konnte sich gar nicht sattsehen an ihrer schlanken Gestalt auf der Empore. Kura trug ein schlichtes, aber figurbetonendes dunkelblaues Samtkleid; ihr Haar wurde von einem Samtband aus der Stirn gehalten und fiel wie ein dunkler Strom über ihren Rücken. William stellte sich vor, die zarten, aber kräftigen Finger zu küssen, die nun über die Tasten der Orgel huschten, und er meinte, erneut zu spüren, wie diese Finger in jener Nacht in Queenstown sein Gesicht und seinen Körper erforscht hatten. Natürlich saß die Organistin der Gemeinde abgewandt, doch gelegentlich hob sie ihr Antlitz ein wenig von den Noten, sodass William es sehen konnte. Wieder zogen ihre gleichermaßen exotischen wie aristokratischen Züge und der heilige Ernst, mit dem sie spielte, ihn in ihren Bann. Er musste sie nach der Messe sprechen ... nein, er musste sie küssen! Sie einfach nur zu sehen war nicht zu ertragen, er musste sie berühren, sie fühlen, ihren Duft einatmen ...

William zwang sich, Miss Heather Witherspoon zuzulächeln, die aufrecht in einer der vorderen Kirchenbänke saß und ihm gelegentlich einen beifallheischenden Blick zuwarf. Weil sie dieses Treffen arrangiert hatte? Dann würde sie womöglich noch mehr tun, um die Liebenden zusammenzubringen. Oder war sie einfach nur stolz auf ihre hochbegabte Schülerin?

Schließlich war es dann Dorothy Candler, die William und Kura ganz zwanglos zusammenführte. Wie fast alle Bürger von Haldon brannte sie darauf, das Wunderkind von nahem zu sehen, und William bot ihr den idealen Vorwand.

»Kommen Sie, Mr. William, wir sagen guten Tag! Sie müssen das Mädchen doch kennen, oder? Schließlich war sie gerade in Queenstown bei ihren Verwandten. Sicher wurden Sie ihr vorgestellt …«

William murmelte etwas von »flüchtiger Bekanntschaft«, aber Dorothy hatte ihn schon beim Arm genommen und steuerte Kura und Miss Heather nun couragiert an.

»Sie haben außerordentlich schön gespielt, Miss Warden! Ich bin die Leiterin des Frauenkreises, und ich kann Ihnen in unser aller Namen versichern, es war wunderschön! Dieser Gentleman ist übrigens Mr. William, ich glaube, Sie kennen sich …«

Kura hatte bislang mit ihrem gewohnt gelangweilten Blick in die Menge geschaut – oder eher durch die Menge hindurchgesehen. Jetzt aber kam Leben in ihre strahlend blauen Augen, doch der Ausdruck von Interesse war wohl bemessen: Kura wusste genau, dass sie hier unter Beobachtung standen, und beherrschte sich. William musste an Elaine denken. Die wäre jetzt garantiert rot angelaufen und hätte die Sprache verloren. Doch Kura erwies sich der Situation als gewachsen.

»Tatsächlich, Mr. William. Ich bin erfreut, Sie zu sehen.«

»Kommen Sie doch mit in den Gemeindesaal!«, lud Dorothy sie ein. »Wir trinken dort jeden Sonntag nach der Messe einen Tee. Und heute, wo es so besonders festlich war …«

Miss Heather blickte ein bisschen gequält, doch Kura bejahte höflich.

»Ich hätte gern einen Tee«, sagte sie und schenkte der Krämersfrau ein Lächeln. Nur William wusste, wem es wirklich galt.

Im Gemeindesaal versorgte er das Mädchen dann mit Tee und Kuchen, aber sie nippte nur an dem Getränk und zerbröselte den Teekuchen zwischen den Fingern. Während sie höflich und einsilbig auf die Fragen des Reverends und des Frauenvereins antwortete, beschenkte sie William immer wieder mit winzigen, kaum einen Herzschlag langen Blicken, bis er meinte, es kaum noch auszuhalten. Aber dann schob sie sich beim Abschied vom Frauenkreis kurz neben ihn und raunte ihm ein paar Worte zu.

»Du kennst den Weg zwischen Kiward Station und dem Maori-Lager. Triff mich dort bei Sonnenuntergang. Ich werde sagen, ich besuche meine Leute.«

Gleich darauf entschuldigte Kura sich bei ihren begeisterten Anhängern in Haldon. Der Reverend fragte sie, ob sie nun öfter in der Gemeinde die Orgel spielen würde, doch Kura antwortete lediglich mit freundlichen Ausflüchten.

William verließ den Saal vor ihr. Er fürchtete, sich durch einen Blick oder eine Geste zu verraten, wenn er sich förmlich verabschiedete. Dabei wusste er nicht, wie er den restlichen Tag herumbringen sollte.

Bei Sonnenuntergang auf dem Waldpfad. Allein ...

Letzteres erwies sich als Fehlschluss: Kura kam nicht allein, sondern mit Heather Witherspoon im Schlepptau. Sie selbst schien von dieser Regelung auch nicht begeistert zu sein, sondern behandelte ihre Gouvernante wie einen lästigen Lakai. Die ließ sich allerdings nicht abwimmeln, Schicklichkeit ging ihr über alles.

Dennoch verging William fast vor Seligkeit, als Kura endlich wieder vor ihm stand. Behutsam nahm er ihre Hand und küsste sie – und allein die Berührung ließ ihn durch tausend Feuer gehen, die belebten, statt zu verbrennen. Kura lächelte ihm jetzt offen zu. Er versank in ihren Augen und konnte sich vom Anblick ihrer sahnig braunen Haut gar nicht losreißen. Schließlich streichelte er ihre Wange mit zitternden Fingern, und Kura schmiegte sich an ihn wie ein Kätzchen – oder eher wie ein gezähmter Tiger –, rieb ihr Gesicht sanft an seiner Handfläche und biss dabei leicht in seinen Handballen. William konnte seine Erregung kaum verbergen, und Kura schien es ähnlich zu gehen. Miss Heather allerdings gab ein Räuspern von sich, als das Mädchen ihm die Lippen zum Kuss entgegenhob. So viel Intimität ging ihr offenbar zu weit.

Immerhin duldete sie einen Spaziergang Hand in Hand, und Kuras Finger spielten dabei mit Williams Handfläche, tasteten sich zum Gelenk vor und liebkosten es mit winzigen Kreisen. Schon das genügte, um William fast den Atem zu rauben. Es war schwer, dabei ein normales, wenn auch verliebtes Gespräch vorzutäuschen. William und Kura wollten nicht reden, sie wollten sich lieben.

Sie tauschten Artigkeiten über Kuras Konzert und Williams neue Anstellung aus. Kura klagte auch ein wenig über ihre Familie. Sie wäre dem Einfluss ihrer Großmutter am liebsten von einem Tag zum anderen entkommen.

»Natürlich könnte ich auch bei meiner Mutter leben«, erklärte sie. »Aber dann darf ich nicht ans Klavier, da ist Grandma eigen. Und Miss Heather würde auch nicht im Maori-Dorf leben wollen, erst recht nicht in dem auf O'Keefe Station.«

William erfuhr, dass Marama und ihr Mann auf der früheren Farm von Ruben O'Keefes Eltern lebten. Helen hatte die Farm nach dem Tod ihres Mannes an Gwyneira verkauft, die sie den Maoris als Ausgleichszahlung für die Unregelmäßigkeiten beim Kauf von Kiward Station weitergegeben hatte.

Eine Regelung, auf die Häuptling Tonga nur deshalb eingegangen war, weil auch Kura, die designierte Erbin des Warden-Besitzes, Maori-Blut in sich trug.

»Deshalb sind alle so verrückt darauf, dass ich diese langweilige Farm behalte«, seufzte Kura. »Ich mache mir überhaupt nichts daraus, aber jeden Tag höre ich dreimal ›Du bist die Erbin!‹, und da ist meine Mutter auch nicht anders. Wobei es der wenigstens egal ist, ob ich einen Maori oder einen *pakeha* heirate. Für Grandma hingegen würde eine Welt zusammenbrechen, würde ich einen von Tongas Stamm nehmen.«

William war beinahe verrückt vor Liebe und Verlangen. Er hörte Kuras Erzählungen genauso wenig zu wie früher Elaines Geplapper. Doch ihre letzten Worte fanden Eingang in seinen Verstand. Er würde jedoch erst später darüber nachdenken.

Vielleicht gab es mehr gemeinsame Interessen zwischen ihm und Gwyneira Warden, als er bisher gedacht hatte. Möglicherweise war die Dame einem Gespräch gar nicht so abgeneigt ...

»Das verstehe ich jetzt doch falsch, Gwyn, oder? Du willst ihr doch nicht wirklich erlauben, sich ganz offiziell mit dem Kerl zu treffen, der unserer Lainie das Herz gebrochen hat?«

James McKenzie bediente sich am Barschrank mit einem Whisky, was ihm selbst nach so vielen Jahren als relativer Herr in diesem Haus noch seltsam vorkam. Solange er nur Vormann unter Gerald Warden gewesen war, hatte man ihn kaum je in den Salon gebeten, und der Alte hatte ihm natürlich niemals einen Drink angeboten. Nun sprach James dem Alkohol im Allgemeinen maßvoll zu – ganz im Gegensatz zu seinem früheren Vorgesetzten. Aber heute brauchte er eine Stärkung. Hatte er doch eben den jungen Mann ganz hochherrschaftlich über die Haupteinfahrt wegreiten sehen, den Dorothy Candler ihm neulich als William Martyn vorgestellt hatte. Nicht persönlich allerdings, sonst hätte James ihm wahrscheinlich ein paar passende Worte zur Affäre »Lainie« gesagt. Er nahm einen großen Schluck aus seinem Glas.

Fleurettes Briefe klangen immer noch äußerst bedrückt; anscheinend hatte Elaine sich auch drei Monate nach dem Eklat mit ihrer Cousine nicht von ihrem Kummer erholt. James konnte das gut verstehen; er erinnerte sich noch genau an die brennende Eifersucht, die er nach seiner ersten Begegnung mit Gwyneira auf ihren versprochenen Gatten Lucas verspürt hatte. Als sie dann von einem anderen schwanger war, hatte es ihm das Herz gebrochen, und er war geflohen, ebenso wie Lucas Warden. Hätte er damals bloß gewusst, dass das unselige Kind – Paul – einer Vergewaltigung durch Gwyns Schwiegervater entstammte. Alles hätte sich vielleicht anders entwickelt, auch mit Paul – und womöglich hätten sie dann nicht diese unsägliche Kura am Hals, der Gwyn jetzt den Umgang mit William Martyn offiziell gestatten wollte! Seine Frau konnte nicht bei Trost sein! James schenkte sich gleich noch einmal ein.

Zumindest war Gwyn aufgewühlt genug, um sich ebenfalls aus der Whiskyflasche zu bedienen, was äußerst selten geschah.

»Was soll ich denn machen, James?«, fragte sie. »Wenn wir es verbieten, treffen sie sich heimlich. Kura braucht bloß zu den Maoris zu ziehen. Marama schreibt ihr bestimmt nicht vor, mit wem sie das Bett teilt.«

»Sie wird aber nicht zu den Maoris ziehen, weil sie ihr geliebtes Klavier dorthin nicht mitnehmen darf. Das Ultimatum war ein genialer Einfall, Gwyn – einer der wenigen, die du bei der Erziehung dieses Kindes jemals hattest.« James nahm noch einen tiefen Schluck.

»Danke!«, fauchte Gwyn. »Gib mir nur die Schuld an allem! Aber du warst ebenfalls hier, während sie aufwuchs, wenn ich mich nicht irre.«

»Und du hast mich mehrere Male davon abgehalten, Kura übers Knie zu legen.« James legte seiner Frau die Hand auf den Arm und lächelte besänftigend. Er wollte nicht über Kuras Erziehung streiten; da war sowieso nichts mehr zu ändern, und das Thema hatte oft genug zu Verstimmungen zwischen ihm und Gwyneira geführt. Aber jetzt diese Sache mit Martyn …

»Womöglich wird sie auf das Klavier pfeifen. Sie ist verliebt in ihn, James, bis über beide Ohren. Und er auch in sie. Du weißt genau, dass man daran nichts ändern kann.« Gwyn erwiderte die zärtliche Berührung, als wollte sie James an ihre eigene Geschichte erinnern.

Der war jedoch nicht zu besänftigen.

»Jetzt komm mir nicht mit ewiger Liebe. Nicht bei einem Kerl, der gerade das letzte Mädchen verlassen hat. Und unsere reizende Kura hat ihren Tiare auch abgelegt wie ein altes Hemd. Ja, ich weiß, das war ganz in deinem Sinne. Aber wenn sich die zwei anschließend zusammentun, würde ich nicht gleich von großer Liebe reden. Ganz abgesehen davon, was Fleur sonst so über ihn schreibt …«

»Ja?«, fragte Gwyn. »Was schreibt sie denn? Was hat er Furchtbares getan? Er ist aus gutem Hause, gebildet und anscheinend kulturinteressiert, das macht ihn ja wohl so anziehend für Kura. Und dass er sich für die Fenier begeistert hat … mein Gott, jeder Junge will doch mal Robin Hood spielen.«

»Aber nicht jeder sprengt gleich den Sheriff von Nottingham in die Luft«, bemerkte James.

»Das hat er ja nicht getan. Er hat sich da in eine üble Geschichte verwickeln lassen, das gebe ich zu. Aber gerade du solltest Verständnis dafür haben.«

»Bei meiner Vergangenheit als Viehdieb, willst du sagen?« James schmunzelte. Diese Angelegenheit konnte ihn schon längst nicht mehr aus der Ruhe bringen. »Immerhin habe ich nicht die Falschen beklaut, während dein William beinahe einen Freund seiner Sache auf dem Gewissen hat. Aber gut, Jugendsünden, ich will da gar nicht drauf herumreiten. Doch Elaine gegenüber hat er sich wie ein Mistkerl benommen, und es gibt keinen Grund anzunehmen, dass er mit Kura besser umgeht.«

Gwyneira trank den Rest von ihrem Whisky und hielt James das Glas hin. Stirnrunzelnd füllte er es ein zweites Mal.

»Um Kura habe ich keine Angst ...«, sagte Gwyneira.

Wenn James ehrlich sein sollte, musste er ihr Recht geben. Wenn es nicht gerade um William gegangen wäre, hätte er sich wohl eher Sorgen um den Mann gemacht.

»Die wird ihn halten, solange sie ihn haben will. Und ... mein Gott, James, sieh es doch mal objektiv. Angenommen, er hätte jetzt nicht Lainie verlassen, sondern irgendein anderes Mädchen. Angenommen, du wüsstest gar nichts davon. Dann ...« Nervös griff sie nach ihrem Glas.

»Dann?«, fragte James.

Gwyn holte tief Luft. »Dann würdest du auch sagen, dass der Himmel ihn uns geschickt hat! James, ein englischer Gentleman, der sich bestens in die Gesellschaft hier einfügen wird ... du kennst die Leute. Selbst wenn die Attentatsgeschichte rauskommt, fänden die ihn dadurch eher noch interessanter. Und er kommt von einer Schaffarm. Er wird gern hierher ziehen. Wir können ihn einarbeiten. Ruben meinte, er sei anstellig. Vielleicht wird er mal die Farm führen, mit Kura an seiner Seite.« Gwyneira klang geradezu träumerisch. Ihre Unterhaltung mit William am Nachmittag war aber auch sehr harmonisch verlaufen. Der junge Mann, der schon in Queenstown einen guten Eindruck auf sie gemacht hatte, schien ihr der ideale Verbündete.

»Gwyn, das Mädchen wird sich doch nicht um hundertachtzig Grad drehen, wenn sie Mrs. Martyn ist!«, gab James zu bedenken.

»Was bleibt ihr denn anderes übrig?«, meinte Gwyneira hart. »Wenn sie ihn heiratet, bindet sie sich an Kiward Station. Freiwillig. Und fester als bisher. Sie kann die Farm dann nicht einfach so verkaufen. Und sie kann nicht zu den Maoris flüchten und in einer Hütte leben …«

»Du willst ihr eine Falle stellen?« James wirkte beinahe ungläubig.

»Die stellt sie sich doch selbst!«, erklärte Gwyn. »Wir verkuppeln sie schließlich nicht. Sie trifft sich auf eigenen Wunsch mit dem jungen Mann. Und wenn dann mehr daraus wird …«

»Gwyn, sie ist fünfzehn!«, meinte James gequält. »Es ist weiß Gott nicht so, dass ich sie besonders liebe, aber man muss ihr doch die Chance geben, erwachsen zu werden …«

»Und ihre verrückten Ideen zu verwirklichen? James, wenn sie wirklich nach England geht, und es wird nichts mit der Singerei, verkauft sie uns die Farm womöglich unter dem Hintern weg!« Gwyn füllte ihr Glas nicht mehr, ging jetzt aber nervös im Zimmer auf und ab. »Ich habe hier vierzig Jahre gearbeitet, und jetzt hängt alles von den Launen eines Kindes ab!«

»Bis sie volljährig wird, vergehen noch sechs Jahre«, begütigte James. »Was ist mit Helens Vorschlag, sie in ein Internat nach England zu schicken? Fleur schrieb mir so was, und ich fand es ganz vernünftig.«

»Das war vor William«, meinte Gwyn. »Und der erscheint mir die sicherere Lösung. Aber vorerst ist da ja nichts entschieden. Ich hab ihm nicht erlaubt, um sie zu werben, James. Er darf nur mit ihr zur Kirche gehen …«

Kura erfreute sich zwei Monate der »offiziellen Begleitung« durch William Martyn. Dann war sie die Sache gründlich leid. Natürlich war es wundervoll, den Geliebten jetzt ohne Heimlichkeiten sehen zu dürfen, aber mehr als ein verstohlener

Kuss oder ein paar hastig getauschte Zärtlichkeiten waren nicht drin. Haldon war konservativer als Queenstown; hier gab es keine Goldgräber und Hurenhäuser, nur den Kirchenverein und das Damenkränzchen. Wer mit wem »ausging«, wurde genauestens beobachtet – selbst wenn Heather Witherspoon kurzfristig in ihrer Aufmerksamkeit nachließ, standen Dorothy Candler oder ihre Schwägerin, der Reverend oder seine Gattin bereit, die Liebenden im Auge zu behalten. Natürlich mit überschäumender Freundlichkeit. Alle waren außerordentlich nett zu der wunderschönen Warden-Erbin, die sich nun endlich mal in der Dorfgemeinschaft sehen ließ, und ihrem absolut passenden Galan. Dorothy seufzte, dass es seit Gwyneira und Lucas Warden kein so schönes Paar in der Gegend gegeben habe, und konnte stundenlang davon erzählen, wie sie damals als Mädchen bei der Hochzeit bedient hatte.

Kura allerdings wollte nicht Tee trinken und plaudern, während alle Leute wie hypnotisiert auf ihre und Williams ineinander verschlungenen Hände starrten. Sie verging vor Begehren und wollte endlich alles das mit William ausprobieren, was Tiare sie über die körperliche Liebe gelehrt hatte. William, so nahm sie an, dürfte das Spiel ebenfalls virtuos beherrschen, sonst hätte er ihre prüde kleine Cousine kaum zu Zärtlichkeiten am Seeufer verführen können. Wenn sie doch nur eine oder zwei Stunden mit ihm allein sein könnte! Aber was das anging, hatte ihr bisheriges zurückhaltendes Leben ihr alle Chancen verbaut. Kura fürchtete sich vor Pferden – also kam ein gemeinsamer Ausritt nicht in Frage. Sie hatte die Umgebung des Haupthauses kaum je verlassen – also konnte sie nicht behaupten, William die Farm, den See, den Steinkreis oder auch nur die Schafe zeigen zu wollen. Nicht einmal das Klavier stand in ihren Privaträumen. Wenn sie William einlud, um ihm vorzuspielen, geschah es im Salon und in aller Regel im Beisein von Heather Witherspoon. Ein-

oder zweimal hatte Kura versucht, sich auf den Pfad zum Maori-Dorf zu schleichen und William dort zu treffen, nachdem er offiziell schon weggeritten war. Dabei gelang es ihr immerhin, Miss Heather abzuhängen. Aber einmal folgten ihr Jack und seine Freunde – und beschossen sie beim Küssen kichernd mit Papierkugeln aus ihren Schleudern. Das zweite Mal wurde sie von ein paar Maori erwischt, die natürlich gleich im Lager verbreiteten, dass Kura einen Liebsten hatte. Tiare stellte sie daraufhin zur Rede, was Kura natürlich nicht anfocht. Tongas Wutanfall ging ihr schon eher nahe. Der Häuptling war alles andere als begeistert von einem englischen Zuwanderer, der plötzlich die Hand auf das Stammland seines Volkes legen wollte.

»Es ist deine Pflicht, dem Stamm das Land zurückzugeben! Du solltest einen der Unseren zum Mann nehmen, zumindest ein Kind mit einem der Unseren zeugen. Danach kannst du machen, was du willst!«

Auch Tonga wusste von Kuras hochfliegenden Plänen, doch die Maoris sahen es gelassener als ihre Großmutter. Solange Kura einen Erben hinterließ und in England nicht auf die Idee kam, Kiward Station zu verkaufen, konnte sie nach Tongas Ansicht gehen, wohin sie wollte. Allerdings befürchtete auch der Maori-Häuptling das Schlimmste, wenn man Kura sich selbst überließ. Die Eingeborenen wussten nichts von der Disziplin einer Sängerin. Sie sahen nur das überaus sinnliche Mädchen, das schon mit dreizehn Jahren begehrliche Blicke auf die Jungen des Stammes geworfen hatte. Und jetzt dieser Engländer, mit dem sie nur deshalb noch nicht das Lager teilte, weil die *pakeha* sie fast mit Gewalt davon abhielten. Wenn der richtige Mann kam, würde sie Kiward Station aus einer Laune heraus für ihn aufgeben. Tonga hätte Kura also genauso gern an das Land gebunden wie Gwyn – nur möglichst nicht gleichzeitig an einen *pakeha*, der ihn penetrant an seinen alten Feind Paul Warden erinnerte. Nicht vom Aussehen her, denn Paul war dunkelhaarig gewesen und kleiner als William, aber da war etwas im Auftreten des Neuankömmlings, in der Art, wie er die Maori-Arbeiter auf der Farm einfach übersah. Da war seine ungeduldige Hand am Zügel seines Pferdes, sein herrisches Auftreten … Tonga schwante nichts Gutes, und das hatte er Kura auch vor Augen gehalten. Wenig diplomatisch, wie Gwyneira ihrem Gatten grinsend berichtete, nachdem Kura sich allen Ernstes bei ihr über den Häuptling beschwert hatte. Gwyneira war nach wie vor angetan von Kuras Verehrer, während James ähnliche Beobachtungen machte wie Tonga.

Kura jedenfalls war enttäuscht. Sie hatte sich die »offizielle Begleitung« anders vorgestellt. Von nun an Frühlingsfeste auf benachbarten Farmen zu besuchen oder in Haldon um den Maibaum zu tanzen, den man hier im Oktober aufstellte, reizte sie ganz und gar nicht.

William ging es nicht viel anders, obwohl er die Feste genoss. Vor allem die Einladungen auf benachbarte Farmen oder nach Christchurch interessierten ihn. Schließlich bot das die Möglichkeit, neue Leute kennen zu lernen, die ihn in aller Regel auch gern über ihr Land führten. So gewann William einen Überblick über die Praxis der Schafzucht in den Canterbury Plains, ohne auf Kiward Station neugierige Fragen zu stellen. Nach ein paar Monaten fühlte er sich der Leitung einer solchen Zuchtfarm mehr als gewachsen und brannte darauf, sich als »Schafbaron« zu versuchen. Der Job in Candlers Laden langweilte ihn dagegen zusehends.

Doch bei all diesen Hoffnungen auf Kiward Station – es war vor allem Kura, nach der es ihn verlangte. Er erwachte jede Nacht aus Träumen von ihr und musste dann klammheimlich das Laken wechseln, damit Dorothys Schwägerin nicht womöglich kichernd herumerzählte, dass seine pralle Manneskraft sich allnächtlich ungefragt entlud. Wenn er sich mit Kura traf, fehlten ihm sogar die schönen Worte; er war dann nur

Fühlen und Sehnen, und mitunter konnte er die Erektion kaum verbergen, die schon ihr Anblick bei ihm auslöste. Er musste das Mädchen haben. Bald.

»Kleines«, sagte er schließlich, als sie wenigstens mal außer Hörweite der restlichen Bevölkerung von Haldon waren. Das monatliche Pfarrpicknick war mit einer Bootsfahrt verbunden, und so ruderte William seine Liebste über den Lake Benmore. Freilich immer in Sichtweite des Ufers und mindestens dreier Boote, in denen andere junge Paare die gleichen Qualen erlitten. »Wenn du wirklich nicht warten willst, müssen wir heiraten.«

»Heiraten?«, fragte Kura erschrocken. Bisher hatte sie nie daran gedacht. Sie träumte nur davon, ihre Liebe zu leben – und nebenbei Triumphe als Sängerin zu feiern. Darüber, wie das praktisch aussehen sollte, zerbrach sie sich nicht den Kopf.

William lächelte und legte – gerade noch erlaubt – locker den Arm um sie. »Möchtest du mich denn nicht heiraten?«

Kura biss sich auf die Lippen. »Kann ich denn noch singen, wenn ich verheiratet bin?«

William schüttelte verwundert den Kopf. »Was für eine Frage! Die Liebe wird deine Stimme erst voll erblühen lassen!«

»Und du gehst mit mir nach London? Und nach Paris?« Kura räkelte sich in seinem Arm und versuchte, so viel Nähe wie möglich zu erzwingen.

William schluckte. London? Paris? Aber warum eigentlich nicht? Die Wardens waren reich. Warum sollte er ihr also keine Europareise versprechen?

»Aber natürlich, Liebste. Mit allergrößter Freude! Europa wird dir zu Füßen liegen!«

Kura wand sich anmutig in seinem Arm und küsste, von neugierigen Blicken einen Moment abgewandt, seine Schulter und seinen Hals.

»Dann lass uns bald heiraten«, schnurrte sie.

Im Grunde ging Gwyneiras Rechnung mit Williams Heiratsantrag auf, doch als seine förmliche Bitte um Kuras Hand schon so bald erfolgte, meldete sich doch ihr Gewissen. Und letztendlich triumphierte ihre Liebe zu Kura über die zu Kiward Station. James hatte Recht, sie musste dem Mädchen die Wahl zwischen einer Heirat und einer künstlerischen Karriere lassen, egal wie sie persönlich dazu stand.

Also bat sie Kura, wenn auch widerstrebend, um eine Unterredung und breitete Helens Plan vor ihr aus.

»Geh zwei Jahre in England zur Schule. Wir suchen ein Internat, an dem du Gesangsunterricht nehmen kannst. Wenn dich dann ein Konservatorium aufnimmt, studierst du Musik. Heiraten kannst du immer noch.«

Gwyn war überzeugt, dass Kura William spätestens nach dem ersten Studienjahr vergessen hätte. Aber das sagte sie ihr nicht.

Kura reagierte alles andere als begeistert. Dabei wäre sie ein paar Wochen zuvor noch entzückt gewesen, hätte Gwyn ihr ein solches Angebot gemacht. Jetzt stand sie nur trotzig auf und wanderte ungeduldig im Zimmer herum.

»Du willst nur verhindern, dass ich William heirate!«, warf sie ihrer Großmutter vor. »Glaub bloß nicht, dass ich das nicht durchschaue. Du bist nicht besser als Tonga!«

Gwyn blickte verwirrt. Tongas und ihre Absichten waren im Allgemeinen eher gegensätzlich. Soweit sie es beurteilen konnte, war William für den Maori-Häuptling zwar ein rotes Tuch, aber immer noch besser als ein Weggang von Kura aus Kiward Station.

»Ich warte nur darauf, dass du mir auch noch mit der Zuchtstuten-Idee kommst!«

Gwyneira verstand jetzt zwar gar nichts mehr, doch Kura hörte nicht auf, ihr Vorwürfe entgegenzuschleudern.

»Aber da habt ihr euch alle geschnitten! Ohne William kriegen mich hier keine zehn Pferde weg. Und ich denke gar nicht daran, mich gleich schwängern zu lassen. Ich werde beides haben, Grandma, William und die Karriere. Ich werde es euch allen zeigen!« Kura sah bildschön aus, wenn sie sich ärgerte, aber auf Gwyn machte das keinen Eindruck.

»Du kannst nicht alles haben, Kura. Neuseeländische Ehefrauen stehen nicht auf Europas Opernbühnen. Erst recht nicht, wenn der Ehemann sich als ›Schafbaron‹ gefällt!«

Gwyn biss sich auf die Lippen. Die letzte Bemerkung war zweifellos ein Fehler gewesen. Kura entging das nicht.

»Jetzt gibst du es also zu! Ihr haltet William für einen Mitgiftjäger! Ihr denkt, er wollte nicht mich, sondern Kiward Station! Aber da täuscht ihr euch. William will mich – nur mich allein! Und ich will ihn.«

Gwyn zuckte die Achseln. Niemand konnte ihr vorwerfen, dass sie es nicht versucht hätte.

»Dann sollst du ihn haben«, sagte sie ruhig.

»Mr. Martyn?« James McKenzie rief William an, als der eben mit strahlendem Gesicht aus dem Haupthaus von Kiward Station trat. Gwyneira hatte ihm gerade mitgeteilt, dass sie seiner Werbung zustimmte. Sofern auch Kuras Mutter nichts dagegen hätte, würde sie mit den Hochzeitsvorbereitungen beginnen.

James wusste das natürlich und war deshalb seit Tagen verstimmt. Gwyneira hatte ihn gebeten, sich aus der Sache herauszuhalten, aber jetzt konnte er sich doch nicht verkneifen, diesem William noch einmal gründlich auf den Zahn zu fühlen. Er trat ihm in den Weg und baute sich fast bedrohlich vor ihm auf.

»Sie haben doch gerade nichts vor? Außer vielleicht Ihren Erfolg zu feiern, nehme ich an. Aber Sie feiern die Katze im Sack. Bislang haben Sie Kiward Station nicht einmal gesehen. Gestatten Sie mir, Sie herumzuführen?«

Auf Williams Gesicht gefror das Lächeln. »Ja, sicher, aber ...«

»Nichts aber«, unterbrach James ihn. »Es wird mir ein Vergnügen sein! Kommen Sie, satteln Sie Ihr Pferd, und wir machen einen kleinen Rundritt.«

William wagte nichts einzuwenden. Warum auch, im Grunde brannte er seit Wochen darauf, sich auf Kiward Station umzusehen. Auch wenn er sich vielleicht einen anderen Führer gewünscht hätte als Gwyneiras grimmigen Ehemann. Aber daran ließ sich nun mal nichts ändern. Gehorsam ging er in den Stall und legte seinem Pferd den Sattel auf. Gewöhnlich machte er das nicht mehr selbst; meist trieb sich irgendein Maori-Junge bei den Ställen herum und konnte diese Aufgabe übernehmen. Heute aber traute er sich nicht, die Sache zu delegieren. James McKenzie hätte sicher eine wenig freundliche Bemerkung dazu gemacht. Er wartete geduldig mit seinem Braunen vor dem Stall, bis William sein Pferd herausführte und aufsaß.

Wortlos schlug James zunächst den Weg Richtung Haldon ein, verließ dann aber die Straße und ritt in Richtung Maori-Dorf. William sah die Ansiedlung zum ersten Mal und war überrascht. Er hatte mit primitiven Hütten oder Zelten gerechnet; stattdessen stand hier ein schmuckes, mit aufwändigen Schnitzereien verziertes Gemeinschaftshaus direkt am See. Große Steine neben einem Erdofen luden zum Sitzen ein.

»Das *wharenui*«, bemerkte James. »Sprechen Sie Maori? Sie sollten es lernen. Und es wäre sicher keine schlechte Idee, die Hochzeitszeremonie neben der normalen Feier nach den Riten von Kuras Volk zu vollziehen.«

William verzog angewidert das Gesicht. »Ich glaube nicht, dass Kura diese Leute als ihr Volk ansieht«, bemerkte er. »Und auf keinen Fall gedenke ich, Kura vor dem versammelten Stamm beizuliegen, wie deren Gesetze es vorschreiben. Das wäre gegen alle guten Sitten ...«

»Nicht bei den Maoris«, meinte James gemütlich. »Und Sie brauchen ihr nicht gleich in aller Öffentlichkeit beizuliegen. Es reicht, das Lager mit ihr zu teilen, mit den Leuten zu essen und zu trinken … Kuras Mutter würde sich freuen. Und Sie hätten gleich einen besseren Einstand. Tonga, der Häuptling, ist nämlich nicht begeistert davon, dass Sie hier einheiraten.«

William grinste schief. »Na, da haben Sie und Tonga wohl einiges gemeinsam, oder?«, fragte er angriffslustig. »Was soll das jetzt heißen? Muss ich mit einem Speer im Rücken rechnen?«

James schüttelte den Kopf. »Nein. Die Leute sind im Allgemeinen nicht gewalttätig.«

»Ach ja? Und Kuras Vater?«

James seufzte. »Das war mehr oder weniger ein Unfall. Paul Warden hatte die Maoris bis aufs Blut provoziert. Aber sein Mörder kam nicht von hier. Ein minderjähriger Dummkopf von Sideblossoms Farm, der mit den *pakeha* schlechte Erfahrungen gemacht hatte, seit er ein Kleinkind war. Paul büßte da nicht nur für seine eigenen Sünden. Tonga hat seinen Tod ausdrücklich bedauert.«

»Da hatte er viel davon!«, spottete William.

James antwortete nicht darauf. »Ich meine nur, dass es für alle Beteiligten besser wäre, wenn Sie ein gutes Verhältnis zu den Maoris hätten. Ich bin sicher, das läge auch Kura am Herzen.«

Tatsächlich war James zwar der Meinung, dass Kura nichts anderes am Herzen lag als die Erfüllung ihrer eigenen, spontanen Begehrlichkeiten, aber das behielt er besser für sich.

»Dann sollte Kura mir das auch sagen«, erklärte William. »Aber von mir aus können wir die Leute ja zur Hochzeit einladen. Es wird doch sowieso ein Fest für das Gesinde geben, oder?«

James sog scharf die Luft ein, sagte aber nichts dazu. Der

junge Mann würde sehr schnell merken, dass Tonga und seine Leute sich ganz sicher nicht als das »Gesinde« der Wardens betrachteten.

Das Lager der Maoris war jetzt, am Nachmittag, weitgehend verlassen; nur ein paar alte Frauen kümmerten sich um die Vorbereitung des Nachtmahls und beaufsichtigten die am See spielenden Kleinkinder. Der Rest des Stammes war unterwegs; ein Teil der Leute arbeitete bei den Wardens, die anderen waren auf der Jagd oder auf ihren Feldern. William jedenfalls sah fast ausschließlich runzelige, mit Tattoos bedeckte Gesichter, die ihm Angst eingejagt hätten, hätten sie zu jungen Menschen gehört.

»Grässlich, diese Tätowierungen!«, bemerkte er. »Gott sei Dank, dass niemand auf die Idee gekommen ist, Kura derart zu verschandeln.«

James lächelte. »Aber Sie hätten sie zweifellos trotzdem geliebt, oder?«, spottete er. »Und keine Sorge, die jüngeren Maoris sind nicht mehr tätowiert – außer Tonga, der hat sich die Häuptlingszeichen stechen lassen, um zu provozieren. Ursprünglich bezeichnete man damit die Zugehörigkeit zu einem bestimmten Stamm. Jede Gemeinschaft hatte verschiedene Tattoos, ähnlich wie Wappen beim englischen Adel.«

»Die hat man den Kindern aber nicht eintätowiert!«, erregte sich William. »In England ist man zivilisiert!«

James grinste. »Ja, ich vergaß, die Engländer haben ihren Dünkel mit der Muttermilch eingesogen. Das hat mein Volk anders gesehen. Wir Schotten haben uns schon mal blau angemalt, wenn es gegen die Besatzer ging. Wie lief das bei den echten Iren?«

William sah aus, als wollte er sich gleich auf James stürzen.

»Was soll das hier, McKenzie?«, fragte er. »Wollen Sie mich beleidigen?«

James blickte unschuldig zu ihm hinüber. »Beleidigen? Ich? Sie? Wie käme ich dazu? Ich dachte nur, ich erinnere Sie vielleicht etwas an Ihre eigenen Wurzeln. Ansonsten gebe ich nur gute Ratschläge. Wovon der erste lautet: Machen Sie sich die Maoris nicht zu Feinden!«

Die Männer ritten nun durchs Lager und passierten ein lang gezogenes Schlafhaus, Vorratshäuser auf Stelzen – *patakas*, erklärte James – und einige Einzelhäuser. James grüßte die alten Leute und wechselte ein paar scherzhafte Worte mit ihnen. Eine Frau schien nach William zu fragen, und James stellte ihn vor.

Die alten Frauen tuschelten daraufhin miteinander, und William verstand ein paarmal das Wort Kura-maro-tini.

»Sie sollten jetzt höflich *kia ora* sagen und sich vor den Damen verbeugen«, bemerkte James. »Eigentlich reibt man noch die Nasen aneinander, aber ich sehe ein, das wäre zu viel verlangt …«

Er wechselte wieder ein paar Worte mit den Frauen, die daraufhin kicherten.

»Was haben Sie gesagt?«, fragte William misstrauisch.

»Ich habe gesagt, Sie sind schüchtern.« James schien sich prächtig zu amüsieren. »Nun sagen Sie schon guten Tag!«

William war vor Wut rot angelaufen, wiederholte aber brav das Begrüßungswort. Die alten Frauen schienen sich ehrlich darüber zu freuen und verbesserten lachend seine Aussprache.

»*Haere mai!*«, scholl es William auch von den Kindern entgegen. »Willkommen!«

Ein kleiner Junge schenkte ihnen ein winziges Jadestück. James bedankte sich überschwänglich und hielt William auch dazu an.

»Das ist ein *pounamu*. Es soll Ihnen Glück bringen. Ein sehr großzügiges Geschenk von dem Kleinen … mit dem Sie sich übrigens besonders gut stellen sollten. Er ist Tongas Jüngster.«

Der Kleine hatte durchaus schon das Auftreten eines Häuptlings und nahm den Dank der *pakeha* geradezu hoheitsvoll entgegen. Schließlich verließen die Männer das Dorf. Das Land rund um das Lager war nicht von den Wardens erschlossen; hier gab es nur ein paar von den Maoris angelegte Felder und Gärten. Kurz darauf ritten sie an großen Paddocks vorbei, auf denen zum Teil Schafe standen. Die Tiere drängten sich in extra angelegten Unterständen zusammen, da wieder Regen eingesetzt hatte. In den Unterständen wurde auch Heu verfüttert.

»Für die meisten Schafe findet sich auch im Winter genug Weide«, erklärte James. »Aber die Muttertiere füttern wir zu. Dann werden die Lämmer kräftiger, und man kann sie eher ins Hochland treiben, was dann wieder Futter spart. Und hier stehen auch die Rinder ... da haben wir die Zucht aufgestockt, seit diese Kühltransporte nach England gehen. Vorher wurde das Fleisch nur nach Otago geliefert oder an die Westküste. Goldgräber und Bergarbeiter hatten immer einen gesegneten Appetit. Aber jetzt fahren regelmäßig Schiffe mit Kühlvorrichtungen nach England. Das ist ein gutes Geschäft. Und Kiward Station hat eine Menge Weideland. Da drüben ist der erste Scherschuppen.«

James wies auf ein großes flaches Gebäude, mit dem William noch vor wenigen Wochen nichts hätte anfangen können. Inzwischen wusste er von anderen Farmen, dass hier der trockene Arbeitsplatz der Schererkolonnen lag, die im Frühling von Station zu Station zogen, um die Schafe von ihrer Wolle zu befreien.

»Der erste?«, fragte William.

James nickte. »Insgesamt haben wir drei. Und wir brauchen die Scherer für drei Wochen. Sie wissen, was das heißt.«

William grinste. »Viele Schafe«, erklärte er.

»Mehr als zehntausend nach der letzten Zählung«, meinte James und fügte hinzu: »Zufrieden?«

William fuhr auf. »Mr. McKenzie, ich weiß, was Sie mir unterstellen. Aber mir geht es nicht um Ihre verdammten Schafe! Mir geht es ausschließlich um Kura. Ich heirate sie, nicht Ihre Rinderzucht!«

»Sie heiraten beides«, bemerkte James. »Und erzählen Sie mir nicht, dass es Ihnen gleichgültig wäre.«

William funkelte ihn an. »Und ob es mir gleichgültig ist! Ich liebe Kura. Ich werde sie glücklich machen. Alles andere spielt keine Rolle. Ich will nur Kura, und sie will mich!«

James nickte, auch wenn er nicht überzeugt wirkte. »Sie werden sie ja bekommen.«

DES MENSCHEN WILLE . . .

Queenstown, Lake Pukaki, Canterbury Plains
1894–1895

1

William Martyn und Kura-maro-tini Warden heirateten kurz vor dem Weihnachtsfest des Jahres 1893. Die Hochzeit war das strahlendste Fest, das seit dem Tod des Gründers Gerald Warden auf Kiward Station gefeiert wurde. Zum Jahreswechsel herrschte Hochsommer auf Neuseeland, daher bot sich ein Gartenfest an. Gwyneira hatte zusätzlich Pavillons und Zelte aufstellen lassen, um gegen einen eventuellen Sommerregen gewappnet zu sein, doch das Wetter spielte mit. Die Sonne strahlte mit den Gästen um die Wette, die in großer Zahl gekommen waren, um das Brautpaar zu feiern. Halb Haldon war anwesend, allen voran natürlich die permanent schniefende Dorothy Candler.

»Sie hat schon bei meiner ersten Hochzeit geheult wie ein Schlosshund«, sagte Gwyneira zu James.

Selbstverständlich waren auch die Bewohner der umliegenden Farmen gekommen. Gwyneira begrüßte Lord und Lady Barrington und ihre jüngeren Kinder. Die älteren studierten in Wellington oder in England; eine Tochter war auf der Nordinsel verheiratet. Die Beasleys, früher ihre nächsten Nachbarn, waren ohne direkte Erben verstorben, und die entfernte Verwandtschaft hatte die Farm verkauft. Nun führte ein Major Richland, ein Veteran des Krimkriegs, die Schaf- und Pferdezucht ebenso »gentlemanlike« wie Reginald Beasley. Zum Glück hatte er fähige Verwalter, die sich über die widersinnigsten Befehle des Möchtegernfarmers einfach hinwegsetzten.

Aus Christchurch waren George und Elizabeth Greenwood erschienen, auch sie nur von ihren Töchtern begleitet. Einer ihrer Söhne studierte noch in England, der andere absolvierte Praktika in den australischen Niederlassungen des Handelshauses.

Die ältere Tochter, Jennifer – ein blasses blondes Mädchen, das zur Schüchternheit neigte –, verstummte gänzlich, als es Kura-maro-tinis ansichtig wurde.

»Sie ist wunderschön!«, flüsterte sie nur, als sie Kura in ihrem sahneweißen Brautkleid sah.

Es war nicht zu leugnen. Das in Christchurch geschneiderte Kleid betonte Kuras perfekte Körperformen, ohne anstößig zu wirken. Ihr Brautkranz war aus frischen Blumen, und sie trug das hüftlange Haar offen, das war Schleier genug. Obwohl sie fast so unbeteiligt wirkte wie bei anderen Festen, die sie mit ihrer Anwesenheit beehrte, schimmerte ihre Haut, und ihre Augen funkelten immer dann, wenn sie den Blick auf ihren künftigen Gatten richtete. Als sie zum Altar ging, waren ihre Bewegungen so anmutig wie die einer Tänzerin. Allerdings gab es noch ein kleines Problem, bevor der tatsächlich aus Christchurch angereiste Bischof das Paar unter einem blumengeschmückten Baldachin trauen konnte.

Jennifer Greenwood, die sonst in Christchurch die Orgel spielte – nach Ansicht des Bischofs »engelsgleich« –, verließ der Mut. Kein Wunder, hatte Dorothy Candler ihrer Mutter doch gerade in den leuchtendsten Farben geschildert, wie das Hochzeitspaar nach Kuras sensationellem Konzert in Haldon zusammengefunden hatte.

»Ich kann nicht«, wisperte Jenny, hochrot im Gesicht, ihrer Mutter zu. »Nicht jetzt, wo ich sie gesehen habe. Bestimmt verspiele ich mich, und dann schauen alle zu mir hin und vergleichen uns. Ich dachte, das wäre alles übertrieben mit Elaine O'Keefe, aber ...«

Gwyn, der diese Worte ans Ohr drangen, biss sich auf die Lippen. Natürlich, die Greenwoods kannten wahrscheinlich jede Einzelheit des Eklats um Elaine und Kura in Queenstown. George und Elizabeth waren eng mit Helen befreundet; beide hatten als Jugendliche zu ihren Lieblingsschülern gehört. Helen hatte George in England als Hauslehrerin unterrichtet, und Elizabeth zählte zu den Waisenmädchen, die sie dann nach Neuseeland begleitet hatte. Dabei hielt sie besonders vor George bestimmt nichts geheim. Ohne die tatkräftige Unterstützung des Wollhändlers und Import-Export-Kaufmanns hätte ihr Mann Howard seine Farm nicht lange halten können, und Helens Eheleben wäre noch traumatischer verlaufen, als dies ohnehin schon der Fall war. Dazu hing Ruben O'Keefe mit geradezu abgöttischer Liebe an seinem »Onkel George«; sein jüngerer Sohn war nach ihm benannt. Es war gut möglich, dass Rubens Konversation mit Greenwood – oder die Georgies mit seinem Patenonkel – peinliche Geheimnisse offenbart hatte.

Elizabeth, eine blonde, immer noch schlanke Frau in einem schlichten, eleganten Kleid, versuchte, ihrer Tochter zuzureden: »Es ist doch nur dieses einfache *Treulich geführt*, Jenny. Das spielst du im Schlaf! Du hast es schon in der Kathedrale gespielt!«

»Aber wenn sie mich so anguckt, versinke ich im Boden ...« Jenny wies auf Kura, die ihnen jetzt tatsächlich einen eher ungnädigen Blick zuwarf. Schließlich hätte die Musik längst einsetzen müssen.

Dabei brauchte Jenny sich wirklich nicht zu verstecken. Sie war ein hochgewachsenes, sehr schlankes Mädchen mit goldblondem Haar und einem schmalen, hübschen Gesicht, das von mattgrünen, großen Augen beherrscht wurde. Doch jetzt versuchte sie es zu verbergen, indem sie den Kopf senkte und ihr Haar wie einen Vorhang darüberfallen ließ.

»Das können wir nicht riskieren!« Galant erhob sich ein junger Mann, der sich bislang in der letzten Reihe versteckt hatte, obwohl Gwyn ihm natürlich einen Platz ganz vorn reserviert hatte: Stephen O'Keefe – der einzige Vertreter der

Familienmitglieder aus Queenstown – gehörte schließlich zu den engsten Verwandten der Braut. Fleurette und Ruben hatten ihn geschickt, um keinen weiteren Eklat hervorzurufen, indem sie die Hochzeit boykottierten. Fleurette hatte in einem Brief deutlich gemacht, dass sie Kura und William zwar alles Gute wünschten, Elaine aber auf keinen Fall eine Teilnahme an der Feier zumuten wollte: »Sie ist nach wie vor ein Schatten ihrer selbst, obwohl sie langsam darüber hinwegzukommen scheint, dass Mr. Martyn sie abgelehnt hat. Leider sucht sie die Schuld daran ausschließlich bei sich selbst. Statt rechtschaffen wütend zu sein, zerfleischt sie sich in Überlegungen darüber, was sie falsch gemacht hat und wie sehr sie ihrer Cousine gegenüber abfiel. Auf keinen Fall können wir von ihr erwarten, dass sie Kura auch noch als strahlende Braut erlebt.«

Stephen dagegen hatte Weihnachtsferien und ritt ganz bereitwillig nach Kiward Station. Er hatte zwar aus den Briefen seiner Mutter von den Ereignissen um Kura und Elaine gehört, die Sache aber nicht allzu ernst genommen. Bei seinem nächsten Besuch in Queenstown war er dann geradezu erschrocken darüber, wie verstört und gebrochen seine Schwester immer noch wirkte. Die Gelegenheit, die beiden Urheber dieser tragischen Veränderung kennen zu lernen, ließ er sich jetzt nicht entgehen.

»Wenn Sie gestatten ...« Stephen verbeugte sich lächelnd vor Jenny Greenwood und nahm ihren Platz an dem prächtigen Flügel ein, der als Orgelersatz diente. Gleichzeitig war er das Hochzeitsgeschenk Gwyneiras an ihre Enkeltochter, auch wenn James murrte: »Wir werden dafür den halben Salon ausräumen müssen!«

»Kannst du denn spielen?«, wunderte sich Gwyneira, die ihren Platz inzwischen verlassen hatte, um der Verzögerung auf den Grund zu gehen.

Stephen lächelte. »Ich bin Helen O'Keefes Enkel und neben

ihrer Kirchenorgel aufgewachsen. Und den lächerlichen Hochzeitsmarsch würde selbst Georgie zustande bringen.«

Ohne weitere Verzögerung schlug er denn auch die ersten Töne an und spielte das Stück locker, fast ein wenig zu schmissig herunter, während das Brautpaar vor den improvisierten Altar trat. Da Stephen das für den späteren Auszug vorgesehene Lied nicht kannte, legte er stattdessen eine ebenso schwungvolle Version von *Amazing Grace* hin, was ihm einen amüsierten Blick von James McKenzie und einen strafenden Blick Gwyneiras einbrachte. Schließlich war der Text – *Welch süßer Klang, der ein armes Geschöpf wie mich errettet* – nicht eben schmeichelhaft, bezogen auf eine junge Braut.

Immerhin traf Stephen jeden Ton. Unsicherheit war ihm fremd. Jennifer lächelte ihm hinter ihrem Haarvorhang dankbar zu.

»Dafür kriege ich nachher den ersten Tanz, ja?«, raunte Stephen ihr zu, woraufhin Jennifer wieder errötete, diesmal jedoch vor Freude.

Inzwischen hatte sich auch eine Gruppe von Maori-Musikanten vor dem Pavillon eingefunden. Marama, Kuras Mutter, gesellte sich zu ihnen und sang ein paar traditionelle Lieder. Dabei wurde jedem sofort klar, von wem das Mädchen seine schöne Stimme geerbt hatte: Marama war bei ihrem Volk als Sängerin bekannt; allerdings war ihre Stimme höher als Kuras und besaß ein fast ätherisches Timbre. Falls die guten Geister, die Marama mit ihren Liedern beschwor, sie hören konnten, vermochten sie ihr nicht zu widerstehen, da war Gwyneira sicher. Auch die Gäste lauschten hingerissen.

Nur William schien die Darbietung seiner Schwiegermutter als eher unpassend zu empfinden, obwohl Marama westliche Festkleidung trug und auch keiner der anderen Musiker durch besonders extreme Gewandung oder auch nur Tätowierungen auffiel. Der Bräutigam zog es jedenfalls vor, die Eingeborenen geflissentlich zu ignorieren, und schien froh zu sein, als ihre Musik verklang. Das Defilee der Gratulanten behagte ihm weitaus besser, obwohl er es ein wenig befremdlich fand, dass zumindest die Schafbarone der Gegend Gwyneira mindestens ebenso herzlich beglückwünschten wie den Jungvermählten.

»Unglaublich, wie Sie das geschafft haben!«, sagte Lord Barrington und drückte ihr die Hand. »Der Knabe entspricht Ihren Wunschträumen für Kiward Station, als hätten Sie ihn selbst gebacken!«

Gwyneira lachte. »So ist es nun doch nicht, es ergab sich halt so«, meinte sie bescheiden.

»Sie haben wirklich nicht daran gedreht? Der kleinen Kura einen Liebestrank eingeflößt oder so etwas?«, erkundigte sich Francine Candler, die Hebamme in Haldon und eine von Gwyns ältesten Freundinnen.

»Den hätte ich dann doch von Ihnen brauen lassen müssen!«, neckte Gwyn sie. »Oder meinen Sie, die Maori-Zauberin hätte ein Mittelchen herausgerückt, damit die Farm einen englischen Erben bekommt?«

Tonga war selbstverständlich auch anwesend, wobei er es sich nicht hatte nehmen lassen, in Stammestracht einschließlich Häuptlingsinsignien zu erscheinen. Mit steinernem Gesicht beobachtete er die Zeremonie und beglückwünschte das Paar dann artig. Tonga sprach perfekt Englisch und hatte exzellente Umgangsformen – sofern er sich dazu herabließ, sie den *pakeha* gegenüber zu zeigen. Auch er gehörte zu Helen O'Keefes Meisterschülern.

Die anderen Maoris hielten sich mehr im Hintergrund, selbst Marama und ihr Gatte. Gwyneira hätte sie gern mehr einbezogen, aber die Leute hatten ein feines Gespür dafür, was von den Hauptpersonen der Veranstaltung gewünscht wurde. Wobei Kura alles gleichgültig zu sein schien, so wie fast immer. Doch Williams skeptische Haltung gegenüber den Stämmen hatte sich bereits herumgesprochen. Gwyn war deshalb froh, dass James sich nach dem Essen zu den Maori-Gästen gesellte und sich lebhaft mit ihnen unterhielt. Auch er fühlte sich in der illustren Gesellschaft der Schafbarone und Honoratioren von Christchurch nicht recht wohl. Schließlich hatte er ebenfalls nur »eingeheiratet« und besaß kein wirkliches Recht auf das Land, das er bearbeitete. Ein Teil dieser Leute hatte ihn damals sogar noch als Viehdieb verfolgt. Ihnen jetzt auf gesellschaftlichem Parkett zu begegnen empfanden beide Seiten als peinlich. Dazu sprach James fließend Maori.

»Ich hoffe sehr, dass sie glücklich wird«, flüsterte Marama mit ihrer singenden Stimme. Sie hatte keine Einwände gegen William gehabt, doch von seinem heutigen Verhalten fühlte sie sich brüskiert. »Und dass er sich nicht selbst im Weg steht wie damals Paul ...« Marama hatte Paul Warden von ganzem Herzen geliebt, doch ihr Einfluss auf ihn war stets begrenzt geblieben.

»Der Name ›Paul‹ fällt mir ein wenig zu häufig im Zusammenhang mit diesem Martyn«, bemerkte Tonga grimmig.

James konnte dazu nur nicken.

William schwebte durch seine Hochzeitsfeier. Er war überglücklich. Natürlich hatte es ein paar kleine Missstimmigkeiten gegeben, wie der ungeplante Auftritt der Maoris und der feste Händedruck des impertinenten jungen Mannes, der die Familie O'Keefe repräsentierte. »Besondere Grüße auch von meiner Schwester!«, hatte Stephen gesagt und William dabei feindselig in die Augen geblickt. Er war der erste junge Mann, der scheinbar in keiner Weise auf Kuras Schönheit reagierte. Obwohl sie ihm ein Lächeln schenkte, beglückwünschte Stephen sie genauso kühl wie William. Und dann sein Klavierspiel. *Amazing Grace*. Unpassender konnte es kaum kommen.

Dafür hatten die anderen Schafbarone den Neuling in ihrer Mitte umso herzlicher willkommen geheißen. William unterhielt sich flüssig mit Barrington und Richland, wurde George Greenwood vorgestellt und hoffte, dabei einen guten Eindruck zu machen. Auch sonst verlief das Fest zufriedenstellend. Das Essen war erlesen, die Weine erstklassig, und der Champagner floss in Strömen – was das anging, erwies sich auch Gwyneiras Hauspersonal als gut geschult. Ansonsten erschienen ihm die Maori-Köchinnen und -Dienstmädchen – sowie der seltsame Majordomus Maui, ein älterer Maori – oft etwas zu selbstständig. Aber darauf würde er einwirken können. Er musste bald mit Kura darüber reden.

Inzwischen waren Musiker aus Christchurch eingetroffen und spielten im Park zum Tanz. William und Kura eröffneten den Reigen mit einem Walzer. Das Mädchen schien allerdings längst genug von der Feier zu haben.

»Wann können wir uns denn zurückziehen?«, hauchte sie und schmiegte ihren Körper so provozierend an den seinen, dass die Zuschauer es beinahe sehen mussten. »Ich kann es nicht erwarten, mit dir allein zu sein …«

William lächelte. »Haltung, Kura. Die paar Stunden hältst du schon noch aus. Wir müssen uns hier zeigen. Das ist wichtig. Schließlich repräsentieren wir Kiward Station …«

Kura runzelte die Stirn. »Wieso müssen wir plötzlich diese Farm repräsentieren? Ich denke, wir gehen nach Europa.«

William schwenkte sie in eine elegante Wendung linksherum, um Zeit zum Nachdenken zu haben. Was sagte sie da bloß? Sie glaubte doch nicht wirklich, er würde sie jetzt …

»Alles zu seiner Zeit, Kura«, meinte er beruhigend. »Jetzt sind wir erst einmal hier, und ich brenne genauso wie du.«

Das zumindest war die Wahrheit. Er durfte sich gar nicht ausmalen, dass er Kura heute Nacht noch besitzen würde, ohne peinliche Blicke auf sich zu ziehen. Allein die enge Berührung beim Tanz erregte ihn.

»Wir bleiben bis zum Feuerwerk, dann verschwinden wir. Das ist auch mit deiner Großmutter so abgesprochen. Keiner von uns will diese anzüglichen Sprüche bei der Verabschiedung des Brautpaars.«

»Du sprichst mit meiner Großmutter ab, wann wir zu Bett gehen?«, fragte Kura unwillig.

William seufzte. Er war verrückt nach Kura, aber heute verhielt sie sich kindisch.

»Wir müssen der Etikette gehorchen«, sagte er gelassen. »Und nun lass uns etwas trinken. Wenn du dich noch länger so an mir reibst, nehme ich dich gleich hier, mitten auf der Tanzfläche.«

Kura lachte. »Warum nicht? Die Maoris wären entzückt. Schlaf vor dem gesamten Stamm mit mir!« Sie drückte sich noch heftiger an ihn.

William wehrte sie energisch ab. »Benimm dich anständig«, raunte er ihr zu. »Ich will nicht, dass die Leute über uns reden.«

Kura schaute ihn verständnislos an. Sie *wollte*, dass die Leute redeten! Sie wollte ein Star sein, in aller Munde. Es gefiel ihr, wie die Gazetten aus Europa über berühmte Sängerinnen wie Mathilde Marchesi, Jenny Lind oder Adelina Patti schrieben. Irgendwann würde auch sie mit ihrem eigenen Luxuszug durch Europa reisen …

Entschlossen warf sie William die Arme um den Hals und küsste ihn, obwohl sie mitten auf der Tanzfläche standen. Ein langer, inniger Kuss, den niemand übersehen konnte.

»Sie ist wunderschön, nicht wahr?«, wiederholte Jenny Greenwood ihre Bemerkung, diesmal gegenüber Stephen, der sie wie versprochen gleich zum ersten Tanz geholt hatte und nun zwischen Erheiterung und Unwillen schwankte, als Kura William so heftig küsste, als wollte sie die Hochzeitsnacht vorwegnehmen. Dem Bräutigam war dieser Auftritt sichtlich peinlich. Er schien im Boden versinken zu wollen und stieß seine junge Frau dann auch rüde von sich. Ein paar böse Worte fielen. Es war kein sehr harmonischer Beginn für eine Ehe.

»Und sie soll auch noch schön singen können. Meine Mutter pflegt zu sagen, bei manchen Leuten haben sich alle Feen um die Wiege versammelt.« Jenny wirkte fast ein bisschen neidisch.

Stephen lachte. »Das sagte man von Dornröschen auch, aber wie sich gezeigt hat, bekommt es einem nicht immer. Und so schön finde ich sie gar nicht. Mir zumindest gefällt ein anderes Mädchen auf diesem Fest viel besser.«

Jenny errötete und konnte ihn gar nicht ansehen. »Du schwindelst ...«, flüsterte sie. George Greenwood hatte Stephen seiner Frau und Tochter nach der Trauung als Rubens ältesten Sohn vorgestellt, woraufhin Jenny und Stephen sich schnell auf die vertrauliche Anrede einigten. Schließlich hatten sie schon als Kinder zusammen gespielt, doch der letzte Besuch der O'Keefes in Christchurch lag nun bald zehn Jahre zurück. Jennys kleine Schwester, Charlotte, die jetzt neugierig um die beiden herumwuselte, hatte damals noch in den Windeln gelegen.

Stephen legte die Hand auf sein Herz. »Jennifer, in wichtigen Angelegenheiten schwindele ich nie ... zumindest noch nicht. Wenn ich mal als Anwalt zugelassen werde, kann sich das ändern. Aber heute sage ich dir auf Ehre und Gewissen, dass ich hier sogar ein paar Mädchen sehe, die ich schöner finde als Kura-maro-tini. Frag mich jetzt nicht, warum, ich kann's dir nicht sagen. Aber irgendetwas fehlt diesem Mädchen, etwas Wichtiges. Außerdem mag ich es nicht, wenn man anderen die Luft zum Atmen nimmt. Und du hast vorhin nach nur einem Blick von ihr völlig geschafft ausgesehen.«

Jennys Haarvorhang teilte sich ein bisschen, als sie zu ihm aufsah. »Wirst du noch mit all den anderen Mädchen tanzen, die du schöner findest als sie?«

Stephen lachte und strich ihr sanft eine der Locken aus der Stirn.

»Nein, nur mit dem Mädchen, das ich am allerschönsten finde.«

William erkannte, dass die zwei Gläser Champagner, die Kura getrunken hatte, sie völlig enthemmt hatten. Nicht einmal seine unfreundliche Reaktion auf ihren Kuss konnte sie dämpfen. Sie ließ die Hände nicht mehr von ihm. Deshalb atmete er auf, als endlich das Feuerwerk gezündet wurde und er sich mit ihr verabschieden konnte. Kura kicherte ausgelassen, als sie zum Haus liefen, und wollte über die Schwelle getragen werden. William hob sie gehorsam hoch.

»Auch noch die Treppe hinauf?«, fragte er.

»Ja, bitte!«, rief Kura lachend.

Feierlich stieg William mit ihr die offene, geschwungene Treppe hinauf, die vom Salon in den ersten Stock führte. Dort lagen die Wohnräume der Familie, und William war sehr zufrieden bezüglich der Einigung, die man hier über die künftigen Ehegemächer der jungen Martyns erzielt hatte. Kura wollte zunächst einfach in ihren Räumen bleiben. Sie besaß ein geräumiges Schlafzimmer, ein Ankleidezimmer und ein »Arbeitszimmer«, in dem Miss Witherspoon sie unterrichtet hatte. Es waren die früheren Wohnräume von Lucas Warden, Gwyneiras erstem Mann. Hätte man dem noch einen Raum für William hinzugefügt, hätte das durchaus gereicht, doch William hatte sich quergestellt.

»Du bist die Erbin, Kura, das alles hier gehört dir. Aber du lässt dich mit Zimmern abspeisen, die nach hinten herausgehen …«

»Ist mir doch egal, ob die Zimmer nach hinten herausgehen oder nach vorn«, meinte Kura gelassen. »Man sieht sowieso nur Gras.«

Die letzte Bemerkung war der Beweis, dass sie offenbar nie aus dem Fenster schaute. Von Kuras Räumen aus sah man die Ställe und einige Koppeln, Gwyneiras Fenster wiesen zum Park, doch William spekulierte auf eine Wohnung mit Aussicht über die Auffahrt und die Allee.

»Das waren die Räume, die für den Besitzer des Ganzen gestaltet wurden. Und die solltest du haben. Du könntest sogar dein Klavier dort aufstellen.« Die Zimmerflucht, von der William sprach, stand seit sechzehn Jahren leer. Gerald Warden hatte sie bewohnt, und Gwyneira hatte die Einrichtung niemals angerührt. James hatte erst recht kein Interesse daran. Ihm genügte Gwyneiras Schlafzimmer; ein eigenes hatte er nie verlangt. Jack wohnte in Fleurettes einstigem Kinderzimmer.

Gwyneira war verwundert und hatte ein ungutes Gefühl, als Kura schließlich den Umzug forderte.

»Wollt ihr denn zwischen den alten Möbeln leben?«, fragte sie. Ihr jagte allein die Vorstellung, inmitten von Geralds Einrichtung zu hausen oder auch nur in einem Raum zu schlafen, in dem er gelebt hatte, Schauer über den Rücken.

»Kura kann sich ja neu einrichten«, erklärte William, als Kura nichts dazu sagte. Ihre Wohnungseinrichtung war ihr offensichtlich egal, sofern nur alles kostbar war und der neueren Mode entsprach. Anscheinend fürchtete sie Miss Witherspoons Kritik – und beugte deren möglichen Einwänden gleich vor, indem sie ihr die Neugestaltung der Räume praktisch allein überließ. Heather ging denn auch ganz darin auf, nach Herzenslust Kataloge zu wälzen und ohne jeden Gedanken an Geld die schönsten Stücke auszuwählen. William unterstützte sie dabei bereitwillig, und so verbrachten die beiden ganze Nachmittage mit der Diskussion über einheimisches oder importiertes Holz, eine Frage, die sie schließlich dahingehend entschieden, gleich die gesamte Einrichtung aus England kommen zu lassen. Gwyneira mahnte die Kosten nicht an – Kiward Station schien im Geld zu schwimmen.

Die frisch tapezierten und neu möblierten Zimmer waren jetzt ganz nach Williams Geschmack, Kura hatte mit gleichgültigem Gesicht zugestimmt.

»Sooo lange werden wir hier ja sowieso nicht wohnen«, meinte sie gelassen, was Miss Witherspoon fast einen Herzanfall erleiden ließ. Auch für die Gouvernante stand fest, dass Kura ihre hochfliegenden Pläne mit der Hochzeit aufgab.

»Lassen Sie meine Verlobte ruhig träumen, sie ist noch so jung«, meinte William scheinbar duldsam. »Wenn sie erst mal ein Kind hat ...«

Miss Heather lächelte. »Ja, das stimmt, Mr. William. Aber eigentlich ist es wirklich eine Verschwendung. Kura hat eine so wunderschöne Stimme ...«

William gab ihr Recht. Kura würde ihre Kinder mit der schönsten Stimme der Welt in den Schlaf singen.

Jetzt jedenfalls trug er seine etwas alberne junge Frau über die Schwelle ihres gemeinsamen Schlafzimmers. Natürlich gab es obendrein private Räume für ihn und für sie. Das Zimmer war in warmen, frischen Farben gehalten, die Bettvorhänge und Gardinen jedoch aus schwerer Seide. William sah, dass jemand das Bett frisch bezogen hatte – und auch Kuras Zofe stand bereit, ihr beim Auskleiden zu helfen.

»Nein, lass mal«, beschied William das Maori-Mädchen schwer atmend vor Erregung, denn Kura im Arm zu halten hatte seine Leidenschaft weiter entfacht.

Das Mädchen entfernte sich kichernd. William ließ seine Frau aufs Bett sinken.

»Willst du das Kleid selbst ausziehen oder ...«

»Welches Kleid?« Kura riss ihren Ausschnitt einfach auf. Sie machte sich keine Mühen mit Haken und Mieder. Wozu auch? Sie würde das Hochzeitskleid ohnehin nie wieder tragen. William spürte seine Erregung wachsen. Ihre Wildheit sprengte alle Konventionen. Er warf alle Bedenken ab und zerrte seinerseits an dem zarten Stoff, befreite sich zwischendurch so schnell es ging von seiner Hose und warf sich, noch halb bekleidet, über sie. Er küsste ihren Hals und den Brustansatz und löste ihre Korsage, was nicht so schnell ging, denn das Fischbein setzte ihm Widerstand entgegen. Aber dann war sie endlich nackt und streckte sich ihm verlangend entgegen. William hatte eigentlich gelernt, dass man mit Jungfrauen zärtlich umgehen musste – die Töchter seiner Pächter hatten mitunter sogar geweint, während oder nachdem er mit ihnen geschlafen hatte. Kura jedoch kannte kein Schamgefühl. Sie wollte ihn in sich fühlen und wusste anscheinend genau, was sie erwartete. William fand das befremdlich. Eine Frau sollte nicht so begierig sein, fand er. Aber dann ergab er sich ganz ihrer Leidenschaft, küsste sie, rieb sich an ihr und drang schließlich fast triumphierend in sie ein. Kura schrie kurz auf – William wusste nicht, ob vor Schmerz oder Lust – und stöhnte dann laut, als er sich in ihr zu bewegen begann. Sie schlug ihre Fingernägel in seinen Rücken, als wollte sie ihn noch tiefer in sich hineinzwingen. Schließlich explodierte er in der Ekstase seines Lebens, während Kura ihre Zähne in seine Schulter schlug und vor Lust weinte, in der Auflösung ihrer gestillten Begierde. Doch schon begann sie, ihn wieder zu küssen und mehr zu fordern.

William hatte so etwas noch nie erlebt, ja er hätte nicht geglaubt, dass eine solche Sinnlichkeit möglich wäre. Und Kura versank in einem Strom von Melodien und Gefühlen, wie sie bisher noch keine Arie, kein Liebeslied in ihr hatte auslösen können. Bislang hatte die Musik ihr Leben beherrscht, und immer noch würden es Harmonien sein. Aber dies hier war stärker, und sie würde alles dafür tun, es immer wieder zu erleben. Kuras Panzer aus Gleichmut zersprang in dieser Nacht, und William gab ihr alles, wovon sie geträumt hatte.

James McKenzie beobachtete Gwyneira, die ausgelassen von einem Tänzer zum anderen flatterte. Unglaublich, dass dieses Energiebündel bald sechzig Jahre wurde. Aber heute sah Gwyn sich am Ziel ihrer Wünsche – ganz anders als damals, als James sie mit Lucas Warden hatte tanzen sehen. Förmlich und steif, die Siebzehnjährige nervös vor der Hochzeitsnacht, in der dann nicht einmal etwas passiert war. Gwyneira war noch Jungfrau gewesen, als sie James ein gutes Jahr später bat, ihr zu einem Kind zu verhelfen, einen Erben für Kiward Station. James hatte sein Bestes getan, aber nun hatte sich doch die Linie der Wardens durchgesetzt. Und wer wusste schon, wozu sie sich mit diesem William verbinden würde.

James hatte plötzlich Sehnsucht nach Monday, seiner Hündin, die er in den Ställen zurückgelassen hatte – genau wie Gwyn damals bei ihrer Hochzeit mit Lucas ihre Cleo. Er lachte in sich hinein, als er an die »Hundevorführung« dachte, die Gerald Warden damals am Nachmittag der Hochzeit geben wollte. Er hatte in Wales einen Wurf Border Collies gekauft, die geborenen Hütehunde, und wollte seinen Freunden und Nachbarn zeigen, wie sehr die Tiere die Arbeit auf einer Farm revolutionieren konnten. Der damals beste, voll ausgebildete Hund hatte Gwyneira gehört, doch die Braut konnte das Tier natürlich nicht selbst vorführen, das sollte James für sie tun. Er würde nie vergessen, wie Gwyn aufgeregt im Brautkleid dagestanden hatte, und ihre besorgte Miene, als sie erkannte, dass Cleo sich seinen Befehlen entzog, sodass sie eingreifen musste. Sie hatte die Hündin damals souverän durch die Aufgabe geführt, mit wehendem Brautschleier. Und sie hatte James jenes glückliche Lächeln geschenkt, das Lucas ihr nie hatte entlocken können. Sehr viel später hatte sie ihm die

Hündin Friday, Cleos Tochter, mit ins Exil gegeben. Und Monday, James' jetziger Hund, war wiederum deren Enkelin.

James stand auf und machte sich auf den Weg in die Ställe. Die Hochzeitsgesellschaft würde auch ohne ihn auskommen, und Champagner war sowieso nicht sein Fall. Lieber leerte er noch ein paar Gläser Whisky mit Andy McAran und den anderen Viehhütern.

Der Weg zurück zu den Ställen war wie ein Ausflug in die Vergangenheit. Über dem Haus entlud sich soeben das Feuerwerk, und James erinnerte sich, wie er damals in einer Sylvesternacht zum ersten Mal mit Gwyneira getanzt hatte. Auch heute schwenkten hier junge Viehhüter zur improvisierten Musik einer Fiedel und einer Ziehharmonika Mädchen im Kreis, und wieder ging es fröhlicher zu als beim eher steifen Gartenfest.

Lächelnd bemerkte James ein Pärchen, das wohl auch nicht ganz hierher gehörte. Sein Enkel Stephen führte Jenny Greenwood vergnügt durch eine Gigue. Die kleine Charlotte versuchte Jack zu einem Tanz zu überreden, aber der suchte daraufhin schnell das Weite. Für Jack war es egal, ob Walzer oder Gigue, er fand jegliche Tanzerei albern.

Monday und ein paar weitere Hunde trennten sich von Andy und ein paar anderen, älteren Viehhütern, die rund um ein Feuer die Flasche kreisen ließen, und flitzten auf James zu. Er begrüßte die Vierbeiner und nahm dann die Flasche entgegen.

McAran wies auf den Strohballen neben ihm.

»Hier, wenn's dein feiner Anzug verträgt – hab dich heute ja kaum wiedererkannt.«

James trug tatsächlich den ersten Abendanzug seines Lebens.

»Gwyn will es nun mal perfekt haben«, sagte er und nahm Platz.

»Dann hätte ich mich aber nach 'nem anderen Schwiegerenkel umgesehen«, feixte »Poker« Livingston, noch ein altgedienter Hirte, mit dem James eine jahrzehntelange Freundschaft verband. »Dieser Martyn sieht gut aus, zugegeben, aber ob das auf Dauer was gibt?«

James wusste, dass auch Andy skeptisch war. William hatte in den knapp sechs Wochen seiner Verlobungszeit gelegentlich auf Kiward Station ausgeholfen, wobei die Männer die Möglichkeit hatten, ihn zu beschnuppern. Den besten Eindruck hatte er dabei nicht hinterlassen, vor allem während der Schafschur, wenn wirklich jeder Mann gebraucht wurde und vollen Einsatz bringen musste. Wie sich herausstellte, hatte William Martyn noch nie ein Schaf geschoren – was normalerweise kein Problem gewesen wäre, doch umso feixender vermerkt wurde, je öfter der junge Mann mit seiner Herkunft von einer Schaffarm prahlte. Auch mit dem Treiben der Tiere und der Handhabung der Hunde erwies William sich als nicht vertraut, er schien nichts lernen zu wollen. Bei seiner Mithilfe hatte er wohl mehr an »Aufsicht« gedacht. Als sich schließlich herausstellte, dass er tatsächlich ein scharfer Beobachter war und gut mit Zahlen umgehen konnte, übergab der gutmütige Andy ihm großzügig die Kontrolle über Scherschuppen drei. Leider beließ William es aber nicht beim Zählen der Schafe pro Scherer, sondern wurde vom Ehrgeiz gepackt. Jedes Jahr wurde der beste Scherschuppen ausgezeichnet, und um zu siegen, ließ William sich die seltsamsten Ideen zur Verkürzung des Arbeitsablaufes einfallen. Aber meist waren seine Vorschläge praxisfern und vor allem ein Eingriff in die Arbeit der Schererkolonnen, die auf jede Kritik sauer reagierten, denn die Akkordscherer verstanden sich als Elite der Arbeiter Neuseelands und waren entsprechend divenhaft. Andy, James und schließlich auch Gwyneira mussten wieder mal besänftigen und schlichten – alles keine guten Vorzeichen für eine ständige Mitarbeit Williams auf dem Gut.

»Hätte schlimmer kommen können«, meinte Andy gelassen und nahm einen weiteren Schluck Whisky. »Mann, Leute, habt ihr heute Abend auch das Gefühl, als wäre die Zeit zurückgedreht? Kommt mir vor wie damals, als sie Miss Gwyn mit Mr. Lucas verheiratet haben, dieser Pfeife ...« Er gab die Flasche an Poker weiter.

»Ach, komm, der Neue ist auch nicht besser ...« Bei Poker hatte William wirklich verspielt.

James dachte nach, wobei ein weiterer Schluck Whisky hilfreich war, auch wenn er seine anschließende Rede ein wenig unsicher geraten ließ: »Wenn ... ihr mich fragt, waren ... sind das beides Pfeifen. Lucas Warden, der pfiff ganz leise, mehr wie ... wie 'ne Hundepfeife ... hat kein Mensch gehört. Aber der hier ... auch wenn Gwyn das nich' wissen will ... der pfeift ziemlich laut und schrill. Der pfeift uns am Ende die Spatzen von den Dächern!«

2

Ruben O'Keefe hatte schlechte Laune, und Fleurette war gar nicht erst in die Stadt gekommen, sondern würde sich in den nächsten Tagen mit dringender Hausarbeit herausreden. Das hatte allerdings nichts damit zu tun, dass an diesem Tag im fernen Kiward Station die Hochzeit zwischen Kura und William Martyn gefeiert wurde. Den jungen Mann hatte Ruben längst vergessen; er war im Allgemeinen nicht nachtragend. Eigentlich kannte sein Langmut gegenüber seinen Mitmenschen nur eine Ausnahme: John Sideblossom von Lionel Station. Und ausgerechnet der trieb sich zurzeit mal wieder in Queenstown herum, begleitet von seinem Sohn. Helen hatte den beiden sogar ein Zimmer vermietet, was Ruben ihr beinahe übel nahm.

»Nun benimm dich nicht kindisch!«, sagte seine Mutter resolut. »Natürlich ist der Kerl kein Gentleman, auch wenn er so tut als ob. Aber ich kann ihn kaum mit der Begründung ablehnen, dass er vor zwanzig Jahren um meine Schwiegertochter geworben hat …«

»Er hat versucht, sie zu vergewaltigen!«, begehrte Ruben auf.

»Er ist ihr zweifellos zu nahegetreten, aber das ist lange her. Und Gerald Warden hat ihn in dem Wahn bestärkt, sie wäre die ideale Frau für ihn«, schwächte Helen ab.

»Und James McKenzie? Willst du auch noch entschuldigen, dass er den geschnappt hat?«

Sideblossom war damals der Anführer des Trupps gewesen, der den Viehdieb McKenzie nach Jahren vergeblicher Suche zur Strecke brachte.

»Das kannst du ihm kaum verdenken!«, meinte Helen. »Er war nicht der Einzige, den diese Viehdiebstähle wurmten, und James hat sich damit ja auch nicht mit Ruhm überschüttet ... obwohl sie ihn jetzt so darstellen, als wäre er Robin Hood persönlich! Das Vorgehen bei der Festnahme war eine andere Sache, da hat Sideblossom sich wieder unmöglich benommen. Aber in diesem Fall war das fast ein Glück, sonst hätten sie Fleurette womöglich auch noch geschnappt, und dann gäbe es jetzt kein O'Kay Warehouse ...«

Ruben dachte nicht gern daran, aber tatsächlich stammte das Startkapital für sein Geschäft aus McKenzies Diebestätigkeit. Fleurette war mit ihrem Vater zusammen gewesen, als Sideblossom ihn stellte, konnte im allgemeinen Wirrwarr der Festnahme jedoch fliehen.

»Du tust ja, als müsste ich Sideblossom dankbar sein«, murmelte Ruben gallig.

»Nur höflich«, sagte Helen lachend. »Behandle ihn einfach wie jeden anderen Kunden. In ein paar Tagen geht er wieder, dann kannst du ihn während der nächsten Monate vergessen. Außerdem verdienst du jedes Mal ganz gut an ihm, also beklag dich nicht.«

Tatsächlich kam Sideblossom höchstens ein- bis zweimal im Jahr nach Queenstown; er machte Geschäfte mit einem Schaffarmer der Gegend. Dann nutzte er jedes Mal die Gelegenheit, das O'Kay Warehouse fast leer zu kaufen, wobei er neuerdings auch Stoffe und edle Möbel orderte, denn er war jung verheiratet – jung im wahrsten Sinne des Wortes. Seine Frau Zoé war gerade mal zwanzig, die Tochter eines Goldsuchers von der Westküste, der rasch zu Geld gekommen war, das er durch Fehlinvestitionen dann ebenso schnell wieder verloren hatte. Dem Klatsch in Queenstown zufolge war das Mädchen wunderschön, aber auch sehr verwöhnt und schwierig – wobei sie bislang allerdings kaum jemand zu Gesicht bekommen hatte. Lionel Station, die Farm der Sideblossoms, lag landschaftlich sehr schön, aber gänzlich fern aller anderen Ansiedlungen an der Westspitze des Lake Pukaki. Nach Queenstown waren es mehrere Tagesritte, und der jungen Frau schien wenig daran gelegen zu sein, ihren Gatten auf diesen strapaziösen Touren zu begleiten. Natürlich fragte sich vor allem die weibliche Bevölkerung, was ein so junges Mädchen da oben wohl ganz allein täte. Aber so wichtig, dass man sich den Strapazen unterwarf, ihr einen nachbarlichen Besuch zu machen, war den Frauen von Queenstown die Sache nun auch wieder nicht.

»Hast du Lainie heute nicht mitgebracht?«, wechselte Helen schließlich das Thema. »Wenn Fleurette sich schon versteckt hält? Ein bisschen Hilfe könnten wir wohl beide brauchen, nicht wahr? Die Zwillinge können sich auch nicht dreiteilen ...«

Laurie und Mary arbeiteten je nach Bedarf sowohl bei Helen als Zimmermädchen als auch als Verkäuferinnen im O'Kay Warehouse.

Ruben lachte. »Dann wäre das Durcheinander vollkommen. Noch eine völlig identische Blonde, deren Name auf y endet, das glaubt uns keiner! Aber du hast Recht, ich könnte Elaine brauchen. Es ist nur so, dass in Fleur die Glucke erwacht, sobald dieser Sideblossom in der Stadt ist. Dann würde sie ihre Lainie am liebsten mit Tüchern verhängen oder am besten gar nicht aus dem Haus lassen. Dabei ist sie ohnehin sehr schüchtern geworden und zieht sich an wie eine graue Maus. Sideblossom würde ihr keinen zweiten Blick gönnen.«

Helen verdrehte die Augen. »Mal ganz abgesehen davon, dass der Mann über sechzig ist. Gut erhalten zwar, aber bestimmt nicht der Typ, der an einer Hotelrezeption über ein minderjähriges Mädchen herfällt.«

Ruben lachte. »Fleur traut ihm alles zu. Aber vielleicht kommt Lainie ja noch am Nachmittag. Zu Hause muss ihr schließlich die Decke auf den Kopf fallen. Und Klavier spielen mag sie ja auch nicht mehr ...« Er seufzte.

Helens Gesicht wurde grimmig. »Ich bin ja nicht gewalttätig, aber diesem William Martyn wünsche ich die Pest an den Hals! Lainie war ein so lebenslustiges, glückliches kleines Ding ...«

»Sie wird schon darüber hinwegkommen«, meinte Ruben. »Und was die Pest angeht: Georgie meint, William hat sie schon. Er hält die Ehe mit Kura Warden für so ziemlich das Schlimmste, was einem Mann passieren kann. Muss ich mir jetzt Sorgen um ihn machen?«

Helen lachte. »Vielleicht beweist er Scharfsinn. Hoffen wir, dass er sich den Sinn für innere Werte erhält, bis er im heiratsfähigen Alter ist. Schick mir Lainie rüber, wenn sie kommt, ja? Sie kann die Rezeption bewachen, ich muss mich um das Essen kümmern. Die beiden Sideblossoms werden anwesend sein, da kann ich keine Gemüsesuppe servieren ...«

Elaine kam tatsächlich am Nachmittag in die Stadt. Sie hatte einen Ausritt zu einer Schaffarm in der Nähe gemacht, um Callie zu trainieren. Der Border Collie brauchte Schaf-Erfahrung, und da es auf Nugget Manor zurzeit keine Wolltiere gab, ritt Elaine zu den Stevers. Fleurette sah das eigentlich nicht sehr gern. Die Stevers, deutsche Einwanderer, waren verschlossene Leute, die sich nur selten in Queenstown blicken ließen und keine gesellschaftlichen Kontakte pflegten. Mr. und Mrs. Stever waren im mittleren Alter, und Fleurette fand, dass die Frau unglücklich und verhärmt wirkte. Elaine konnte dazu nichts sagen. Sie traf praktisch nie mit den Besitzern der Farm zusammen, sondern hatte nur mit ihren Viehhütern Kontakt. Die wiederum bestanden fast ausschließlich aus Maoris.

Auf der Farm war seit einigen Wochen ein Stamm ansässig, der Elaine mit der üblichen Gutmütigkeit und Callie mit dem gelassenen Pragmatismus ihres Volkes willkommen hieß. Hund und Mädchen fielen nicht zur Last und waren hilfreich, folglich luden sie Elaine auch oft zum Essen oder zu ihren Stammesfesten ein oder gaben ihr Fische und Süßkartoffeln für ihre Mutter mit. Seit der Sache mit William war Elaine häufiger mit den Maoris zusammen als mit Gleichaltrigen in der Stadt, was Fleurette allerdings ohne Besorgnis registrierte. Auch sie selbst war mit Maori-Spielgefährten aufgewachsen, sprach ihre Sprache perfekt und begleitete Elaine sogar manchmal zu ihren neuen Freunden, um ihre Kenntnisse aufzufrischen. Seitdem kamen die Maoris öfter in die Stadt und kauften im O'Kay Warehouse – worüber sich nun wieder Mrs. Stever beschwerte. Neuerdings wollten ihre Leute mehr Geld, erklärte sie bei einem ihrer seltenen Besuche in Queenstown. Früher hatten sie die Viehhüter und Hausmädchen wohl in Naturalien entlohnt und dabei kräftig über den Tisch gezogen.

Heute hatte es bei den Maoris auf Stever Station allerdings wenig zu tun gegeben, und noch schlimmer: Eins der Mädchen des Stammes hatte Elaine verraten, dass eine Wanderschaft geplant war. Die Schafe der Stevers seien jetzt schließlich den Sommer über im Hochland, und Mr. Stever war geizig; er beschäftigte seine Leute nur tageweise, wenn er sie gerade brauchte. Insofern würde der Stamm ein paar Monate wegziehen, im Hochland fischen und jagen und erst im Herbst zurückkehren, zum Abtrieb der Schafe. Das gehörte zur Tradition der Maoris, und sie schienen sich sogar darauf zu freuen. Aber Elaine und Callie stand damit ein trister Sommer bevor.

Nun suchte sie dringend Beschäftigung; gerade an diesem Tag wollte sie auf keinen Fall ins Grübeln geraten. Schließlich fand heute die Hochzeit statt ... Irgendwie war es ja rührend von ihrer Mom gewesen, sie nicht über den genauen Zeitpunkt zu informieren, aber natürlich hatte Elaine es trotzdem herausgefunden. Es schmerzte auch gar nicht mehr so sehr. Wenn sie vernünftig gewesen wäre, hätte sie sich niemals Hoffnungen gemacht. Gegen ein Mädchen wie Kura konnte sie nur verlieren.

Von solch trüben Gedanken erfüllt, brachte sie Banshee in den Stall ihrer Großmutter und fand dort zu ihrer Überraschung zwei fremde Pferde vor, eines schöner als das andere! Beides waren Rappen, ein Wallach und ein Hengst, was ungewöhnlich war. Die meisten Farmer, selbst die reichen Schafbarone, bevorzugten Stuten und Wallache, die im Umgang praktischer waren. Dieser hübsche Kerl hier schien allerdings perfekt erzogen. Er wagte kaum zu bubbern, als Elaine Banshee vorbeiführte. Nun war die Stute allerdings auch schon gedeckt; sie würde bald ihr Fohlen von Owen bekommen.

Der Wallach, unzweifelhaft arabischer Abstammung, stand dem Hengst an Schönheit kaum nach, wahrscheinlich ein Sohn oder ein Bruder. Es war unwahrscheinlich, dass jemand zwei einander so ähnliche Tiere unabhängig voneinander gekauft hatte. Also zwei Reiter, die zusammengehörten? Elaines Neugier war geweckt. Sie musste Grandma Helen danach fragen.

Elaine nahm den direkten Weg zwischen Stall und Haus und klopfte sich in den Wirtschaftsräumen nur rasch Staub und Pferdehaar vom Reitkleid. Umziehen würde sie sich nicht. Egal, ob sie in der Küche oder im Laden half, sie wollte bei niemandem Eindruck machen. Auch ihr Haar hatte sie nur nachlässig im Nacken zusammengebunden. Nach wie vor achtete Elaine kaum auf ihr Äußeres.

An der Rezeption wartete ein Zwilling und langweilte sich offensichtlich mit der Führung eines Wareneingangsbuches.

»Oh, hallo, Miss Lainie! Und Callie!« Die blonde Frau lachte Elaine strahlend an und streichelte die Hündin, die sofort schwanzwedelnd an ihr hochsprang. Elaine war überzeugt, dass Callie die Zwillinge auseinanderhielt. Sie selbst musste allerdings wieder einmal raten. Mal sehen ... Grandma sagte, Mary sei die Aufgeschlossenere. Also würde eher sie an der Rezeption sitzen, während Laurie kochte ...

»Hallo, Mary!«, versuchte sie ihr Glück.

Der Zwilling kicherte. »Laurie. Mary hilft im Laden. Und dabei haben wir hier sooo viel zu tun. Miss Helen hat viele Gäste, wir müssen kochen. Aber jetzt sind Sie ja da. Miss Helen sagt, Sie sollen die Rezeption übernehmen, und ich gehe dann schon mal in die Küche ...«

Elaine gefiel das nicht. Sie machte die Arbeit an der Rezeption nicht mehr gern; andererseits konnte sie auch kaum allein mit dem Kochen anfangen. Sie wusste ja nicht einmal, was Helen anbieten wollte. Also nahm sie gehorsam Lauries Platz ein. Callie folgte Laurie in die Küche; da fiel schließlich meist ein Leckerbissen für sie ab.

Immerhin konnte Elaine hier ihre Neugier befriedigen. Die neuen Gäste mussten sich ja eingetragen haben, also würde sie rasch herausfinden, wer zu den Pferden im Stall gehörte ...

John und Thomas Sideblossom.

Elaine musste beinahe lachen. Wenn ihre Mutter wüsste, dass sie hier geradewegs in die Höhle des Löwen geraten war! Sie kannte die alten Geschichten um John Sideblossom und ihre Familie, nahm das alles aber nicht sonderlich ernst. Immerhin war es zwanzig Jahre her – für die junge Elaine eine halbe Ewigkeit. Jedenfalls kein Grund für Fleurette, heute noch beunruhigt darüber zu sein. Elaine hatte Sideblossom auch schon mal von weitem gesehen und ihn gar nicht so Furcht erregend gefunden. Ein großer, muskulöser Mann mit wettergegerbter Haut und halblangem, ehemals dunklem Haar, in das sich jetzt schon viel Weiß mischte. Der Haarschnitt war ein bisschen unkonventionell, aber sonst ... Elaines Mutter sprach gern von seinen »kalten Augen«, aber so nah war Elaine ihm nie gekommen. Und Fleurette in den letzten zwanzig Jahren erst recht nicht. Sie verschanzte sich stets in Nugget Manor, wenn sie nur von seinem Kommen hörte.

Elaine vernahm Schritte auf dem terrassenähnlichen Vorbau des Hotels und erstarrte. Am liebsten hätte sie sich unsichtbar gemacht, aber sie musste lächeln und die Gäste in Empfang nehmen. Sie senkte den Blick, als das hübsche bunte Windspiel, das Helen am Eingang ihrer Pension aufgehängt hatte, das Eintreten eines Gastes ankündigte.

»Guten Abend, Miss Lainie! Schön, Sie wieder mal hier zu sehen!«

Gott sei Dank, es war nur Mr. Dipps, der ältere der beiden Bankangestellten. Elaine nickte ihm zu.

»Sie sind früh, Mr. Dipps«, bemerkte sie und suchte nach seinem Schlüssel.

»Ich muss nachher noch in die Bank. Mr. Stever möchte über einen Kredit reden, und zu den normalen Öffnungszeiten kann er angeblich nicht kommen, da muss er sich um sein Vieh kümmern. Selber schuld, wenn er keine Leute ganzjährig anstellt. Jetzt jammert er, seine Maoris zögen weg. Na ja, jedenfalls mache ich nachher Überstunden, da bin ich jetzt ein bisschen früher gegangen. Wäre es wohl möglich, das Badehaus zu besuchen, Miss Lainie? Oder macht es zu viel Mühe?«

Elaine zuckte die Schultern. »Ich kann Laurie fragen, aber die Zwillinge haben heute alle Hände voll zu tun – wobei es allerdings sein kann, dass die Öfen sowieso angeheizt sind. Wir haben neue Gäste, und die möchten vielleicht auch ein Bad nehmen.«

Sie lief rasch in die Küche und schaute fast neidisch auf die Möhren schnippelnde Laurie. Sie hätte sich auch lieber hier versteckt gehalten, statt draußen womöglich noch diesem Sideblossom zu begegnen. Andererseits war sie gerade auf ihn ein bisschen neugierig …

Laurie hob den Kopf von ihrer Arbeit und dachte kurz

nach. »Das Badehaus? Tja, angeheizt haben wir's. Aber ob das Wasser für drei Leute reicht? Mr. Dipps soll sparsam sein. Das sollte er als Bankier ja können.«

Mr. Dipps hatte die Bemerkung gehört – Elaine hatte vergessen, die Türen zu schließen – und lachte vergnügt. »Ich werde versuchen, meiner Bank Ehre zu machen. Wenn nicht, schleppe ich eigenhändig ein paar Eimer rauf, versprochen. Haben Sie den Schlüssel, Miss Lainie?«

Elaine suchte nach dem Schlüssel zum Badehaus und überhörte dabei ein neuerliches Klingen des Windspiels. So sah sie sich dem neuen Gast unvorbereitet gegenüber, als sie den Schlüssel endlich in einer Schublade gefunden hatte und sich zu Mr. Dipps umwandte. Der große, dunkelhaarige Mann stand hinter dem Bankier und fixierte Elaine aus unergründlichen braunen Augen.

Sie erschrak über sein plötzliches Auftauchen fast zu Tode, senkte den Blick und lief rot an. Gleichzeitig erwachte in ihr Zorn auf sich selbst. So konnte sie sich hier nicht verhalten! Der Mann musste sie für eine hoffnungslos dumme Gans halten. Sie zwang sich, ihn anzuschauen.

»Guten Abend, Sir. Was kann ich für Sie tun?«

Der Mann ließ den Blick über sie schweifen und entschied sich erst dann, ihr ein Lächeln zu gönnen. Er war sehr groß und athletisch, und sein Gesicht war scharf geschnitten, fast schon ein wenig kantig. Sein Haar war lockig und ordentlich gekämmt, als käme er von einer geschäftlichen Besprechung.

»Thomas Sideblossom. Meinen Schlüssel, bitte. Und den Schlüssel zum Badehaus, wir hatten vorbestellt.«

Mr. Dipps lächelte ihn entschuldigend an. »Den habe ich gerade. Wenn ich mich auch als Führer anbieten darf, brauchen wir Miss Laurie nicht zu stören.«

»Ich ... ich kann auch den Hausdiener rufen, wenn mehr Wasser gebraucht wird«, stammelte Elaine.

»Ich denke, wir kommen zurecht«, meinte Sideblossom kurz. »Vielen Dank, Miss Laurie.«

»Nein, ich wollte sagen, vielen Dank, aber ich ... also, ich bin nicht Laurie ...« Elaine sah den jungen Mann jetzt offener an und freute sich über sein Lächeln. Es ließ seine Züge weicher erscheinen.

»Wie heißen Sie dann?«, fragte er freundlich. Er schien ihr Gestammel nicht übel zu nehmen.

»Elaine«, sagte sie.

Thomas Sideblossom hatte nicht viel Erfahrung mit *pakeha*-Mädchen. Es gab einfach keine im Umkreis der Farm, auf der er aufgewachsen war, und auf seinen wenigen Reisen hatte er lediglich Kontakt zu ein paar Huren gehabt. Die hatten ihn allerdings kaum befriedigt. Wenn Thomas lustvoll an eine Frau dachte, erschien eher ein brauner, breithüftiger Körper vor seinem inneren Auge als ein hellhäutiges Geschöpf. Das Haar sollte glatt sein und schwarz, lang genug, um es sich um die Finger zu wickeln, die Hand darum zu legen wie um einen Zügel. Er vertrieb das Bild von Unterwürfigkeit – einem hochgeworfenen Kopf, einem zum Schrei geöffneten Mund. Er vertrieb den Gedanken an Emere. Das alles gehörte nicht hierher. Denn auch wenn er nicht viel von ehrbaren *pakeha*-Mädchen wusste – schon die frechen kleinen Dinger in den Freudenhäusern hatten ihm klargemacht, dass er nicht annähernd das von ihnen erwarten konnte, was Emere für seinen Vater tat.

Wenn er heiraten wollte, musste er also Kompromisse schließen. Und Heiraten war unumgänglich; Thomas Sideblossom brauchte einen Erben. Auf keinen Fall konnte er riskieren, dass sein Vater und dessen neue Frau womöglich einen kleinen Rivalen für ihn zeugten. Ganz abgesehen davon, dass er es nicht mehr aushielt. All diese Frauen im Haus, die durchweg John Sideblossom gehörten ... oder die tabu waren, weil sie ... nein, auch darüber durfte Thomas nicht nachdenken. Für ihn stand nur fest, dass er eine Frau für sich allein brauchte, die ihm gehörte und die nie zuvor einem anderen gehört haben durfte. Es musste ein passendes Mädchen sein, aus gutem Hause. Aber keins dieser kichernden, selbstbewussten Geschöpfe, die Geschäftspartner ihm hin und wieder hoffnungsvoll vorstellten. Die Töchter dieser Schafbarone und Banker waren oft hübsch. Aber ihre Art, ihn abschätzend, beinahe lüstern zu mustern, ihre freimütige Rede, ihre aufreizende Art, sich zu kleiden ... Thomas stieß das alles ab.

Umso erfrischender war diese kleine Rothaarige an der Rezeption, deren gesamte Lebensgeschichte Mr. Dipps ihm nun wohl schildern wollte. Der Banker erwies sich im Badehaus als redselig, und die kleine Elaine hatte den Dorfklatsch wohl schon ausgiebig beschäftigt. Was sie für Thomas natürlich aus dem Rennen warf. Schade, aber offenbar war das Mädchen nicht mehr unberührt.

»Der Kerl hat dem Mädel das Herz gebrochen«, erzählte Dipps mit ehrlicher Anteilnahme an Elaines Beziehung zu William Martyn. »Aber die Kleine, mit der er sie betrogen hat, war natürlich ein anderes Kaliber. Da kam so leicht keine mit. Eine Maori-Prinzessin.«

Letzteres interessierte Thomas wenig. Ein Maori-Mädchen als Herrin auf Lionel Station kam ohnehin nicht in Frage. Elaine dagegen hatte zunächst einen guten Eindruck gemacht. So süß und schüchtern in ihrem schlichten, hochgeschlossenen dunklen Reitkleid. Dabei durchaus wohlgeformt und mit langem, seidigem Haar ... seidenbespannte Zügel ... Thomas erlaubte sich sekundenlang einen Traum, in dem die zarte Rothaarige an Emeres Stelle trat.

Dennoch hätte er dem Mädchen nach Dipps' Enthüllungen kaum noch einen zweiten Blick geschenkt – wenn nicht auch sein Vater Elaine erwähnt hätte.

»Hast du den Rotschopf an der Rezeption gesehen?«, erkundigte sich John Sideblossom, als die Männer sich später auf ihrem Zimmer trafen. Thomas hatte das Badehaus eben verlassen und zog sich um, und John traf gerade nach weiteren Verhandlungen mit Herman Stever ein. Sie waren gut verlaufen; der Mann würde eine ganze Herde bester Mutterschafe kaufen und sich dafür tief verschulden. Dennoch könnte es auch für ihn ein gutes Geschäft sein, wenn er die Zucht planmäßig vorantrieb und nicht am falschen Ende sparte. Eigentlich hätte Sideblossom ihm gern noch ein paar Widder verkauft, aber die meinte der halsstarrige Deutsche ja nicht zu brauchen. Eigene Schuld, wenn die Nachzucht dann nicht den Vorstellungen entsprach.

Thomas nickte desinteressiert, obwohl ein Bild aus seinem Traum noch einmal vor seinem inneren Auge aufblitzte. »Ja, ich hab die Kleine schon kennen gelernt. Sie heißt Elaine. Aber sie ist abgelegte Ware. Es heißt, sie hätte was mit einem Engländer gehabt.«

John lachte, doch es war sein Raubtierlachen, nicht das herzhafte Lachen unter Männern, mit dem er von seinen Eroberungen in den diversen Bordellen an der Westküste zu erzählen pflegte.

»Die und abgelegt? Nie und nimmer. Wer hat dir denn das erzählt? Sie mag ja verliebt gewesen sein, aber sie ist eine höhere Tochter, Tom. Die geht nicht mit jedem ins Bett.«

»Ich hörte schon, sie sei mit der Hotelbesitzerin verwandt«, meinte Thomas. »Und sie hat ja auch das rote Haar ... obwohl sie sich nicht so verhält, als wäre sie im Pub groß geworden.«

Sideblossom lachte noch dröhnender. »Du meinst, sie ist mit Daphne O'Rourke verwandt? Der Puffmutter? Ich glaub's nicht! Wo ist dein Gespür für Klasse, Junge? Nein, nein, das rote Haar ist Warden'sches Erbe. Das hat sie von der legendären Miss Gwyn.«

»Gwyneira Warden?«, erkundigte sich Thomas und schloss die Weste seines Dreiteilers. »Von Kiward Station? Die jetzt mit diesem Viehdieb verheiratet ist?«

»Genau die. Und sie ist ihrer Mutter und Großmutter wie aus dem Gesicht geschnitten. Scheint nur die sanftere Version zu sein. Fleurette hatte Haare auf den Zähnen, und die alte Gwyn erst recht. Aber ein Klasseweib, beides Klasseweiber! Du solltest dir die Kleine noch mal anschauen. Zumal ich mit der Familie noch eine Rechnung offen habe ...«

Thomas wusste nicht recht, ob er helfen wollte, die Rechnungen seines Vaters zu begleichen. Aber was er da über Elaines Familie hörte, klang interessant – er hatte auch durchaus von seinem Vater und Fleurette Warden gehört; davon sprach noch Jahre später der gesamte Landkreis. Die einzige Frau, die sich John Sideblossom je widersetzt hatte, behauptete der Klatsch. Nach der groß angekündigten Verlobung bei Nacht und Nebel zu verschwinden und dann verheiratet in Queenstown wieder aufzutauchen – das musste Fleurette erst mal eine nachmachen. Dieses Mäuschen Elaine tat es garantiert nicht. Umso besser. Thomas Sideblossoms Interesse und sein Jagdinstinkt erwachten aufs Neue.

Auf jeden Fall verkniff er sich an diesem Abend den eigentlich geplanten Besuch bei Daphne. Wie hätte es ausgesehen, wenn er sich heute mit einer Hure vergnügte und sich am nächsten Tag um eine Tochter aus gutem Hause bemühte? Seine Hoffnung, Elaine vielleicht am Tisch der Pensionsbetreiberin wiederzutreffen, erfüllte sich jedoch nicht. Das Mädchen war schon nach Hause geritten. Immerhin erfuhr er so, dass es sich nicht um eine Angestellte, sondern um Helens Enkelin handelte. Deshalb also das Missverständnis mit der Verwandtschaft zu Daphne.

»Elaine ist ein reizendes Mädchen, aber man muss sie erst

aus der Reserve locken«, verriet Helen. »Sie war vorhin ganz aufgelöst, weil sie sich an der Rezeption so schüchtern verhalten hat. Sie meint, Sie müssten sie jetzt für dumm halten.«

Helen war nicht ganz wohl in ihrer Haut, als sie so offen mit den Sideblossoms über Lainie sprach. Fleurette hätte sie dafür wahrscheinlich gesteinigt. Andererseits schien dieser junge Mann wohlerzogen, freundlich und zuvorkommend. Er hatte sich sehr höflich nach Elaine erkundigt, und er sah mindestens so gut aus wie William Martyn. Und er war reich! Vielleicht würde der Knoten bei Elaine ja platzen, wenn sich ein anderer vorzeigbarer Mann ein bisschen um sie bemühte. Wobei daraus nichts werden musste. Aber ein paar freundliche Gespräche, ein bisschen Bewunderung in den dunklen Augen des Jungen – Thomas Sideblossoms Blick war nicht so scharf und stechend wie der seines Vaters, eher verträumt – vielleicht würde Elaine darüber wieder aufblühen! Das Mädchen war so hübsch. Es wurde Zeit, dass jemand ihr das sagte!

»Ich finde es eigentlich sehr schön, wenn ein junges Mädchen ein wenig ... hm ... zurückhaltend ist«, sagte Thomas. »Miss Elaine hat mir durchaus gefallen. Wenn Sie ihr das bestellen möchten ...«

Helen lächelte. Na also, bestimmt würde Elaine endlich mal wieder vor Freude statt aus mangelndem Selbstvertrauen erröten.

»Und vielleicht treffe ich sie hier ja auch mal wieder, dann könnte ich ein bisschen ausführlicher mit ihr reden.« Thomas Sideblossom lächelte ebenfalls.

Helen hatte das Gefühl, als wären die richtigen Weichen gestellt.

3

Thomas traf Elaine im Laden ihres Vaters wieder, in dem er sich nach Stoffen für neue Anzüge umsah. Es gab exzellente Schneider in Queenstown, wie sein Vater bemerkt hatte. Und sie arbeiteten deutlich günstiger als ihre Kollegen in Dunedin. Wenn er es sich recht überlegte, gab es überhaupt kaum einen Grund, die lange Reise nach Dunedin wegen jeder Kleinigkeit anzutreten. Das Angebot in Queenstown gefiel ihm in jeder Hinsicht. Und die Anzugstoffe, die Ruben anbot, waren nicht nur qualitativ gut, sondern wurden zudem von zartester Hand empfohlen.

Elaine ordnete gerade ein paar Ballen in ein Regal, als Thomas die Textilabteilung betrat. Sein Vater war derweil mit Ruben O'Keefe beschäftigt. Umso besser, Thomas sah sich das Mädchen lieber allein noch mal an.

Elaine wurde flammend rot, als sie ihn kommen sah. Wieder mal, aber Thomas fand, es stände ihr. Er mochte auch die Scheu, fast Angst in ihren Augen. Wunderschönen Augen im Übrigen, schimmernd wie das Meer in der Sonne, mit einem Stich ins Grünliche. Dazu trug sie wieder das Reitkleid vom Tag zuvor. Eitelkeit konnte man ihr wirklich nicht vorwerfen.

»Guten Morgen, Miss Elaine. Sie sehen, ich habe mir den Namen gemerkt.«

»Ich … ich hab ja auch keinen Zwilling …« Die dumme Bemerkung rutschte Elaine heraus, bevor sie sich um etwas Klügeres bemühen konnte. Sideblossom jedoch schien sie erheiternd zu finden.

»Zum Glück nicht. Ich denke, Sie sind einmalig!«, gab er

galant zurück. »Wollen Sie mir ein paar Stoffe zeigen, Miss Elaine? Ich brauchte zwei Anzüge. Etwas Hochwertiges, aber nicht zu auffällig. Geeignet für Bankgeschäfte, förmliche Abendgesellschaften – die Viehzüchterversammlung in Dunedin, genauer gesagt.«

Vor ein paar Monaten hätte Elaine jetzt wohl kokett gekontert, dass sich Viehzüchter doch eher in Lederjacken und Breeches hüllten. Aber jetzt fiel ihr keine Entgegnung ein. Stattdessen ließ sie ihr Haar schüchtern in ihr Gesicht fallen; sie trug es heute offen, und es war zum Verstecken nicht schlecht geeignet. Wenn sie den Kopf senkte, konnte ihr niemand ins Gesicht sehen, aber sie bekam auch nicht mehr allzu viel von ihrer Umgebung mit.

Thomas beobachtete amüsiert, wie sie sich durchs Sortiment tastete. Sie war wirklich süß. Und sie musste auch unten herum rothaarig sein. Thomas hatte schon mal eine rothaarige Hure gehabt, aber deren Schamhaar war blond gewesen. Es hatte ihn geärgert. Er konnte es nicht ausstehen, wenn man ihn täuschte.

»Hier hätten wir noch etwas in Braun«, sagte Elaine.

Es passt zu seinen Augen, dachte sie, traute sich aber nicht, es auszusprechen. Auf jeden Fall würde es ihm besser stehen als der graue Anzug, den er heute trug. Schöne Augen hatte er; es lag etwas Geheimnisvolles darin, etwas Verborgenes ...

Eifrig legte sie ihm die Stoffbahnen vor.

»Welche würden Sie nehmen, Miss Elaine?«, fragte er freundlich. Er hatte eine dunkle Stimme, fast etwas heiser, nicht wie Williams heller Tenor.

»Oh, ich ...« Von der Frage überrascht, geriet sie wieder ins Stammeln. Schließlich zeigte sie auf den braunen Stoff.

»Gut. Dann nehme ich den. Der Schneider wird sich an Sie wenden, wenn er Maß genommen hat. Vielen Dank für die Beratung, Miss Elaine.«

Thomas Sideblossom ging zum Ausgang. Plötzlich hätte Elaine ihn gern aufgehalten.

Warum sagte sie nicht einfach irgendetwas? Vor der Sache mit William war es ihr doch auch nie schwergefallen, mit Menschen ins Gespräch zu kommen! Elaine öffnete den Mund, konnte sich aber nicht überwinden.

Plötzlich drehte Sideblossom sich um.

»Ich würde Sie gern wiedersehen, Miss Elaine. Ihre Großmutter hat mir verraten, dass Sie reiten. Würden Sie mich bei einem Ausritt begleiten?«

Elaine erzählte ihren Eltern nichts von der Verabredung mit Thomas Sideblossom. Nicht nur, weil sie wusste, wie ihre Mutter zu seinem Vater stand – sie befürchtete überdies eine erneute Ablehnung. Niemand durfte davon wissen, wenn sich doch noch einmal ein Mann für Elaine O'Keefe interessieren sollte! Deshalb lenkte sie Banshee schnell aus der Stadt, und Sideblossom verhielt sich dabei wie ein Gentleman. Für die Stadtbewohner konnte es ein Zufall sein, dass der Rappe und Elaines Schimmelstute nebeneinander die Ställe von Helens Pension verließen, und es war auch normal, dass ihre Reiter dabei ein paar Worte wechselten. Nur Daphne verfolgte Elaine und Thomas mit prüfenden Blicken. Ihr machte man nicht so leicht etwas vor. Sie sah das Interesse sowohl in seinen als auch in ihren Augen. Und beides gefiel ihr nicht.

Wie sich herausstellte, gehörte Thomas der schwarze Wallach, der Hengst seinem Vater. Und tatsächlich waren auch die Pferde Vater und Sohn. »Mein Vater hatte in Dunedin mal einen Araber gekauft«, sagte Thomas. »Ein fantastisches Pferd. Seitdem züchtet er. Er hat immer einen Rapphengst. Khazan ist schon der dritte. Mein Pferd hier heißt Khol.«

Elaine stellte ihre Banshee vor, doch sie überschüttete Thomas nicht – wie damals William – mit einem Wortschwall über die Welsh-Cob-Zucht ihrer Großmutter Gwyneira. Nach wie vor brachte sie in Thomas' Beisein kaum ein Wort heraus. Doch ihn schien es nicht zu stören. Vielleicht hatte sie William ja mit ihrem Geplauder abgeschreckt? Elaine fiel siedend heiß ein, dass Kura praktisch jede Frage nur mit Ja oder Nein beantwortet hatte. Sie musste sich unbedingt noch mehr zurückhalten.

So ritt sie schweigsam neben Thomas her, der die Unterhaltung jedoch problemlos allein bestritt. Wobei er sich durchaus für seine Begleiterin interessierte und artige Fragen stellte. Elaine antwortete mit Ja oder Nein, sofern es sich machen ließ. Ansonsten gab sie knappe Bemerkungen ab und versteckte sich hinter ihrem Haar. Eigentlich ging es während des ganzen Rittes nur einmal mit ihr durch: Sie schlug ein Wettrennen vor, als sie auf einen langen, geraden Weg kamen. Doch gleich darauf tat es ihr schon leid. William hatte solche wilden Ritte nie gemocht, und wenn sie ihn dabei abgehängt hatte, war er regelrecht böse geworden. Doch Thomas verhielt sich anders. Er schien sogar angetan von der Idee, brachte sein Pferd ganz ernsthaft neben Elaine in Position und überließ ihr das Kommando zum Start. Natürlich schlug der Araber Khol ihre Banshee mühelos. Elaine kam erst drei Pferdelängen nach ihm lachend ins Ziel.

»Sie ist tragend«, entschuldigte sie ihr Pferd.

Thomas nickte wenig interessiert. »Dafür sind Stuten da. Aber Sie sind eine verwegene Reiterin.«

Elaine wertete das als Kompliment. Als sie viel später heimritt, trug sie den Kopf zum ersten Mal seit Williams Verrat wieder aufrecht und ließ ihr Haar im Wind fliegen.

Ruben grummelte, und Fleurette besann sich weiterhin auf Hausfrauenpflichten, als die Sideblossoms ihren Aufenthalt in Queenstown verlängerten. Von der sich anbahnenden Beziehung zwischen Thomas und Elaine ahnte nur Helen, der die häufigen Begegnungen der beiden ebenso wenig verborgen blieben wie Elaines erste Veränderungen. Natürlich hatte sie ein schlechtes Gewissen, weil sie hier offensichtlich Heimlichkeiten Vorschub leistete. Andererseits sah sie Elaine endlich wieder mal lachen, stellte fest, dass sie hübschere Kleider trug und ihr Haar erneut bürstete, bis es glänzte und um ihr Gesicht wogte. Dass sie den Kopf nach wie vor senkte, wenn sie mit Thomas sprach, dass sie einsilbig blieb und jedes Wort auf die Goldwaage legte, fiel Helen nicht auf. Zu ihrer Zeit in England hatten sich alle Mädchen so verhalten; sie hatte Elaines offenen Umgang mit William eher ein bisschen anstößig gefunden. Für Helen fiel auch der Vergleich von Thomas Sideblossom mit William positiv aus. Natürlich war William charmant und wortgewandt gewesen, aber auch schnell beleidigt und impulsiv. Helen hatte sich bei den Tischgesprächen mit ihm immer ein bisschen gefühlt, als bewache sie ein Pulverfass. Thomas dagegen war zurückhaltend und höflich, ein Gentleman vom Scheitel bis zur Sohle. Wenn er mit Elaine ausritt, hielt er ihr den Steigbügel; beim sonntäglichen Kirchgang, dem die Sideblossoms sich selbstverständlich anschlossen, wechselte er nur ein paar artige Worte mit dem Mädchen, und nicht einmal Fleurette fiel das freundschaftliche Verhältnis der beiden auf. Die hatte allerdings auch genug damit zu tun, sich möglichst unsichtbar zu machen. Ruben und Fleurette O'Keefe kamen nicht einmal in die Nähe der Sideblossoms. Entsprechend verwundert waren die beiden, als Thomas Elaine nach dem Gemeindepicknick zu einer Bootsfahrt aufforderte. Wie immer vermietete der findige Förderverein, der eifrig für den Bau einer neuen Kirche sammelte, Ruderboote an verliebte Pärchen.

»Ich habe Ihre Tochter in der Pension von Miss Helen kennen gelernt und würde mich geehrt fühlen, wenn ich ihr eine kleine Freude machen könnte.«

Elaine lief umgehend rot an – zu genau standen ihr noch ihre letzten Vergnügungen mit William vor Augen.

Fleurette sah aus, als wollte sie rüde ablehnen, doch Ruben legte ihr die Hand auf den Arm. Die Sideblossoms waren gute Kunden, und insbesondere Thomas' Benehmen hatte nie zu Klagen Anlass gegeben. Es gab keinen Grund, ihn zu brüskieren. Während Fleurette sofort anfing, sich mit ihrem Mann darüber zu streiten, führte Thomas die nervöse Elaine mit Erlaubnis ihres Vaters zum nächsten Ruderboot. Elaine fiel gar nicht auf, dass er sie nicht gefragt hatte, ob sie überhaupt Lust hatte, und dass er sie auch nicht – wie William – die Farbe des Bootes wählen ließ. Thomas steuerte einfach das nächste Boot an und half ihr galant beim Einsteigen. Elaine, von ihren Gefühlen und Erinnerungen überwältigt, brachte während der ganzen Fahrt kein Wort heraus, sah dabei aber sehr hübsch aus. An diesem Sonntag trug sie ein hellblaues Seidenkleid und hatte passende blaue Bänder in ihr Haar geflochten. Sie hielt das Gesicht meist von Thomas abgewandt und schaute ins Wasser. Thomas hatte Zeit, ihr Profil zu bewundern, und kämpfte erneut mit Erinnerungen. Emeres Umrisse im Mondlicht wie ein Schattenspiel ... Auch sie niemals Auge in Auge mit dem Mann, der sie nahm ... Im Sonnenlicht erschien das alles unwirklich. Doch wenn Thomas eine Frau nahm, musste er sich ihr auch bei Tage stellen. Sie würde immer da sein, nicht nur, um seine Nächte zu erfüllen und seine dunklen Träume zu beleben. Aber Elaine war still und leicht einzuschüchtern.

Es dürfte einfach sein, sie ruhig zu halten. Vorsichtig begann er, von der Sideblossom-Farm am Lake Pukaki zu sprechen.

»Das Haus hat einen wunderschönen Blick auf den See, und es ist vom Stil her durchaus mit Kiward Station zu vergleichen, wenn auch nicht gar so groß. Wir lassen die Gartenanlagen pflegen, Hauspersonal ist ausreichend vorhanden ... auch wenn Zoé meint, die Maoris wären schlecht geschult. Sie gibt sich alle Mühe, das nachzuholen, aber eine zweite Frau im Haus wäre durchaus ein Gewinn für Lionel Station.«

Elaine biss sich auf die Lippen. Sollte das ein Antrag sein? Oder ein vorsichtiges Vorfühlen? Sie wagte einen Blick in Thomas' Gesicht und deutete den Ausdruck seiner Augen als ernst, beinahe ein wenig ängstlich.

»Ich ... habe gehört, die Farm läge sehr ... einsam«, bemerkte sie.

Thomas lachte. »Keine der großen Schaffarmen hat direkte Nachbarn«, meinte er dann. »Bei Lionel Station ist nur ein Maori-Lager, ansonsten ist Queenstown tatsächlich der nächste größere Ort. Auf dem Weg dorthin gibt es aber noch ein paar Dörfer. Einsam ist ein Ort doch nur, wenn man unglücklich ist ...«

Das hörte sich an, als hinge auch Thomas oft traurigen Gedanken nach.

Elaine sah scheu zu ihm auf. »Sind Sie denn oft einsam?«, fragte sie zögernd.

Thomas nickte ernst. »Meine Mutter ist früh gestorben. Und die Maori-Frau, die mich versorgte ... sie gab mir nie das, was ich brauchte. Später war ich dann in England im Internat.«

Elaine blickte interessiert und vergaß ihre Schüchternheit.

»Oh, Sie waren in England? Wie war es da? Es soll ganz anders sein als hier ...«

Thomas lächelte. »Nun, es gibt keine Weta, falls Sie meinen, ohne den ›Gott der Hässlichen Dinge‹ nicht leben zu können.«

»Das ist Maori, nicht? ›Der Gott der hässlichen Dinge.‹ Sprechen Sie Maori?«

Thomas zuckte die Schultern. »Es geht so. Wie gesagt, meine Kinderfrauen waren Eingeborene. So etwas gibt es in England natürlich auch nicht. Da bringen brave Nannys die

Kinder zu Bett und singen ihnen Schlaflieder. Statt ...« Thomas brach ab, und ein Ausdruck von Schmerz huschte über sein Gesicht.

Elaine sah sein wechselndes Mienenspiel und fühlte Mitleid in sich aufsteigen. Mutig legte sie ihre Hand auf seinen Arm. Er ließ die Ruder sinken.

»Mir würde es nichts ausmachen, auf einer Farm zu wohnen, auch wenn sie ein bisschen abgelegen ist. Und ich habe auch nichts gegen Weta ...« Tatsächlich hatte sie die Rieseninsekten als Kind gern gefangen und dann mit denen ihres Bruders um die Wette springen lassen.

Thomas fasste sich wieder. »Ich könnte darauf zurückkommen«, sagte er. Elaine fühlte wieder diese Wärme in sich aufsteigen, die auch William in ihr ausgelöst hatte, wenn er liebevoll mit ihr sprach.

Sie tanzte an Thomas' Arm zurück zum Lagerplatz ihrer Eltern.

»Worüber hat er mit dir gesprochen?«, fragte Fleurette argwöhnisch, nachdem Thomas sich mit einer förmlichen Verbeugung verabschiedet hatte.

»Oh, nur über Weta«, murmelte Elaine.

»Ihre kleine Enkelin ist wieder verliebt«, konstatierte Daphne beim Teetrinken mit Helen. »Wie es aussieht, hat sie ein Faible für Männer, bei denen sich mir die Fußnägel kräuseln!«

»Daphne!«, rügte Helen. »Was soll denn das wieder heißen?«

Daphne lächelte. »Verzeihung, Miss Helen, ich wollte sagen, Miss O'Keefe fühlt sich zu Herren hingezogen, die bei mir ein vages Gefühl des Unwohlseins auslösen.«

»Hast du jemals eine freundliche Bemerkung über irgendeinen dir bekannten Herrn gemacht?«, erkundigte sich Helen. »Ausgenommen derer, die sich ... äh ... in gewisser Weise selbst genug sind?«

Daphne zeigte eine ausgesprochene Vorliebe für Barkeeper und Hausdiener, die sich eher zum eigenen Geschlecht hingezogen fühlten. Sie hatte auch immer sehr freundlich von Lucas Warden gesprochen, den sie kurz vor seinem Tod kennen gelernt hatte.

Jetzt lachte sie. »Den Ausdruck merke ich mir! Das Teetrinken mit Ihnen ist immer wieder lehrreich, Miss Helen. Und was die Jungs angeht ... die Homosexuellen sind praktischer, die machen die Mädchen nicht an. Und die Normalen sind langweilig. Warum sollte ich freundliche Bemerkungen über Leute verlieren, die meist nicht mal Kunden sind? Diese Sideblossoms allerdings ... der Junge war ja noch nie da, aber der Alte gehört nicht gerade zu unseren Lieblingsgästen, um es vorsichtig auszudrücken ...«

»Ich möchte das nicht hören, Daphne!«, erklärte Helen energisch. »Mal ganz abgesehen davon, dass Mr. Thomas' Benehmen hier über jeden Zweifel erhaben ist. Und Elaine blüht geradezu auf.«

»Kann aber eine kurze Blüte sein«, bemerkte Daphne. »Glauben Sie, er hat ehrliche Absichten? Und wenn ja ... Miss Fleur wird nicht begeistert sein.«

»Das steht ja noch nicht zur Debatte!«, wehrte Helen ab. »Ansonsten gilt für Fleur das Gleiche wie für dich, Daphne: Mr. Thomas und Mr. John sind nicht ein und dieselbe Person. Egal, was der eine für Fehler hat, er muss sie nicht vererbt haben. Mein Howard zum Beispiel war auch kein Gentleman, aber Ruben schlägt ihm in keiner Weise nach. Bei den Sideblossoms kann es ebenso sein.«

Daphne zuckte die Achseln.

»Kann«, bemerkte sie. »Aber wenn ich mich recht erinnere, haben Sie das mit Ihrem Mr. Howard auch erst herausgefunden, nachdem Sie mit ihm in den Canterbury Plains festsaßen.«

Inger drückte sich deutlicher aus, wenngleich sie Elaine natürlich auch nicht an allen Einzelheiten ihrer Erfahrungen mit John Sideblossom teilhaben ließ.

»Daphne hat ihn nur an die erfahrenen Mädchen rangelassen. Das gab immer wieder Diskussionen. Er wollte nur die ganz jungen, und teilweise wollten wir das auch, weil es ... nun ja, für solche Männer gab es immer Extrageld und oft ein paar Tage frei. Aber Daphne hat nur einmal nachgegeben, weil Susan das Geld wirklich ganz dringend brauchte.«

Inger wies ein wenig verschämt auf ihren Unterleib, eine Geste, die Elaine allerdings nicht zu deuten wusste.

»Danach ...«, verwundert sah Elaine ihre Freundin zum ersten Mal rot werden, »... danach konnte sie es dann für etwas anderes ausgeben. Die ... Frucht hat die Nacht nicht überstanden. Aber Susan war ziemlich ... also, es ging ihr nicht gut. Miss Daphne hat den Arzt holen müssen. Und dann lief sie immer gleich weg, wenn Mr. John kam. Sie konnte ihn nicht mehr sehen.«

Elaine fand das alles befremdlich. Was für eine »Frucht« hatte Mr. Sideblossom da zerstört? Aber sie wollte ja ohnehin nichts von Mr. John hören, sondern sich nur über Thomas austauschen. Minutiös beschrieb sie der Freundin, wie sie die Zeit mit ihm verbrachte. Und was das anging, hatte Inger nichts zu bemängeln – wenn sie etwas besorgniserregend fand, dann war es eher Thomas' extrem zurückhaltendes Verhalten.

»Seltsam, dass er nie versucht, dich zu küssen«, meinte sie nach einer enervierend langen Schilderung eines Ausrittes, bei dem Elaine und Thomas wieder nur Blicke getauscht hatten.

Elaine zuckte die Schultern. Sie durfte auf keinen Fall zugeben, dass ihr gerade Thomas' Zurückhaltung so sehr gefiel. Seit der Sache mit William ängstigte sie sich vor Berührungen. Sie wollte nicht, dass wieder etwas in ihr erweckt wurde, das dann keine Erfüllung fand. »Er ist eben ein echter Gentleman.

Er will mir Zeit lassen, und manchmal glaube ich, er hat ernste Absichten.« Sie errötete leicht.

Inger lachte. »Das wollen wir doch hoffen! Wenn die Kerle keine ernsten Absichten haben, kommen sie schneller zur Sache! Geschont werden bestenfalls Ladys ...«

Thomas schwankte nach wie vor. Einerseits stahl Elaine sich immer häufiger in seine Träume, und natürlich war sie auch eine passende Braut. Andererseits fühlte er sich beinahe treulos – ein völlig unsinniges Gefühl, schließlich hatte er Emere nie angerührt. Sie hätte es niemals geduldet, nicht einmal, als er ein kleiner Junge war, der sich nach unschuldigen Zärtlichkeiten sehnte. Doch es war beinahe so, als würde sich ein Fenster schließen, eine Ära zu Ende gehen, wenn er jetzt ernsthaft um Elaine warb und sie schließlich mit nach Lionel Station brachte. Thomas konnte sich nicht entscheiden – aber bald würde er es müssen, denn John Sideblossom drängte. Er war mit der Wahl seines Sohnes zwar mehr als einverstanden und freute sich bereits diebisch darauf, auf Thomas' und Elaines Hochzeit mit Fleurette O'Keefe zu tanzen. Allerdings wollte er jetzt auf seine Farm zurückkehren. Queenstown war für ihn ausgereizt; er hatte alle Geschäfte getätigt und jede Hure besucht, an die Daphne ihn heranließ. Inzwischen verlangte es ihn wieder nach Zoé, seiner jungen Frau, und den Aufgaben auf dem Hof. Bald wurde es auch Zeit für den Abtrieb der Schafe, und spätestens dann brauchte er Thomas. Die Idee, ihn allein in Queenstown zu lassen, damit er sein Werben in Ruhe fortführen konnte, verwarf er daher sofort.

»Und mit welcher Begründung wolltest du auch hierbleiben?«, fragte er seinen Sohn. »Ein Sideblossom, der an der Schwelle einer Frau herumhängt wie ein Rüde vor dem Haus einer läufigen Hündin? Mach endlich Nägel mit Köpfen! Frag das Mädchen und dann ihren Vater. Besser wär's umgekehrt, aber das tut man ja heute nicht mehr. Und die Kleine frisst dir doch wohl aus der Hand, oder?«

Thomas grinste. »Die Kleine ist reif zum Pflücken ... obwohl ich nicht weiß, was sie sich darunter vorstellt. Viel kann dieser William Martyn ihr nicht beigebracht haben, so schüchtern, wie sie ist. Wie konnte ich je daran zweifeln, dass sie Jungfrau ist! Sie zuckt schon zusammen, wenn ich sie versehentlich berühre. Wie lange gibst du mir?«

Sideblossom verdrehte die Augen. »Wenn du sie erst im Bett hast, drei Minuten. Ansonsten ... In spätestens einer Woche will ich abreisen. Bis dahin hast du hoffentlich ihr Jawort.«

»Aber ich will ihn heiraten!« Elaine warf trotzig den Kopf zurück und hätte fast mit dem Fuß aufgestampft. Zum ersten Mal seit Monaten erkannten Fleurette und Ruben ihre lebhafte, streitbare Tochter wieder. Sie hätten sich nur einen anderen Anlass dazu gewünscht.

»Elaine, du weißt nicht, was du sagst«, meinte Ruben. Im Gegensatz zu Fleurette, die auf Elaines Ankündigung ihrer Verlobung mit Thomas Sideblossom hysterisch reagiert hatte, versuchte er, ruhig zu bleiben. »Du willst dich mit einem wildfremden Mann verloben, dessen Familiengeschichte, vorsichtig ausgedrückt, sehr fragwürdig ist ...«

»Einer meiner Großväter war ein Viehdieb, der andere ein Mörder! Das passt gar nicht so schlecht!«, warf Elaine ein.

Ruben verdrehte die Augen.

»... mit dessen Familie wir nicht die besten Erfahrungen gemacht haben«, verbesserte er sich dann. »Du willst ihn heiraten und dich auf eine Farm fern der Zivilisation begeben. Lainie, verglichen mit Lionel Station liegt Nugget Manor in der Innenstadt!«

»Na und? Ich habe ein Pferd und kann reiten. Kiward Station ist auch abgelegen, und Grandma Gwyn stört es nicht. Außerdem sind da noch Zoé, Mr. John ...«

»Ein alter Weiberheld, der sich gerade ein junges Mädchen für sein Lotterbett gekauft hat!«, schimpfte Fleur und machte Elaine damit einen Augenblick sprachlos. Solche Ausdrücke hätte sie vielleicht von Daphne erwartet, aber niemals von ihrer wohlerzogenen Mutter.

»Er hat doch Zoé nicht gekauft ...«

»Und ob er sie gekauft hat! Die halbe Westküste redet darüber.«

Fleurette hatte die letzten Wochen offenbar nicht nur mit Hausarbeit verbracht, sondern auch mit ausgiebigen Besuchen in der näheren und weiteren Nachbarschaft. Wobei jeder Klatsch ausgetauscht worden war, den die Südinsel zu bieten hatte.

»Zoé Lockwoods Vater stand vor dem totalen Ruin. Er hatte sich völlig übernommen mit seiner Farm und dem feinen Leben ... auch so ein Gernegroß, der auf den Goldfeldern zu einem Vermögen gekommen war, aber keine Ahnung hatte, wie man es behielt. Sideblossom hat seine Schulden bezahlt und ihm ein paar Zuchtschafe zur Verfügung gestellt. Dafür bekam er das Mädchen. Ich nenne das ›gekauft‹.«

Fleur funkelte ihre Tochter an.

»Aber Thomas und ich lieben uns«, behauptete Elaine.

»Ach ja?«, gab Fleurette zurück. »Das hast du von William auch behauptet!«

Das war zu viel. Elaine schwankte zwischen einem Tränenausbruch und dem Wunsch, irgendetwas nach ihrer Mutter zu werfen.

»Wenn ihr mich nicht lasst, warten wir eben, bis ich volljährig bin. Aber heiraten werde ich ihn auf jeden Fall, davon könnt ihr mich nicht abhalten!«

»Dann wartet so lange!«, rief Fleur zornig. »Vielleicht kommst du in der Zeit zur Vernunft.«

»Ich könnte auch mit ihm weglaufen!«

Ruben dachte mit Grausen an ein paar Jahre mit einer schmollenden Tochter. Er hielt Elaine nicht für flatterhaft. Außerdem hatte auch er die Veränderungen seiner Tochter bemerkt. Thomas Sideblossom schien ihr durchaus gutzutun. Wenn dieses Lionel Station nur nicht so schrecklich weit entfernt wäre ...

»Fleur, vielleicht sollten wir mal allein darüber reden«, versuchte er zu vermitteln. »Es nutzt doch nichts, sich anzuschreien. Wenn man vielleicht eine angemessen lange Verlobungszeit ausmachte ...«

»Kommt überhaupt nicht in Frage!« Fleurette konnte sich noch zu gut an die Nacht erinnern, in der John Sideblossom sie im Stall von Kiward Station bedrängt hatte. Zum Glück war ihre Mutter rechtzeitig zu Hilfe gekommen, aber dann hatte Fleur mit zerfetztem Kleid den Salon durchqueren müssen und war dabei Gerald Warden und etlichen Trinkkumpanen über den Weg gelaufen. Es war die peinlichste Szene ihres Lebens gewesen.

»Mom, du kennst ihn doch gar nicht! Du hast noch nie ein Wort mit Thomas gewechselt, aber du stellst ihn dar wie den Satan persönlich!«, argumentierte Elaine.

»Wo sie Recht hat, hat sie Recht«, meinte Ruben. »Los, Fleur, gib deinem Herzen einen Stoß. Lass uns den jungen Mann einladen und ihm auf den Zahn fühlen.«

Fleurette funkelte ihn an. »Das hat ja auch bei William schon fabelhaft funktioniert!«, bemerkte sie. »Am Ende waren alle begeistert, außer mir. Aber das ist keine Prüfung in Menschenkenntnis. Es geht um Lainies Leben ...«

»Richtig, um *meins!* Aber du willst dich immer nur einmischen ...«

Ruben seufzte. So würde das jetzt zweifellos noch ein paar Stunden weitergehen. Fleurette und Elaine stritten sich selten, aber wenn, blieben sie einander nichts schuldig. Er musste sich das jetzt nicht mehr anhören. Gelassen stand er auf, ging in den Stall und machte sein Pferd fertig. Vielleicht sprach er einfach mal selbst mit den Sideblossoms – am besten mit Vater und Sohn.

Ruben hatte keinen offenen Streit mit John Sideblossom. Zwar fand er ihn wenig sympathisch und hegte nach wie vor einen Groll gegen ihn, doch der große, trinkfeste, verschlossene Farmer hatte ohnehin wenig Freunde. In der Viehzüchtervereinigung war er seit der Jagd auf James McKenzie berühmt, aber auch berüchtigt. Sein Verhalten damals hatte besonders die Gentlemen unter den Farmern abgestoßen, doch er war zweifellos erfolgreich gewesen. Und was Fleurette anging, waren Ruben und Sideblossom nie direkte Rivalen gewesen. Fleur und Ruben waren längst ein Paar, als Sideblossom um sie warb, und die Geschichten, die sich dann zugetragen hatten ... soweit Ruben wusste, hatte dabei viel Alkohol und noch mehr Imponiergehabe eine Rolle gespielt. Nach zwanzig Jahren war er bereit, das zu vergeben. Zumal Sideblossom sich auch diesmal wieder als guter, zahlungsfähiger Kunde erwiesen hatte, da hatte Helen Recht. Der Mann feilschte nicht, zog Qualität billigem Ramsch vor und war schnell entschlossen, selbst wenn es um größere Anschaffungen ging.

Auch jetzt kam er rasch zur Sache, nachdem die Männer sich im Pub zusammengefunden hatten. Ruben hatte diesen Treffpunkt vorgeschlagen, um die Angelegenheit »Verlobung« erst einmal allgemein zu besprechen.

»Ich weiß, dass Ihre Frau mir immer noch böse ist, und das ist mir unangenehm«, erklärte Sideblossom. »Aber ich meine, die jungen Leute sollten nicht darunter leiden. Wobei ich hier nicht von großer Liebe herumschwärmen will, das ist nicht meine Art. Aber nach meinem Dafürhalten ist die Verbindung durchaus passend. Mein Sohn ist ein Gentleman und kann

Ihrer Tochter ein ihr gemäßes Auskommen bieten. Lionel Station ist ein hochherrschaftliches Anwesen. Und falls meine junge Frau mich nicht noch überrascht ...«

Sein Lächeln erinnerte Ruben an einen Haifisch.

»... ist Thomas mein einziger Erbe. Sie haben es diesmal also sicher nicht mit einem Mitgiftjäger zu tun.«

»Diesmal?«, Ruben fuhr auf.

»Kommen Sie, die Spatzen pfeifen doch die Sache mit William Martyn von den Dächern. Ein ehrgeiziger junger Mann. Wollen Sie ihm vorwerfen, dass er Kiward Station der Filiale eines Dorfladens vorzog?«

Ruben spürte, wie es in ihm kochte. »Mr. Sideblossom, ich verkaufe meine Tochter nicht dem Meistbietenden ...«

»Sage ich doch«, meinte Sideblossom gemütlich. »›Das Größte aber ist die Liebe‹, so steht es sogar in der Bibel. Verheiraten Sie Ihre Tochter einfach ganz ohne finanzielle Überlegungen.«

Ruben beschloss, die Sache anders anzugehen.

»Lieben Sie meine Tochter?« Fragend wandte er sich dem jungen Sideblossom zu, der bislang schweigend dabeigesessen hatte. Wenn der Alte sprach, hatte der Junge nicht viel zu melden, das war Ruben auch schon im Laden aufgefallen.

Thomas Sideblossom blickte ihn an, und Ruben schaute in unergründliche braune Augen.

»Ich möchte Elaine heiraten«, erklärte Thomas förmlich und ernst. »Ich möchte sie ganz für mich allein, möchte sie hegen und umsorgen. Sagt das nicht genug?«

Ruben nickte.

Erst viel später sollte er darüber nachdenken, dass Thomas' »Liebeserklärung« ebenso gut den Erwerb eines Haustiers begründet hätte ...

4

Die O'Keefes und die Sideblossoms einigten sich auf eine sechsmonatige Verlobungszeit. Die Hochzeit sollte Ende September stattfinden, also im neuseeländischen Frühling, noch vor der Schafschur, bei der Thomas und John unabkömmlich waren. Fleurette bestand darauf, dass Elaine Lionel Station mindestens einmal vor der Hochzeit besuchte. Das Mädchen sollte sehen, worauf es sich einließ. Eigentlich wollte Fleur ihre Tochter dabei selbst begleiten, dann aber verließ sie der Mut. Alles in ihr sträubte sich dagegen, auch nur eine Nacht mit John Sideblossom unter einem Dach zu verbringen. Sie war nach wie vor entschieden gegen die Verbindung. Allerdings konnte sie kaum gute Argumente dagegen vorbringen. Die Männer hatten einander getroffen und sich geeinigt, wobei Ruben von Vater und Sohn Sideblossom nicht den schlechtesten Eindruck gewonnen hatte.

»Gut, der Alte ist ein Gauner, das ist ja bekannt. Aber er ist auch nicht schlimmer als zum Beispiel Gerald Warden. Das ist diese Generation. Seehundjäger, Walfänger ... mein Gott, die haben ihre Vermögen nicht mit Samthandschuhen gemacht. Das sind Raubeine! Aber inzwischen sind sie gezähmt, und der Junge scheint mir wohlerzogen. Mitunter ziehen anscheinend gerade diese Kerle ausgesprochene Weicheier groß. Denk an Lucas Warden!«

Fleurette hatte an Lucas Warden, den sie lange für ihren Vater gehalten hatte, nur gute Erinnerungen. Schließlich hatte sie sich denn auch bereit erklärt, Thomas Sideblossom kennen zu lernen, und tatsächlich fand sie keine Einwände gegen den jungen Mann. Nur Elaines Verhalten ihm gegenüber verwunderte sie. Wenn William bei ihr war, hatte das Mädchen vor Leben geradezu gesprüht – während Thomas sie eher verstummen ließ. Dabei hatte Fleur sich schon so daran gewöhnt, ihre Tochter wieder munter plappernd und mit wehenden Röcken und Haaren durchs Haus toben zu sehen.

Schließlich bat sie Helen, ihre Enkelin zu den Sideblossoms zu begleiten, und Leonard McDunn bot sich als Fahrer an. Fleur traute beiden Begleitern ein gesundes Urteilsvermögen zu, doch ihre Meinungen schienen ein wenig geteilt, als sie zurückkehrten.

Helen war voll des Lobes über das gastliche Haus, dessen wunderschöne Lage und das gut geschulte Personal. Sie fand Zoé Sideblossom entzückend und wohlerzogen. »Eine ausgesprochene Schönheit!«, schwärmte sie. »Die arme Elaine zog sich schon wieder ganz in sich selbst zurück, als sie sich mit diesem strahlenden Geschöpf konfrontiert sah!«

»Strahlend?«, fragte McDunn. »Also, ich fand die Kleine eher kühl, obwohl sie aussieht wie ein Rauschgoldengel. Wunderte mich gar nicht, dass Lainie sich an Kura erinnert fühlte. Nur ist das Mädchen diesmal keine Konkurrenz. Sie hat nur Augen für ihren Gatten, und der junge Sideblossom schaut keine andere an als Lainie. Und das Personal ... die Leute mögen ja gut geschult sein, doch sie fürchten ihre Herrschaft. Sogar schon die kleine Zoé! Bei den Hausmädchen wird der Engel zum Feldherrn. Dazu diese Haushälterin, diese Emere ... wie ein dunkler Schatten. Ich fand die Frau richtig unheimlich.«

»Du übertreibst!«, fiel Helen ihm ins Wort. »Du hast einfach nicht genug mit Maoris zu tun ...«

»So eine ist mir jedenfalls noch nicht untergekommen! Dieses Flötenspiel ... und immer bei Nacht. Da kann man ja Angst kriegen!« McDunn schüttelte sich. Er war eigentlich kein nervöser Typ, sondern stand mit beiden Beinen auf dem Boden, und eine Abneigung gegen Maoris hatte auch noch nie jemand bei ihm bemerkt.

Helen lachte. »Ach ja, die *putorino*. Stimmt, die klingt wirklich etwas unheimlich. Hast du sie mal gehört, Fleur? Eine ganz seltsam geformte Hartholzflöte, die man praktisch zweistimmig spielen kann. Die Maoris sprechen von einer männlichen und einer weiblichen Stimme ...«

»Männlich oder weiblich?«, fragte McDunn. »Also, für mich klang das eher wie ertrinkende Katzen unter Wasser ... jedenfalls nehme ich an, dass die Viecher sich dann so anhören.«

Fleurette musste trotz aller Sorgen kichern. »Hört sich an wie die *wairua*. Die hab ich allerdings noch nicht gehört. Du, Miss Helen?«

Helen nickte. »Matahorua konnte sie erwecken. Da lief es einem wirklich eiskalt den Rücken herunter ...« Matahorua war die einstige Maori-Zauberin auf O'Keefe Station, deren Rat in »Frauenangelegenheiten« Helen und Gwyneira in jungen Jahren mitunter eingeholt hatten.

»*Wairua* ist die dritte Stimme der *putorino*«, erklärte Fleurette dem verständnislos dreinblickenden McDunn. »Die Geisterstimme. Sie ist selten zu hören. Offenbar erfordert es besonderes Geschick, sie der Flöte zu entlocken.«

»Oder eine besondere Begabung«, sagte Helen. »Jedenfalls gilt diese Emere ihrem Volk sicher als *tohunga*.«

»Und deshalb flötet sie bei Nacht, bis der letzte Nachtvogel den Schnabel einzieht?«, fragte McDunn skeptisch.

Fleurette lachte wieder. »Vielleicht trauen ihre Leute sich tagsüber nicht zu ihr«, vermutete sie. »Nach dem, was man hört, hat Sideblossom nicht das beste Verhältnis zu den Maoris. Gut möglich, dass sie ihre Zauberin nur heimlich aufsuchen.«

»Wobei sich nach wie vor die Frage stellt, was eine Maori-*tohunga* als Haushälterin bei einem derart widerwärtigen *pakeha* tut ...«, brummte McDunn.

Helen winkte ab. »Hör nicht auf ihn, Fleur. Er ist nur

wütend, dass der alte Sideblossom ihm zwanzig Dollar beim Pokern abgenommen hat.«

Fleurette verdrehte die Augen. »Da sind Sie noch gut weggekommen, Leonard«, meinte sie tröstend. »Der hat schon ganz andere ausgenommen. Oder glauben Sie, er hätte all das Geld für Lionel Station beim Walfang verdient?«

Das musste wohl jeder für unwahrscheinlich halten. Das Herrenhaus war dafür zu nobel, Einrichtung und Ausstattung der Räume zu teuer. Elaine war von all der Pracht beinahe eingeschüchtert gewesen, während Zoé so etwas wohl von ihrem Elternhaus kannte. Auf jeden Fall ging sie ganz selbstverständlich mit dem teuren Porzellan und den Kristallgläsern um, während Lainie sich konzentrieren und an längst vergangene Lektionen Helens erinnern musste, um beim Dinner mit den verschiedenen Löffeln, Messern und Gabeln zurechtzukommen.

Ihre diesbezüglichen Ängste gab sie allerdings nicht zu. Auf Fleurettes Frage erklärte sie, Lionel Station sei schön gewesen. Das Haus habe ihr gefallen, von der Farm hätte sie nicht viel gesehen, obwohl sie sich darauf eigentlich am meisten gefreut hatte. Aber das ließe sich ja nach der Hochzeit nachholen. Thomas war wunderbar gewesen, sehr zuvorkommend und höflich. Sie war nach wie vor verliebt in ihn, und überhaupt war es doch immer ihr Traum gewesen, auf einer der großen Farmen zu leben. Dabei blitzten wieder altbekannte Lichter in ihren Augen auf; schließlich hatte sie ja wirklich schon als Kind von Kiward Station geschwärmt. Irgendwelche unheimlichen Haushälterinnen oder Flötenspiel bei Nacht waren Elaine nicht aufgefallen. Sie hatte mit zu vielen anderen Eindrücken fertig werden müssen. Vielleicht, so überlegte sie, hatte ihr Zimmer auch in einem anderen Flügel des Hauses gelegen als Helens und Leonards. Und der Klang der *putorino* trug nicht so weit.

Fleurette wusste eigentlich selbst nicht, was ihr an der

geplanten Hochzeit nach wie vor nicht gefiel. Vielleicht ließ sie sich ja doch durch ihre Vorurteile leiten. Insofern hielt sie sich diesmal auch mit der Äußerung ihrer vagen Gefühle zurück – beim Thema »William« hatte das schließlich auch niemanden interessiert. Umso überraschter war sie, plötzlich von jemandem angesprochen zu werden, der ihre Besorgnis teilte: Daphne O'Rourke.

Die verruchte »Hotelbesitzerin« sprach sie zwei Monate vor der Hochzeit auf der Main Street an. Fleurette registrierte, dass Daphne sich für ihre Verhältnisse unauffällig verhielt und dass sie sich betont zurückhaltend gekleidet hatte. Sie trug ein dunkelgrünes Samtkleid mit nicht mehr Volants, als schicklich war.

»Ich hoffe, ich trete Ihnen nicht zu nahe, Miss Fleur, aber ich würde gern kurz mit Ihnen reden.«

Verwundert, aber offen, wandte Fleurette sich ihr zu. »Selbstverständlich, Miss Daphne. Warum sollte ich nicht ...«

»Deshalb!« Daphne grinste und wies mit einer Handbewegung auf mindestens drei ehrbare Damen, die jetzt schon neugierig zu ihnen hinüberblickten.

Fleurette lächelte. »Wenn's weiter nichts ist ... wir können ja auch zu mir gehen und einen Tee trinken. Falls Sie sich gestört fühlen, meine ich. Mir ist das egal.«

Daphne grinste noch breiter. »Wissen Sie was? Wir geben denen richtig was zu tratschen und gehen zu mir. Der Pub ist jetzt noch geschlossen, da können wir uns hinsetzen.« Sie wies auf den Eingang ihres »Hotels«, an dem sie soeben vorüberkamen.

Fleurette überlegte nicht lange. Sie war auch schon vorher in Daphnes Etablissement gewesen, hatte dort sogar ihre Hochzeitsnacht mit Ruben verbracht. Warum also sollte sie sich zieren? Kichernd wie Schulmädchen verzogen die beiden Frauen sich ins Innere des Pubs.

Es hatte sich ziemlich viel verändert, seit Fleurette damals nach Queenstown gekommen war. Daphne hatte den Schankraum deutlich aufwändiger gestaltet. Dennoch präsentierte er sich ziemlich genau so wie praktisch alle Kneipen im angelsächsischen Raum: Es gab Holztische und Stühle, Barhocker, Holzbohlen und eine ganze Batterie Flaschen in den Regalen über dem Ausschank. Aber die Bühne, auf der die Mädchen tanzten, war deutlich liebevoller gestaltet als das schlichte Holzpodest, das früher dort gestanden hatte. Bilder und Spiegel hingen an den Wänden. Sie waren ein bisschen frivol, doch Fleurette fand keinen Grund, rot zu werden.

»Kommen Sie, wir gehen in die Küche!«, meinte Daphne und führte Fleurette in einen Bereich hinter der Rezeption. Auch das war ungewöhnlich: In Daphne's Hotel gab es nicht nur Whisky, sondern auch kleine Mahlzeiten.

Jetzt setzte Daphne erst einmal Tee auf, während Fleurette sich ungezwungen an den Küchentisch setzte. Eine ziemlich lange Tafel; anscheinend verköstigte Daphne hier auch ihre Mädchen.

»Also, worum geht's, Miss Daphne?«, fragte Fleur, als ihre Gastgeberin eine hübsche Porzellantasse vor sie hinstellte.

Daphne seufzte. »Ich hoffe, Sie empfinden es nicht als Einmischung. Aber, verdammt ... oh, Verzeihung. Sie haben doch auch ein schlechtes Gefühl bei der Sache!«

»Bei der Sache?«, fragte Fleurette vorsichtig.

»Bei der Verlobung Ihrer Tochter mit diesem Sideblossom. Wollen Sie das Mädchen wirklich in diese Einöde am hintersten Ende des Pukaki schicken? Allein mit diesen Kerlen?« Daphne goss Tee ein.

»Was ich will, spielt keine große Rolle«, meinte Fleurette. »Elaine besteht darauf. Sie ist verliebt. Und Helen ...«

»... schwärmt in den höchsten Tönen von Lionel Station, ich weiß.« Daphne blies in ihre Tasse. »Deshalb habe ich Sie ja auch angesprochen, Miss Fleur. Miss Helen ... nun, sie ist eine Dame. Sie natürlich auch, aber sagen wir mal so, sie ist vielleicht eine besonders … nun, damenhafte Dame. Es gibt Dinge, über die man mit ihr nicht reden kann.«

»Gibt es irgendwas, das Sie wissen, Miss Daphne? Über Thomas Sideblossom?«, fragte Fleurette nervös.

»Nicht über den Jungen. Aber der Alte ist … nun ja, mit dem würde ich meine Tochter nicht allein lassen. Was man über seine Ehe hört, ist auch seltsam …«

Fleurette wollte etwas einwenden, aber Daphne gebot ihr mit einer Handbewegung Schweigen.

»Ich weiß, was Sie jetzt sagen wollen. Der Alte ist verrufen, aber der Junge kann ganz anders sein. Hat Miss Helen mir auch schon vorgehalten. Und ich sag ja auch gar nichts gegen den Jungen. Ich meine nur …« Daphne biss sich auf die Lippen. »Sie sollten Elaine vielleicht vor der Hochzeit sagen, was auf sie zukommt.«

»Ich soll was?« Fleurette errötete nun doch. Sie liebte ihren Ruben von Herzen und schämte sich nicht für das, was sie im Bett miteinander taten. Aber mit Elaine darüber reden?

»Sie sollen ihr sagen, was sich im Bett zwischen Mann und Frau abspielt«, präzisierte Daphne.

»Also, ich glaube, das Wesentliche weiß sie. Und ansonsten … das haben wir doch alle selbst herausgefunden, ich meine …« Fleurette wusste nicht, was sie sagen sollte.

Daphne seufzte wieder. »Miss Fleur, ich weiß nicht, wie ich noch deutlicher werden soll. Aber sagen wir mal, dass nicht jede das Gleiche rausfindet und dass es nicht jedes Mal eine zufriedenstellende Entdeckung ist. Erzählen Sie ihr, was sich zwischen Mann und Frau normalerweise abspielt!«

Fleurettes Gespräch mit Elaine gestaltete sich ziemlich peinlich und ließ mehr Fragen offen, als geklärt wurden.

Im Wesentlichen, erklärte sie ihrer Tochter, liefe es zwischen Mann und Frau ab wie zwischen Hengst und Stute. Nur dass die Frau eben keine Rosse hätte, jedenfalls nicht »in dem Sinne«, und dass sich natürlich alles im dunklen Ehebett bei Nacht abspiele und nicht am helllichten Tag in der Öffentlichkeit. Owen und Banshee hatten da schließlich keine Hemmungen gekannt.

Elaine lief feuerrot an, ihre Mutter nicht weniger. Schließlich blieb beiden die Sprache weg, und Elaine wandte sich mit ihren Fragen lieber an eine weniger damenhafte Eingeweihte. Am Nachmittag ging sie zu Inger.

Allerdings traf sie die Freundin nicht allein an. Inger schwatzte in ihrer Muttersprache mit einem hellblonden Mädchen, in dem Elaine eins der neuen Sternchen aus Daphnes Etablissement erkannte. Sie wollte sich gleich zurückziehen, doch Inger winkte ihr zu bleiben.

»Maren geht sowieso gleich. Solange kannst du dich gern zu uns setzen. Oder ist es dir unangenehm?«

Elaine schüttelte den Kopf. Maren jedoch war rot angelaufen; anscheinend hatte das Gespräch der beiden Frauen sich um ziemlich schlüpfrige Angelegenheiten gedreht. Sie führten es auch gleich weiter, wobei Maren deutlich anzumerken war, wie unangenehm berührt sie sich fühlte.

»Kannst du für mich übersetzen?«, fragte Elaine schließlich verärgert. »Oder redet doch gleich Englisch. Maren muss es sowieso lernen, wenn sie hierbleibt.«

Die Einwanderermädchen sprachen die Landessprache oft ungenügend – sicher mit ein Grund, weshalb manche im Bordell endeten, statt eine ehrbarere Beschäftigung zu finden.

»Die Sache ist ein bisschen schwierig«, meinte Inger. »Daphne hat mich gebeten, Maren etwas zu erklären, das sie ... nun ja, auf Englisch noch nicht verstehen würde.«

»Was ist es denn?« Elaines Neugier war geweckt.

Inger kaute auf der Lippe. »Ich weiß nicht, ob ehrbare Mädchen das wissen sollten.«

Elaine verdrehte die Augen. »Hört sich an, als ginge es um

Männer«, sagte sie. »Und ich heirate demnächst, also könnt ihr ruhig …«

Inger lachte. »Dann brauchst du es *gerade* nicht zu wissen.«

»Es geht um wie Frau nik kriegt Babys«, sagte Maren in gebrochenem Englisch und schaute angelegentlich auf den Fußboden.

Elaine lachte. »Na, dafür bist du ja Expertin«, bemerkte sie mit Blick auf Ingers Bauch. Die junge Frau erwartete in wenigen Wochen ihr erstes Kind.

Inger kicherte. »Um zu wissen, wie man verhindert, Babys zu bekommen, muss man erst mal wissen, wie man es macht.«

»Meine Mutter sagt, es wäre wie zwischen Hengst und Stute«, sagte Elaine.

Maren prustete los. So schlecht war ihr Englisch wohl doch nicht. Inger lachte. »Im Allgemeinen machen es Mann und Frau im Liegen«, erläuterte sie dann. »Und sie gucken sich dabei an, wenn du verstehst, was ich meine. Anders geht es allerdings auch, nur … also, das ist nun wirklich nichts für eine Lady.«

»Warum denn nicht? Meine Mutter sagt, dass es schön ist … jedenfalls, wenn alles richtig läuft«, sagte Elaine. »Andererseits, wenn es so schön wäre, warum wollen dann nicht alle Mädchen … äh …« Sie warf einen vielsagenden Blick auf Marens »Berufskleidung«, ein rotes, weit ausgeschnittenes Kleid.

»Ik nik finde schön«, sagte Maren.

»Na ja, nicht mit Fremden. Aber wenn man den Mann liebt, dann schon«, schränkte Inger ein. »Männer finden es allerdings immer schön. Sonst würden sie ja nicht dafür zahlen. Und wenn man Babys will«, sie streichelte ihren Bauch, »ist es unvermeidlich.«

Elaine war durcheinander. »Also, wie ist das jetzt? Ich dachte, man kriegt Kinder, wenn man es macht wie …« Sie warf einen Blick auf Callie. Die kleine Hündin ließ sich eben von Maren streicheln.

Inger schlug die Augen gen Himmel.

»Lainie, du bist kein Pferd und kein Hund«, sagte sie streng und begann, ihren eben schon Maren gehaltenen Vortrag auf Englisch zu wiederholen. »Frauen empfangen Kinder, wenn sie genau in der Mitte zwischen den Blutungen mit Männern zusammen sind. Genau dazwischen. Daphne gibt ihren Mädchen dann frei. Sie müssen dann nur tanzen und singen und in der Bar sein.«

»Aber dann würde es doch reichen«, sagte Elaine, »wenn man es nur in dieser Zeit macht. Jedenfalls, wenn man ein Baby will.«

Inger verdrehte die Augen. »Da wird bloß dein Mann nicht mitspielen. Der will immer. Garantiert.«

»Und wenn dok makt in diese Tage?« Auch Maren schien noch nicht alles verstanden zu haben.

»Dann machst du Spülungen mit warmem Essigwasser. Gleich danach. Wasch alles aus dir raus, auch wenn's brennt, und nimm so viel Essig, wie du aushältst. Am nächsten Morgen machst du's dann noch mal. Das ist zwar nicht sicher, sagt Daphne, aber einen Versuch ist es wert. Sie sagt, bei ihr hätte es immer geholfen. Sie musste kein einziges Mal was wegmachen.«

Elaine fragte gar nicht erst nach der Bedeutung von »Wegmachen«. Allein der Gedanke, ihre intimsten Körperregionen mit Essig zu spülen, ließ sie schaudern. Aber so etwas würde sie ja niemals tun müssen. Schließlich wünschte sie sich Kinder von Thomas.

5

Über Kiward Station braute sich ein Gewitter zusammen, und William Martyn trieb sein Pferd an, um möglichst vor dem Regen zu Hause zu sein. Dabei herrschte in seinem Innern ein ähnlicher Aufruhr wie in den Wolkenformationen über den Bergen, die der Wind jetzt mit Macht über die Canterbury Plains blies. Schon verdunkelte die erste Wolke die Sonne, und ein Donnerschlag krachte und jagte mit dumpfem Rumpeln über das Land. Das Licht auf der Farm wurde seltsam fahl, beinahe gespenstisch; das Buschwerk und die Zäune warfen bedrohliche Schatten. Dann peitschte der erste Blitz die Atmosphäre und schien die Luft zu elektrisieren. William ritt schneller, schaffte es aber nicht, seine Wut hinter sich zu lassen. Im Gegenteil, je heftiger der Wind blies, desto mehr wünschte er selbst sich die Macht, Blitze zu schleudern, um seinem Zorn und seiner Enttäuschung Ausdruck zu verleihen.

Doch wenn er gleich zu Kura zurückkehrte, musste seine Stimmung wieder ausgeglichener sein; vielleicht konnte er sie dann ja überreden, sich wenigstens ab und zu auf seine Seite zu stellen, wenn es um die Belange der Farm ging. Wenn sie wenigstens ihre und damit auch seine künftigen Besitzansprüche deutlicher anmelden würde! Aber bisher ließ sie ihn da völlig allein. Sie schien seine Beschwerden über die unbotmäßigen Viehhüter, die faulen Maoris und die widerspenstigen Vorarbeiter gar nicht zu hören. Zumindest lauschte sie ihm allenfalls mit unbeteiligter Miene und antwortete unzusammenhängend. Kura lebte nach wie vor nur für ihre Musik – und sie schien den Traum, in Europa aufzutreten, immer noch nicht aufgegeben zu haben. Wenn William von einer neuen Kränkung durch Gwyneira oder James McKenzie erzählte, tröstete Kura ihn mit Bemerkungen wie: »Aber Liebster, wir sind doch sowieso bald in England.«

Hatte er wirklich einmal geglaubt, dieses Mädchen hätte Verstand?

Missmutig lenkte er sein Pferd zwischen den ordentlich eingezäunten Weiden hindurch, auf denen sich dicke, wollige Mutterschafe unbeeindruckt vom Wetter durch Unmengen von Heu fraßen. Und das, obwohl sich in unmittelbarer Nähe der Farm reichlich Gras fand! Die Frühlingssonne schien zwar meistens noch zaghaft, aber mitunter gab es auch fast schon heiße Tage wie diesen. Und rund um den See und die Maori-Siedlung stand das Gras noch vom letzten Jahr hoch und wuchs jetzt zusehends weiter. William hatte Andy McAran deshalb den Befehl erteilt, die Mutterschafe dorthin auszutreiben. Aber der Kerl hatte seine Anweisung einfach nicht befolgt, und obendrein hatte er auch noch Gwyneira auf Williams Fährte gehetzt. Und die hatte ihn eben bei den Rinderställen gründlich abgekanzelt.

»William, solche Entscheidungen treffe *ich,* allenfalls noch James. Sie haben nichts damit zu schaffen. Die Schafe stehen vor dem Ablammen und müssen unter Aufsicht bleiben, Sie können die Tiere nicht einfach ins Freie schicken.«

»Warum nicht? Wir haben das in Irland immer so gemacht. Ein oder zwei Schäfer dabei, und ab in die Hügel. Und die Maoris wohnen da sowieso. Da können sie gleich ein Auge auf die Schafe haben«, verteidigte sich William.

»Die Maoris möchten unsere Schafe genauso wenig in ihren Gärten haben, wie wir sie in unseren fressen lassen«, erklärte Gwyneira. »Wir beweiden die Gegend um ihre Häuser nicht und auch nicht den Bereich des Sees, an dem sie wohnen, oder die Felsformation, den wir die ›Felsenkrieger‹ nennen. Die Maoris haben da Heiligtümer ...«

»Sie wollen sagen, wir verzichten auf mehrere Hektar bestes Weideland, weil die Kaffern da ein paar Steine anbeten?«, fragte William aggressiv. »Ein Mann wie Gerald Warden hat sich auf so einen Unsinn eingelassen?«

In den letzten Monaten hatte William viel von Gerald Warden gehört, und sein Respekt für den Gründer der Farm war gewachsen. Warden schien Stil gehabt zu haben, das bewies das Herrenhaus. Sicher hatte er auch die Viehzucht und seine Leute im Griff gehabt. Gwyneira ließ für Williams Verhältnisse zu viel schleifen.

Jetzt blitzten ihre Augen zornig auf, wie jedes Mal, wenn William die Eigenheiten des alten »Schafbarons« zur Sprache brachte.

»Gerald Warden wusste meist sehr genau, mit wem man sich besser nicht anlegt!«, beschied sie ihn schroff und fuhr ein wenig versöhnlicher fort: »Du meine Güte, William, denken Sie doch mal nach. Sie lesen schließlich auch die Zeitung und wissen, was in anderen Kolonien los ist. Eingeborenenaufstände, Massaker, Militärpräsenz ... da geht es mitunter zu wie im Krieg. Die Maoris dagegen saugen die Zivilisation auf wie die Schwämme! Sie lernen Englisch und hören sich an, was unsere Missionare zu sagen haben. Sie sitzen sogar im Parlament, und das seit bald zwanzig Jahren! Und diesen Frieden soll ich stören, um ein bisschen Heu zu sparen? Ganz abgesehen davon, dass die Steine auf dem grünen Gras doch sehr dekorativ aussehen ...«

Gwyneiras Gesicht nahm einen träumerischen Ausdruck an. Aber natürlich verriet sie William nicht, dass ihre Tochter Fleurette eben in diesem »Kreis der steinernen Krieger« gezeugt worden war.

William blickte sie an, als wäre sie nicht bei Trost. »Ich dachte, Kiward Station hätte bereits seine Probleme mit den Maoris«, bemerkte er dann. »Gerade Sie ...«

Die Streitereien zwischen Tonga und Gwyneira Warden waren legendär.

Gwyneira schnaubte. »Meine Meinungsverschiedenheiten mit Häuptling Tonga haben nichts mit unserer Nationalität zu tun. Die gäbe es auch, wenn er Engländer wäre ... oder Ire. Mit der Halsstarrigkeit dieser Volksgruppe mache ich ja soeben meine Erfahrungen. Engländer und Iren streiten sich ja auch wegen solcher Kindereien wie die, mit denen Sie hier gerade Streit anfangen wollen. Also halten Sie sich bitte zurück!«

William hatte klein beigegeben. Was blieb ihm anderes übrig? Doch die Auseinandersetzungen dieser Art häuften sich, zum Teil auch mit James McKenzie. Der war zurzeit zum Glück abwesend – er besuchte die Hochzeit seiner Enkelin Elaine in Queenstown. Auch so eine Angelegenheit! William wünschte dem Mädchen viel Glück, zumal ihr Zukünftiger eine gute Partie zu sein schien. Insofern hätte er nichts dagegen gehabt, mit Kura zur Hochzeit zu fahren und zu gratulieren. Er verstand gar nicht, warum Gwyn das so vehement ablehnte. Auch dass sie selbst auf die Teilnahme an der Hochzeit verzichtete, ging William nicht in den Kopf. Er hätte Kiward Station ohne weiteres allein leiten können. Vielleicht wäre es ihm dann ja sogar gelungen, die Arbeiter ein bisschen auf Trab zu bringen. Denn auch der Umgang mit dem Personal fiel ihm nach wie vor schwer. Die Leute waren so anders als in Irland, wo er stets ein gutes Verhältnis zu den Pächtern gehabt hatte. Doch in Irland fürchteten die Pächter ihre Landlords und quittierten jedes Lockern der Zügel mit Dankbarkeit und Zuneigung. Hier dagegen ... Wenn William einen der Viehhüter hart anfasste, hielt der es mitunter nicht mal für nötig zu kündigen. Er packte einfach seine Sachen, ritt zum Haupthaus, um sich den restlichen Lohn abzuholen, und suchte sich einen Job auf der nächsten Farm. Die alten Viehtreiber wie McAran und Livingston waren noch schlimmer; die ließen seine Ausbrüche einfach an sich abprallen. William gab sich manchmal Tagträumen hin, wie er sie feuerte, sobald

Kura volljährig wurde und ihm die Leitung der Farm übertrug. Aber nicht einmal das schreckte die Leute. McAran und Livingston beispielsweise hatten langjährige Frauenbekanntschaften in Haldon. Die Witwe, mit der McAran zusammen war, besaß sogar eine kleine Farm. Da konnten die Kerle ohne weiteres unterkriechen. Und die Maoris waren sowieso ein Fall für sich. Auch sie verschwanden, sobald William laut wurde, und ließen ihn einfach mit der Arbeit sitzen. Am nächsten Tag waren sie dann wieder da – oder auch nicht. Sie taten, was sie wollten, und Gwyneira ließ es ihnen durchgehen …

»Feuer!«

William war eben noch gedankenverloren dahingetrabt, den Kopf mit dem breitkrempigen Hut vor dem Regen gesenkt. Der prasselte inzwischen so laut und heftig auf Kiward Station nieder, dass er alle anderen Geräusche übertönte. Aber jetzt vernahm William rasche Hufschläge und eine helle Stimme hinter sich. Ein Maori-Junge jagte auf einem ungesattelten, nur mit einem Strick um den Hals gezäumten Pferd auf ihn zu.

»Schnell, schnell, Mr. William! Im Rinderstall hat der Blitz eingeschlagen, und die Ochsen haben die Zäune umgerannt! Ich hol Hilfe, reiten Sie schnell hin! Es brennt!«

Der Knabe hatte das Pferd kaum gezügelt, um die Nachricht loszuwerden, und wartete Williams Entgegnung auch gar nicht ab, sondern galoppierte gleich weiter zum Haus. William wendete sein Pferd und setzte es ebenfalls in Galopp. Die Rinderställe lagen zum See hinaus und beherbergten mehrere Herden Ochsen und Mutterkühe. Wenn die wirklich frei herumliefen … Gut möglich, dass die Maoris und ihre geheiligten Wiesen dann heute noch Besuch bekamen!

Tatsächlich war der Brandgeruch schon sehr bald wahrzunehmen. Der Blitzeinschlag musste heftig gewesen sein. Trotz des Regens schlugen die Flammen bereits aus dem Futterlager, und rund um die Ställe herrschte hektische Aktivität.

Viehhüter rannten umher und versuchten, im Qualm die letzten Rinder loszubinden, die jämmerlich schrien. Gwyneira Warden war bei ihnen. Sie stürzte gerade hustend aus dem Stall, tauchte ein Tuch in einen Eimer Wasser, hielt es sich vors Gesicht und rannte wieder hinein. Noch bestand offensichtlich keine Einsturzgefahr, aber die Tiere im Stall konnten ersticken. Die Maoris – in diesem Fall hatte sich das ganze Dorf blitzschnell eingefunden – organisierten inzwischen eine Kette mit Eimern vom Brunnen zum Stall; die Frauen und Kinder bildeten eine weitere Kette zum See. Das Schlimmste aber waren die befreiten Rinder, die orientierungslos und brüllend im Regen umherrannten, den Boden in ein Schlammfeld verwandelten und die Zäune ihrer Paddocks niederwalzten. Jack McKenzie und ein paar andere Jungen stellten sich ihnen todesmutig entgegen, konnten die in Panik geratenen Tiere aber kaum aufhalten. Dabei waren die Färsen und Ochsen gar nicht unmittelbar gefährdet; die Ställe waren praktisch alle offen. Nur ein paar Milchkühe und Bullen waren drinnen angebunden – und die versuchten Gwyneira und die anderen Helfer soeben zu befreien.

»Gehen Sie rein, William, zu den Bullen!«, rief Gwyn ihm zu, wobei sie wild gegen den Wind anschrie. Sie kam eben zum zweiten Mal heraus und zerrte eine Kuh hinter sich her, die sich drinnen anscheinend sicherer fühlte. »Da brauchen sie noch Leute, die was von Vieh verstehen!«

William hatte eigentlich die Eimerkette kontrollieren und die Leute zu schnellerer Arbeit anhalten wollen, aber jetzt wandte er sich unsicher in Richtung Bullenstall.

»Nun machen Sie schon!«, brüllte Andy McAran und schwang sich ungefragt auf Williams Pferd, als der endlich abstieg.

»Kommen Sie, Miss Gwyn, hier sind genug Helfer! Wir brauchen gute Reiter, um die Ochsen wieder einzutreiben. Die machen das Maori-Dorf sonst genauso platt wie die Paddocks!« Der alte Viehtreiber stieß Williams Pferd grob die Absätze in die Flanken. Das Tier schien ebenso wenig Lust zu haben, sich ins Getümmel zu stürzen, wie sein Reiter. Dabei wurde es bereits kritisch. Während die Jungen die Färsen und die befreiten Milchkühe in Schach hielten, waren die jungen Ochsen längst unterwegs. William beobachtete, wie auch Gwyneira die Kühe anderen Helfern überließ und auf ihr Pferd sprang. Gemeinsam mit Andy galoppierte sie in Richtung Maori-Lager. Ihre Cob-Stute musste nicht getrieben werden, sie schien nur darauf gewartet zu haben, die brennenden Gebäude hinter sich zu lassen.

William näherte sich jetzt endlich dem Stall, ärgerte sich jedoch über McAran, der sich einfach seines Pferdes bemächtigt hatte. Warum konnte der Kerl nicht die Bullen befreien, während William mit Gwyneira ritt?

Inzwischen prasselten die Flammen auch aus den Ställen der Milchkühe, aber die trotteten bereits draußen herum. Zwei Maori-Frauen, die sich auszukennen schienen, hatten die letzten Tiere losgebunden und lockten sie nun in einen Paddock, den ihre Männer notdürftig reparierten. Die Jungs trieben die Färsen in die gleiche Richtung. Die Tiere beruhigten sich dabei sichtlich, zumal Regen und Blitze allmählich nachließen.

William betrat den Stall, doch Poker Livingston hielt ihn zurück.

»Nehmen Sie sich erst ein Tuch, und halten Sie es sich vor die Nase, sonst atmen Sie Rauch ein. Und dann kommen Sie mit mir. Nun machen Sie schon!« Der alte Viehtreiber rannte bereits wieder in den Stall, direkt auf die stampfenden, schreienden Bullen zu. Die Tiere konnten das Feuer jetzt sehen und fürchteten sich in ihren Verschlägen zu Tode. William machte sich am Verschluss der ersten Box zu schaffen. Es war ihm zwar nicht ganz geheuer, neben die tobenden Ungeheuer zu treten und ihre Ketten zu lösen, doch wenn Poker meinte …

»Nein, nicht reingehen!«, donnerte der Viehtreiber und lief um die Verschläge herum. »Hatten Sie denn noch nie mit Rindern zu tun? Die Biester bringen Sie um, wenn Sie jetzt in die Boxen gehen. Hier, kommen Sie und halten Sie mich. Ich versuche, die Kette von außen zu lösen!«

Poker kletterte an der Box hoch und balancierte halsbrecherisch auf der schmalen Bande. Solange er sich an einem Balken festhielt, ging das, doch um die Kette zu lösen, musste er sich weiter vorbeugen und die Hände frei haben. Das Tuch musste er dabei natürlich auch fallen lassen, aber noch hielt die Rauchentwicklung sich hier in Grenzen.

William stieg ebenfalls auf die Holzabtrennung, setzte sich rittlings darauf und hielt Poker am Gürtel fest. Der schwankte gefährlich, hielt aber Balance und nestelte an der Kette des ersten Bullen herum. Beide Männer mussten höllisch aufpassen, dabei nicht von den Hörnern des mächtigen Tieres getroffen zu werden.

»Mach die Box auf, Maaka!«, rief Poker einem Maori-Jungen zu, der vor den Ställen in Bereitschaft stand. Der Kleine, der eben mit Jack die Kühe getrieben hatte, ging blitzschnell hinter dem Tor in Deckung, als der Bulle hinausschoss.

»Gut. Jetzt Nummer zwei. Aber Vorsicht, Maaka, das ist ein ganz Wilder ...« Poker machte Anstalten, die nächste Boxwand zu erklimmen. Der Bulle verdrehte die Augen und scharrte gefährlich mit den Hufen.

»Lass mich machen, Poker! Ich bin schneller!« Der eifrige kleine Maaka hatte die Bande bereits erklettert, bevor der alte Livingston noch die richtige Stelle dafür fand. Mit der Anmut eines Tänzers balancierte Maaka auf der Holzabtrennung.

William wollte die Sache nur noch rasch hinter sich bringen. Die Flammen kamen schnell näher, der Qualm wurde dichter, und die Männer konnten kaum noch atmen. Aber weder Poker noch Maaka schien auch nur in Erwägung zu ziehen, die Zuchttiere zu opfern.

William nahm Maaka beim Gürtel wie zuvor Poker, während der alte Viehhüter das Problem mit dem dritten Bullen ganz allein löste. Es war ein Jungtier, nicht mit Ketten, sondern nur mit einem Seil in seiner Box angebunden. Pokers Messer durchtrennte es rasch von außerhalb der Box, und Jack McKenzie, der gerade in den Stall kam, brauchte den Verschlag nur noch zu öffnen. So stürmte der Bulle bereits heraus, bevor Poker noch vom Futtergang zum Tor zurückkehren konnte, um das Tier laufen zu lassen. Schließlich bemühten sich sowohl Jack als auch Poker um das Tor der letzten Box, das anscheinend klemmte. Maaka kämpfte derweil noch mit der Kette des Bullen, der sich immer wilder gebärdete, seit auch der letzte Artgenosse fliehen konnte. Der Junge beugte sich waghalsig vor, schwebte inzwischen fast über der Boxwand. Und dann …

William wusste nicht, ob Maaka zuerst ein Hornstoß des Bullen traf, ob sein eigener, unsicherer Sitz auf der Abtrennung schuld war oder ob einfach der Gürtel nachgab, an dem er Maaka hielt. Vielleicht waren es auch die Erschütterungen durch das einstürzende Dach im Heuschober, das ihr Gleichgewicht störte. William würde nie herausfinden, ob er sich zuerst abrutschen fühlte oder Maakas Schrei hörte, als ihm das Leder des Gürtels aus der Hand glitt. Aber dann sah er den Jungen zwischen die Hufe des Bullen stürzen, während er selbst in einer Ecke der Box landete – sicher vor einem Angriff des Tieres, solange es angekettet war. Dann aber erkannte er, dass der Bulle frei war: Maaka musste die Kette in dem Augenblick gelöst haben, in dem er fiel. Der Stier brauchte ein paar Sekunden, um zu erkennen, dass er in Freiheit war; dann warf er sich herum und versuchte zu fliehen, aber die Box war noch immer zu. Poker und Jack kämpften mit dem Verschlussmechanismus, doch der Bulle mochte natürlich nicht warten, sondern rannte wie verrückt im Stall herum. Dann stutzte er, als er Maaka erblickte, der verkrümmt am Boden lag und versuchte, sein Gesicht zu schützen. Der Junge wimmerte, als der gewaltige, gehörnte Kopf des Bullen sich ihm näherte.

»Lenken Sie das Biest ab, Mr. William, verdammt noch mal!«, brüllte Poker und drehte hektisch am Hebel des Boxverschlusses. Der aber bewegte sich kaum.

William starrte wie hypnotisiert auf das riesige Tier. Ablenken? Dann würde das Vieh sich auf ihn stürzen! Da wäre er ja verrückt! Und jetzt robbte der verletzte Junge auch noch panisch auf ihn zu …

»Hierher, Stonewall!«

William sah aus dem Augenwinkel, dass Jack McKenzie vor dem Ausgang eine Decke schwenkte, um die Aufmerksamkeit des Tieres auf sich zu lenken. Todesmutig schwang der Junge sich auf die Boxwand; aber jetzt bewegte sich endlich etwas am Verschluss, und die Schwingtür flog auf. Doch der Bulle erkannte dies nicht sofort; er schien seine Wut und seine Angst nach wie vor auf Maaka zu konzentrieren. Das Tier senkte die Hörner, setzte zum Stoß an … da ließ Jack ihm seine feuchte Decke aufs Hinterteil klatschen und tanzte hinter ihm herum wie ein Torero.

»Zu mir, Stonewall, komm her!«

Poker brüllte etwas vom Ausgang her; anscheinend wollte er den Jungen zurückrufen. Aber der stand nach wie vor im Stall und attackierte den Bullen, der sich jetzt ganz langsam umdrehte.

»Fang mich! Komm schon!«, reizte ihn Jack – um sich blitzartig umzudrehen, als das Tier sich endlich in Bewegung setzte. Der drahtige Junge hechtete mit einem Sprung über die Umzäunung und war in Sicherheit, als Stonewall endlich den Fluchtweg erkannte. Der gewaltige Bulle schoss auf den Ausgang zu und rannte Poker Livingston dabei um. Dann war er draußen. Die Männer vor dem Stall mussten die Schreie gehört haben, denn Helfer strömten herein. Inzwischen hatten die Flammen den Stall hell erleuchtet. William hustete, fühlte sich grob am Arm gepackt und von einem kräftigen Maori-Viehhüter nach draußen gezerrt. Zwei andere Männer trugen Maaka, und ein Dritter stützte den hustenden Poker.

Und dann atmete William keuchend die klare Luft des Spätnachmittags am See und nahm nur am Rande wahr, dass hinter ihnen weitere Teile der Stallanlage einstürzten.

Ein paar Männer kümmerten sich um Maaka und Poker, doch Williams Helfer ließ ihm keine Zeit, sich zu fassen. Er ließ es wieder einmal deutlich an Respekt fehlen. Der vierschrötige Maori zog William rücksichtslos auf die Beine.

»Sind Sie verletzt? Nein? Dann kommen Sie, wir müssen die Schafe umtreiben. Hier ist nichts mehr zu machen, aber die Rinder müssen irgendwo unterkommen. Eben kam ein Bote, Miss Gwyn treibt die Ochsen zu den Scherschuppen. Da müssen die Schafe rein, damit die Rinder in die Paddocks können. Und schnell, die können jeden Moment kommen.« Der Mann rannte zu den Schuppen, sah sich aber mehrmals um, als wollte er sichergehen, dass William artig folgte.

William fragte sich, warum Gwyn nicht gleich die Rinder in die Scherschuppen trieb, und wollte schon einen diesbezüglichen Befehl geben. Doch er konnte sein Wort gerade noch zurückhalten, als er die kleinen Eingänge zum Schuppen sah. Natürlich, hier wurden die Schafe nach der Schur mehr oder weniger einzeln herausgelassen, dann durch ein Bad getrieben und erst wieder im Paddock gesammelt. Durch dieses schmale Tor bekamen die Reiter niemals eine aufgebrachte Rinderherde. Auch die Schafe waren nicht begeistert vom Wechsel in die Schuppen. Mit der Schur verbanden sie nicht die angenehmsten Erinnerungen; die Schafscherer gingen nicht gerade sanft mit ihnen um. Doch hier leisteten die Hütehunde die Hauptarbeit. William und die anderen Männer mussten den Strom der Schafe nur in die richtigen Pferche umleiten und die Tore schließen.

William bekam kaum mit, wie Gwyn und Andy die Rinder

eintrieben, aber natürlich hörte er später von ihrer offenbar spektakulären Leistung. Sie hatten die Herde Ochsen kurz vor dem Maori-Dorf eingeholt und gestoppt, gewendet und zurückgetrieben, und das mit nur vier Reitern und einer Hütehündin. Deshalb hielten die Schäden durch den Blitzschlag sich in Grenzen. Der Rinderstall war zwar völlig zerstört, doch der Holzbau ließ sich leicht erneuern, und die Heuvorräte waren ohnehin so gut wie aufgebraucht gewesen. Bei den Maoris waren lediglich ein paar Felder zertrampelt; den Schaden würde Gwyneira ersetzen. Tiere hatte man nicht verloren, und bei den Helfern gab es nur ein paar Schrammen und leichte Rauchvergiftungen. Lediglich Poker und Maaka hatte es härter getroffen. Der alte Viehhüter hatte Prellungen und eine ausgerenkte Schulter davongetragen; der Maori-Junge hatte Rippenbrüche und eine hässliche Kopfwunde.

»Das hätte allerdings viel schlimmer kommen können«, meinte Andy McAran, als endlich alles vorbei war und die Rinder in ihren neuen Pferchen Heu kauten. Jack und seine Freunde hatten es geschafft, auch die Bullen in Richtung Scherschuppen zu treiben und zur Ochsenherde zu gesellen. Jetzt liefen sie stolz zwischen den Arbeitern herum. Jacks Behauptung, in Europa bekäme man Geld für das Ärgern von Stieren, wenn man vor Zuschauern mit einem roten Tuch vor ihnen herumfuchtele, ließen in jedem Maori-Jungen den Berufswunsch »Torero« erwachen.

»Wie ist das überhaupt passiert?«, fragte Andy. »Maaka ist doch nicht zu Stonewall in die Box gegangen, oder?«

Während Gwyneira mit ihrem Sohn schimpfte, dem sie bodenlosen Leichtsinn vorwarf, begann McAran die Untersuchung des Vorfalls. Jack und die anderen Helfer konnten hier jedoch keine Antwort geben; keiner von ihnen hatte den Unfall gesehen. Maaka selbst war noch nicht ansprechbar. Schließlich wanderte McArans Blick zu Poker, der immer noch hustend auf einer Decke saß.

»Der Prinzgemahl hat gepfiffen ... Verzeihung, gekniffen«, bemerkte der alte Viehhüter mit bedeutsamem Grinsen. Dann wurde sein Gesicht wieder schmerzverzerrt. »Könnte mir mal jemand die Schulter einrenken? Ich verspreche auch, dass ich nicht schreie.«

»Was haben Sie sich bloß dabei gedacht?« Gwyneira war mit ihrem Sohn fertig und hatte den fleißigen Helfern ein Fass Whisky spendiert. Die Maori-Frauen hatten einen Sack Saatgut als Dankeschön für die Hilfe bekommen. Jetzt nutzte Gwyneira den Rückweg zum Herrenhaus, um William zusammenzustauchen. Sie war durchnässt, schmutzig und schlechtester Laune und suchte nach einem Sündenbock. »Wie konnten Sie den Jungen fallen lassen?«

»Ich sagte doch schon, es war ein Unfall!«, verteidigte sich William. »Ich hätte nie ...«

»Sie hätten den Jungen da gar nicht ranlassen dürfen! Konnten Sie die Kette denn nicht selbst lösen? Das Kind könnte tot sein! Und Jack ebenfalls! Aber während die zwei Halbwüchsigen versuchten, den Bullen zu befreien, saßen Sie in der Ecke und guckten das Vieh an wie ein verschrecktes Kaninchen!«

Poker hatte das nicht ganz so ausgedrückt, also musste die Formulierung von Jack stammen. Erneut spürte William Zorn in sich aufsteigen.

»So war es doch gar nicht! Ich ...«

»So war es sehr wohl!«, unterbrach Gwyneira ihn. »Warum sollten die Jungs lügen? William, ständig versuchen Sie, Ihre Stellung hier zu festigen, was ich ja verstehe. Aber dann passieren Ihnen solche Geschichten! Wenn Sie noch nie mit Rindern zu tun hatten, warum sagen Sie es dann nicht? Sie hätten doch auch bei der Eimerkette mitmachen können oder bei der Reparatur der Pferche ...«

»Ich hätte mit Ihnen reiten sollen!«, erklärte William.

»Damit Sie mir womöglich vom Pferd gefallen wären?«, fragte Gwyneira rüde. »William, wachen Sie auf! Dies ist kein Betrieb, den Sie führen können wie ein Country-Gentleman. Hier können Sie nicht morgens gemütlich mit Ihrem Hunter über die Farm reiten und die Arbeit verteilen. Sie müssen wissen, was Sie tun, und Sie können sich glücklich schätzen, wenn Sie Leute wie McAran und Poker haben, die Ihnen dabei unter die Arme greifen! Solche Leute sind unschätzbar wertvoll. Sie können das nicht mit den Zuständen in Irland vergleichen!«

»Das sehe ich anders«, erklärte William stolz. »Ich finde, es ist eine Frage des Führungsstils ...«

Er sah im letzten Licht des Tages, wie Gwyneira die Augen verdrehte.

»William, Ihre Pächter in Irland sind seit Generationen auf dem Hof. Die brauchen die Landlords gar nicht, die würden den Laden auch allein in Gang halten – und womöglich besser! Aber hier haben Sie es weitgehend mit Anfängern zu tun. Die Maoris sind begabte Viehhüter, aber die Schafe kamen erst mit den *pakeha*, in dieser Gegend vor gerade mal fünfzig Jahren mit Gerald Warden. Da gibt es keine Tradition. Und die weißen Viehtreiber sind Abenteurer, die kommen von sonst wo. Man muss sie anlernen, und da hilft kein Imponiergehabe. Hören Sie endlich auf mich, und verhalten Sie sich wenigstens ein paar Monate still. Lernen Sie von Leuten wie James, Andy und Poker, statt sie immer nur zu brüskieren!«

William wollte etwas erwidern, aber inzwischen hatten sie das Haus erreicht und verhielten die Pferde vor den Ställen. Gwyneira führte ihre Stute ganz selbstverständlich herein und machte Anstalten, sie abzusatteln; die Stallburschen hatten sich vermutlich mit den Löschhelfern in irgendeinen Schuppen verzogen und feierten. Man konnte von Glück sagen, wenn sich nicht auch noch das Hauspersonal zu der improvisierten Party gesellte.

William versorgte sein Pferd ebenfalls selbst und wünschte

sich jetzt nur noch ein Bad und einen ruhigen Abend mit seiner Frau. Zumindest der würde ihm mit ziemlicher Sicherheit beschieden sein. Gwyneira zog sich früh zurück, und wenn Kura wieder mal darauf bestand, stundenlang am Flügel zu sitzen, hatte William heute auch nichts gegen das Privatkonzert. Er konnte dabei Whisky trinken – und sich schon mal die Freuden ausmalen, die sie anschließend im Schlafzimmer miteinander teilen würden. Was das anging, gab es keinerlei Probleme: Nach wie vor war jede Nacht mit Kura eine Offenbarung. Je mehr Erfahrung sie sammelte, desto raffiniertere Einfälle kamen ihr, um ihn glücklich zu machen. Sie war ohne jede Scham, liebte mit allen Sinnen und bot ihm ihren geschmeidigen Körper in Stellungen dar, die selbst William manchmal erröten ließen. Doch ihre Freude an der Liebe war völlig unschuldig und frei. Was das anging, war sie ein Naturkind. Und ein Naturtalent.

Gwyneira hielt William die Tür zum Herrenhaus auf und warf ihren durchnässten Mantel im Vorraum ab. »Puh, war das ein Tag. Ich glaube, ich genehmige mir jetzt mal einen Whisky ...«

William war ausnahmsweise ihrer Meinung, doch die beiden kamen erst gar nicht bis zum Barschrank.

Aus dem Salon klangen diesmal nämlich nicht wie erwartet Klavierspiel und Gesang, sondern leise Stimmen und heftiges Schluchzen.

Kura hockte weinend auf einem Diwan. Miss Witherspoon versuchte verzweifelt, sie zu beruhigen.

William ließ einen forschenden Blick über die Szene schweifen. Auf dem Tischchen vor dem Sofa standen drei Teetassen. Anscheinend hatten die Damen Besuch gehabt.

»Du hast das gewollt!« Als Kura ihrer Großmutter ansichtig wurde, sprang sie auf und blitzte sie zornglühend an. »Du wolltest das! Du hast genau gewusst, dass es passieren wird! Und du hast mitgemacht!« Letzteres richtete sich an William.

»Du wolltest gar nicht nach Europa. Ihr wolltet alle nicht, dass ich ... dass ich ...« Kura begann wieder zu schluchzen.

»Kura, benimm dich wie eine Lady!« Miss Witherspoon versuchte es jetzt mit Strenge. »Du bist eine Ehefrau, und da ist es völlig normal ...«

»Ich wollte nach England. Ich wollte Musik studieren«, jammerte Kura. »Und nun ...«

»Du wolltest vor allem William, hast du mir gesagt«, erklärte Gwyneira kurz und bündig. »Und jetzt solltest du dich fassen und uns darüber aufklären, warum du ihn plötzlich nicht mehr willst. Heute Morgen beim Frühstück bist du mir noch ganz glücklich erschienen.« Gwyn schenkte sich jetzt wirklich einen Whisky ein. Egal, mit welchen Launen Kura sich herumschlug, sie brauchte eine Stärkung.

»Wirklich, Liebes ...« William hatte zwar nicht die geringste Lust auf weitere Komplikationen an diesem katastrophalen Tag, doch er setzte sich trotzdem neben Kura und wollte sie in den Arm nehmen. Vielleicht fragte sie ja, warum er nach Rauch stank und voller Ruß war. Doch Kura schien es gar nicht zu registrieren.

»Ich will das nicht ... ich will nicht ...« Sie schluchzte hysterisch. »Warum hast du nicht aufgepasst? Warum hast du ...« Sie entzog sich der Umarmung und trommelte mit den Fäusten auf Williams Brust ein.

»Nimm dich zusammen, Kura!«, befahl Miss Witherspoon. »Du solltest dich freuen, statt herumzuwüten. Jetzt hör auf zu weinen und berichte deinem Mann die Neuigkeiten!«

Gwyneira ging das Problem inzwischen von einer anderen Seite an. Sie wandte sich an Moana, die Maori-Haushälterin, die eben Anstalten machte, das Teegeschirr abzuräumen.

»Wer war denn hier zu Besuch, Moana? Meine Enkelin ist völlig aufgelöst. Ist irgendwas vorgefallen?«

Moana strahlte über ihr ganzes, breites Gesicht. Sie zumindest schien nicht beunruhigt. »Ich nicht gehört, Miss Gwyn«, erklärte sie vergnügt, senkte dann aber die Stimme, als verriete sie ein Geheimnis. »Aber war Miss Francine. Hat Miss Witherspoon geschickt nach ihr, für Kura!«

»Francine Candler?« Gwyneiras unwillige Miene hellte sich auf. »Die Hebamme aus Haldon?«

»Ja!«, schluchzte Kura. »Und jetzt könnt ihr euch von mir aus alle freuen, dass ihr mich angebunden habt auf eurer verdammten Farm! Ich bin schwanger, William, ich bin schwanger!«

William blickte von der weinenden Kura zur peinlich berührten Miss Witherspoon und zur begeisterten Moana. Schließlich schaute er zu Gwyn, die ihren Whisky trank, den Ausdruck einer zufriedenen Katze, der sich endlich die Milchkammer öffnet, auf dem Gesicht. Dann erwiderte sie seinen Blick.

William Martyn erkannte, dass Gwyneira Warden McKenzie ihm in diesem Moment alles verzieh.

6

Während William Martyn seine Stellung auf Kiward Station solcherart festigte, feierte man in Queenstown die Hochzeit zwischen Elaine O'Keefe und Thomas Sideblossom.

Die Atmosphäre war dabei ein wenig gespannt, vor allem bei dem obligatorischen Walzer, den die Mutter der Braut und der Vater des Bräutigams zusammen zu bestreiten hatten. Fleurette O'Keefe verhielt sich dabei, als zwinge man sie zum Tanz mit einem überdimensionierten Weta. So jedenfalls drückte Georgie es aus und handelte sich dafür eine Rüge von seiner Großmutter Helen ein. Ruben fand die Bemerkung durchaus passend, hätte selbst allerdings noch angemerkt, dass Fleurette die Berührung mit den Rieseninsekten nie wirklich gefürchtet hatte – ganz im Gegensatz zum Kontakt mit John Sideblossom.

Ruben selbst genoss seinen Tanz mit Thomas' blutjunger Stiefmutter. Zoé Sideblossom war kaum zwanzig Jahre alt und tatsächlich sehr hübsch. Sie hatte goldblondes, lockiges Haar, das sie zur Hochzeit aufgesteckt trug, während es sonst bestimmt bis zu ihren Hüften reichte. Ihr Gesicht war aristokratisch blass und ebenmäßig, die Augen von tiefem Braun, was zu ihrem Haar und ihrem Teint irritierend wirkte. Die junge Frau war höflich und sehr gut erzogen, Ruben konnte Leonards Urteil, sie sei schön, aber eiskalt, nicht bestätigen.

In puncto Schönheit stach die Braut an diesem Tag allerdings alle aus. Elaine trug ein reich geschmücktes weißes Kleid mit weitem Rock und sehr eng geschnürter Taille. Sie konnte vom Hochzeitsessen kaum etwas zu sich nehmen. Ihr Gesicht schien von innen heraus zu strahlen, und ihr Haar leuchtete unter dem Spitzenschleier und dem Brautkranz aus weißen Blüten. James McKenzie versicherte ihr, nie eine so schöne Braut gesehen zu haben, außer vielleicht seine Gwyneira, und für Elaine war dies das schönste Kompliment. Schließlich war die letzte Braut, die ihr Großvater gesehen hatte, Kura Warden. Auch in Bezug auf die Größe der Hochzeit und die Zahl der Gäste stand Elaines Fest Kuras kaum nach. George Greenwood hatte es sich nicht nehmen lassen, mit der ganzen Familie zu kommen – sicher auch auf Jennys dringende Bitten, die ihre Bekanntschaft mit Stephen gern festigen wollte. Die beiden ließen einander denn auch seit Ankunft der Greenwoods nicht aus den Augen.

»Wenn das mal nicht die nächste Braut wird«, neckte James McKenzie ihren stolzen Vater.

»Ich hätte nichts dagegen«, meinte George. »Aber ich denke, der junge Mann will erst seine Studien beenden. Und Jenny ist auch noch sehr jung – obwohl das die Kinder in dieser Generation ja nicht zu stören scheint.«

Thomas und John Sideblossom verhielten sich während der gesamten Festlichkeiten untadelig. Sogar gegenüber James McKenzie rang Sideblossom sich einen beinahe höflichen Gruß ab. Fleurette hatte da Schlimmeres befürchtet; immerhin war es John gewesen, der den Viehdieb McKenzie damals gestellt und vor Gericht geschleift hatte. Letzteres im wahrsten Sinne des Wortes; auch James hatte seine Gründe, den Vater des Bräutigams gründlich zu hassen. Ihm traute Fleurette allerdings sehr viel eher zu, sich zu beherrschen. Er hielt sich auch weitestmöglich von Sideblossom fern, besonders als der Abend voranschritt und der Whisky in Strömen floss. Fleurette hatte ein wachsames Augen auf Johns Alkoholkonsum – obwohl sie wusste, dass er Ummengen vertilgen konnte, ohne dass man ihm etwas anmerkte. Er tat das auch diesmal, aber wenn sein Verhalten sich dadurch irgendwie änderte, so höchstens dahingehend, dass sein Griff um den Arm seiner jungen

Frau sich verstärkte – vor allem, wenn Zoé gewagt hatte, mit irgendeinem anderen Mann zu reden oder gar zu tanzen.

Ein ähnliches Verhalten vermerkte Inger – die wegen ihres dicken Bauches lachend auf die Rolle als Elaines »Brautjungfer« verzichtet hatte – auch bei Thomas Sideblossom. Er ließ Elaine nicht aus den Augen, und je weiter der Abend voranschritt, desto besitzergreifender zeigte er sich. Elaine dagegen fand an diesem Tag beinahe zu ihrem früheren Selbst zurück. Sie war unendlich glücklich über das gelungene Fest, die freundlichen und bewundernden Blicke der Gäste und die vielen Komplimente. Aber natürlich war sie auch nervös, schließlich stand die Hochzeitsnacht bevor – Thomas hatte das größte Zimmer in Helens Pension gebucht.

Bei der alten Elaine hatte sich Nervosität immer in unstillbarem Plappern geäußert: Sie redete und lachte ihre Furcht einfach nieder.

Das versuchte sie auch jetzt wieder. Ihre Hemmungen nach Williams Verrat schwanden zusehends. Elaine scherzte mit Jenny Greenwood und ihrem Bruder, ließ sich von Georgie necken und von Søren zum Tanz führen.

Das jedoch stoppte Thomas. Er trat auf der Tanzfläche zwischen das vergnügt herumalbernde Paar und lächelte kühl.

»Darf ich Ihnen meine Frau entführen?«, fragte er höflich, doch Søren sah den Ernst in seinen Augen.

Der junge Schwede bemühte sich, den scherzhaften Ton beizubehalten.

»Sie sagen es schon, es ist die Ihre!«, meinte er freundlich, ließ Elaine los und verbeugte sich förmlich vor ihr. »Es war mir ein Vergnügen, Mrs. Sideblossom!«

Elaine hörte zum ersten Mal ihren neuen Namen und war darüber so erfreut und aufgeregt, dass sie Thomas' Missstimmung gar nicht wahrnahm.

»Oh, Thomas, ist es nicht ein wunderschönes Fest?«, plapperte sie atemlos. »Ich könnte ewig weitertanzen ...«

»Du tanzt schon viel zu lange«, bemerkte Thomas und führte sie gekonnt durch einen Walzer, wobei er ihren Versuch ignorierte, sich zärtlich an ihn zu schmiegen. »Und mit zu vielen. Du benimmst dich nicht damenhaft. Das sieht dir gar nicht ähnlich. Es wird Zeit, dass wir uns zurückziehen.«

»Schon?«, fragte Elaine enttäuscht. Sie hatte auf ein Feuerwerk gehofft. Georgie hatte da Andeutungen gemacht, und auch ihre Eltern wussten, dass sie immer von einem Feuerwerk bei ihrer Hochzeit geträumt hatte.

»Es ist Zeit«, wiederholte Thomas. »Wir werden das Boot nehmen. Ich habe es mit deinem Vater abgesprochen.«

Elaine wusste das, und sie hatte auch mitbekommen, dass Jenny und Stephen den ganzen Morgen damit zugebracht hatten, den Nachen mit Blumen zu schmücken. Die nächtliche Bootsfahrt der Brautleute sollte romantisch sein, und Elaine freute sich auch darauf. Aber ein bisschen traurig war sie doch, dass sie Banshee nicht mit nach Lionel Station nehmen sollte. Die Stute führte ein Fohlen. Sie hatte einige Monate zuvor einen prächtigen kleinen Hengst zur Welt gebracht. Der niedliche Rappe war stämmig und kerngesund; an sich hätte er die Strecke nach Lionel Station problemlos neben seiner Mutter herlaufen können. Thomas meinte jedoch, das würde die Reise aufhalten, denn die Stute käme nicht schnell genug vorwärts. Elaine sah das eigentlich nicht ein, da die Gesellschaft ohnehin nicht schnell reisen würde. Ruben schickte einen Frachtwagen mit ihrer Mitgift und ein paar weiteren Einkäufen der Sideblossoms mit nach Lionel Station, und Zoé reiste in einer Kutsche. Bei den weitgehend unbefestigten Wegen zwischen Queenstown und der Farm hielt das eigentlich mehr auf als ein mitlaufendes, kräftiges Cob-Fohlen. Thomas bestand allerdings auf seiner Meinung, und Elaine gab klein bei. John Sideblossom konnte ihr die Stute bei seinem nächsten Aufenthalt in Queenstown mitbringen. Am kommenden Tag würde sie Zoé in ihrer komfortablen Chaise Gesellschaft leisten.

Elaine verabschiedete sich bei niemandem, nur Inger lächelte ihr aufmunternd zu, als Thomas sie zu dem blumenumkränzten Boot führte. Die Fahrt den Fluss hinunter war dann auch wirklich sehr romantisch – zumal man auf Nugget Manor nun tatsächlich das Feuerwerk zündete. Elaine genoss die bunten Lichtkaskaden und den Sternenregen über den dunklen Bäumen und konnte sich kaum zurückhalten, von der Schönheit der sich im Fluss spiegelnden grünen, blauen und roten Lichter zu schwärmen.

»Oh, das war eine wundervolle Idee, Thomas, das Feuerwerk hier auf dem Fluss zu erleben, ganz für uns allein! Und ist es nicht eine herrliche Nacht? Wir sollten uns gleich hier lieben, unter freiem Himmel, wie die Maoris ... meine Grandma Gwyneira, die erzählt auch so romantische Geschichten. Sie ist immer beim Schafabtrieb mitgeritten, als sie jung war, und dann ... Ach, das werde ich auch machen, Thomas! Ich freue mich so auf das Leben auf der Farm, mit all den Tieren ... und Callie ist ein wundervoller Sheepdog! Pass auf, wir zwei ersparen dir drei Treiber!« Elaine strahlte vor Glück und versuchte erneut, sich an Thomas zu kuscheln wie damals an William. Doch wieder stieß er sie weg.

»Was für eine Idee! Viehtreiben! Du bist meine Frau, Elaine! Auf keinen Fall wirst du dich in den Ställen herumtreiben! Wirklich, ich erkenne dich heute kaum wieder. Ist der Champagner dir zu Kopf gestiegen? Nun geh auf deinen Platz und sitz still, bis wir ankommen. Dieser Überschwang ist unerträglich!«

Elaine verzog sich ernüchtert auf die Bank ihm gegenüber.

Aber dann unterbrach Musik am Ufer die Missstimmung zwischen dem jungen Paar. Das Boot passierte eben das Gelände von Stever Station. Elaines Freunde vom Maori-Stamm, der pünktlich zum Viehtrieb zurückgekehrt war, hatten sich anscheinend am Fluss versammelt, um den Hochzeitern ein Ständchen zu bringen.

Elaine erkannte einen *haka*, eine Art Singspiel, in dem Szenen tänzerisch dargestellt wurden, wobei Männer und Frauen sangen und traditionelle Instrumente wie die *koauau*, die *nguru*- oder die *putorino*-Flöte im Hintergrund spielten.

»Oh, können wir nicht anhalten, Thomas?«, fragte Elaine begeistert. »Sie spielen für uns ...«

Dann sah sie den verzerrten Ausdruck auf Thomas' Gesicht. Zorn? Schmerz? Hass? Irgendetwas schien eine unbändige, kaum zu beherrschende Wut in ihm auszulösen. Und einen seltsamen Anflug von Furcht ...

Elaine zog sich in ihre Ecke des Bootes zurück, während Thomas mit verkniffenem Gesicht die Ruder ergriff. Eigentlich reichte die Strömung des Flusses, um sich treiben zu lassen, doch Thomas trieb den Nachen an, als wäre er auf der Flucht.

Elaine hätte tausend Fragen gehabt, aber sie schwieg. Thomas war ganz anders, als sie erwartet hatte. Allmählich begann Elaine sich vor der Hochzeitsnacht zu fürchten. Dabei hatte ihre Nervosität sich bislang in Grenzen gehalten. Nach den Gesprächen mit Inger und Maren und vor allem nach ihren Zärtlichkeiten mit William hatte sie sich fast schon erfahren gefühlt. Seit einiger Zeit erlaubte sie sich wieder, an William zu denken – fast ohne Groll. Sie erinnerte sich an seine Berührungen und seine Küsse. Sie war gern bereit gewesen, sich berühren zu lassen, und war vor Erregung feucht geworden. Damals war ihr das peinlich gewesen, doch Inger hatte ihr gesagt, das sei ganz normal und mache die Liebe für die Frau erträglicher. Auch eben, als sie neben Thomas gesessen und das Feuerwerk bewundert hatte, war diese Wärme und Feuchtigkeit in ihrer Scham aufgestiegen, aber jetzt spürte sie nichts mehr davon. Was war, wenn es Thomas nicht gelang, sie nachher wieder zu erregen? Und hatte er überhaupt Lust dazu? Im Moment sah er eher aus, als wollte er jemanden in der Luft zerreißen.

Energisch schob Elaine den Gedanken von sich. Bestimmt würde Thomas sie gleich in die Arme nehmen, sie streicheln und zärtlich zu ihr sein. Und dann wäre sie für ihn bereit.

In Helens Pension erwarteten sie zu ihrer Überraschung die Zwillinge. Dabei hatten die beiden kurz zuvor noch auf der Hochzeit getanzt!

»Daph... äh, Miss Helen meinte, wir sollten früher heimfahren und uns um Sie kümmern, Miss Lainie!«, zwitscherte Mary.

»Weil Ihnen jemand beim Auskleiden helfen muss!«, fügte Laurie hinzu. »Und mit Ihrem Haar ...«

Thomas war nicht begeistert.

»Vielen Dank, aber ich bin meiner Frau gern selbst behilflich«, wehrte er ab. Doch er hatte nicht mit der Halsstarrigkeit der Zwillinge gerechnet. Zumal Daphne O'Rourke klare Anweisungen erteilt hatte.

»Nein, nein, Mr. Thomas, das ist nicht schicklich!«, protestierte Mary. »Der Mann muss warten, bis das Mädchen bereit ist. Wir haben hier eine schöne heiße Schokolade ...«

Thomas knirschte mit den Zähnen und beherrschte sich nur mühsam. »Ihr könnt mir einen Whisky bringen!«

Laurie schüttelte den Kopf. »Kein Alkohol im Haus von Miss Helen, höchstens mal Wein. Da haben wir auch eine Flasche, aber die ist für später. Sie können einen Schluck mit Miss Lainie trinken, wenn Sie ...«

»Vorher oder nachher ...« Mary kicherte.

Thomas ballte die Hände zu Fäusten. Wer wollte ihn hier kontrollieren? Erst diese Flöte am Flussufer ... die verdammten Maoris! Sie hatten wieder dieses Gefühl in ihm geweckt, diese Erinnerungen. Und dann diese Weiber! Was ging es sie an, was er mit seiner Frau anstellte? Und Elaine schien auch noch glücklich über den Aufschub.

»Bis gleich, mein Liebster!«, flötete sie und folgte den Zwillingen vergnügt die Treppe hinauf. Thomas ließ sich in einem Sessel nieder und zwang sich zur Geduld. Morgen würde ihm niemand mehr im Wege stehen ...

Mary und Laurie machten eine große Sache daraus, Elaine auszukleiden und ihr Haar zu lösen und zu bürsten. Schließlich half Mary ihr in ein wunderschönes, reich besticktes Seidennachthemd, während Laurie Wein in ein edles Kristallglas füllte.

»Hier, Miss Lainie, trinken!«, befahl sie. »Das ist ein sehr guter Wein, Hochzeitsgeschenk von Daphne.«

»Daphne hat euch geschickt?« Elaine wurde auf einmal nervös. Sie hatte bisher geglaubt, Helen habe die Überraschung für sie vorbereitet.

Mary nickte. »Ja, Miss Lainie. Und sie sagt, Sie sollten mindestens ein Glas Wein vorher trinken und dann noch eins mit ihm, bevor Sie ... na, Sie wissen schon. Ein Schluck Wein macht es leichter und schöner.«

Elaine wusste, dass eine Lady jetzt hätte protestieren müssen, und bei William hatte sie auch nie Alkohol gebraucht, um sich in seinen Armen wohl und sicher zu fühlen. Aber Daphne wusste unzweifelhaft, wovon sie sprach. Artig schluckte sie den Wein herunter. Er schmeckte süß. Elaine lächelte.

»Dann sagt jetzt bitte Mr. Thomas ...«

»... dass Sie bereit sind!«, kicherten die Zwillinge praktisch im Chor. »Wird gemacht, Missie. Und viel Glück!«

Thomas wollte keinen Wein. Dabei hatte Elaine es eigentlich schön gefunden, sich ihm in der Haltung einer römischen Liebesgöttin zu präsentieren, in ihrem hübschen Hemd, das Haar über ihren Rücken wallend und einen Pokal Wein zur Begrüßung ihres Geliebten in der Hand. Aber Thomas schob das Glas weg – es hätte nicht viel gefehlt, und er hätte es ihr aus der Hand geschlagen.

»Was soll das, Elaine? Spielen wir hier ein Spielchen? Leg dich jetzt ins Bett wie eine gehorsame Frau. Ich weiß, dass du schön bist, du brauchst dich nicht zu präsentieren wie eine Hure.«

Elaine schluckte. Wie ein getretener Hund zog sie sich zum Bett zurück und legte sich auf den Rücken. Thomas schien der Anblick zu gefallen.

»So ist es besser. Warte, bis ich mich ausgezogen habe. Du hättest mir dabei helfen können, aber nicht so halb nackt, das ist nicht damenhaft. Nun warte.«

Thomas entkleidete sich gemächlich und legte seine Sachen ordentlich auf einen Stuhl. Aber Elaine hörte doch, dass er rascher atmete, und sie erschrak, als sie sein Glied sah, nachdem er seine Hose ausgezogen hatte. Inger hatte gesagt, es würde anschwellen … aber so sehr? Oh Gott, das würde wehtun, wenn er damit in sie eindrang! Elaine krümmte sich zusammen, legte sich auf die Seite und rückte ein Stück von ihm ab. Thomas funkelte sie wütend an. Sein Atem ging jetzt noch schneller. Er fasste ihre Schultern, brachte sie mit einer kurzen Bewegung wieder in die richtige Position und schob sich auf sie.

Elaine wollte schreien, als er ohne Vorbereitung in sie eindrang, doch er verschloss ihre Lippen mit seinem Mund. Seine Zunge und sein Glied stießen gleichzeitig in sie hinein. Beinahe hätte Elaine vor Schreck und Schmerz zugebissen. Sie wimmerte, als er sich in ihr lustvoll stöhnend bewegte. Seine Bewegungen wurden schneller, sein Atem ging keuchend – Elaine vermochte kaum, ihren Schmerz zu unterdrücken.

»Ah, das war gut …« Mehr sagte er nicht, als er später wieder zu Atem kam.

»Aber …« Elaine fasste neuen Mut, jetzt, da der Schmerz

nachließ. »Willst du … musst du mich vorher denn nicht küssen?«

»Ich muss gar nichts«, sagte Thomas kühl. »Aber wenn du willst.«

Er brauchte nur noch kurze Zeit, um sich zu erholen; dann schob er sich wieder auf sie, und diesmal küsste er sie – zunächst auf den Mund, ebenso tief und fordernd wie eben, dann auf den Hals und die Brüste. Auch das tat weh, denn es war eher ein Beißen als ein Küssen, ganz anders als bei William. Elaine verkrampfte sich noch mehr. Sie ächzte, als er erneut in sie stieß und diesmal gar nicht mehr aufzuhören schien, bis er endlich von ihr abließ. Wieder war da Flüssigkeit, wie schon beim ersten Mal. Elaine wusste jetzt, was die Huren mit Essigwasser abwuschen, wenn sie an unpassenden Tagen zur Liebe gezwungen wurden. Und der Gedanke an ein bisschen Essigwasser, oder wenigstens Wasser und Seife, erschien ihr jetzt sehr verlockend. Sie fühlte sich wund, verschmutzt und entehrt. Steif lag sie neben Thomas, der bald darauf einschlief. Zitternd stahl Elaine sich aus dem Bett.

Das Bad auf dieser Etage lag direkt neben ihrem Zimmer. Mit ein wenig Glück würde niemand zur gleichen Zeit hinausmüssen; die meisten Pensionsgäste waren sicher noch auf der Hochzeit. Auf *ihrer* Hochzeit.

Zu Elaines Verwunderung brannten Lampen im Waschraum, und die Zwillinge erwarteten sie mit zwei Schüsseln heißem Wasser und duftender Seife.

Elaine brach in Tränen aus, als sie die beiden erkannte. Das also war Daphnes Hochzeitsgeschenk. Sie musste das hier nicht allein durchstehen. Und die Zwillinge wussten offensichtlich, was sie taten. Ausnahmsweise zwitscherten sie nicht, sondern sprachen nur leise und tröstend auf sie ein, zogen ihr das Nachthemd aus und wuschen ihren Körper.

»Armes! Morgen tut es noch weh, aber dann wird es schnell besser.«

Laurie rieb mit dem Schwamm über die Flecke, die Thomas' gieriges Saugen und Beißen hinterlassen hatte, das er »Küssen« nannte.

»Ist das immer so?«, schluchzte Elaine. »Wenn es jedes Mal so ist, will ich lieber sterben ...«

Mary zog sie an sich. »Aber nein. Man gewöhnt sich daran.«

Elaine erinnerte sich, gehört zu haben, dass Daphne den Zwillingen nie zugemutet hatte, sich an so etwas zu gewöhnen.

Laurie gab ihr noch etwas Wein; Daphne hatte wohl mehrere Flaschen geschickt. Elaine trank ihn durstig wie noch nie. Im Wein lag Vergessen, sagte man, doch selbst wenn: Das eben Geschehene würde sich ja am kommenden Abend schon wiederholen.

»Sagt Daphne vielen Dank«, flüsterte Elaine, als sie sich schließlich von den Zwillingen trennte und mit pochendem Herzen und voller Furcht in das Zimmer zurückkehrte, in dem ihr Gatte schlief.

»Was sagen wir Daphne denn jetzt?«, fragte Laurie ihre Schwester, als die Frauen ihre Sachen zusammenräumten. »Ich meine, er war nicht sehr nett zu ihr ...«

Mary zuckte die Achseln. »Stimmt. Aber wie viele sind schon nett? Daphne hat nicht gefragt, ob er nett ist. Sie wollte wissen, ob er ...« Sie schwieg verschämt.

Laurie verstand auch ohne Worte. »Ja, du hast Recht. Miss Lainie hat mir bloß so leidgetan. Aber sonst braucht Daphne sich nicht zu beunruhigen. Soweit man bis jetzt erkennen kann, ist er normal.«

7

Elaine war heilfroh, dass sie am nächsten Morgen nicht reiten musste. Nicht nur, dass ihr Unterleib unerträglich schmerzte, sie hatte auch schlecht und verspannt am Bettrand geschlafen. Nun tat ihr ganzer Körper weh, und ihr Gesicht war aufgeschwemmt und vom Weinen gerötet. Thomas äußerte sich allerdings nicht dazu, ebenso wenig wie Zoé, mit der sie immerhin die nächsten Tage eine Kutsche und demnächst ein Haus teilen würde. Elaine hatte sich ein bisschen Freundschaft erhofft; die junge Frau musste doch wissen, was sie in dieser Nacht durchgemacht hatte. Doch Zoé schwieg beharrlich. Auch sonst konnte Elaine sich niemandem wirklich anvertrauen.

Die Sideblossoms wollten früh aufbrechen; Elaine konnte selbst ihre Eltern nur kurz zum Abschied umarmen. Fleurette erkannte natürlich, dass irgendetwas mit ihr war, doch für Fragen war keine Zeit. Lediglich Helen traf Elaine für einen Moment alleine an, als sie ihr beim Abtragen des Frühstücksgeschirrs half. Sofort bemerkte sie Elaines steife, schmerzhafte Bewegungen.

»War es schlimm, Kind?«, fragte sie mitfühlend.

»Es war schrecklich.«

Helen nickte verständnisvoll. »Ich weiß, meine Kleine. Aber es wird besser, glaub mir. Und du bist jung, du wirst rasch schwanger. Dann lässt er dich vielleicht in Ruhe.«

Elaine verbrachte den gesamten ersten Vormittag in der Kutsche mit hektischen Berechnungen darüber, ob das Erlebnis der vergangenen Nacht zur Zeugung eines Kindes geführt haben konnte. Alles in ihr wehrte sich gegen den Gedanken, ein Kind empfangen zu haben. Schließlich aber beruhigte sie sich. Ihre letzte Blutung lag gerade einmal vier Tage zurück, und Inger zufolge war eine Empfängnis zu diesem Zeitpunkt nicht möglich.

Zoés Chaise war verhältnismäßig gut gefedert, doch die Wege rund um den Lake Waikatipu befanden sich nicht in bestem Zustand. Elaine stöhnte jedes Mal auf, wenn sie wieder durch eines der tiefen Schlaglöcher rumpelten. Verzweifelt versuchte sie ein Gespräch mit Zoé anzufangen, doch die junge Frau schien keine anderen Interessen zu haben als den Haushalt und die verschiedenen Luxusgegenstände, mit denen sie Lionel Station verschönerte. Sie sprach ausführlich über Möbel und Vorhangstoffe, kam dabei aber nicht auf den Gedanken, Elaine nach ihrer Meinung oder ihrem Geschmack zu fragen. Nach ein paar Stunden war Elaine entschlossen, sich von ihrem Mann auf keinen Fall auf das Haus beschränken zu lassen. Mit Zoé würde sie sich zu Tode langweilen. Sie musste ihren Platz auf der Schaffarm behaupten; Grandma Gwyneira hatte das schließlich auch geschafft. Gedankenverloren streichelte sie Callie, die offensichtlich merkte, dass ihre Besitzerin Trost brauchte.

Zoé betrachtete das Tier missmutig. »Ich hoffe, du willst den Köter nicht im Haus haben.«

Elaine merkte, wie Wut in ihr aufstieg.

»Sie ist kein Köter. Sie ist ein Kiward Border Collie. Das sind die berühmtesten Hunde in ganz Neuseeland. Friday, ihrer Großmutter, wollen sie in Christchurch sogar ein Denkmal setzen. Sie stammen von den Silkham Collies ab, die sind in ganz Großbritannien bekannt.« Elaine stach der Hafer. »Wenn jeder menschliche Einwanderer so eine Abstammung hätte ...«

Zoés hübsches Gesicht verzog sich zu einer Fratze der Wut. Elaine hatte sie gar nicht persönlich treffen wollen; ihre Bemerkung war eher scherzhaft gemeint. Doch Zoés Ahnen schienen nicht die Vornehmsten gewesen zu sein.

»Ich will keine Tiere im Haus! Und John auch nicht!«, beschied sie Elaine.

Elaine straffte sich. Wenn Zoé einen Machtkampf wollte ...

»Thomas und ich werden ja wohl unsere eigenen Zimmer haben«, sagte sie. »Die ich nach meinem Geschmack einrichten darf. Zum Beispiel mag ich keine Rüschenvolants.«

In den nächsten Stunden herrschte wieder Schweigen in der Chaise. Elaine konzentrierte sich auf die Schönheit der Landschaft, durch die ihr Weg sie führte. Vorerst ging es noch am See entlang; dann durchquerten sie eine Ebene in Richtung Arrowtown. Hier wuchs Gras, ähnlich wie in den Canterbury Plains, auch wenn das Land nicht so weit und eben war und eine größere Pflanzenvielfalt aufwies. Es war ein Zentrum der Schafzucht – oder hatte es zumindest werden sollen –, bevor ein Schafscherer namens Jack Tewa fast dreißig Jahre zuvor Gold gefunden hatte. Seitdem strömten Goldgräber in die Gegend. Vor allem das Städtchen Arrowtown war gewaltig angewachsen. Elaine fragte sich, ob es tatsächlich Gold in den Bächen und Flüssen gab, die sie passierten und deren verträumte, bewaldete Ufer zum Verweilen einluden.

Thomas hatte ihr gesagt, sie würden in Arrowtown übernachten; tatsächlich aber ließen sie die Stadt links liegen und rasteten auf einer Schaffarm, deren Besitzer die Sideblossoms kannten. Das Haus hatte allerdings wenig Ähnlichkeit mit Kiward oder Lionel Station; es war eher schlicht, die Gästezimmer winzig. Die Besitzer erwiesen sich jedoch als vorzügliche Gastgeber, wie eigentlich alle Farmer auf Neuseeland. Schließlich lag auch Garden Station ziemlich abgelegen, und Besuch war selten. Elaine bemühte sich nach Kräften, Mrs. Gardeners Bedürfnis nach Neuigkeiten aus Queenstown und Otago zu befriedigen, obwohl ihr eigentlich nicht der Sinn nach einem Plausch stand. Tatsächlich war sie todmüde und erschöpft nach der Fahrt, andererseits erfüllt von Angst vor der Nacht mit Thomas. Während der Reise und auch am Morgen hatte ihr Gatte kaum ein Wort mit ihr gewechselt, und auch jetzt bestritten ausschließlich die männlichen Sideblossoms die Unterhaltung mit Mr. Gardener. Die Frauen blieben unter sich. Zoé war auch dabei keine rechte Hilfe. Schweigend aß sie etwas von den angebotenen Speisen. Elaine bekam vor Müdigkeit und Nervosität kaum einen Bissen herunter, während Mrs. Gardener sie aushorchte. Schließlich bat Zoé, sich zurückziehen zu dürfen. Elaine schloss sich ihr nur zu gern an. Mrs. Gardener schien ein wenig enttäuscht, zeigte aber Verständnis.

»Sie müssen ja müde sein, Kindchen, nach der Hochzeit ... und dann gleich diese weite Reise. Ich erinnere mich noch gut daran, als ich jung vermählt war ...«

Elaine befürchtete eine längere Schwärmerei über die Wonnen der Ehe, doch Mrs. Gardener schien anderes andeuten zu wollen. Als sie Elaine Wasser zum Waschen brachte, stellte sie ganz selbstverständlich einen Tiegel Salbe neben das Waschgeschirr.

»Vielleicht haben Sie Verwendung dafür«, meinte sie, ohne Elaine direkt anzusehen. »Ich stelle sie selbst her, aus Schweinefett und Pflanzenextrakten. Ich habe Ringelblumen im Garten, wissen Sie.«

Elaine hatte sich vorher noch nie selbst im Schambereich berührt, doch als Mrs. Gardener sie verlassen hatte, griff sie mit klopfendem Herzen in den Salbentiegel und rieb die wunden Stellen zwischen ihren Beinen damit ein. Der Schmerz wurde augenblicklich gelindert. Aufatmend zog Elaine sich aus und ließ sich aufs Bett fallen. Thomas trank noch mit Gardener und dessen Söhnen – er schien ähnlich trinkfest zu sein wie sein Vater –, und so schlief Elaine schließlich ein, bevor Thomas zu ihr kam. Das rettete sie allerdings nicht. Entsetzt erwachte sie davon, dass jemand sie an der Schulter fasste und auf den Rücken zwang, und schrie erschrocken auf. Callie, die vor dem Zimmer geschlafen hatte, bellte laut.

»Bring das Biest zur Ruhe!«, grollte Thomas heiser.

Elaine sah, dass er sich bereits entkleidet hatte. Außerdem hielt er sie fest. Wie sollte sie da hinausgehen und den Hund beruhigen?

»Aus, Callie! Alles in Ordnung!« Elaine versuchte, das Tier zu rufen, doch ihre Stimme klang so verschreckt, dass sie sich selbst nicht geglaubt hätte. Und Hunde hatten ein feines Gespür für Stimmungen ... Schließlich ließ Thomas noch einmal von seiner Frau ab, ging zur Tür und strafte den Hund mit einem derben Fußtritt. Callie wimmerte, bellte aber weiter. Elaine fürchtete sich jetzt nicht mehr nur um sich, sondern auch um die Hündin. Sie atmete auf, als sie Mrs. Gardeners freundliche Stimme auf dem Gang vor den Zimmern hörte. Sie schien die widerstrebende Callie wegzuführen. Elaine dankte dem Himmel und ihrer Gastgeberin und lag ergeben still, während Thomas sich ihr wieder zuwandte.

Er hielt sich auch heute nicht mit Zärtlichkeiten auf. Stattdessen drang er in seine junge Frau ein, ohne sie auch nur zu entkleiden. Er schob ihr Nachthemd so gewaltsam hoch, dass es einriss.

Elaine hielt den Atem an, um nicht zu schreien – es wäre schrecklich peinlich gewesen, wenn die Gardeners sie gehört hätten. Aber diesmal tat es längst nicht so weh wie in der Nacht zuvor, als er sich in ihr bewegte. Die Salbe erleichterte Thomas überdies das Eindringen. In dieser Nacht beschränkte er sich auch auf ein einziges Mal und schien gleich einzuschlafen, nachdem sein Atem sich beruhigt hatte. Er machte sich nicht einmal die Mühe, dazu von Elaines Körper abzulassen. Sie roch seinen Schweiß und den durchdringenden Gestank nach Whisky. Er musste viel getrunken haben. Elaine schwankte zwischen Furcht und Ekel. Würde er aufwachen, wenn sie sich unter ihm wegbewegte? Sie musste es versuchen; es war ausgeschlossen, in dieser Stellung bis zum nächsten Morgen zu verharren.

Schließlich nahm sie allen Mut zusammen und schob Thomas' schweren Körper zur Seite. Dann rollte sie aus dem Bett, so leise sie konnte, tastete nach ihrem Morgenmantel – ein elegantes Stück aus Dunedin, bei dessen Bestellung sie an gemütliche Frühstücksrunden mit ihrem geliebten Gatten gedacht hatte – und schleppte sich aus dem Zimmer. Der Abtritt war unten, neben dem Küchentrakt; deshalb musste Elaine die Treppe hinunter. Aus der Küche hörte sie leises Wimmern. Es war Callie. Elaine vergaß ihre ursprüngliche Absicht, öffnete die Küchentür und folgte dem Klang der klagenden Stimme. Schließlich fand sie die Hündin in einer Ecke von Mrs. Gardeners Vorratskammer. Hier schlief Elaine dann auch ein, wurde zum Glück aber wach, bevor es hell wurde. Hastig sperrte sie Callie wieder ein und schlich die Treppe hinauf. Thomas hatte zum Glück nichts mitbekommen. Er schlief nach wie vor, lag quer über dem eher schmalen Bett und schnarchte. Elaine zog eine Decke unter Thomas hervor und verbrachte den Rest der Nacht zusammengekauert auf dem Boden des Zimmers. Erst als Thomas sich am Morgen schlaftrunken regte, rollte sie sich auf der Bettkante zusammen.

Wenn das so weiterging, würde sie an Schlafmangel sterben. Elaine fühlte sich hundeelend. Mrs. Gardeners mitfühlende Blicke nutzten ihr da gar nichts.

»Nehmen Sie meine Salbe ruhig mit ... ach ja, und das Rezept schreibe ich Ihnen auch schnell auf!«, meinte die gutmütige Hausherrin. »Schade, dass Sie mir dafür nicht den kleinen Hund dalassen wollen! So ein nettes Tier! Er würde uns hier gute Dienste leisten!«

Elaine dachte in ihrer Panik fast daran, ihr Callie zu schenken; dann wäre wenigstens das Tier in Sicherheit. Sie hatte in der Nacht befürchtet, Thomas könnte Callie mit seinen Tritten ernstlich verletzen. Aber dafür würde sich auf Lionel Station schon eine Lösung finden. Stattdessen überlegte sie, Grandma Gwyn einen Brief zu schreiben. Sicher fand sich ein Kiward Collie für Mrs. Gardener; man musste nur sehen, wie man ihn hierher brachte. Aber das würde sich schon arrangieren lassen. Elaine hätte der freundlichen Gastgeberin an diesem Tag auch die Kronjuwelen geschenkt!

Der Tag verlief ähnlich wie der vergangene. Sie folgten dem Trail Richtung Cardrona und kamen dabei höher in die Berge; zum Teil lag hier sogar noch Schnee. Elaine, nach wie vor übermüdet und wund, fror in der Chaise. Sie hatte nicht daran gedacht, ihren Wintermantel auszupacken. Schließlich hielt der Fahrer ihres Vaters, ein aufgeweckter, rothaariger junger Ire, und suchte Decken und Pelze für die Frauen aus den mitgeführten Truhen. Elaine hatte es nun warm, atmete aber trotzdem auf, als sie das Hotel in Cardrona erreichten, in dem sie die Nacht verbringen sollten. Es war ein schlichter, niedriger Holzbau, in dessen Barräumen keine Frauen erlaubt waren. Elaine und Zoé durften sich nicht mal vor dem Kamin aufwärmen, sondern mussten gleich auf ihre Zimmer. Dort servierte ein Mädchen ihnen etwas zu essen und warmes Bier, und Elaine trank so viel, wie sie eben schaffte. Es schmeckte scheußlich. Von ein wenig Wein abgesehen hatte sie vorher nie Alkohol getrunken, aber sie dachte an Daphnes Botschaft: Alkohol konnte alles leichter machen.

Leider wirkte das Bier nicht, im Gegenteil. Diese Nacht war die schlimmste, die Elaine bislang erdulden musste, denn diesmal kam Thomas fast unmittelbar nach der Ankunft zu ihr, und er war nicht betrunken. Elaine hoffte zunächst, dass ihn dies geduldiger und zärtlicher machen würde, aber sie zitterte trotzdem schon, wenn er sie nur anrührte. Zu ihrem Entsetzen schien es ihn zu erregen.

»Hübsch bist du, wenn du dich so zierst!«, sagte er. »Gefällt mir viel besser als die Nummer, die du neulich abgezogen hast. Passt eher zu meiner kleinen Unschuld vom Lande ...«

»Bitte nicht!« Elaine zog sich zurück, als er nach ihren Brüsten fasste. Sie hatte sich noch nicht vollständig entkleidet, sondern trug noch ihr Korsett, aber das schien ihn nicht zu stören. »Nicht so, bitte ... können wir nicht erst ein bisschen ... nett sein?«

Sie errötete unter seinem spöttischen Blick.

»Nett sein? Was verstehst du darunter? Irgendein Spielchen? Hat deine Hurenfreundin dir etwas beigebracht? Ja, erzähl mir nichts. Ich hab mich erkundigt über deinen Umgang! Wie willst du's denn haben? So?«

Er riss ihr Korsett auf, warf sie aufs Bett und knetete ihre Brüste. Es tat weh, und sie wand sich unter seinem Griff, doch er lachte nur und machte Anstalten, in sie einzudringen.

»Oder lieber was Wildes? So vielleicht?«

Elaine wimmerte, als er sie umdrehte.

Männer und Frauen sehen sich normalerweise dabei an ..., hatte Inger gesagt. Aber was war hier noch normal?

Im Laufe des nächsten Tages verlief der Reiseweg bergab. Sie kamen rasch vorwärts, und es wurde wärmer. Zwischen den Felsen wuchs jetzt wieder Gras. Gelbe und weiße Frühlingsblumen wagten sich hervor; sie wollten so gar nicht zu Elaines düsterer Stimmung passen. Am Lake Wanaka, das wusste sie schon von ihrer ersten Reise, war die Landschaft lieblicher als bei Queenstown. Die Felsen fielen nicht so schroff zum See hin ab, sondern es gab Strände und Wälder am Ufer. Der Tag war freundlich. Zum ersten Mal seit der Hochzeit herrschte schönes Wetter, und der Blick auf den See enthüllte eine märchenhafte Landschaft. Das Wasser war tiefblau, der Strand schmiegte sich daran, gewaltige Bäume spiegelten sich im

Wasser, und alles schien völlig menschenleer zu sein. Das aber täuschte, denn die Ortschaft Wanaka lag in der Nähe – eine kleine Stadt, vergleichbar mit Haldon bei Kiward Station, nur sehr viel schöner gelegen. Die Sideblossoms durchquerten Wanaka am frühen Nachmittag, folgten dann aber dem Cardrona River in Richtung des Lake Hawea. Das war ein Umweg, doch die Strecke führte direkt am See entlang durchs Gebirge, und es gab kaum Straßen, die man mit Fahrzeugen passieren konnte.

Die letzte Nacht der Reise verbrachten sie erneut in einem Farmhaus am Hawea River. Und endlich war Elaine eine Atempause vergönnt. Die Männer betranken sich mit dem selbst gebrannten Whisky des irischen Farmers so sehr, dass Thomas nicht einmal den Weg ins Bett fand. Elaine schlief endlich durch und war deutlich besser gestimmt, als am nächsten Tag die letzte Etappe der Reise anstand. Unterwegs wurde sie allerdings immer nervöser. War sie bei ihrem ersten Besuch auf Lionel Station auch durch diese menschenleeren Gebirgslandschaften geritten? Die Gegend war wunderschön, und ein Ausblick auf den tiefblauen See inmitten der Gebirgskulisse war atemberaubender als der andere, doch den ganzen Tag war kein einziges Haus oder gar eine Ansiedlung zu erblicken. Elaine sah der Wahrheit ins Auge: Selbst wenn sie ihr Pferd zur Verfügung hätte – zwischen Lionel Station und Wanaka lagen zwei Tagesritte! Was sie vorher kaum realisiert hatte, wurde ihr nun zu deutlich klar: Die Sideblossoms, Zoé und vielleicht noch ein paar Viehhüter waren die einzigen Weißen, die sie jetzt monatelang zu Gesicht bekommen würde.

Lionel Station lag in Makaroa, an der Westseite des Sees Pukaki. Das Anwesen beherrschte eine Bucht an der Mündung des Makaroa River, und rund um das Herrenhaus sowie den Fluss entlang bis hinauf in die McKenzie Highlands erstreckte sich das Weideland für Sideblossoms Schafe. Die Dienerschaft im Haus bestand ausschließlich aus Maoris, aber ein Dorf lag offensichtlich nicht in unmittelbarer Nähe; die Leute schliefen in provisorischen Unterkünften auf Lionel Station. Selbst Elaine, die sich mit den Sitten der Maoris nicht allzu gut auskannte, hätte sagen können, dass dies eine hohe Fluktuation unter den Angestellten nach sich zog. Maoris waren Familienmenschen; es zog sie zu ihrem Stamm zurück, auch wenn sie gern bei den *pakeha* arbeiteten. Die Belegschaft, die sie heute erwartete, bestand demnach auch schon größtenteils aus anderen Stammesangehörigen als bei Elaines erstem Besuch. Zoé hatte unterwegs darüber geschimpft; sie war ständig damit beschäftigt, neue Leute einzuarbeiten. Das schien ihr allerdings zu liegen, denn auch das neue Personal verhielt sich untadelig. Allerdings wurde es wohl auch von seinesgleichen überwacht: Elaine erkannte eine ältere Frau wieder, die ihr im Winter als Emere vorgestellt worden war. Ihr Gesicht trug noch Tätowierungen, hätte aber sicher auch ohne die traditionelle Verzierung der Maoris grimmig gewirkt. Emere war größer als die meisten Maori-Frauen. Sie trug ihr langes schwarzes Haar, in das sich schon weiße Fäden mischten, offen – ungewöhnlich für Hausangestellte einer so strengen Herrin wie Zoé, die auf westliche Kleidung und aufgestecktes Haar Wert legte und bei den Zimmermädchen sogar auf Häubchen bestand. Doch Emere schien sich nicht viel sagen zu lassen. Sie wirkte selbstbewusst und musterte sowohl Zoé als auch Elaine mit abschätzenden Blicken aus unergründlichen, ausdruckslosen dunklen Augen.

Elaine begrüßte sie so herzlich, wie es ihr nach dieser Reise noch möglich war. Sie musste zumindest zum Personal ein gutes Verhältnis aufbauen; ganz ohne Freunde wäre sie auf Lionel Station verloren.

Thomas ließ ihr allerdings keine Zeit für eine gründliche Einführung.

»Komm, Elaine, ich zeige dir unsere Wohnung. Ich habe den Westflügel für uns herrichten lassen. Zoé war so freundlich, bei der Einrichtung zu helfen.«

Elaine, die nach der ersten erholsamen Nacht nicht mehr gefügig und verschreckt war, sondern sich über die Behandlung ärgerte, die ihr zuteil wurde, folgte ihm missmutig.

Thomas verhielt vor dem Eingang; eine Tür zum Westflügel ging von der großzügig gestalteten Eingangshalle ab.

»Soll ich dich über die Schwelle tragen?«, fragte er grinsend.

Elaine spürte Wut in sich aufsteigen.

»Heb dir die Romantik für intimere Stunden auf!«, gab sie heftig zurück.

Thomas blickte sie verwundert an; dann wurde sein Blick wachsam, und Zorn blitzte in seinen Augen auf. Ungewohnt mutig erwiderte Elaine den funkelnden Blick.

Wie erwartet wimmelte es im Westflügel vor Blütenvolants und dunklen, gedrechselten Möbeln. Beides entsprach nicht Elaines Geschmack. Normalerweise wäre ihr das ziemlich egal gewesen; sie beschäftigte sich sowieso lieber draußen, als im Haus herumzusitzen, und wenn sie ein interessantes Buch las, nahm sie die Umgebung kaum wahr. Aber jetzt brachte es sie auf.

»Kann ich an der Einrichtung etwas ändern, wenn sie mir nicht gefällt?«, fragte sie, wobei ihr Tonfall aggressiver geriet, als sie es eigentlich gewollt hatte.

»Was gefällt dir denn hier nicht?«, erkundigte sich Thomas. »Die Einrichtung zeugt von bestem Geschmack, da waren sich bisher alle Betrachter einig. Natürlich kannst du deine Möbel aufstellen, aber ...«

»Vielleicht habe ich keinen besonders erlesenen Geschmack, aber ich sehe gern die Hand vor Augen!«, erklärte Elaine und schob die schweren Vorhänge vor einem der Fenster resolut zur Seite. Sie brauchte dazu einige Kraft, denn Zoé bevorzugte voluminöse Samtkreationen, welche die Außenwelt völlig ausschlossen. »Zumindest das hier muss weg!«

Thomas sah sie an, und sein Blick schien sie zu bannen. Hatte sie wirklich noch vor einer Woche Verletztheit hinter seinem undurchdringlichen Gesichtsausdruck vermutet? Inzwischen hatten seine Geheimnisse sich enthüllt. Vielleicht hatte Thomas sich als kleiner Junge wirklich verlassen und einsam gefühlt, aber jetzt hatte er einen Weg gefunden, zu bekommen, was er wollte.

»Mir gefällt es«, sagte er gereizt. »Ich lasse deine Sachen hereinbringen. Sag den Leuten möglichst gleich, wo du was hinstellen möchtest.« Damit wandte er sich ab und entließ eine gedemütigte und verängstigte Elaine, denn die Drohung in seiner Stimme war nicht zu überhören gewesen.

Was machte sie jetzt bloß mit einer ganzen Wagenladung an Aussteuer? Und wegen der Auseinandersetzung hatte Thomas nicht einmal die Gelegenheit gehabt, sie in der gemeinsamen Wohnung herumzuführen. Verzweifelt schaute Elaine sich um.

»Kann ich Madame helfen?«, fragte eine gezierte, sehr junge Stimme vom Eingang her. »Ich bin Pai, Ihre Zofe. Das soll ich jedenfalls sein, meint Miss Zoé, wenn es Ihnen beliebt ...«

Elaine blickte verwirrt. Sie hatte nie zuvor eine Zofe gehabt. Wozu brauchte man so jemanden? Die kleine Pai schien es auch nicht genau zu wissen. Sie war höchstens dreizehn Jahre alt und wirkte verloren in ihrer schwarzen Dienstmädchenuniform mit dem weißen Schürzchen und Häubchen. Und diese förmliche französische Anrede! Offensichtlich hatte Zoé ihrer »Stief-Schwiegertochter« das Mädchen geschickt, das sie im Haushalt am ehesten entbehren konnte. In Elaine erwachten erneut Zorn und Trotz. Aber Pai konnte ja nichts dafür. Das Mädchen wirkte unschuldig und sympathisch mit seinem breitflächigen, ungewöhnlich hellen Gesicht und dem dicken schwarzen Haar, dessen strenge Zopffrisur seinen herzförmigen Ansatz betonte. Es war sicher keine reinrassige Maori, sondern ein Mischling wie Kura, allerdings bei weitem keine so außergewöhnliche Schönheit.

Elaine lächelte. »Das freut mich. *Kia ora*, Pai! Sag, kennst du dich hier aus? Die Männer bringen gleich einen Berg Sachen herein, und wir müssen irgendetwas damit anstellen. Haben wir ... habe ich noch andere Dienstboten?«

Pai nickte eifrig. »Ja, Madame, noch ein Hausmädchen. Rahera. Aber sie ist schüchtern, sie spricht nicht viel Englisch. Sie kam erst vor zwei Wochen her.«

Also genau wie Elaine es sich gedacht hatte. Das erfahrene Personal behielt Zoé für sich, während sie sich mit den Neulingen herumschlagen musste. Nun, sie würde zumindest versuchen, die Mädchen längere Zeit zu halten.

»Das macht nichts, Pai, ich spreche ein bisschen Maori«, sagte sie freundlich. »Und du sprichst sehr gut Englisch, wir werden also schon miteinander auskommen. Hol Rahera gleich her ... oder nein, zeig mir erst die Wohnung. Ich muss eine ungefähre Vorstellung haben, wo was hingehört.«

Pai führte Elaine also herum, und die junge Frau fühlte sich gleich besser, als Pai ihr den Weg in ihre Zimmer wies. Wie es aussah, waren ein Schlaf- und ein Ankleidezimmer allein für Elaine reserviert. Sie würde also nicht jede Nacht das Bett mit ihrem Gatten teilen müssen, oder zumindest nicht neben ihm schlafen. Darüber hinaus gab es einen Salon und ein Herrenzimmer, die ineinander übergingen. Beides nicht groß; mit ziemlicher Sicherheit ging es auf Lionel Station ähnlich zu wie auf Kiward Station: Die wichtigsten Gemeinschaftsräume wurden von allen Hausbewohnern genutzt, und auch die Mahlzeiten wurden zusammen eingenommen. Der Westflügel jedenfalls enthielt keine Küche, dafür gleich zwei großzügig eingerichtete, hochmoderne Badezimmer.

Elaine hatte eine rasche Auffassungsgabe und ein gutes räumliches Vorstellungsvermögen. Der Grundriss der Wohnung ging ihr also leicht ein, und als die Männer – der Fahrer ihres Vaters und ein Maori-Arbeiter – die Möbel und Truhen hereintrugen, konnte sie ziemlich genau angeben, was wohin passte. Pai zeigte sich ebenfalls anstellig. Sie mochte keine große Erfahrung haben, aber dass ihr als Zofe die Pflege der Kleidung ihrer Herrin oblag – und dass man die folglich am besten im Ankleidezimmer unterbrachte –, war ihr geläufig. Pai stapelte also eifrig Wäsche in die Schubladen in Elaines Schlafzimmer und leerte Kleidertruhen in die Schränke, während Rahera Geschirr und Kristall mit so viel Vorsicht in die Vitrinen räumte, dass es fast an Ehrfurcht grenzte. Der Maori-Helfer stellte sich als Raheras Bruder Pita vor. Eigentlich, so bedeutete er Elaine, arbeite er als Viehtreiber; er hatte sich hier nur als Träger angeboten, um Rahera nahe zu sein.

Wohl eher Pai, dachte Elaine, die das verräterische Funkeln in den Augen des Jungen und des Mädchens nicht übersehen hatte. Aber umso besser. Wenn Pai hier einen Freund fand, lief sie nicht gleich wieder fort.

»Das sein schöne Hund!«, sagte Pita mit Blick auf Callie, die mit Rubens Fahrer ins Haus gekommen war. Sie hatte auch die letzten Nächte mit ihm auf dem Planwagen verbracht. Jetzt musste Elaine eine neue Lösung für sie finden. Auch das war keine leichte, dafür umso dringlichere Aufgabe.

»Gut für Schafe! Gekauft Mr. Thomas?« Auch Pitas Englisch war nicht das Beste. Elaine musste unbedingt herausfinden, woher diese Leute kamen, zu welchen Stämmen sie gehörten und woher die gewaltigen Bildungsunterschiede kamen.

»Nein«, sagte sie jetzt mit bitterem Lächeln. »Die hat er dazugekriegt. Callista heißt sie. Sie ist mein Hund.« Sie zeigte auf sich selbst, als Pita nicht gleich zu verstehen schien. »Hört nur auf mich!«

Pita nickte. »Sehr schöne Hund. Du uns leihen für Schafe!«

»Sie!«, kam eine schneidende Stimme von der Tür. Zoé Sideblossom rauschte ins Zimmer. Die junge Frau hatte sich nach der Reise bereits umgekleidet und offenbar schon ein Bad genommen; auf jeden Fall wirkte sie viel frischer und ordentlicher, als Elaine sich fühlte. Und sie brachte auch schon genug Energie auf, um die Dienstboten zu maßregeln. »›Wenn es Ihnen und Mr. Thomas genehm ist, werden wir uns den Hund für die Arbeit mit den Schafen leihen.‹ Sprich das nach, Pita! In meinem Haus will ich dieses Eingeborenen-Gestammel nicht hören. Und vor allem gewöhn dich an die korrekte Anrede: ›Sie‹ und ›Madame‹.« Zoé Sideblossom wartete, bis der erschrockene Pita ihre komplizierte Formulierung wiederholt hatte – garantiert ohne sie völlig zu verstehen. Erst dann wandte sie sich an Elaine. »Ist alles zu deiner Zufriedenheit? Thomas meinte, die ... Einrichtung hätte dir besonders gefallen.« Die junge Frau lächelte sardonisch.

Callie knurrte Zoé an. Elaine wünschte sich plötzlich, ihr sanfter Collie würde sich in einen bissigen Rottweiler verwandeln.

»Meine Möbel werden für ein wenig Auflockerung sorgen«, sagte Elaine mit eiserner Beherrschung. »Und wenn Pita so freundlich wäre, seiner Schwester zu helfen, die Vorhänge etwas beiseitezuschieben ... Du brauchst mich übrigens nicht ›Madame‹ zu nennen, Pita. In meinem Haus bin ich ›Miss Elaine‹ oder ›Miss Lainie‹.«

Pita und Rahera schauten sie an wie verschreckte Kaninchen, doch Pai unterdrückte ein Kichern.

»Wir erwarten dich um acht Uhr zum Dinner.« Zoé verließ den Westflügel in majestätischer Haltung.

»Ziege!«, knurrte Elaine.

Pai grinste sie an. »Was haben Madame gesagt?«

Es war fast acht Uhr, als endlich alle Truhen geleert und sämtliche Möbelstücke in den Zimmern verteilt waren. Die meisten hatte Elaine in ihrem Schlafzimmer und dem Ankleidezimmer untergebracht; dafür hatte sie ein paar der ursprünglichen Möbelstücke auf andere Räume verteilt. Das Wohnzimmer wirkte jetzt ziemlich überladen, aber das war Elaine egal; sie würde sich hier sowieso nicht viel aufhalten. Und jetzt hatte sie nur noch zehn Minuten, um sich zum Dinner umzuziehen. Sie wusste noch von ihrem Besuch, dass es dabei ziemlich förmlich zuging. Ob John Sideblossom darauf bestand? Oder Zoé? Davon würde es auf jeden Fall abhängen, wie streng die Männer die Regelung nahmen. Elaine glaubte nicht, dass Zoé in diesem Haushalt so viel zu sagen hatte, wie sie vorgab. Auf der Reise hatte sie sich John gegenüber stets ziemlich unterwürfig gezeigt.

Doch in einem verschmutzten Reisekleid hätte Elaine sich selbst in Queenstown nicht an den Esstisch gesetzt. Sie musste sich wenigstens notdürftig reinigen und ein anderes Kleid anziehen. Zum Glück legte Pai schon eines heraus. Aber zunächst wollte der Fahrer ihres Vaters sich noch rasch von Elaine verabschieden.

»Wollen Sie denn jetzt schon weg, Pat?«, fragte sie verwundert. »Sie können doch morgen in aller Ruhe aufbrechen. Bestimmt findet sich hier irgendwo ein Bett für Sie.«

Patrick O'Mally nickte. »Ich schlafe in den Dienstbotenquartieren, Miss Lainie. Pita hat mich eingeladen. Ansonsten hätte ich auch im Wagen übernachtet, wie auf der Reise ...«

Das stimmte. Elaine vermerkte mit leisem Bedauern, dass keiner der Sideblossoms je an ein Quartier für Pat gedacht hatte. Sie fand das rücksichtslos. Zumindest in den Hotels hätte es Zimmer gegeben.

»Aber ich will morgen in aller Herrgottsfrühe los. Ohne Ladung, und wenn mich die Damen nicht aufhalten, komme ich glatt bis Wanaka ...« Pat sah Elaines ein wenig gekränktes Gesicht und verbesserte sich sofort. »Entschuldigung, Miss

Lainie, so ... äh ... war das nicht gemeint. Ich weiß, Sie sind sonst eine schneidige Reiterin. Aber die Chaise von Mrs. Sideblossom und diese lahmen Gäule davor ...«

Elaine lächelte verständnisvoll. Auch ihr war aufgefallen, dass die edlen Rösser vor Zoés Chaise nicht mit einem Zugpferd wie Owen oder dem Cob-Stutengespann vor Pats Frachtwagen mithalten konnten.

Pat hätte sich jetzt verabschieden können, doch er schien noch irgendetwas auf dem Herzen zu haben.

»Miss Lainie ... ist wirklich alles in Ordnung?«, stammelte er schließlich. »Auch mit ...« Er warf einen Seitenblick auf Callie. Elaine hatte ihm nicht erzählt, warum sie die Hündin auf der Reise bei ihm ausquartiert hatte, aber Patrick war nicht dumm.

Elaine suchte nach Worten. Sie hätte auch dann nicht gewusst, was sie auf seine Fragen antworten sollte, wäre Thomas Sideblossom nicht eben hinter Pat aufgetaucht.

»Mrs. Sideblossom, wenn ich bitten darf!«, sagte er scharf. »Die vertrauliche Anrede verbitte ich mir, Bursche. Das ist respektlos. Außerdem wolltest du doch fahren, oder? Also verabschiede dich jetzt, wie es sich gehört. Ich will noch heute die Hintereisen deiner Pferde aufblitzen sehen!«

Pat O'Mally grinste ihn an. So leicht war er nicht einzuschüchtern.

»Sehr gern, Mr. Sideblossom«, sagte er gelassen. »Aber ich wüsste nicht, dass ich Ihr Leibeigener wäre. Also bitte keine allzu vertrauliche Anrede. Ich kann mich nicht erinnern, Ihnen das Du angeboten zu haben.«

Thomas blieb ruhig, doch seine Pupillen weiteten sich. Wieder sah Elaine die Abgründe in seinen Augen. Was würde er jetzt wohl tun, wenn Pat wirklich auf ihn angewiesen wäre?

Der jedenfalls erwiderte den Blick furchtlos, beinahe schon frech.

»Auf Wiedersehen, Miss Lainie!«, meinte er dann. »Was soll ich also Ihrem Vater sagen?«

Elaines Mund war trocken, ihr Gesicht blass. »Sagen Sie meinen Eltern ... es geht mir gut.«

8

Thomas ließ Elaine keine Zeit, sich zum Essen zurechtzumachen. Er befahl ihr, ihn so zu begleiten, wie sie war; deshalb fühlte Elaine sich gedemütigt und schmutzig vor den Augen der untadelig gekleideten Zoé und den Männern, die ihre Reisekleidung mit Anzügen vertauscht hatten. Dies schien auch Emere aufzufallen, denn die alte Maori bedachte Elaine mit ihren unauslotbaren Blicken. Missbilligend? Abschätzend? Oder einfach nur neugierig auf die Reaktion der Tischgesellschaft? Über Emeres Verhalten konnte Elaine jedenfalls nicht klagen; sie war höflich und bediente sehr geschickt.

»Emere wurde noch von meiner ersten Gattin angelernt«, erklärte John Sideblossom, ohne die große Maori-Frau dabei anzuschauen. »Thomas' Mutter. Sie ist allerdings sehr früh gestorben und hat uns nur wenig so gut ausgebildetes Personal hinterlassen ...«

»Woher kommen die Maoris überhaupt?«, fragte Elaine. »In der Gegend hier scheint es kein Dorf zu geben.«

Und warum war Emere immer noch hier, statt geheiratet zu haben und Kinder zu bekommen? Oder sich um ihren Stamm zu kümmern? Grandma Helen hatte schließlich erzählt, Emere sei eine *tohunga*. Wenn sie wirklich imstande war, die *wairua*-Stimme der *putorino* zu erwecken, musste sie als mächtige Zauberin gelten. Und jetzt, da Elaine sie zum ersten Mal näher betrachtete, fühlte sie sich durch ihr großflächiges Gesicht und den herzförmigen Haaransatz an irgendjemanden erinnert ... An wen bloß? Sie zermarterte sich das Hirn.

»Die Männer verdingen sich hier«, erklärte Thomas. »Als Viehhüter, die üblichen Herumtreiber. Und die Mädchen ...

teils haben sie die im Schlepptau, teils kriegen wir sie aus der Missionsschule bei Dunedin. Waisenkinder.« Das letzte Wort sprach er bedeutungsschwer aus und schien seinen Vater dabei mit einem spöttischen Blick zu streifen. Wieder war Elaine verwirrt. Sie hatte nie von Waisenkindern bei den Maoris gehört. Das entsprach nicht deren Auffassung von Familie. Grandma Helen hatte ihr erklärt, dass Maori-Kinder jede Frau der entsprechenden Generation »Mutter« oder »Großmutter« nannten, der Stamm zog seine Kinder gemeinsam groß. Ganz sicher setzte er keine Waisenkinder vor den Toren einer Missionsschule aus!

Immerhin erklärte die Ausbildung an einer solchen Schule Pais erstklassiges Englisch und ihre Grundkenntnisse der Haushaltsführung. Elaine würde das Mädchen später fragen, woher es ursprünglich kam.

Das Essen am Tisch der Sideblossoms war hervorragend, allerdings stark von der Maori-Küche geprägt; es gab hauptsächlich gebratenes Fleisch, Fisch und Süßkartoffeln. Elaine fragte sich, ob das wohl immer so war oder ob Zoé sonst auch die Küche überwachte und den Speisezettel vorschrieb. Sie konnte sich kaum noch erinnern, was sie bei ihrem ersten Besuch gegessen hatte. Damals hatte sie schließlich nur Augen für Thomas gehabt, hatte sich obendrein in die Landschaft um Lionel Station verliebt und überhaupt alles nur himmlisch gefunden. Jetzt fragte sich Elaine, wie sie so verblendet hatte sein können. Und das offenbar nicht nur einmal, sondern gleich zum zweiten Mal nach William.

So etwas würde ihr jedenfalls nicht wieder passieren. Sie würde sich nicht noch einmal verlieben, sie ...

Sie war *verheiratet*. Die Erkenntnis, dass es aus ihrer jetzigen Situation keinen Ausweg mehr gab, ließ ihr den Bissen im Hals stecken bleiben. Das hier war kein Albtraum, aus dem sie irgendwann jemand erlösen würde. Es war unveränderbare Wirklichkeit! Natürlich gab es die Scheidung, aber dann müsste sie gewichtige Gründe vorbringen – und sie konnte ganz sicher keinem Richter schildern, was Thomas jede Nacht mit ihr tat! Allein der Gedanke, es jemandem zu erzählen, ließ sie vor Scham fast vergehen. Nein, eine Scheidung war keine Lösung. Sie musste lernen, damit zu leben. Entschlossen schluckte sie den Bissen herunter, obwohl ihr Mund wieder so trocken war wie vorher. Immerhin gab es Wein. Elaine nahm ihr Glas. Aber nicht zu viel, sie brauchte einen klaren Kopf. Callie musste noch untergebracht werden. Vielleicht konnte sie sich an Pai wenden, oder besser noch an Rahera. Die konnte die Hündin zu ihrem Bruder bringen, und Pita würde auf sie aufpassen. Und dann ... Elaine musste sich auf andere Anweisungen aus Daphne O'Rourkes Erfahrungsschatz besinnen als auf die, im Wein Vergessen zu suchen. Zumindest vorerst wollte sie auf keinen Fall schwanger werden!

In diesem ersten Monat ihrer Ehe meinte das Schicksal es gut mit Elaine. Kurz bevor es nach ihren Berechnungen gefährlich wurde, mit Thomas zu schlafen, zogen die Männer aus, um die Schafe ins Hochland zu treiben. Für die Mutterschafe nutzten sie dabei vor allem die von James McKenzie entdeckten, verborgenen Weiden in einem Talkessel. Mit den Tieren war es ein zweitägiger Ritt; mindestens einen Tag würde der Rückweg in Anspruch nehmen, und vielleicht hielten die Männer sich ja noch auf, um irgendwo zu fischen oder zu jagen. Mit etwas Glück waren die kritischen Tage danach vorbei.

Auf freiwilligen Verzicht ihres Mannes wagte Elaine nicht zu hoffen. Thomas schlief fast täglich mit ihr, und von »Gewöhnung« konnte keine Rede sein. Nach wie vor hatte sie das Gefühl zu zerreißen, wenn er in sie eindrang. Die Salbe der freundlichen Mrs. Gardener war längst aufgebraucht, und Elaine war noch nicht dazu gekommen, sich um Ingredienzien für eine neue zu bemühen. Wenn Thomas sie an sich presste oder seine Finger in ihre Brüste grub, war sie hinterher grün und blau. Am Schlimmsten war es, wenn sie ihn verärgert oder sich »nicht wie eine Lady« verhalten hatte. Er nannte das »Spielchen mit ihm spielen« und ahndete es mit seiner Art von Spielen. Es gab Möglichkeiten, in eine Frau einzudringen, von denen Inger nichts gewusst oder die sie Elaine vorenthalten hatte.

Pai wurde regelmäßig rot, wenn sie die Spuren von Thomas' Misshandlungen an Elaines Körper sah.

»Ich werde ganz sicher nicht heiraten!«, erklärte sie einmal kategorisch. »Ich kann keinem Mann beiliegen, ich will nicht!«

»Aber ist schön!«, bemerkte Rahera mit ihrer sanften Stimme. Sie war ein entzückendes Mädchen von ungefähr fünfzehn Jahren, klein und gedrungen, aber sehr hübsch. »Ich schon gern heiraten, Mann aus meine Stamm. Aber kann nicht, muss arbeiten…« Ihre Miene wurde traurig. Wie Elaine inzwischen herausgefunden hatte, waren Pita und Rahera keineswegs »Herumtreiber«, sondern gehörten einem Stamm an, der vorwiegend in den McKenzie Highlands lebte. Leider wanderte der Häuptling auch anderweitig auf den Spuren des legendären Viehdiebes; der Stamm geriet in Verdacht, als eine Herde von Sideblossoms besten Schafen verschwand. Die Tiere fanden sich allerdings bald wieder, und Sideblossom, der natürlich genau wusste, dass der Häuptling mit seinem Stamm das Weite suchen würde, sobald er den Police Constabler benachrichtigte, machte die jungen Maoris verantwortlich, die er zufällig bei der Herde antraf. Nun arbeiteten Rahera, Pita und zwei andere Jungen ihre Strafe ab – eine von Sideblossom festgesetzte, endlose Strafe. Elaine wusste, dass die Jungs sehr viel besser weggekommen wären, hätten sie sich dem Gericht gestellt, und Rahera hätte man wahrscheinlich gar nicht erst belangt.

»Du … hast schon?«, fragte Pai verschämt. »Ich meine … mit einem Mann?« Die Missionserziehung war ihr in jeder Beziehung anzumerken. Sie hatte niemals bei ihrem Volk gelebt und sprach sogar ihre eigene Sprache nur unvollkommen.

Rahera lächelte. »Oh ja. Heißt Tamati. Guter Mann. Jetzt arbeitet in Mine in Greystone. Wenn einmal frei, werden wir machen in *wharenui*. Dann Mann und Frau …«

Elaine sah zum ersten Mal einen Sinn in der Sitte der Maoris, den Beischlaf in der Öffentlichkeit vor dem gesamten Stamm zu vollziehen. Was hätten die weiblichen Stammesältesten wohl gesagt, hätten sie gewusst, was Thomas ihr jede Nacht antat?

Elaine nutzte die Abwesenheit der Männer, sich endlich auch in den Ställen von Lionel Station genauer umzusehen. Im Haus hatte sie nämlich schon in diesen wenigen Tagen begonnen, sich zu Tode zu langweilen. In ihrer Wohnung gab es schließlich nichts zu tun. Gekocht wurde nicht, und die Putzarbeiten erledigten die Mädchen. Rahera hatte zwar keine Ahnung davon, wie man Silber putzte und Böden scheuerte und schien das alles auch ziemlich überflüssig zu finden, doch Pai war dafür umso penibler. Elaine wusste nicht, wie ihr Glaube aussah, doch was die Erziehung zur perfekten englischen Hausfrau oder Hausangestellten anging, hatte die Missionsschule erstklassige Arbeit geleistet. Pai lernte Rahera an und achtete darauf, dass sie alles richtig machte. Elaine störte da nur. Zerstreuungen wie Bücher oder ein Grammophon gab es kaum im Hause Sideblossom. Weder Vater noch Sohn schienen viel zu lesen, und Zoé beschränkte sich auf Frauenjournale. Die verschlang Elaine zwar auch, aber sie kamen höchstens einmal im Monat, und dann hatte sie binnen eines Tages alle gelesen.

Im großen Salon stand allerdings ein Klavier, das Zoé nicht nutzte. Auf dem musikalischen Sektor hatte man ihre Erziehung zur perfekten Lady wohl vernachlässigt. Elaine begann also wieder zu spielen – sie war etwas eingerostet, da sie ihr eigenes Instrument seit der Geschichte mit Kura nicht angerührt hatte. Hier jedoch füllten die Übungen endlose leere Stunden, und sie wagte sich bald auch an schwierigere Stücke heran.

Jetzt aber war der Weg in die Ställe frei, und gefolgt von der vergnügten Callie erkundete Elaine die Außenanlagen. Wie erwartet waren sie weitläufig. Direkt am Haus lagen nur Pferdestall und Remise, ähnlich wie auf Kiward Station. Elaine warf einen Blick in den sauberen Boxenstall. Fast nur Rappen – ab und zu ein Brauner dazwischen – schauten und wieherten ihr entgegen. Alle hatten die kleinen, edlen Köpfe von Johns und Thomas' Reitpferden, und die stürmische Begrüßung einer jeden Ablenkung sprach für ihren hohen Vollblutanteil. Elaine kraulte einen kleinen schwarzen Hengst, der ungeduldig mit den Vorderhufen gegen die Boxtür schlug.

»Ich weiß, wie du dich fühlst«, seufzte sie. »Doch heute geht's mir noch nicht so gut. Aber morgen mache ich einen Ausritt. Hast du Lust?«

Der Kleine schnaubte und schnüffelte an ihrer Hand und dem Reitkleid, das sie für den Ausflug in den Stall erstmalig auf Lionel Station aus dem Schrank genommen hatte. Ob er Banshees Duft noch wahrnahm?

Elaine trat wieder hinaus in den Sonnenschein. Sie folgte einem Wirtschaftsweg zu weiteren Stallgebäuden und stieß auf Pita und einen anderen Maori-Jungen, die eben versuchten, ein paar ausgebrochene Widder in einen frisch reparierten Pferch zu treiben. Die Schafe waren übermütige Jungtiere, die sicher gern den Muttertieren und Zuchtwiddern ins Hochland gefolgt wären. Von Pitas Versuchen, sie zu bändigen, ließen sie sich nicht beeindrucken. Ein Frechdachs griff den Maori-Jungen sogar an.

Elaine lachte zuerst über den kleinen Widder, vor dem sein Treiber erschrocken floh. Aber dann klopfte ihr Herz heftig. Sollte sie sich einmischen? Callie saß hechelnd und in angespannter Haltung neben ihr. Sie brannte darauf, diese Schafe zu treiben. Allerdings war ihre Ausbildung mangelhaft; Elaine hatte schließlich immer nur improvisiert. Was war, wenn es nicht klappte? Sie würde sich heillos blamieren.

Andererseits ... was hatte sie zu verlieren? Schlimmstenfalls würden die beiden Maoris sich über sie lustig machen. Das konnte sie verschmerzen. Doch mit ein bisschen Glück machte sie Eindruck, und wenn die Jungs dann davon erzählten, würde Thomas vielleicht einsehen, dass sie draußen weit nützlicher war als eingesperrt im Haus.

Elaine pfiff durchdringend, und Callie schoss aus ihrer Wartehaltung wie eine Kanonenkugel. Die kleine, dreifarbige Hündin warf sich zwischen den Maori und den frechen Widder, bellte einmal kurz, stellte das Schaf frontal und machte ihm klar, dass es hier nichts zu melden hatte. Der Widder drehte denn auch sofort um. Callie heftete sich an seine Fersen und wandte sich dann auch den anderen zu. Sekunden später hatte sie alle sechs zu einer Herde formiert und schenkte Elaine einen strahlenden Collie-Blick. Elaine näherte sich gelassenen Schrittes dem Tor zum Paddock – sie durfte jetzt nicht rennen, das würde die Schafe wieder durcheinanderbringen. Demonstrativ öffnete sie das Tor ein Stück weiter und pfiff Callie erneut. Gleich darauf trotteten die Schafe so manierlich in den Pferch, als hätten sie das Marschieren im Gleichschritt geübt.

Elaine lachte und lobte Callie überschwänglich. Die kleine Hündin konnte sich vor Stolz kaum lassen. Sie sprang an ihrer Herrin hoch und dann gleich an ihrem neuen Freund Pita. Tatsächlich hatte sie bei Nacht Asyl in dessen Unterkunft im Stall gefunden und schien sich wohl dabei zu fühlen.

»Das gut, Miss Lainie! Wie Wunder!« Pita war begeistert.

»Ja, Madame! Das war großartig. Ich hatte von solchen Hütehunden gehört, aber die Tiere von Mr. John arbeiten nicht halb so perfekt«, sagte der andere Maori.

Elaine blieb vor Staunen der Mund offen stehen. Der Junge drückte sich ebenso gewählt aus wie Pai. Und täuschte sie sich, oder sah er ihr sogar ähnlich? Zweifellos war auch er ein Halbblut, doch irgendetwas an seinen kantigen Gesichtszügen kam Elaine bekannt vor. So etwas war ihr sonst nie bei Männern und Frauen mit Maori-Blut passiert. Sie hielt die gedrungenen, dunklen Menschen zwar ziemlich mühelos auseinander – was nicht jedem Weißen auf Anhieb gelang –, doch Familienähnlichkeiten hatte sie bei den wenigen Eingeborenen, die sie bisher kannte, kaum feststellen können.

Moment mal ... Familie? Diese scharf geschnittenen Gesichtszüge waren doch kein Maori-Erbe! Elaine schwante etwas. Sie musste mehr herausfinden.

»Mein Hund mag ja ganz gut Schafe treiben«, sagte sie, »aber wirklich fantastisch ist dein Englisch, junger Mann ...«

»Arama, Madame, Arama, zu Ihren Diensten.« Der junge Mann verbeugte sich höflich.

Elaine lächelte.

»Nur ›Miss Lainie‹, Arama. Unter einer Madame stelle ich mir immer eine Matrone im Lehnsessel vor. Aber nun sag mir, woher du so gut Englisch kannst. Bist du mit Pai verwandt?«

Er sah Pai ähnlich. Und Pai sah Emere ähnlich. Emere und ...

Arama lachte. »Nicht, dass ich wüsste. Wir sind beide Waisenkinder, aus der Missionsschule in Dunedin. Da hat man uns als Babys abgegeben. Sagte jedenfalls der Reverend.« Arama zwinkerte. Er musste um die zwanzig sein, also kein halbes Kind mehr wie Pai. Gewiss hatte er die Ähnlichkeiten ebenso bemerkt wie Elaine. Und womöglich gab es ja noch mehr Jungen und Mädchen auf dieser Farm, die »zur Familie gehörten«.

Elaine war geschockt. Nicht so sehr, weil John Sideblossom es offensichtlich mit seiner Maori-Hausangestellten trieb oder getrieben hatte. Aber es musste vor den Augen seines Sohnes geschehen sein. Thomas musste mindestens zwei Schwangerschaften Emeres verfolgt haben ... Und war sie nicht sein Kindermädchen gewesen? Und wie konnte John die Frau dazu zwingen, die Kinder vor einem Waisenhaus auszusetzen?

Elaine war blass geworden. »Gibt es noch mehr?«, fragte sie heiser.

Aramas Gesicht nahm einen forschenden Ausdruck an.

»Schafe?«, fragte er vorsichtig. »Für die Hündin? Jede Menge. Wenn Sie wollen, kommen Sie mit und ...«

Elaine antwortete nicht, sondern ließ ihren Blick ernst und abwartend auf ihm ruhen.

»Mr. Sideblossom hat fünf Mischlingskinder aus der Missionsschule in Dunedin geholt«, sagte Arama schließlich. »Zwei Mädchen als Hausangestellte und drei Jungen, die im Farmbetrieb angelernt werden. Ich bin bereits vier Jahre hier, und er vertraut mir. Ich leite die Farm, solange er mit den anderen auf dem Viehtrieb ist. Und ...«

»Weiß das Mr. Thomas?«, fragte Elaine tonlos.

Arama zuckte die Schultern. »Ich weiß es nicht, und ich frage nicht. Sie sollten das auch nicht tun, Mr. Sideblossom ist nicht sehr geduldig. Ebenso wenig wie Mr. Thomas. Wollen Sie uns jetzt mit ein paar weiteren Schafen helfen? Wir reparieren die Pferche, und es ist einiges umzutreiben.«

Elaine nickte. Über das, was sie eben erfahren hatte, konnte sie später nachdenken. Auch darüber, was Zoé vielleicht wusste, und die Neuigkeit, die Zoé ihr an diesem Morgen stolz anvertraut hatte: Zoé Sideblossom war schwanger. Thomas würde einen Halbbruder oder eine Halbschwester bekommen. Nun, zumindest war ihrem Mann das wohl nichts Neues ...

Elaine verdrängte also zunächst John Sideblossoms eigenwillige Art der Vermehrung des Hauspersonals und folgte Arama und Pai zu den weiteren Pferchen. Viel Arbeit gab es nicht für eine Hütehündin vom Schlage Callies. Die meisten Schafe waren im Hochland; hier blieben nur ein paar kranke Tiere, einige sehr spät gedeckte Mutterschafe, deren Ablammen noch abgewartet werden musste, sowie einige Dutzend Verkaufstiere. Letztere machten Callie den meisten Spaß, denn hier waren die Herden größer, und die Hündin fühlte sich gefordert. Auch Elaine war zum ersten Mal fast so etwas wie glücklich, als sie am Abend zurück ins Haus ging.

»Du riechst nach Schaf!«, beschwerte sich Zoé, als sie beim Eintreten aufeinandertrafen. »Das vertrage ich in meinem Zustand nicht besonders.«

Den Satz hatte Elaine schon beim Frühstück zweimal gehört. Einmal vertrug Zoé keinen Kaffeeduft, dann wurde ihr beim Anblick von Rührei übel. Wenn das so weiterging, lagen anstrengende Monate vor Elaine und den weiblichen Hausangestellten.

»Ich wasche mich ja gleich«, beschied sie Zoé. »Und das Kind sollte sich rechtzeitig an den Geruch von Schafen gewöhnen. Mr. John wird es kaum zum Rosengärtner erziehen.«

Damit rauschte Elaine in ihre eigenen Gemächer. Sie war ziemlich mit sich zufrieden. Allmählich gewann sie ihre alte Schlagfertigkeit wieder. Allerdings war sie früher nicht so schneidend und bösartig gewesen. Vielleicht sollte ich mehr Geduld mit Zoé haben, dachte Elaine, vor allem, wenn sie ähnliche Schlüsse gezogen hat wie Arama und ich. Es musste an Zoés Nerven zerren, so eng mit Emere zusammenzuleben. Im Gegensatz zu Elaine hatte Zoé keine so einfache Rückzugsmöglichkeit wie den abgeschlossenen Westflügel: Die Gemeinschaftsräume gehörten zu ihrem und Johns Wohnbereich, die Küche war angrenzend. Und über all dem herrschte Emere. Eiskalt, mit undurchdringlichem Blick. Wahrscheinlich machte Zoé die Hölle durch!

Elaine ging auch am nächsten Tag gleich morgens in den Stall. Arama und die wenigen Männer, die mit ihm dageblieben waren, hatten auch Arbeit für Callie. Als sie gegen Mittag fertig waren, beschloss Elaine, am Nachmittag tatsächlich einen Ausritt zu wagen. Arama erbot sich, ihr den kleinen Rappen zu satteln, mit dem sie am Vortag geschäkert hatte.

»Er heißt Khan«, sagte Arama. »Und er ist erst drei Jahre alt, gerade mal ein paar Monate unter dem Sattel. Sie können doch reiten, oder?«

Elaine nickte und erzählte von Banshee. »Mein Vater lässt sie herschicken, sobald das Fohlen abgesetzt ist. Ich freue mich schon darauf, ich vermisse sie sehr.«

Arama blickte skeptisch, was Elaine wunderte. Misstraute er ihren Reitkünsten? Oder störte ihn der Gedanke an eine Schimmelstute in diesem düsteren Stall? Was das anging, gedachte Elaine sowieso nicht, ihr Pferd einzusperren. Banshee war Weidegang gewohnt.

Bedenken gegenüber ihrer Reiterei löschte sie dann jedenfalls schnell aus. Sie kletterte behände und ohne Hilfe auf Khans Rücken und lachte, als Arama bedauernd erklärte, ihr keinen Damensattel zur Verfügung stellen zu können.

»Miss Zoé reitet nicht.«

Warum klang das bloß so bedeutsam?

Egal, Elaine würde jetzt nichts in Aramas Äußerungen hineininterpretieren, sondern ihre neue Umgebung erforschen. Khan zu reiten erwies sich auch bald als reines Vergnügen. Der Hengst war munter, aber leichtrittig, und Elaine, die nicht an Araber gewöhnt war, genoss dieses Gefühl der Leichtigkeit. Wenn die Cobs ihrer Großmutter galoppierten, schien die Erde unter ihren kräftigen Hufen zu erbeben, Khan dagegen schien den Boden kaum zu berühren.

»Könnte ich mich direkt dran gewöhnen!«, bemerkte Elaine und klopfte dem Rappen den Hals. »Morgen machen wir das wieder!«

Bei diesem ersten Ausritt hatte sie sich auf das unmittelbare Gebiet der Farm beschränkt und die Hausweiden und Scherschuppen inspiziert. Lionel Station hatte zwei, beide von imponierender Größe. Eine Rinderzucht wie auf Kiward Station gab es nicht, dafür war das Gebiet zu gebirgig. Rinder rentierten sich nur auf wirklich weiten Grasflächen wie den Canterbury Plains. Man konnte sie nicht einfach den Sommer über ins Hochland treiben wie Schafe.

Am nächsten Morgen brach Elaine schon früh auf und packte sich ein Mittagessen ein. Sie wollte am Fluss entlang in Richtung Bergland reiten und zumindest die Ausläufer der McKenzie Highlands erkunden. Familiengeschichte sozusagen. Sie kicherte, wenn sie an ihren Großvater dachte und den halsbrecherischen Ritt, mit dem ihre Mutter sich damals vor seinen Häschern in Sicherheit gebracht hatte. Fleurette hatte ihren Vater auf ihrer Flucht vor Sideblossom aufgespürt – und beinahe wären beide in die gleiche Falle gegangen.

Elaine genoss ihren Ausflug von ganzem Herzen. Das Wetter war großartig, trocken, sonnig und leicht windig, zum Reiten ideal. Khan schritt eifrig aus, war aber ausgeglichener als am Tag zuvor und wollte nicht mehr jede Gelegenheit nutzen, um anzugaloppieren. Elaine konnte sich also auf die Landschaft konzentrieren und freute sich am Hochgebirgspanorama rechts und links des Haas Rivers, dem sie nach Nordwesten folgte. Callie lief fröhlich neben ihr her und verließ sie nur ab und zu, um eifrig einem Hasen nachzuhetzen – was sie eigentlich nicht tun sollte, denn bei Hütehunden war Jagdtrieb verpönt. Aber das Kaninchenproblem in Neuseeland war seit einigen Jahren derart angewachsen, dass selbst Puristen wie Gwyneira McKenzie darauf verzichteten, ihre Hunde für eine kleine Hetzjagd zu rügen. Mit irgendeinem Schiff waren Kaninchen eingeschleppt worden und hatten sich hier mangels natürlicher Feinde explosionsartig vermehrt. In manchen Gegenden Otagos machten sie den Nutztieren sogar schon das Gras streitig. Ganze Ebenen, auf denen sonst Schafe weideten, wurden von Langohren kahl gefressen. Die verzweifelten Siedler hatten schließlich Füchse, Luchse und andere Kaninchenjäger eingeführt und ausgewildert. Aber es gab noch längst nicht genug Raubtiere, um mit der Menge fertig zu werden.

Von Callie jedenfalls drohte den Langohren keine Gefahr. Sie setzte ihnen zwar begeistert nach, fing aber nie einen. Gwyneira pflegte zu sagen, dass Border Collies die Kaninchen wohl eher zusammentreiben und hüten als auffressen würden.

Gegen Mittag rastete Elaine an einem Bachlauf, der in einen kleinen Wasserfall in den Haas River mündete, und Khan und Callie planschten im Wasser. Elaine nahm auf einem Felsen Platz und richtete ihre Mahlzeit auf einem anderen, denn die Steine waren angeordnet wie ein Esstisch mit Stühlen rundum. Das würde den Maoris gefallen. Elaine fragte sich, ob Raheras Stamm vielleicht öfter hier lagerte, fand aber keine Spuren. Nun, sie selbst würde auch keine hinterlassen – die Maoris waren vorsichtig mit ihrem Land, und Fleurette und Ruben hatten ihren Kindern beigebracht, es ihnen nachzutun. Natürlich graste Khan ein wenig, und seine Hufe hinterließen Abdrücke im hohen Gras, doch die würden nach einem Tag verschwunden sein. Und Elaine selbst hatte nicht einmal ein Feuer entzündet. Nach dem Essen lag sie noch ein wenig in der Sonne und genoss den klaren, traumhaften Tag.

Was die Landschaft anging, gefiel ihr die neue Heimat. Wenn Thomas sich doch nur normal verhielte! Was gefiel ihm daran, sie zu quälen und zu demütigen? Aber vielleicht steckte ja doch eine Art Angst dahinter. Vielleicht sollte sie noch einmal mit ihm reden, sollte versuchen, ihren Standpunkt klarzumachen und ihn darauf hinzuweisen, dass wirklich keine Gefahr drohte. Sie konnte ihm ja nicht davonlaufen oder ihm gar untreu werden. Wenn er nur lernen könnte, ihr zu vertrauen! Hier im Sonnenschein, weit weg von ihrer düsteren, inzwischen nur noch als albtraumhaft empfundenen Wohnung und nach drei Tagen Freiheit ohne Thomas erschien Elaine ihre Lage nicht mehr so aussichtslos.

Erfüllt von neuem Optimismus, sattelte sie Khan schließlich auf. Eigentlich hätte sie nach Lionel Station zurückreiten müssen. Aber dann verfiel sie der Versuchung, noch eine Kehre des Flusses zu erforschen, um zu sehen, was sich dahinter versteckte. Außerdem ging es bislang fast nur bergauf. Der Fluss lag inzwischen weit unter ihr in einem Canyon; es sah aus, als hätte jemand die Landschaft mit einem Messer zerteilt und dann Wasser in die Furche geleitet. Der Heimweg würde also bergab führen, und sie würde erheblich schneller vorwärtskommen. Glücklich genoss Elaine die Aussicht, lachte über Callie, die aufgeregt am Abgrund stand und neugierig in den Fluss spähte, und überlegte, wo wohl die McKenzie Highlands begannen und wo sich der berühmte Pass befand, durch den James die Schafe getrieben und so lange vor den Augen aller Häscher verborgen hatte.

So wurde es später Nachmittag, bis Elaine sich zur Umkehr entschloss. Plötzlich hob Khan den Kopf und wieherte. Andere Pferde antworteten – und da waren auch schon mehrere Hunde, die Callie begrüßten. Elaine spähte in die Richtung, aus der das Wiehern kam, und erkannte die Reiter: John und Thomas Sideblossom und ihre Crew. Sie waren deutlich schneller gewesen, als Elaine vermutet hatte.

Trotz der ermutigenden Gedanken, die sie kurz zuvor noch gehegt hatte, durchlief sie der übliche Schauer von Angst und Argwohn, als sie Thomas auf sich zukommen sah. Ihr Instinkt drängte sie zur Flucht. Vielleicht hatten die Männer sie ja noch nicht gesehen, und Khan war schnell. Aber dann schalt sie sich für den Gedanken. Diese Leute waren ihre Familie, und sie hatte nichts Unrechtes getan. Es gab keinen Grund davonzulaufen. Sie musste endlich aufhören, sich in Thomas' Anwesenheit wie ein verschrecktes Kaninchen zu benehmen. Elaine setzte ihr freundlichstes Lächeln auf und ritt den Männern entgegen.

»Das ist ja eine Überraschung!«, rief sie fröhlich. »Ich hätte nie damit gerechnet, euch hier zu treffen. Ich dachte, ihr kämt erst morgen zurück.«

Thomas blickte sie kalt an. »Was machst du hier?«, fragte er dann langsam und gedehnt, statt auf ihre Worte einzugehen.

Elaine zwang sich, ihm in die Augen zu schauen.

»Einen Ausritt, was sonst? Ich dachte, ich sehe mir die Umgebung mal an, und da mein Pferd ja noch nicht da ist, habe ich mir Khan geliehen. Das durfte ich doch, oder?« Der letzte Satz kam schon wieder ziemlich kleinlaut heraus. Aber es war auch nicht einfach, sich selbstbewusst zu geben, wenn Thomas diese undurchdringliche Miene aufsetzte. Und Elaine schien nicht die Einzige zu sein, der die Situation bedrohlich erschien. Die Männer der Sideblossoms, fast nur Maori-Jungen, zogen sich erkennbar zurück.

»Nein, das durftest du nicht!«, zischte Thomas. »Der Hengst ist kaum zugeritten, dir hätte sonst was passieren können. Ganz abgesehen davon, dass es kein Pferd für eine Dame ist. Außerdem schickt es sich nicht, allein durch die Gegend zu reiten …«

»Aber Thomas«, wandte Elaine ein. Sein Argument war so widersinnig, dass sie trotz der angespannten Situation beinahe gelacht hätte. »Hier sieht mich doch kein Mensch! Seit ich von Lionel Station weggeritten bin, habe ich niemanden getroffen, der mein Verhalten unschicklich finden könnte!«

»Aber *ich* finde es unschicklich«, sagte Thomas kalt. »Und nur das zählt. Ich habe nichts gegen einen gelegentlichen Ausritt – gemeinsam mit mir, auf einem ruhigen Pferd. Aber allein verlässt du die Farm nicht mehr. Haben wir uns verstanden?«

»Aber ich bin immer allein ausgeritten, Thomas. Schon als Kind. Du kannst mich nicht einsperren!«

»Kann ich nicht?«, erwiderte er kalt. »Ich sehe schon, wir spielen die üblichen Spielchen. Wer weiß, wen oder was du hier gesucht hast. Jetzt komm mit, wir reden später noch einmal darüber.«

Die Männer nahmen Elaine in die Mitte, als wäre sie ein entflohener Sträfling, der abgeführt und in Sicherheit gebracht werden musste. Plötzlich empfand sie die Landschaft gar nicht mehr als berauschend schön und von erhabener Weite. Stattdessen schienen die Berge sich wie ein Gefängnis um sie zu schließen. Und Thomas richtete kein einziges Mal das Wort an sie. Der dreistündige Rückweg verlief in düsterem Schweigen.

Arama und Pita, die sie im Stall erwartet hatten, nahmen ihr Khan ab. Besonders in Aramas Gesicht stand tiefe Sorge.

»Sie hätten nicht so lange ausbleiben dürfen, Miss Lainie«, sagte er leise. »Ich hatte so etwas befürchtet, doch ich dachte, die Männer kämen erst morgen zurück. Aber haben Sie keine Angst, wir werden nichts davon erzählen, dass Sie uns mit den Schafen geholfen haben.«

Elaine hätte den Hengst gern selbst abgerieben, wie sie es am Tag zuvor getan hatte, aber Thomas drängte sie gleich ins Haus.

»Zieh dich um, damit du wenigstens wie ein Lady zu Tisch kommst!«

Elaine zitterte, als sie in ihr Ankleidezimmer floh. Pai hielt zum Glück schon ein Kleid für sie bereit und half ihr rasch, sich fester zu schnüren.

»Mr. Thomas ist ... erzürnt?«, fragte sie vorsichtig.

Elaine nickte. »Ich halte das nicht aus«, flüsterte sie. »Er will mich einsperren, ich kann nicht ...«

»Pssst ...« Pai, die eben ihr Haar aufsteckte, fuhr tröstend mit der Hand über ihre Wange. »Nicht weinen. Davon wird es nicht besser. Weiß ich aus dem Waisenhaus. Manchmal weinten die Kinder, aber das half nichts. Man gewöhnt sich, Miss Lainie ... man gewöhnt sich an alles.«

Elaine hatte das Gefühl, schreien zu müssen, wenn sie diesen Satz noch einmal hörte. Sie würde sich niemals an dieses Leben gewöhnen. Eher würde sie sterben!

Zoé erwartete die Gesellschaft mit scheinheiligem Lächeln.

»Und du bist auch zurück, Elaine! Wie schön! Vielleicht leistest du mir in den nächsten Tagen ja wieder ein bisschen mehr Gesellschaft. Immer bei den Viehtreibern und den Hunden, das kann doch keinen Spaß machen ...«

Elaine biss die Zähne zusammen. Thomas streifte sie mit einem eisigen Blick.

»Früher bin ich ja auch ein bisschen geritten«, fuhr Zoé munter fort, während das Essen aufgetragen wurde. Sie bestritt heute praktisch die gesamte Unterhaltung allein. Thomas schwieg nach wie vor, und John schien es interessant zu finden, die jungen Eheleute zu beobachten. »Denk dir, Lainie, ich hatte sogar ein Pferd, als ich kam. Aber dann hatte ich keine Lust mehr. Die Herren haben ja auch kaum Zeit, eine Lady beim Ausritt zu begleiten. John hat das Pferd dann verkauft ...«

Was war das? Eine Warnung? Oder freute Zoé sich schon darauf, dass Thomas sicher auch Elaines geliebte Banshee weggeben würde, sobald das Tier auf Lionel Station eintraf? Elaine begriff jetzt auch, warum die Stute nicht mitlaufen sollte. Es ging nicht darum, dem Fohlen den weiten Weg zu ersparen, sondern nur darum, Elaine ans Haus zu fesseln.

Emere, die Maori-Frau, bediente schweigend wie immer. Aber auch sie hatte ein Auge auf Elaine. Und in der Nacht spielte sie die *pecorino*-Flöte. Elaine versuchte, die Geisterstimme auszusperren, doch sie klang näher als sonst, und nicht einmal die dicksten Vorhänge vermochten sie zu dämmen.

In dieser grauenhaften Nacht versuchte Elaine zum ersten Mal eine Essigspülung. Sie stöhnte dabei vor Schmerz. Sie hatte es ohnehin kaum in ihr Badezimmer geschafft, nachdem Thomas ihr die »Spielchen« ausgetrieben hatte, wilder und heftiger denn je. Emeres unheimliches Flötenspiel schien seine Wut noch zu steigern.

Als er sie endlich verließ, wollte Elaine sich am liebten unter ihren Decken verkriechen, bis der Schmerz nachließ, erinnerte sich dann aber an Ingers Anweisungen zur Vermeidung unerwünschter Schwangerschaften. Denn es durfte nicht sein, dass sie ein Kind empfing. Auf gar keinen Fall!

9

William und Kura Martyn führten eine merkwürdige Ehe, seit Kura von ihrer Schwangerschaft wusste. Die junge Frau schien praktisch allen Bewohnern von Kiward Station irgendetwas übel zu nehmen. Den Tag verbrachte sie meist allein, allenfalls mit Heather Witherspoon. Sie spielte kaum noch Klavier, und auch ihre Stimme war seit Wochen nicht mehr zu hören gewesen. Gwyneira machte sich Sorgen, doch James und Jack fanden es erholsam.

»Selige Ruhe!«, freute James sich gleich am Abend nach seiner Rückkehr aus Queenstown und räkelte sich in einem Sessel. »Dabei habe ich Musik früher durchaus mal gemocht! Aber jetzt ... nun mach nicht so ein Gesicht, Gwyn! Lass sie schmollen. Vielleicht liegt es ja an der Schwangerschaft. Frauen werden dann komisch, sagt man.«

»Vielen Dank!«, gab Gwyneira zurück. »Warum hast du mich nicht früher darauf aufmerksam gemacht? Bei Jack hast du immer behauptet, die Schwangerschaft mache mich schöner! Von ›komisch‹ war nicht die Rede.«

»Du bist eben die rühmliche Ausnahme«, sagte James und lachte. »Deshalb habe ich mich vom ersten Augenblick an in dich verliebt. Und Kura wird sich auch wieder einkriegen. Wahrscheinlich ist ihr jetzt erst aufgegangen, dass die Ehe kein Spiel ist.«

»Sie ist so schrecklich unglücklich«, seufzte Gwyn. »Und sie ist uns allen böse, vor allem mir. Dabei habe ich ihr doch wirklich die Wahl gelassen ...«

»Wir werden eben nicht alle glücklich mit der Erfüllung unserer Wünsche«, meinte James weise. »Aber daran lässt sich jetzt nichts mehr ändern. William tut mir fast leid, der kriegt wohl das Meiste ab. Aber es scheint ihm ja nicht viel auszumachen.«

Letzteres lag vor allem daran, dass Kuras schlechte Laune und Zurückgezogenheit sich vor allem auf die Tage beschränkte. Bei Nacht schien sie William alles zu verzeihen und war eine fast noch aufregendere Geliebte als bisher. Sie schien alle Energie nur dafür aufzusparen, sich selbst und William Befriedigung zu verschaffen, und so folgte in den Nächten ein Höhepunkt dem anderen. Tagsüber verzog William sich dann zur Arbeit auf der Farm – wobei er sich ebenfalls besser fühlte. Gwyneira ließ ihn jetzt weitgehend in Ruhe. Auch wenn ihr etwas nicht passte, nahm sie eher für ihn Partei, manchmal selbst dann, wenn es Auseinandersetzungen mit James McKenzie gab. Nun war James von seiner Natur her ein gelassener Mensch. Er hatte Kiward Station nie als seinen Besitz empfunden, so nahm er auch Williams gelegentliche Fehlentscheidungen kommentarlos hin. Wahrscheinlich würde der junge Mann eines Tages der Herr sein – da konnte James sich gleich daran gewöhnen, von ihm herumkommandiert zu werden.

Poker Livingston allerdings zog sich zurück. Angeblich hinderte sein verletzter Arm ihn daran, weiterhin schwere Farmarbeit zu verrichten, und er lebte jetzt bei seiner Freundin in der Stadt. William nahm triumphierend Pokers Platz ein und beaufsichtigte die Männer bei Reparaturarbeiten und anderen Aufgaben, die im Laufe des Sommers anfielen. Kurz darauf verzog sich der auf Kiward Station ansässige Maori-Stamm, um auf eine längere Wanderung zu gehen. James verdrehte bloß die Augen und heuerte weiße Farmarbeiter in Haldon an.

»Dieser Urenkel kommt teuer«, sagte er zu Gwyneira. »Vielleicht hättest du dich doch mit einem Maori als Erzeuger abfinden sollen. Dann wäre der Stamm jetzt nicht auf der

Flucht, und wenn doch, hätten sie Kura vielleicht einfach mitgeschleppt, und wir brauchten uns ihre vorwurfsvolle Miene nicht mehr anzusehen. Sie tut ja gerade so, als hätten wir sie geschwängert!«

Gwyneira seufzte. »Warum versteht William sich bloß nicht mit den Maoris? In Irland hatte er Probleme, weil er zu freundlich zu den Pächtern war, und hier verprellt er mir die Eingeborenen . . .«

James zuckte die Achseln. »Unser Willie mag es eben, wenn man ihm dankbar ist. Und das ist Tonga bekanntlich wesensfremd . . . Wobei er William ja auch wirklich nichts schuldet! Sieh den Tatsachen ins Auge, Gwyn, William kann es nicht vertragen, mit anderen auf Augenhöhe zu verkehren. Er möchte der Chef sein, und wehe, einer zweifelt es an.«

Gwyneira nickte unglücklich, rang sich dann aber ein Lächeln ab. »Wir schicken die zwei jetzt erst mal zur Schafzüchterversammlung nach Christchurch«, sagte sie. »Da kann unser Country-Gentleman sich wichtig fühlen. Kura kommt auf andere Gedanken, und du kannst die Zäune reparieren. Oder wolltest du selbst zu der Versammlung?«

James winkte ab. Er hielt Viehzüchterversammlungen für völlig überflüssig. Ein paar Reden, ein paar Diskussionen zur Lösung aktueller Probleme und dann ein ausgiebiges Besäufnis, in dessen Verlauf die Vorschläge immer unsinniger wurden. Im letzten Jahr hatte Major Richland tatsächlich den Einfall geäußert, zwecks Bekämpfung der Kaninchenplage einen Schleppjagdverein zu gründen. Die Tatsache, dass man dabei Füchse jagte statt Hasen, war ihm gänzlich entgangen.

James jedenfalls brauchte das nicht – ganz abgesehen davon, dass die Viehzüchtervereinigung Christchurch ursprünglich nur zur Bekämpfung eines gewissen Viehdiebs gegründet worden war. Ein Umstand, den Lord Barrington spätestens nach dem dritten Glas im Beisein McKenzies zur Sprache brachte.

»Na, hoffentlich bringen sie Willie nicht auf dumme Gedanken«, murmelte James. »Womöglich züchten wir sonst bald Hunter statt Schafe ...«

William genoss den Ausflug nach Christchurch und schien um etliche Zoll gewachsen, als er heimkehrte. Kura hatte ein Vermögen in Schneiderateliers ausgegeben, war sonst aber eher noch schlechter gelaunt als zuvor. Williams freundliche und selbstverständliche Aufnahme im Kreis der Schafbarone hatte ihr endgültig die Augen geöffnet: Ihre Ehe und ihr Kind fesselten sie an Kiward Station. William hatte nie die Absicht gehabt, Kura als eine Art männliche Muse durch die Opernhäuser Europas zu folgen. Eine Reise vielleicht mal, aber ganz sicher kein längerer Aufenthalt, und erst recht kein Studium an einem Konservatorium. In langen, einsamen Stunden wütete Kura gegen ihren Mann und sich selbst – um William dann doch wieder in die Arme zu sinken. Wenn William sie küsste und ihren Körper liebkoste, vergaß sie alle anderen Wünsche und Bedürfnisse. Seine Anbetung entschädigte sie für den Applaus der Menge, und wenn er in sie stieß, erfüllte es sie mehr als jedes Hochgefühl des Belcanto. Wenn da nur nicht die endlosen Tage gewesen wären und wenn sie nicht argwöhnisch hätte beobachten müssen, wie ihr Körper sich veränderte. William fand, dass die Schwangerschaft Kura noch schöner werden ließ, aber sie selbst hasste ihre neuen Rundungen. Und dabei ging jeder davon aus, sie müsse sich unbändig auf dieses Kind freuen – Kura war es bestenfalls gleichgültig.

Schließlich kam der Herbst, die Männer zogen zum Abtrieb der Schafe ins Hochland, und William blamierte sich unsterblich, indem er sich auf der Suche nach versprengten Tieren im Gebirge verirrte. Erst einen Tag später konnte er mit Hilfe eines Suchtrupps aufgefunden werden.

»Wir dachten schon, er hätte sich aus dem Staub gemacht«, berichtete Andy grinsend dem feixenden James. Beide McKenzies waren diesmal nicht mitgeritten. Gwyn fand, Kura brauche Gesellschaft, und James schmerzten langsam die Knochen, wenn er den ganzen Tag auf dem Pferd verbrachte und nachts auf hartem Boden schlief. Er konnte sich inzwischen gut vorstellen, Kiward Station eines Tages William zu überlassen und mit Gwyn in ein kleineres, gemütlicheres Haus zu ziehen. Ein paar Schafe, eine Hundezucht und abends ein warmes Kaminfeuer, das er ganz allein anfachte und keinem Angestellten überließ. Von einem solchen Leben hatten Gwyn und James schon als junge Leute geträumt, und James sah keinen Grund, es nicht endlich wahr zu machen. Lediglich um Jacks willen tat der Verzicht auf die Farm ihm ein bisschen leid. Sein Sohn war noch jung, aber er wäre der perfekte Viehzüchter. Auch jetzt wieder war Andy des Lobes voll.

»Jack hat einen sechsten Sinn für die Arbeit. Der findet jedes Schaf, und die Hunde gehorchen ihm fast von allein. Gibt es denn gar keine Möglichkeit, dass er das Gut übernimmt?«

James schüttelte den Kopf. »Er ist nun mal kein Warden. Hätte Gwyneira die Farm geerbt, wäre es etwas anderes. Sicher, dann ständen Stephen, Georgie und Elaine auch noch vor Jack in der Erbfolge, aber mit den O'Keefes hätten wir uns einigen können. Steve und George haben schließlich kein Interesse, und Elaine hat ja jetzt ihre eigene Schaffarm.«

»Aber Kura hat doch auch kein Interesse!«, wandte Andy ein. »Schade, dass man sie nicht mit Jack verheiraten konnte. Gut, es wäre ein bisschen Inzucht, aber gutes Blut …«

James lachte schallend. »Das wären Jack alle Schafe der Welt nicht wert, Andy! Ich glaube, selbst wenn Kura das letzte Mädchen auf dieser Erde wäre, ginge er ins Kloster!«

Schließlich nahte Kuras Niederkunft, und ihre Laune wurde zusehends noch schlechter. William dagegen gab sich alle Mühe, verbrachte mehr Zeit im Haus und versuchte, sie gnädiger zu stimmen – mit wenig Erfolg. Seit er sich ihr nachts nicht mehr näherte, um das Kind nicht zu gefährden, behandelte sie ihn mal mit eisiger Verachtung, mal geriet sie in Zorn und warf Gegenstände nach ihm. Inzwischen gab es niemanden mehr, der Kura auch nur kurze Zeit aufmuntern konnte. Sie wollte nicht schwanger sein. Sie wollte kein Kind. Und der letzte Ort, an dem sie sein wollte, war Kiward Station.

Marama, ihre Mutter, sorgte sich, dass dies alles dem Kind schaden könne, und auch Gwyneira fühlte sich manchmal an ihre eigene Schwangerschaft mit Paul erinnert. Auch sie hatte das Kind abgelehnt. Aber Paul war die Frucht einer Vergewaltigung gewesen, während Kura ein Kind der Liebe erwartete. Gwyneira war fast erleichtert, als endlich die Wehen einsetzten. Marama und Rongo Rongo, die Hebamme der Maoris, waren gleich da, um Kura beizustehen, und Gwyneira schickte zusätzlich nach Francine Candler, damit diese sich ja nicht beleidigt fühlte. Das Kind war allerdings schon da, als die Hebamme aus Heldon eintraf. Kura hatte leicht entbunden; sie lag gerade mal sechs Stunden in den Wehen und brachte dann ein sehr kleines, aber gesundes Mädchen zur Welt.

Marama strahlte übers ganze Gesicht, als sie es Gwyneira präsentierte.

»Sie sind doch nicht böse, Miss Gwyn?«, fragte sie besorgt.

Gwyneira lächelte. Bei Kuras Geburt hatte Marama die gleiche Frage gestellt.

»Aber nicht doch, wir halten die weibliche Linie aufrecht!«, sagte sie und nahm Marama die Kleine aus den Armen. Forschend blickte sie in das winzige Gesichtchen. Wessen Züge das Mädchen geerbt hatte, war noch nicht abzusehen, doch der Flaum auf ihrem Köpfchen schien eher golden als schwarz.

»Wie will Kura sie nennen?«, fragte Gwyneira und wiegte das Baby. Das Kind erinnerte sie an die neugeborene Fleurette, und eine Woge der Zärtlichkeit überkam sie, als es erwachte und sie aus großen blauen Augen ansah.

Marama zuckte unglücklich die Achseln. »Weiß ich nicht. Sie sagt gar nichts, wollte das Kind auch gar nicht richtig ansehen. ›Bring sie zu Grandma‹, sagte sie nur. ›Tut mir leid, dass es kein Junge ist.‹ Und dann sagte William: ›Beim nächsten Mal, Liebste!‹, woraufhin Kura beinahe tobsüchtig wurde. Rongo Rongo hat ihr jetzt einen Schlaftrunk verabreicht. Ich weiß nicht, ob das richtig war, aber so, wie sie gewütet hat …«

Auch William war unzufrieden. Er hatte fest mit einem Sohn gerechnet und wirkte nun enttäuscht. Tonga schickte dagegen ein Geschenk zur Geburt, denn die Maoris erkannten die weibliche Erbfolge an.

Gwyneira war es egal, ob Junge oder Mädchen. »Hauptsache, sie ist nicht musikalisch«, sagte sie zu James und bettete das Kind in eine Wiege. Da vorher offenbar niemand daran gedacht hatte, wandelte sie Kuras kleinen Salon kurzerhand in ein Kinderzimmer um. Auch die Wiege hatte James vom Speicher holen müssen. Nicht einmal über einen Namen schien jemand sich Gedanken zu machen.

»Tauf es nach Kuras Lieblingssängerinnen«, riet James. »Wie hießen die bloß noch alle?«

Gwyneira verdrehte die Augen. »Mathilde, Jenni und Adelina. Das können wir dem Kind nicht antun! Ich frage den Vater. Vielleicht können wir sie nach seiner Mutter nennen.«

»Dann heißt es wahrscheinlich Mary oder Bridey …«, überlegte James.

Tatsächlich aber stellte sich heraus, dass William sich bereits Gedanken über einen Namen für seine Tochter gemacht hatte.

»Es soll ein besonderer Name sein!«, erklärte er, schon leicht von Whisky benebelt. Gwyneira hatte ihn unten im

Salon angetroffen. »Etwas, das unseren Triumph über dieses neue Land ausdrückt! Ich denke, ich nenne sie Gloria!«

»Wir brauchen es ja Tonga nicht so zu erklären«, sagte James grinsend, als Gwyneira ihm die Nachricht überbrachte. Inzwischen hatte Jack sich zu ihm gesellt, und Vater und Sohn waren gerade dabei, ein Spielzeug über dem Bettchen des Kindes zu befestigen. Bis jetzt, so erklärte James seinem Sohn, könne die Kleine es wohl noch nicht richtig sehen, aber auf die Dauer würde das baumelnde Bärchen sie fesseln und beruhigen.

»Was ist sie nun eigentlich? Meine Tante?« Jack spähte fasziniert in die Wiege, in der Gloria schlief.

»Du kannst sie ruhig anfassen«, ermunterte Gwyn ihn. »Ja, was ist sie? Kuras Vater und du waren Halbbrüder. Demnach wäre Kura deine Halbnichte. Und das Baby ist deine Großhalbnichte. Das Ganze ist schon etwas schwierig!«

Jack lächelte das Kind an. Auf seinem Gesicht spiegelte sich der gleiche Ausdruck wider, den sein Vater beim Anblick neugeborener Tiere zu zeigen pflegte: ungläubiges Staunen, beinahe so etwas wie Andacht. Schließlich führte er die Hand in die Wiege und tastete mit dem Finger vorsichtig nach Glorias Händchen.

Das Baby öffnete für einen kurzen Augenblick die Augen und schloss sie dann wieder. Es schien Jack fasziniert zuzuzwinkern. Mit festem Griff schloss es seine winzige Hand um Jacks Finger.

»Ich glaube, ich mag sie!«, sagte der Junge.

In der nächsten Zeit wurde die Sorge um die kleine Gloria zu einem Hauptstreitpunkt unter den Frauen auf Kiward Station. Die Köchin Kiri und in ihrem Gefolge Marama waren rundheraus dagegen, Kura die Pflege des Kindes abzunehmen. Kiri hatte sich vor Jahren, nach Gwyneiras unseliger

Schwangerschaft, um den kleinen Paul gekümmert und empfand das im Nachhinein als Fehler. Die Mutter hatte nie eine Beziehung zu dem Kind aufbauen können und hatte es dann auch als älteren Jungen und Erwachsenen nie wirklich geliebt. Hätte sie Paul einfach schreien lassen, argumentierte Kiri, wäre Gwyn früher oder später gezwungen gewesen, das Kind zu nähren – und dann hätte sie von allein mütterliche Gefühle entwickelt. Mit Kura und Gloria sei es genauso, erklärte Kiri.

Gwyneira dagegen meinte, sich ihrer kleinen Urenkelin annehmen zu müssen. Schon deshalb, weil es sonst offensichtlich niemand tat. Kura jedenfalls sah sich nicht bemüßigt, ihr Baby aufzunehmen, nur weil es schrie. Sie verzog sich dann eher in ein anderes Zimmer, um das Kind nicht zu hören. Die Unterbringung der kleinen Gloria in ihrem Salon, dem abgelegensten Raum ihrer Suite, erwies sich als Fehler. Das Kinderzimmer grenzte zwar an den Korridor, sodass Glorias Weinen den Mitbewohnern des Hauses nicht verborgen blieb. Aber wenn Kura sich in ihr Schlaf- oder Ankleidezimmer zurückzog, hörte sie fast nichts. Und was Heather Witherspoon betraf: Der schien das Geschrei zwar auf die Nerven zu gehen, doch sie fürchtete offensichtlich, das Baby fallen zu lassen, wenn sie es hochnahm – und nachdem Gwyn sie einmal dabei beobachtet hatte, teilte sie diese Sorge.

»Mein Gott, Miss Heather, das ist ein Baby, keine Puppe! Der Kopf ist nicht drangeschraubt, man muss ihn noch stützen. In dem Alter kann Gloria ihn noch nicht selbst halten. Und das Kind wird Sie schon nicht beißen, wenn Sie's an Ihre Schulter legen. Explodieren wird es auch nicht – Sie brauchen es nicht zu halten wie eine Dynamitstange.«

Miss Heather hielt sich daraufhin ganz zurück. Ebenso William, der aber immerhin eine Kinderfrau engagierte, eine Mrs. Whealer. Ein Maori-Mädchen hatte er abgelehnt. Die ziemlich tüchtige Mrs. Whealer konnte allerdings erst gegen neun Uhr morgens anfangen, da sie aus Haldon kam, und abends wollte sie möglichst zu Hause sein, bevor es dunkel war. James grummelte, man könne dem Mann, der abgestellt werden müsse, um Mrs. Whealer zu holen und nach Haus zu fahren, auch gleich das Wickeln beibringen, von der Stundenzahl käme es auf das Gleiche hinaus.

Auf jeden Fall war nachts niemand da, der Gloria tröstete und fütterte, und oft genug war es Jack, der ins Schlafzimmer seiner Eltern tappte und Meldung davon machte. Der Junge schlief im Zimmer neben der neu eingerichteten Kinderstube und hörte das Baby folglich als Erster schreien. Tatkräftig, wie er war, holte er es die ersten Male einfach aus der Wiege und legte es neben sich wie den Hundewelpen, den er zu Weihnachten bekommen hatte. Den pflegte er allerdings vor dem Schlafen zu füttern, worauf das Tier süß schlummerte, während Gloria Hunger hatte und folglich nicht zu beruhigen war.

Jack blieb dann nichts anderes übrig, als seine Mutter zu wecken. Pflichtschuldigst versuchte er es zwar immer zuerst bei Kura, aber da rührte sich nichts. In ihrem Schlafzimmer hörte sie sein Klopfen schließlich ebenso wenig wie Glorias Weinen, und einfach in ihre Privaträume einzudringen wagte der Junge nun doch nicht.

»Was macht eigentlich dieser William?«, murrte James, als Gwyneira die dritte Nacht hintereinander aufstand. »Kann man dem nicht mal erklären, dass es nicht reicht, ein Kind nur zu zeugen?«

Gwyneira warf sich einen Morgenrock über. »Der hört es ja gar nicht. Und Kura auch nicht; weiß der Himmel, was die sich denken. Jedenfalls kann ich mir William nicht mit einer Milchflasche in der Hand vorstellen. Du etwa?«

James hätte beinahe erwidert, dass William dazu erst mal

die Whiskyflasche loslassen müsse, aber er wollte Gwyneira nicht beunruhigen. Sie war mit dem Kind und der Farm so beschäftigt, dass es ihr nicht auffiel, doch er bemerkte in der letzten Zeit einen deutlichen Schwund bei den Alkoholvorräten. Williams und Kuras Ehe schien nicht mehr so glücklich zu sein wie am Anfang oder in den ersten Monaten der Schwangerschaft. Die beiden gingen nicht wie damals früh zu Bett und tauschten verliebte Blicke, sondern schienen eher aneinander vorbeizuleben. William jedenfalls blieb oft noch lange im Salon, nachdem Kura sich schon zurückgezogen hatte. Mitunter unterhielt er sich dort mit Miss Witherspoon – James hätte gern gewusst, was die beiden sich zu sagen hatten. Doch oft brütete er auch allein vor sich hin, stets ein gefülltes Glas neben sich.

Tatsächlich hatte sich Williams Beziehung zu Kura nach Glorias Geburt nicht wieder gebessert, wie er gehofft hatte. Ganz Gentleman hatte er seiner Frau zwar vier Wochen Erholung nach der Geburt gegönnt, dann aber doch versucht, wieder in ihr Bett zu kommen. Eigentlich ging er davon aus, dort mehr als willkommen zu sein. Kura hatte ihm schließlich wochenlang vorgehalten, sie wegen ihres dicken Bauches nicht mehr zu begehren. Und tatsächlich ließ sie sich seine Küsse und Liebkosungen gern gefallen und reizte ihn, bis er kurz vor dem Höhepunkt stand. Doch als er in sie eindringen wollte, stieß sie ihn weg.

»Du glaubst doch nicht, das passiert mir noch mal«, sagte sie kühl, als er sich wieder so weit in der Gewalt hatte, um sich zu beklagen. »Ich will keine weiteren Kinder. Das lassen wir jetzt. Alles andere können wir gerne tun, davon wir man ja nicht schwanger.«

William hatte sie zunächst nicht ernst genommen und es weiter versucht, doch Kura blieb stur. Dabei brachte sie ihr bekanntes Geschick auf, ihn bis zur Schwelle der Ekstase zu reizen. Erst im letzten Moment zog sie sich zurück. Ihr selbst schien das nichts auszumachen; es schien sie eher zu befriedigen, dass William sie bis zum Wahnsinn begehrte.

Eines Nachts jedoch verlor er die Beherrschung und nahm sie gegen ihren Willen, kämpfte ihren Widerstand nieder und lachte, als sie nach ihm schlug und kratzte. Doch ihre Abwehr ließ bald nach, und auch sie genoss es. Trotzdem war es unverzeihlich. William entschuldigte sich auch gleich in der Nacht und dann noch dreimal im Laufe des folgenden Tages; er war ehrlich zerknirscht. Kura nahm seine Entschuldigungen an, doch am Abend fand er ihr Zimmer verschlossen.

»Tut mir leid«, sagte Kura, »aber es ist zu riskant. Es würde immer wieder mit uns beiden durchgehen, und ich will kein weiteres Kind.«

Stattdessen fing sie wieder mit dem Singen und Klavierspielen an. Stundenlang, wie vor und zu Beginn ihrer Ehe.

»Man soll sich wirklich gut überlegen, was man sich wünscht ...«, seufzte Gwyneira und wiegte die kleine Gloria. Offensichtlich war ihr Gebet, das Kind möge gänzlich unmusikalisch sein, erhört worden: Gloria schrie markerschütternd, sobald das Piano ertönte.

»Ich nehme sie mit in den Stall!«, meinte Jack fröhlich, auch er mal wieder auf der Flucht vor Beethoven und Schubert. »Bei den Hunden ist sie ganz ruhig, sie lacht sogar, wenn Monday sie ableckt. Was meinst du, wann kann man ihr das Reiten beibringen?«

William machte es rasend, Kura jeden Tag zu sehen, zu verfolgen, wie ihre Figur wieder die alten, betörenden Formen annahm und ihre Bewegungen wieder anmutig und tänzerisch wurden, statt schwerfällig wie in den letzten Wochen der Schwangerschaft. Alles an ihr reizte ihn, ihre Stimme, der

Tanz ihrer langen Finger auf der Klaviertastatur ... manchmal genügte ein Gedanke an sie, um ihn zu erregen. Während er einsam seinen Whisky trank, standen ihm ihre Liebesnächte wieder vor Augen. Er rekapitulierte jede Stellung, dachte sehnsüchtig an jeden Kuss. Manchmal meinte er zu platzen vor Begierde. Kura selbst ging es wahrscheinlich ähnlich; auch er bemerkte lüsterne Blicke. Doch sie beherrschte sich eisern.

Kura wusste nicht, welche Wendung ihr Leben noch nehmen konnte, doch auf Kiward Station zu bleiben, ein Kind nach dem anderen zu bekommen und dabei jedes Mal reizlos und fett zu werden und zu watscheln wie eine Ente war ihr ein Gräuel. Die paar Monate der Lust dazwischen wogen die Nachteile nicht auf. Und Rongo Rongo hatte ihr da keine Illusionen gemacht: »Bis du zwanzig wirst, kannst du noch drei Kinder haben – und wer weiß, wie viele insgesamt.«

Kura jagte allein der Gedanke an drei schreiende Gören Schauer über den Rücken. Sie fand Gloria zwar niedlich, konnte aber ebenso wenig mit ihr anfangen wie mit all den kleinen Hunden, Katzen und Lämmern, die Gwyneira und ihre Cousine Elaine so entzückten. Mehr davon wollte sie nicht.

Trotzdem machte der Verzicht auf Williams Liebe sie immer gereizter. Irgendetwas brauchte sie, ob es Musik war und Applaus oder Befriedigung und Liebe. Doch die Musik war weniger gefährlich. Also übte sie wieder Klavier, sang und wartete. Irgendetwas musste geschehen.

10

Roderick Barrister war nicht gerade ein Wunder des Belcanto. Zwar hatte er sein Gesangsstudium an einem einigermaßen renommierten Institut absolviert, und er kämpfte sich auch tapfer durch die wichtigsten Tenorpartien der Oper. Überdies sah er recht gut aus mit seinem kräftigen, glatten schwarzen Haar, das er lang trug, was einem Opernhelden mehr Ausdruck verlieh. Sein gut geschnittenes Gesicht wirkte gerade so viel weicher als die klassischen Züge, dass es verstärkt an weibliche Herzen rührte, und seine Augen blitzten schwarz und feurig. Schon diese äußere Erscheinung verschaffte ihm immer wieder Engagements in kleineren Ensembles oder bei Liederabenden. Doch für eine Karriere an großen Bühnen reichte es nicht, da machte Roderick sich längst nichts mehr vor.

Allerdings liebte er sein Publikum und lechzte nach Starruhm – und er war nicht dumm. Deshalb ergriff er auch gleich die Gelegenheit, baldmöglichst ein großer Fisch in einem kleinen Teich zu werden, als ein neuseeländischer Geschäftsmann ein Ensemble für eine Tournee durch Neuseeland und Australien zusammenstellte. George Greenwood, ein reicher, nicht mehr ganz junger Mann, verfolgte damit offensichtlich eher altruistische Ziele als das Streben nach dem schnöden Mammon. Natürlich würde er ein bisschen Geld damit verdienen, aber vor allem ging es wohl darum, seiner Frau Elizabeth eine Freude zu machen. Das Ehepaar hatte vor Jahren einige Monate in England verbracht, und die damals noch junge Frau war dem Reiz der Oper verfallen. Auf Neuseelands Südinsel gab es bislang jedoch noch kein Opernhaus –

die Freunde des Belcanto mussten sich mit Grammophonen und Schellackplatten begnügen. Dem wollte George jetzt abhelfen und nutzte einen erneuten Aufenthalt in London zur Aufstellung einer Compagnie von Sängern und Tänzern.

Roderick gehörte zu den Ersten, die sich bewarben, und bald wurde ihm klar, dass er hier auch seine organisatorischen Talente gewinnbringend einsetzen konnte: George Greenwood hatte nicht die leiseste Ahnung von Musik und auch nur geringes Interesse. Ihm war es eher lästig, neben seiner sonstigen Arbeit noch Sänger und Tänzer zu begutachten, ganz abgesehen von der Entscheidung, wer von ihnen sein Metier denn nun besser beherrschte als die anderen. Insofern nahm er Rodericks Vorschlag, bei der Auswahl zu helfen, gern an, und Barrister sah sich plötzlich in der Rolle eines Impresario.

Er füllte sie gewissenhaft aus, wobei er vor allem die schönsten und willigsten Ballerinen einstellte, während er bei Tänzern eher diejenigen bevorzugte, die sich zum eigenen Geschlecht hingezogen fühlten. Schließlich musste er die Konkurrenz ja nicht gleich mit nach Übersee nehmen! Bei den Sängerinnen – und natürlich vor allem bei der Auswahl weiterer Tenor-, Bass- und Baritonstimmen – achtete er vor allem darauf, niemanden einzustellen, neben dem er stimmlich und optisch abfiel. Seine künftige Partnerin, die erste Sopranistin, war folglich ein sowohl vom Äußeren als auch von der Stimme her eher durchschnittliches, wenn auch gutherziges Geschöpf. Sabina Conetti wusste ebenso gut wie Roderick, dass ihr die große Kunst nicht gegeben war. Sie war dankbar für das gut bezahlte Engagement, stets bereit, sich um Roderick zu kümmern, wenn die Ballerinen gerade keine Lust hatten, und überhaupt jeden an ihren üppigen Busen zu drücken, der ihr sein Leid klagte. Roderick ersparte das Einiges; er kam um die gesamten privaten Probleme des Ensembles herum, die anderen Impresarios oft schlaflose Nächte bereiteten. In seiner kleinen Compagnie herrschten Frieden und Liebe – und wie sich herausstellte, war das Publikum nicht anspruchsvoll. Schon auf dem Schiff, einem Dampfer, der die Reise in nur wenigen Wochen absolvierte, gab die Truppe ein paar Konzerte, und die Reisenden überhäuften die Künstler und auch den hochzufriedenen George Greenwood mit Lob.

Roderick sah dem ersten Auftritt des Ensembles in Christchurch, Canterbury Plains, somit gelassen entgegen. Sabina Conetti in natura war vermutlich immer noch besser als Jenny Lind auf Schellack.

Auch Christchurch war eine gelungene Überraschung. Die Sänger und Tänzer hatten mit einem Kaff am Ende der Welt gerechnet, aber tatsächlich trafen sie eine Stadt an, die an englische Metropolen heranstrebte. Der Clou dabei war die schon seit 1880 betriebene Straßenbahn, die bunt bemalt durch die Straßen der adretten Stadt bimmelte. Das Christ College zog Studenten aus ganz Neuseeland an und gab der Stadt ein jugendliches Flair, und knauserig war man offenbar auch nicht. Die Schafzucht und neuerdings auch der Fleischexport hatten Canterbury zu beachtlichem Reichtum verholfen, und die Stadtväter steckten bereitwillig Steuergelder in beeindruckende öffentliche Gebäude.

Eine Oper gab es allerdings noch nicht; die Aufführung würde in einem Hotel stattfinden. Wieder einmal dankte Roderick dem Himmel für Sabina. Während sie sich mit den Klagen der Sänger über die mangelhafte Akustik des Festsaals im White Hart und die Sorgen der Tänzer über die zu kleine Bühne herumschlug, erkundete er erst die Stadt und linste dann, als die Aufführung kurz bevorstand, neugierig ins Publikum. Eine Ansammlung fein gekleideter, von Vorfreude erfüllter Menschen, die Roderick Barrister gleich feiern würden, als wäre er Paul Kalisch persönlich. Ein wahr gewordener Traum! Und dann sah er das Mädchen …

Es war Heather Witherspoon, die William und Kura Martyn auf das Gastspiel des Opernensembles aufmerksam machte. George Greenwood hatte Gwyneira zwar informiert, aber die hatte das Ereignis glatt vergessen – zumal weder James noch Jack das Bedürfnis verspürten, hinzugehen.

»Eigentlich ist Oper was Schönes«, versuchte Gwyn ihren Sohn noch halbherzig umzustimmen. Sie wollte ihm durchaus eine umfassende Bildung ermöglichen, was auf Neuseeland nicht immer einfach war, und auch James pflegte sie hier zu unterstützen. Eine Tournee der Royal Shakespeare Company hatten die McKenzies im vergangenen Jahr begeistert besucht, wobei Jack die Schwertkämpfe allerdings spannender fand als Romeos und Julias Liebesleid. Für die Oper schien Gwyns Familie allerdings fürs Leben verdorben.

»Und was sollten wir auch mit Glory machen?«, argumentierte Jack außerdem. »Die schreit doch, wenn wir so lange nicht da sind, und wenn wir sie mitnehmen, schreit sie erst recht. Sie mag den Krach nun mal nicht.«

Der Junge hatte es sich inzwischen zur Gewohnheit gemacht, seine »Großhalbnichte« mit sich herumzuschleppen wie einen Hundewelpen. Statt Teddybärchen ließ er Hufkratzer über ihr im Stall abgestelltes Körbchen baumeln, und wenn Gloria ins Leere griff, drückte er ihr ein paar Heuhalme oder eine Pferdebürste zum Spielen in die Hand. Die Kleine schien das zu mögen. Solange ihre Mutter nicht sang oder Klavier spielte, war sie ein ruhiges Kind – und seit Jack die Sache mit dem fachgerechten Milchkochen heraushatte, schlief sie sogar durch.

Kura und William hatte Gwyn nicht über den bevorstehenden Opernabend informiert. In der letzten Zeit lebten sich die Familien auf Kiward Station immer mehr auseinander. Der Flügel mitten im Salon und Kuras abendliche Konzerte trieben James und Jack früh in ihre Zimmer, und auch wenn die junge Frau sich schließlich zurückzog, hatte keiner Lust, William beim Whiskytrinken Gesellschaft zu leisten. Außer natürlich Heather Witherspoon.

»Läuft da etwas zwischen den beiden?«, fragte James irgendwann argwöhnisch. »Ich meine ... die können sich doch nicht nächtelang über ihre englische Internatserziehung austauschen?«

Gwyneira lachte. »Jack behauptet jedenfalls, zwischen Kura und William liefe nichts mehr. Wobei er sich übrigens exakt so ausdrückte. Könnte es sein, dass du einen schlechten Einfluss auf ihn ausübst? Helen wäre entsetzt! Jedenfalls meint er, sie jeden Abend streiten zu hören. Was er wiederum nicht mir erzählt hat, sondern seinem Freund Hone. Ich hab's nur zufällig mitbekommen. Die beiden interessieren sich neuerdings ein bisschen für Mädchen. Wobei Hone deutlich frühreifer ist als Jack. Der Junge ist ›Kura-geschädigt‹. Womöglich endet er doch noch als Mönch!«

James grinste. »Halte ich für unwahrscheinlich. Er ist zwar sicher ein guter Hirte, aber ich glaube, es würde ihn stören, dass er zweibeinige Schäfchen nicht scheren und beliebig herumtreiben kann. Außerdem setzt keine Konfession Border Collies als Tugendwächter ein, soviel ich weiß.«

»Wäre aber gar nicht so schlecht«, kicherte Gwyn. »Weißt du noch, wie Cleo damals immer gebellt hat, wenn du mich angerührt hast?«

James warf Monday, die in ihrem Körbchen neben ihrem Bett lag, einen forschenden Blick zu.

»Die aktuelle Wächterin schläft. Also komm, lassen wir die Gelegenheit nicht ungenutzt verstreichen ...«

Kura war natürlich Feuer und Flamme für einen neuerlichen Ausflug nach Christchurch, und Heather Witherspoon nicht minder. William interessierte sich wohl eher für die mit der Reise verbundene Kontaktpflege zu anderen Viehbaronen, fuhr aber willig mit. Gwyneira gab Miss Witherspoon allerdings ungern frei. Nach wie vor war sie mit ihrer Arbeit unzufrieden, sowohl was Jacks Ausbildung als auch die der Maori-Kinder anging. Nun bat Heather jedoch so selten um Urlaub, dass Gwyneira es ihr kaum verbieten konnte.

»Vielleicht verliebt sie sich ja in einen Sänger und geht uns stiften!«, meinte James hoffnungsvoll.

Damit war allerdings nicht zu rechnen. Heathers Gefühle waren längst vergeben. Denn auch wenn William bislang kein Interesse zeigte, sondern nach wie vor nur davon träumte, die »Festung Kura« wieder zu erobern, hatte es seinen Grund, dass sie fast jeden Abend bei ihm saß. Irgendwann musste er die Frau in ihr erkennen. Das hoffte sie jedenfalls. In den Büchern und Journalen, die sie las, klappte das schließlich auch zuverlässig. Die Frau musste nur lange genug sanft, geduldig und vor allem immer verfügbar sein.

Kura, William und Heather reisten also nach Christchurch, und natürlich fiel der erste Blick Roderick Barristers in sein Publikum auf Kura-maro-tini.

»Herrschaftszeiten, hast du das Mädchen da unten gesehen?« Rodericks beinahe ehrfürchtiges Erstaunen verlangte nach Ausdruck. Sabina schaute daraufhin gelangweilt durch ein Loch im Vorhang. »Welches? Ich sehe da mindestens zehn. Und sie werden nachher alle in dich verschossen sein. Willst du zuerst den Pamino geben oder den Don José?«

»Wir beginnen mit Mozart . . .«, murmelte Roderick unkonzentriert. »Aber wie kannst du da zehn Mädchen sehen? Neben dieser einen verschwimmt doch der ganze Saal zu einem nebligen Nichts! Dieses Haar und dieses Gesicht . . . Sie hat etwas Exotisches. Und wie sie sich bewegt . . . zum Tanzen geboren.«

»Du hattest schon immer ein Faible für Tänzerinnen«,

seufzte Sabina. »Brigitte und Stephanie werden sich deinetwegen noch mal gegenseitig die Augen auskratzen. Du solltest dich da etwas zurückhalten ... Und nun los, geh dich schminken. Das ›neblige Nichts‹ will unterhalten werden!«

Die Compagnie gab Szenen aus der »Zauberflöte«, »Carmen« und »Der Troubadour«, bei Letzterem das berühmte Quartett aus der letzten Szene, das keiner im Ensemble wirklich konnte. Besonders die Mezzosopranistin der Truppe, ein junges Mädchen, das eigentlich eher tanzte und nur nebenbei ein bisschen Gesang studiert hatte, gab eine grauenvolle Azucena. Immerhin hörte man sie kaum, da die Männer sich größte Mühe gaben, wenigstens laut zu singen, wenn schon nicht schön. Sabina erklärte deshalb schon mal, sie würde demnächst mit Ohrenschützern auftreten, noch schlechter könne ihre Leonora sowieso nicht werden.

Im wohlwollenden Christchurcher Publikum bemerkte allerdings nur eine Zuhörerin die Schwäche der Aufführung, und die konzentrierte sich besonders auf die Frauenstimmen. Das also war die Oper? Mehr brauchte man nicht zu können, um einem internationalen Ensemble anzugehören? Kura war einerseits enttäuscht, andererseits fasste sie Hoffnung. Dieses Mädchen, das da jetzt die Azucena und vorhin die Carmen wie Krähen krächzen ließ, kam an ihre eigenen Fähigkeiten nicht annähernd heran! Und diese Sopranistin! Aber der Tenor gefiel Kura. Gut, auch er traf nicht jeden Ton, aber vielleicht lag das ja an der Schwäche seiner Partnerinnen. Auf jeden Fall brachte er Kuras Herz zum Singen – sie hätte am liebsten mit eingestimmt, als seine Carmen im Duett kläglich versagte, und sie hätte sich sogar zugetraut, die Pamina besser hinzukriegen als diese Sabina. Außerdem sah der Mann gut aus, genau so, wie sie sich Manrico und Pamino und wie sie alle hießen immer vorgestellt hatte. Kura wusste, dass die

Aufführung drittklassig war, aber sie hatte sich noch nie etwas so sehr gewünscht, wie hier auf der Bühne zu stehen.

Heather Witherspoon hatte die Qualität der Sänger ebenfalls einordnen können, aber sie war ganz mit ihrer Verliebtheit beschäftigt. William saß zwischen ihr und Kura – wie leicht konnte sie sich da vorstellen, er gehöre zu ihr und würde anschließend mit ihr auf den Empfang gehen, den George Greenwood für die wichtigsten Besucher und die Sänger ausrichtete. Aber hier waren natürlich nur William und Kura geladen. Trotzdem: Für zwei Stunden träumte Heather sich in eine andere Welt, und da war es ihr gleichgültig, ob die Leute da oben die Töne trafen oder nicht.

William hätte sich bei besagtem Empfang nach ihrer Gesellschaft gesehnt. Tatsächlich langweilte er sich zu Tode, denn außer den Greenwoods waren kaum interessante Leute zugegen. Anscheinend interessierten sich die Schafbarone der Plains zumindest zurzeit der Schafschur nicht sehr für Gesang und Tanz. Bei den Richlands, so erzählte George, seien gerade die Schererkolonnen eingetroffen.

»Danach kommen sie wahrscheinlich nach Kiward Station«, meinte der Händler. »Werden Sie da nicht gebraucht, Mr. Martyn?«

William wäre beinahe errötet. Tatsächlich hatte Gwyneira ihm kein Wort davon gesagt, dass die Schur unmittelbar bevorstand. Wahrscheinlich wieder ein Versuch, ihn auszubooten. Bis er zurückkam, wären alle Tiere eingetrieben und bereit für die Schur – während die Viehhüter sich über den jungen Herrn die Mäuler zerrissen, der lieber Opern hörte, statt zu arbeiten.

William kochte vor Zorn, und Kuras Verhalten trug auch

nicht dazu bei, ihn zu beschwichtigen. Statt wie eine brave Frau neben ihm zu bleiben – was sie sonst schon aus Desinteresse an den anderen Gästen meistens tat –, flatterte sie heute von einem der Sänger zum anderen. Besonders ein dunkelhaariger Schönling schien es ihr angetan zu haben.

»Tatsächlich? Sie singen, Miss …?«, fragte der Mann soeben mit jenem begehrlichen Ausdruck auf dem Gesicht, den jedes Männerantlitz unweigerlich zeigte, wenn Kura zugegen war.

»Warden … oder nein, Martyn. Mrs. Martyn.« Im letzten Moment schien Kura ihr Familienstand wieder einzufallen. Der Sänger wirkte enttäuscht. William hätte Kura verprügeln können.

Er fragte sich, ob er weiter mithören sollte, entschied dann aber, sich nicht länger selbst zu quälen. Stattdessen steuerte er auf die Bar zu. Ein Whisky würde ihn aufheitern. Und Kura konnte er auch von da aus im Auge behalten. Eifersucht verspürte William dabei nicht; er wusste, dass jeder Mann Kura auf den ersten Blick verfiel. Warum sollte es bei diesem Sänger anders sein? Und wenn er jeden Kerl fordern würde, der Kura begehrliche Blicke zuwarf, käme er vor Schlägereien und Duellen kaum noch in den Schlaf. William verließ sich auf Kura: Wenn sie ihn schon nicht in ihr Bett ließ, würde sie auch keinen anderen erhören. Und sobald sie diesen Raum verließ, wäre er ja wieder neben ihr, schon damit sie nicht auf die Idee kam, ihr gemeinsames Hotelzimmer abzuschließen.

Kura lächelte Roderick inzwischen an. Sie hatte ein atemberaubendes Lächeln …

»Ich wollte Sängerin werden. Ich bin Mezzosopranistin. Aber dann kam mir die Liebe dazwischen …«

»Und stahl der Welt ein Wunder wie Sie! Das hätte die Göttin der Kunst nicht zulassen dürfen …« Roderick schmeichelte dem Mädchen, obwohl er keinen Moment an ihre außergewöhnliche Begabung glaubte. Wieder eine dieser

Frauen, die ihre drei Klavierstunden maßlos überschätzte ... aber so manche von ihnen hatte sich schon bereitgefunden, zumindest ein paar Stunden lang an seinem Genie zu partizipieren. »Falls Sie es sich aber einmal anders überlegen sollten ...«, meinte er gönnerhaft. »Wir sind noch eine Woche hier, Sie können mir gern vorsingen.«

Kura strahlte, als sie schließlich an Williams Seite durch die Hotelflure tanzte.

»William, ich wusste es immer! Ich wusste, dass ich Opern singen kann, und der Impresario meinte, ich sollte wenigstens einmal vorsingen. Oh, William, ich sollte das machen! Gleich morgen! Vielleicht brauche ich dieses langwierige Studium gar nicht. Vielleicht können wir einfach nach London gehen, und ich singe vor, und dann ...«

»Süße, ich würde dir ja gern den Gefallen tun, aber wir müssen morgen zurück auf die Farm!« William hatte den Entschluss bei seinem dritten Whisky ziemlich spontan gefasst. »Da steht die Schur an. Ich hab gerade erfahren, dass die Scherkolonnen anrücken. Ich werde gebraucht, ich kann Miss Gwyn und James nicht mit all der Arbeit sitzen lassen ...«

»Ach, die haben das zwanzig Jahre ohne dich gekonnt!«, gab Kura nicht unrichtig zu bedenken. »Komm, gib mir einen Tag! Lass mich bei diesem Mr. Barrister singen, und dann ...«

»Wir werden sehen.« Kura hatte seine Hand gefasst, und William schöpfte wieder Hoffnung auf eine traumhafte Nacht in ihren Armen. Er küsste sie, als sie ihr Zimmer betraten, und fühlte sich bestätigt, als sie den Kuss begierig zurückgab. Langsam ließ er seine Lippen über ihren Hals wandern, küsste den Ansatz ihrer Brüste, den ihr Abendkleid freigab, und begann, das Kleid herunterzustreifen.

»Mein Gott, Kura, du bist so schön ... die Menschen würden jeden Preis zahlen, um dich auf einer Bühne zu sehen, ob du singst oder nicht«, flüsterte er heiser. Kura ließ zu, dass er sie auszog. Dann stand sie nackt vor ihm, erlaubte ihm, ihren

Körper zu streicheln und zu küssen, und ließ sich schließlich aufs Bett sinken, worauf sein Mund die Innenseiten ihrer Schenkel fand und dann mit ihren intimsten Regionen spielte. Sie stöhnte, stieß winzige Schreie aus und kam schnell zum Höhepunkt. Glücklich umfasste sie seinen Kopf, streichelte sein Haar, begann ihn zu reizen und setzte sich schließlich rittlings auf ihn, um seine Brust mit ihrem Haar zu liebkosen.

»Warte ...«, stieß William hervor. »Warte, ich muss mir die Hose ausziehen ...« Er hatte das Gefühl, sein Geschlecht würde den Stoff gleich sprengen. Er riss die Hose schließlich auf, befreite sich und wollte Kura auf sich, über sich, in sich hineinziehen ... eins mit ihr werden, wie so oft zuvor. Doch Kura zog sich entschieden zurück.

»Kura, du kannst nicht ...« William brauchte schier übermenschliche Kraft, um nicht nach einer ihrer langen, offenen Haarsträhnen zu greifen, sie an sich zu zerren, ihre Schultern zu umfassen und sie mit Gewalt zu nehmen. Es war zu viel, es war einfach zu viel ...

Doch Kura sah ihn nur verständnislos an. »Ich habe dir doch gesagt, dass ich das nicht mehr machen will. Gerade jetzt, wo es womöglich doch noch mit dem Singen klappt. Ich will kein weiteres Baby!«

William taumelte aus ihrem Bett. Wenn er jetzt blieb, würde er sie zwingen! Niemand konnte von ihm erwarten, sich bis unmittelbar vor dem Höhepunkt von ihr erregen zu lassen und dann wie Bruder und Schwester neben ihr zu schlafen. Seine Erektion ebbte nur langsam ab, aber er musste raus. Er würde das Bad suchen und sich erst einmal selbst Erleichterung verschaffen, und dann ... vielleicht fand sich ja ein anderes Zimmer. Aber wie peinlich es wäre, an der Rezeption danach zu verlangen.

Auf dem Weg zum Bad traf er Heather Witherspoon. Gewöhnlich wäre ihm das unangenehm gewesen, halb bekleidet, wie er war. Doch sie lächelte gelöst und ganz selbstverständlich. Dabei war auch sie alles andere als förmlich gekleidet. William ließ den Blick über sie schweifen. Ihr Haar fiel über ihre Schultern, ihre Füße waren nackt. Und ihr Gesicht leuchtete auf, als sie ihn sah.

»Mr. William! Können Sie auch nicht schlafen? Wie war der Empfang?«

Heather trug nur einen leichten Morgenmantel über einem seidenen Nachthemd. Ihre Brüste zeichneten sich darunter ab, befreit vom ewigen Korsett und den langweiligen, altjüngferlichen Kleidern war durchaus eine weibliche Figur erkennbar. Und ihr Blick war einladend, ihre Lippen bebten, ihre Augen strahlten.

William überlegte nicht lange. Er schloss sie in die Arme.

Am nächsten Morgen ließ William Kura kaum Zeit zum Frühstücken. Er war spät in der Nacht, befriedigt von der Liebe mit Heather und trunken vom Whisky, zurück in ihr Bett gekommen, aber da hatte sie tief und fest geschlafen. Auch Kura kannte keine Eifersucht; dazu war sie sich ihrer selbst zu sicher. Nun protestierte sie heftig gegen den eiligen Aufbruch, konnte sich aber nicht durchsetzen.

»Der Kerl will dich sowieso nicht anhören, nur lüstern anstarren«, erklärte William seiner lamentierenden Frau. »Ob er das tut oder nicht, ist egal. Mit der Schur können sie aber nicht ohne mich anfangen. Das heißt ... sie können natürlich schon, aber ich würde vor den Viehtreibern das Gesicht verlieren. Wie sieht denn das aus? Der künftige Herr auf Kiward Station hängt am Rockzipfel einer Möchtegerndiva, und die anderen machen die Arbeit!«

Mit der »Möchtegerndiva« hatte er Kura zutiefst verletzt, was ihm zumindest eine ruhige Reise bescherte. Sie schwieg eingeschnappt und wechselte nur mal ein paar Worte mit Heather. Dabei kamen sie rasch vorwärts. William fuhr zwei

Cobs vor einer leichten Chaise, und in den letzten Jahren waren die Wege erheblich besser ausgebaut worden. Man brauchte längst keine Übernachtung mehr einzurechnen, wenn man von Christchurch nach Haldon fuhr.

Die Reisenden erreichten Kiward Station denn auch am frühen Abend, und William meldete sich beinahe triumphierend zur Schafschur zurück. Gleich am kommenden Morgen würde er die Verteilung der Schafe auf die Schuppen überwachen. Die Nacht begann er jedoch mit ein paar Whiskys im Salon – und beendete sie im Bett von Heather Witherspoon.

Heather, ganz erfüllt von der Liebe mit William, wusste nicht, wie sie auf Kuras Beschwerden über das entgangene Vorsingen reagieren sollte. Sie wollte auf keinen Fall, dass Kura nach England ging – zumindest nicht gemeinsam mit William. Aber Kura hatte nie einen Zweifel daran gelassen, dass sie Kiward Station ohne William nicht mehr zu verlassen gedachte. Andererseits hatte sich seitdem vieles geändert. Heather war Kuras Vertraute; sie wusste sehr wohl, dass sie ihren Mann seit Glorias Geburt nicht mehr in ihr Bett ließ. Was sonst noch geschehen war, vor allem Kuras anfängliche Versuche, die sexuelle Beziehung zu William wieder auf das harmlose Streicheln und Küssen zurückzuschrauben, wie sie es einst mit Tiare erlebt hatte, war ihr zwar nicht zu Ohren gekommen, aber die Einzelheiten interessierten sie auch nicht. Heathers Meinung nach war Kuras Ehe mit William faktisch beendet. Vielleicht würde Kura ja tatsächlich die Konsequenzen ziehen und ihren Mann verlassen. Das Vorsingen in Christchurch mochte der erste Schritt dorthin sein. Deshalb riet sie dem Mädchen vorsichtig zu.

»Du darfst dir natürlich keine großen Hoffnungen machen. Aber sich einmal anhören, was ein Fachmann sagt, kann zumindest nicht schaden.«

»Dazu hätte ich in Christchurch bleiben müssen ... William ist so gemein!« Kura begann das Lamento erneut, das Heather nun schon den ganzen Morgen über sich ergehen lassen musste. Aber dann hatte Heather den Geistesblitz, die Noten zu einigen Stücken herauszusuchen, die sie am Abend zuvor gehört hatten. Kura übte von da an verbissen. Wieder und wieder sang sie die Partien der Carmen und der Azucena.

»Ich hätte diese Carmen spätestens im zweiten Akt erstochen, oder am besten gleich in der ersten Szene«, murmelte James, als die *Habanera* zum dritten Mal durch den Salon schallte, während er versuchte, sich nach dem Essen ein wenig zu entspannen. Er war sowieso verärgert; Williams verfrühte Heimkehr passte ihm gar nicht in den Kram. Und dazu war der junge Mann an diesem Morgen auch noch ziemlich verkatert und steif nach der Reise. Schlecht gelaunt hatte er die Leute herumgestoßen, die Schafe in Verwirrung gestürzt, indem er plötzlich die Herden anders aufteilte, und James mit all dem zur Weißglut gebracht. Da fehlte es ihm nur noch, dass Kura seit Stunden von Liebe und rebellischen Vögeln sang. Ein ums andere Mal das gleiche Stück.

»Was soll das denn jetzt? Hat sie nicht vor drei Tagen noch erklärt, sie müsse dringend ihr Deutsch üben, weil man Schubert-Lieder auf Englisch irgendwie nicht singen kann? Aber das ist doch jetzt Französisch, oder?«

Französisch hatte Kura bei Miss Weatherspoon gelernt.

»Das haben sie vorgestern in Christchurch gehört, und angeblich soll die Sängerin furchtbar schlecht gewesen sein«, erklärte Gwyneira und erzählte denn auch gleich die Sache mit dem Vorsingen. »Kura will, dass ich ihr einen Mann und einen Wagen zur Verfügung stelle, damit sie diesen Sänger – oder ›Impresario‹, wie sie ihn nennt – noch mal treffen kann.

Aber im Moment können wir eigentlich niemanden entbehren außer vielleicht William. Aber der hätte ja auch gleich mit ihr dableiben können ...«

»Ich an seiner Stelle hätte sie da auch nicht vorsingen lassen«, bemerkte James grantig. »Ist doch klar, was der Kerl will. Oder glaubst du im Ernst, der setzt seinen Sängerinnen auf einmal ein Mädchen vor die Nase, das nie ein Konservatorium von innen gesehen hat?«

Gwyneira zuckte die Schultern. »James, ich weiß das nicht. Ich habe keine Ahnung von all dem, und ehrlich gesagt interessiert es mich auch nicht. Ich würde nur Carmen gerne abstellen. Und Kura glücklich machen ...«

Kura begann soeben, die Arie noch einmal zu singen. James verdrehte die Augen.

»Nicht schon wieder!«, murmelte er unleidlich. »Sieh es doch einfach mal so, Gwyn: Du hast sechzehn Jahre lang versucht, Kura glücklich zu machen. Jetzt ist William dran. Soll sie den bearbeiten, sie nach Christchurch zu fahren, und am besten bleibt er gleich da und hält ihr beim Singen das Händchen. Bestimmt ist er auch ganz großartig darin, ihre Verträge auszuhandeln und ihre Partner zum Wahnsinn zu bringen, wenn sie zu laut oder zu leise singen. Aber dich geht das nichts mehr an. Schlimm genug, dass sich keiner von den beiden um das Kind sorgt. Wir müssen Jack übrigens sagen, dass die Kleine während der Schur nicht mit im Schuppen sein darf, die Luft ist nicht gut für sie. Auch wenn sie dann wieder den ganzen Tag schreit.«

Gwyneira seufzte. Auch das noch! Am Ende würde die Kinderfrau kündigen. Sie selbst würde zwar wie immer in einem der Schuppen die Aufsicht führen, aber wenn Kura den ganzen Tag sang und Gloria folglich den ganzen Tag schrie, würde Mrs. Weaver womöglich die Waffen strecken.

Kura sang wie besessen, und je sicherer sie die Texte beherrschte und die Töne traf, desto mehr bestärkte es sie in der Ansicht, Roderick Barristers Ansprüchen gewachsen zu sein. Sie musste nach Christchurch, sie musste einfach! Und inzwischen war die Woche fast um; sie hatte gerade noch zwei Tage, wovon einer allein für die Fahrt verschwendet wurde. Vielleicht konnte sie ja doch noch einmal mit William reden. Oder nicht nur reden! Falls sie ihn nach all der Zeit endlich wieder in ihr Bett ließ, würde er Wachs in ihren Händen sein. Natürlich war das ein Risiko. Aber wenn sie William von einem Höhepunkt zum anderen peitschte, würde er ihr alles versprechen; sie musste die Gefahr einfach auf sich nehmen. Und überhaupt, sie hatte die Tänzerinnen auf dem Empfang etwas munkeln hören ... über eine böse Sache, die einer von ihnen passiert sei, aber offensichtlich gab es irgendeine Möglichkeit, das wieder auszubügeln. Wenn also alle Stricke rissen, würde sie das Mädchen darauf ansprechen. Oder Mr. Barrister. Dem konnte es doch auch nicht recht sein, wenn seine Sängerinnen oder Tänzerinnen plötzlich mit dicken Bäuchen herumliefen.

Kura verbrachte den Nachmittag also nicht am Flügel, sondern richtete sich für William her. Sie spielte erst am Abend wieder, für ihn und Miss Witherspoon – Gwyn und James hatten sich früh zurückgezogen, und Jack verschanzte sich mit Gloria und seinem Hund in seinem halbwegs schalldichten Zimmer.

An diesem Abend verlegte Kura sich allerdings nicht auf die Oper, sondern versuchte es mit den irischen Liedern, die William stets verzaubert hatten. Und tatsächlich sah sie spätestens nach *Sally Gardens* das Leuchten des Begehrens in seinen Augen. Sie sang *Wild Mountain Thyme*, um seine Lust weiter anzufachen, und versprach Liebe in der *Nacht auf Tara Hill*. Schließlich fand sie, dass er genug eingestimmt war. Sie stand langsam auf, darauf achtend, dass er die Blicke nicht von ihr nahm, und schritt mit wiegenden Hüften zur Treppe.

»Lass es nicht zu spät werden«, hauchte sie und hoffte, Lockung und Verheißung in ihre Stimme zu legen. Williams Atem schien auch jetzt schon schneller zu gehen. Kura stieg die Treppe mit dem sicheren Gefühl hinauf, ihn bald an ihre Tür klopfen zu hören.

Doch William erschien nicht. Zunächst war Kura nicht besonders beunruhigt. Er musste ja noch seinen Whisky austrinken und sich irgendwie von Heather Witherspoon loseisen. Die schien in der letzten Zeit ein bisschen verliebt in ihn zu sein. Absurd!

Kura zog sich in Ruhe aus, parfümierte sich und hüllte sich in ihr schönstes Nachthemd. Erst dann wurde sie etwas ungeduldig. So langsam wollte sie anfangen, allein schon, damit es am kommenden Morgen nicht zu spät wurde. Diesmal gedachte sie nämlich, früh aufzustehen und nicht erst bei Nacht in Christchurch einzutreffen. Das Beste wird sein, dachte sie, noch am Abend kurz bei Barrister vorzusprechen, um einen Termin für den nächsten Tag auszuhandeln.

Als fast eine Stunde verstrichen war, reichte es Kura. Wenn William nicht von selbst kam, würde sie ihn eben holen. Sie zog einen Morgenmantel über, fuhr sich noch einmal übers Haar und begab sich auf die große Treppe zum Salon. Er sollte sie kommen sehen, betörend schön in ihrem Nachtgewand, und einsam ...

Kura schwebte die Treppe herunter.

Aber William war nicht im Salon. Tatsächlich hatte man dort schon das Licht gelöscht; es sah aus, als wären alle zu Bett gegangen. Ob William sich tatsächlich ohne einen einzigen Versuch, bei ihr zu klopfen, in sein Schlafzimmer verzogen hatte? Nach diesem Auftritt? Kura beschloss, ihm das nicht vorzuwerfen, sondern ein bisschen reumütig zu tun. Schließlich hatte sie ihn so oft abgewehrt, da war es verständlich, dass er alle Hoffnung aufgegeben hatte. Umso wirkungsvoller würde die Strategie dieser Nacht ...

Kura schlich sich mit katzenhaften Bewegungen in Williams Räume. Sie würde ihn wach küssen und über ihm sein, wenn er die Augen aufschlug. Aber da lag niemand in den Kissen, Williams Bett war unberührt. Kura runzelte die Stirn. Jetzt kam eigentlich nur noch das Kinderzimmer in Frage. Vielleicht hatte William ja noch mal nach Gloria sehen wollen und tröstete sie jetzt, weil sie weinte. Das hatte Kura zwar noch nie beobachtet, aber sie wusste ja auch nicht, wie er sonst seine Nächte verbrachte.

Gleich darauf sollte sie es wissen. Im Kinderzimmer herrschte tiefe Ruhe, und auch nebenan, aus Jacks Zimmer, drang kein Laut. Dafür allerdings Lachen und Stöhnen aus den Zimmern von Miss Witherspoon. Kura fackelte nicht lange. Sie riss die Tür auf ...

»Sie ist weg? Was heißt das, sie ist weg?«, fragte Gwyneira verblüfft, die ein bisschen verschlafen zum Frühstück heruntergekommen war. James und sie hatten sich am vergangenen Abend mit einer guten Flasche Wein über Carmen hinweggetröstet und den Abend dann sehr liebevoll ausklingen lassen. Nun war sie verstimmt, weil William gleich wieder etwas von ihr wollte. »Kommen Sie, William, Kura reitet nicht, und sie fährt nicht. Sie kann Kiward Station gar nicht verlassen haben.«

»Sie war gestern ein wenig aufgelöst ... sie hat da wohl etwas missverstanden ...«, druckste William herum.

Tatsächlich hatte Kura nur einen glühenden Blick auf ihn und Heather im Bett geworfen, einen Blick, der fast so etwas wie Hass ausdrückte. Oder eher Enttäuschung, Widerwillen ... William hatte ihren Ausdruck nicht zu deuten gewusst. Er hatte sie auch nur Bruchteile von Sekunden gesehen; nachdem sie begriffen hatte, was vor sich ging, war sie Hals über Kopf aus dem Zimmer gestürmt. William klopfte gleich darauf bei ihr an, doch sie antwortete nicht. Auch nicht, als er es wieder und wieder versuchte. Schließlich hatte er es aufgegeben und sich in sein eigenes Zimmer zurückgezogen, wo er dann keinen Schlaf fand. Erst gegen Morgen übermannte ihn die Müdigkeit.

Nach dem Aufstehen wollte er noch einmal versuchen, mit Kura zu reden. Als er dann jedoch in ihre Räume ging, fand er die Türen weit offen. Und sie war fort.

»Ich habt euch gestritten?«, tastete Gwyneira sich vor.

»Nicht direkt ... na ja, schon, aber ... Wo um Himmels willen kann sie stecken?« William wirkte beinahe verängstigt. Kura hatte sich so seltsam verhalten. Und auch wenn er es jetzt nicht zugab, so hatte er doch einen Brief von ihr gefunden. Er hatte auf dem Tisch in ihrem Ankleidezimmer gelegen.

Das ist es nicht wert.

Nicht mehr und nicht weniger hatte in dem Brief gestanden. Aber Kura konnte sich doch nichts angetan haben! William dachte mit Entsetzen an den See beim Maori-Dorf.

»Na, als Erstes würde ich vielleicht mal in Christchurch suchen«, meinte James gemütlich, der in bester Laune die Treppe herunterkam. »Da wollte sie doch wohl hin, nicht?«

»Aber doch nicht zu Fuß«, gab William zu Bedenken.

»Kura ist mit Tiare weggefahren«, das war Jack. Er kam eben von draußen herein, gefolgt von seinem Welpen, anscheinend hatte er schon im Stall nach dem Rechten gesehen. »Ich hab sie gefragt, ob sie Gloria nicht Auf Wiedersehen sagen wolle, aber sie hat mich überhaupt nicht angeguckt. Hatte wohl ein schlechtes Gewissen, weil Tiare sich Owen genommen hat, ohne zu fragen.«

»Vielleicht hat sie Gloria vorher besucht«, meinte Gwyn, um ihre Enkelin nicht als gar so schlechte Mutter dastehen zu lassen.

Jack schüttelte den Kopf. »Nö, Glory hat bei mir geschlafen, die hab ich eben erst bei Kiri in der Küche abgesetzt. Und Kiri hat auch nichts gesagt.«

»Und du hast sie den Hengst einfach so nehmen lassen?«, fuhr William ihn an. »Der Maori-Junge kommt hier rein, nimmt sich ein wertvolles Pferd und …«

»Ich konnte ja nicht ahnen, dass sie nicht gefragt haben«, meinte Jack gelassen. »Aber Tiare bringt ihn bestimmt wieder. Die sind doch sicher nur nach Christchurch gefahren, zu ihrem komischen Vorsingen. Morgen sind die wieder da.«

»Das nicht glauben ich …«, bemerkte Moana. Die Haushälterin hatte den Frühstückstisch gedeckt, als William mit der Nachricht von Kuras Verschwinden nach unten kam. Dann war sie aber gleich hinaufgegangen, um ihre Sachen zu inspizieren, wobei sie keinerlei Hemmungen hatte. Moana diente seit vierzig Jahren in diesem Haus, sie hatte Marama und Paul mit aufgezogen, und Kura war für sie wie eine eigene, reichlich verwöhnte Enkeltochter. »Sie mitgenommen große Tasche, alle schönen Sachen, auch Abendkleider. Sieht mehr aus nach große Reise.«

Roderick Barrister trommelte das Ensemble kurz vor dem letzten Opernabend in Christchurch zu einer Probe zusammen. Sie mussten dieses Quartett aus dem Troubadour noch mal üben; so langsam wurde es peinlich. Zumal seine Azucena immer schlimmer wurde. Das Mädchen fühlte sich überfordert, litt wohl auch unter dem Spott der anderen Tänzer … und dann war da noch diese andere Sache … man würde bald etwas arrangieren müssen. Roderick fragte sich, wie ihm das passieren konnte. Bisher hatte er nie eine seiner vielen Liebschaften geschwängert; zumindest hatte es ihm keine gesagt.

Dabei war das Totalversagen der Kleinen im Troubadour noch erträglich – schlimmer war die Szene aus Carmen. Am besten strich er die ganz und suchte sich irgendetwas anderes. La Traviata vielleicht; das konnte er mit Sabina inszenieren. Obwohl die mit der Rolle auch überfordert wäre und nun wirklich nicht schwindsüchtig aussah …

»Vielleicht, wenn wir die Frauen ein Stückchen weiter vorne platzieren …«, überlegte er jetzt. »Dann kommt ein bisschen mehr von dem Gesang rüber.«

»Oder die Männer könnten einfach etwas leiser singen«, bemerkte Sabina boshaft. »*Piano,* mein Freund. Das sollte auch in den höheren Tonlagen gehen, wenn man sich Tenor nennt …«

In das darauf einsetzende Protestgeschrei des Luna-Darstellers und Rodericks eigenes Lamento mischte sich das Gekicher der Tänzer, die sich langsam zu ihrem Auftritt einfanden.

Und dann erklang plötzlich eine süße Stimme irgendwo aus dem Zuschauerraum.

»L'Amour est un oiseau rebelle, que nul ne peut apprivoiser …«

Carmen, die *Habanera*. Aber vorgetragen von einer weitaus stärkeren Stimme als der der kleinen Tänzerin. Zwar war auch diese Sängerin nicht perfekt, aber was hier fehlte, war nur Schliff, Stimmbildung, ein bisschen Ausbildung. Die Stimme als solche war glänzend.

Roderick und die anderen Sänger blickten verwirrt und angespannt in den Saal. Dann sahen sie das Mädchen. Wunderschön in einem azurblauen Kleid, das Haar mit einem spanischen Kamm zurückgesteckt, wie Carmen ihn wohl getragen haben musste. Hinter ihr wartete ein Maori-Junge.

Kura-maro-tini sang ihr Lied gelassen und selbstbewusst zu Ende – oder erkannte sie schon die Bewunderung in den Augen ihrer Zuhörer? Die Sänger auf und die Tänzer hinter der Bühne konnten sich jedenfalls nicht bezähmen. Sie klatschten begeistert, als Kura geendet hatte – allen voran die kleine Mezzosopranistin, die hier wohl das Ende ihrer Leiden kommen sah, und Roderick Barrister. Dieses Mädchen war ein Traum – bildschön, eine Stimme wie ein Engel. Und er würde sie formen!

»Ich brauche ein Engagement«, sagte Kura schließlich. »Und wie es aussieht, brauchen Sie einen Mezzosopran. Können wir da wohl zusammenkommen?«

Sie leckte sich lasziv die Lippen und hielt sich gerade wie eine Königin. Ihr Hände spielten mit imaginären Kastagnetten; sie hatte ihre Carmen studiert. Und sie würde diesen »Impresario« genauso um den Finger wickeln wie die Zigeunerin ihren Don José.

11

Der Gedanke, auf keinen Fall schwanger zu werden, beherrschte Elaines ganzes Leben. Manchmal schien es fast zur fixen Idee zu werden, denn ganz nüchtern betrachtet hätte eine Schwangerschaft ihre Stellung im Hause der Sideblossoms eher verbessern können. So schien zumindest John nicht viel davon zu halten, schwangere Frauen mit nächtlichen Besuchen zu belästigen. Stattdessen war er immer häufiger abwesend, je mehr Zoés Bauch sich rundete. Seine »Geschäfte« führten ihn mal nach Wanaka, mal nach Dunedin oder gar nach Christchurch. Außerdem folgte er Emere mit Blicken und berührte sie mitunter besitzergreifend. Die Maori-Frau warf ihm daraufhin Blicke von kaum verhülltem Hass zu, aber Elaine vermutete, dass sie nachts seinem Ruf folgte. Wenn sie selbst wach lag, hörte sie oft Geräusche in den Korridoren, gespenstische Laute, als ob sich jemand hinausschleppte. Dabei bewegte Emere sich sonst sehr harmonisch, mit wiegenden Hüften und schreitendem Gang, aber auch an den Tagen danach wirkte sie steif. Und wenn sie das Haus verlassen hatte, spielte sie die *putorino* – ein sicherer Beweis dafür, dass wirklich sie es war, die sich da erst nachts nach draußen schlich, statt schon nach dem Abendessen mit den anderen Dienern in die Unterkünfte zu verschwinden. Sie entlockte dem kleinen exotischen Instrument seltsame, fast menschliche Töne, die Elaine unstet und ängstlich werden ließen, als spiegle die Flöte ihre eigene Qual. Sie wagte sich dann kaum zu rühren aus Angst, dass Thomas erwachte und das Spiel hörte, denn Emeres Musik schien stets besondere Wut in ihm zu erwecken; er stand dann auf, schloss abrupt das Fenster und versuchte, den Klang durch das Vorziehen der dicken Vorhänge noch weiter zu dämpfen. Elaine hörte die Flöte dann oft gar nicht mehr, doch Thomas schien sie weiterhin wahrzunehmen und wanderte herum wie ein Tiger im Käfig; wenn Elaine wagte, ihn anzusprechen oder sonst irgendwie auf sich aufmerksam zu machen, ließ er seine Wut und Erregung an ihr aus. Elaine begann schließlich, das Zimmer schon vorbeugend gegen jeden Laut zu dämpfen. Nur war es dann stickig und heiß, und Thomas riss die Fenster mitunter wieder auf, nachdem er sich an Elaine befriedigt hatte, und sie musste Emeres Spiel erneut fürchten. Dann aber endete auch das. Emeres Gestalt begann sich ebenso zu runden wie Zoés, und John ließ sie in Ruhe.

Elaines Aufatmen war jedoch nicht von langer Dauer. Schließlich war sie die Nächste, auf die Johns lüsterne Blicke sich konzentrierten. Mitunter streifte er beiläufig ihre Hüfte oder gar ihre Brust, wenn er an ihr vorbeiging oder so tat, als klaube er ein Blatt oder einen Grashalm aus ihrem Haar. Elaine fand das alles widerwärtig und entzog sich den Berührungen, so gut sie konnte. Wenn Thomas es mitbekam, funkelte er seinen Vater an und rächte sich hinterher an Elaine. Seiner Ansicht nach ermutigte sie praktisch jeden Mann, den sie sah, und dass sie nun auch noch seinen Vater umgarnte, sei ja wohl der Gipfel der Frechheit. Elaine konnte leugnen, soviel sie wollte, es nützte nichts. Thomas war krankhaft eifersüchtig. Elaine wurde darüber immer nervöser und verhärmter. Sie würde sich niemals an seine Eifersuchtsanfälle und seine nächtlichen Besuche gewöhnen – niemand gewöhnte sich an Folterungen! So etwas war nie und nimmer das normale Eheleben, doch Elaine fand keinen Weg, es abzustellen. Selbst wenn sie versuchte, so unauffällig wie möglich zu sein und Thomas tagsüber keine Reibungspunkte zu bieten, für die er sie dann »bestrafen« zu müssen glaubte, war es allenfalls weniger schlimm – schmerzlos war es nie.

Es erwies sich auch als kaum möglich, die »gefährlichen«

Tage irgendwie zu umschiffen, obwohl Elaine entsprechende Anstrengungen unternahm. Manchmal aß sie Tage vorher nichts, um schlecht auszusehen und eine fiebrige Krankheit vorzutäuschen. Oder sie steckte den Finger in den Hals, übergab sich mehrfach und erklärte, sie hätte eine Magenverstimmung. Einmal verstieg sie sich sogar dazu, Seife zu essen, weil sie gelesen hatte, das löse Fieber aus. Tatsächlich wurde ihr hundeelend, sie war zwei Tage krank – und hatte am dritten kaum Kraft für die Essigspülung, nachdem Thomas sie wieder »besucht« hatte. Das Mittel schien immerhin zu helfen. Bisher hatte Elaine noch nicht empfangen.

Ab und zu versuchte sie, mit Thomas über einen Besuch in Queenstown zu reden. Irgendetwas musste geschehen, sie konnte nicht ihr Leben in Thomas' Gefängnis verbringen! Vielleicht würde sie den Mut finden, sich ihrer Mutter anzuvertrauen – und wenn sie das nicht schaffte, so wenigstens Inger oder gleich Daphne. Der fiel bestimmt etwas ein, ihre Nächte erträglicher zu machen.

Thomas blockte allerdings konsequent ab. Er wollte nicht nach Queenstown – und inzwischen hegte Elaine sogar den Verdacht, dass er ihre Post kontrollierte. Nachdem sie eines Tages in völliger Verzweiflung ein paar Andeutungen über ihre Langeweile, die Abgeschlossenheit im Haus und die Unannehmlichkeiten der Nächte in einen Brief an ihre Mutter einflocht, fiel Thomas mit schrecklicher Wildheit über sie her. Er würde ihr die Langeweile schon austreiben, erklärte er, obwohl sie sich gar nicht beklagt hatte. Elaine hatte Grund zur Annahme, dass Fleurette ihren Brief nie erhielt.

Deshalb konnte sie nur hoffen, dass ihre Eltern vielleicht einmal von selbst auf den Gedanken kämen, sie zu besuchen – aber das war schwierig, wie sie wusste. Das florierende Geschäft in Queenstown machte zumindest Ruben praktisch unabkömmlich, und Fleurette allein würde kaum so weit reisen und sich unter das Dach ihres alten Feindes Sideblossom begeben, wenn kein zwingender Grund dazu bestand. Doch einen solchen anzugeben erlaubte Thomas' Kontrolle ja nicht.

Manchmal dachte Elaine, dass auch hier eine Schwangerschaft helfen könnte. Spätestens zur Geburt oder zur Taufe würden ihre Eltern kommen. Aber alles in ihr wehrte sich, noch ein weiteres Leben in diese Hölle zu gebären, ganz abgesehen davon, dass ein Baby sie gänzlich und ohne jede Hoffnung auf Entkommen an Lionel Station fesseln würde. So machte sie weiter wie bisher und hoffte auf ein Wunder. Das geschah natürlich nicht, aber immerhin kam, fast ein Jahr nach ihrer Hochzeit, Patrick O'Mally.

Der junge Ire lenkte wieder mal ein schweres Gespann, ursprünglich beladen mit Waren für Wanaka.

Jetzt war der Wagen allerdings leer, und eine Schimmelstute folgte ihm in stolzem Trab.

»Ich dachte, wenn ich schon hier bin, schaue ich bei Ihnen vorbei, Miss Lainie, und bringe Ihnen Banshee. Ist doch eine Schande, dass sie nur rumsteht, und Sie haben hier kein Pferd. Der kleine Hengst ist längst abgesetzt und entwickelt sich prächtig, soll ich bestellen. Ach ja, und Ihre Mutter meint, Sie sollten öfter schreiben – und nicht nur so nichtssagende Briefe. Sie macht sich fast ein bisschen Sorgen. Andererseits sind keine Nachrichten ja meistens gute Nachrichten, nicht wahr?« Patrick schaute Elaine forschend an. »Stimmt's, Miss Lainie?«

Elaine sah sich furchtsam um. Bislang waren nur Arama und Pita in der Nähe, die sich um die Pferde kümmerten. Pita hatte sie eben gerufen, als Patrick eintraf. Aber Thomas war nicht weit weg; er beaufsichtigte irgendwelche Arbeiten bei den Mutterschafen und würde zweifellos herbeigestürmt kommen, sobald er von Patricks Ankunft hörte. Der junge Fuhrmann schien das zu ahnen und hatte gar nicht erst abgeschirrt. Er wollte sich gleich auf den Rückweg machen, bevor ein möglicher Streit mit Sideblossom eskalierte. Aber noch war Elaine mit ihm allein – und er stellte bohrende Fragen. Elaine überlegte, ob man ihr das Unglück wohl ansah; sie wusste, dass sie abgenommen hatte und ihr Gesicht oft verweint und teigig wirkte. Und jetzt hätte sie etwas sagen können. Patrick schien nur auf ein Geständnis zu warten. Aber sie konnte sich doch unmöglich diesem jungen Burschen anvertrauen! Schon vor Scham hätte sie kein Wort herausgebracht. Vielleicht schaffte sie ja wenigstens ein paar Andeutungen ...

»Schon, aber ... Ich langweile mich oft im Haus ...« Sie druckste herum.

»Warum bleiben Sie denn im Haus?«, fragte Patrick. »Ihre Mutter meint, Sie hätten hier bestimmt schon die ganze Schafzucht unter sich, wie Ihre Großmutter auf Kiward Station. Und dieser kleine Hund muss doch was zu tun kriegen!« Patrick streichelte Callie.

Elaine wurde rot. »Schön wär's. Aber mein Mann will nicht, dass ...«

»Was will dein Mann nicht?« Thomas dröhnende Stimme unterbrach Elaines Gestammel. Auf seinem Rappen war er wie aus dem Nichts aufgetaucht und erhob sich nun wie ein strafender Gott vor Elaine und dem jungen Patrick. Pita und Arama verschwanden sofort in den Ställen.

»Dass ich bei den Schafen helfe ...«, flüsterte Elaine. Thomas würde ihr diese harmlose Erklärung zwar sowieso nicht glauben, aber wenn Patrick nicht blind und taub war, musste er bemerken, was hier vorging.

»Ach ja. Und vielleicht will dein Mann auch nicht, dass du hier mit Laufburschen herumtändelst! Dich kenne ich doch, Junge, du hast sie herbegleitet. Da lief wohl auch schon was zwischen euch, ja?«

Thomas war vom Pferd gesprungen und näherte sich Patrick jetzt in bedrohlicher Haltung. Elaine erschrak, als er ihn am Kragen packte.

Patrick machte das zwar offensichtlich keine Angst; er

schien eher bereit, es mit gleicher Münze zurückzuzahlen. Doch Elaine übertrug ihre eigene, panische Furcht auf den jungen Mann. Thomas konnte Patrick schlagen, er konnte ihn umbringen, und dann …

Elaines Angst nahm ihr jede Fähigkeit zum logischen Denken. Starr vor Schreck beobachtete sie die sich anbahnende Rangelei zwischen den Männern. Sideblossom und O'Mally wechselten zornige Worte, doch Elaine nahm nichts davon auf. Sie war wie in Trance. Wenn Thomas Patrick etwas antat … wenn er ihn verschwinden ließ … dann würden Fleurette und Ruben nie von ihr erfahren, es gab keine Hoffnung und …

Elaine zitterte, überlegte fieberhaft. Dann fiel ihr etwas ein. Ruben O'Keefe schickte seine Männer nicht völlig hilflos auf die Straße. Zwar war die Südinsel nicht gerade eine Räuberhöhle, aber ein mit wertvollen Waren, mitunter auch Spirituosen beladener Frachtwagen konnte Begehrlichkeiten wecken. Deshalb lag ein Revolver unter jedem Sitz der Lieferwagen des O'Kay Warehouse. Da war er leicht zu erreichen; der Fahrer konnte ihn mit einem Griff zutage fördern.

Elaine erwachte aus ihrer Starre und schob sich näher an den Bock des Lieferwagens. Thomas und Patrick nahmen keine Notiz von ihr. Nach wie vor pöbelten sie einander an und schubsten sich – eigentlich nichts Gefährliches, doch in Elaines überreiztem Geist wirkte es schrecklich bedrohlich. Sie betete, dass die Waffe wirklich da war … und tatsächlich: Gleich beim ersten Mal ertastete ihre Hand kalten Stahl. Wenn ich nur wüsste, wie man das Ding benutzt!, fuhr ihr durch den Kopf.

Doch plötzlich – Elaine wog die schwere Waffe noch in der Hand – beruhigten sich die Gemüter der Männer. Patrick O'Mally hatte offenbar eingesehen, dass es wenig Sinn hatte, sich mit einem Schafbaron auf dessen eigener Farm zu prügeln wie in einem Pub. Er empfand Thomas' Reaktion als völlig überzogen, ja verrückt. Von solchen Leuten hielt man sich am besten fern. Allerdings würde er Ruben O'Keefe davon erzählen. Es wurde Zeit, dass hier mal jemand nach dem Rechten sah, der mehr Einfluss hatte als ein kleiner Gespannführer.

Patrick hörte also auf, sich zu wehren, und sagte beschwichtigend: »Ist ja gut, Mann, nun kriegen Sie sich mal wieder ein! Ich hab Ihrer Lady doch nichts getan, nur das Pferd hab ich ihr gebracht. Wir waren ja nicht mal allein. Ihre Stallburschen …«

»Meine Stallburschen sind ein nicht minder lüsterner Haufen!«, wetterte Thomas, ließ jetzt aber immerhin zu, dass Patrick sich seinem Wagen wieder näherte. »Und du verschwindest hier, verstanden? Wenn ich dich auf dieser Farm noch einmal sehe, jag ich dir eine Ladung Schrot in den Balg!«

Elaine stand immer noch neben dem Bock, aber jetzt zog sie sich hastig zurück – und verbarg vor allem die Waffe in den Falten ihres Kleides. Nicht auszudenken, wenn Thomas sie bei ihr fand. Eigentlich hätte sie das Ding an Pat zurückgeben müssen. Doch der Revolver fühlte sich gut an; er gab Elaine Sicherheit – auch wenn sie noch nicht wusste, wie man damit umging. Jetzt jedenfalls hatte sie ihn; sie konnte ihn in ihren Truhen verstecken und später herausfinden, wie er funktionierte. Schweigend beobachtete sie, wie Patrick auf den Bock stieg und die Pferde nach einem kurzen Gruß in Gang setzte. Dabei traf sie ein bedeutsamer Blick. Pat hatte verstanden – er würde ihr Hilfe schicken.

Vorerst aber verschlechterte sich Elaines Situation. Patricks Besuch schien Thomas' Wahn verstärkt zu haben. Er ließ Elaine praktisch nicht mehr unbewacht. Panik stieg in ihr auf, wenn sie den Westflügel morgens verschlossen fand. Einmal war sie sogar nahe daran, aus dem Fenster zu klettern.

Thomas rächte sich gnadenlos für ihr kleines Gespräch mit dem jungen Fahrer. Am Tag nach dem Besuch war ihr Körper so geschunden und mit blauen Flecken übersät, dass sie nicht aufstehen konnte. Pai und Rahera brachten ihr das Frühstück ans Bett und waren ratlos.

»Das nicht gut!«, meinte Rahera. »Nicht gibt bei mein Stamm.«

»Im Waisenhaus gab es das schon«, erklärte Pai. »Wir wurden immer verprügelt, wenn wir was falsch gemacht hatten. Aber so ... und Sie haben doch auch gar nichts getan, Miss Lainie.«

Elaine wartete, bis die Mädchen fort waren; dann schleppte sie sich zu ihrer Truhe und suchte den Revolver heraus. Er lag fast tröstlich in ihren kleinen Händen. Unsicher schloss sie den Finger um den Abzug. Ob sie es schaffen würde, diese große Waffe abzufeuern? Aber warum nicht? Sie hatte schon Männer beim Zielschießen beobachtet, und auch wenn die Meisten das Ding einhändig handhabten, nahmen manche beide Hände zu Hilfe, um genau zu zielen. Das konnte sie auch tun! Elaine hob den Revolver und richtete ihn auf die hässlichen Vorhänge. Halt, erst musste man das Ding entsichern! Der Sicherungshebel war leicht zu finden; im Grunde war die Waffe ein primitives Gerät. Elaine fand auch rasch heraus, wie man sie lud. Aber das half ihr nichts, mehr als die sechs Patronen, die jetzt in den Kammern steckten, würde sie doch nie bekommen. Und mehr als eine würde sie niemals abfeuern können, bevor Thomas ihr die Waffe wegnahm. Also kein Probeschießen im Haus! Elaine legte die Waffe zurück. Doch von jetzt an dachte sie jede Stunde ihres elenden Lebens darüber nach. Bisher hatte sie immer auf Hilfe gehofft, wie die Mädchen in den Groschenheften und Journalen und sogar die Heldinnen in den bekannten Romanen. Aber sie war keine Romanfigur, sondern ein Mensch aus Fleisch und Blut. Sie musste nicht warten, bis ein Ritter kam, um sie zu befreien; sie hatte eine Waffe, und sie hatte ein Pferd. Sie dachte nicht ernsthaft daran, sich den Weg freizuschießen, doch mit dem

Revolver in der Tasche würde sie sich stärker fühlen, so wie sie sich jetzt schon sicherer fühlte, wenn er nur in der Truhe lag – allen Misshandlungen zum Trotz. Bevor Thomas sie totschlug, würde sie ihn erschießen. Den Wunsch dazu verspürte sie jede Nacht. Aber es war natürlich illusorisch, die Waffe aus der Truhe herausholen zu wollen, während Thomas sie misshandelte. Elaine hätte das Ding schon unter der Bettdecke verstecken müssen, und dazu fehlte ihr der Mut. Sie durfte gar nicht daran denken, was geschehen würde, wenn sie einen Fehler machte und die Waffe dann nicht losging! Nein, es war besser, eine Möglichkeit zur unbemerkten Flucht zu suchen. Sie würde nach Queenstown reiten und versuchen, eine Scheidung zu erwirken.

Elaines Angst überstieg ihr Schamgefühl. Natürlich würde es schrecklich peinlich sein, sich einem Richter anzuvertrauen – aber sie fürchtete um ihr Leben.

Während Zoé auf die Geburt ihres Kindes wartete und Emere sich wieder mal im Flötenspiel übte – es schien jetzt nichts mehr mit ihren »Besuchen« bei John Sideblossom zu tun zu haben; vielleicht wob sie ja Zauber für ihr ungeborenes Kind? –, schmiedete Elaine Fluchtpläne. Vielleicht, wenn die Schafe abgetrieben wurden! Dann war Thomas mindestens zwei Tage fort. Die Stallburschen standen auf ihrer Seite, und Zoé und Emere würden sie nicht aufhalten können, wenn sie entschlossen davonritt. Aber bis dahin würde es noch dauern … Elaine zwang sich zum Optimismus. Womöglich kam vorher doch noch Hilfe aus Queenstown.

Dann aber, nur eine Woche nach Patricks Besuch, ergab sich überraschend eine Gelegenheit, Lionel Station zu verlassen. Zunächst waren am Tag zuvor die Schafschererkolonnen eingetroffen, sodass Thomas und John alle Hände voll zu tun hatten. Jeder von ihnen beaufsichtigte einen Scherschuppen, eine Aufgabe, die sie ungern abgaben, obwohl zumindest die »Waisenkinder« unter den Farmarbeitern fehlerlos rechnen und Zahlen schreiben konnten. Zoé jammerte, dass John sie verließ, obwohl ihre Zeit sicher kurz bevorstünde. Sie sah schlecht aus und forderte die Aufmerksamkeit des gesamten Hauspersonals. Selbst Pai und Rahera wurden zu kleinen Diensten herangezogen, was Elaine ärgerte. Ihre Mädchen gingen Zoé nun wirklich nichts an. Andererseits fand sie sich zum ersten Mal seit ihrer Ankunft auf Lionel Station völlig unbeobachtet. Sie dachte schon jetzt daran, Banshee einfach zu satteln und eine Flucht zu versuchen; dann aber erschien es ihr doch zu riskant. Thomas' Pferde waren schneller als Banshee. Wenn sie nur drei oder vier Stunden Vorsprung hatte, würde er sie einholen.

Doch dann war das Glück ihr endgültig hold: Gegen Mittag setzten Zoés Wehen ein. Die junge Frau entwickelte dabei starke Blutungen und geriet in Panik. Emere schickte weisungsgemäß nach John und zog sich selbst zurück, um, wie sie sagte, die Geister um eine glückliche Niederkunft zu bitten.

Als John das hörte, ließ er seine Wut zunächst an allen anwesenden Maori-Mädchen und -Frauen aus, schickte dann aber hektisch Boten in Richtung Wanaka, um irgendwo eine Hebamme aufzutreiben. Er selbst postierte sich vor Zoés Zimmern, anscheinend ernstlich besorgt um seine Frau – oder doch wenigstens das Kind, von dem er sicher annahm, dass es ein Junge würde. Gemeinschaftlich hielten die Eheleute sämtliche Haus- und Küchenmädchen auf Trab. Zoé bat abwechselnd mit schwacher Stimme um Tee oder Wasser und schrie hysterisch auf, wenn sie eine Wehe erfasste. Sie fürchtete sich offensichtlich zu Tode und rief jammernd nach Emere, die sich aber nach wie vor nicht blicken ließ.

Elaine schien man bei alledem völlig vergessen zu haben. Niemand beobachtete sie, und Thomas hatte ihre Räume an diesem Tag auch nicht verschlossen. Er war auf der Farm unabkömmlich. Da sein Vater abwechselnd schimpfend und lamentierend vor Zoés Schlafzimmer Wache hielt und schon eine halbe Flasche Whisky geleert hatte, blieb die Beaufsichtigung der Schafscherer allein ihm und seinen Vorarbeitern überlassen. Letzteren trauten die Sideblossoms nicht – Thomas würde sich also kaum von den Scherschuppen wegbewegen.

Elaine täuschte vor, an einer Stickerei zu arbeiten, doch ihre Gedanken rasten. Sollte sie es wagen? Wenn sie Banshee unbemerkt aus dem Stall bekam, konnte sie in drei Tagen in Queenstown sein. Sie brauchte sich nicht mal Sorgen um die Route zu machen, denn garantiert fand das Pferd den Weg in die alte Heimat wieder. Im Stall der Sideblossoms fühlte die Stute sich noch nicht heimisch; wenn man ihr die Zügel freigab, lief sie wahrscheinlich nach Hause, so schnell sie konnte. Natürlich würde es nicht einfach sein, späteren Verfolgern zu entkommen, aber mit sechs bis acht Stunden Vorsprung konnte sie es schaffen. Banshee war stark, sie brauchte nicht lange zu rasten. Elaine würde der Gewaltritt mehr zusetzen als dem Pferd. Aber das spielte keine Rolle. Elaine wäre Tag und Nacht geritten, wenn sie nur wieder nach Hause kam. Und was immer auch geschah, sie würde sich nicht überreden lassen, zu Thomas zurückzukehren! Bestimmt würden ihre Eltern sie unterstützen; Fleurette wusste schließlich aus eigener Erfahrung, was von den Sideblossoms zu halten war.

Aus Zoés Räumen drangen erneut Schreie. Alle im Haus waren abgelenkt.

Wenn sie es jetzt nicht tat, tat sie es nie!

Elaine rannte in ihr Schlafzimmer und raffte ein Bündel zusammen. Viel brauchte sie nicht, doch einen Umhang und ein Reitkleid musste sie mitnehmen. Natürlich konnte sie sich jetzt nicht mehr umziehen, aber ein drei- oder viertägiger Ritt in ihrem Hauskleid, noch dazu durchs Gebirge, in dem es jetzt noch empfindlich kalt war – das wollte sie sich doch nicht zumuten. Auf alles andere verzichtete sie, obwohl es natürlich schön gewesen wäre, etwas Proviant oder wenigstens Zündhölzer bei sich zu haben. Aber in die Küche zu schleichen war zu riskant, und so schnell würde sie es ohnehin nicht wagen, in der Wildnis ein Feuer zu entzünden.

Elaine ließ also nur den Revolver in die Tasche ihres Hauskleides gleiten, bevor sie hinauslief. Sie warf keinen Blick zurück. Das brachte Unglück, hatte ihr Großvater James McKenzie einmal erzählt. Wer ein Gefängnis verlässt, muss immer nur nach vorn schauen.

Elaine gelangte schnell und ungesehen in die Ställe, wo Banshee und der kleine Khan sie sofort mit Wiehern begrüßten. Banshee musste sich in der vergangenen Woche zu Tode gelangweilt haben. Sie scharrte ungeduldig, als Elaine an ihrer Box vorbei in Richtung Sattelkammer eilte. Dort wartete auch Callie; Pita schloss sie ein, wenn er arbeitete und sie nicht beaufsichtigen konnte. Die kleine Hündin machte sich sonst sofort auf die Suche nach Elaine, durfte neuerdings aber nicht mehr ins Haus. Zoé hatte während der Schwangerschaft angeblich eine Tierhaarallergie entwickelt.

Nun, das war jetzt auch vorbei. Elaine spürte langsam Freude und Abenteuerlust in sich aufsteigen. Hoffentlich hatte Pat daran gedacht, ihren Sattel mitzubringen! Die Pferde der Sideblossoms waren durchweg schmaler als Banshee. Aber da hing der Sattel … Gott sei Dank nicht der Damensattel, der stundenlange Galoppaden zur Tortur gemacht hätte. Elaine griff nach dem Sattel und nahm auch gleich das Zaumzeug mit. Zum Putzen blieb keine Zeit, doch im Stall hatte Banshee sich ja ohnehin nicht schmutzig gemacht. Elaine zäumte sie rasch auf und sattelte sie noch in der Box. Der Sattel wies Lederriemen auf, sie konnte ihr Gepäck also schnell daran festbinden. Das alles sah gut aus! Jetzt nur noch nach draußen und auf den Weg zum Fluss, dann konnte sie die Schafschuppen weiträumig umgehen. Und in einer halben Stunde würde sie aus Thomas' Einflussbereich entkommen sein! Nur schade, dass sie nicht wusste, wohin Emere sich zu ihrer Geisterbeschwörung zurückgezogen hatte. Sie misstraute der alten Maori. Emere schien die Sideblossoms einerseits zu hassen; andererseits diente sie ihnen seit Jahren und anscheinend loyal. Es musste auch einen Grund haben, warum sie John Sideblossom immer wieder erlaubte, ihr beizuliegen, statt irgendwann die Flucht zu ergreifen. Liebte sie ihn, oder hatte sie ihn einmal geliebt? Elaine wollte nicht darüber nachdenken. Aber sie hätte sich sicherer gefühlt, wäre die alte Maori weit weg gewesen. Es war besser, wenn niemand sie sah ...

Aber dann hörte sie die Flöte. Emere spielte, wieder in dieser verwirrend hohl klingenden Tonlage, mit der sie die Geister beschwor. Böse Geister anscheinend; in Thomas zumindest schienen sie Wut zu entfachen. Aber das war jetzt egal. Elaine atmete auf, als sie die Flöte hörte. Die Musik kam irgendwo aus den hinteren Höfen, und solange Emere spielte, war es leicht, ihr aus dem Weg zu gehen.

Elaine führte ihre Stute in die Stallgasse – und blieb entsetzt stehen, als sie Thomas im Eingang sah. Sein Schatten erhob sich drohend gegen das Sonnenlicht draußen, und er rieb sich die Stirn – wie so oft, wenn er Emeres Flöte hörte. Aber heute brauchte er bestimmt keine Geisterbeschwörungen, um in Raserei zu geraten.

»Nanu? Wieder ein Ausritt? Wusste ich doch, dass es sich lohnt, bei meiner süßen Frau vorbeizuschauen! Bei all den Schafscherern auf dem Hof lässt man so ein lüsternes Ding doch nicht unbewacht ...« Thomas grinste sardonisch, aber seine Hand wanderte wie gezwungen an sein Ohr, als wollte er das Flötenspiel dämpfen.

Elaine straffte sich. Sie musste jetzt Mut fassen, es gab kein Zurück.

»Ich interessiere mich nicht für deine Schafscherer«, sagte

sie ruhig und führte ihre Hand langsam in Richtung der Tasche, in der sie den Revolver aufbewahrte. Emeres Spiel wurde schneller, Elaine fühlte das heftige Pochen ihres Herzens. »Und ich mache auch keinen Ausritt. Ich verlasse dich, Thomas. Ich habe keine Lust mehr auf deine Eifersucht und deine seltsamen ... Spielchen. Und jetzt lass mich raus!«

Sie machte Anstalten, ihr Pferd an ihm vorbeizuführen, aber Thomas stellte sich breitbeinig vor den Ausgang.

»Sieh an, das Hündchen knurrt!«, rief er lachend.

Callie begann wie auf Kommando wild zu bellen. Sie übertönte Emeres Flötenspiel mühelos, was Thomas zu erleichtern schien. Er machte einen Schritt auf Elaine zu.

Elaine zog ihre Waffe.

»Ich mache keine Scherze!«, sagte sie mit zitternder Stimme, aber sie würde nicht nachgeben. Sie durfte nicht! Es war nicht auszudenken, was er mit ihr anstellen würde, wenn sie sich jetzt zurückhalten ließ.

Thomas lachte schallend. »Oh, ein neues Spielzeug!«

Er zeigte auf den Revolver. Callie bellte noch lauter, und im Hintergrund vibrierten die Töne, die Emere der Flöte entlockte.

Dann ging alles blitzschnell. Die verängstigte Elaine entsicherte die Waffe, als Thomas sich auch schon auf sie stürzte. Aber sein Versuch, sie zu überrumpeln, kam zu spät. Elaine betätigte den Abzug, unsicher, mit einer Hand. Sie wusste nicht, ob sie getroffen hatte, doch Thomas verharrte mit beinahe ungläubiger Miene – und dann schloss sie die zweite Hand um die Waffe und richtete sie eiskalt und voller Konzentration auf ihren Mann. Sie wollte seine Brust treffen, doch der Revolver schien ein Eigenleben zu entwickeln, als sie abdrückte. Der Rückstoß ließ die Mündung hochschnellen. Und dann sah sie Blut aufspritzen. Thomas' Gesicht explodierte vor ihr in einer Fontäne von Blut ... Er schrie nicht einmal. Er fiel zu Boden wie vom Blitz getroffen.

»Verdammt sollst du sein!« Thomas hörte Emeres Stimme. Er wusste, er hätte dem Gesang der Geister nicht folgen dürfen. Hatte sie ihm nicht immer gesagt, dass er nur in seinem Kinderzimmer sicher wäre, wenn sie die Geister rief? Aber er war neugierig … und er war jetzt acht Jahre alt; da musste ein Junge den Mut aufbringen, sich einer Bedrohung entgegenzustellen. Das jedenfalls hatte sein Vater gesagt. Und so war er Emere in dieser Nacht gefolgt, als sie ihn schlafend wähnte, eingeschläfert vom tiefen, hypnotischen Klang der Flöte. Doch Emere traf sich nicht mit irgendwelchen Geistern. Es war sein Vater, der zu ihr trat … im sommerlichen Garten, während sie seltsam schwankend wirkte, so als wüsste sie nicht, ob sie bleiben oder davonlaufen sollte. Und dann seine Stimme …

»Habe ich dich nicht gerufen?«

Emere wandte sich zu ihm um.

»Ich komme, wenn ich es will.«

»Ach? Du willst also Spielchen spielen …«

Was Thomas dann sah, sollte sich für ewig in sein Gedächtnis einbrennen. Es war abstoßend, aber es war auch … erregend. Es war fast so, als ließe ihn die heimliche Beobachtung an der Macht des Vaters teilhaben. Und was für eine Macht das war! John Sideblossom bekam alles, wonach Thomas sich so brennend sehnte. Emere umarmte ihn, küsste ihn … Aber sie musste dazu gezwungen werden … unterworfen. Thomas sehnte sich danach, die Kraft seines Vaters zu besitzen und Emere ebenfalls zwingen zu können … Schließlich ließ sein Vater sie liegen. Sie wimmerte. Sie war bestraft worden …

… und dann klang die Flöte. Die Geisterstimme. Thomas hätte eigentlich fliehen müssen. Emere hätte nie erfahren, dass er ihre Demütigung gesehen hatte. Aber er blieb, trat sogar näher. Er hätte zu gern …

Und dann wandte sie sich zu ihm um.

»Du hast alles gesehen? Und du schämst dich nicht? Du hast es jetzt schon in den Augen, Thomas Sideblossom … Verdammt sollst du sein!«

Thomas' Gesicht explodierte.

Elaine sah aus einem Augenwinkel, wie sich eine rote Lache um Thomas' Kopf ausbreitete. Sie wagte nicht, sich zu rühren, obwohl sie keine Furcht mehr spürte, sondern nur noch Kälte und Entsetzen. Callie wimmerte und versteckte sich in einer Box. Sie fürchtete sich vor lauten Geräuschen. Emeres Flöte sang unablässig in auf- und abschwellenden, hohlen Tönen ...

»Er ist tot ... er ist tot ...« Die Gedanken überschlugen sich in Elaines Hirn; sie schwankte zwischen dem morbiden Wunsch, zu Thomas zu gehen und sich zu vergewissern, und dem Verlangen, davonzurennen und sich in einem Winkel ihres Zimmers zu verstecken.

Dann aber wurde ihr klar, dass sie nichts dergleichen tun würde. Sie würde genau das machen, was sie geplant hatte: ihr Pferd nehmen und verschwinden.

Elaine sah den am Boden liegenden Mann nicht an – auch nicht, als sie Banshee über ihn hinwegführen musste. Ihr graute vor seinem zerstörten Gesicht, und sie hatte genug schreckliche Erinnerungen an Thomas Sideblossom, dass es für ihr ganzes Leben reichte. Banshee schnaubte, stieg dann aber über den Körper hinweg, als wäre es ein Baumstamm im Wäldchen. Elaine dankte dem Himmel, dass sie nicht auf ihn trat, das wäre denn doch zu viel gewesen. Es reichte schon, dass Callie interessiert an ihm schnupperte. Sie musste die Hündin scharf rügen, damit sie nicht an seinem Blut leckte. So erreichten sie ungesehen den Hof. Dabei musste zumindest Emere den Schuss gehört haben! Sie konnte nicht so tief in ihr Flötenspiel versunken gewesen sein. Elaine selbst würde den Knall der Waffe ewig im Ohr haben.

Emere tauchte nicht auf, obwohl die Flöte verstummt war, als Elaine den Stall verließ. War das Zufall? Oder holte die alte Maori Hilfe? Elaine war es egal; sie wollte nur noch weg. Sie schwang sich auf Banshee und galoppierte fast aus dem Stand heraus an. Die Stute wollte auf direktem Weg in Richtung Wanaka, und eigentlich brauchte Elaine den Scherschuppen jetzt ja auch nicht mehr zu meiden.

Dann aber stieß die Erkenntnis wie ein Messer in ihr Bewusstsein: Sie hatte ihren Mann erschossen. Sie hatte eine Pistole auf einen unbewaffneten Menschen gerichtet und eiskalt abgedrückt. Da konnte man nicht einmal auf Notwehr plädieren. Es war nicht mehr möglich, einfach zu ihren Eltern zu verschwinden und dort unterzukriechen. Sie war jetzt eine Mörderin auf der Flucht. Spätestens am kommenden Morgen würde John Sideblossom Anzeige erstatten, und dann wäre der Constabler hinter ihr her. Auf keinen Fall konnte sie je wieder nach Queenstown reiten, ebenso wenig in die Canterbury Plains. Sie musste ihre Familie und ihre Freunde vergessen, ihren Namen ändern und irgendwo ein neues Leben anfangen. Wie und wo war ihr schleierhaft, aber Flucht war ihre einzige Chance.

Elaine lenkte die Schritte ihrer eher unwilligen Stute in Richtung der McKenzie Highlands.

FLUCHT

Canterbury Plains, Greymouth Westküste
1896

1

»Mein Gott, William, natürlich könnten wir sie zurückholen!« Gwyneiras Stimme klang mehr als ungeduldig, führte sie die Diskussion mit ihrem Schwiegerenkel doch nun schon zum wiederholten Male. »Der Tourneeplan dieser Sänger ist schließlich kein Geheimnis. Sie sind auf der Nordinsel, nicht in Timbuktu! Aber die Frage ist, ob das etwas bringt. Sie haben ihren Brief doch gelesen: Sie ist glücklich. Sie ist genau da, wo sie sein will, und macht das, was sie sich immer gewünscht hat.«

»Aber sie ist meine Frau!«, wandte William ein – auch dies nicht zum ersten Mal, wobei er sich einen Whisky einschenkte. Es war nicht der erste an diesem Abend. »Ich habe meine Rechte!«

Gwyneira runzelte die Stirn. »Was für Rechte? Wollen Sie sie mit Gewalt holen? Theoretisch könnten Sie das sogar, sie ist ja obendrein noch minderjährig. Aber sie würde es Ihnen nie verzeihen. Außerdem würde sie gleich wieder weglaufen. Oder wollen Sie sie einsperren?«

Das ließ William verstummen. Einsperren wollte er Kura natürlich nicht, zumal sich auf Kiward Station auch kein Gefängniswärter gefunden hätte. Die McKenzies nahmen Kuras Weggang hin – und die Maoris regten sich über diese Dinge sowieso nicht auf. Nicht einmal mit Tongas Hilfe war zu rechnen. Schließlich gab es mit Gloria eine neue Erbin. Tongas Spiel war für diese Generation verloren. Gwyneira dagegen triumphierte und schien sich fast ein bisschen für ihre Enkelin zu freuen. Kuras Brief aus Christchurch – übermittelt durch George Greenwood, nachdem die Truppe bereits nach Wellington aufgebrochen war – hatte euphorisch und überglücklich geklungen. Offensichtlich hatte das Opernensemble sie mit offenen Armen aufgenommen. Natürlich, schrieb sie, müsse sie noch viel lernen, aber der Impresario, Mr. Barrister, unterrichte sie persönlich, und sie mache rasche Fortschritte. Man habe sie auch gleich am ersten Abend auf die Bühne gelassen; sie habe die *Habanera* gesungen und stehende Ovationen geerntet.

Nun mochte Kuras Erfolg, wie Gwyneira im Stillen vermutete, auch auf ihre äußere Erscheinung zurückzuführen sein, aber letztlich war das egal. Kura hatte Spaß und verdiente Geld. Solange ihr Erfolg anhielt, würde sie an Kiward Station keinen Gedanken verschwenden.

»Geben Sie ihr doch ein bisschen Zeit, Junge«, meinte James begütigend und hielt William sein Glas hin. Gwyn schien es nicht zu registrieren, doch William hatte eben schon den dritten Whisky heruntergeschüttet. James hörte dem Disput seit einer halben Stunde zu und meinte, nun auch einen Drink verdient zu haben. »Ihr jetzt hinterherzurennen nützt gar nichts, zumal ihrer Abreise doch offensichtlich ein Streit vorangegangen ist, oder?«

Nach wie vor wussten nur William und Miss Witherspoon von den Geschehnissen in der Nacht vor Kuras Aufbruch, und beide machten keine Anstalten, die Allgemeinheit davon in Kenntnis zu setzen. Kuras Weggang hatte ihr Verhältnis auch zumindest vorerst beendet. William rührte die Gouvernante nicht mehr an, seit seine Frau ihn verlassen hatte, und fand sich zu keinem vertraulichen Gespräch bereit. Insofern hegte bislang auch niemand einen konkreten Verdacht – und William hatte größtes Interesse daran, dass es so blieb.

»Genau, lassen Sie sie diese Tournee jetzt einfach mal mitmachen!« Gwyneira pflichtete ihrem Mann bei. »Danach wird man sehen. Die Rückreise der anderen Sänger ist jedenfalls gebucht und bezahlt, das hat George mir versichert. Sämtliche

Reisekosten trägt die Organisation. Wenn Kura anschließend mit nach England will, wird sie das von ihrem eigenen Honorar bezahlen müssen oder mich um Geld bitten. Dann können wir immer noch über die Sache reden. Aber friedlich, William! Ich will nicht noch eine Enkelin verlieren!«

Die letzte Bemerkung brachte alle zum Schweigen, spielte sie doch auf Elaines traurige Geschichte an, die Gwyneira und James erst kurz zuvor erfahren hatten. Gwyn hatte sich sehr darüber aufgeregt, wobei sie Elaine keineswegs verdammte. Das Ganze hätte auch ihr passieren können; auch sie hatte schließlich einmal mit der Flinte vor einem Sideblossom gestanden. Natürlich war die Situation eine andere gewesen, doch Gwyneira war überzeugt, dass Elaine gute Gründe gehabt hatte, sich zu wehren. Sie verstand nur nicht, warum das Mädchen danach keine Hilfe bei ihr suchte. Kiward Station lag abgelegen; man hätte Elaine eine Zeit lang verstecken und nach einer Lösung suchen können. Auch eine Flucht nach Australien oder gar England hätte sich arrangieren lassen. Elaines spurloses Verschwinden zerrte an Gwyneiras Nerven. Auf keinen Fall sollte nun auch noch der Kontakt zu Kura abreißen!

William trank seinen Whisky in etwas kleineren Schlucken. Er wäre seiner Frau lieber heute als morgen nachgereist – dieser Schleimer Barrister ließ sie doch nicht aus reiner Freundlichkeit singen! Bestimmt erhoffte er sich etwas davon, dass er Kura gleich auf die Bühne ließ. Und er »unterrichtete sie selbst«. In welcher Kunst wohl? William empfand nicht nur seinen Stolz als tief verletzt, er verging auch vor Eifersucht.

Andererseits konnte er den Argumenten der anderen kaum etwas entgegensetzen. Es war peinlich, hier als verlassener Mann dazustehen. Doch wenn er Kura wirklich zwang zurückzukehren, würde sie als Erstes herausschreien, warum sie gegangen war ... womit William bei den McKenzies wohl gänzlich verspielt hätte.

»Und was mache ich solange?«, erkundigte er sich trunken und beinahe weinerlich. »Ich meine, ich ...«

»Sie machen weiter wie bisher, wobei es zu begrüßen wäre, wenn Sie sich etwas intensiver um Ihr Kind kümmerten!«, beschied ihn Gwyneira. »Ansonsten bemühen Sie sich, sich richtig einzuarbeiten, und machen sich nützlich. Gehen wir einfach davon aus, dass Kura eine Reise macht. Sie lernt ein bisschen von der Welt kennen, lebt ihre Begabung aus, und nach ein paar Monaten kommt sie zurück. Sehen Sie es so, William! Alles andere wäre Unsinn!«

Für Gwyneira war das leicht gesagt, aber wenn das Leben auf Kiward Station für William schon vor Kuras Weggang seine Tücken gehabt hatte, so wurde es jetzt gänzlich unerträglich. Die Viehhüter, die bisher nur hinter vorgehaltener Hand über seine mangelnden Qualitäten als »Schafbaron« gespottet hatten, grinsten ihm nun ganz offen ins Gesicht. Anscheinend, so tuschelten sie, hätte der »Prinzgemahl« auch außerhalb der Ställe keine besonderen Qualitäten, jedenfalls nicht genug, um ein Prachtweib wie Kura Warden länger zu fesseln.

»Ausgepfiffen!«, lästerte Poker Livingston, der sich jetzt wieder häufiger auf der Farm sehen ließ. Der gelassenere Andy McAran hörte sich Williams Befehle und Ideen zwar mit unbeteiligtem Ausdruck an, machte dann aber nur, was er für richtig hielt.

Am schlimmsten aber waren die Maoris. Der Stamm war von seiner Wanderung zurückgekehrt, und die Männer nahmen ihre Arbeit auf Kiward Station wieder auf. William jedoch ignorierten sie. Bislang hatten sie ihn zwar widerwillig, aber doch selbstverständlich als Mitglied des örtlichen *pakeha*-Stammes akzeptiert; durch Kuras Weggang jedoch verlor das seine Berechtigung. Egal, ob William eher Bitten äußerte oder herumschrie – die meisten Maoris sahen einfach durch ihn hindurch.

William machte das rasend, zumal er auch bei Gwyneira auf immer weniger Verständnis stieß. Inzwischen war selbst ihr aufgefallen, dass er seinen Ärger immer häufiger im Whisky ertränkte, und sie begann, ihm deshalb Vorwürfe zu machen.

»Wie wollen Sie den Männern ein Vorbild sein, wenn Sie morgens zu spät und verkatert bei der Arbeit erscheinen? Das gefällt auch mir nicht, William, vor allem weiß ich kaum, wie ich mich verhalten soll. Wenn ich Sie verteidige, mache ich mich lächerlich und verliere an Autorität. Aber wenn ich den Männern Recht gebe, nehmen Sie es mir übel und versinken erst recht im Whisky! Das muss aufhören, William! Ich hatte schon mal einen Trinker auf dem Hof, und das wird sich nicht wiederholen, solange ich hier Einfluss habe!«

»Und was wollen Sie tun, Miss Gwyn?«, fragte William spöttisch. »Mich rauswerfen? Das können Sie natürlich, aber dann verlieren Sie Gloria. Denn die nähme ich selbstverständlich mit!«

Gwyneira zwang sich zur Ruhe. »Dann üben Sie jetzt schon mal, Brei zu kochen«, gab sie gelassen zurück, »und denken darüber nach, wer Ihnen mit einem Baby im Schlepptau einen Job gibt. Wie wollen Sie überhaupt mit Gloria reisen? Wollen Sie die Kleine in eine Satteltasche stecken?«

Für diesen Abend ließ William sich damit mundtot machen, aber später gestand Gwyn ihrem Mann, dass ihr seine Drohung eine Heidenangst eingejagt hatte.

»Es stimmt ja, wir haben keinerlei Rechte an dem Kind! Wenn er sie mitnähme ... wir müssten sie unterstützen, ihm vielleicht monatlich Geld geben, damit er eine Kinderfrau bezahlen kann und eine Wohnung ...«

James schüttelte den Kopf. »Gwyn, Liebste, nun werde nicht panisch«, beruhigte er sie und strich ihr tröstend übers Haar. »Du übertreibst maßlos. Gott sei Dank, dass Willieboy das nicht mitbekommen hat. Aber du glaubst doch nicht ernsthaft, dass unser Möchtegernschafbaron sich von dir aushalten lässt? Wo sollte er denn hin mit Gloria, wo doch überall die Spatzen die Geschichte von den Dächern pfeifen? Und was sollte er mit ihr machen? Meine Güte, er weiß nicht mal, wie er sie halten soll. Es ist völlig undenkbar, dass er sie mitschleppt, zumal unsere Mrs. Weaver ja keine Leibeigene ist, der er einfach befehlen kann, dass sie mit ihm kommt. Und im schlimmsten Fall hat das Kind auch noch eine Mutter. Du könntest dich an Kura wenden. Sie wird ja wohl so viel für ihre Tochter empfinden, dass sie die Sorge für das Mädchen dir überträgt. Jedes Gericht würde für dich entscheiden. Also mach dich nicht verrückt.« James zog Gwyn in die Arme, aber so ganz konnte er sie doch nicht beruhigen. Sie hatte sich schon so sicher gefühlt! Und nun lief dieser William aus dem Ruder!

Heather Witherspoon schlich in den ersten Tagen nach Kuras Weggang wie ein geprügelter Hund herum. Sie konnte nicht verstehen, warum William sie plötzlich abwies, und das obendrein in rüdem Tonfall. Schließlich war es nicht ihre Schuld gewesen, dass Kura sie ertappt hatte, im Gegenteil, sie hatte Kuras Strategie an jenem Abend durchaus erkannt und William gegenüber Andeutungen gemacht. Aber er war schon zu betrunken gewesen, um zu verstehen, und nicht bereit, sich von seiner Frau manipulieren zu lassen.

»Ich kriech doch nicht, wenn sie pfeift!«, erklärte er in trunkener Empörung. »Und … und ganz bestimmt fahr ich sie nicht nach Christchurch. Soll sie doch mit den Hüften wackeln, bis der Pfeffer wächst, ich nehm sie, wann ich will, und nicht, wenn's ihr passt.«

Heather hatte nicht weiter auf ihn eingewirkt. Das konnte niemand von ihr verlangen; schließlich liebte sie ihn. Ihr jetzt die Schuld an allem zu geben war ungerecht.

Doch Heather hatte schon vor langer Zeit gelernt, dass es

im Leben nicht immer gerecht zuging, und so besann sie sich jetzt auf ihre bewährte Strategie: Sie würde da sein und warten. Irgendwann würde William sich wieder besinnen, irgendwann würde er sie brauchen. An eine Rückkehr Kuras glaubte sie nicht. Die feierte jetzt erst mal Erfolge, und wenn sie einen Mann brauchte, würde sie sich dort einen suchen, wo sie sich gerade aufhielt. Kura-maro-tini Warden war auf William Martyn nicht angewiesen. Und wenn Heather an Liebe glaubte, dann allenfalls an ihre eigene.

Kura hatte ihren Mann bereits gefunden, auch wenn sie in diesem Fall nicht von Liebe gesprochen hätte. Aber sie bewunderte Roderick Barrister: Er schien die Erfüllung all ihrer Träume von Erfolg und Karriere. Zum einen konnte er sie in die Geheimnisse des Belcanto einweisen, sehr viel tiefer und intensiver jedenfalls als Miss Witherspoon mit ihren drei Gesangsstunden in der Schweiz. Außerdem besaß er Macht – das Ensemble hörte auf seinen Befehl, in einer solchen Ergebenheit, wie Kura es bislang nie gesehen hatte. Natürlich gab es auch auf Kiward Station Herren und Diener, aber die Eigenmächtigkeit und das Selbstbewusstsein der Viehhüter und der Maoris, die William so verwirrt hatten, waren für Kura selbstverständlich. Kadavergehorsam war auf Schaffarmen nicht gefragt. Wer hier arbeitete, musste auch eigene Entscheidungen treffen können. In Barristers Ensemble dagegen galt nur ein Wort, und das war das seine. Er konnte Ballerinen glücklich machen, indem er ihnen ein Solo mehr versprach, und selbst voll ausgebildete Sängerinnen wie Sabina Conetti wagten keinen Widerspruch, wenn er ihnen Neulinge wie Kura vor die Nase setzte. Und Barristers Gunst, das fand Kura schnell heraus, hatte durchaus etwas mit dem Körpereinsatz der weiblichen Ensemblemitglieder zu tun. Die Ballerinen redeten ganz offen darüber, dass beispielsweise Brigitte die

Carmen nur deshalb hatte singen dürfen, weil sie dem Impresario zu Willen gewesen war. Das unerwünschte Ergebnis der Affäre beseitigte dann eine verschwiegene Hebamme in Wellington.

Brigitte konnte anschließend wochenlang nicht tanzen und schluchzte sich durch die Nächte. Kura ging das auf die Nerven, denn sie teilte zunächst ihr Hotelzimmer mit der kleinen Tänzerin. Immerhin nahm Brigitte ihr nichts übel. Sie war froh, die Gesangsrollen los zu sein, die sie hoffnungslos überforderten, und offensichtlich hatte sie auch keine Lust mehr auf Roderick. Als Kura nach nur wenigen Nächten begann, sich kurz nach dem Zubettgehen hinauszuschleichen, um den Impresario zu besuchen, tat Brigitte so, als merke sie es nicht.

Kura zog der gut aussehende Tenor durchaus an; sie musste sich gar nicht sehr verstellen, wenn sie seinen Avancen nachgab. Allerdings gab auch er sich nicht lange mit Küssen und harmlosen Zärtlichkeiten zufrieden. Über Kuras Befürchtungen, schwanger zu werden, lachte er nur.

»Unsinn, Kleine, ich pass schon auf! Bei mir geht nichts schief, keine Angst!«

Kura wollte das glauben, und sie bemerkte auch durchaus, dass Roderick sich bei der Liebe schneller aus ihr zurückzog, als William es getan hatte. Aber da war immer noch die Sache mit Brigitte. Schließlich vertraute sie sich pochenden Herzens Sabina Conetti an. Sie hegte zwar die Befürchtung, dass die Sängerin sie nicht besonders mochte – Roderick studierte jetzt auch die Sopranrollen mit seiner Neuentdeckung ein –, aber ihr traute sie am ehesten Geheimwissen über Frauenfragen zu. Sabina wies sie denn auch bereitwillig in das Wenige ein, das sie wusste.

»Du kannst dich an den gefährlichen Tagen zurückhalten. Aber ganz sicher ist es nie, ganz sicher ist gar nichts«, warnte sie zum Schluss. »Am allerwenigsten die Schwüre der Kerle, dich im Zweifelsfall zu heiraten … oder alles, was sie sonst so erzählen. Glaub mir, Roderick verspricht dir jetzt das Blaue vom Himmel, aber darauf kannst du nicht zählen. Im Moment gefällt er sich als Pygmalion, aber auf die Dauer ist er sich selbst der Nächste. Wenn es seinen Zielen dient, lässt er dich fallen.«

An Kura war diese Warnung allerdings verschwendet. Erstens hatte sie keine Ahnung von griechischer Mythologie, und zweitens war sie überzeugt, dass Roderick es gut mit ihr meinte. Wenn er selbstsüchtig wäre, davon war sie überzeugt, gäbe er ihr schließlich nicht immer größere Rollen, und vor allem nicht jeden Tag kostenlos Gesangsstunden. Tatsächlich verbrachte er die halben Nachmittage mit Kura am Flügel, während die anderen Ensemblemitglieder ihre Freizeit genossen, Städte wie Auckland und Wellington erkundeten oder Ausflüge zu Naturwundern wie Regenwäldern und Geysiren unternahmen.

Des Nachts war Kura ihm dann zu Diensten; aber sie genoss das Spiel ja auch, obwohl Roderick als Liebhaber stark gegen William abfiel. Kura vermisste die Ekstase, die rauschhaften Höhepunkte, zu denen ihr Mann sie getrieben hatte, und war Roderick mitunter ein wenig böse, dass er sie nicht auf die gleiche Weise für das Risiko entschädigte, schwanger zu werden. Aber das alles vergaß sie, wenn sie abends auf der Bühne stand und den Applaus des Publikums entgegennahm. Dann war sie glücklich, verspürte überschwängliche Dankbarkeit Roderick gegenüber und überschüttete ihn anschließend mit Zärtlichkeiten. Und Roderick zeigte sich alles andere als eitel. Im Gegenteil, er ließ sie glänzen, schickte sie immer wieder auch allein vor den Vorhang, um die Ovationen der Zuhörer entgegenzunehmen, und überreichte ihr Blumen auf der Bühne.

»Unser Gockel scheint echt verliebt!«, raunte Fred Houver, der Bariton, eines Abends Sabina Conetti zu. »Und die Kleine wird tatsächlich immer besser. Noch hat sie ihre Probleme mit der Atemführung, aber eines Tages lässt die uns alle alt aussehen – und ihn zuallererst.«

Die Sänger standen im Hintergrund, während Barrister sich auf der Bühne zum fünften Mal vor Kura verbeugte. Sie hatten den Chor gebildet, während Kura und Roderick die Carmen und ihren Torero gaben.

Sabina nickte zu Fred Houvers Worten und schaute in Kuras strahlendes Gesicht. Barrister war der Kleinen zweifellos verfallen. Aber ob sie das rettete, wenn dieser Tag wirklich kam?

William hatte die Nase voll. Dies war wieder einer dieser Tage, an denen er Kiward Station lieber heute als morgen verlassen hätte – wenn er sich nur eine Alternative hätte vorstellen können. Gwyneira hatte eine Herde Jungtiere an Major Richland verkauft und William gebeten, die Tiere für ihn einzutreiben. Da das Wetter am Tag zuvor noch vielversprechend erschienen war, hatte Richland beschlossen, mitzureiten, und war über Nacht auf Kiward Station geblieben. Natürlich hatte er noch lange mit William gezecht, auch nachdem Gwyneira und James sich schon zurückgezogen hatten, und beide waren verkatert und schlecht gelaunt. Dazu regnete es bereits den ganzen Morgen, und die zwei Maori-Viehtreiber, die Gwyneira William zugeteilt hatten, waren nicht erschienen. Im Stall lungerte nur Andy McAran herum. William forderte den alten Viehhüter auf, ihn und Richland zu begleiten; allein traute er sich nicht zu, die ausgesuchten Schafe zu finden. McAran, der wohl sah, dass ihm nichts anderes übrig blieb, wenn das Ganze nicht in eine völlige Blamage ausarten sollte, ließ sich dann tatsächlich dazu herab, mitzukommen, legte jedoch ein mörderisches Tempo vor und ignorierte William, als der ihn mit Rücksicht auf den alten Major bat, es langsamer anzugehen. Richland hielt sich allerdings ganz gut auf seinem Vollblüter, und seine

Stimmung hob sich mit jedem Schluck aus der Taschenflasche, die er mit sich führte. William trank schließlich ebenfalls, während Andy kopfschüttelnd ablehnte.

»Nicht bei der Arbeit, Mr. William, das sieht Miss Gwyn nicht gern.«

William, der sich gemaßregelt fühlte, tat Richland daraufhin erst recht Genüge, doch wie sich herausstellte, war er nicht halb so trinkfest wie der alte Soldat. Zunächst versagte er kläglich beim Zusammentreiben der Schafe. Sein Hund gehorchte ihm nicht, sondern drückte sich nur verängstigt an den Boden, als er ihn anschrie. Und dann scheute sein Pferd auch noch vor einem starrköpfig die Linie der Treiber durchbrechenden jungen Widder, und William fand sich im nassen Gras wieder.

Andy McAran beherrschte sich eisern und blieb ernst, aber Major Richland wurde nicht müde, seinen Gastgeber auf dem Rückweg zur Farm zu foppen. All das war demütigend – und außerdem regnete es immer noch, die Männer waren längst bis auf die Haut durchnässt. Richland würde an diesem Abend auf keinen Fall heimkehren, sondern noch einmal auf Kiward Station übernachten und die McKenzies zweifellos mit Williams sämtlichen Missgeschicken des Tages unterhalten. Dies alles hier entwickelte sich zur Katastrophe. Wenn nur Kura wiederkäme! Aber die schien nach wie vor glücklich in ihrem Opernensemble zu sein. Ab und zu schrieb sie Gwyneira begeisterte Briefe – William schrieb sie nie.

Natürlich war wieder kein Stallbursche zu sehen, als die Männer endlich auf den Hof von Kiward Station ritten, und William musste sein Pferd selbst abwarten. Immerhin bestand McAran nicht darauf, dass er ihn auch noch zu den Pferchen begleitete, in denen die Schafe während der Nacht untergebracht werden sollten. Er stank sowieso schon nach nasser Wolle und Lanolin. William kam zu dem Schluss, dass er die Arbeit mit den Schafen im Grunde seines Herzens hasste.

Gwyneira und James erwarteten Richland und William im

Salon, doch sie machten keine Anstalten, die beiden zu einem Begrüßungsschluck zu bitten. Schließlich erkannten sie schon an den geröteten Gesichtern und dem unsicheren Gang der Ankömmlinge, dass da bereits genug Alkohol geflossen war. Gwyn und James verständigten sich mit einem Blick: Kein weiterer Schnaps vor dem Essen, wenn der Abend nicht unangenehm werden sollte. Stattdessen schickten sie die Männer zum Waschen und Umziehen nach oben – und natürlich schleppte der Hausdiener das warme Wasser zunächst in die Räume des Gastes ...

William hätte sich am liebsten mit einer Whiskyflasche ins Bett gelegt, doch als er dann die Zimmer betrat, die er so liebevoll für sein Leben mit Kura eingerichtet hatte, erwartete ihn eine Überraschung: Aus dem kleinen Salon drang der aromatische Geruch von frischem Tee. Ein Stövchen hielt das Getränk warm; daneben warteten zwei Gläser und eine Flasche Rum.

William konnte sich nicht bezähmen. Er griff zuerst nach der Rumflasche und nahm einen tiefen Schluck. Aber wer mochte das hier für ihn vorbereitet haben? Gwyneira bestimmt nicht, und Moana oder Kiri wohl auch nicht. Die Maoris hatten wenig Sinn für solche Dinge, und die Dienerschaft war mit dem Hausgast schon genug beschäftigt.

William sah sich misstrauisch um – bis er ein perlendes Lachen aus dem Bad hörte.

»Dieser Tag war grauenhaft! Ich musste Schule bei den Maoris halten, und das Wasser drang durchs Dach ... wie kann man nur darauf kommen, die Hütte mit Palmblättern zu decken? Und dann dachte ich an dich da draußen ... du musstest doch frieren ...«

Im Eingang zum Bad stand Heather Witherspoon, ein strahlendes Lächeln im Gesicht, ein Schürzchen vor ihrem dunklen Kleid wie ein artiges Hausmädchen. Mit einer Handbewegung wies sie ihm den Weg zur Badewanne, gefüllt mit heißem, duftendem Wasser.

»Heather, ich ...« William schwankte zwischen Dankbarkeit, Begehren und dem Wissen, dass es Wahnsinn wäre, sich von ihr verführen zu lassen. Aber Kura war schon so lange fort ...

»Komm, William!«, sagte Heather. »Wir haben eine Stunde, vorher wird da unten nicht serviert. Miss Gwyn muss ein Auge auf die Küche haben, Mr. James hockt vor dem Kamin, und Jack hab ich mit Hausaufgaben ruhig gestellt. Es gibt nichts zu befürchten. Keiner hat gesehen, dass ich hereingekommen bin.«

William fragte sich flüchtig, ob sie das heiße Wasser wohl selbst geschleppt hatte, was er sich nicht vorstellen konnte. Aber dann dachte er gar nichts mehr. Es war zu verlockend, in das warme Wasser einzutauchen, sich von ihr die Schultern massieren, sich streicheln und schließlich zum Bett führen zu lassen.

»Ich will doch auch nicht, dass jemand uns bemerkt«, gurrte Heather. »Aber wir haben es hier schwer genug. Wir müssen nicht auch noch leben wie im Kloster ...«

Von diesem Abend an flammte die Beziehung zwischen William und Heather erneut auf. Er vergaß seinen Unwillen und seine Befürchtungen, kaum dass er in ihren Armen lag, und beschwichtigte überdies seine Selbstvorwürfe: Kura lebte sicher auch nicht gänzlich keusch, und überhaupt standen ihm nur ihr Gesicht und ihr Körper vor Augen, wenn er Heather im dunklen Zimmer oder mit geschlossenen Augen nahm ...

2

Elaine O'Keefe schlenderte über die Main Street des Örtchens Greymouth an der Westküste. Was für eine hässliche kleine Stadt, dachte sie missgelaunt. Der Name passte! Zwar hatte sie früher einmal gehört, die Stadt sei nach der Mündung des Grey River benannt, doch Elaine erschien sie nur wie eine Art grauer Schlund, der sie zu verschlingen drohte. Nun lag das sicher am Nebel, der die Stadt einhüllte. Bei schönem Wetter wirkte der Ort sicher nicht so abweisend. Schließlich war Greymouth auf einem schmalen Küstenstreifen zwischen Meer und Fluss idyllisch gelegen, und die ein- und zweistöckigen Holzhäuser, welche die Straßen säumten, schienen ebenso neu und adrett wie die Gebäude in Queenstown.

Auch Greymouth galt als aufstrebende Gemeinde, obwohl sie ihren Reichtum nicht aus den Goldfeldern bezog, sondern aus den vor einigen Jahren eröffneten, professionell betriebenen Kohleminen. Elaine fragte sich, ob der Staub der Kohle in der Luft lag oder ob ihr nur Nebel und Regen das Atmen erschwerten. Auf jeden Fall erschien ihr die Atmosphäre gänzlich anders als in ihrer lebhaften, optimistischen Heimatstadt. Sicher, die Goldsucher in Queenstown hofften alle darauf, schon bald reich zu sein. Ein Bergwerk allerdings brachte nur den Betreibern gutes Geld. Die Kumpel verdammte es zu einem tristen Leben unter Tage.

Elaine selbst hätte sich diese Stadt nie ausgesucht, aber nach mehrwöchigem Ritt durch die Berge reichte es ihr einfach. In den ersten Tagen ihrer Flucht hatte sie zumindest Glück mit dem Wetter gehabt. Sie war zunächst am Haas River entlanggeritten – so oft wie möglich im Wasser, um ihre Spuren zu verwischen. Allerdings glaubte sie nicht, dass man Suchhunde einsetzen würde. Woher sollten die auch kommen? Und selbst wenn Elaine anderen Wegen folgte, hinterließen Banshees Hufe auf dem trockenen Boden kaum Abdrücke. Es hatte vor ihrem Aufbruch schon ein paar Tage nicht geregnet, und das Wetter blieb ihr gnädig, bis sie die McKenzie Highlands erreichte. Dann aber wurde es schlechter, und Elaine fror entsetzlich, wenn sie sich zum Schlafen in die wenigen Kleider hüllte, die sie mitgenommen hatte. Eher half noch Banshees Satteldecke, aber die war meist noch feucht vom Schweiß der Stute. Hinzu kam der nagende Hunger.

Elaine kannte sich mit den Pflanzen ihrer Heimat zwar recht gut aus – Fleurette hatte ihre Kinder oft mit auf »Abenteuerritte« genommen, und James McKenzie spielte auch mit seinen Enkeln das »Überleben-in-der-Wildnis«-Spiel, das Gwyn in jungen Jahren so wundervoll gefunden hatte. Dabei gab es allerdings kleine Schaufeln zum Graben, Messer zum Schälen der Wurzeln oder Ausnehmen von Fischen und vor allem Angelschnüre und Haken. Jetzt hatte Elaine nichts dergleichen. Selbst das Feuermachen gelang ihr nur gelegentlich, wenn sie es schaffte, aus zwei Steinen Funken zu schlagen – und das war hoffnungslos, als es erst regnete. In den ersten Tagen hatte sie hin und wieder eine Forelle mit der Hand gefangen und gebraten, hatte aber stets befürchtet, das Feuer könnte sie verraten. Aus dem gleichen Grund traute sie sich auch nicht, auf die allgegenwärtigen Kaninchen zu schießen. Doch Elaine hätte wahrscheinlich sowieso nicht getroffen; schließlich hatte sie Thomas' Brust aus nur zwei Metern Entfernung verfehlt. Wie sollte es ihr da gelingen, einen Hasen zu erlegen?

Einmal erwischte allerdings Callie ein Kaninchen. Ohnehin ein glücklicher Tag, denn Elaine entdeckte eine trockene Höhle in den Bergen und schaffte es, Feuer zu machen. Der mit Haut und Haaren geschmorte Hase war zwar kein kulinarisches Wunder, doch er machte Elaine endlich einmal satt.

Die Tage darauf aber wurden schlimm – an der Westküste schien nichts Essbares zu wachsen; hier gab es nur Farne, die aber immerhin Regenschutz boten. Einmal traf Elaine auch auf einen Maori-Stamm, der sie gastfreundlich aufnahm. Noch nie hatten ihr gekochte Süßkartoffeln so gut geschmeckt.

Die Maoris wiesen ihr schließlich den Weg nach Greymouth – Mawhera, wie sie es nannten. Es hatte wohl eine lange Geschichte als Maori-Festung, war jetzt aber schon länger ganz in der Hand der *pakeha*. Trotzdem bedeuteten die Maoris ihr, der Ort sei besonders sicher – wahrscheinlich wieder so eine Geistergeschichte. Elaine war es egal; für sie war eine Stadt so gut wie die andere, und irgendwann musste sie ihr Wanderleben sowieso aufgeben. Also beschloss sie, dem Rat ihrer neuen Freunde zu folgen und sich in Greymouth Arbeit zu suchen. Immerhin war es die größte Stadt an der Westküste. So leicht würde man sie hier nicht finden, und vor allem brauchte sie mal wieder ein richtiges Bett und saubere Kleidung. Auch Banshee schien erfreut über den trockenen Stall, den Elaine als Erstes für sie anmietete – klopfenden Herzens, denn eine Vorauszahlung hätte sie nicht leisten können. Der Stallbesitzer fragte aber gar nicht danach, sondern wies der Stute gleich eine sauber eingestreute Box zu und gab ihr Heu im Überfluss.

»Ist ein bisschen mager, die Hübsche«, bemerkte er, was kein Wunder war: Banshee hatte das magere Gras in den Highlands nur ungenügend ernährt. Jetzt fraß sie sich gründlich satt – Elaine hatte noch keine Ahnung, wie sie Banshees Luxusleben letztendlich bezahlen sollte. Und für sich selbst musste sie ja ebenfalls sorgen. Der Stallbesitzer hatte sie schon vielsagend gemustert, als wollte er damit zu verstehen geben, dass die Reiterin genauso abgerissen wirkte wie ihr Pferd. Elaine fragte nach einer Pension und nach einer Arbeit. Der Mann überlegte.

»Am Kai gibt's ein paar Hotels, aber die sind teuer. Da steigen höchstens mal die reichen Fräcke ab, die ihr Geld mit den

Minen verdienen.« In diese Kategorie schien er Elaine eindeutig nicht einzuordnen. »Und das Lucky Horse ... also, das würd ich nich' so empfehlen. Obwohl man Sie da wahrscheinlich mit Freuden aufnähme, wenn Ihnen die Art der Arbeit egal wäre.« Er grinste vielsagend. »Aber die Witwe Miller und die Frau vom Barbier vermieten Zimmer. Da können Sie nachfragen, sind beide ehrbar. Wenn Sie allerdings kein Geld haben ...«

Elaine verstand den Wink. Von freien Arbeitsstellen für allein lebende, ehrbare Frauen wusste der Mann nichts. Aber das musste nichts bedeuten. Elaine machte sich tapfer auf den Weg durchs Zentrum der Stadt. Sie würde schon etwas finden.

Sehr vielversprechend wirkte die Stadt aber wirklich nicht. Und Elaines Entschluss, in ausnahmslos jedem Laden nach Arbeit zu fragen, kam schon in der chinesischen Wäscherei ins Wanken. Zunächst raubten ihr die herausquellenden Dämpfe noch mehr die Luft zum Atmen, und dann schien der Besitzer ihr Anliegen auch kaum zu verstehen. Stattdessen versuchte er, ihr Callie abzukaufen. Dabei hatte er garantiert keine Schafe ... Elaine dachte an das Gerücht, Chinesen äßen Hunde, und ergriff umgehend die Flucht.

Auch die Frau des Barbiers hatte zwar ein freies Zimmer, aber keine Arbeit. Dabei hatte Elaine hier Hoffnungen gehegt, schließlich war sie mit den in einer Pension anfallenden Arbeiten durchaus vertraut. Aber die drei Zimmer, die Mrs. Tanner vermietete, hielt sie selbst sauber, und beim Kochen für ihre maximal drei Kostgänger brauchte sie auch keine Hilfe.

»Kommen Sie wieder, wenn Sie etwas gefunden haben«, beschied sie Elaine schließlich. Die junge Frau verstand auch diesen Wink: Bevor sie kein Einkommen nachweisen konnte, gab es kein trockenes Bett oder etwas zu essen.

Der nächste Betrieb war ein Sargtischler, den Elaine

schlechten Gewissens ausließ. Aber was sollte sie dort machen? Dagegen erschien ihr der Gemischtwarenladen aussichtsreich, aber leider bewirtschaftete ihn eine Familie mit fünf aufgeweckten Kindern. Helfende Hände gab es da genug. Nebenan arbeitete ein Schneider – Elaine wünschte sich verzweifelt, wenigstens ein bisschen nähen zu können. Aber sie hatte Handarbeiten immer gehasst, und Fleurette hatte sie nicht dazu gezwungen. So hatte sie nur bei Helen ein wenig Nähen gelernt, doch es ging kaum über das Annähen eines Knopfes hinaus. Trotzdem betrat Elaine jetzt das Atelier und erkundigte sich nach Arbeit. Der Schneider schien recht nett zu sein, schüttelte aber nur den Kopf.

»Hier gibt's nicht viele Leute, die sich Maßanzüge leisten können. Die Minenbesitzer, klar, aber die kaufen gern in den größeren Städten. Zu mir kommen sie nur mit Änderungen, und die schaffe ich leicht allein.«

Das war es im Wesentlichen auch schon mit den ehrbaren Geschäftsleuten in Greymouth – nur in den großen Hotels hätte Elaine sich noch als Zimmermädchen bewerben können. Aber so abgerissen, wie sie im Moment aussah? Vielleicht sollte sie es in einem Pub versuchen! Als Bedienung oder Köchin? Zwar war mit ihren Kochkünsten kein Staat zu machen, aber versuchen konnte sie es ja. Sie war an einer Wirtschaft vorbeigekommen. Ob sie zurückgehen sollte, um zu fragen? Schon der Eingang hatte so hässlich und schmierig ausgesehen! Elaine kämpfte mit sich – und fand sich unversehens vor dem Lucky Horse – Hotel und Pub wieder.

Elaine fühlte sich sehr an Daphnes Etablissement erinnert. Auch hier war der Eingang bunt bemalt und wirkte beinahe einladend. Zumindest für Männer, denn an die richtete sich eindeutig das Angebot. Für Mädchen schien sich dagegen die einzige Möglichkeit weit und breit zu ergeben, Geld zu verdienen – wenn auch nicht auf ehrbare Weise.

Elaine schüttelte energisch den Kopf. Nein, das nun doch

nicht. Nicht, nachdem sie einer nächtlichen Hölle gerade so entronnen war! Andererseits konnte dies hier kaum schlimmer sein als die Ehe mit Thomas. Wenn sie so tief sinken wollte ... Elaine musste fast lachen. Sie war eine Mörderin! Viel tiefer ging es wohl kaum!

»Gehen Sie jetzt weiter, kommen Sie rein, oder haben Sie da draußen im Regen etwas Dringendes zu tun?« Die Stimme kam von der halb offenen Tür des Pubs. Callie musste hindurchgeschlüpft sein und ließ sich begeistert von einer Frau streicheln, die Elaine nun forschend musterte. Callies Blick dagegen war wieder einmal anbetend ... oder eher berechnend, denn aus dem Pub drang Bratenduft, der auch Elaine das Wasser im Munde zusammenlaufen ließ. Außerdem war es drinnen warm und trocken.

Elaine kämpfte ihre Bedenken nieder. Die hellblonde, sehr hellhäutige, stark geschminkte Frau wirkte nicht gefährlich. Im Gegenteil, mit ihrem großen Busen, ihren vollen Hüften und dem breiten, gutmütigen Gesicht machte sie einen eher mütterlichen Eindruck. Ein ganz anderer Typ als Daphne.

»Also, raus mit der Sprache! Warum starren Sie meinen Eingang an wie die Maus die Falle?«, fragte die Frau. »Noch nie einen netten, gepflegten Puff gesehen?«

Elaine lächelte. Daphne hätte ihr Etablissement niemals »Puff« genannt.

»Doch«, sagte sie. »Ich war nur noch nie drin.«

Die Frau lächelte. »Im Puff oder in der Falle? Ehrlich gesagt sehen Sie aus, als wären Sie gerade aus einer geflüchtet.«

Elaine wurde blass. Konnte man ihr wirklich ansehen, dass sie vor etwas weglief? Und wenn das dieser Frau schon auffiel, wie würden erst die ehrbaren Matronen über sie tuscheln?

»Ich ... suche Arbeit. Aber nicht ... so. Ich könnte vielleicht sauber machen, oder ... in der Küche helfen. Ich bin das gewohnt. Meine ... äh ... Tante hatte eine Pension ...« Im letzten Moment fiel Elaine ein, dass sie besser nicht von ihrer

Großmutter sprach. Je mehr von ihrem bisherigen Leben verborgen blieb, desto besser.

»Kindchen, um sauber zu machen sind Sie zu hübsch! Da würden die Kerle nicht lange sauber bleiben, wenn Sie mich recht verstehen. Ansonsten hätte ich aber durchaus noch ein Zimmer frei. Und meine Mädchen verdienen recht gut, kannst sie fragen, bei mir sind alle zufrieden. Mein Name ist übrigens Clarisette Baton. Französisch aussprechen bitte. Sag einfach ›Madame Clarisse‹.« Madame Clarisse begann ganz selbstverständlich, das Mädchen zu duzen.

Elaine wurde rot.

»Ich kann nicht. So eine Arbeit … das kann ich nicht, ich mag keine Männer!« Letzteres brach wie ein Aufschrei aus ihr heraus und ließ Madame Clarisse in dröhnendes Lachen verfallen.

»Na, na, Kleine, erzähl mir jetzt nicht, dass du aus deinem feinen Zuhause ausgerissen bist, weil du auf Mädchen stehst! Das glaub ich nicht. Obwohl es da durchaus Verdienstmöglichkeiten gibt. Eine alte Freundin von mir hat mal zwei Mädchen tanzen lassen … Zwillinge, sie machten verruchte Sachen, aber zugleich war's ganz unschuldig. Die Kerle waren heiß darauf. Dabei durften sie nie an sie ran. Aber für so was siehst du mir zu bieder aus.«

Elaine errötete noch mehr. »Woher wissen Sie, dass ich aus einem feinen Zuhause komme?«

Madame Clarisse verdrehte die Augen. »Süße, dir sieht jeder an, dass du Wochen in deinen Kleidern geschlafen hast. Und wenn man kein Brett vorm Kopf hat, sieht man auch, dass die Kleider teuer waren. Außerdem … das Hundchen hier ist kein Straßenköter. Das kommt von einer Schaffarm. Ich hoffe, du hast es nicht mitgehen lassen. Manchmal sind die Kerle hinter ihren Kötern schlimmer her als hinter den Weibern.«

Elaine sah ihre Hoffnungen schwinden. Für diese Frau

schien sie ein offenes Buch zu sein. Und die Schlüsse, die Madame Clarisse zog, wurden sicher auch von anderen gezogen. Wenn sie ein Zimmer bei Mrs. Tanner ergatterte, würde bald der ganze Ort über sie reden. Dagegen Madame Clarisse' Angebot ... über die Huren bei Daphne wurde niemals getuschelt. Den ehrbaren Frauen schien es egal zu sein, woher sie kamen und wohin sie gingen.

Madame Clarisse sah Elaine mit einem Lächeln an, aber dahinter verbarg sich ein forschender Blick. Es war erkennbar, dass die Kleine ernsthaft daran dachte, ihr Angebot anzunehmen. Ob sie sich als Barmädchen eignete? Zweifellos hatte sie mit Männern schlechte Erfahrungen gemacht, aber damit wäre sie nun wirklich keine Ausnahme. Und doch ... da war etwas in den Augen dieses Mädchens, das über »Nicht mögen« weit hinausging. Clarisse erkannte eher Furcht, ja Hass. Und ein mörderisches Leuchten, das sicher manche Männer anzog wie die Mücke das Licht, letztlich aber nur zu Komplikationen führte.

Elaine ließ inzwischen den Blick durch den Barraum schweifen. Auch hier bestätigte sich der erste Eindruck von draußen. Alles war sauber und ordentlich. Es gab die üblichen Tische und Holzstühle und ein paar Dartscheiben an der Wand. Anscheinend wurde hier auch gern gespielt und gewettet: Eine Tafel informierte über die Ausgänge von Pferderennen in Dunedin.

Eine Bühne, wie bei Daphne, gab es nicht, und alles war weniger vornehm eingerichtet – vielleicht zugeschnitten auf die Kunden. Minenarbeiter, keine Goldsucher. Bodenständigere Männer mit weniger »Rosinen im Kopf«, wie Elaines Großvater James sagen würde.

Und dann sah Elaine das Klavier. Ein schönes, offensichtlich noch ganz neues Instrument. Elaine biss sich auf die Lippen. Sollte sie fragen? Aber so viel Glück konnte ihr eigentlich nicht vergönnt sein ...

»Was stierste auf den Klimperkasten?«, fragte Madame Clarisse. »Kannst du spielen? Wir haben das Ding gerade bekommen, nachdem mir der Kerl, der hier die Drinks gemischt hat, Wunderdinge darüber erzählte, wie gut er spielen könnte. Aber kaum war der Kasten da, verschwand der Bursche. Keine Ahnung, wohin, aber er war auf einmal weg. Das heißt, wir haben jetzt ein Piano als Verzierung. Sieht edel aus, nicht?«

Über Elaines Gesicht zog ein hoffnungsvoller Ausdruck. »Ich spiele ein bisschen ...«

Ohne eine Aufforderung abzuwarten, öffnete sie das Instrument und schlug ein paar Tasten an. Es klang wunderbar. Das Klavier war perfekt gestimmt und sicher nicht billig gewesen.

Elaine spielte das erste Stück an, das ihr einfiel.

Wieder lachte Madame Clarisse dröhnend. »Kindchen, ich bin ja begeistert, dass du dem Ding Töne entlockst. Aber so kommen wir nicht weiter. Wie wär's mit einer Abmachung? Ich zahle drei Dollar die Woche für die Musik. Bei Dunkelwerden machen wir auf, Sperrstunde ist um eins. Du brauchst mit keinem Kerl ins Bett, wenn du nicht willst, aber dafür spielst du bei mir nie wieder *Amazing Grace!*«

Elaine musste jetzt auch lachen. Sie überlegte etwas und versuchte es dann mit *Hills of Connemara*.

Madame Clarisse nickte zufrieden. »Viel besser. Hab mir auch schon gedacht, dass du Irin bist ... mit dem roten Haar. Obwohl du nicht so redest. Wie heißt du eigentlich?«

Elaine dachte nur einen winzigen Augenblick nach.

»Lainie«, sagte sie dann. »Lainie Keefer.«

Eine Stunde später hatte Elaine nicht nur einen halbwegs ehrbaren Job, sondern auch ein Zimmer und vor allem einen gefüllten Teller vor sich. Madame Clarisse fütterte sie mit Braten, Süßkartoffeln und Reis und stellte dabei nicht halb so viele Fragen, wie Elaine befürchtet hatte. Allerdings riet sie ihr dringend ab, sich noch mal um ein Zimmer bei Mrs. Tanner zu bemühen.

»Die Alte ist die Klatschbase der Stadt. Und tugendhafter als die Madonna persönlich. Wenn sie hört, wie du dein Geld verdienst, schmeißt sie dich wahrscheinlich gleich wieder raus. Und falls doch nicht, redet bald die halbe Westküste über die höhere Tochter auf der schiefen Bahn. Denn das biste doch, Lainie, oder? Ich will gar nicht wissen, wovor du wegläufst, aber ich denk, Mrs. Tanner sollte es auch nicht wissen!«

»Aber ... aber wenn ich hier einziehe ...«, Elaine versuchte, nicht mit vollem Mund zu reden, aber sie war einfach zu hungrig, »... dann denken doch alle, dass ich ...«

Madame Clarisse gab ihr noch ein Stück Fleisch. »Kindchen, das denken die sowieso. Du kannst hier nur eins haben: einen Job oder einen guten Ruf. Zumindest bei den Ladys. Die Jungs sind was anderes, die werden alle mal versuchen, bei dir zu landen, aber wenn du sie abweist, ist es auch gut. Und wenn nicht, kriegen sie's mit mir zu tun, da mach dir mal keine Sorgen. Nur mit dem Verständnis einer Mrs. Tanner darfst du nicht rechnen. Es geht einfach über deren Begriffsvermögen, dass man jeden Abend dreißig Kerle zu Gesicht kriegt und trotzdem mit keinem ins Bett steigt. Die halten sogar mich noch für verführerisch!« Madame Clarisse lachte wieder. »Diese ehrbaren Frauen haben ein seltsames Verständnis von Tugend. Also lass dir gleich mal ein dickes Fell wachsen. Außerdem hast du es hier bestimmt netter als bei dem alten Drachen. Ich koche garantiert besser, und das Essen ist umsonst. Und dann haben wir ein eigenes Badehaus. Na, überzeugt?«

Dem Badehaus hätte Elaine an diesem Tag unter keinen Umständen widerstehen können. Kaum dass sie ihre Mahlzeit beendet hatte, lag sie auch schon in einer Wanne mit wundervoll heißem Wasser – und lernte das erste Mädchen kennen, das bei Madame Clarisse arbeitete.

Charlene, neunzehn Jahre alt, drall und schwarzhaarig, half ihr beim Haarewaschen und erzählte freimütig.

»Ich kam mit meiner Familie nach Wellington, aber noch als Baby, kann mich nicht mehr dran erinnern. Ich weiß nur noch, dass wir in den miesesten Buden lebten und dass mein Daddy uns jeden Tag verprügelte, nachdem er sein Bestes getan hatte, meiner Mom das nächste Baby aufzuladen. Mit vierzehn hatte ich genug und brannte mit dem erstbesten Jungen durch. Der reinste Märchenprinz, dachte ich damals. Goldsuchen wollte er, und am Ende wären wir reich ... Das hat er dann erst mal auf der Nordinsel versucht, danach das letzte Geld für die Überfahrt zusammengekratzt, als es in Otago losging mit den Goldfunden. Aber mit dem Arbeiten hatte er es nicht, und Glück hatte er auch nicht. Eigentlich hatte er nur mich ... und da hat er dann auch was draus gemacht. Er vermietete mich an die Kerle in den Goldgräberlagern ... weiß Gott kein Spaß, die haben sich das Ticket oft genug geteilt, und dann hatte ich zwei oder drei zugleich am Hals. Und selbst hab ich nichts gesehen von dem Geld, ging alles nur in Whisky, obwohl er mir natürlich sagte, er gäbe alles für die Ausrüstung aus, um seinen Claim mal richtig zu erschließen. Als mir dann aufging, dass ich der Claim war, war ich achtzehn. Bin bei Nacht und Nebel abgehauen, und hier bin ich.«

»Aber ... aber es ist doch schon wieder das Gleiche«, wandte Elaine ein. »Nur dass du jetzt für Madame Clarisse anschaffst.«

»Süße, ich hätte auch lieber den Prince of Wales geheiratet. Aber was anderes als das hier kann ich nicht. Und so gut wie hier hab ich's noch nie gehabt. Ein eigenes Zimmer! Wenn ich mit den Kerlen fertig bin, wechsele ich die Laken und versprüh ein bisschen Rosenöl, und dann hab ich's nett und gemütlich. Und das Badehaus, immer Wasser zum Waschen, genug zu essen … nö, ich bin gar nicht scharf drauf, einen zum Heiraten zu finden. Wäre sonst aber auch nicht schwer, es gibt ja kaum ledige Frauen, und die Bergarbeiter sind nicht wählerisch. Letztes Jahr haben sie Madame Clarisse drei Mädels weggeheiratet. Die kriegen sich jetzt vor Ehrbarkeit gar nicht mehr ein. Dabei wohnen sie in dreckigen Buden ohne Abtritt, und die eine hat schon das zweite Balg am Hals. Nee, nee, da geht's mir besser. Wenn ich heirate, muss es wirklich ein Prinz sein!«

Charlene bürstete Elaines frisch gewaschenes Haar. Sie schien es nicht befremdlich zu finden, dass die Neue keinerlei Gepäck mit sich führte. Madame Clarisse' Hotel war wohl eine Art Auffangstation für verlorene Mädchen.

»Ein Kleid brauchst du auch noch. Aber meine sind dir zu groß. Warte mal, ich frage Annie.«

Charlene verschwand kurz und kam mit einem himmelblauen, mit tausend Spitzen und Volants besetzten, weit ausgeschnittenen Kleid zurück.

»Hier. Du kannst ja ein Mieder drunterziehen, wenn dir der Ausschnitt zu unschicklich ist. Annie hatte allerdings gerade keins, heute muss es also so gehen. Aber wir finden bestimmt noch ein Schultertuch für dich. Die Kerle sollen dir ja nichts abgucken!«

Elaine musterte das Kleid. Es machte ihr beinahe Angst, denn es war viel auffälliger als alles, was sie bisher getragen hatte. Nervös schaute sie in den Spiegel – und war begeistert! Der azurblaue Stoff harmonierte mit ihren Augen, die schwarze Spitze am Ausschnitt betonte ihren blassen Teint, und ihr leuchtend rotes Haar setzte Akzente. Vielleicht würden die Matronen von Queenstown ihre Aufmachung verrucht finden – und sie durfte gar nicht daran denken, was Thomas wohl dazu gesagt hätte. Aber Elaine fand sich schön.

Madame Clarisse pfiff ebenfalls durch die Zähne, als sie das Mädchen sah. »Süße, wenn ich dir das Doppelte biete, machst du nicht wenigstens zwei oder drei pro Nacht? Die Kerle würden sich die Finger nach dir lecken!«

Elaine sah besorgt aus, doch Madame Clarisse' Ton war scherzhaft. Sie lieh Elaine sogar ein schwarzes Umschlagtuch.

»Morgen lassen wir ein Kleid für dich machen. Der Schneider wird sich freuen! Aber das gibt's nicht umsonst, Süße, das zieh ich dir vom Lohn ab!«

Auch für das kleine Zimmer verlangte Madame Clarisse Miete, aber das fand Elaine nur fair. Sie hatte sich anfangs Sorgen gemacht, ob auch sie einen der Räume im ersten Stock würde bewohnen müssen, in denen die Männer die Mädchen »besuchten«. Doch Madame Clarisse wies ihr ein winziges Dienstbotenzimmer bei den Ställen an. Hier hätte eigentlich ein Stallknecht wohnen sollen, doch einen solchen hatte Clarisse nicht. Ihre Kunden stellten höchstens stundenweise Pferde ein und machten selbst hinter ihnen sauber. Dabei war der Stall durchaus geräumig, und hinten im Hof hätte es sogar einen Auslauf gegeben. Elaine fragte schüchtern nach, ob sie Banshee hier unterstellen durfe.

»Ein Pferd haben wir also auch«, meinte Madame Clarisse mit gerunzelter Stirn. »Mädchen, Mädchen, wenn du nicht so ein ehrliches Gesicht hättest ... du schwörst mir, dass du den Gaul nicht gestohlen hast?«

Elaine nickte. »Banshee war ein Geschenk.«

Madame Clarisse zog die Augenbrauen hoch. »Zur Verlobung oder zur Hochzeit? Ich sag da nichts zu, Süße, aber ich wäre gern vorgewarnt, wenn hier demnächst ein wütender Gatte auftaucht.«

»Ganz sicher nicht«, erklärte Elaine. »Bestimmt nicht.«

Madame Clarisse bemerkte den seltsamen Unterton zwischen Schuldbewusstsein und Befriedigung, konnte ihn aber nicht einordnen. Immerhin schien das Mädchen nicht zu lügen.

»Na gut. Dann hol das Pferd schon her. Im Mietstall nehmen sie dir sonst deinen halben Wochenlohn ab. Aber sauber machen musst du selbst. Und du musst sehen, wo du das Futter herkriegst.«

Elaine beschloss, Banshee am kommenden Morgen zu holen. Die eine Nacht im Mietstall würde sie sich schon leisten können. Jetzt wusch sie erst mal ihre Kleider und hing sie in ihrem winzigen Zimmer zum Trocknen auf. Draußen regnete es nach wie vor, und es war kühl und ungemütlich. Die Stadt gefiel Elaine immer noch nicht – kein Vergleich zu dem meist sonnigen Queenstown, in dem Regenfälle selten lange anhielten und die Winter zwar deutlich kälter waren als an der Westküste, dafür aber klar und schneereich statt grau und nass.

Der Pub war trotz des Wetters gut besucht – auch wenn die Männer nass wie die Katzen hereinkamen und Madame Clarisse kaum wusste, wohin mit all den durchweichten Jacken und Mänteln. Elaine dachte an Gwyns zweckmäßigen Wachsmantel – die Bergleute hier hätten so etwas brauchen können, aber anscheinend konnte sich das kaum einer leisten. Dabei hatten sie einen ziemlich weiten Weg von den Minen bis in die Stadt. Sie mussten sich sehr nach ein bisschen Wärme und Unterhaltung sehnen, dass sie diese Beschwernisse nach der Schicht noch auf sich nahmen.

»Du solltest mal sehen, wie sie da draußen hausen!«, meinte Charlene, als Elaine diesen Gedanken äußerte. »Die Minenbesitzer stellen ihnen Verschläge auf dem Bergwerksgelände zur Verfügung, aber die sind kaum mehr als ein Dach über dem Kopf. Nicht mal ordentliche Waschgelegenheiten haben sie, die meisten gerade mal einen Eisenkanister. Und das Wasser berechnen diese Schweine ihnen noch extra. Wir haben dann hier den ganzen Kohlenstaub auf den Laken.«

Tatsächlich wirkten die meisten Besucher arg ungewaschen; auf ihren Gesichtern schien fast durchweg eine graue Schmierschicht zu liegen. Kohlenstaub war fettig. Mit kaltem Wasser ließ er sich nicht ganz von der Haut entfernen, selbst wenn die Männer noch so schrubbten.

Elaine taten sie leid, doch zu ihrer Verwunderung waren sie trotz ihres harten Lebens fröhlich. Sie hörte die unterschiedlichsten Dialekte, doch die große Mehrheit der Männer kam aus englischen und walisischen Bergwerksregionen. Fast alle waren wohl auch Einwanderer – Neuseeländer der zweiten oder dritten Generation zog es nicht unter Tage.

Die Männer applaudierten begeistert, als Elaine ein altes walisisches Lied spielte, das Grandma Gwyn ihr beigebracht hatte. Sofort sangen ein paar von ihnen mit, andere holten sich Mädchen zum Tanzen, und bald stand der erste Whisky vor Elaine auf dem Klavier.

»Ich trink doch keinen Whisky«, wandte sie ein, als Madame Clarisse sie darauf hinwies und auch gleich auf den Mann zeigte, der den Drink spendiert hatte. Ein vierschrötiger Engländer aus der Gegend um Liverpool.

»Probier doch erst mal!« Madame Clarisse zwinkerte ihr zu, und als Elaine tatsächlich einen zögernden Schluck nahm, schmeckte sie kalten Tee. »Keins der Mädchen hier trinkt, die wären ja alle um zehn stockbesoffen. Aber von jedem Glas, das die Kerle dir kaufen, geht die Hälfte an dich!«

Das schien Elaine ein gutes Geschäft zu sein. Sie kippte ihren »Whisky« und lächelte dem Spender zu. Der kam daraufhin gleich zum Piano und wollte eine Verabredung für später. Er nahm es aber gelassen hin, als Elaine ablehnte. Kurz darauf verschwand er mit Charlene.

»Du belebst das Geschäft!«, sagte Madame Clarisse anerkennend, als sie Elaine den dritten Drink brachte. »Dafür, dass Dienstag ist, machen wir guten Umsatz. Donnerstag und Freitag ist Ebbe, da haben die Burschen kein Geld mehr. Aber

Samstag ist Zahltag, da geht's richtig hoch her, und Sonntag sind die Minen zu. Da trinkt sich hier jeder die Welt ein bisschen schöner.«

Elaine begann die Arbeit im Laufe des Abends beinahe Spaß zu machen. Sie hatte noch nie ein so dankbares Publikum gehabt wie diese Bergleute, und tatsächlich trat ihr niemand zu nahe. Stattdessen schien man sie mit einigem Respekt zu betrachten; die Männer nannten sie nie einfach beim Vornamen wie die anderen Mädchen, sondern sagten brav »Miss Lainie«, wenn sie um ein bestimmtes Lied baten oder sie fragten, ob sie ihr noch einen Drink bestellen durften.

Schließlich schloss sie hochzufrieden das Piano, während Charlene und die anderen die letzten Männer verabschiedeten. Es war lange vor der Sperrstunde; die ersten Arbeiter fuhren um vier Uhr morgens wieder ein, und die Arbeit unter Tage war nicht ungefährlich. Da mochte keiner einen Kater riskieren.

»Aber warte mal aufs Wochenende. Da fließt der Schnaps hier in Strömen!«, erklärte Charlene.

Am nächsten Tag holte Elaine Banshee. Der Stallbesitzer machte ihr Komplimente zu ihrem Klavierspiel. Er hatte kurz im Pub vorbeigeschaut und sie gehört. Nun wollte er nicht einmal eine Bezahlung für Banshees Übernachtung in seinem Stall.

»Nein, lassen Sie mal. Aber dafür hab ich drei Lieder gut! Und Sie dürfen mich nicht auslachen, wenn ich bei *Wild Mountain Thyme* wieder zu heulen anfange.«

Auch der Schneider hatte schon von Elaines neuem Job gehört und maß ihr bereitwillig ein Kleid an.

»Nicht zu offenherzig? Aber dann gibt's weniger Trinkgeld, Miss, das sollte Ihnen klar sein!«, neckte er sie. »Und ein paar Spitzen müssen schon dran. Sie wollen doch nicht aussehen wie eine Betschwester.«

Letzteres hätte Elaine sich beinahe gewünscht, als sie dann auf der Main Street Mrs. Tanner begegnete. Die Matrone musterte sie von Kopf bis Fuß und würdigte sie keines Grußes, als sie an ihr vorbeiging. Elaine konnte es in gewisser Weise verstehen; sie fühlte sich selbst unwohl in Annies Sachen. Tagsüber auf der Straße wirkte das Kleid viel aufreizender als abends im Pub, wo alle anderen Mädchen ähnlich gekleidet waren. Doch ihre eigenen Sachen waren noch nicht getrocknet; es war klamm in ihrem Zimmer, und draußen regnete es schon wieder. Auf Dauer würde sie dringend ein paar neue Kleider brauchen. Aber da war sie inzwischen ziemlich optimistisch. Drei Dollar in der Woche war nicht viel, aber die Nebeneinnahmen durch die »Whiskys« brachten fast noch mal das Doppelte ein.

Der Samstagabend war wirklich anstrengend. Der Pub war proppenvoll; anscheinend hatte sich jeder Bergarbeiter und auch so mancher Geschäftsmann oder Arbeiter aus der Stadt hier eingefunden.

»Noch viel mehr als sonst!«, freute sich Madame Clarisse. »Da kann man mal sehen, diese Raubauzen! Stehen mehr auf Musik als auf Hundekämpfe.«

Elaine erfuhr, dass der andere Bergarbeiter-Pub in der Stadt sich auf Unterhaltung der Gäste durch Wetten spezialisiert hatte. Im Hof fanden an jedem Wochenende Hunde- und Hahnenkämpfe statt, Elaine drehte sich schon bei dem Gedanken daran der Magen um. Bei Madame Clarisse trieben sich zwar auch ein paar Buchmacher herum, aber hier setzte man eher auf Pferde- und Hunderennen im weit entfernten Dunedin, Wellington oder gar in England.

Samstags tranken, sangen und tanzten die Männer bis zur Sperrstunde, falls sie nicht schon vorher umfielen. Es kam jetzt auch öfter vor, dass einer von ihnen sich Elaine in eindeutiger Absicht näherte, doch sie wehrte jede Zudringlichkeit energisch ab, und die Männer akzeptierten es ohne Murren. Ob Madame Clarisse' strafender Blick dafür verantwortlich war oder der zwischen Panik und mörderischer Wut schwankende Ausdruck in Elaines eigenen Augen, wusste sie nicht.

Dafür schienen die Zecher das Mädchen am Klavier bald für eine Art Beichtstuhl zu halten. Wann immer Elaine eine Pause machte, fand sich ein Jüngling neben ihr ein, der unbedingt seine meist traurige Lebensgeschichte loswerden wollte. Je weiter der Abend voranschritt, desto offenherziger wurden diese Bekenntnisse, und Elaine schwankte zwischen Verachtung und Mitgefühl, wenn ihr der schmächtige Charlie aus Blackpool schluchzend erzählte, er wolle seine Frau gar nicht schlagen, aber es käme immer so über ihn, während Jimmy aus Wales, ein Bär von einem Mann, mit stockender Stimme verriet, dass er sich in Wahrheit im Dunkeln fürchte und jeden Tag in der Mine tausend Tode starb.

»Und der Lärm, Miss Lainie, dieser Lärm ... die Schächte werfen die Töne zurück, wissen Sie. Jeden Schlag der Pickel hört man ein Dutzend Mal. Ich denke manchmal, mein Trommelfell platzt. Spielen Sie doch noch einmal *Sally Gardens*, Miss Lainie, ich will's mir genau merken, vielleicht hör ich es dann, wenn ich unten bin.«

Am Ende des Abends dröhnte auch Elaine der Kopf, und als endlich alle Männer gegangen waren, trank sie mit Madame Clarisse und den Mädchen einen echten Whisky.

»Aber nur einen, Mädels, ich will nicht, dass ihr morgen in der Kirche nach Schnaps stinkt!«

Elaine musste fast lachen, doch Madame Clarisse führte ihre Schäfchen tatsächlich zur Sonntagsmesse. Die Huren tappten ihr mit gesenkten Köpfen nach wie eine Kükenschar der Henne. Dem Reverend, einem Methodisten, schien das gar nicht so recht, doch er konnte die reuigen Sünderinnen schwerlich der Kirche verweisen. Elaine war immerhin froh, ihr hochgeschlossenes Reitkleid tragen zu können – und wagte es darin auch, Mrs. Tanner wieder in die Augen zu sehen.

In den nächsten Wochen gewöhnte sie sich in Greymouth ein, und sie musste Charlene Recht geben: Es war nicht das schlechteste Leben – und auch nicht die schlechteste Stadt. Da sie nur abends arbeitete und das kleine Zimmer nun wirklich keine hausfrauliche Aufgabe darstellte, blieb Elaine tagsüber viel Zeit, Banshee zu satteln und ihre neue Umgebung in Augenschein zu nehmen.

Sie durchstreifte die Berge und Farnwälder und bewunderte das durch die fast täglichen Regenfälle stets üppige Grün der mitunter dschungelartigen Landschaft am Grey River. Das Meer faszinierte sie, und sie war hingerissen, als sie bei einem Ausritt auf eine Seehundkolonie stieß. Unfassbar, dass die Coaster diese Tiere noch vor wenigen Jahrzehnten gnadenlos abgeschlachtet und ihre Felle verkauft hatten! Inzwischen konzentrierte man sich im Raum Westport und Greymouth mehr auf Industrie und Kohleabbau; es gab sogar schon eine Eisenbahn, der Elaine an schlechten Tagen voller Sehnsucht hinterherschaute: Die Midland Line verband die Westküste mit Christchurch. Nur wenige Stunden Fahrt, und sie wäre in der Nähe von Grandma Gwyn.

Doch solche Grübeleien erlaubte Elaine sich selten. Es tat zu weh, darüber nachzudenken, was ihre Eltern und Verwandten jetzt wohl von ihr dachten. Schließlich hatte sie nicht einmal Gelegenheit gehabt, von Thomas' Quälereien zu erzählen; bestimmt brächte niemand Verständnis für sie auf.

Beim Gedanken an die Tat selbst verspürte Elaine jedoch keine Reue. Eigentlich verband sie überhaupt keine Gefühle mit diesem Morgen im Stall, sondern betrachtete die Geschehnisse aus einer sonderbaren Distanz, beinahe wie eine Szene in einem Roman. Und ebenso klar wie in diesen Geschichten waren auch hier die Rollen verteilt: Es gab nur Gut oder Böse. Hätte Elaine nicht Thomas umgebracht, hätte er früher oder später sie getötet. Deshalb empfand Elaine ihre Tat als eine Art »vorbeugende Notwehr«. Sie hätte immer wieder so gehandelt.

Allerdings wunderte sie sich, warum die spektakuläre Geschichte vom Gattenmord am Pukaki River noch nicht an die Westküste gelangt war. Sie hatte eigentlich damit gerechnet, dass solche Neuigkeiten sich schnell verbreiteten, und beinahe gefürchtet, dass man einen Steckbrief mit ihrem Namen und womöglich ihrem Bild herumschicken würde. Aber nichts davon geschah. Weder die Huren noch die ehrbaren Frauen klatschten über eine flüchtige Gattenmörderin. Elaine nahm es als glückliche Fügung. Allmählich lebte sie sich in ihrer neuen Heimat ein; sie wäre ungern erneut geflohen. Inzwischen grüßte man sie auf der Straße, die Männer sehr höflich, die Frauen eher flüchtig und unwillig. Ignorieren konnte man Elaine allerdings nicht mehr, seit sie endlich den Mut gefunden hatte, den Reverend auf das zweite, bislang verwaiste Musikinstrument in Westport anzusprechen. In seiner Kirche stand eine nagelneue Orgel, doch die Gemeinde quälte sich ohne Begleitung und in oft erschreckend schiefen Tönen durch die Kirchenlieder.

Der Reverend zierte sich insofern nicht lange, ehe er Elaines Angebot annahm. Ihm war wohl ebenfalls längst zu Ohren gekommen, dass die junge Pianistin im Pub nicht käuflich war, sondern den Männern eher aus dem Weg ging.

Elaine sah es von der Empore aus zwar nicht, doch als sie ihre erste Sonntagsmesse mit dem schwungvollen Vortrag von *Amazing Grace* eröffnete, meinte sie, Madame Clarisse' breites Grinsen im Rücken zu spüren.

3

Während Kura mit dem Opernensemble nach Australien reiste und auch dort Erfolge feierte, teilten William und Heather immer ungenierter das Bett miteinander. Niemand schien sich dafür zu interessieren, was die beiden des Nachts trieben, zumal es William zumindest in den ersten Wochen vom Barschrank fernhielt. Er war ausgeglichener, wie Gwyneira aufatmend bemerkte, jedoch nicht mit seinem Liebesleben in Verbindung brachte, und brach seltener einen Streit mit den Arbeitern oder den Maoris vom Zaun. Mitunter bemühte er sich sogar, sich Arbeiten zeigen zu lassen, statt nur zu befehlen – James führte dies auf die Blamage beim Schaftrieb mit Richland zurück –, doch er bewies wenig Geschick. Deshalb beschäftigte James ihn mit Routinearbeiten, die er zu wichtigen Angelegenheiten aufbauschte, und freute sich am wiedergewonnenen Frieden. Manche Dinge erschienen ihm allerdings merkwürdig – so etwa, dass an manchen Abenden der Flügel im Salon wieder erklang. Heather Witherspoon erbot sich, für die Familie zu spielen, obwohl nun wirklich niemand das Bedürfnis danach hatte – außer William. Der ermutigte sie sogar und behauptete, sich Kura durch die Musik näher zu fühlen. Er habe ihr Gesicht und ihre Gestalt dann wieder vor Augen, erklärte er, worauf Heathers Züge sich missbilligend verzogen. Auf jeden Fall nahmen die beiden ihre gemeinsamen Abende im Salon wieder auf, und Williams Whiskykonsum stieg erneut.

»Können wir diese Witherspoon jetzt nicht bald rauswerfen?«, stöhnte James, während er Gwyneira ritterlich die Tür zu ihrem gemeinsamen Zimmer aufhielt. Unten spielte

Heather seit Stunden Schubert-Lieder. »Seit Kura weg ist, wird sie doch nun wirklich nicht mehr gebraucht.«

»Und wer unterrichtet dann Jack und die Maori-Kinder?«, fragte Gwyn. »Ich weiß ja, dass sie dabei nicht gerade Höchstleistungen vollbringt, aber wenn wir sie wegschicken, muss ich einen Ersatz suchen. Also wieder in England inserieren, warten, bis Bewerbungen eintreffen – und mich letztlich erneut auf gut Glück entscheiden.«

»Ein Entscheidungskriterium hätten wir schon mal«, sagte James grinsend. »Weder Jack noch Gloria legen Wert auf Klavierkenntnisse. Aber mal im Ernst, Gwyn, mir gefällt es nicht, dass William allein mit dieser Witherspoon halbe Nächte im Salon verbringt. Zumal jetzt, wo Kura weg ist. Die legt es doch darauf an, ihn zu verführen ...«

Gwyn lachte. »William, unser Gentleman, mit dieser grauen Maus? Das kann ich mir nicht vorstellen. Das wäre nach Kura nun wirklich ein Abstieg!«

»Die graue Maus ist immerhin verfügbar«, gab James zu bedenken. »Wir sollten ein Auge darauf haben ...«

Gwyneira lachte. »Willst du nicht lieber den Umstand nutzen, dass auch ich verfügbar bin?«, neckte sie ihren Mann. »All diese Liebeslieder haben mich ganz sentimental gemacht.« Sie löste die Knöpfe an ihrem Kleid, und James küsste sie sanft auf die entblößte Schulter.

»Dann hat das Geklimper ja wenigstens ein Gutes ...«, murmelte er.

Während die Beziehung zwischen William und Heather auf seine Anpassung an das Leben auf Kiward Station positive Auswirkungen hatte, ließen Heather Witherspoons Bemühungen, es ihren Arbeitgebern recht zu machen, eher nach. Je länger ihre Liebe zu William anhielt, desto sicherer fühlte sie sich. Jeder Monat, der verstrich, ohne dass Kura zurückkam, ließ die Hoffnung in ihr wachsen, William für immer an sich binden zu können. Irgendwann würde er das Warten auf Kura leid werden, zumal er sich auf Kiward Station eher unwohl fühlte. Dann ließ sich diese Ehe sicher leicht auflösen, und schließlich war der Weg frei für eine neue Verbindung mit Heather. Inzwischen waren seit Williams Weggang aus Irland auch mehr als drei Jahre vergangen. Bestimmt gerieten seine Taten dort langsam in Vergessenheit, und auf die Dauer konnte er heimkehren. Heather sah sich schon an seiner Seite in das Haus seiner Eltern schreiten – die sicher entzückt über die Wahl ihres Sohnes waren, denn immerhin war sie erstklassig erzogen und kam aus zwar verarmter, aber guter Familie. Ihr Einfluss auf William würde mäßigend sein; bestimmt kam es zu keinen neuen Eklats auf dem Land seines Vaters. Und vielleicht fand er ja auch eine Stellung in der Stadt – das hätte Heather noch besser gefallen.

Auf jeden Fall hielt sie es zusehends für unter ihrer Würde, schmutzige Eingeborenenkinder zu unterrichten, und reduzierte ihre Anstrengungen noch weiter als bisher. Jack konnte sie natürlich nicht vernachlässigen. Er sollte aufs Christ College und durfte bei der Aufnahmeprüfung nicht versagen. Doch sie unterrichtete ihn streng und ohne innere Beteiligung. Jack erledigte seine Aufgaben, fand aber keine Freude daran. Gwyneira erschien das normal; auch sie hatte den Unterricht als Mädchen gehasst. James jedoch, dem keine besondere Schulbildung zugute gekommen war, bedauerte die Sache und beharrte weiterhin darauf, Miss Witherspoon baldmöglichst auszutauschen.

»Mensch, Gwyn, ich verstehe ja, dass er keine Lust hat, Latein zu lernen. Aber Geschichte und Tier- und Pflanzenkunde – gerade das interessiert ihn doch! Früher hat er manchmal gesagt, er würde gern Tierarzt werden. Das könnte ich mir gut für ihn vorstellen, wenn er Kiward Station nicht übernimmt. Aber diese Miss Heather treibt ihm jedes Interesse an Büchern aus. Und demnächst macht sie das Gleiche mit Gloria. Wirf sie raus, Gwyn, wirf sie endlich raus!«

Gwyneira zögerte nach wie vor. Aber dann war es tatsächlich Miss Witherspoons mangelndes Interesse an ihrer Arbeit, das – wenn auch auf Umwegen – zu ihrer und Williams Entdeckung führte.

Gwyneira McKenzie verkaufte häufig Zuchtschafe, sogar ganze Herden, an andere Farmer. Schon Gerald Warden hatte damit begonnen, nachdem er durch die Kreuzung von Romney-, Cheviot- und Welsh-Mountain-Schafen den für die Canterbury Plains idealen Typ des Wolllieferanten geschaffen hatte. Seine Tiere waren robust und selbstständig. Die Mutterschafe und ihre Lämmer verbrachten den ganzen Sommer frei im Hochland, ohne dass es zu nennenswerten Verlusten kam. Dabei brachten sie Wolle von gleichmäßig hoher Qualität hervor. Sie waren leichtfuttrig und einfach im Umgang. Klar, dass sich auch andere Züchter darum rissen, ihre Herden mit diesen Tieren zu veredeln. Inzwischen grasten in den gesamten Canterbury Plains und fast ganz Otago Schafe, die auf Gerald Wardens Zuchtstock zurückgingen.

Bislang hatte sich noch nie jemand aus dem äußersten Nordosten der Südinsel für Gwyneiras Schafe interessiert, die Zucht war dort erst im Aufbau. Nun aber meldete sich ein Mr. Burton aus Marlborough, ein Kriegsveteran wie Major Richland, doch mit offensichtlich mehr Ambitionen in Bezug auf fundierte Tierzucht. Gwyneira fand den lebhaften älteren Herrn sofort sympathisch. Burton war schlank und sehnig, ein schneidiger Reiter und guter Schütze – er überraschte seine Gastgeber gleich mit drei »im Vorbeireiten« erlegten Kaninchen.

»Es sind Ihre, ich hab sie auf Ihrem Grund geschossen«, grinste er. »Ich nehme mal an, ihr Tod geht Ihnen nicht allzu nahe.«

Gwyneira lachte und ließ die Tiere in die Küche bringen.

»Sie hätten sich Ihr Essen aber nun wirklich nicht mitbringen müssen«, scherzte James. »Haben Sie da oben auch so ein Kaninchenproblem, oder greifen bei Ihnen die Maßnahmen mit den Füchsen?«

Burton und die McKenzies waren gleich in ein Gespräch vertieft – ausnahmsweise war es diesmal nicht schwerpunktmäßig William, der die Konversation übernahm. Gwyneira fiel auf, wie lebhaft James mit dem Farmer aus Marlborough scherzte und redete. Endlich jemand, der nichts von seiner Vergangenheit als Viehdieb wusste, sondern ihn als Vormann auf Kiward Station selbstverständlich akzeptierte. Auch Jack schien Burton auf Anhieb zu mögen. Er fragte nach den Tieren in den Urwäldern rund um Blenheim und die Wale im Marlborough Sound.

»Haben Sie tatsächlich mal einen gesehen, Mr. Burton?«, fragte er eifrig.

Burton nickte. »Aber sicher, junger Mann. Seit man die Viecher nicht mehr so intensiv bejagt, werden sie regelrecht zutraulich. Und sie sind tatsächlich groß wie Häuser! Ich konnte mir das nie vorstellen. Man liest natürlich darüber, aber wenn man dann von einem vergleichsweise kleinen Boot aus mit diesen Riesen konfrontiert wird ... Respekt vor den Walfängern, die da Harpunen warfen, statt abzudrehen!«

»Die Maoris haben sie von ihren Kanus aus gejagt«, berichtete Jack. »Das muss aufregend gewesen sein.«

»Ich fand Walfang abstoßend und widerlich«, ließ James sich vernehmen. »Als ich vor Jahren an die Westküste kam, galt der Walfang als die sicherste Möglichkeit, schnell an Geld zu kommen, und ich habe mich da umgesehen. Aber mir lag es nicht. Sie sagten es schon, Mr. Burton: Die Wale sind zu zutraulich, und ich hab einfach Hemmungen, jemandem einen Speer in den Leib zu jagen, der mir nur freundlich die Flosse reichen will.«

Alle lachten.

»Haben sie denn Flossen?«, wollte Jack wissen. »Ich meine, es sind doch Säugetiere!«

»Du solltest mal vorbeikommen und sie dir selbst ansehen, junger Mann! Vielleicht hilfst du ja mit, die Schafe zu uns rüberzutreiben, wenn deine Mutter und ich morgen ins Geschäft kommen.« Burton prostete Gwyneira vergnügt zu. Er schien nicht an einer Einigung zu zweifeln.

Tatsächlich erhoben sie am nächsten Tag die Gläser auf den Erwerb einer stattlichen Herde, und Burton wiederholte seine Einladung. Jack und sein Freund Maata hatten auch schon beim Eintreiben seiner Schafe geholfen, und besonders der Umgang der Jungen mit den Hütehunden hatte Burton sehr imponiert. Er erstand dann auch gleich noch zwei Border Collies – und behauptete, bei ihrer Einführung dringend Hilfe zu brauchen. Dabei zwinkerte er Jack aufgeräumt zu. Der Junge war denn auch kaum zu halten.

»Ich darf doch, nicht wahr, Mom? Daddy? Und Maata kommt auch mit. Das wird ein Abenteuer ... wartet ab, wir bringen ein Walbaby mit und setzen es in unseren See!«

»Die Walmutter wird begeistert sein«, bemerkte Gwyneira. »Genau wie ich. Du hast Schule, Jack, du kannst nicht einfach Ferien machen.«

Miss Witherspoon, die bislang meist geschwiegen hatte, nickte pflichtschuldig. »Wir müssen bald mit Französisch anfangen, Jack, wenn du die Aufnahmeprüfung in Christchurch bestehen willst.«

»Och!«, maulte Jack. »Wir wären doch höchstens zwei Wochen weg, nicht, Mr. Burton?«

»Du hättest mit den Französischstunden aber auch schon vor einem halben Jahr anfangen müssen«, gab Gwyneira zurück. Sie verstand Jacks Abneigung gegen die Sprache. Ihre französische Gouvernante hatte sie als Mädchen zum Wahnsinn getrieben. Zum Glück hatte die Dame eine Hundeallergie, was die junge Gwyn immer wieder gern für sich einsetzte. Leider hatte sie Jack die Geschichte einmal erzählt. Der Junge wusste also, dass sie nicht mit dem Herzen dahinterstand, wenn sie ihn zum Lernen drängte.

Und dann bekam er unerwartet Schützenhilfe von seinem Vater.

»Auf dem Trail nach Blenheim lernt er mehr, als Miss Heather ihm in einem halben Jahr beibringen kann«, brummte James.

Heather wollte protestieren, doch seine wegwerfende Handbewegung ließ sie schweigen.

»Die Küste, die Wälder, die Wale – das muss man mal gesehen haben. Dann hat man auch Fragen dazu, und die Antworten stehen in Büchern. Sie, liebe Miss Heather, können die Zeit nutzen, um all das Wissen herauszusuchen und es derweil schon mal den Maori-Kindern zu vermitteln. Die lesen nämlich auch gern mal was anderes als die Bibel und *Sarah Crewe.* Mit Walen können sie wenigstens was anfangen ...«

»Oh ja, ich darf, ich darf! Das wird wundervoll, Mr. Burton! Mom, Daddy, darf ich gleich noch ins Dorf und Maaka Bescheid sagen? Wir werden uns Wale ansehen ...!«

Gwyneira lächelte, als er aufgeregt losrannte, um seinen Freund mit der Nachricht zu überraschen. Niemand zweifelte daran, dass Maaka die Erlaubnis seiner Eltern erhielt. Die Maoris waren geborene Wanderer; sie würden sich für den Jungen freuen. »Aber Sie sind mir dafür verantwortlich, Mr. Burton, dass die zwei die Viecher lassen, wo sie sind! Ich habe mich an Wetas im Spielzimmer gewöhnt, aber ich habe nicht vor, mich an Wale im Teich zu gewöhnen!«

Außer den beiden Jungen würden noch Andy McAran und Poker Livingston die Schafe begleiten. Poker nutzte hocherfreut die Gelegenheit für diesen Ausflug; das ruhige Leben bei seiner Freundin schien ihn bereits zu langweilen. Dabei mussten die Vorbereitungen schnell gehen, denn Mr. Burton wollte bald los.

»Dann sparen Sie einen Treiber, Miss Gwyn, und ich trainiere schon mal den Umgang mit den Hunden.«

Gwyn verriet ihm nicht, dass Andy und Poker den Trail auch mühelos mit zwei Hunden allein bewerkstelligt hätten – und James oder sie allein mit einem Hund. Aber schließlich wollte sie weder seine Begeisterung noch die der Jungen trüben.

Jack quälte bei der Sache nur eine Sorge: Was würde Gloria ohne ihn tun?

»Wenn ich nicht da bin, hört doch niemand, wenn sie nachts schreit«, meinte er. »Das tut sie zwar kaum noch, aber sicher kann man nicht sein ...«

Gwyneira warf William einen vorwurfsvollen Blick zu. Eigentlich wäre es wohl seine Aufgabe gewesen, zumindest jetzt zu versichern, dass er sich selbstverständlich um seine Tochter kümmern würde. Doch William blieb stumm.

»Ich hole sie zu uns«, beruhigte deshalb Gwyneira selbst ihren Sohn.

»Vielleicht könnte unsere Miss Witherspoon sich ja ein wenig um ihre künftige Schülerin kümmern«, stichelte James.

Spätestens seit seinen Bemerkungen über ihren nutzlosen Unterricht herrschte zwischen ihm und der Hauslehrerin offener Krieg.

Heather würdigte ihn keines Blickes.

»Jedenfalls passiert Gloria nichts«, meinte Gwyn. »Auch wenn sie dich zweifellos vermissen wird, Jack. Vielleicht bringst du ihr das Bild von einem Wal mit. Und dann zeichnest du im Hof auf, wie groß er ist.«

Jack war in Hochstimmung, als die Reiter schließlich aufbrachen; Gwyneira jedoch kämpfte mit ausgesprochen schlechter Laune. Sie vermisste ihren Sohn, kaum dass er weg war, und tatsächlich schien das Haus an Leben verloren zu haben. Jacks vergnügtes Plaudern und sein kleiner Hund, der stets im Weg zu sein schien, fehlten beim Abendessen. Die Mahlzeit verlief förmlicher als sonst, zumal die Stimmung zwischen James und Heather spürbar frostig war und auch William wenig zur Unterhaltung beitrug. James, der Gwyns depressive Stimmung spürte, suchte schließlich nach einer besonders guten Flasche Wein und schlug seiner Frau vor, damit früh zu Bett zu gehen.

Gwyneira schenkte ihm das erste Lächeln an diesem Tag, aber dann kam auch hier etwas dazwischen. Ein junger Viehhüter sorgte sich um eins der Pferde im Stall. Normalerweise hätte er Andy alarmiert, doch in dessen Abwesenheit wandte er sich lieber direkt an die McKenzies, als etwas zu riskieren. James und Gwyn schlossen sich ihm beide an, um bei der Stute nach dem Rechten zu sehen.

Heather Witherspoon nutzte die Gelegenheit, eine Flasche Wein aus dem sonst verschlossenen Schrank zu stibitzen.

»Komm mit, William, dann machen wenigstens wir es uns gemütlich!«, lockte sie, während William noch darüber nachdachte, ob es dem Familienfrieden nicht zuträglicher wäre, wenn er sich den McKenzies anschlösse. Andererseits war er nicht gerade Spezialist für Pferdekrankheiten – und er hatte schon den ganzen Tag draußen verbracht, während es pausenlos regnete. Genug war genug.

Er wunderte sich ein wenig, als Heather ihn nicht wie sonst mit in ihr Zimmer nahm, sondern zielsicher die Räume ansteuerte, die er mit Kura bewohnt hatte.

»Ich hab mir von Anfang an gewünscht, mal in diesem Bett zu schlafen!«, erklärte sie vergnügt und stellte den Wein auf dem Nachttisch ab. »Weißt du noch, wie wir es ausgesucht haben? Ich glaube, damals habe ich mich in dich verliebt. Wir hatten den gleichen Geschmack, die gleichen Vorstellungen ... eigentlich sind das hier unsere Zimmer, William. Wir sollten sie endlich zusammen in Besitz nehmen.«

William gefiel das nicht wirklich. Erstens hatte er zwar sehr konkrete Erinnerungen an dieses Bett, aber die betrafen weniger seine Auswahl als die Wonnen, die Kura ihm darin bereitet hatte. Nun mit Heather in diesem Bett zu schlafen erschien ihm beinahe wie eine Entweihung. Und schlimmer noch, er hatte das Gefühl, seinen Ehebruch damit erst vollkommen zu machen. Bisher hatte er sein Verhältnis zu Heather einfach mit Kuras Rückzug entschuldigt. Aber jetzt – es erschien ihm nicht richtig, in ihre Privaträume einzudringen.

Heather aber lachte nur und entkorkte den Wein.

»Gibt es keine Gläser hier?«, fragte sie ungläubig. »Habt ihr beide nie ...«, sie kicherte, »... eine kleine Ermutigung gebraucht?«

William hätte antworten können, dass er nie auch nur daran hatte denken müssen, Kura mit Wein zu enthemmen. Aber dann holte er doch gehorsam Gläser. Was nutzte es, Heather zu erzürnen.

Immerhin machte er noch einen Versuch zum Rückzug.

»Heather, wir sollten hier wirklich nicht ... ich meine, wenn jemand kommt ...«

»Nun sei doch kein Feigling!« Heather reichte ihm sein Glas und nahm selbst einen ersten Schluck. Der Wein war hervorragend. »Wer soll schon kommen? Miss Gwyn und Mr. James sind im Stall, und Jack ist fort ...«

»Das Baby könnte schreien«, meinte James. Das hätten sie in diesem Teil des Hauses allerdings gar nicht gehört.

»Das Baby schläft bei Miss Gwyn. Ich habe selbst gehört, dass sie gesagt hat, sie nähme es zu sich. Also lass diesen Unsinn, Will, und komm ins Bett!«

Heather zog sich aus, was sie eigentlich nicht gern tat, während das Licht noch hell leuchtete. In ihrem Zimmer pflegte sie allenfalls eine Kerze zu entzünden, wenn sie sich liebten, und William war das durchaus recht, denn noch immer träumte er von Kura, während er Heathers Körper liebkoste. Hier aber ließ sie die Gaslampen brennen; sie schien sich an den selbst gestalteten Räumen nicht sattsehen zu können.

William wusste nicht, was er noch einwenden sollte. Er nahm einen tiefen Schluck von seinem Wein. Vielleicht half der ihm ja, Kuras Schatten in diesen Zimmern zu vergessen.

Das Pferd im Stall hatte eine Kolik, und Gwyneira und James verbrachten lange Zeit damit, ihm ein Abführmittel einzuflößen, den Bauch zu massieren und es herumzuführen, um die Darmtätigkeit in Gang zu bringen. Nach mehr als einer Stunde – das Schlimmste war inzwischen vorüber – fiel Gwyneira dann siedend heiß ein, dass sich im Haus niemand um Gloria kümmerte. Gewöhnlich konnte sie sich da ganz auf Jack verlassen, aber William oder Miss Heather dachten bestimmt nicht daran, das Kind im Auge zu behalten, und Moana und Kiri waren schon gegangen, bevor die McKenzies in den Stall gerufen wurden.

Gwyn überließ James und dem jungen Viehhüter also die weitere Versorgung der Stute und lief ins Haus, um nach Gloria zu sehen. Die Kleine war inzwischen fast ein Jahr alt und schlief meistens durch, aber vielleicht vermisste sie Jack ja auch schon und war deshalb unruhig. Tatsächlich war sie wach, als Gwyneira an ihr Bettchen trat, aber sie schrie nicht, sondern murmelte nur vor sich hin, als führe sie Selbstgespräche. Gwyneira lachte und nahm sie auf.

»Na, was erzählst du denn deinem Püppchen?«, fragte sie freundlich und hielt Gloria das Spielzeug hin. »Wilde Geschichten von Walfischen, die unseren Jack auffressen?« Sie wiegte das Baby und erfreute sich an seinem anschmiegsamen Körper und seinem Geruch. Gloria war ein freundliches, unproblematisches Kind. Gwyn erinnerte sich daran, dass Kura sehr viel mehr geschrien hatte, obwohl Marama sie ständig bei sich trug, während Gloria fast zu oft allein war. Kura war immer anspruchsvoll gewesen. Und schon als Baby außergewöhnlich hübsch. Das hatte sie Gloria nicht vererbt; das Kind war niedlich, aber nicht so hinreißend wie seine Mutter im gleichen Alter. Gloria hatte porzellanblaue Augen, und inzwischen war es ziemlich sicher, dass sie diese Farbe behalten würden. Ihr noch spärliches Haar schien sich aber noch nicht recht entscheiden zu können, ob es dunkelblond oder hellbraun werden wollte. Ein Rotstich war nicht erkennbar, und das Haar war auch nicht glatt und kräftig, wie bei Kura schon als Kleinkind, sondern lockig und flaumig weich. Auch ihre Gesichtszüge wirkten nicht exotisch wie Kuras, sondern wiesen eher leichte Ähnlichkeiten mit Paul und Gerald Warden auf. Ihr energisches Kinn war ganz sicher Warden'sches Erbe, ansonsten waren ihre Züge jedoch weicher als die ihres Großvaters; hier schlug wohl eher William durch.

»Für uns bist du schön genug!«, raunte Gwyneira ihrer Urenkelin zu und wiegte sie sanft hin und her. »Und jetzt kommst du mit mir, wir nehmen dein Körbchen mit, und du schläfst heute bei Granny Gwyn ...«

Sie trug das Kind aus dem Zimmer und ging über den dunklen Flur. Dabei konnte sie den Lichtschein nicht übersehen, der aus Kuras Wohnung fiel.

Gwyneira runzelte die Stirn. William war offensichtlich schon nach oben gegangen, denn im Salon hatte sie niemanden mehr angetroffen. Aber was machte er hier in Kuras Räumen? Erinnerungen auffrischen? Sein eigenes Zimmer befand sich am anderen Ende des Ganges.

Gwyn schalt sich für ihre Neugierde und wollte schon weitergehen, als sie vermeinte, Raunen und Kichern in den Zimmern zu hören. William? Plötzlich erinnerte sie sich an James und sein Misstrauen gegenüber Heather Witherspoon. Bislang hatte sie diesen Verdacht stets als absurd abgetan, aber das hier …

Gwyneira wollte es jetzt wissen. Wer immer sich in Kuras Privaträumen vergnügte, war nicht befugt. Dies war immerhin ihr Haus.

Gwyn stellte das Körbchen ab, behielt Gloria jedoch auf dem Arm. Dann riss sie die Tür auf. Sie vernahm das Flüstern und Stöhnen jetzt ganz deutlich. Im Schlafzimmer …

Gloria begann zu schreien, als ihre Urgroßmutter auch diese Tür öffnete und sie plötzlich mit hellem Licht übergossen wurde, doch Gwyn konnte sich jetzt nicht um die Kleine kümmern. Beinahe ungläubig blickte sie auf William und Heather in Kuras Bett.

Heather erstarrte. William rutschte hastig von ihr herunter und versuchte, seine Blöße zu bedecken.

»Miss Gwyn, es ist nicht, wie Sie glauben …«

Gwyneira hätte fast aufgelacht. Sie wollte schon eine sarkastische Bemerkung machen, aber dann gewann ihre Wut die Oberhand.

»Danke, ich brauche keine Erklärung! Ich habe soeben eine bekommen! Ist es das, weshalb Kura gegangen ist, William? Hat sie gemerkt, was vor sich ging?«

»Miss Gwyn, Kura hat …« William wusste nicht, wie er die Entschuldigung formulieren sollte. Er konnte schwerlich Gwyn erklären, wie Kura sich ihm verweigert hatte. »Sie … Sie wollte nicht …«

Gwyneira blickte ihn kalt an. »Sparen Sie sich das. Ich weiß Bescheid, und ich könnte mich ohrfeigen, dass ich nicht früher darauf gekommen bin. Mit Elaine war es schließlich das Gleiche, nicht wahr, William? Die haben Sie mit Kura betrogen, und jetzt betrügen Sie Kura mit dieser … Sie packen auch Ihre Sachen, Miss Witherspoon! Auf der Stelle! Ich will auch Sie morgen aus dem Haus haben!«

»Auch?«, fragte William verwirrt.

»Ja, auch! Denn Sie werden verschwinden. Und wagen Sie jetzt bloß nicht, Ihre Tochter auch nur zu erwähnen. Kein Richter wird sie einem Ehebrecher zusprechen!« Gwyneira hatte begonnen, das Kind in ihren Armen zu wiegen, woraufhin Gloria sich gleich beruhigte. Neugierig blickte das kleine Mädchen nun auf seinen Vater und Miss Witherspoon. »Schlimm genug, dass sie das mit ansehen musste.«

»Aber ich liebe Kura ...«, flüsterte William.

Gwyneira verdrehte die Augen. »Da haben Sie aber eine seltsame Art, Ihre Liebe zu zeigen. Es interessiert mich nicht, wen Sie gerade mal kurzzeitig lieben. Wenn Sie meinen, dass es etwas nutzt, können Sie Kura ja suchen und um Verzeihung bitten. Aber bei mir lungern Sie jetzt nicht mehr herum, trinken meinen Whisky und verführen das Hauspersonal. Verschwinden Sie aus diesem Zimmer! Und verschwinden Sie morgen früh von Kiward Station!«

»Sie können doch nicht ...«

»Und ob ich kann!«

Gwyneira wartete mit steinhartem Gesichtsausdruck, bis William und Heather sich halbwegs züchtig bekleidet hatten. Sie machte sich gerade mal die Mühe, sich umzuwenden, als die beiden aus dem Bett stiegen und ihre Sachen suchten. Dann löschte sie das Licht und verschloss Kuras Zimmer hinter ihnen.

»Morgen früh sind Sie weg!«, erklärte sie dann noch einmal. »Ihren restlichen Lohn lasse ich im Salon auf dem Tisch liegen, Miss Witherspoon. Ich werde gegen neun zum Frühstück herunterkommen. Dann will ich Sie nicht mehr sehen. Beide!«

Damit rauschte sie davon und überließ das gedemütigte Paar sich selbst. Gwyneira musste jetzt noch in ihr Kontor und das Geld für Heather abzählen. Und dann brauchte sie einen Whisky!

James kam aus dem Stall, müde und durchgefroren, als Gwyn sich gerade ein Glas eingeschenkt hatte. Gloria schlief, den Daumen im Mund, in einer Sofaecke.

James warf seiner Frau einen erstaunten Blick zu.

»Betäubst du das Kind mit Schnaps?«, fragte er grinsend.

Gwyneira schenkte ihm ebenfalls ein Glas ein und wandte ihm ihr blasses Gesicht zu. »Ich betäube eher mich selbst. Hier, nimm, du wirst gleich auch einen brauchen!«

Heather Witherspoon wartete, übernächtigt und kreidebleich, vor den Ställen auf William. Er kam gegen sechs Uhr morgens, seine Satteltaschen gepackt, und warf einen erstaunten Blick auf die junge Frau und ihr Gepäck.

»Was machst du denn hier?«, fragte er unfreundlich. »Wär's nicht besser, dich damit an die Straße nach Haldon zu stellen? Da kommt heute garantiert noch jemand vorbei, und wenn du Glück hast, fährt er sogar nach Christchurch.«

Heather blickte ihn ungläubig an. »Wir ... wir gehen nicht zusammen?«

William runzelte die Stirn. »Zusammen? Sei nicht albern, wie sollte mein Pferd denn all diese Sachen schleppen?«

In Heathers Augen schimmerten Tränen. »Du könntest dir doch eine Chaise leihen. Wir ...«

William spürte, wie Zorn in ihm aufwallte.

»Heather, es gibt kein ›wir‹! Ich habe immer versucht, dir das klarzumachen, aber anscheinend wolltest du es nicht verstehen. Ich bin verheiratet, und ich liebe meine Frau ...«

»Sie hat dich verlassen!«, rief Heather.

»Ich hätte ihr gleich hinterherreiten sollen. Natürlich gab es Differenzen, aber das mit uns ... das war ein Fehler. Wir sollten es nicht noch schlimmer machen. Kann ich dir helfen, das Gepäck zur Straße zu tragen?« William legte seine Satteltaschen ab und griff nach ihrem Koffer.

Heather funkelte ihn an. »Das schaffe ich auch allein, du …« Sie wollte schimpfen, schreien, fluchen, aber man hatte ihr von klein an eingeschärft, dass eine Dame so etwas nicht tat, und so fand sie jetzt nicht einmal Worte, ihrer Wut Luft zu machen.

Heather redete sich ein, dass sie damit zumindest ihre Würde wahrte. Sie zerbiss ihre Lippe, weinte aber nicht, als sie die Sachen auf den Weg schleppte.

»Viel Glück, William«, brachte sie sogar noch heraus. »Ich hoffe, du findest deine Kura und wirst glücklich!«

William erwiderte nichts. Als er eine halbe Stunde später an die Weggabelung nach Haldon und Christchurch gelangte, war Heather verschwunden.

4

In den nächsten Monaten lernte William eine Menge über Schafe, Rinder und Goldwaschen, am meisten allerdings über sich selbst.

Seine Suche nach einer Arbeit, die ihm gerecht wurde und genügend Geld einbrachte, dass er sein Leben fristen konnte, führte ihn über die gesamte Südinsel und beinahe darüber hinaus. Denn zunächst verfolgte er tatsächlich das Ziel, Kura wiederzufinden. Doch das Opernensemble war längst in Australien, und William fehlte das Geld für die Überfahrt – ganz abgesehen davon, dass er keinen genauen Tourneeplan besaß und Kura in dem riesigen Land folglich niemals gefunden hätte. So tröstete er sich mit dem Wissen, dass die Sänger irgendwann zurückkommen würden. George Greenwood erhielt Sonderkonditionen für Schiffsreisen von Christchurch nach London, sodass die Stadt auf der Südinsel Anfangs- und Endpunkt der Tournee des Ensembles bildete. Auch ein paar weitere Städte auf der Südinsel würden die Sänger noch besuchen. William musste also ein paar Wochen überbrücken.

Das allerdings erwies sich als nicht ganz einfach, zumal sein Stolz ihm untersagte, in der Umgebung von Kiward Station nach Arbeit zu fragen. Bislang kannten die Schafbarone ihn hier schließlich als Gleichgestellten. Nicht auszudenken, dass er jetzt als Viehtreiber bei ihnen anheuerte! So lenkte er die Schritte seines Pferdes erst einmal in Richtung Otago und zu den Schaffarmen im Bereich der McKenzie Highlands. Arbeit gab es hier immer, doch William blieb nirgends lange. Es war, wie er schon auf Kiward Station vermutet hatte: Der direkte Umgang mit den Tieren lag ihm nicht, und Verwalteraufgaben erledigten die Besitzer der Farmen selbst oder vertrauten sie lang gedienten Arbeitern an. Außerdem behagten William die Unterkünfte der Viehtreiber nicht; er hasste Übernachtungen unter freiem Himmel, und die rauen Scherze der Männer, die oft auf seine Kosten gingen, empfand er eher als beleidigend denn unterhaltend.

So zog er von Farm zu Farm und gab sogar ein Gastspiel auf Lionel Station, wo er Genaueres über Elaines Tragödie erfuhr. William bedauerte diese Angelegenheit inzwischen zutiefst. Er wusste, dass ihm zumindest James McKenzie und sicher auch Elaines sonstige Familie eine Mitschuld an der überstürzten Heirat gaben – Elaine war nie ganz über ihre Verliebtheit in ihn hinweggekommen. Außerdem war er inzwischen längst zu dem Ergebnis gelangt, dass Elaine auch für ihn die bessere Partie gewesen wäre. Die Mitarbeit im O'Kay Warehouse hatte ihm weitaus besser gelegen als die Beschäftigung auf Kiward Station, und Elaine war zwar nicht so aufregend, dafür aber berechenbarer und sanfter gewesen als Kura.

Allerdings schlug sein Herz schon wieder schneller, wenn er nur Überlegungen anstellte, in denen Kura eine Rolle spielte. Verdammt, er hatte sie wirklich geliebt, er liebte sie noch! Und er hätte alles auf sich genommen, auch die Schwierigkeiten auf der Farm, wenn sie nur bei ihm geblieben wäre. Warum konnte sie nicht zufrieden sein mit dem, was sie hatte?

Aber letztlich hatte Elaine das ja ebenfalls nicht gekonnt. Zwar fand auch William John Sideblossom eher abstoßend, doch Lionel Station war ein wunderschöner Besitz. Und Elaine hatte doch immer davon geträumt, auf einer Schaffarm zu leben.

William blieb nicht lange auf Lionel Station. Die Atmosphäre war düster, und John zahlte schlecht – kein Wunder; er sorgte ja offenbar selbst für einen nicht abreißenden Strom nachwachsender Billigarbeiter. Der scharfsichtige William hatte die Ähnlichkeit der Maori-Viehhüter mit ihrem Arbeitgeber gleich bemerkt. Mit seinen ehelichen Kindern hatte der Mann dagegen weniger Glück. Zoé Sideblossoms erstes Kind war bei der Geburt gestorben, und eben hatte sie wieder eine Fehlgeburt erlitten.

William zog weiter auf die Goldfelder bei Arrowtown, hatte aber wieder kein Glück. Auch die Seehundjagd an der Westküste stieß ihn eher ab, als dass sie ihn lockte. Inzwischen war diese Jagd ohnehin ein recht mühsames Geschäft. Die Tiere warteten längst nicht mehr zu Hunderten am Strand auf ihre Jäger, sondern waren ängstlicher geworden. William versuchte es mit einem Aushilfsjob bei einem Sargtischler, aber diese Arbeit war ihm zu trübsinnig. Dabei war der Tischler der erste Chef, der seinen Weggang bedauerte: Seit William die Kunden beriet, gaben sie deutlich mehr Geld für schönere und aufwändigere Särge aus.

Schließlich verschlug es ihn nach Westport, wieder ein bisschen in der Hoffnung, mit Kura zusammenzutreffen. Auf Kiward Station hatte man gemunkelt, dass die Westküste eine der letzten Tourneestationen sein würde. Allerdings sah und hörte William nichts von Opernensembles. Dafür wurden Arbeiter für Kohleminen gesucht. Das schien ein recht gut bezahlter Job zu sein, doch William scheute die Knochenarbeit in der Mine. Seiner Ansicht nach musste man zum Bergmann geboren sein. Also begab er sich lieber mit seiner Goldgräberausrüstung an den Buller River. Und endlich hatte er ein bisschen Glück: An nur einem Tag Arbeit holte er Goldstaub für etwa dreißig Dollar aus einem Bach. Die Hälfte steckte der Besitzer des Claims ein; William selbst hatte keinen Claim abgesteckt. Doch fünfzehn Dollar reichten immerhin, um ein paar Tage in einem Hotel zu wohnen, guten Whisky zu trinken und ins Badehaus zu gehen. William zog also in den offenbar recht gut geführten Pub, der auch Zimmer vermietete, und bestellte erst einmal einen Drink. Während der Besitzer sein Glas füllte, ließ er die Blicke durch den Raum schweifen – und wunderte sich!

Der Gastraum war nicht wie üblich nur von Männern besucht, die allein oder in Gruppen ihren Whisky tranken, Karten oder Dart spielten. Stattdessen bildete ein Mann den Mittelpunkt, der eine seltsame kleine Maschine auf einem Tisch deponiert hatte und daran arbeitete. Er trieb das ratternde kleine Ding mittels einer Kurbel an der Seite an und hielt dabei einen Vortrag. Noch verwunderlicher war sein Publikum. Um Mann und Maschine versammelte sich eine Traube aufgeregt schnatternder Frauen und Mädchen. Ehrbare Frauen offensichtlich; ihre Kleider waren schlicht, und die älteren Damen hielten nicht nur die Maschine im Blick, sondern auch ihre Töchter, die wohl zum ersten Mal im Leben einen Pub betreten hatten. Dabei interessierten die Mädchen sich allerdings kein bisschen für die Einrichtung der Kneipe oder die wenigen einsamen Zecher in den Ecken. Sie hatten nur Augen für den stattlichen jungen Mann, der ihnen jetzt offensichtlich die Feinheiten des Gerätes erklärte.

»Sehen Sie, wo eine geübte Näherin fünfzig Stiche macht, schafft dieses kleine Wunderwerk dreihundert. Unter den Händen einer jeden Frau! Wollen Sie es mal versuchen?«

Der Mann ließ den Blick über die Runde der Frauen und Mädchen schweifen, die um ihn herumstanden wie eine Klasse eifriger Schülerinnen. Schließlich wählte er eine hübsche kleine Blonde. Sie errötete sofort.

»Soll ich wirklich?«, zierte sie sich.

Der junge Mann fuhr sich lächelnd über sein lockiges, dunkles Haar.

»Aber sicher, Milady! Sie können an der Maschine nichts kaputt machen, im Gegenteil: Unter so schönen Händen wird sie erst recht zu großer Form auflaufen!«

Das Mädchen ließ sich geschmeichelt vor der Maschine nieder und begann die Kurbel zu drehen. Sie schien allerdings nicht allzu erfolgreich zu sein, sondern schrie erschrocken auf, als irgendetwas schiefging.

»Oh, das macht doch nichts, Milady. Es passiert am Anfang schon mal, dass der Faden reißt. Aber das bringen wir rasch in Ordnung ... sehen Sie, wir fädeln ihn nur hier ein ... und hier und hier, und dann wieder durch die Nadel ... das geht ganz leicht! Und schon können Sie es von neuem versuchen. Aber jetzt den Stoff nicht festhalten, nur führen. Mit sanfter Hand, das sollte Ihnen doch leichtfallen ...«

Während das Mädchen erneut ansetzte, trat William näher, sein Glas in der Hand. Er war größer als die meisten Frauen und Mädchen und konnte leicht über sie hinwegsehen. Die kleine Maschine sah ein bisschen aus wie ein großes Insekt, das den Kopf hungrig über ein Beutetier beugt und immer wieder rasch die Zähne hineinschlägt. Die »Beute« erwies sich als zwei Stücke Stoff, die Zähne als Nadel, die blitzschnell hindurchfuhr und die Teile mittels einer sauberen Naht verband. Bei dieser Näherin geriet sie allerdings noch ein wenig schief.

»Lass mich mal!«, meinte eine ältere Frau, und die Kleine räumte den Platz. Die Frau drehte die Kurbel in ruhigerem Tempo, woraufhin auch die Nadel ihren Tanz verlangsamte – dafür aber wurde die Naht diesmal gerade. Der Mann konnte sich vor Begeisterung kaum halten.

»Da sehen Sie's! Sie sind ein Naturtalent, gnädige Frau! Ein paar Tage Übung, und Sie nähen das erste Kleid! Wunderbar!«

Die Frau nickte. »Tatsächlich, ein kleines Wunder. Aber hundert Dollar sind ja auch viel Geld ...«

»Ach was, gnädige Frau. So dürfen Sie nicht rechnen! Natürlich erscheint die Ausgabe auf den ersten Blick gigantisch. Aber überlegen Sie mal, was Sie einsparen! Mit dieser Maschine nähen Sie die Kleider für Ihre ganze Familie. Sie nähen Vorhänge, Bettwäsche ... und auch ältere Sachen lassen sich leicht verschönern und gewinnen damit neuen Wert. Schauen Sie mal!«

Der Mann nahm den Platz an der Maschine wieder ein, zog ein schlichtes Kinderhemd und etwas Spitze aus einem Stapel bereitliegender Stoffe und maß die Länge mit geschickten Bewegungen ab. Dann platzierte er Spitze und Hemdchen unter der Nadel der Maschine. Sie ratterte los, und binnen weniger Sekunden war der Ausschnitt des kleinen Kleidungsstückes mit adretter Spitze umgeben. Die Frauen reagierten mit bewundernden Ausrufen.

»Hier, ist es nicht wie neu?«, triumphierte der Mann. »Und bedenken Sie, was ein Spitzenhemdchen kostet. Nein, nein, eine Nähmaschine ist nicht teuer, sie amortisiert sich in kürzester Zeit! Viele meiner Kundinnen machen sogar ein kleines Geschäft daraus und nähen bald Kleider für ihre Freundinnen und Nachbarinnen. Außerdem müssen Sie ja nicht alles auf einmal zahlen! Meine Firma bietet Ihnen an, die Maschine auf Raten zu erwerben. Sie zahlen jetzt etwas an und dann später jeden Monat ein paar Dollar ...«

Der Mann redete mit Engelszungen, bis alle Frauen und Mädchen nur darauf brannten, das Gerät auszuprobieren. Der Verkäufer ließ sie geduldig eine nach der anderen an die Maschine und hatte für jede ein anerkennendes und schmeichelndes Wort. Er lachte über kleine Missgeschicke und lobte winzigste Erfolge in den Himmel. William fand es äußerst unterhaltsam, ihm zuzuhören.

Schließlich unterschrieben drei Frauen direkt eine Bestellung für eine der Maschinen. Zwei andere erklärten, sie müssten noch mit ihren Gatten darüber beraten.

Der Mann wirkte hochzufrieden, als die aufgeregte Gesellschaft sich schließlich auflöste. William gesellte sich zu ihm, während er seine Stoffe und seine Maschine zusammenräumte.

»Das ist ein faszinierendes Gerät!«, bemerkte er. »Wie nennt man es?«

»Nähmaschine«, wiederholte der Mann. »Hat ein Mr. Singer vor vierzig Jahren erfunden. Das heißt ... erfunden hat er das Ding wohl nicht, aber auf den Markt gebracht. Zu erschwinglichen Preisen. Auf Raten sogar, wenn die Damen wollen. Nähen Sie jetzt, bezahlen Sie später. Genial!«

Dem konnte William nur zustimmen.

»Sie bauen die Dinger also nicht selbst? Darf ich Sie übrigens zu einem Drink einladen, Mister ...?«

»Carl Latimer, zu Ihren Diensten. Und ich nehme gern einen Whisky.« Latimer schob die ordentlich verpackte Nähmaschine zur Seite und schuf so Platz für William und die Whiskyflasche. Dann erst beantwortete er dessen Frage.

»Natürlich baue ich die Maschinen nicht selbst. Das könnte kein Mensch für hundert Dollar. Ist schließlich ein aufwändiges Teil. Was denken Sie, wie viele Patente da drinstecken! Zum Teil streiten die Erfinder sich heute noch darum, wer wem welche Ideen geklaut hat. Das geht mich alles nichts an. Ich bin Handelsvertreter. Ich bringe die Dinger nur an den Mann ... oder besser die Frau.«

William schenkte ihm noch mal ein.

»Handelsvertreter?«

»So was wie ein Bibelverkäufer«, erwiderte Latimer lachend. »Das habe ich früher tatsächlich getan, aber es war längst nicht so interessant und einträglich. Aber letztlich ist es das gleiche Prinzip: Man geht von Haus zu Haus und erklärt den Menschen, der Kauf dieses Produkts führe umgehend zur ewigen Glückseligkeit. In Städten kann man sich das Tingeln von Haus zu Haus allerdings sparen. Da kommen die Leute ganz freiwillig zu meinen Demonstrationen dieses kleinen Wunderwerks. Aber meistens reise ich von Farm zu Farm und führe den Frauen die Maschinen einzeln vor.«

»Dabei verkaufen Sie aber nicht so viele, oder?«, meinte William.

Latimer nickte. »Stimmt, aber dafür fallen die Kosten für Essen und Hotel weg. Die Damen bieten mir mit Freuden ihre

Gästezimmer an – und Sie glauben nicht, wie oft sich noch ein niedliches Töchterchen oder Dienstmädchen findet, das einem die Nächte verschönt! Und der Absatz ist gar nicht sooo schlecht. Man muss sich die Farmen halt aussuchen. Den kleinen Betrieben mangelt es oft an Geld, aber da greift dann die Ratenplan-Idee. Wenn die Frau hoffen kann, sich mit der Maschine noch ein bisschen was dazuzuverdienen, ist sie gleich begeistert. Und auf den großen Farmen haben sie Geld wie Heu, dafür langweilen sich die Frauen in der Einöde. Ich zeig ihnen dann immer französische Modezeitschriften und ködere sie mit der Idee, die Kleider nachzuschneidern. Also, ich will ja nicht angeben, aber zwei von drei Damen krieg ich rum. Das ist eine Sache der Beredsamkeit!«

William nickte und hatte wieder die Stimme des Bankers in Queenstown im Ohr: »Warum versuchen Sie nicht, mit etwas Geld zu verdienen, das Ihnen wirklich liegt?«

»Sagen Sie ...« William hob sein Glas. »Wie wird man Handelsvertreter? Braucht man dazu eine Ausbildung? Startkapital? Wo haben Sie überhaupt gelernt, diese Maschine zu bedienen?«

William verdiente sich das Startkapital bei dem hocherfreuten Sargtischler und übte dabei weiter sein Verkaufsgeschick. Das Vorführgerät musste vom Vertreter selbst erworben werden; außerdem konnte man es nicht auf dem Pferd transportieren, sondern brauchte einen leichten Wagen.

Doch schon kurz nach seiner Bewerbung bei der Firma, für die Latimer arbeitete, erhielt er eine Einladung zum Einführungslehrgang in Blenheim. Er lernte, das Prinzip der Nähmaschine zu verstehen, das Gerät auseinanderzunehmen und wieder zusammenzusetzen und im Notfall auch kleine Reparaturen durchzuführen. Natürlich übten die künftigen Vertreter – ausnahmslos junge, gut aussehende und charmante

Männer – auch perfekt gerade Nähte zu produzieren und rasch kleine Kleidungsstücke herzustellen und zu verschönern.

»Es reicht nicht, einfach nur zu nähen! Sie müssen die Frauen verblüffen, begeistern – und da geht nichts über ein Kinderkleidchen, das Sie in wenigen Minuten zusammennähen!«, erklärte der Lehrer, doch William hörte nur halb zu. Es würde ihm ein Leichtes sein, seine Kundinnen zu überzeugen. Reden hatte er schließlich schon immer gekonnt. Wie hatte Elaine diese Kunst genannt? *Whaikorero?*

William hatte endlich etwas gefunden, das er besser konnte als alle anderen.

Kura hatte immer schon geahnt, dass sie besser singen konnte als alle anderen. Nun wuchs ihre Überzeugung, eine begnadete Sängerin zu sein, mit jedem Tag.

Obwohl Roderick ihre Gesangsstunden inzwischen eingestellt hatte – trotz all ihrer Bemühungen und Gegenleistungen hatte er irgendwann die Lust verloren und nahm sie jetzt lieber mit auf Ausflüge zu den Sehenswürdigkeiten der Orte, an denen sie gastierten –, überflügelte sie die anderen Sänger mühelos. Dank der verbesserten Stimmführung schaffte sie mehr Höhen und Tiefen. Ihre Stimme umfasste jetzt fast drei Oktaven. Sie hielt die Töne länger und brauchte sich nie damit zu helfen, dass sie lauter sang, als in der Partitur angegeben. Selbst im schwächsten Stück der Aufführung, dem Troubadour-Quartett, bei dem sich die anderen Sänger durchweg gegenseitig niederschrien, ging ihre Azucena nicht unter. Kuras starke Stimme setzte sich auch in normaler Lautstärke durch, und sie wirkte dabei nicht angestrengt, sondern fand sogar Zeit, ihre Rollen schauspielerisch auszufüllen. Das Publikum bereitete ihr jeden Abend stehende Ovationen, und sie fühlte sich immer sicherer. Kura war fest entschlossen, mit dem Ensemble zurück nach England zu reisen. Sie reagierte verwundert, als Brigitte ihr verriet, dass die Truppe sich nach der Tournee trennen würde.

»Wir sind nur für Neuseeland und Australien engagiert«, meinte die Tänzerin, die ihre alte Form inzwischen wiedergefunden hatte. Kura empfand in dieser Hinsicht fast Respekt für sie. Brigitte übte so verbissen an einer Stuhllehne als improvisierter Ballettstange wie Kura Tonleitern sang.

»Du glaubst doch auch nicht, dass uns in Europa einer sehen wollte! Die Sänger sind durchweg eine Katastrophe, auch wenn es nur Sabina einsieht. Sie will anschließend aufgeben und Gesangsstunden geben. Und die Tänzer ... ein paar Jungen sind gut, aber die meisten Mädchen sehen nur gut aus. Wahrscheinlich hat unser Roddy sie auch nur nach dem Aussehen ausgesucht. Ein richtiger Impresario ist da kritischer. Den interessiert nicht, wie du lächelst. Dem geht es nur darum, wie du tanzt.«

Oder singst, dachte Kura mit einem Anflug von Angst. Aber sie glaubte fest, dass sie es auch in London schaffen würde. Zumal sie nicht allein war, bestimmt half ihr Roderick weiter. Der hatte doch sicher auch in England Kontakte, und womöglich stellte er ja gleich eine neue Truppe für eine neue Tournee zusammen ...

Kura war also guten Mutes, als sie Australien schließlich verließen und sich nach Wellington einschifften. Von dort ging es zurück zur Südinsel; die Fähre landete in Blenheim. Kura hatte keine Ahnung, dass William dort gerade, als die Sänger von Bord gingen und sich zur Weiterfahrt nach Christchurch rüsteten, in einer zugigen Fabrikhalle am Stadtrand saß und mit den Tücken einer Handnähmaschine kämpfte. Allerdings wusste sie, dass er nicht mehr auf Kiward Station war. Sie schrieb sporadisch an Gwyneira und erhielt auch gelegentlich Briefe von ihr, wenn sie länger an einem Tourneeort war oder wenn George Greenwood sich um die Weiterleitung der Post kümmerte. Über die näheren Umstände von

Williams Weggang war sie allerdings nicht informiert. Gwyn schrieb nur, dass auch Miss Witherspoon die Farm verlassen hatte.

Jack hat jetzt einen Hauslehrer, einen sehr sympathischen Studenten aus Christchurch. Er kommt nur am Wochenende, aber dann schafft er es wirklich, Jack und Maata für den »Gallischen Krieg« zu begeistern, was immer das ist. Und die Maori-Kinder unterrichtet zurzeit Jenny Greenwood! Angeblich denkt sie daran, ein Lehrerinnenexamen abzulegen, aber wenn Du mich fragst, hat sie sich nur um die Stelle beworben, weil Stephen O'Keefe im Sommer zu Besuch kommen will. Erinnerst Du Dich noch, wie die zwei auf Deiner Hochzeit geturtelt haben?

Kura erinnerte sich nicht, und es war ihr auch egal. Miss Witherspoon hätte ihr jetzt sowieso nichts mehr beibringen können. Und William ... tagsüber fand sie kaum Zeit, an ihn zu denken, doch in den Nächten vermisste sie ihn immer noch, selbst dann, wenn sie das Bett mit Roderick teilte. Das geschah in letzter Zeit allerdings seltener. Kura verlor zusehends das Interesse an dem älteren und eher langweiligen Liebhaber. Sie verehrte Barrister nicht mehr so sehr wie zu Anfang; inzwischen war sie geschult genug, um die Schwächen seiner Sangeskunst zu erkennen und zu wissen, dass sie es hier mit keinem besonderen Talent zu tun hatte. Auch als Lehrer war er keineswegs so gut, wie sie anfangs gemeint hatte. Als sie einmal zufällig bei einer Gesangsstunde mithörte, die Sabina Brigitte gab, verstand sie viel besser, worum es ging. Dennoch war sie Barrister weiterhin zu Willen, wenn er nach ihr verlangte. Sie brauchte ihn schließlich noch, er war ihr Ticket nach London!

Roderick Barrister dachte ernstlich darüber nach, Kura nach England mitzunehmen. Das Mädchen war außerordentlich begabt und obendrein eine Freude im Bett. Als seine Partnerin auf der Bühne kam sie allerdings nicht mehr in Frage. Obwohl ihr Potenzial längst noch nicht ausgeschöpft war, übertrumpfte sie ihn schon bei weitem. Das Publikum in Australien honorierte dies, indem es ihr mehr Vorhänge zugestand, und damit konnte Roderick leben. In London würde man ihn allerdings ausbuhen; da machte er sich keine Illusionen. Wenn er Kura nach England mitnahm, musste er seine Zukunft an ihr ausrichten. Er konnte ihr Lehrer bleiben und ihr Impresario. Roderick traute sich zu, sie so an sich zu binden, dass sie ohne seine Beratung kein Engagement annehmen und keinen Schallplattenvertrag unterschreiben würde. Das Mädchen war schließlich erst achtzehn; es brauchte einen väterlichen Freund, der es leitete und seine Verträge aushandelte. Das konnte durchaus Geld bringen, wahrscheinlich mehr, als Roderick als Sänger je verdienen würde. Eigentlich sprach alles dafür – wenn da nur nicht sein übermächtiges Verlangen gewesen wäre, auf der Bühne zu stehen!

Roderick liebte die Bühne. Er war süchtig nach dem Gefühl der Erwartung, wenn der Vorhang aufging, der Stille im Publikum, bevor die Musik einsetzte, und dem Applaus – vor allem dem Applaus! Wenn er sich jetzt für Kura entschied, würde er das nie mehr erleben. Jedenfalls nicht direkt; er konnte selbstverständlich noch hinter der Bühne stehen und bei Kuras Auftreten mitfiebern. Es wäre nur nicht das Gleiche! Es wäre ein Leben aus zweiter Hand, ein Auftritt in der zweiten Reihe. Und wenn Roderick ehrlich war, so war er nicht bereit dazu. Noch nicht. Wenn Kura ihm vielleicht fünf Jahre später über den Weg gelaufen wäre. Aber noch hatte er sein gutes Aussehen, das ihm immer wieder zu Engagements verhalf. Er war jung genug, um Tourneen wie diese durchzustehen. Vielleicht ergab sich ja ein neues Arrangement solcher

Art; er sollte mal gezielt danach suchen. Vielleicht tourte er dann bald durch Indien oder Afrika!

Wenn Roderick auf der Bühne stand, verließ ihn alles Denken und Planen. Der Applaus war besser und befriedigender als alles andere, sogar schöner als Sex. Und je mehr er gesanglich gegen Kura abfiel, je weniger die Menschen ihn beachteten, desto schneller schwand seine Liebe für die junge Frau. Sofern es überhaupt Liebe und nicht nur Begehren gewesen war.

Nach dem letzten Auftritt stand für ihn fest, dass er Kura nicht mitnehmen würde. Sollte sie in Neuseeland Karriere machen! Das schaffte sie bestimmt. Und wenn sie dann irgendwann nach London käme, gab es für sie vielleicht eine zweite Chance.

Er durfte sie nur nicht verärgern, wenn er es ihr sagte. Und er sagte es ihr besser nicht zu früh.

Gwyneira besuchte das Abschiedskonzert in Christchurch gemeinsam mit Marama, Kuras Mutter. Eigentlich hatte sie James, Jack und vor allem die kleine Gloria ebenfalls mit nach Christchurch nehmen wollen. Marama wollte Mutter und Kind unbedingt wieder zusammenführen. James weigerte sich allerdings kategorisch, für Kuras Gesang auch noch Eintritt zu bezahlen, und Jack wollte vor allem Gloria auf keinen Fall ihrem Einfluss aussetzen.

»Wahrscheinlich wird sie schreien, wenn Kura singt«, meinte der Junge. »Aber wir haben es jetzt schon längere Zeit nicht mehr versucht. Vielleicht hält sie diesmal still, und dann meint Kura womöglich noch, sie wäre begabt. Man weiß nie, auf welche Ideen sie kommt. Was machen wir, wenn sie Glory plötzlich mit nach England nehmen will?«

»Aber sie ist ihre Mutter …«, wandte Gwyneira halbherzig ein.

James schüttelte unwillig den Kopf. »Wo Jack Recht hat, hat er Recht. Kura hat sich nie um das Kind gekümmert. Aber jetzt ist es größer und niedlich ... dem Mädchen könnte da sonst was in den Kopf kommen. Geh das Risiko lieber nicht ein. Wenn Kura Glory sehen will, kann sie nach Kiward Station kommen. Das Schiff nach England wird ja nicht gleich morgen abfahren.«

Gwyneira fand diese Argumente stichhaltig. Marama blieb allerdings bei ihrer Ansicht, man sollte zumindest versuchen, Kura für Gloria zu interessieren. Jack löste das Problem dann sicherheitshalber auf seine Art: Am Morgen der Fahrt nach Christchurch war er mit dem kleinen Mädchen verschwunden. Neuerdings setzte er sie vor sich aufs Pferd, eine Suche war also zwecklos. Die beiden konnten meilenweit weg sein.

»Ich lege ihn übers Knie, wenn er wiederkommt«, versprach James halbherzig, als die Frauen schließlich abfuhren. Dabei zwinkerte er Gwyneira zu. Wahrscheinlich würde er seinen Sohn eher beglückwünschen.

Marama war bislang selten in Christchurch gewesen und vergaß die kleine Enttäuschung schnell über die Reise. Die Frauen sprachen über das Wetter, die Schafe und Glorias Entwicklung – viel mehr hatten sie inzwischen nicht mehr gemeinsam. Marama ging ganz in ihrem Stamm auf, unterrichtete Lesen und Schreiben, vor allem aber Tanz und Musik. Sie war anerkannte *tohunga*, und sie liebte ihren Mann. Die neuesten Bücher aus England, neue Erfindungen und Politik interessierten sie nicht mehr so wie früher, als sie mit Kura auf Kiward Station gelebt hatte.

Dennoch verlief der Ausflug harmonisch. Sie trafen früh in Christchurch ein und hatten Zeit genug, sich vor dem Konzert frisch zu machen. Natürlich hätten sie sich auch gern mit Kura getroffen, aber das kam nicht zustande. Angeblich brauchten die Sänger ihre Konzentration vor dem Auftritt. Stattdessen traf Gwyn in der Lobby Elizabeth Greenwood und ihre jüngste Tochter Charlotte. Gwyn musste lächeln. Das zartgliederige, hellblonde Mädchen glich fast aufs Haar der kleinen Elizabeth, die sie damals auf der *Dublin* zum ersten Mal gesehen hatte.

»Ich bin ja so gespannt auf Ihre Kura, Miss Gwyn!«, meinte Elizabeth fröhlich, als die Frauen sich zu einer Tasse Tee gesetzt hatten. »Alle Leute schwärmen von ihr, sie soll unglaublich schön singen.«

Gwyneira nickte, aber sie fühlte sich unbehaglich. »Die Leute haben immer von ihr geschwärmt«, meinte sie zurückhaltend.

»Aber George meint, sie hätte sich weiterentwickelt. Das hat zumindest der Impresario gesagt, George selbst versteht ja nichts davon. Aber er meint, der Mann nimmt sie wohl mit nach England. Was sagen Sie denn dazu, Miss Gwyn? Sind Sie nicht noch ihr Vormund?«

Gwyneira seufzte. In Christchurch zerriss man sich also schon die Mäuler, auch über Kura und den »Impresario«. Nun, William hatte das ja gleich vorausgesehen. Aber jetzt musste sie erst einmal diplomatisch geschickt antworten.

»Streng genommen bin ich das nicht mehr, sie ist schließlich verheiratet. Also müsstest du eigentlich fragen, was William davon hält. Das wüsste ich im Übrigen auch gern. Ich war fest davon überzeugt, dass er heute herkommt, aber ein Zimmer hat er nicht gebucht ...«

»Vielleicht kommt er nur zum Konzert. Aber ganz im Ernst, Miss Gwyn, ich frage Sie nicht aus, weil ich neugierig bin – nicht nur, jedenfalls!« Elizabeth lächelte verhalten, und Gwyn fühlte sich an ihren scheuen Ausdruck als Kind erinnert. »George sollte nur wissen, was Sie davon halten. Er hat schließlich die Schiffspassage für die anderen Sänger gebucht. Wenn Kura jetzt mitwill, kann er das arrangieren – oder mehr oder weniger künstlich Schwierigkeiten einbauen. Falls Sie also nicht möchten, dass sie fährt, ließe sich das vielleicht diplomatisch lösen. George könnte behaupten, es gäbe keine Kabine mehr auf dem Schiff, und sie müsste das nächste Schiff nehmen. Dann hätten Sie eine Atempause, um auf sie einzuwirken …«

Gwyneira war beinahe gerührt über die Sorge der Greenwoods. George war stets ein guter Freund gewesen und hatte ein Händchen dafür, Eklats zu verhindern. Allerdings wusste sie nicht so recht, wie sie in dieser Angelegenheit entscheiden sollte.

»Elizabeth, lass mich erst mit ihr reden. Wir werden sie ja nach dem Konzert treffen, und vor allem werden wir sie erst einmal singen hören. Nicht, dass ich viel mehr davon verstünde als George, aber ich denke, auch ein Laie sollte mitbekommen, ob sie mit den anderen Sängern mithalten kann oder nicht.«

Elizabeth verstand die Anspielung: In Wahrheit spielte Gwyneira auf die Frage an, ob Kura wirklich als Künstlerin akzeptiert wurde oder nur als Mätresse des Impresarios und ob Barrister wirklich an ihre Karriere glaubte oder ob er nur nicht von ihrem Körper lassen konnte.

»Sagen Sie uns einfach morgen früh Bescheid«, meinte sie freundlich.

5

Kura-maro-tini war schlecht gelaunt. Dies war nun das letzte Konzert in Neuseeland, und im Publikum würden all ihre Verwandten und Bekannten sitzen, doch Roderick hatte ihr zwei Soloauftritte gestrichen. Angeblich würde der Abend zu lang; anschließend fand noch eine Abschlussfeier statt, die Greenwood für das ganze Ensemble gab. Da sollte es nicht zu spät werden.

Kura war wütend, doch Roderick ließ sich vor dem Konzert nicht einmal sprechen – es war Sabina, die ihr die Änderungen mitteilte. Und dann auch diese Abschlussfeier! Alle anderen Künstler hatten förmliche Einladungen erhalten, nur Kura blieb ausgeschlossen. Natürlich würde sie trotzdem hingehen. Sabina, Brigitte und alle anderen erklärten, dass es sich nur um einen Irrtum handeln könne, und selbstverständlich erbot sich jeder, Kura als persönlichen Gast mitzunehmen. Jeder – außer Roderick! Der hatte sich den ganzen Tag nicht blicken lassen. Kura beschloss, ihm spätestens abends im Bett eine Szene zu machen.

Jetzt aber spähte sie erst einmal ins Publikum – und fühlte sich erneut beleidigt, als sie nur Gwyneira und Marama in der ersten Reihe sitzen sah. Nicht, dass sie sich besonders viel aus James und Jack gemacht hätte, aber nachdem die beiden jahrelang über ihre Studien und ihr Klavierspiel gelästert hatten, hätte sie jetzt gern ihren Triumph ausgekostet. Gloria vermisste sie nicht; Kura wäre nie auf die Idee gekommen, das Baby mit in ein Konzert zu nehmen. Womöglich schrie es! Aber wo war William? Auch hier hatte Kura ihren Fantasien immer freien Lauf gelassen: Selbstverständlich würde er nach

Christchurch kommen, um sie noch einmal zu sehen. Er würde ihr alles abbitten, würde sie anflehen zu bleiben. Aber sie würde ihm nur noch einmal ins Gesicht sagen, was sie damals geschrieben hatte: »Das ist es nicht wert!« Sie konnte sich nicht auf Kiward Station eingraben, nur weil sie William liebte. Und dann ...? In Kuras liebsten Fantasien umarmte er sie an dieser Stelle ihres Tagtraums, sagte ihr, dass sie ihm viel wichtiger sei als alle Schafe der Welt, und buchte sofort eine Kabine auf einem Dampfer nach England. Natürlich würde es anschließend Rivalitäten geben. Ach, es würde herrlich sein, Roderick und William ein bisschen gegeneinander auszuspielen! Aber letztlich würde sie beides haben: William und ihre Karriere. So wie sie es sich immer gewünscht hatte! Nur dass William ihr heute einen Strich durch die Rechnung machte. Das Konzert würde in wenigen Minuten beginnen, aber er war noch nicht eingetroffen. Nun, da war immerhin Roderick ... Kura verließ ihren Ausguck hinter dem Vorhang. Dem würde sie jetzt etwas zu hören geben!

Gwyneira hatte Recht. Man musste kein Musikkenner sein, um Kuras Vortrag zu beurteilen. Im Grunde war jedem nach den ersten Tönen klar, dass die junge Sängerin ihren Kollegen nicht nur gleichkam, sondern sie deutlich übertrumpfte. Kura sang mit Verve und Ausdruck, traf sicher jeden Ton, flehte, lockte, weinte mit ihrer Stimme. Selbst Gwyneira, die sich nie etwas aus der Oper gemacht hatte, und Marama, die zum ersten Mal Opernszenen hörte, verstanden, was die Figuren auf der Bühne bewegte, auch wenn Kura Französisch, Italienisch oder Deutsch sang.

Marama hatte beim Troubadour-Quartett Tränen in den Augen, und Elizabeth konnte nach der *Habanera* nicht mehr aufhören zu klatschen. Roderick Barrister wirkte blass neben dieser Partnerin. Elizabeth Greenwood wusste gar nicht mehr, warum sie nach dem ersten Konzert in Christchurch so begeistert von ihm gewesen war.

Nach dem letzten Vorhang – wieder hatte das Publikum Kura frenetisch gefeiert – blieben die Frauen noch sitzen und sahen einander an.

Schließlich beglückwünschte Elizabeth Marama beinahe ehrfürchtig zu ihrer Tochter.

»Sie müssen das Mädchen nach London schicken! Ich habe bisher immer gedacht, es sei übertrieben mit Kuras Musik. Aber jetzt ... Sie gehört nicht auf eine Schaffarm, sie gehört auf eine Opernbühne!«

Gwyn nickte, wenn auch weniger euphorisch. »Sie kann gehen, wenn sie will. Ich jedenfalls lege ihr keine Steine in den Weg.«

Marama biss sich auf die Lippen. Sie war immer ein wenig schüchtern, wenn sie sich als einzige Maori unter lauter Weißen wiederfand. Zumal sie keine exotische Schönheit war wie Kura, sondern eine eher typische Vertreterin ihres Volkes: klein, ein wenig gedrungen und jetzt, da sie älter wurde, auch etwas untersetzt. Ihr glattes schwarzes Haar hatte sie heute aufgesteckt, und sie trug auch englische Kleidung. Aber natürlich fiel sie unter den Menschen in diesem Saal auf. Und sie wusste nie, ob Gwyneira die Maori-Schwiegertochter peinlich war oder nicht.

»Aber Sie sollten sie noch auf eine Schule schicken, Miss Gwyn«, wagte Marama schließlich mit ihrer schönen, singenden Stimme zu bemerken. »Wie heißt es noch? Konservatorium, nicht wahr? Sie singt wunderschön. Aber dieser Mann ... ich glaube nicht, dass er ihr alles beigebracht hat, was er weiß. Kura könnte noch besser werden. Und sie braucht einen Abschluss. Hier reicht es vielleicht, einfach schön zu singen. Aber bei den Weißen wird man erst durch ein Diplom zur *tohunga*.«

Marama sprach hervorragend Englisch; sie war als Kiris

Tochter praktisch im Haus der Wardens aufgewachsen und hatte zu Helens besten Schülerinnen gehört.

Und sie hatte Recht. Gwyneira nickte.

»Wir werden gleich mit ihr sprechen, Marama. Jetzt hat sie sich genug konzentriert. Am besten, wir gehen sofort hinter die Bühne, bevor wieder zwanzig Leute vor uns bei ihr Schlange stehen, um ihr zu sagen, wie unwiderstehlich sie ist.«

Kura hörte gern, wie unwiderstehlich sie war, und es waren auch schon genügend Bewunderer in die provisorischen Garderoben der Truppe gestürzt, um es ihr zu versichern. Roderick war diesmal allerdings nicht darunter. Er hatte ihr ja nicht mal einen einzelnen Vorhang gegönnt, sondern war immer gemeinsam mit ihr vorgetreten, um den Applaus entgegenzunehmen. Vor ein paar Wochen hatte er ihr noch Rosen geschenkt! Kura konnte es kaum erwarten, ihn abzukanzeln. Aber jetzt warteten erst einmal ihre Mutter und ihre Großmutter, und diesmal würde sie ihren Triumph auskosten! Sie bat die beiden in ihre Garderobe. Brigitte, mit der sie den Raum teilte, zog sich taktvoll zurück.

»Nun, hat es euch gefallen?«, fragte Kura beinahe hoheitsvoll.

Marama wollte sie umarmen. »Es war wundervoll, Kleines!«, sagte sie zärtlich in ihrer Sprache. »Ich wusste immer, dass du es kannst!«

»Du warst dir da ja nicht so sicher«, sagte Kura zu Gwyneira.

Die unterdrückte schon wieder ein Seufzen. Kura mochte schöner singen als zuvor, doch der Umgang mit ihr war nach wie vor schwierig.

»Ich verstehe nichts von Musik, Kura. Aber was ich heute gehört habe, hat mich wirklich beeindruckt. Ich kann dich nur beglückwünschen. Du wirst sicher auch in England Erfolg haben. Das Geld für die Schiffspassage und das Konservatorium aufzubringen sollte kein Problem sein.« Auch Gwyneira schloss das Mädchen in die Arme, doch Kura blieb kühl.

»Wie gnädig von dir!«, bemerkte sie spöttisch. »Jetzt, wo ich es auch ohne Hilfe geschafft habe, bist du natürlich bereit, mir in jeder Hinsicht entgegenzukommen.«

»Kura, das ist nicht fair!«, begehrte Gwyneira auf. »Ich habe dir schon vor deiner Heirat angeboten ...«

»Aber nur, wenn ich William dafür aufgäbe. Wenn ich damals mit ihm zusammen nach England gegangen wäre ...« Kura blitzte sie an. Offensichtlich war sie wild entschlossen, ihre Großmutter für das Scheitern ihrer Ehe verantwortlich zu machen.

»Meinst du denn wirklich, du hättest es geschafft?«, fragte Marama leise. Sie hasste die endlosen Diskussionen über Schuld und Unschuld, Ursache und Wirkung, wie die Weißen sie anscheinend so gern führten. Ihre Tochter war eine Meisterin in der Kunst, dieses bittere, nutzlose Gerede über Stunden auszudehnen – wofür Marama nun wieder Gwyneira verantwortlich machte. Bei den Maoris hatte sie das jedenfalls nicht gelernt.

»Du singst wunderschön, aber glaubst du vielleicht, in der Oper in London warten sie nur auf dich?«

Kuras Gesicht nahm den Ausdruck äußerster Empörung an.

»Ich fasse es nicht! Willst du mir sagen, ich wäre nicht gut genug?«

Marama blieb gelassen. Sie hatte auch für Paul Warden oft genug den Blitzableiter gespielt. »Ich bin *tohunga*, Kura-marotini. Und ich habe deine Schallplatten gehört. All die großen Sänger ... du könntest sicher genauso gut werden. Aber du musst noch lernen.«

»Ich habe gelernt! Ich habe in all diesen Monaten wie verrückt geübt. Ich war auf der Nordinsel und in Australien, Mutter, aber ich habe nichts davon gesehen. Nur das Klavier und meine Noten. Ich …«

»Du hast dich sehr verbessert, aber du könntest noch mehr lernen. Du solltest nicht mit diesem Mann gehen. Er tut dir nicht gut!« Marama betrachtete ihre Tochter mit ruhigem Blick.

»Das sagst gerade du mir! Eine Maori, die ihrer eigenen Tochter verbieten will, ihren Begleiter frei zu wählen!«

»Ich verbiete dir nichts. Ich …«

»Ich bin euch alle leid!«, schimpfte Kura. »Ich tue, was ich will, und ich brauche Gott sei Dank niemanden mehr zu fragen. Roderick wird mich mitnehmen. Wir werden uns beide in London Engagements suchen oder wieder eine Truppe wie diese zusammenstellen und auf Tournee gehen. Das weiß ich alles noch nicht. Aber ich brauche dein Geld nicht, Grandma, und deine Ratschläge auch nicht, Mutter! Geht auf euer geliebtes Kiward Station und hütet die Schafe. Ich werde euch ab und zu aus England schreiben!«

»Ich werde dich vermissen«, sagte Marama liebevoll. Sie wollte Kura trotz allem zum Abschied in den Arm nehmen und küssen oder die Nase an ihrer reiben, wie bei ihrem Volk üblich, aber diesmal versteifte Kura sich gleich, als sie ihr nahekam.

»Haere ra«, flüsterte Marama. »Und mögen dich die Götter im neuen Land segnen und leiten …«

Kura antwortete nicht.

»Sie hat nicht mal nach Gloria gefragt«, sagte Gwyneira, als die beiden Frauen erschüttert die Garderobe verließen.

»Sie hat Kummer«, bemerkte Marama. »Sie ist angespannt. Irgendetwas läuft nicht so, wie sie es erhofft hat. Wir sollten sie vielleicht nicht verlassen, Miss Gwyn.«

Gwyneira verdrehte die Augen. »Von mir aus kannst du hierbleiben, Marama, und ihren Fußabtreter spielen. Aber ich habe die Nase gründlich voll von ihrer Arroganz, ihrer Herzlosigkeit und ihren Männern. Soll sie doch nach London gehen, wenn sie will. Ich hoffe bloß, sie verdient dort wirklich genug zum Leben oder sucht sich zur Abwechslung mal einen Mann, der sie aushält. Auf Kiward Station ist sie jedenfalls die Letzte, die wir brauchen!«

Kura sah wunderschön aus, wenn sie sich ärgerte, und Rodericks Entschluss kam beinahe ins Wanken, als sie mit blitzenden Augen, vor Erregung geröteten Wangen und voller aufgestauter Energie in den Festsaal kam. Er tanzte eben mit Sabina und hätte sich am liebsten losgemacht, um das Mädchen zu begrüßen, zu berühren, vielleicht ein wenig zu verwöhnen, um es dann für später gefügiger zu machen. Aber das sollte jetzt ja ein Ende haben. Mit leisem Bedauern wandte er sich nach dem Tanz mit Sabina Brigitte zu. Aber da hatte er nicht mit Kura gerechnet. Erbost über sein Desinteresse schob sie sich zwischen ihn und die Tänzerin.

»Was soll das, Roderick? Gehst du mir aus dem Weg? Erst lässt du dich den ganzen Tag nicht blicken, dann streichst du mir den halben Auftritt, und jetzt tust du so, als würdest du mich nicht kennen. Wenn das so weitergeht, werde ich mir gut überlegen, ob ich auf der Reise die Kabine mit dir teile!«

Kura trug ihr Haar heute wieder offen, hielt es aber mit einem blumengeschmückten Reif zurück. Sie hatte sich für ein rotes Kleid entschieden, und ihren Ausschnitt betonte eine Kette aus azurblauen Steinen. Die großen, ebenfalls azurblauen Ohrgehänge ließen ihre Augen noch strahlender wirken.

Es war wirklich ein Jammer ... Roderick straffte sich.

»Welche Reise?«, fragte er freundlich. »Wenn ich ehrlich

bin, meine Schöne, gehe ich dir heute tatsächlich etwas aus dem Weg. Ich kann den Abschiedsschmerz nicht ertragen!« Er lächelte bedauernd.

Kura blitzte ihn an. »Das soll heißen, du willst mich nicht mit nach England nehmen? Aber das war beschlossene Sache ...«

»Ach, Kura, Süße, wir haben vielleicht mal darüber gesprochen ... davon geträumt, genauer gesagt. Aber du hast doch nicht wirklich damit gerechnet? Schau, Kura, ich habe da drüben selbst noch kein Engagement ...«

Roderick bemerkte unglücklich, dass um sie herum immer mehr Tanzpaare stehen blieben. Die Auseinandersetzung mit Kura rückte ins allgemeine Interesse. So hatte er sich das eigentlich nicht vorgestellt.

»Aber *ich* finde ein Engagement!«, sagte Kura selbstbewusst. »Das kann nicht so schwer sein. Du hast selbst gesagt, ich hätte mehr als nur ein bisschen Talent!«

Roderick verdrehte die Augen. »Meine Güte, Kura, ich habe wohl ein bisschen viel gesagt in den letzten paar Monaten. Natürlich hast du Talent, nur ... Schau mal, hier in Neuseeland bist du eine ganz große Begabung, aber da drüben ... Allein die Konservatorien in England bringen jedes Jahr Dutzende Sängerinnen hervor.«

»Du meinst, ich wäre nicht besser als Dutzende andere? Aber all die Monate ...« Kura war verunsichert.

»Du hast eine wirklich hübsche Stimme. In dieser Truppe von eher ... abgehalfterten Sängern ...« Unter den Zuschauern brach ein Sturm los, doch Roderick achtete nicht darauf. »... in dieser Truppe fällst du fast ein bisschen auf. Aber die Oper? Wirklich, Kleine, du verrennst dich da in etwas.«

Kura stand allein wie auf einer Insel zwischen ihren empörten, lamentierenden Kollegen. Hätte sie ein Ohr dafür gehabt, hätte sie vielleicht sogar mitbekommen, dass Sabina und noch ein paar andere sie unterstützten und ihre Stimme lobten. Doch sie war wie erschlagen von Rodericks Worten. Konnte sie sich so in ihm geirrt haben? Konnte er so unverschämt gelogen haben, nur um sie ins Bett zu bekommen? Waren die Ovationen des Publikums denn gar nichts wert, weil hier nur ein paar drittklassige Sänger vor Dilettanten den Belcanto vergewaltigt hatten?

Kura straffte sich. Nein, das konnte nicht sein, das durfte nicht sein!

»Und schau, Kura-Kind, du bist auch noch sehr jung«, fügte Roderick gönnerhaft hinzu. »Deine Stimme entwickelt sich noch. Wenn du vielleicht zunächst hier …«

»Wo denn?«, fragte Kura spröde. »Es gibt hier kein Konservatorium.«

»Ach, Mädchen, ein Konservatorium … wer redet denn davon? Aber im Rahmen deiner begrenzten Möglichkeiten kannst du den Menschen viel Freude bringen …«

»Im Rahmen meiner begrenzten Möglichkeiten?« Kura spie die Worte heraus. »Was ist denn mit *deinen* begrenzten Möglichkeiten? Glaubst du, ich kann nicht hören? Meinst du, mir wäre nicht aufgefallen, dass du piano keinen Ton halten kannst, der ein bisschen höher ist als das A? Und dass du praktisch jede Arie ein kleines bisschen abänderst, damit sie für den großen Roderick Barrister einfacher zu singen ist?«

Die Leute um sie herum lachten; manche applaudierten sogar.

»Da sind meine Grenzen wohl weitergesteckt!«, trumpfte Kura auf.

Barrister zuckte ergeben die Schultern. »Wenn du meinst. Ich kann dich nicht hindern, es in Europa zu versuchen. Sicher reicht dein Geld für die Schiffspassage …«

Er hoffte bloß, dass sie es nicht wirklich versuchte. Sechs Wochen Seereise mit einer wutschnaubenden Kura auf dem gleichen Schiff mussten die Hölle sein.

Kura überlegte. Das Geld, das sie verdient hatte, reichte nicht. Allenfalls für die Reise; danach aber hätte sie keinen

Penny mehr, um sich in England über Wasser zu halten, bevor sie ein Engagement fand.

Natürlich konnte sie Gwyneira um Geld bitten. Wenn sie zugab, dass Roderick sie nicht wollte. Wenn sie eingestand, dass Marama Recht hatte mit der Einschätzung ihres Ausbildungsstandes. Wenn sie zu Kreuze kroch …

»Ich werde jedenfalls noch auf der Bühne stehen, wenn man dich nur noch dazu gebrauchen kann, Versatzstücke zu schleppen!«, stieß sie hervor. »In England und überall auf der Welt!« Damit wandte sie sich um und rauschte heraus.

»Wunderbar, du hast es ihm gegeben!«, raunte Brigitte ihr zu.

»Lass dich bloß nicht beirren!«, bemerkte auch Sabina im Vorbeigehen und gedachte wohl noch ein paar Ratschläge hinzuzufügen, doch Kura wollte nicht hören. Sie wollte auf nichts und niemanden mehr hören. Sie musste allein sein. Sie konnte Roderick nicht mehr sehen. Genau genommen wollte sie ihn nie wiedersehen! Allerdings war das Schiff nach England noch nicht einmal in Lyttleton; die Truppe konnte noch tagelang im Hotel von Christchurch logieren.

Kura lief tränenblind durch die Korridore auf ihr Zimmer. Sie musste packen und fort. So schnell wie möglich.

Am nächsten Morgen war sie vor Tau und Tag im Mietstall und fragte nach einem Pferd. Gwyneiras Chaise stand noch hier; ihre Großmutter und Marama übernachteten ebenfalls im White Hart, doch Kura würde sich nicht dazu herablassen, ihre Situation mit ihnen zu besprechen. Sie hatte in der Nacht entschieden, dass sie die Tournee vorerst allein fortführen oder eher wiederholen wollte. Das Publikum hatte sie doch geliebt! Bestimmt würden die Leute sich freuen, sie noch einmal zu hören. Und ihr Geld reichte für einen kleinen Wagen, ein Pferd und den Druck von ein paar Plakaten. Das musste für den Anfang reichen. Von nun an würde sie sicher viel mehr verdienen als bisher; schließlich konnte sie die gesamten Konzerteinnahmen behalten.

Der Mietstallinhaber verkaufte ihr bereitwillig ein Pferd und ein zweirädriges Gig. Der Wagen hatte ein Verdeck, was Kura wichtig war, bot sonst aber nur wenig Platz für Gepäck. Sie schaffte es gerade eben, ihre Koffer mit der Bühnengarderobe unterzubringen. Was das Pferd anging, so versicherte ihr der Verkäufer, dass es ein braves Tier sei. Kura war beruhigt; schließlich würde sie das Tier selbst lenken müssen. Das klappte dann auch erstaunlich gut. Allerdings kam sie nicht besonders schnell vorwärts, denn der gemächliche kleine Braune war mit Gwyneiras Cobs nicht zu vergleichen. Kura fand das anfänglich fast beruhigend, da sie sich vor dem Kutschieren gefürchtet hatte. Nach einem halben Tag jedoch ging es ihr auf die Nerven. Sie versuchte, das Pferd anzutreiben, doch ohne Erfolg. So erreichte sie nicht, wie erhofft, gleich am ersten Tag Rangiora. In diesem kleinen Ort hatte das Ensemble vor Monaten auf dem Weg nach Blenheim gastiert, bevor es zur Nordinsel übersetzte. Allerdings waren sie damals mit schnellen Gespannen vor großen, bequemen Kutschen gereist, und die Meilen waren unter den Hufen der Pferde nur so dahingeschwunden. Kuras behäbiger Brauner dagegen brachte sie bloß bis nach Kalapoi, einem Dorf, das nicht einmal ein richtiges Hotel aufwies. Das Etablissement, das diesen Namen trug, war ein schmieriges Bordell. Also schlief Kura im Mietstall, zusammengerollt auf dem Polster des Wagens, um sich nur ja keine Flöhe im Heu und Stroh zu holen. Immerhin half ihr der Besitzer des Stalles, das Pferd ein- und auszuspannen, und wurde dabei nicht zudringlich. Er fragte allerdings, wohin sie wolle und wer sie sei. Ihre Antwort, sie sei Sängerin auf Tournee, schien ihn eher zu belustigen als zu beeindrucken.

Insgesamt brauchte Kura drei Tage bis nach Rangiora.

Wenn das so weiterging, würde sie jahrelang unterwegs sein, um auch nur die Südinsel zu umrunden. Am letzten Abend war sie verzweifelt und auch schon ziemlich abgebrannt. Pferd und Wagen waren teuer gewesen, und sie hatte nicht mit so vielen Übernachtungen gerechnet. So gab sie dem Bitten des Hotelbesitzers nach und unterhielt seine Gäste mit ein paar Liedern. Diesmal war es ein sauberes Haus; dennoch betrachtete Kura es als Erniedrigung, in einem Pub auftreten zu müssen. Die Zuhörer wussten sicher keine Opernarien zu schätzen; deshalb sang Kura ein paar Volkslieder und schaute mürrisch, beinahe verächtlich ins Publikum, als die Männer vor Begeisterung tobten.

Auch Rangiora selbst war eine Enttäuschung. Das Ensemble hatte damals in der Gemeindehalle gesungen und getanzt, und Kura war der Überzeugung gewesen, dass man ihnen die Halle kostenlos zur Verfügung gestellt hatte. Doch wie es aussah, war Miete zu entrichten. Außerdem musste der Reverend erst überredet werden, der einzelnen Sängerin den Saal zu überlassen.

»Sie betreiben doch wohl nichts Unschickliches, oder?«, fragte er skeptisch, obwohl er sich von dem Gastspiel damals an Kura erinnerte. »Damals haben Sie nicht viel gesungen, eigentlich mehr bei den anderen gestanden und hübsch ausgesehen.«

Kura versicherte dem misstrauischen Geistlichen, dass sie damals gerade erst zu den Sängern gestoßen war und noch nicht viel Bühnenerfahrung gehabt hatte. Jetzt war das anders. Ihr Vortrag der *Habanera* konnte den Reverend tatsächlich überzeugen. Doch ob ihr noch viel Geld übrig bleiben würde, wenn sie die Saalmiete entrichtete, das Hotel und den Mietstall bezahlte und zudem einen Jungen, der ihre Plakate aufhing?

Beim ersten Konzert waren zum Glück fast alle Plätze belegt. Rangiora war nicht gerade eine kulturelle Hochburg;

hier gastierten selten Künstler. Allerdings zeigten die Leute sich längst nicht so begeistert wie bei Kuras Auftritten mit dem Ensemble. Niemand hier verstand wirklich etwas von Musik, doch die bunten Kostüme, die Vielfalt der Darbietungen und vor allem der Tanz zwischen den Opernszenen hatten die Menschen gefesselt. Kura, kastagnettenschwingend im Mittelpunkt des Chores, war ein Höhepunkt gewesen. Aber ein Mädchen, das allein am Klavier saß und sang? Schon nach einer halben Stunde wurden die Leute unruhig, begannen zu tuscheln und mit den Stühlen zu rücken. Am Ende applaudierten sie zwar, doch eher höflich als überschwänglich.

Zum zweiten Konzert kamen nur noch zehn Besucher. Das dritte ließ Kura ausfallen.

»Vielleicht, wenn Sie etwas Fröhlicheres singen würden ...«, riet der Reverend ihr. Ihn jedenfalls hatte Kura für sich gewonnen: Er war begeistert von ihrer Stimme und ihren Interpretationen verschiedener Opernarien. »Die Leute hier sind einfache Menschen.«

Kura würdigte ihn keiner Antwort. Sie fuhr weiter die Ostküste entlang und hielt sich Richtung Waipara. Mit dem Ensemble hatten sie erst in Kaikura wieder gastiert, doch so lange Strecken zwischen den Auftritten konnte sie sich nicht leisten; dafür kam sie zu langsam vorwärts. Also begutachtete sie jeden Ort am Weg daraufhin, ob sich Auftrittsmöglichkeiten boten. Am angenehmsten fand sie es, wenn ihr ein seriöses Hotel seine Räume zur Verfügung stellte. Dann fielen meistens keine Übernachtungskosten an, und die Saalmiete war auch geringer als in Gemeindesälen. Schließlich steigerte das Konzert den Getränkeumsatz. Allerdings versuchten die Hotelbesitzer spätestens nach dem ersten Abend, Kura in ihr Programm hineinzureden.

»Mädchen, das Gesäusel will doch hier keiner hören!«, erklärte der Hotelbesitzer in Kaikura, der von der Aufführung des gesamten Ensembles noch hellauf begeistert gewesen war. »Sing ein paar Liebeslieder, vielleicht was Irisches, das kommt immer gut an. Wir haben hier auch viele Deutsche. Du singst doch in verschiedenen Sprachen …«

In diesem Fall passte Kura sich sogar ein wenig an und nahm ein paar Schubert-Lieder ins Programm. Ein Teil des Publikums war tief gerührt, was dem Hotelbesitzer aber auch wieder nicht behagte.

»Kind, du sollst sie nicht zum Heulen bringen, sondern zum Trinken. Gott, du bist doch so ein bildhübsches Ding! Warum tanzt du nicht auch ein bisschen?«

Kura erklärte ihm wütend, sie sei Sängerin, kein Barmädchen, und fuhr am nächsten Tag weiter. Die Tournee verlief bei weitem nicht so reibungslos, wie sie es sich vorgestellt hatte. Als sie nach drei strapaziösen Wochen endlich Blenheim erreichte, hatte sie längst noch nicht genug Geld für die Überfahrt auf die Nordinsel.

»Was soll's, bleiben wir eben hier und umrunden die Südinsel«, sagte sie zu ihrem Pferd. Wieder ein Abstieg! Früher hatte sie sich darüber lustig gemacht, wenn Elaine stundenlang auf ihre Stute einredete und behauptete, Banshee verstehe jedes Wort. Aber jetzt fehlte Kura oft jemand, mit dem sie reden konnte, ohne dass er ihr ständig widersprach, gut gemeinte, aber unmögliche Ratschläge gab oder gar versuchte, über sie herzufallen! In den letzten Wochen hatte sie sich oft genug irgendwelcher Pub-Betreiber oder angeblicher »Musikliebhaber«, erwehren müssen. So etwas hatte sie bei den Auftritten mit der Truppe nicht erlebt. Da hatte man sie stets mit Respekt behandelt.

»Fahren wir weiter nach Picton oder Havelock. Ein Auftritt ist so gut wie der andere …«

William beendete seinen Einführungslehrgang in Blenheim und erstand eine nagelneue Nähmaschine als Demonstrationsmodell. Als Anfänger konnte er noch nicht mit den begehrtesten Verkaufsbezirken rechnen wie etwa Christchurch oder Dunedin und Umgebung. Er rechnete mit einer Stellung irgendwo an der Westküste oder in Otago. Aber dann blickte er überrascht auf seine Berufung auf die Nordinsel. Eine Gegend im Norden, bei einer Stadt namens Gisborne. Wahrscheinlich ein ziemlich dünn besiedeltes Gebiet, aber doch wenigstens Neuland, was den Verkauf von Nähmaschinen anging! Bislang hatte kein Vertreter seiner Firma den Bezirk bereist.

Gut gelaunt ging William an Bord der Fähre von Blenheim nach Wellington und kämpfte heroisch gegen die Seekrankheit auf dem stürmischen Meer. Er würde schon zurechtkommen. Zumindest bei den Schulungen hatte er stets glänzen können. Zum Teil waren seine Lehrer regelrecht begeistert gewesen von seinen kreativen Verkaufsstrategien. Kein anderer Teilnehmer erhielt so gute Beurteilungen. William ging seine neue Aufgabe optimistisch an. Ob Särge oder Nähmaschinen – verkaufen konnte er!

6

Timothy Lambert war empört, aber immerhin wusste er jetzt, warum sein Vater den relativ kurzen Weg von ihrem Haus zur Mine grundsätzlich zu Pferde zurücklegte. Der Minenbesitzer ekelte sich offensichtlich davor, die Kloake, in der seine Männer hausten, zu Fuß zu durchqueren. Nun war es nicht so, als hätte Timothy in Europa niemals Elendsquartiere gesehen. Auch in England und Wales waren Bergarbeitersiedlungen keine Vororte des Paradieses. Aber was hier, rund um die Mine seines Vaters, aus dem Boden gestampft worden war, fand keinen Vergleich. Offensichtlich war die Siedlung völlig planlos angelegt. Man hatte einfach einen Verschlag neben den anderen gestellt – Hütten aus Abfallholz und beschädigten Schalbrettern, die in der Mine offenbar zum Ausschuss gezählt wurden. Die meisten Behausungen hatten keinen Kamin. Wenn man ein Feuer darin anzündete, musste es erbärmlich qualmen. Und noch seltener fand sich ein Abtritt; offenbar gingen die Männer einfach um die Ecke, um ihre Notdurft zu verrichten. Um die Ecke stand aber meist schon die nächste Hütte, und der Regen, der in Greymouth fast täglich fiel, spülte die Ausscheidungen und den Abfall ohnehin gleich wieder in die schlammigen Gassen zwischen den Verschlägen. Mitunter glichen diese »Straßen« stinkenden Bächen. Timothy hatte Mühe, trockenen Fußes hindurchzukommen.

Zurzeit schien die Siedlung verlassen. Nur aus wenigen Hütten hörte er Schniefen und Husten – wahrscheinlich die »Ausfälle wegen Krankheit und Faulheit«, über die sein Vater beim Abendessen geklagt hatte. Unter Minenarbeitern häuften sich die Fälle von Staublungen und Schwindsucht, doch rund um die Lambert-Mine schien es besonders schlimm zu sein, zumal sich offenbar niemand um die Kranken kümmerte. Offensichtlich lebten hier nur wenige Familien, deren Frauen auf ein Mindestmaß an Ordnung und Sauberkeit in ihren Hütten achteten. Die meisten Bergleute waren alleinstehend und flohen lieber in einen Pub, als abends noch ihre Quartiere in einen erträglicheren Zustand zu versetzen. Verdenken konnte Timothy es ihnen nicht. Wer zehn Stunden in einem dunklen Schacht Kohle gehauen hatte, war abends reif fürs Bett oder bestenfalls für ein paar Bier in freundlicher Atmosphäre. Und vielleicht fehlte den Männern das Geld für Instandsetzungsarbeiten.

Timothy musste seinen Vater unbedingt darauf ansprechen. Die Mine konnte zumindest das Baumaterial zur Verfügung stellen! Das Beste wäre überhaupt, alles abzureißen und nach vernünftigen Plänen neu zu bauen. Die neu gegründeten Gewerkschaften in Übersee forderten solche menschenfreundlicheren Arbeitersiedlungen, allerdings noch mit wenig Erfolg.

Timothy hatte inzwischen das unmittelbare Minengelände erreicht und das Haupttor passiert. Hier wurden die Straßen gleich besser; schließlich durften die Frachtwagen, mit denen die Kohle befördert wurde, nicht im Schlamm stecken bleiben. Tim fragte sich, warum es noch keine Schienenverbindung zur Bahnlinie gab. Der Kohletransport könnte schneller und billiger erfolgen. Auch ein Thema, das er bei seinem Vater zur Sprache bringen musste.

Timothy klopfte seine Stiefel ab und betrat das ebenerdige, flache Bürogebäude. Es lag dem Mineneingang gegenüber. Das Kontor seines Vaters bot eine gute Aussicht auf den Förderturm und den Gebäudekomplex, der Raum für Dampfmaschine und Speicher bot. Auch die Männer, die ein- und ausfuhren, sowie die Arbeiter über Tage konnten von hier aus überwacht werden. Marvin Lambert hatte gern alles im Blick. Rund um Greymouth gab es eine Reihe von Minen, die einzelnen Familien oder Aktiengesellschaften gehörten. Die Lambert-Mine war das zweitgrößte private Unternehmen dieser Art, und Marvin Lambert konkurrierte aufs Schärfste mit seinem Rivalen Biller. Dabei sparten beide an Arbeitskräften und Minensicherheit, wo sie nur konnten. Was das anging, waren Marvin Lambert und sein Konkurrent Biller einer Meinung: Beide hielten Bergarbeiter für grundsätzlich arbeitsscheu und habgierig, und moderne Minentechnik fand nur da ihr Interesse, wo sie größeren Ertrag bot.

Aber vielleicht beurteilte Timothy Marvin Lambert da auch zu voreilig. Schließlich war er erst seit dem vorherigen Tag wieder zu Hause, und sein Vater hatte dem Whisky schon ordentlich zugesprochen, bevor Timothy am späten Abend eingetroffen war. Tim selbst mochte nach der langen Reise müde und unleidlich gewesen sein. Acht Wochen Schifffahrt bis Lyttleton und dann die Zugfahrt nach Greymouth gingen nicht spurlos an einem vorbei. Immerhin hatte er von der Ostküste aus nicht reiten müssen. Die neu gebaute Bahnlinie machte die Reise zur Westküste schneller und komfortabler.

Überhaupt hatte Neuseeland sich ziemlich verändert, seit man Timothy zehn Jahre zuvor nach Europa geschickt hatte. Zunächst in eine Privatschule, dann zum Studium der Bergbautechnik an verschiedene Universitäten und schließlich auf eine Rundreise durch die wichtigsten Kohlereviere der Alten Welt. Marvin Lambert hatte das alles bereitwillig finanziert. Timothy war schließlich sein Erbe; er sollte die Mine für die Familie erhalten und den Ertrag mehren. Und heute war sein erster Arbeitstag – zumindest ging Tim davon aus, dass er hier in der Mine erwartet wurde. Später würde er sich dann die Stadt anschauen.

Greymouth war deutlich gewachsen, seit er den Ort als Vierzehnjähriger verlassen hatte. Damals hatte die Villa der Lamberts noch ziemlich allein am Fluss zwischen der Stadt und der Mine gestanden. Heute reichte die Bebauung bis fast an ihr Haus heran.

Im Kontor der Mine arbeiteten zwei Sekretäre sowie Marvin Lambert; auch hier zeigte sich der Alte sparsam. Das Ganze war überdies spartanisch eingerichtet, nicht vergleichbar mit den Palästen, die europäische Minenbesitzer sich leisteten. Marvin Lambert hob den Kopf von seinen Papieren und blickte seinen Sohn ungnädig an.

»Was machst du denn heute schon hier?«, fragte er wenig begeistert. »Ich dachte, du leistest deiner Mutter noch ein bisschen Gesellschaft. Nach der langen Zeit, die sie auf dich verzichten musste ...«

Tim verdrehte die Augen. Eigentlich waren ihm die Klagen seiner Mutter am Tag zuvor schon auf die Nerven gefallen. Nellie Lambert war weinerlich und hatte sich anfangs vor Rührung über seine Rückkehr kaum halten können – um ihm anschließend Vorwürfe wegen seines langen Ausbleibens zu machen. Als habe er seine Studien im Ausland nur deshalb betrieben, um sie zu kränken!

»Ich kann ja ein bisschen früher heimgehen«, meinte Tim unbekümmert. »Aber ich musste die Mine sehen! Was sich verändert hat, was sich verändern lässt ... Du hast einen beschäftigungslosen Bergbauingenieur vor dir, Vater! Ich brenne darauf, mich nützlich zu machen.« Er lächelte seinem Vater beinahe verschwörerisch zu.

Marvin Lambert warf einen Blick auf die Uhr.

»So gesehen kommst du reichlich spät«, brummte er. »Wir fangen hier um neun an.«

Timothy nickte. »Ich hatte den Weg unterschätzt. Vor allem seinen Zustand. Da muss unbedingt etwas geschehen. Wir müssen zumindest die Straßen in der Siedlung sanieren.«

Lambert nickte grimmig. »Die ganze Kloake muss weg! Wie sieht das aus, rund um die Mine! Irgendwann werde ich diese so genannten ›Häuser‹ einreißen lassen und das Gelände absperren. Kein Mensch hat diesen Kerlen erlaubt, da ihre Hütten hinzustellen.«

»Wo sollen sie denn sonst hin?«, erkundigte sich Timothy verwundert. Das Gelände für die Mine war den Farnwäldern der Westküste mühsam abgetrotzt worden. Die Männer müssten neues Siedlungsland erschließen, wenn sie außerhalb bauen wollten; hinzu kamen die weiten Wege. Es war deshalb allgemein üblich, die Bergarbeiter gleich rund um den Mineneingang anzusiedeln.

»Ist mir doch egal. Mir wird's hier jedenfalls zu viel mit ihren Drecklöchern. Unglaublich, wie man so hausen kann. Aber ich sagte ja schon – Abschaum. Die schicken uns alles das aus Europa, was sie in England und Wales nicht brauchen können!«

Timothy hatte das am Abend zuvor schon gehört und seinem Vater energisch widersprochen. Schließlich kam er gerade aus England und wusste, dass die Auswanderung nach Neuseeland in den europäischen Gruben eher als Ausweg in ein besseres Leben galt. Die Männer machten sich Hoffnung, dort mehr zu verdienen, und meist waren es eher die Besten und Unternehmungslustigsten, die oft monatelang für die Schiffspassage sparten. Diese Hölle da draußen hatten sie nicht verdient.

Nichtsdestotrotz hielt Tim jetzt den Mund. Es brachte vorerst nichts, diese Diskussion wiederzubeleben. Er musste seinen Vater darauf ansprechen, wenn der besserer Laune war.

»Wenn es dir recht ist, würde ich gern mal einfahren und mir die Mine ansehen«, meinte er daher, ohne auf Marvins Gepolter einzugehen. Das musste sein, obwohl Timothy schon ein Blick aus dem Fenster reichte, um die Lust daran zu verlieren. Bereits der Mineneingang machte keinen vertrauenswürdigen Eindruck. Sein Vater hatte sich nicht mal die Mühe gemacht, die Waschkaue zu überdachen, und der Förderturm wirkte wie aus der Frühzeit der Bergbautechnik. Wie mochte es erst drinnen aussehen?

Marvin Lambert zuckte die Schultern. »Wie du willst. Obwohl ich nach wie vor der Ansicht bin, dass du eher im Vertrieb und in der Arbeitsorganisation gebraucht wirst als unter Tage …«

Tim seufzte. »Ich bin Bergbauingenieur, Vater. Von Geschäften verstehe ich nicht viel.«

»Das wirst du hier sehr schnell lernen.« Auch das ein Thema, das bereits zur Sprache gekommen war. Marvin hielt die Kenntnisse, die Tim in Europa erworben hatte, für nur begrenzt verwertbar. Er wollte keinen Ingenieur, sondern einen fähigen Kaufmann und gewieften Geschäftsmann. Tim fragte sich, warum sein Vater ihn Bergbautechnik statt Wirtschaft hatte studieren lassen. Allerdings hätte er sich ohnehin geweigert, als Kaufmann zu arbeiten. Dazu war er nicht geboren.

Tim versuchte noch einmal, seinem Vater seine Aufgaben und Absichten deutlich zu machen. »Mein Job ist es, die Arbeit in der Mine zu überwachen und die Abbaumethoden zu optimieren …«

Sein Vater runzelte die Stirn. »Ach?«, sagte er scheinbar verblüfft. »Hat sich neuerdings eine bessere Möglichkeit gefunden, Eisen und Schlegel zu schwingen?«

Tim blieb gelassen. »Es wird dafür bald Maschinen geben, Vater. Und schon jetzt gibt es effektivere Möglichkeiten, Kohle und Abraum abzutransportieren. Es gibt modernere Techniken, die Schächte abzustützen, Wetterschächte zu bohren, die gesamte Wasserhaltung …«

»Und das alles kostet letztlich mehr, als es einbringt«, unterbrach Lambert ihn. »Aber gut, wenn es dich glücklich macht. Schau dir das Ganze an, atme ein bisschen Staub ein. Du wirst schnell genug zu viel davon kriegen …«

Lambert wandte sich wieder seinen Papieren zu.

Tim grüßte kurz und verließ das Kontor.

Glücklich machte ihn die Bergbauindustrie keinesfalls. Aus eigenem Antrieb hätte er wahrscheinlich einen anderen Beruf gewählt, auch wenn die Geologie als solche – und vor allem das Ingenieurswesen – ihn durchaus interessierten. Doch die Arbeit unter Tage und ihre Gefahren bedrückten ihn. Timothy war am liebsten draußen in der Natur; er hätte lieber Häuser gebaut als Stollen. Auch Schienenbau reizte ihn und wäre gerade hier in Neuseeland ein interessantes Betätigungsfeld. Aber da er nun mal eine Mine erbte, hatte er alle persönlichen Neigungen begraben und sich zum Bergbauexperten ausbilden lassen, wobei er sich in Europa schon einen gewissen Bekanntheitsgrad als Fachmann in Sicherheitsfragen erworben hatte. Timothy fürchtete Mineneinbrüche und Gasexplosionen, und sein Hauptinteresse hatte immer schon den Möglichkeiten gegolten, solche Katastrophen zu verhindern. Natürlich suchten die ersten, noch losen Vereinigungen von Bergarbeitern hier eher seinen Rat als die Minenbetreiber. Letztere investierten meist erst in die Sicherheit ihrer Zechen, wenn ein Unglück geschehen war, und wahrscheinlich machte mehr als einer drei Kreuze hinter einen so penetranten Warner wie Timothy Lambert. Sollte der in Neuseeland seinen Vater auf Kosten treiben! In England weinte man ihm keine Träne nach.

Timothy wandte sich der Mine zu und bat die zwei mürrischen Männer an der Fördermaschine, den Steiger heraufkommen zu lassen. Ganz ohne Führung mochte er sich nicht in den Schacht begeben, und so wartete er geduldig, bis die Nachricht angekommen war. Schließlich setzte sich die Fördermaschine quietschend und ratternd in Bewegung, und Tim fragte sich mit leiser Gänsehaut, wie oft hier wohl die Drahtseile ausgewechselt wurden. Der Steiger war ein noch verhältnismäßig junger Mann, der mit Waliser Akzent sprach und dem Sohn des Minenbesitzers gegenüber eher ablehnend wirkte.

»Wenn es wieder um die Fördermenge geht – ich habe Ihrem Vater schon gesagt, dass die so nicht zu steigern ist. Noch schneller können die Männer nicht arbeiten, und es bringt auch wenig, noch mehr Leute einzusetzen. Die treten sich da unten jetzt schon auf die Füße. Manchmal hab ich Angst, dass die Luft knapp wird ...«

»Ist denn nicht für ausreichende Ventilation gesorgt?« Tim nahm sich einen passenden Helm und eine Grubenlampe, wobei er die Stirn runzelte. Es gab längst modernere Modelle. Tim bevorzugte Benzinlampen, die nicht nur Licht boten, sondern deren Aureole auch den Methangasgehalt der Luft bestimmen ließ.

Der Steiger vermerkte seine routinierten Bewegungen ebenso wie sein Unbehagen und wurde etwas zugänglicher. »Wir tun unser Bestes, Sir. Aber Wetterstollen tun sich nun mal nicht von selbst auf. Um die zu bohren, muss ich Männer abstellen. Und ausgemauert werden müssen die Stollen auch; deshalb fallen Materialkosten an. Da macht Ihr Vater mir die Hölle heiß ...«

Heiß genug war es auch im Schacht. Während der Tag draußen eher ungemütlich war, stieg die Temperatur, je tiefer der Förderkorb sank. Als die tiefste Sohle erreicht war, registrierte Timothy schale, verbrauchte Luft und glühende Hitze.

»Matte Wetter«, bemerkte er fachkundig und grüßte die Männer, die hier Loren voller Kohle heranschoben und zum Transport durch den Förderschacht vorbereiteten. »Hier muss dringend etwas getan werden. Man darf gar nicht drüber nachdenken, was passiert, wenn hier mal Gas austritt.«

Der Steiger grinste. »Dafür haben wir die hier.« Er wies auf einen Käfig, in dem ein winziger Vogel trübselig von einer Stange zur anderen hüpfte. »Wenn der Vogel taumelt, heißt es Flucht!«

Timothy war entsetzt. »Aber das ist mittelalterlich! Ich weiß, man hat die Vögelchen noch überall, denn als Frühwarnsystem sind sie unschlagbar. Aber das ist doch kein Ersatz für eine ausreichende Bewetterung! Ich werde mit meinem Vater reden, die Arbeitsbedingungen müssen verbessert werden. Dann werden die Männer auch effektiver hauen.«

Der Steiger schüttelte den Kopf. »Noch effektiver haut kein Mensch. Aber man könnte die Strebe verbreitern, sie geschickter abstützen.«

»Und wir müssen den Transport von Abraum verbessern. Es kann doch wohl nicht wahr sein, dass die Männer das Geröll noch in einer Kiepe wegschleppen! Und habe ich draußen wirklich Schwarzpulver gesehen? Sagen Sie nicht, Sie benutzen noch keine Wettersprengstoffe!«

Der Steiger verneinte. »Wir haben nicht mal Explosionssperren. Wenn hier was hochgeht, brennt die ganze Mine.«

Eine Stunde später hatte Timothy seine Inspektion des Bergwerks beendet und in seinem Steiger einen Freund gewonnen. Matthew Gawain hatte eine Bergwerksschule in Wales besucht, und seine Vorstellungen von moderner Fördertechnik und Minensicherheit deckten sich weitgehend mit Tims. Was zeitgemäße Ventilationstechniken und Schachtbau anging, war Timothy ihm allerdings voraus. Matthew arbeitete seit drei Jahren in Neuseeland, und die Bergwerkstechnik machte ständig Fortschritte. Die beiden verabredeten, sich bald auf ein Bier im Pub zu treffen und ihr Gespräch fortzusetzen.

»Aber machen Sie sich keine großen Hoffnungen, das alles zu realisieren«, meinte Matthew schließlich. »Ihr Vater ist nur am schnellen Gewinn interessiert, wie die meisten Bosse. Und das ist ja auch wichtig ...«, beeilte er sich hinzuzufügen.

Timothy winkte ab. »Langfristiges Denken ist genauso wichtig. Wenn eine Mine einstürzt, weil man sie nicht ausreichend gesichert hat, kostet das mehr Geld als rechtzeitige Renovierung. Von den Menschenleben ganz zu schweigen.

Außerdem ist die Gewerkschaftsbewegung auf dem Vormarsch. Auf die Dauer wird man nicht darum herumkommen, bessere Bedingungen für die Arbeiter zu schaffen.«

Matthew grinste. »Wobei ich nicht die Befürchtung hege, dass Ihre Familie in diesem Fall auch nur ein Stück Brot weniger zu essen hätte.«

Tim lachte. »Da fragen Sie mal meinen Vater! Der wird Ihnen umgehend erklären, dass er jetzt schon völlig verarmt ist und jeder Ausfalltag in der Grube ihn dem Hungertod näher bringt.« Er atmete auf, als die Grube ihn losließ und er wieder das Tageslicht sah. Sein Dankgebet an die heilige Barbara war aufrichtig, obwohl er im Grunde seines Herzens glaubte, dass es weniger die Aufgabe himmlischer Schutzpatrone als ganz irdischer Bergbauingenieure war, Grubenunglücke zu verhindern.

»Wo können wir uns waschen?«, fragte er.

Matthew lachte. »Waschen? Da werden Sie wohl nach Hause gehen müssen. Einen Luxus wie überdachte Waschräume oder gar warmes Wasser werden Sie hier nicht finden.«

Timothy beschloss, nicht nach Hause zu gehen. Im Gegenteil. Verdreckt wie er war, würde er das Kontor seines Vaters aufsuchen und ein sehr ernstes Wort mit ihm reden.

Am Nachmittag lenkte Timothy sein Pferd ins Zentrum von Greymouth. Er beabsichtigte, die Materialien für die Veränderungen in der Mine, die er seinem Vater am Morgen abgetrotzt hatte, gleich zu bestellen. Viel war es allerdings nicht. Marvin Lambert hatte lediglich dem Bau eines einzigen neuen Wetterschachts sowie einiger Explosionssperren zugestimmt, und auch das nur, um den Mindestanforderungen der staatlichen Minenaufsicht zu entsprechen. Timothys Argument, sein Konkurrent Biller könne seine Verstöße gegen die Sicherheitsbestimmungen aufdecken und anzeigen – »Er braucht nur einen deiner Bergleute zu befragen, Vater!« –, hatte den Alten überzeugt. Timothy war entschlossen, die Bestimmungen in den nächsten Tagen noch einmal bis ins Detail durchzusehen. Vielleicht gab es ja noch etwas, das sich in seinem Sinne nutzen ließ. Aber jetzt genoss er erst einmal den Ritt durch das außergewöhnlich schöne Frühlingswetter. Am Morgen hatte es noch geregnet, aber jetzt kam die Sonne durch, und die Wiesen und Farnwälder leuchteten grün vor der Kulisse der Berge.

Am Ortseingang passierte er die Methodistenkirche, einen hübschen Holzbau. Er überlegte kurz, ob er eintreten und ein paar Worte mit dem Reverend sprechen sollte. Der Mann war immerhin für die Seelsorge seiner Leute zuständig, obwohl viele von ihnen sich zum katholischen Glauben bekannten und insofern nicht in seinen Gottesdienst kamen. Aber dann sah er, dass der Pfarrer offensichtlich schon Besuch hatte. Vor der Kirche war eine kleine, kräftige Schimmelstute angebunden; daneben wartete geduldig ein dreifarbiger Collie. Und eben öffnete sich die Kirchentür. Timothy sah den Reverend heraustreten und seinen Gast verabschieden. Er hielt einem rothaarigen Mädchen die Tür auf, das ein paar Notenbücher unter dem Arm trug. Ein ausnehmend hübsches, zierliches Mädchen in einem abgetragenen grauen Reitkleid. Sie hatte ihr langes, krauses Haar zu einem Zopf geflochten, der ihr über den halben Rücken hing, aber so ganz wollten die Locken sich nicht bändigen lassen. Ein paar Strähnen hatten sich bereits gelöst und umspielten ihr schmales Gesicht. Der Reverend winkte seiner Besucherin noch einmal freundlich nach, als sie jetzt zu dem Schimmel ging und die Noten in der Satteltasche verstaute. Der kleine Hund schien außer sich vor Freude, seine Herrin wiederzusehen.

Tim ritt näher heran und grüßte. Er nahm an, das Mädchen hätte ihn beim Verlassen der Kirche bereits gesehen, doch sie erschrak, als sie seine Stimme hörte, und fuhr herum. Einen

Augenblick glaubte Tim fast so etwas wie Panik in ihrem Gesicht zu erkennen. Das Mädchen schien hastig um sich zu blicken wie ein Tier in der Falle und beruhigte sich erst, als Timothy keine Anstalten machte, sich auf sie zu stürzen. Auch die tröstliche Nähe der Kirche schien ihr bewusst zu werden. Vorsichtig erwiderte sie Timothys Lächeln, senkte dann aber sofort die Augen und schien ihm fürderhin nur misstrauische Seitenblicke zuzuwerfen.

Immerhin gab sie den Gruß mit leiser Stimme zurück. Dabei stieg sie sehr geschickt in den Sattel. Sie schien es gewohnt zu sein, ihr Pferd ohne die Hilfe eines Herren zu erklimmen.

Timothy stellte fest, dass sie den gleichen Weg hatten. Auch das Mädchen wandte ihr Pferd in Richtung Stadt.

»Sie haben ein hübsches Pferd«, bemerkte Timothy, nachdem sie kurze Zeit schweigend nebeneinander hergeritten waren. »Es sieht aus wie die Ponys in Wales, aber die großen sind in der Regel keine Schimmel ...«

Das Mädchen wagte einen etwas intensiveren Seitenblick. »Banshee hat Welsh-Mountain-Blut«, erklärte sie dann, wenn auch ein bisschen unwillig. »Daher kommt die Schimmelfarbe. Sonst ist sie bei Cobs selten, da haben Sie Recht.«

Eine erstaunlich lange Rede für das so offensichtlich schüchterne Geschöpf. Das Thema »Pferde« schien den Nerv zu treffen. Und sie verstand wohl auch etwas davon.

»Welsh Mountains sind die kleinen Ponys, nicht wahr? Die man auch in den Minen einsetzt?«, fragte er weiter.

Das Mädchen nickte. »Aber ich glaube nicht, dass es gute Minenponys sind. Sie sind zu eigenwillig. Banshee würde sich jedenfalls nicht in einen dunklen Schacht einsperren lassen.« Sie lachte nervös. »Wahrscheinlich würde sie gleich in der ersten Nacht Pläne schmieden, eine Leiter zu bauen.«

Tim blieb ernst. »Die womöglich belastbarer wäre als mancher Förderkorb in hiesigen Privatminen«, sagte er und dachte an den maroden Aufzug in der Mine seines Vaters. »Aber es stimmt, in den Minen sind eher Ponys aus Dartmoor und New Forest. Sehr oft auch Fellponys, die sind etwas größer.«

Das Mädchen schien jetzt ein wenig zutraulicher zu werden und musterte ihn länger. Tim registrierte ihre schönen Augen und ihre Sommersprossen.

»Kommen Sie aus Wales?«, fragte er, obwohl er es nicht glaubte. Das Mädchen sprach keinen Waliser Dialekt.

Sie schüttelte denn auch den Kopf, gab aber keine weiteren Auskünfte. »Und Sie?«, fragte sie stattdessen. Es klang allerdings nicht danach, als wäre sie wirklich interessiert, sondern wollte die Konversation beiläufig halten.

»Ich war in Wales und habe da in einer Mine gearbeitet«, gab er Auskunft. »Aber ich komme von hier, aus Greymouth.«

»Dann sind Sie Bergmann?« Auch diese Frage kam beiläufig; allerdings taxierte das Mädchen dabei seine ordentliche Kleidung, sein wertvolles Sattelzeug und sein hübsches Pferd. Gewöhnliche Bergleute konnten sich so etwas nicht leisten. Sie gingen im Allgemeinen zu Fuß.

»Bergbauingenieur«, stellte er richtig. »Ich habe in Europa studiert. Bergbauingenieure kümmern sich um die Anlage der Mine und …«

Das Mädchen winkte ab. »Und sie bauen das hier«, sagte sie und wies mit einer knappen Bewegung auf die Fördertürme und Abraumhalden, die rund um Greymouth die Gegend verschandelten. Ihr Gesichtsausdruck spiegelte ihre Meinung dazu wider.

Timothy lächelte ihr zu. »Es sind hässliche Dinge, sprechen Sie es ruhig aus. Mir gefallen sie auch nicht. Aber wir brauchen die Kohle. Sie bietet Wärme, ermöglicht die Stahlproduktion … ohne Kohle kein modernes Leben. Und sie schafft Arbeitsplätze. Allein hier, rund um Greymouth, ernährt sie einen Großteil der Bevölkerung.«

Das Mädchen hätte wohl auch dazu etwas sagen können.

Auf ihrer Stirn bildeten sich Falten, und ihre Augen blitzten unwillig. Wenn sie länger hier wohnte, kannte sie möglicherweise die Elendsquartiere der Grubenarbeiter. Timothy fühlte sich schuldig. Er suchte nach weiteren Erklärungen, aber inzwischen hatten sie die ersten Häuser des Dorfes erreicht. Tim meinte fast zu spüren, wie das Mädchen neben ihm sich entspannte. Sie wirkte deutlich gelöster, als sie von den ersten Passanten gegrüßt wurde und die Grüße erwiderte. Also hatte sie sich trotz der Plauderei allein mit ihm unwohl gefühlt. Timothy wunderte sich. Seit wann wirkte er auf Frauen furchterregend?

Der Baustoffhandel gehörte zu den ersten Häusern der Stadt. Timothy erklärte dem Mädchen, er müsse hier abbiegen.

»Mein Name ist übrigens Timothy Lambert«, stellte er sich rasch noch vor.

Er erhielt keine Reaktion.

Tim startete einen weiteren Versuch.

»Es war nett, mit Ihnen zu plaudern, Miss ...«

»Keefer«, murmelte das Mädchen unwillig.

»Dann also auf Wiedersehen, Miss Keefer.«

Tim zog fröhlich den Hut und lenkte sein Pferd auf den Hof der Baustoffhandlung.

Das Mädchen antwortete nicht.

7

Elaine hätte sich ohrfeigen können. Es war wirklich nicht nötig gewesen, sich so zu benehmen. Der junge Mann war nur höflich gewesen. Aber sie konnte nicht dagegen an: Sobald sie mit einem Mann allein war, verschloss sich alles in ihr. Sie verspürte nur Feindseligkeit und Angst. Meistens brachte sie dann überhaupt kein Wort heraus; dieser Mann hatte sie nur aus der Reserve gelockt, indem er so kundig über Pferde sprach. Andererseits war es beinahe schon gefährlich, wenn er Banshees Rasse erkannte. Vielleicht hatte er ja schon von den Kiward-Welsh-Cobs gehört und brachte sie, Elaine, damit in Verbindung.

Gleich darauf schalt sie sich wieder für ihr Misstrauen. Der Mann war Bergbauingenieur. Er kannte keine Schaffarmen in Canterbury. Wahrscheinlich war ihm Banshee auch ganz egal; er hatte einfach nur freundlich mit ihr reden wollen. Und sie hatte es nicht mal geschafft, ihm Auf Wiedersehen zu sagen! Das musste endlich aufhören. Sie war jetzt ungefähr ein Jahr in Greymouth, und niemand stellte ihr nach. Natürlich hatte sie nicht vor, sich wieder zu verlieben, aber sie musste doch fähig sein, mit einem Mann zu reden, ohne sich innerlich völlig zu verkrampfen. Dieser Timothy Lambert wäre da ein guter Anfang gewesen. Er machte wirklich keinen gefährlichen Eindruck, sondern sah sogar ganz nett aus. Er hatte braunes, lockiges Haar, das er ziemlich lang trug, und war mittelgroß und schlank – nicht so hoch aufgeschossen wie William und nicht so athletisch wie Thomas. Kein Mann, der sofort auffiel. Aber er saß geschmeidig zu Pferde und führte die Zügel mit leichter Hand. Bestimmt kein Mann, der seine

Zeit in einem Kontor verbrachte – aber auch nicht unter Tage. Timothys Haut war gebräunt und sauber, nicht blass und kohlenstaubgrau wie die der meisten Bergleute. Elaine hatte vermieden, ihm in die Augen zu sehen, aber sie schienen grün zu sein. Ein unaufdringliches Grünbraun. Seine Augen waren nicht strahlend wie die von William, nicht geheimnisvoll wie die von Thomas. Es waren die ruhigen, freundlichen Augen eines ganz normalen Menschen, der niemandem auf dieser Welt gefährlich werden würde.

Aber das hatte sie von William auch gedacht. Und von Thomas …

Energisch verscheuchte Elaine jeden Gedanken an ihren Begleiter von eben. Sie hatte inzwischen Madame Clarisse' Ställe erreicht, sattelte Banshee ab und fütterte sie. Callie folgte ihr in ihr winziges Zimmer, das sie inzwischen mit bunten Vorhängen und einem hübschen Plaid als Bettüberwurf wohnlicher eingerichtet hatte. Sie musste sich umziehen; in einer halben Stunde würde der Pub eröffnen. Schade, dass sie es nicht früher geschafft hatte. Sie hätte die neuen Noten gern ausprobiert, die der Reverend ihr für den Sonntagsgottesdienst gegeben hatte. Aber Madame Clarisse mochte es nach wie vor nicht, wenn sie im Pub Kirchenlieder spielte. Morgens war es ihr ziemlich egal, aber um diese Zeit waren schon die meisten Mädchen im Schankraum, um vor der Arbeit etwas zu essen.

»Nicht, dass du mir die bekehrst!«, erklärte Madame Clarisse dann und drohte mit dem Finger.

Elaine konnte über solche Witze inzwischen ganz entspannt lachen. Sie war auch die Reden der Mädchen gewohnt und errötete nicht mehr, wenn sie sich über ihre Freier austauschten. Ihre Geschichten bestärkten sie allerdings nur in der Vermutung, dass man nichts versäumte, wenn man sich vom anderen Geschlecht fernhielt. Zwar verdienten die käuflichen Mädchen weitaus mehr als sie selbst am Klavier, aber das Leben einer Hure hatte nichts Beneidenswertes, und das einer Ehefrau erst recht nicht.

Elaine entschied sich für ein hellblaues Kleid, das die Farbe ihrer Augen betonte, löste ihren Zopf und bürstete ihr Haar aus. Dann war sie pünktlich am Klavier, nach wie vor gefolgt von Callie. Die kleine Hündin bellte längst nicht mehr, nur weil ihre Herrin Klavier spielte. Doch wenn ein Mann sich Elaine zu aufdringlich näherte, knurrte sie. Elaine gab das Sicherheit, und Madame Clarisse störte es nicht. Hier im Pub hatte das Mädchen auch keine Furcht, mit den Männern zu plaudern. Das gehörte zum Job, und sie ging ja auch kein Risiko ein. Schließlich war die Kneipe voll; niemand konnte ihr unbemerkt zu nahe treten. Im Grunde hätte sie sich zwar auch hier gern jeglicher Konversation entzogen, aber wenn sie zu stachelig war, spendierten die Kerle keine Drinks – und Elaine war auf die Zusatzeinnahmen angewiesen. Auch heute stand bald der erste »Whisky« vor ihr auf dem Klavier, nachdem sie zu spielen angefangen hatte. Charlene, die den Drink servierte, nickte ihr zu.

»Du möchtest bitte *Paddy's Green Shamrock Shore* spielen«, richtete sie ihr aus.

Elaine nickte. Ein Abend wie jeder andere.

Tim hatte inzwischen all seine Besorgungen erledigt. Nach endlosem Wälzen von Katalogen und Diskussionen über Vor- und Nachteile verschiedener Baumaterialien war es ihm sogar gelungen, den Baustoffhändler davon zu überzeugen, dass die Lambert-Mine diesmal nicht das billigste, sondern das beste Material ordern wollte. Der Mann war völlig verblüfft und bot Tim schließlich ein Bier an. Ein weiterer neuer Freund. Tim war höchst zufrieden und mehr als bereit, den

Abend jetzt im Pub ausklingen zu lassen. Schade nur, dass er seine Verabredung mit Matthew so vage gehalten hatte. Jetzt wusste er nicht einmal, in welcher der Gaststätten der junge Steiger sein Bier zu trinken pflegte, nahm aber an, dass es sich um keins der vornehmen Hotels und Restaurants am Kai handelte. Und die erste Bergarbeiterkneipe, The Wild Rover, wirkte wenig vertrauenerweckend. Die Gäste schienen jetzt schon betrunken zu sein; die Atmosphäre war aggressiv. Tim hörte streitende Stimmen. Wenn Matthew hier verkehrte, musste er sich in ihm getäuscht haben. Also suchte er die andere Wirtschaft auf, Lucky Horse – Hotel und Pub, in dem sich auch das örtliche Freudenhaus befand. Aber das war fast immer gekoppelt; es musste nichts über die Stimmung im Gastraum und die Qualität des Whiskys aussagen.

Tim wollte sein Pferd vor dem Hotel anbinden, doch ein anderer Reiter, der ebenfalls gerade eintraf, verriet ihm, dass es einen Stall gab.

»Sonst ist Ihr edles Sattelzeug gleich nass«, erklärte er, während er Tims Pferd einer erkennbaren Musterung unterzog. Das Frühlingswetter vom Nachmittag hatte sich als unsicherer Vorbote des Sommers entpuppt. Inzwischen nieselte es wieder. »Und das wär doch schade. Englische Arbeit, nicht? Wo haben Sie 's gekauft? In Christchurch?«

Der Mann entpuppte sich als der örtliche Sattlermeister und der Stall als kleiner, aber sauberer und trockener Anbau der Kneipe. Eine Schimmelstute wieherte. Tim stellte sein Pferd neben sie und streichelte ihr die Nase. War das nicht der Cob von dem Mädchen? Sein Wallach schien die Stute ebenfalls wiederzuerkennen und begann mit zaghaften Annäherungsversuchen. Banshee antwortete animiert.

Der Sattler, Ernest Gast, versorgte die Pferde noch mit Heu und warf ein paar Cent für den Stallburschen auf einen bereitstehenden Teller. Tim wollte ihn nach der Stute fragen, vergaß es dann aber, als sie den Schankraum betraten.

Bei Madame Clarisse war es warm, und es roch nach Tabak, frisch gezapftem Bier und gegrilltem Fleisch. Timothy fühlte sich gleich deutlich wohler als bei der Konkurrenz, obwohl ebenfalls ziemlicher Lärm herrschte. Hier wurde allerdings gesungen statt zu streiten – drei Waliser hatten sich zu einem kleinen Chor rund um das Klavier zusammengefunden. An einigen Tischen unterhielten sich Männer mit offenherzig gekleideten Mädchen, an anderen wurde Karten gespielt, und eine Gruppe Grubenarbeiter maß sich im Dart. In einer Nische, etwas abseits vom allgemeinen Geschehen, saß bereits Matthew Gawain und winkte den Neuankömmlingen fröhlich zu.

»Kommen Sie hierher, Mr. Lambert, hier ist es ruhiger. Und die Männer werden nicht gleich gewahr, dass ihr Steiger da ist, und erst recht ihr Chef. Das macht viele nervös. Sie glauben anscheinend nicht, dass auch unsereiner nach dem Tag in der Mine eine trockene Kehle hat. Eher meinen sie, ich zähle ihre Drinks.«

»Zu viele werden sie sich doch in der Woche kaum leisten können«, meinte Tim und setzte sich zu ihm. Ein Schankmädchen näherte sich, und er orderte ein Bier. Ernest Gast tat es ihm nach; auch ihm hatte Matthew einen Platz angeboten. Die Männer schienen sich zu kennen.

Matt zuckte die Achseln. »Einige leisten sich viel zu viele Drinks. Da geht meist der ganze Lohn drauf; deshalb kommen die Kerle auf keinen grünen Zweig. Aber will man's ihnen verdenken? Tausende von Meilen von der Heimat weg und immer noch keine Zukunft. Die Behausungen im Dreck, der ständige Regen ...«

»Betrunkene sehe ich ungern unter Tage.« Tim nahm einen ersten Schluck von seinem Bier und schaute sich im Pub ein wenig genauer um. Wild gezecht wurde hier zurzeit nicht. Die meisten Männer hatten Biergläser vor sich stehen, nur wenige Gäste orderten Whisky – und die sahen nicht wie Bergleute aus. Die Musik klang jetzt fröhlicher. Die traurigen Waliser hatten das Klavier geräumt, und der Pianist spielte stattdessen eine irische Jigue.

Der Pianist?

»Was zum Teufel ist das denn?«, fragte Tim verblüfft, als er das Mädchen am Klavier erkannte. Unzweifelhaft das schüchterne kleine Ding, das er am Nachmittag getroffen hatte. Jetzt trug sie allerdings kein unauffälliges Reitkleid mehr, sondern ein hübsches blaues Rüschenkleid, das ihre schmale Taille betonte. Die Farbe war etwas zu aufdringlich für eine Tochter aus gutem Hause, aber das Kleid als solches war längst nicht so aufreizend wie die der Schankmädchen und Huren, sondern verhältnismäßig hochgeschlossen. Ihr Haar hing jetzt offen über ihre Schultern und schien in ständiger Bewegung zu sein. Die Locken waren so fein, dass jeder winzigste Luftstrom sie hochwirbeln ließ.

Matt und Ernest blickten aufgeschreckt in die Richtung, in die Tim wies. Dann lachten sie.

»Die Hübsche am Piano?«, fragte Ernest. »Das ist unsere Miss Lainie.«

»Die Heilige von Greymouth!«, witzelte Matt.

Tim runzelte die Stirn. »Also, wie eine Heilige sieht sie mir nicht aus«, bemerkte er. »Und hier würde ich auch keine vermuten.«

Matt und Ernest kicherten.

»Sie kennen ja auch unsere Miss Lainie noch nicht«, meinte Ernest salbungsvoll. »Man nennt sie auch ›Die Jungfrau von Greymouth‹, aber das hören die Damen nicht gern, weil es sich anhört, als wäre sie die Einzige.«

Wieder dröhnendes Gelächter, auch von den Nachbartischen.

»Also, klärt mich jetzt mal einer auf?«, fragte Tim unwirsch. Er wusste nicht, warum, aber es gefiel ihm nicht, wie die Männer über das Mädchen spotteten. Die kleine Rothaarige sah zu süß aus. Ihre zarten Finger schienen über die Tasten zu fliegen, als sie die schwierigen Läufe der schnellen Melodie formte, und zwischen ihren Augen stand eine steile Falte, ein Zeichen tiefer Konzentration. Das Mädchen schien den Pub und die Männer um sich herum zu vergessen, sie bildete eine Insel der … Unschuld?

Matthew erbarmte sich schließlich.

»Sie sagt, ihr voller Name ist Lainie Keefer. Sie ist vor ungefähr einem Jahr hier aufgetaucht, ziemlich abgerissen, und suchte nach Arbeit. Ehrbarer Arbeit. Sie machte auch den Versuch, ein Zimmer in einer ordentlichen Pension anzumieten. Die Frau des Barbiers regt sich heute noch darüber auf, dass sie einer solchen Person beinahe ihr Haus geöffnet hätte. Aber sie hatte kein Geld. Na ja, und Greymouth ist ja auch nicht gerade ein Paradies für weibliche Arbeitskräfte. Schließlich stellte Madame Clarisse sie als Pianistin an. Vorerst. Wir haben natürlich gleich darauf gewettet, wann sie umfällt. In dieser Umgebung, wie soll da ein Mädchen sauber bleiben?«

»Und?«, fragte Tim. Er beobachtete, wie eins der Schankmädchen einen Drink für die Pianistin auf das Klavier stellte. Miss Lainie kippte den Whisky in einem Zug herunter. Nicht gerade ein Zeichen für die Unschuld vom Lande.

»Und nichts!«, erwiderte Ernest. »Sie spielt Klavier, plaudert ein bisschen mit den Männern, aber sonst – nichts!«

»Wobei das Plaudern sich auf die Arbeitszeit beschränkt«, fügte Matt hinzu. »Ansonsten redet sie mit keinem Mann außer mit dem Reverend.«

»Mit mir hat sie heute Nachmittag gesprochen«, bemerkte Tim.

Das Mädchen spielte jetzt *Whisky in the Jar*, anscheinend auf Bestellung. Ein Drink, ein Lied.

»Oh, Sie haben sie also schon kennen gelernt!«, sagte Matt lachend. »Na, ich wette, das Gespräch beschränkte sich auf das Wetter. Viel mehr ringt sie sich nicht ab.«

»Wir haben über Pferde gesprochen«, meinte Tim selbstvergessen.

Ernest lachte. »Na, Sie sind von der schnellen Truppe! Haben es also auch schon versucht. Und gar nicht mal schlecht. Zum Thema ›Pferde‹ sagt sie noch am ehesten was. Dann geht noch ›Hunde‹. Und Joel Henderson behauptet, sie habe sich mal drei Sätze zu einem irischen Lied und den zwei verschiedenen Textversionen dazu abgerungen.«

»Was soll ich denn versucht haben?« Tim ertappte sich dabei, kaum noch zuzuhören. Lainies Vortrag am Klavier fesselte ihn sehr viel mehr.

»Na, bei ihr zu landen!« Matt verdrehte die Augen. »Aber das ist hoffnungslos, glauben Sie 's mir. Wir haben es alle probiert. Die Bergleute sowieso, aber die kriegen bei keiner hier 'ne Schnitte. Welches Mädchen will schon in deren Quartiere ziehen? Aber auch die Ladenbesitzer und ihre Söhne, die Handwerker, also Ernie hier, und der Schmied ... und meine Wenigkeit sowie die Steiger von Blackball und Biller. Alles vergebene Liebesmüh. Sie guckt keinen an.«

Das war im wahrsten Sinne des Wortes so. Tim dachte an Lainies gesenkten Blick während ihrer gesamten Unterhaltung.

»Wissen Sie, was die anderen Mädchen von ihr sagen?«, fragte Ernest. Er wirkte schon ein bisschen beschwipst, aber vielleicht ließ ihn auch der Gedanke an seine missglückte Werbung um Lainie melancholisch wirken. »Die sagen, Miss Lainie hat Angst vor Männern ...«

Tim wartete, bis die Unterhaltung sich wieder auf andere Dinge konzentrierte. Dann stand er langsam auf und ging zum Piano hinüber. Diesmal achtete er darauf, dass Lainie ihn sah. Er wollte sie nicht wieder erschrecken.

»Guten Abend, Miss Keefer«, sagte er förmlich.

Lainie senkte den Kopf, und ihr Haar fiel wie ein Vorhang vor ihr Gesicht.

»Guten Abend, Mr. Lambert«, antwortete sie. Seinen Namen hatte sie sich also immerhin gemerkt.

»Ich hab mein Pferd eben neben Ihre Stute gestellt, und die beiden flirten heftig.«

Leichte Röte überzog Lainies Gesicht.

»Banshee freut sich über Gesellschaft«, sagte sie dann steif. »Sie ist einsam.«

»Dann sollten wir sie gelegentlich ein bisschen aufheitern. Vielleicht möchte sie mal gemeinsam mit Fellow spazieren gehen?« Tim lächelte das Mädchen an. »Fellow ist mein Pferd, und ich versichere Ihnen, er hat nur die ehrbarsten Absichten.«

Lainie versteckte sich immer noch hinter ihrem Haarvorhang.

»Ja, sicher, aber ich ...« Sie sah kurz auf, und er meinte Schalk in ihren Augen aufblitzen zu sehen. »Ich lasse sie nicht allein spazieren gehen, wissen Sie?«

»Wir beide könnten uns den Pferden ja anschließen.« Tim versuchte beiläufig zu klingen.

Elaine musterte ihn vorsichtig. Tim sah sie treuherzig an, nicht anzüglich oder gar lüstern. Er schien wirklich nett zu sein, und er verpackte die Einladung zum gemeinsamen Ausritt auf diplomatischste Art. Wahrscheinlich hatten die anderen Männer ihn vorgewarnt. Und jetzt lief vielleicht eine Wette, ob er sie herumkriegte.

Elaine schüttelte den Kopf. Ihr fiel keine Ausrede ein, und so wurde sie nur rot und biss sich auf die Lippen. Callie unter dem Klavier knurrte.

Madame Clarisse nahm sich schließlich der Sache an. Was tat dieser Fremde bei Lainie? Versuchte er sich heranzuschmeißen? Auf jeden Fall schien er das Mädchen durcheinanderzubringen.

»Unsere Lainie ist nur zum Anschauen!«, erklärte sie resolut. »Und zum Anhören. Wenn Sie ein Lieblingslied haben und ihr einen Drink spendieren, soll sie 's wohl für Sie spielen. Ansonsten bleiben Sie weg von ihr, verstanden?«

Tim nickte. »Ich komme darauf zurück«, sagte er freundlich, wobei er offen ließ, ob er die Einladung zum Ausritt oder das Lieblingslied meinte.

Matt und Ernie empfingen ihn grinsend.

»War wohl nichts?«, fragte der Sattler.

Tim zuckte die Schultern.

»Ich hab Zeit«, sagte er.

Am nächsten Abend kam Tim erneut in den Pub, setzte sich in die Nähe des Klaviers und sah Lainie an. Er trank langsam ein Bier, dann ein zweites, wechselte ein paar Worte mit seinen neuen Bekannten vom Baustoffhandel, mit Matt oder mit Ernie, tat sonst aber nichts, außer das Mädchen am Klavier zu betrachten.

Schließlich verabschiedete er sich artig bei Lainie und bei Madame Clarisse, die inzwischen gehört hatte, wer er war, und die sich für ihre harten Worte vom Vortag ein wenig schämte. Am nächsten Abend kam Tim wieder. Und am Abend darauf. Am vierten Tag, einem Samstag, hielt Lainie es nicht mehr aus.

»Was hocken Sie jeden Abend da und starren mich an?«, fragte sie böse, nachdem er sein erstes Bier geleert hatte.

Tim lächelte. »Ich dachte, dazu sind Sie da. Ihre Chefin hat es mir zumindest so gesagt. ›Miss Lainie ist zum Anschauen.‹ Tja, und das tue ich jetzt.«

»Aber warum? Wenn Sie noch ein bestimmtes Lied hören wollten ... Sie können sich was wünschen, wissen Sie?« Elaine war hilflos.

»Ich kann Ihnen gern einen Tee bestellen, wenn es darauf hinausläuft. Aber mit den Liedern ist es schwierig. Trinklieder sind mir zu laut, und die Liebeslieder meinen Sie ja nicht ehrlich ...«

Elaine war bei der Erwähnung des Tees wieder errötet. »Woher wissen Sie …?« Sie wies auf das Whiskyglas auf dem Piano.

»Na, das ist doch nicht schwer zu erraten«, meinte Tim. »Seit ich hier bin, ist das schon Ihr fünfter Drink. Wäre es Schnaps, wären Sie längst betrunken. Sollten Sie übrigens mal versuchen. Das erleichtert die Sache mit den Liebesliedern.«

Lainie lief noch dunkler an.

»Ich bekomme Prozente«, sagte sie tonlos. »Von dem Whisky …«

Tim lachte. »Dann sollten wir uns gleich eine ganze Flasche gönnen. Aber was machen wir denn jetzt mit der Musik? Wie wäre es mit *Silver Dagger?*«

Lainie biss sich auf die Lippen. Ein Lied, in dem ein Mädchen der Liebe abschwört. Es schläft mit einem silbernen Dolch in der Hand, um sich die Männer vom Leib zu halten.

In Elaine weckte das ganz bestimmte Erinnerungen. Sie musste sich bemühen, nicht zu zittern.

Madame Clarisse kam näher.

»Nun lassen Sie das Mädchen doch in Ruhe arbeiten, Mr. Lambert. Das arme Ding kriegt Angst, wenn Sie es die ganze Zeit anstarren. Benehmen Sie sich wie ein anständiger Mann, trinken einen mit Ihren Freunden, und morgen treffen Sie die Kleine in der Kirche und fragen höflich an, ob Sie sich von Ihnen nach Hause begleiten lässt. Das erscheint mir sehr viel schicklicher, als eine Flasche Whisky mit ihr zu teilen!«

Tim war nicht sicher, meinte jedoch, dass Lainie sich bei der Erwähnung der Kirche versteifte. Auf jeden Fall wich die Röte in ihren Wangen einer wächsernen Blässe.

»Ich glaube, ich hätte lieber den Whisky …«, sagte sie leise.

Am nächsten Morgen traf Tim das Mädchen wirklich vor der Kirche, doch sie entzog sich ihm sofort, was einfach für sie war. Schließlich spielte sie die Orgel, war also sowieso von der Gemeinde getrennt. Tim tat das, was er nun schon gewohnt war: Er schaute sie an, wofür ihn diesmal seine Mutter rüffelte statt Madame Clarisse. Er hoffte, Lainie wenigstens nach der Messe sehen zu können, doch sie verschwand, kaum dass die letzten Töne verklungen waren.

Charlene, eins von Madame Clarisse' Mädchen, verriet ihm, dass Lainie mit dem Reverend und seiner Frau zu Mittag aß.

»Sie laden sie manchmal ein, aber ich glaub, heute hat sie sich selbst eingeladen. Das mit der Kirche ist nicht die beste Idee, Mr. Tim. Da hat sie wohl schlechte Erfahrungen.«

Tim fragte sich, wo er dann überhaupt noch ansetzen konnte, aber jetzt war sein Ehrgeiz endgültig geweckt.

In der kommenden Woche setzte er die Pub-Besuche fort. Er starrte das Mädchen zwar nicht so auffällig an wie in den ersten Tagen, blieb aber immer in ihrer Nähe. Manchmal wechselte er ein paar Worte mit ihr, bevor er das immer gleiche Lied bestellte und der Pianistin einen Drink orderte. Sie lächelte dann schüchtern und spielte *Silver Dagger,* während Charlene ihr »Whisky« servierte.

So vergingen mehrere Wochen, ohne dass sich auch nur der geringste Fortschritt ergab. Dann aber nahte der Tag der heiligen Barbara.

»Ihr Vater gibt also wirklich ein Fest?« Matthew Gawain wandte sich an Timothy, sobald der das Lokal betrat. Im Lucky Horse gab es an diesem Tag kein anderes Gesprächsthema als das Pferderennen bei der Lambert-Mine, und der junge Steiger lechzte danach, Einzelheiten zu erfahren.

Tim war ein wenig später als sonst eingetroffen und hatte eben erst den Austausch seiner Förmlichkeiten mit Lainie – »Guten Abend, Miss Keefer!« – »Guten Abend, Mr. Lambert!« – hinter sich gebracht. Erst dann strebte er dem Stammtisch zu und ließ sich neben Matthew nieder.

»Das mit dem Fest war nicht meine Idee, wenn Sie jetzt darauf anspielen wollen, dass für Vergnügungen Geld da ist, aber keins für weniger gefährlichen Sprengstoff!«, gab Tim unwillig Antwort. Er hatte sich eben mit seinem Vater über diese Angelegenheit gestritten und wie immer nichts erreicht.

»Für die Bergleute ist das Fest viel wichtiger als die Arbeitsbedingungen!«, behauptete Marvin Lambert. »Brot und Spiele, mein Sohn, das kannte man schon im alten Rom. Wenn du ihnen eine neue Waschkaue baust, wollen sie morgen einen neuen Förderkorb oder bessere Grubenlampen. Aber wenn du ihnen ein anständiges Pferderennen bietest, einen Ochsen brätst und das Freibier strömen lässt, schwärmen sie noch Wochen später in den höchsten Tönen davon!«

»Tue ich doch gar nicht«, meinte Matt friedfertig. »Es passt bloß so wenig zu Ihrem alten Herrn. Ein großes Fest am Sankt-Barbara-Tag. Hatten wir bislang noch nie, und ich bin schon drei Jahre hier.«

Tim zuckte die Achseln. »Wir sprachen neulich schon darüber, die Gewerkschaften sind auf dem Vormarsch. Die Leute hören von Aufständen in England, Irland und Amerika. Es fehlt nur noch der richtige Anführer, und wir kriegen Saures.« Tim leerte sein Bier schneller als sonst und orderte einen Whisky. »Dem gedenkt mein Vater vorzubeugen. Durch Brot und Spiele …«

»Ein Pferderennen? Wir haben hier doch gar keine Rennpferde!« Ernest und Jay Hankins, der Schmied, gesellten sich zu ihnen.

Tim zog die Augenbrauen hoch.

»Wir haben auch keine Windhunde«, bemerkte er gelassen. »Hunderennen geht also genauso wenig. Es sei denn, wir lassen Miss Lainies Callie gegen Mrs. Millers Pudel rennen …« Tim lächelte und warf einen Blick auf die kleine Hündin unter dem Klavier. Callie hörte ihren Namen, stand auf und trabte wedelnd auf ihn zu. Zumindest Callies Herz hatte er im Laufe der letzten Wochen gewonnen, wobei er vor Bestechung nicht zurückschreckte. Callie liebte die kleinen Würstchen, die Tims Mutter zum Frühstück servieren ließ. »Aber es gibt hier unzweifelhaft ein paar Pferde, die galoppieren können, und mein Vater will den Leuten was zum Wetten bieten. Wenn wir uns da nicht in die Niederungen von Hahnenkämpfen herablassen, kommt nur ein Pferderennen in Frage. Außerdem ist das einfach zu organisieren. Um das Minengelände herum führen Wege, und die meisten sind einigermaßen eben und zum Reiten geeignet. Man nennt das Ganze Lambert Mine Derby. Jeder darf mitmachen, jeder darf wetten, und das schnellste Pferd gewinnt.«

»Dann machen wir es wohl unter uns aus!«, sagte Jay Hankins grinsend. Er besaß eine hochbeinige Stute, und auch Tims Wallach hatte Vollblutahnen.

»Ich kann da doch nicht mitreiten!«, brummte Tim. »Wie sieht das denn aus?«

Auch eine Diskussion, die er schon mit seinem Vater geführt hatte. Der alte Lambert war der Meinung, dass sein Sohn sich nicht nur am Rennen beteiligen, sondern es auch gewinnen müsse. Die Bergleute sollten auf einen Lambert setzen und mit ihm triumphieren. Das würde ein Zusammengehörigkeitsgefühl schaffen und die Männer für ihre Arbeitgeber einnehmen. Marvin Lambert dachte sogar ernsthaft daran, sich extra ein Vollblutpferd anzuschaffen.

»Wie soll das schon aussehen?«, fragte Ernie verwundert. »Sie haben ein Pferd und machen mit – wie wahrscheinlich jeder in dieser Stadt, dessen Gaul es noch schafft, einmal rund um die Mine zu trotten. Das ist ein Spaß, Tim! Das wollen Sie sich doch nicht ernstlich entgehen lassen?«

Für die Bergleute war es nicht nur ein Spaß. Tim wusste, dass sie sich zu hohen Wetteinsätzen würden hinreißen lassen. Da ging schnell ein Wochenlohn verloren, und kein Mensch konnte wissen, wer bei einem so seltsamen Rennen gewann.

»Unsere Miss Lainie macht jedenfalls mit!«, bemerkte Florry, das Schankmädchen. Sie hatte die Unterhaltung mitgehört und stellte nun neue Bierhumpen auf den Tisch.

Die Männer lachten.

»Miss Lainie mit ihrem Pony?«, höhnte Jay. »Wir sterben vor Angst!«

Florry blickte ihn missbilligend an. »Warten Sie ab, bis Banshee Ihnen ihre Hinterhufe zeigt!«, stieß sie hervor. »Wir werden alle auf sie setzen!«

»Davon läuft das Pferdchen aber auch nicht schneller«, neckte Matt sie. »Im Ernst, wie kommt ihr auf die Idee?«

»Miss Lainie kann besser reiten als all die Kerle hier«, trumpfte Florry auf. »Und sie hat vorhin gesagt, sie hätte Lust. Da meinte Madame Clarisse, wenn sie Lust hätte, soll sie starten. Wir werden bunte Schleifchen in Banshees Mähne winden, und dann läuft sie Reklame fürs Lucky Horse. Lainie hat sich erst ein bisschen geziert. Aber wir werden sie alle anfeuern, und Banshee wird bestimmt das hübscheste Pferd sein.«

»Und Miss Lainie die hübscheste Reiterin!«, sagte Tim lächelnd, bevor Matt und die anderen das Mädchen wieder necken konnten. Florry war nicht die Klügste. Wahrscheinlich hatte sie den Unterschied zwischen einem Pferderennen und einer Schönheitskonkurrenz wirklich nicht ganz verstanden. Doch für Tim bot diese Nachricht neue Perspektiven. Beim Rennen, sozusagen von Jockey zu Jockey, musste Lainie mit ihm reden! Er hob sein Glas und trank seinen Freunden zu.

»Also schön, dann will ich auch nicht so sein. Morgen setz ich mein Pferd ebenfalls auf die Liste. Möge der Bessere gewinnen!«

Oder die Beste, dachte Elaine. Sie hatte ein paar einfache

Lieder gespielt und dabei die laute Unterhaltung der Männer verfolgt. Und sie hatte nicht die Absicht, sich zum Gespött der Mine zu machen. Deshalb hatte sie sich am vergangenen Tag das Geläuf angesehen. Das Rennen ging über insgesamt drei Meilen, über harte und weiche, breite und schmale Wege, bergauf und bergab. Hier würde nicht einfach der Schnellste gewinnen, es kam auch auf Trittsicherheit und Kondition der Pferde an – und auf das Können der Reiter. Elaine warf Timothy Lambert einen Seitenblick zu und errötete, als er es bemerkte und ihr zuzwinkerte.

Also gut, er hatte einen gemeinsamen Ausritt gewollt. Am Sankt-Barbara-Tag sollte er ihn haben.

8

Der 4. Dezember, geweiht der Schutzheiligen der Bergwerke, fiel in Neuseeland in den Hochsommer. Selbst im sonst regenreichen Greymouth schien an diesem Tag strahlend die Sonne, und Marvin Lamberts Männer hatten das Minengelände in einen Festplatz verwandelt. Geschmückt mit Girlanden, Fähnchen und Luftballons wirkten die Büros, Fördertürme und Kohlenhalden längst nicht so grau und marode wie sonst, und die Wirtschaftswege dazwischen waren endlich mal trocken. Heute säumten sie Buden, an denen Bier, aber auch Tee für die Damen ausgeschenkt wurde. An großen Feuern brieten ganze Ochsen am Spieß. An anderen Ständen konnten sich die Männer im Dart messen oder Wettbewerbe im Hufeisenwerfen und Nägeleinschlagen bestreiten.

Das Zentrum aber bildete der Führring für das Pferderennen, ein Platz, der schon Stunden zuvor belagert war. Schließlich gab es bei diesem seltsamen Rennen immer noch keinen Favoriten. Viele Wettlustige würden sich erst im letzten Moment für das Pferd und den Reiter entscheiden, die ihnen am aussichtsreichsten erschienen. Und gleich hier, vor dem Mineneingang, waren auch Start und Ziel sowie ein improvisiertes Wettbüro, geleitet von Paddy Holloway, dem Wirt des Wild Rover. Die Leute konnten also nahe der Bierstände Wetten platzieren und später den Zieleinlauf verfolgen. Marvin Lambert fungierte als Schirmherr des Rennens. Zum Schiedsrichter hatte man den geduldigen Reverend bestimmt, der das Amt nur annahm, um seinen Schäfchen vorher eine Rede über die Gefahren und Gottlosigkeit des Wettens zu halten. Überhaupt zeigte der Gottesmann außerordentliche Flexibilität, indem er sich sogar bereit erklärte, am Morgen des Festes vor der Mine eine Messe zu lesen. Dabei war er Methodist und hatte mit der heiligen Barbara nichts zu schaffen. Reverend Lance sah aber auch das pragmatisch: Die Männer der Lambert-Mine brauchten in ihrem Alltag sicherlich himmlischen Beistand. Wie sie diese freundliche Macht nennen wollten, überließ er ihnen.

Elaine spielte dazu *Amazing Grace*, ein Lied, mit dem man außerhalb von Hochzeiten nun wirklich nichts falsch machen konnte.

Am Nachmittag, als das Rennen näher rückte, waren die Festgäste gesättigt und fast alle schon leicht berauscht.

Als Elaine ihre Stute zum Führring ritt, erkannte sie überwiegend Männer im Publikum. Nur Madame Clarisse' Mädchen in ihren bunten, offenherzigen Sommerkleidern stachen wie eine Blumenwiese aus der Menge hervor. Sie johlten ihr zu, als sie vorbeikam. Die wenigen anderen weiblichen Wesen verhielten sich still. Es waren verhärmte Bergmannsfrauen, die hier vor allem deshalb ausharrten, damit ihre Männer nicht das ganze Geld verspielten. Außerdem saßen ein paar Honoratiorinnen des Ortes neben ihren Gatten bei Lambert auf der Tribüne. Sie zerrissen sich schon eifrig die Mäuler über die Anwesenheit der leichten Mädchen und vor allem über Elaines Start im Rennen. Das, so fanden sie einhellig, schicke sich nicht. Aber die gute Miss Keefer hatte es mit der Schicklichkeit ja noch nie so genau genommen ...

Elaine, die sich zusammenreimen konnte, worüber die Frauen tuschelten, grüßte triumphierend zu ihnen hinüber.

Tim bemerkte es und grinste in sich hinein. Lainie konnte so selbstsicher und vergnügt sein. Warum nur zuckte sie zusammen wie ein geprügelter Hund, wenn ein Mann sie ansprach?

Auch jetzt senkte sie sofort den Blick, als er sie grüßte. Dabei konnte sie sich an diesem Tag hinter keinem Haarvorhang verstecken. Sie hatte ihre Locken aufgesteckt und trug sogar ein keckes Hütchen – vermutlich eine Leihgabe von Madame Clarisse. Es war grau und passte insofern zu Lainies Reitkleid, doch irgendjemand hatte ein indigoblaues Band darumgeschlungen und auch Banshees Mähne und Schweif mit bunten Bändern verziert.

Lainie bemerkte Tims Blick und lächelte entschuldigend. »Die Mädchen wollten es unbedingt. Ich finde, es sieht unbeschreiblich albern aus.«

»Nein, nein«, meinte Tim. »Im Gegenteil, es steht ihr. Sie sieht aus wie die Stierkampfpferde in Spanien.«

»In Spanien waren Sie auch schon?«, fragte Lainie. Sie ließ Banshee jetzt neben Tims Pferd hergehen und wirkte für ihre Verhältnisse ziemlich gelöst. Nun befanden sie sich auch inmitten einer Menschenmenge. Sie war ebenso wenig allein mit Tim wie im Pub.

Timothy nickte. »Auch da gibt es Bergwerke.«

Inzwischen füllte sich der Führring. Insgesamt waren es nun neun Reiter und eine Reiterin, die gegeneinander antreten wollten. Wie erwartet war das Feld bunt gemischt. Timothy erkannte Jay Hankins, den Schmied, auf seiner hochblütigen Stute. Auch der Leihstallbesitzer hatte einen großen, grobknochigen Wallach aus dem Stall gezogen, in dessen Stammbaum sich vor Jahren mal ein Vollblutpferd verirrt haben mochte. Zwei Jungen von einer Farm ritten die Arbeitspferde ihres Vaters. Zwei junge Steiger von der Biller- und der Blackburn-Mine hatten sich extra für das Rennen Pferde gemietet. Der eine saß ganz geschickt im Sattel, der andere schien ein ziemlicher Anfänger zu sein. Natürlich ließ sich auch Ernest, der Sattler, die Teilnahme nicht nehmen, obwohl er mit seinem braven alten Wallach kaum Siegchancen hatte. Eine Überraschung bot allerdings der letzte Starter, Caleb Biller. Der Sohn von Marvin Lamberts Hauptkonkurrenten saß auf einem eleganten schwarzen Hengst und wurde mit Hochrufen willkommen geheißen. Die Männer seiner Mine würden ihr Geld sicher durchweg auf ihn setzen.

»Und da ist es vielleicht gar nicht so schlecht platziert«, bemerkte Tim. Er ritt jetzt neben Jay. Lainie hatte sich sofort zurückfallen lassen, als sie zwischen die beiden Männer zu geraten schien.

»Das Pferd sieht großartig aus, ein echtes Vollblut. Das hängt uns alle ab!« Tim kraulte seinem Fellow den Hals, der nervös nach Banshee ausschaute. Seit er seit Monaten praktisch jeden Abend in der Box neben ihr verbrachte, wollte er nicht mehr von ihr lassen.

Jay zuckte die Achseln. »Das Pferd allein kann das Rennen aber nicht gewinnen, es kommt auch auf den Reiter an. Und der junge Biller …«

Auch Elaine fixierte die Konkurrenz. Bisher hatte sie Fellow für den gefährlichsten Gegner gehalten. Timothy Lamberts Wallach war ein lebhafter Apfelschimmel und hatte zweifellos Araberahnen. Garantiert war er auf gerader Strecke schneller als Banshee. Aber dieser blonde junge Mann – sie hatte Caleb Biller nie zuvor gesehen – saß auf einem echten Rennpferd. Allerdings schien er sich nicht besonders wohl darauf zu fühlen. Ein eingespieltes Team waren Pferd und Reiter sicher nicht.

»Kein Wunder, der alte Biller hat ihm den Gaul extra für das Rennen gekauft.« Ernest Gast und der Mietstallbesitzer besprachen das gleiche Thema. »Kommt aus England, ist aber schon auf der Rennbahn in Wellington gelaufen. Da will einer auf Teufel komm raus gewinnen. Dem alten Lambert wird nicht schlecht die Muffe gehen. Wenn er nachher womöglich den Pokal an seinen ärgsten Feind überreichen muss …«

Davor liegen noch drei Meilen, dachte Elaine, obwohl auch

sie beim Anblick des mächtigen schwarzen Hengstes ein wenig den Mut verlor.

Elaine fand eine Startposition ganz rechts außen, was sich gleich beim Startschuss als günstig erwies. Ein paar der Pferde, schon vom engen Nebeneinander im Führring nervös, scheuten vor dem Startschuss. Sie wollten partout nicht an dem Mann mit der noch rauchenden Pistole vorbei und begannen stattdessen eine Keilerei am Start. Zumindest die Jungen auf den Arbeitspferden und der Steiger auf dem Mietpferd hatten ihnen nichts entgegenzusetzen. Letzterer fiel denn auch gleich herunter, hatte aber Glück und geriet nicht unter die trampelnden Hufe. Weniger glücklich lief es für Jay Hankins. Seine Stute erlitt einen Schlag ans Fesselgelenk und lahmte. Für ihn war damit das Rennen zu Ende.

Elaine dagegen kam gut ab, ebenso Timothy. Die beiden fanden sich nebeneinander wieder, nachdem die Bauernjungs gleich einen Spurt einlegten, gefolgt von Biller und dem schwarzen Hengst. Dabei war es Wahnsinn, in vollem Tempo durch die Menge zu preschen. Der Weg war von jubelnden Menschen gesäumt. Elaine wäre es zu gefährlich gewesen, den Pferden die Zügel schießen zu lassen. Gleich in der ersten Kurve hatten sich Madame Clarisse' Mädchen postiert und johlten sofort los, als sie Lainie kommen sahen. Florry trug ein bunt geblümtes Kleidchen und hüpfte wie ein Gummiball auf und nieder. Dazu wedelte sie mit zwei Fahnen – woraufhin prompt zwei weitere Pferde scheuten, darunter Billers Hengst.

»Pass doch auf!«, rief Ernie dem jungen Mann zu, als sein Pferd beinahe in den steigenden Rappen hineinrannte. »Reite, verdammt noch mal, bevor der Gaul noch in die Menge springt!«

Die Zuschauer am Rand der Bahn waren geschockt und

stoben schreiend auseinander. Der junge Biller gab dem Hengst erschrocken die Sporen. Der Rappe schoss daraufhin im Renngalopp davon, überholte die Bauernpferde und den Steiger auf dem Leihpferd und verschwand hinter der nächsten Kurve.

»Da geht er hin!«, bemerkte Ernie frustriert. »Den sehen wir vor dem Ziel nicht wieder.«

»Ach, das glaub ich nicht«, gab Tim zurück. »Das Tempo hält der doch nie über drei Meilen durch. So weit ist der überhaupt noch nie gelaufen. Selbst die großen Flachrennen gehen nicht über mehr als zweitausend Meter. Wart's mal ab, den treffen wir eher wieder, als du glaubst.«

Timothys Strategie entsprach ziemlich genau Elaines. Auch er ging die ersten zwei Meilen in flottem, aber nicht zu schnellem Tempo an, und sein Wallach galoppierte zufrieden neben ihrer Stute. Elaine ließ es zu und wunderte sich dabei fast ein wenig über sich selbst. Trotz der Nähe zu Tim und Ernie, der sich zunächst anschloss, dann aber bald zurückblieb, begann sie, den Ritt zu genießen. Sie schaffte es sogar, Tims Lächeln zu erwidern, als sie den verärgerten Mietstallbesitzer überholten. Sein Pferd hatte versucht, mit Billers Rappen mitzuhalten und war jetzt, nach nur einer Meile, schon völlig erschöpft.

Ähnlich ging es den Bauernburschen. Ihre behäbigen Arbeitspferde gaben nach einer weiteren halben Meile auf. Banshee und Fellow dagegen zeigten noch keine Ermüdungserscheinungen, und auch ihre Reiter waren noch frisch.

Timothy sah bewundernd zu Lainie hinüber. Er hatte sie immer schon anziehend gefunden, aber noch nie so bezaubernd und lebhaft wie heute. Ihr Hütchen hatte sie gleich nach dem Start verloren, und ihr strenger Haarknoten löste sich auch schon nach der ersten Meile auf. Nur der Gegenwind hielt ihr die Locken jetzt noch aus dem Gesicht; es sah aus, als zöge sie eine wehende rote Fahne hinter sich her. Ihr Gesicht schien dabei wie von innen heraus zu leuchten. Der schnelle

Ritt machte sie glücklich, und zum ersten Mal nahmen ihre Augen nicht den Ausdruck von Argwohn an, wenn sich ihre Blicke mit Timothys trafen.

Der Weg hatte längere Zeit innen am Zaun des Minengeländes entlanggeführt, da der Wald bis nah an die Umzäunung heranreichte. Jetzt aber kamen sie der Bergarbeitersiedlung zu nahe, und die Strecke musste nach außen geführt werden. Die Kurve vor dem Südtor der Mine war ziemlich eng – als Tim die Streckenführung gesehen hatte, hoffte er nur, dass wirklich jeder Teilnehmer den Weg vorher einmal abritt. Wer hier in vollem Tempo durchziehen wollte, lief Gefahr zu stürzen.

Tim und Elaine verhielten ihre Pferde rechtzeitig; erneut schien es, als hätten sie sich abgesprochen. Lainie parierte sogar zum Trab durch, was sich gleich darauf als klug erwies. Mitten auf dem Weg kam ihnen Caleb Biller entgegen, seinen prachtvollen Hengst am Zügel und jämmerlich hinkend.

Elaine stellte mitleidlos fest, dass der Rappe zumindest klar ging. Er war auch nicht schmutzig. Also hatte es wohl nur den Reiter aus dem Sattel geworfen.

»Er hat gescheut!«, beklagte sich Caleb denn auch gleich. Die Ursache des Missgeschicks war leicht auszumachen. Mitten auf dem Weg stand – trotz der drei zurückliegenden sonnigen Tage – eine große Pfütze, undenkbar auf englischen Rennplätzen. Der Rappe hatte so etwas noch nie gesehen und war nach der knapp genommenen Kurve heillos erschrocken.

»Ist halt Pech!«, entgegnete Tim seinem geschlagenen Konkurrenten. Es klang nicht sehr mitfühlend.

»Warum steigt er denn nicht einfach wieder auf?«, fragte Lainie, als sie wieder angaloppierte. »Das Pferd ist doch in Ordnung, es kann immer noch gewinnen!«

Tim grinste. »Aber Caleb Biller ist nicht der mutigste Reiter. Der hat sich schon als Kind auf seinem Pony zu Tode gefürchtet. Ich frag mich schon den ganzen Tag, wie der Alte ihn auf den Hengst bekommen hat!«

Elaine kicherte. Sie fühlte sich seltsam leicht und fast wie betrunken. Seit Jahren hatte sie nicht mehr so viel Spaß gehabt wie bei diesem Rennen – und dabei bestritt sie es zusammen mit einem Mann! Es musste an der Ausnahmesituation des Rennens liegen, jedenfalls fürchtete sie sich im Moment kein bisschen vor Timothy Lambert. Im Gegenteil, sie freute sich an seinem Anblick, seiner schlanken, aber kräftigen Gestalt auf dem Apfelschimmel, seinen braunen Locken, die im Wind flogen, seinen freundlichen Augen und seinem häufigen Lachen, das Fältchen in seine Mundwinkel schnitt.

Inzwischen war die Schlussmeile angebrochen, und die beiden sahen endlich ihren letzten Konkurrenten vor sich: Der Steiger von Blackball auf dem Mietpferd, ein krasser Außenseiter. Aber das leichte braune Pferd schien zäh zu sein, und er selbst war sicher ein versierter Reiter. Allerdings ein Schlitzohr. Als Elaine und Tim zum Überholen seines deutlich ermüdeten Wallachs ansetzten, begann er, Schlangenlinien zu reiten. Außerdem hielt er seine Reitgerte weit nach außen, und Fellow traute sich nicht daran vorbei. Elaine versuchte es auf der anderen Seite, aber der Weg war schmal, und auch der braune Wallach mochte sich nicht überholen lassen. Er drohte Banshee und biss in ihre Richtung. Erschrocken ließ die Stute sich zurückfallen.

»Der Mistkerl lässt uns nicht vorbei!«, empörte Elaine sich mit zornblitzender Miene.

Tim musste lachen. Solche Ausdrücke war er von der »Heiligen von Greymouth« absolut nicht gewöhnt.

Er selbst brüllte den Reiter jetzt mit befehlsgewohnter Stimme an, aber der dachte gar nicht daran, sich dem Erben der Lambert-Mine zu beugen. Er behielt seine Verfolger im Blick und den Schlingerkurs bei.

Elaine überlegte fieberhaft. Bis zum Ziel waren es vielleicht noch tausend Meter, und der Weg blieb schmal. Dazu würde er sehr bald von Zuschauern gesäumt sein, was jeden Überholversuch noch riskanter machte. Nur an einer Stelle verbreiterte sich der Weg, nämlich bei Wiedereintritt auf das Gelände der Mine. Die Strecke führte durch das Haupttor, und davor befand sich eine Art Parkplatz, auf dem sich oft Frachtwagen stauten. Jetzt war der Bereich natürlich frei, falls da nicht auch schon Leute standen. Platz genug zum Überholen war da, aber die Strecke war sehr kurz. Es sei denn ...

Elaine beschloss, es zu wagen. Als der Weg sich verbreiterte, lenkte sie Banshee entschlossen nach links – dort befanden sich nur zwei oder drei Grüppchen, die rasch auseinanderstoben, als Lainie »Bahn frei!« rief. Banshee schloss neben dem anderen Reiter auf, doch vor dem Tor schaffte sie es nicht, ihn zu überholen und zurück auf den Weg zu kommen.

Tim, der hinter Lainie ebenfalls beschleunigt hatte, verstand zuerst nicht, was sie vorhatte. Erst als sie keine Anstalten machte, vor dem anderen Reiter wieder einzuscheren, sondern Banshee geradeaus auf den Zaun zuhielt und anfeuerte, begriff er – und musste seinen ganzen Mut aufbringen, Fellow nicht zu zügeln. Aber da flog die Schimmelstute auch schon über den Zaun, der die Mine umgab, zog danach weiter an und ließ den verblüfften jungen Steiger auf seinem Mietpferd hinter sich. Tim hatte keine Zeit mehr zu denken. Fellow sprang bereits ab und nahm den Zaun ebenso mühelos wie Banshee. Tim ließ ihn neben die Stute aufschließen und blickte atemlos zu Lainie hinüber. Sie strahlte. Ihr Gesicht war gerötet, die Augen blitzten.

»Dem haben wir's gezeigt!«, rief sie begeistert und spornte Banshee jetzt zu vollem Tempo an.

Tim hätte sie nur zu gern ziehen lassen. Oder die Ziellinie wenigstens direkt neben ihr passiert. Aber dann rief er sich zur Ordnung. Keiner seiner Männer hatte auf Lainie gesetzt. Wenn sie verlor, waren ein paar Cent von Madame Clarisse'

Mädchen dahin, aber wenn sie siegte, hätten Dutzende von Bergleuten ihren schwer verdienten Lohn verloren. Tim zögerte.

»Nun machen Sie schon!«, rief Lainie ihm zu. »Ihrer ist doch viel schneller!« Sie lachte; vielleicht teilte sie seine Überlegungen.

Tim schnalzte Fellow zu, der sich daraufhin unwillig von Banshee trennte. Mit einer halben Pferdelänge Vorsprung ging er durchs Ziel.

Timothy schaffte es kaum, Fellow zu bremsen, zumal die Menge der Zuschauer jetzt auch schrie und johlte. Schließlich saß er auf seinem aufgeregt tänzelnden Pferd und nahm lachend die Ovationen seiner Männer entgegen – Elaine sah sein glückliches Gesicht, wild umspielt von den braunen Locken, und seine ruhigen Augen, hinter denen jetzt Lichter aufzuleuchten schienen, die das Grün über das Braun triumphieren ließen. Sein Blick spiegelte keine Missbilligung wie bei William nach einem zu wilden Ritt und keinen Triumph wie bei Thomas, wenn er wieder ein Rennen gewonnen hatte. Nein, Timothy freute sich einfach nur und wollte andere daran teilhaben lassen. Lachend lenkte er Fellow neben Lainie, nahm spontan ihre Hand und hielt sie in die Höhe.

»Hier, Leute, ist die wahre Siegerin! Allein hätte ich's nie gewagt, über den Zaun zu springen!«

Lainie hatte eben noch gestrahlt und sich genauso frei und lebendig gefühlt wie Tim – doch als er sie berührte, war auf einmal alles wieder da. Thomas' Hände auf ihrem Körper, ihre panische Angst vor seinem Griff nach ihr. Williams zärtliche Berührungen, denen sie sich anvertraut hatte und die dann doch nur Lüge waren.

Tim spürte, wie sie sich versteifte, wie plötzlich alles Lachen und alle Sicherheit von ihr wichen. Sie sagte nichts, versuchte sogar krampfhaft, ihr Lächeln aufrechtzuerhalten, doch als er ihre Hand losließ, entzog sie sich ihm, als hätte sie sich verbrannt. In ihren Augen stand die gleiche Panik, die er schon am ersten Tag vor der Kirche darin hatte auflodern sehen.

»Verzeihen Sie, Miss Lainie!«, sagte er bestürzt.

Sie sah ihn nicht an.

»Es ist nichts. Ich muss mein Haar richten ...«

Lainies schmales Gesicht, das vom scharfen Ritt gerötet war, wurde plötzlich totenblass. Mit zitternden Fingern versuchte sie, ihren Haarknoten wieder aufzustecken. Das war natürlich hoffnungslos.

»Es sieht so wunderschön aus, Miss Lainie!« Tim suchte nach Worten, die sie irgendwie beruhigen konnten, doch das Mädchen schien schon zurückzuzucken, wenn er sie nur ansah.

Sie schüttelte den Kopf, als Jay Hankins ihr vergnügt aus dem Sattel helfen wollte, denn der hochzufriedene Marvin Lambert hatte ein Siegertreppchen aufbauen lassen und wies die drei Ersten an, vom Pferd zu steigen und das Ehrenpodest zu erklimmen. Lainie ließ Banshee vor dem jungen Schmied zurückweichen und rutschte schließlich ohne Hilfe aus dem Sattel. Sie schien sich überwinden zu müssen, neben Tim auf das Treppchen zu steigen, und stand dann alarmiert und wie auf dem Sprung da, gar nicht wie das überschäumend fröhliche, selbstbewusste Mädchen, das sie kurz zuvor noch gewesen war.

Marvin Lambert überreichte den Siegerpokal, und ein betrunkener Ehrengast füllte das ziemlich überladene Silbergefäß mit Whisky.

»Auf die Sieger!«, johlte er und hielt sein eigenes Glas hoch. Die Männer im Publikum taten es ihm nach. Tim lachte und nahm einen Schluck. Dann reichte er den Pokal an Elaine weiter. Als sie zugriff und dabei seine Hand streifte, hätte sie die Trophäe beinahe fallen lassen.

»Auf Sie, Miss Keefer!«, sagte Tim aufmunternd. »Es war wundervoll, mit Ihnen zu reiten.«

Elaine nahm einen tiefen Schluck und versuchte, sich zusammenzureißen. Tim Lambert musste sie für verrückt halten! Und dann näherte sich jetzt auch noch der Alte, um ihr zu gratulieren, und machte dabei Anstalten, sie zu küssen. Sie konnte nicht, sie ...

»Nicht, Vater!«, sagte Tims ruhige Stimme.

Verblüfft ließ Marvin Lambert von Lainie ab.

»Gibt's was gegen einen Kuss für die Siegerin einzuwenden?«, sagte er launig.

»Miss Keefer ist sehr auf ihren Ruf bedacht«, erklärte Tim. »Die Damen ...« Er wies auf die Matronen auf der Ehrentribüne, die sich jetzt schon über Elaines unerwarteten zweiten Platz die Mäuler zerrissen.

Marvin Lambert nickte ernüchtert und reichte Lainie nur die Hand, um ihr zu gratulieren. Sie lächelte verkrampft, als sie den Gutschein für einen kleinen Geldpreis in Empfang nahm.

»Aber nachher tanzen Sie mit mir!« Der Minenbesitzer zwinkerte Lainie zu, als er zum dritten Preisträger ging.

Tim wusste, dass es dazu nicht kommen würde. Lainie Keefer würde sich dem Tanzboden nicht auf eine Meile nähern. Unter keinen Umständen würde sie einem Mann erlauben, die Arme um sie zu legen.

Tatsächlich traf er sie kurz darauf bei den Pferden. Er hatte sich so schnell frei gemacht wie eben möglich – was nicht einfach war, denn an diesem Tag wollte wirklich jeder mit ihm trinken. Aber dann war es genau so, wie er angenommen hatte. Lainie hatte ihrer Stute eine Stunde Zeit zum Verschnaufen gegeben, jetzt sattelte sie das Pferd wieder auf.

»Sie wollen schon nach Hause?«, fragte Tim vorsichtig vom Eingang des Stallzeltes aus. Schließlich sollte sie nicht wieder zusammenzucken. Sie tat es trotzdem.

»Fellow wird sich ohne Banshee einsam fühlen.«

»Der ... der Pub hat heute nicht geöffnet«, bemerkte Lainie

scheinbar zusammenhanglos. Aber dann dämmerte es Tim. Sie wollte vermeiden, dass er sie nach Hause begleitete.

»Ich weiß, aber ich dachte … es gibt noch Tanz heute Abend.«

»Eine Band spielt. Ich brauche nicht Klavier zu spielen.«

Lainie sprach mit abgewandtem Gesicht. Sie wollte ihn missverstehen.

»Ich hätte gern mal mit Ihnen getanzt, Miss Lainie.« Tim ließ nicht locker.

»Ich tanze nicht.« Lainie befestigte den Sattelgurt in fliegender Eile.

»Können Sie nicht, oder wollen Sie nicht?«

Elaine wusste nicht, was sie erwidern sollte. Sie starrte auf den Boden, blickte schließlich hilflos auf, als suche sie einen Ausweg und wüsste doch, dass es keinen gab.

Wie ein Tier in der Falle …

Tim sehnte sich danach, sie zu befreien.

»Tut mir leid, Miss Lainie, ich wollte nicht in Sie dringen …«

Was er wollte, war, zu ihr zu gehen, sie in den Arm zu nehmen und ihr die Furcht zu nehmen, alles wegzustreicheln und wegzuküssen, was sie belastete. Aber das musste warten. Genau wie das Tanzen.

Lainie zog ihrer Stute das Zaumzeug über. Dann zögerte sie. Sie musste aus dem Stall, an Tim vorbei. Ihr Gesicht war wieder bleich, ihr Blick flackerte.

Timothy gab die Tür frei. Er ging gelassen zu seinem Pferd, legte absichtlich Distanz zwischen sich und das Mädchen.

Lainie entspannte sich sichtlich. Sie führte Banshee hinaus, blieb dann aber noch einmal stehen, als sie sich in Sicherheit wähnte.

»Mr. Lambert? Wegen vorhin … mit Ihrem Vater. Vielen Dank.«

Sie gab ihm keine Chance, irgendetwas nachzufragen oder

zu erwidern. Tim sah nur noch, wie sie sich vor dem Stall auf ihr Pferd schwang und es antreten ließ.

Ein seltsames Mädchen. Aber Tim war trotzdem beinahe glücklich, als er zurück zum Festplatz ging. Sie hatte zumindest mit ihm gesprochen. Und irgendwann würde er die Arme um sie legen und mit ihr tanzen. Auf ihrer gemeinsamen Hochzeit.

9

Kura Martyn wusste längst, dass sie einen Fehler gemacht hatte. Es war falsch gewesen, Gwyneira zu brüskieren, und ihre Flucht hatte alles noch schlimmer gemacht. Inzwischen verfluchte sie täglich ihren dummen Stolz. Sie hätte längst in England sein können, egal, ob um aufzutreten oder weiter zu studieren. Auf jeden Fall hätte sie keine Zeit damit verschwendet, als Einzelkämpferin durch die letzten Kaffs der Südinsel zu ziehen. Wobei es längst nicht mehr um künstlerische Befriedigung ging, sondern nur noch ums nackte Überleben. Kura ließ keine Plakate mehr drucken oder plante Konzerte. Die meisten Kleinstädte, durch die sie kam, hatten nicht einmal Gemeindehäuser oder Hotels, in deren Gasträume wohlbeleumundete Bürger ihre festlich gekleideten Gattinnen führten. In der Regel gab es nur einen Pub – der mit etwas Glück über ein Klavier verfügte. Kura regte sich kaum noch darüber auf, wenn die Instrumente völlig verstimmt waren. Manchmal gab es auch gar keine. Dann sang sie ohne Begleitung oder erinnerte sich an ihre Maori-Wurzeln und schlug die Trommeln oder spielte zwischen ihren Gesangsvorträgen die *koauau*-Flöte. Bei den Menschen in den Kleinstädten kam das deutlich besser an als Kuras Opernrepertoire; einmal sogar luden ein paar Maori-Viehhüter sie ein, vor ihrem Stamm zu singen und zu spielen. Kura genoss dieses Konzert gemeinsam mit den *tohungas* des Stammes, ließ sich von ihren Musikern auf *putorinos* begleiten und sang zur Aufführung verschiedener *haka*. Schließlich schenkte ihr der Stamm eine der *putorino*-Flöten, und Kura fügte von da an auch dieses ungewöhnliche Instrument in ihre Aufführungen ein. Sie hatte von ihrer Mutter gelernt, diese Flöte zu spielen, und beschwor sogar die *wairua*-Stimme. Die notwendige Technik war ihr immer leicht gefallen, aber sie hatte natürlich auch schon als kleines Mädchen damit begonnen. Leider wussten ihre Zuhörer diese Kunst kaum zu schätzen. Denn selbst wenn Maori-Musik lieber gehört wurde als Opern – wenn Kura im Pub auftrat, wollten die Menschen die alten Lieder aus ihrer Heimat hören. Kura spielte also Balladen und Trinklieder aus Irland und Wales und ärgerte sich über ihr Publikum, das mitunter sogar mitsang oder tanzte. Und der Verdienst bei alledem reichte ihr gerade, den Lebensunterhalt für sich und das Pferd zu bestreiten.

Kura schlug sich mit aufdringlichen Männern herum, die glaubten, eine Sängerin sei selbstverständlich auch ein käufliches Mädchen. Sie sprach mit Engelszungen auf ehrbare Matronen ein, die zwar Zimmer vermieteten, aber nicht an »dahergelaufene Schausteller«. Sie versuchte Pastoren davon zu überzeugen, dass sie ihren Schäfchen wertvolles Kulturgut nahebrachte und das Gemeindezentrum dafür kostenlos nutzen wollte, falls möglich. Manchmal gab sie sogar Konzerte in Dorfkirchen. Hatte sie es wirklich mal als unter ihrer Würde empfunden, in Haldon das Bach-Oratorium vorzutragen?

Nach fast einem Jahr auf der Straße war Kura müde. Sie mochte nicht mehr reisen, sie mochte am Abend keine regenklammen Kleider aus einem oft schlammbedeckten Koffer ziehen. Sie mochte keine Verhandlungen mehr mit schmierigen Kneipenwirten.

Mitunter dachte sie sogar daran, irgendwo sesshaft zu werden. Zumindest ein paar Monate lang, wenn sie nur ein Engagement hätte. Das bot man ihr allerdings nur dann an, wenn sie bereit war, die Männer auch anderweitig zu unterhalten.

»Warum machst du's nicht einfach?«, fragte ein Mädchen in Westport, das vielleicht zwanzig war, aber wie vierzig aussah. »So eine wie du würde sich dumm und dämlich verdienen! Und du könntest dir die Kerle aussuchen, mit denen du ins Bett gehst!«

Was das betraf, verspürte Kura manchmal fast so etwas wie Versuchung. Die Liebe fehlte ihr. Oft sehnte sie sich nach einem festen Männerkörper. Fast jede Nacht träumte sie von William, und auch auf den langen Fahrten über Land gab sie sich Tagträumen hin. Wo mochte er jetzt sein? Kiward Station hatte er ja wohl verlassen. Mit seiner Miss Witherspoon? Kura konnte sich eigentlich nicht vorstellen, dass Heather auf Dauer fähig wäre, ihn zu halten. William war auch so ein Fehler gewesen ... und dabei glaubte sie immer noch, dass sie mit ihm hätte glücklich werden können. Wenn da nur nicht diese Farm gewesen wäre, dieses vermaledeite Kiward Station! Die Farm hatte ihr William weggenommen. Wenn es nur sie beide gegeben hätte, wären sie längst in London, und Kura würde rauschende Erfolge feiern. Sie träumte von Auftritten vor vollen Häusern und Nächten in Williams Armen. Roderick hatte da nie mithalten können. Und Tiare ... Bei ihrem Besuch im Maori-Lager bei Nelson, aufgeputscht von einem Abend mit Musik und Gesang und vor allem dem sinnlichen Tanz der Maoris, hatte sie dem Verlangen schließlich nachgegeben und mit einem jungen Mann das Lager geteilt. Es war nett gewesen, aber mehr auch nicht. An die Ekstase mit William kam es nicht heran. Und die Männer in ihren Konzerten, die oft heimwehkranken Matrosen und Bergleute, die sich um sie bemühten? Einige hatten schöne, durchtrainierte Körper. Aber sie waren schmutzig nach der Arbeit im Bergwerk oder stanken nach Tran und Fisch. Bislang hatte Kura sich nie überwinden können, obwohl ihr ein paar Dollar mehr manchmal äußerst willkommen gewesen wären.

Das Mädchen in Westport deutete ihr Schweigen als ernsthafte Überlegung. »Der Laden hier ist natürlich das Letzte«, bemerkte sie. »Nicht deine Klasse. Ich hau hier auch bald ab. Aber in Greymouth soll 'n ordentlicher Puff sein. Gehört angeblich einer Frau, natürlich auch 'ner Nutte, aber jetzt macht sie auf Hotelbesitzerin. Früher soll sie mal hier angeschafft haben. Aber früher war der Laden hier eh nicht so verkommen.«

Kura glaubte nicht daran, dass ein »ordentlicher Puff« sich um das Mädchen reißen würde, sagte aber nichts dazu. Greymouth lag ohnehin auf ihrer Route; sie würde also kaum um den Pub der Frau herumkommen. Allerdings erhoffte sie sich von diesem Ort etwas mehr. Sie hatte Greymouth von ihrer ersten Tournee mit dem Ensemble in bester Erinnerung. Damals hatten sie in einem der noblen Hotels am Kai logiert. Die Honoratioren des Ortes – auch Minenbesitzer und Kaufleute – hatten sie hofiert, und die Gruppe hatte stehende Ovationen bekommen. Kura Warden allen voran. Vielleicht würden die Hotelbetreiber sich an sie erinnern.

Kura steuerte den Ort deshalb in bester Stimmung an, hatte diesmal aber einen ganz anderen Eindruck von der Stadt. Greymouth war kein sauberes, idyllisches Städtchen, das vor allem aus schmucken Hotels und stattlichen Bürgerhäusern bestand. Schließlich setzte Kura nicht wie damals mit der Fähre über den Grey River, sondern kam über die Küstenstraße von Westport und passierte als Erstes die Siedlungen der Minenarbeiter sowie einen heruntergekommenen Stadtkern. Holzhäuser, kleinere Läden, ein Barbier, ein Sargtischler – und auch mit dem Puff hatte die Hure in Westport offensichtlich übertrieben. Das Wild Rover wirkte genauso ungemütlich und wenig vertrauenerweckend wie die meisten Kneipen an der Westküste.

Kura war froh, die besseren Stadtviertel wiederzufinden, und erfreute sich an den eleganten Fassaden der Hotels. Doch als sie nach Arbeit fragte, wurde sie schnell enttäuscht. Eine einzelne Künstlerin? Ohne Vermittlung durch irgendwelche Honoratioren oder eine Konzertagentur? Ein zugegeben bildschönes Mädchen, doch in abgetragenen Kleidern und nur mit ein paar Flöten als Bühnenrequisiten? Die Hoteliers lehnten durchweg dankend ab und bedeuteten Kura, es lieber im Bergarbeiterviertel zu versuchen.

Kura schlich entmutigt und gedemütigt hinaus. Das war wirklich der Tiefpunkt. Schlimmer konnte es kaum noch kommen. Sie musste nun bald eine Entscheidung treffen. Zu Kreuze kriechen bei Gwyneira McKenzie oder noch tiefer sinken und ihren Körper verkaufen …

Erst einmal steuerte sie das Wild Rover an. Sie musste endlich etwas essen.

Der Wirt der Kneipe stellte sich als Paddy Holloway vor. Sein Laden war von innen ebenso verwahrlost wie von außen. Die Theke war klebrig und verdreckt, die Wände seit ewigen Zeiten nicht gestrichen. Im Schankraum stand noch Bierdunst vom Tag zuvor, und das Klavier machte den Eindruck, als hätte es seit hundert Jahren niemand mehr gespielt, geschweige denn gestimmt. Auch Paddy Holloway selbst schien alles andere als gepflegt. Er hatte sich anscheinend noch nicht rasiert, und seine Schürze war mit Fett-, Bier- und Soßenflecken übersät. Das Einzige, was den kleinen, rundlichen Mann von den meisten anderen Schankwirten unterschied, was seine unverhohlene Begeisterung für Kuras Auftritt in seinem Etablissement. Und dabei schien es ihm wirklich um die Musik zu gehen. Zwar betrachtete er Kura lüstern, aber das taten fast alle Männer. Und Kura war es gewohnt, trotzdem die Tür gewiesen zu bekommen, wenn sie sich nicht entsprechend zugänglich zeigte. Paddy Holloway jedoch wuselte um sie herum, als hätte er mindestens die Queen zu Besuch.

»Selbstverständlich dürfen Sie hier singen, ich freue mich! Das Klavier ist nicht das beste, aber wenn Sie sich entscheiden sollten, länger zu bleiben, würde ich glatt ein neues für Sie anschaffen. Hätten Sie nicht Lust auf ein längeres … wie sagt man … Engagement?«

Kura war verblüfft. Hatte sie sich verhört, oder bot ihr der Wirt da gerade eine Auszeit von der Tingelei und dem Leben auf der Straße? Ohne größere Nebengedanken, denn wie es aussah, betrieb er tatsächlich nur eine Kneipe und kein Bordell.

»Wissen Sie, ich suche schon lange eine Pianistin«, fuhr er eifrig fort. »Und nun kommt doch glatt eine hereingeschneit! Und eine so hübsche noch dazu! Die auch noch singt! Da kommen die nicht mit im Lucky Horse! Die Kerle werden in Scharen zu uns abwandern!«

Kura hörte nur mit halbem Ohr zu. Sie war müde und fühlte sich geschlagen. Am liebsten hätte sie an diesem Abend gar nicht mehr gesungen, sondern wäre gleich ins Bett gefallen. Fragte sich nur, in welches. Alle ihre inzwischen geschärften Instinkte sagten ihr, dass sie besser nicht unter dem gleichen Dach mit Paddy Holloway schlief, auch wenn er ihr eben ein Zimmer anbot. Überhaupt war der Kerl seltsam. Wieso suchte er ein Mädchen, das Klavier spielte? Die meisten Barpianisten waren Männer; wenn Holloway jemanden brauchte, hätte er nur in Christchurch oder Blenheim inserieren müssen.

Das Lucky Horse schien die Konkurrenz zu sein, womöglich der Puff, von dem das Mädchen in Westport gesprochen hatte. Kura überlegte, ob sie dort auch noch nachfragen sollte, bevor sie Holloway zusagte. Aber dafür war sie zu erschöpft. Sie wäre schon froh, wenn es ihr gelänge, ein annehmbares Zimmer aufzutreiben und die Gäste des Wild Rover gut genug zu unterhalten, um das Zimmer auch bezahlen zu können.

»Vielleicht spielen Sie mir mal was vor?«

Kuras anhaltendes Schweigen schien den Wirt jetzt doch zu irritieren. Kaufte er womöglich die Katze im Sack?

Kura ließ sich seufzend auf dem wackeligen Klavierhocker nieder und spielte das *Albumblatt für Elise*. Holloways Geschmack traf sie damit nicht. Also doch kein echter, hochgebildeter Musikliebhaber, den das launische Schicksal in dieses Kaff verschlagen hatte. Kura überraschte das nicht wirklich; sie hatte sich längst abgewöhnt, solche Märchen zu glauben. Inzwischen verließ sie sich meist auf den ersten Eindruck und wurde dabei selten enttäuscht. Egal, was Heather Witherspoon ihr in ihrer Kindheit erzählt hatte. Ein Frosch war ein Frosch, kein Prinz.

Der Wirt verzog das Gesicht und unterbrach ihren Vortrag.

»Klingt ziemlich tot«, bemerkte er. »Kannst du nicht was Fröhlicheres? Was Irisches? Den *Wild Rover* zum Beispiel?«

Kura war es gewöhnt, dass die Kerle spätestens ab dem dritten Satz anfingen, sie zu duzen. Darüber regte sie sich längst nicht mehr auf. Immerhin nahm sie noch einmal allen Stolz zusammen und sang die *Habanera* aus Carmen statt das gewünschte schlichte Trinklied.

Paddy Holloway war wider Erwarten sehr angetan.

»Kannst ja wirklich singen!«, meinte er begeistert. »Und Klavierspielen kannste auch! Ich würde fast sagen, sogar noch besser als Madame Clarisse' verhuschte kleine Lainie. Wie wär's? Drei Dollar die Woche?«

Kura überlegte kurz. Das war mehr, als sie meistens verdiente. Wenn sie tatsächlich ein paar Wochen hierblieb, konnte sie sich ein wenig erholen und über ihre Zukunft nachdenken. Stellte sich nur die Frage nach einer angemessenen Unterkunft. Und an den Preisen war sicher noch etwas zu machen.

»Nicht unter vier Dollar«, beschied sie den Wirt und schenkte ihm dabei routiniert einen verführerischen Augenaufschlag.

Paddy Holloway nickte bereitwillig. Er hätte unzweifelhaft auch fünf Dollar bezahlt.

»Und zwanzig Prozent von jedem Drink, den die Kerle mir spendieren«, fügte Kura hinzu.

Der Wirt nickte wieder. »Aber Tee statt Whisky!«, schränkte

er ein. »Wenn du echten Schnaps willst, verdien ich nichts dran.«

Kura seufzte. Sie mochte keinen kalten, ungesüßten Tee, aber im Moment war das nicht so wichtig. »Dann sind wir im Geschäft. Aber ich brauche noch ein Zimmer. Ich habe nicht die Absicht, hier im Pub zu wohnen.«

Paddy Holloway hatte keine Ahnung, wer in diesem Ort Zimmer vermietete. Wenn er Laufkundschaft hatte, ließ er sie im Stall schlafen – nach einem Abend im Wild Rover konnten sie ohnehin kein Bett mehr von einem Strohballen unterscheiden. Immerhin erklärte er Kura grinsend, das nächstliegende »Hotel« käme nicht in Frage, wobei sein Gesichtsausdruck alles erklärte. Damit hatte Kura gerechnet. Sie hoffte längst nicht mehr auf ehrbare, erschwingliche Etablissements wie das White Hart in Christchurch, wenn von Hotels die Rede war.

Da Paddy ihr kaum weiterhelfen konnte, verabschiedete sie sich erst einmal und machte sich selbst auf die Suche nach einer Bleibe. Vielleicht hing ja irgendwo ein Schild an der Straße, das auf Zimmervermietungen hinwies.

Kura ließ ihr Pferd langsam durch den Ort schreiten und entdeckte dabei zunächst das Lucky Horse. Eine bunte, frisch gestrichene Fassade, sauber gefegte Terrasse, geputzte Fenster und ein Schild ›HOTEL UND PUB‹ über dem Eingang. Das Mädchen in Westport hatte Recht gehabt. Dies war zwar zweifellos ein Pub mit angeschlossenem Freudenhaus, aber es gehörte ganz entschieden zu den besseren seiner Sorte.

Kura verspürte Bedauern. Das Lucky Horse wirkte weitaus attraktiver als das Wild Rover. Konnte sie denn nie etwas richtig machen? Müde steuerte sie zunächst den Mietstall an und fand hier immerhin eine ordentliche Unterkunft für ihr Pferd. Wie fast in jedem Dorf konnte ihr der Stallvermieter auch in Bezug auf eine eigene Unterkunft weiterhelfen. Kura bedankte sich, nahm ihren Koffer und suchte die beiden privaten Zimmervermieterinnen auf, die Greymouth zu bieten hatte. Dabei war sie guten Mutes, hatte sie doch Erfahrung darin, solche Damen um den Finger zu wickeln. Bei Witwe Miller machte sie auch gleich einen hervorragenden Eindruck, während sie sich Mrs. Tanners Pension erst mal in Reserve hielt. Die Dame war schließlich die Frau des Barbiers, und verheiratete Frauen nahmen Kura eher ungern ins Haus.

Mrs. Miller jedoch schmolz dahin, als die junge Frau von ihren Erfolgen als Sängerin erzählte. Mrs. Miller hatte in ihrer Jugend mal eine Oper in England gehört und konnte immer noch wortreich davon erzählen. Auch der hiesige Reverend, versicherte sie Kura, sei ein großer Musikliebhaber. Bestimmt würde er ihr die Kirche für ein Konzert zur Verfügung stellen. Und solange vermietete Mrs. Miller diesem wunderschönen und wohlerzogenen Mädchen selbstverständlich ein Zimmer. Vom Wild Rover sprach Kura vorerst nicht.

Dafür sprachen die Leute in Greymouth bald von ihr; schon ihr erster Abend im Pub machte Furore. Kura war erstaunt. Sicher, die Männer fraßen ihr aus der Hand, das war immer so. Sie konnte sich vor Musikwünschen und zweideutigen Anträgen kaum retten. Aber hier schienen die Männer obendrein Vergleiche anzustellen. Kura sei viel hübscher als Miss Lainie, bemerkten einige; außerdem könnte sie singen. Andere schienen Wetten darauf anzunehmen, ob das Rover am folgenden Samstag mit Stammgästen des Horse gefüllt wäre oder nicht.

»Womöglich wandert ja sogar Tim Lambert ab!«, bemerkte ein Bergmann, und die anderen konnten sich vor Gelächter kaum halten. »Die hier singt. Sie macht den Mund also zwangsläufig öfter auf als seine Miss Keefer.«

Lediglich ein schlanker blonder Mann schien sich mehr für Kuras Musik zu interessieren als ihren Vergleich mit »Madame Clarisse' verhuschter kleiner Maus«, wie Paddy es ausdrückte.

Kura war er gleich aufgefallen, als er hereinkam. Er war deutlich besser gekleidet als die anderen Gäste. Außerdem wurde er nicht mit Hallo begrüßt, sondern von den Bergleuten eher argwöhnisch beäugt. Der Wirt hieß ihn dagegen beinahe mit Ehrfurcht willkommen.

»Möchten Sie irgendwelche Wetten platzieren, Mr. Biller?«, erkundigte sich Paddy. Auch das war außergewöhnlich; die anderen Stammgäste rief er beim Vornamen. »Wir haben hier am Samstag einen Hundekampf. Und in Wellington ist am Sonntag Renntag, die Startlisten hätte ich hier ... das alles ist allerdings streng vertraulich, Sie wissen schon. Ergebnisse ab Montagabend. Ich konnte Jimmy Farrier bis jetzt nicht überreden, den Telegrafen gleich am Sonntag anzuschmeißen.«

»Montag reicht«, meinte der junge Mann unkonzentriert. »Lassen Sie das Programm mal hier, und bringen Sie mir einen Whisky, einen Single Malt ...«

Ein paar Männer um den Blonden herum verdrehten die Augen. Single Malt – das Zeug kostete ein Vermögen!

Die nächsten Stunden verbrachte der junge Mann damit, langsam drei Whiskys zu trinken und Kura dabei anzusehen. Kura wunderte das nicht; auch solche stillen Bewunderer war sie gewohnt. Aber was sie verblüffte, war der Ausdruck in den Augen dieses Gastes. Er musterte interessiert ihr Gesicht, ihr Haar, ihre Kleidung und ihre über die Tasten tanzenden Finger, doch er blickte dabei nicht lüstern, sondern schien alles ganz sachlich einzuschätzen. Manchmal hatte sie den Eindruck, als wollte er sich erheben und sie ansprechen, aber dann überlegte er es sich doch wieder anders. War er schüchtern? Anzeichen dafür zeigten sich eigentlich nicht. Weder errötete er bei jeder Gelegenheit, noch trank er sich Mut an oder grinste dümmlich, wenn Kura zu ihm hinübersah.

Schließlich beschloss Kura, ihrerseits einen Vorstoß zu wagen. Der Mann wirkte wie ein sachlich interessierter Konzertbesucher und hatte unzweifelhaft Lebensart. Vielleicht wusste er hochwertigere Musikvorträge zu schätzen. Tatsächlich blieb ihm fast der Mund offen stehen, als sie die *Habanera* sang. Und jetzt kam er auch wirklich zu ihr hinüber.

»Bravo!«, sagte er anerkennend. »Das ist aus Carmen, nicht wahr? Wundervoll, einfach wundervoll! Sie haben es letztes Jahr schon gesungen, als Sie hier mit dem Greenwood-Ensemble gastiert haben. Ich war mir zunächst nicht sicher. Aber jetzt, diese Stimme ...«

Der Mann wirkte beinahe aufgeregt, während Kura sich ein wenig beleidigt fühlte. Konnte sie sich so verändert haben, dass ein Konzertbesucher von damals sich nicht an sie erinnerte? Noch dazu ein männlicher? Gewöhnlich hinterließ sie bei Männern einen unvergesslichen Eindruck!

Kura beschloss schließlich, die Sache auf die Schminke zurückzuführen. Auf der Bühne hatten alle Darsteller sich stark geschminkt, und als Carmen hatte sie das Haar obendrein aufgesteckt, während sie es jetzt offen trug. Vielleicht hatte das den Mann getäuscht. Jedenfalls schenkte sie ihm ein huldvolles Lächeln.

»Wie schmeichelhaft, dass Sie sich erinnern.«

Der junge Mann nickte eifrig. »Oh ja, ich weiß auch noch Ihren Namen. Kura Marsten, nicht wahr?«

»Martyn«, berichtigte sie, dennoch beeindruckt. Ein merkwürdiger Mensch. Er erinnerte sich an ihre Stimme, ihren Namen – aber nicht an ihr Gesicht?

»Ich hielt Sie schon damals für ein ganz großes Talent! Aber ich dachte, die Truppe wäre inzwischen längst wieder in Übersee. Mein Name ist übrigens Biller, Caleb Biller. Verzeihen Sie, dass ich nicht gleich ...«

Der Mann verbeugte sich, als wäre es ein schwerer Fauxpas gewesen, sich nicht bereits vorzustellen, bevor er ein paar Worte mit ihr wechselte.

Kura unterzog ihn einer näheren Musterung. Groß, schlank, recht gut aussehend, das Gesicht vielleicht ein wenig blass und ausdruckslos, fast kindlich-unschuldig. Seine Lippen waren schmal, aber schön geformt, seine Wangenknochen hoch, die Augen blassblau. Alles an Caleb Biller wirkte ein wenig farblos. Aber immerhin war er gut erzogen.

Kura lächelte erneut.

»Kann ich Ihnen mit einem besonderen Lied eine Freude machen, Mr. Biller?«, erkundigte sie sich. Vielleicht würde er auch für sie Single Malt ordern. Für zwanzig Prozent Anteil an ein paar Drinks dieser Preiskategorie würde sie sich den kalten Tee gern antun.

»Miss Martyn, jedes Lied von Ihren Lippen entzückt mich«, meinte Biller artig. »Was ist denn das?«

Interessiert schaute er auf Kuras *putorino*, die sie auf dem Klavier abgelegt hatte.

»Ist das eine von diesen Maori-Flöten? Ich hatte noch nie so etwas in der Hand ... darf ich?«

Kura nickte, woraufhin Biller das Instrument vorsichtig ergriff und fachkundig untersuchte.

»Würden Sie etwas darauf spielen?«, fragte er dann. »Ich würde es zu gern hören, besonders diese Geisterstimme ...«

»*Wairua?*« Kura lächelte. »Dafür kann ich hier allerdings nicht garantieren. Die Geister verbreiten sich im Allgemeinen nicht in Pubs. Das ist unter ihrer Würde.«

Es kam immer gut an, ein paar geheimnisvolle Geschichten über die Geisterstimme zu erzählen. Doch insgeheim wunderte sich Kura. Nur wenige *pakeha* wussten von den Besonderheiten des Instruments. Dieser junge Mann hier musste sich für die Maori-Kultur interessieren.

Kura stand auf und spielte ein einfaches Lied, zunächst in der hohen Frauenstimme des Instruments. Ein paar Gäste buhten. Die Mehrheit wollte eindeutig Trinklieder hören statt Maori-Musik.

»Ohne Gesangsbegleitung klingt es ein bisschen dünn«, meinte Kura entschuldigend.

Caleb nickte eifrig. »Ja, ich verstehe. Darf ich?«

Er wies auf den Klavierstuhl, und verwirrt machte Kura ihm Platz. Gleich darauf spielte er eine lebhafte Begleitmelodie. Kura folgte ihm mit der Flöte und wechselte von der weiblichen in die männliche Tonlage, woraufhin Caleb mit tieferen Klängen antwortete. Als sie endeten, applaudierten die Bergleute.

»*Tin Whistle* spielste nich' zufällig?«, fragte ein angetrunkener Ire.

Kura verdrehte die Augen.

»Aber vielleicht können Sie ja noch etwas im Stil der Maoris«, bemerkte Caleb. »Mich fasziniert ihre Musik. Und der Tanz, dieser *haka*. Ist es nicht ursprünglich ein Kriegstanz?«

Kura erklärte ein paar Besonderheiten der Maori-Musikkultur und sang ein passendes Lied. Biller schien begeistert. Paddy Holloway allerdings weniger.

»Nun hör mal auf mit dem Gedudel!«, fuhr er Kura nach drei Vorträgen an. »Die Männer wollen was Lustiges hören, Gejammer hören sie genug von ihren Weibern.«

Kura wechselte einen bedauernden Blick mit Caleb Biller und ging wieder zu Trinkliedern über. Der junge Mann blieb dann auch nicht mehr lange.

»Ich darf mich verabschieden«, meinte er höflich und verbeugte sich wieder förmlich vor Kura. »Es war ausgesprochen anregend, Ihnen lauschen zu dürfen, und ich würde es gern bei Gelegenheit wiederholen. Wie lange bleiben Sie hier?«

Kura erklärte ihm, dass sie wohl ein paar Wochen bleiben würde. Biller zeigte sich höchsterfreut.

»Dann finden wir sicher auch Gelegenheit zum gemeinsamen Musizieren«, bemerkte er. »Aber jetzt muss ich wirklich gehen, ich muss morgen früh raus. Die Mine …«

Caleb ließ offen, inwieweit die Mine auf ihn angewiesen war, verbeugte sich noch einmal und verschwand.

Kura beschloss, Paddy nach ihm zu fragen. Die Gelegenheit

bot sich gleich, als er den nächsten »Whisky« vor sie aufs Klavier stellte.

»Der und ein Bergmann?« Paddy lachte dröhnend. »Nee, Kleine, der ist von der anderen Seite. Seinem Daddy gehört die Biller-Mine, eine der zwei größten privaten Minen und wohl auch eine der ältesten im Distrikt. Schwerreiche Familie! Wenn du dir den angelst, biste 'ne gemachte Frau. Scheint allerdings nicht leicht zu sein. Man sagt, er hätt's nicht mit Mädchen.«

Ein paar Monate zuvor hätte diese Aussage Kura noch verwirrt, aber nach der Tournee mit Barristers Ensemble kannte sie die unterschiedlichen Spielarten der Liebe.

»Er scheint sich für Musik zu interessieren«, meinte sie.

Paddy grinste. »Ein Nagel im Sarg seines alten Herrn. Der Knabe interessiert sich für alles, solange es nichts mit Bergbau zu tun hat. Am liebsten hätte er Medizin studiert, aber schließlich haben sie sich auf Geologie geeinigt. Weiß der Teufel, was das ist, aber es soll irgendwas mit Kohle zu tun haben. Die Steiger sagen, der junge Biller hat keine Ahnung vom Bergbau, und als Geschäftsmann ist er auch 'ne Niete. Und wenn er auf irgendein Pferd wettet, kann man sicher sein, der Gaul wird Letzter! Der Knabe wird seinem Alten noch auf der Tasche liegen, wenn die Hölle gefriert.«

»Aber hierher in den Pub kommt er oft?«, fragte Kura. Das passte nach ihren Erfahrungen nicht zu einem Mann, der andere Männer der Gesellschaft von Mädchen vorzog. Männer unter sich schienen solche Veranlagungen sofort zu erkennen, und die Betroffenen waren dem allgemeinen Spott ausgesetzt. Manchmal gab es sogar ernsthafte Anfeindungen. Ein Tänzer aus Barristers Gruppe war mal in einem Pub zusammengeschlagen worden.

Paddy zuckte die Schultern. »Ab und zu läuft er auf und wettet ein bisschen. Wobei ich nicht weiß, ob aus eigenem Antrieb oder weil Daddy ihn aus dem Haus treibt. Gelegentlich kommen sie zusammen; dann spendiert der Alte Freibier und macht auf Kumpel. Aber dem Jungen scheint das eher peinlich zu sein. Wenn er allein herkommt, trinkt er seinen Malt – ich halte immer extra eine Flasche für ihn bereit – und redet mit niemand. Komischer Kauz. Der alte Biller kann einem fast leidtun. Aber wie gesagt, halt dich ran! Der Posten einer Mrs. Biller ist noch zu vergeben!«

Kura verdrehte die Augen. Ihre Schaffarm in Canterbury gegen Billers Mine in Greymouth einzutauschen, darauf legte sie nun wirklich keinen Wert. Egal, welche Probleme dieser Caleb Biller hatte – Kura-maro-tini war nicht interessiert.

10

Die Beziehung zwischen Lainie und Tim hatte sich, so das Lästermaul Matt Gawain, seit dem Rennen am Sankt-Barbara-Tag entschieden verbessert: Neuerdings lautete der formelle abendliche Gruß nicht mehr »Guten Abend, Miss Keefer« und »Guten Abend, Mr. Lambert«. Stattdessen wagte Timothy ein »Guten Abend, Miss Lainie«, das beantwortet wurde von einem mehr oder weniger gleichgültigen »Guten Abend, Mr. Tim«.

»Wenn das so weitergeht«, sagte auch Ernie Gast grinsend, »dürfen Sie in spätestens fünfzehn Jahren in der Kirche neben ihr sitzen.«

Tim Lambert ließ seine Freunde spotten. Er persönlich spürte – und provozierte – viel subtilere Veränderungen. So hatte er zum Beispiel gleich nach dem Sankt-Barbara-Tag aufgehört, allabendlich das Lied *Silver Dagger* zu ordern. Stattdessen bat er um *John Riley*, ebenfalls eine Ballade. Doch in der ging es um einen jungen Seemann, der nach sieben Jahren auf See endlich um sein geliebtes Mädchen freit. Lainie schien das zunächst für eine Laune zu halten. Aber nach drei Tagen fragte sie nach.

»Schon wieder *John Riley?* Was ist mit dem *Silver Dagger*, Mr. Tim?« Lainie war an diesem Tag ein bisschen mutiger und zugänglicher. Es war der Samstag nach dem Rennen, und Tim hatte auf seinen und ihren Sieg Freibier für alle im Lucky Horse geordert.

»Auf unsere wunderschöne Miss Lainie, die eigentliche Siegerin des Lambert Derbys!«

Lainie hatte natürlich mittrinken müssen und war nun

beschwipst. Ein bisschen spitzbübisch sah sie Tim über ihr Instrument an, als er seinen Musikwunsch äußerte.

Tim lachte ihr zu und zwinkerte verschwörerisch.

»Der *Silver Dagger?* Oh, den möchte ich Ihnen abgewöhnen, Miss Lainie. Es würde mich nervös machen, würde meine Frau ständig einen Dolch mit sich herumschleppen.«

Lainie runzelte die Stirn. »Ihre Frau?«

Tim nickte ernst. »Ja, Miss Lainie. Ich habe mich entschlossen, Sie zu heiraten.«

Elaine, die gerade einen Schluck Tee aus ihrem Whiskyglas nehmen wollte, hätte es beinahe fallen lassen.

»Warum?«, fragte sie tonlos.

Tim rettete das Glas. »Vorsicht, der schöne Whisky! Ich glaube, ich muss Ihnen mal einen richtigen bestellen. Sie sehen ein bisschen blass aus.«

»Warum?«, wiederholte Lainie. Nur der ständige Wechsel zwischen Röte und Blässe in ihrem Gesicht spiegelte ihren inneren Aufruhr wider.

»Nun«, meinte Tim schließlich, und seine Augen lachten dabei. »Ich beobachte Sie jetzt seit einigen Wochen. Sie sind wunderschön, Sie sind klug, Sie sind mutig ... Sie sind die Frau, von der ich mein Leben lang geträumt habe. Ich habe mich in Sie verliebt, Miss Lainie. Soll ich jetzt gleich vor Ihnen auf die Knie fallen, oder warten wir damit noch ein wenig?«

In Lainies Augen stand mühsam unterdrückte Furcht.

»Ich verliebe mich nicht!«, stieß sie hervor.

Tim nickte.

»Das dachte ich mir schon«, meinte er gelassen. »Aber das lässt sich ändern. Und es ist ja auch kein Strohfeuer erwünscht. Nehmen Sie sich nur Zeit zum Verlieben, Miss Lainie. Lassen Sie sich nicht hetzen ...«

»Nicht in diesem Leben!« Lainies Stimme klang jetzt ein wenig schrill. Sie versteckte sich wieder hinter ihrem Haarvorhang und senkte den Kopf über die Tastatur des Klaviers.

Tim war besorgt. Wenn er es jetzt nicht schaffte, sie aus der Reserve zu locken, würde sie sich wieder in ihr Schneckenhaus zurückziehen.

Tim schürzte die Lippen, doch seine Augen lächelten. »Das macht die Sache natürlich ein bisschen schwieriger«, sagte er. »Ich werde mit dem Reverend reden müssen, wie es mit Eheschließungen nach der Auferstehung aussieht. Vielleicht traut er uns dann ja auf einer Wolke? Andererseits stelle ich mir ein solches Eheleben ziemlich eintönig vor. Und indiskret. Ich würde mir ungern von aller Welt auf die Wolke gucken lassen ...«

Er warf einen Seitenblick auf Lainie, die sich zumindest wieder aufgerichtet hatte.

»Also wäre es vielleicht besser, wir suchen uns eine andere Religion«, führte er weiter aus. »Eine, die uns mehr als ein Leben spendiert. Irgendwo glaubt man doch an Wiedergeburt. In Indien, nicht wahr?«

Lainie blinzelte unter ihrem Haarvorhang vor. »Aber womöglich wird man als Tier wiedergeboren. Als Pferd oder Hund ...«

Ihre Stimme klang wieder normal. Sie hatte offensichtlich beschlossen, Tim und seinen Antrag einfach nicht ernst zu nehmen.

Tim atmete auf und lachte ihr zu. »Das wäre doch auch sehr romantisch. Ich kann es mir gut vorstellen: Ein Liebespaar, das in seinem Leben als Zweibeiner nicht zueinanderfindet. Aber dann trifft es sich in einem Pferdestall wieder, wie Fellow und Banshee ...«

Elaine hatte ihre Fassung wiedergefunden und damit auch ihren Schalk. Sie schob ihr Haar aus dem Gesicht und schenkte Tim Lambert ein süßes, wenn auch kein ehrliches Lächeln. »Dann passen Sie auf, dass man Sie vorher nicht versehentlich zum Wallach macht«, sagte sie laut.

Timothy ließ das dröhnende Gelächter der Männer an sich

abperlen, wie er auch alle Spöttereien über sein scheinbar hoffnungsloses Werben um Lainie Keefer ignorierte. Er lebte für diese Augenblicke, in denen hinter Lainies Fassade ihr wirkliches Selbst aufblitzte. Lebhaft, intelligent, spöttisch, aber auch sinnlich und liebevoll. Irgendwann würde ihr Schutzwall fallen. Und Tim würde da sein.

»Wer opfert sich denn jetzt mal und geht im Wild Rover spionieren?«, erkundigte sich Madame Clarisse, als er eben zurück an den Stammtisch kam, den bereits Ernie, Jay und Matt besetzten. Unter den anderen Gästen war heute von nichts anderem die Rede als von der geheimnisvollen neuen Pianistin im Pub um die Ecke. Ein Maori-Mädchen sollte es sein, mit einer Stimme wie ein Engel. Madame Clarisse, wie auch den wenigen ihrer Gäste, die ein bisschen weiter herumgekommen waren als die meisten Bergleute, erschien das seltsam. Maori-Mädchen lernten im Allgemeinen nicht Klavier zu spielen. Und sie waren auch selten allein außerhalb ihres Stammes unterwegs. Sogar in Bordellen traf man kaum je eine reinblütige Maori an, höchstens Mischlinge mit dann meist tragischem Schicksal. Madame Clarisse' Neugier war jedenfalls geweckt. Die rührige Bordellbesitzerin setzte einen Krug Bier in der Mitte des Stammtisches ab, füllte den Männern die Gläser und grinste in die Runde. »Wobei ich natürlich nur moralisch gefestigte und treue Kunden des Lucky Horse anspreche. Alle anderen könnten bei näherem Kontakt mit Paddy Holloway Gefahr laufen, der Wettleidenschaft zu verfallen. Dann könnte ich dem Reverend nie mehr in die Augen sehen.« Madame Clarisse bekreuzigte sich theatralisch.

»Dass die Jungs dann auch die Stammkneipe wechseln würden, hat damit natürlich nichts zu tun«, zog Matt sie auf. »Sie sind nur besorgt um unsere Seele, Madame Clarisse, nicht wahr? Vielen Dank, wir wissen das sehr zu schätzen.«

»Aber was ist mit Unzucht, Madame Clarisse?«, erkundigte sich Jay. »Ist das nicht auch eine Sünde?« Der Schmied blickte sie treuherzig an und schaffte es sogar, sich dabei ängstlich zu bekreuzigen.

Madame Clarisse konnte darüber nur missbilligend den Kopf schütteln. »Wo sehen Sie hier Unzucht, Mr. Jay?«, erkundigte sie sich im Brustton moralischer Entrüstung. »Ich sehe nur eine Gruppe heiratsfähiger junger Mädchen, die sich in zugegeben offenherziger Art einer Gruppe heiratsfähiger junger Männer annähert. Ich betreibe höchst erfolgreiche Eheanbahnung. Erst letzten Monat ist mir schon wieder ein Mädchen von der Fahne gegangen. Und was ist mit Ihnen und Charlene, Mr. Matt? Da knistert's doch auch, geben Sie 's zu. Ganz abgesehen von Mr. Lambert und Miss Keefer ...«

Die Männer wieherten vor Lachen. Charlene, die sich eben neben Matt setzen wollte, lief rot an. Da schien sich tatsächlich etwas anzubahnen.

Tim hob sein Bierglas und prostete Madame Clarisse zu. »Insofern«, sagte er grinsend, »sind Mr. Gawain und ich ja wohl gefestigt genug für einen Abend bei Paddy Holloway. Gleich morgen, in geheimer Mission!«

Elaine hörte nur wenige Wortfetzen mit, aber sie hatte natürlich auch von der Maori-Sängerin im Wild Rover gehört. Wobei unweigerlich das Bild ihrer Cousine vor ihr aufstieg. Aber das konnte ja nicht sein. Kura lebte mit William auf Kiward Station. Und sie würde sich niemals so weit herablassen, in einer Bar für Bergleute zu singen.

Kura hatte wenig Freude an ihrem Job im Wild Rover. Die Kundschaft war schwierig. Die Männer tranken immer mehr, je näher das Wochenende rückte, und wurden dementsprechend zudringlicher. Paddy Holloway hielt sie ihr auch nur halbherzig vom Leib; er wollte offensichtlich niemanden brüskieren und brachte durchaus Verständnis für die Kerle auf. Kura musste sich seiner selbst ebenfalls erwehren, wenn es ihr zur Sperrstunde nicht gelang, gleich mit dem letzten Schwung Gäste aus dem Pub zu schlüpfen. Der einzige Lichtblick war der fast tägliche Besuch Caleb Billers – auch wenn der junge Mann ihr nach wie vor Rätsel aufgab. Caleb erschien immer am frühen Abend, trank sich offenbar Mut an und gesellte sich dann zu ihr, um Musik zu machen. Wenn der Pub nicht überfüllt war und die Leute nicht protestierten, duldete Paddy, dass Kura dann die *putorino* spielte, während Caleb den Klavierpart übernahm, oder dass sie traditionelle Maori-Gesänge anstimmte, die er aufgriff und balladenartig verfremdete. Kuras Respekt vor Caleb als Musiker wuchs von Tag zu Tag. Er war zweifellos hochbegabt, ein guter Pianist und vor allem als Arrangeur und Komponist ein außergewöhnliches Talent. Kura arbeitete gern mit ihm – aber vielleicht gab es dazu ja noch andere Möglichkeiten als das verstimmte Klavier im schmierigen Wild Rover.

Am Freitagnachmittag, Stunden bevor die Pubs öffneten, machte Kura sich auf den Weg zum Lucky Horse. Schon von draußen hörte sie Klavierklänge – allerdings nicht gerade das, was man in einem Pub erwartet hätte. Da übte jemand Kirchenlieder! Durchaus ambitioniert, denn der Pianist versuchte sich an Bachs Osteroratorium. Die Darbietung war mäßig; noch vor wenigen Monaten hätte Kura sie wahrscheinlich als »jämmerlich schlecht« verworfen. Inzwischen hatte sie allerdings gelernt, dass sie die Messlatte stets zu hoch gelegt hatte. Die meisten Menschen teilten ihr Streben nach künstlerischer Perfektion nicht. Das hatte Kura schon immer gewusst, aber inzwischen erfüllte es sie nicht mehr mit Stolz und Hochmut. Perfektion und absolutes Gehör, so hatte sie begriffen, verkauften sich nicht. Sie war mit einer Gabe gesegnet, die niemand zu würdigen wusste. Also gab es auch keinen Grund, sich allzu viel darauf einzubilden.

Kura stieß die Schwingtür auf und betrat Madame Clarisse' Etablissement. Wie erwartet war alles sehr ordentlich, die Tische geschrubbt, der Boden gefegt – und an einem Klavier im Seitenbereich des Pubs saß ein rothaariges Mädchen.

Kura traute ihren Augen nicht. Sie verharrte, doch die Pianistin schien bereits ihr Eintreten bemerkt zu haben.

Elaine wandte sich um. Sie zwinkerte, als hoffte sie, auf diese Weise ein Trugbild vertreiben zu können. Aber das Mädchen, das da in einem verschlissenen roten Reisekostüm vor ihr stand, war zweifellos Kura. Etwas schlanker geworden vielleicht, etwas blasser – das Gesicht nicht mehr königlich reserviert, sondern entschlossener und härter. Aber ihr Teint war immer noch makellos, ihr Haar glänzend, ihre Augen betörend wie eh und je. Und auch ihre Stimme klang fein moduliert wie gehabt.

»Du?«, fragte Kura mit überraschtem Augenaufschlag. »Ich dachte, du wärst verheiratet, irgendwo in Otago?«

»Und ich dachte, du lebtest glücklich und zufrieden mit William auf Kiward Station!« Elaine war entschlossen, sich nicht mehr von Kura einschüchtern zu lassen. Ihr erster Impuls war zwar gewesen, sich gleich wieder klein und demütig zu geben; dann aber spürte sie, wie der lang unterdrückte Zorn auf Kura in ihr aufstieg, die so ganz nebenbei ihr Leben zerstört hatte. »Was willst du, Kura Warden? Oder besser gesagt, Kura Martyn? Lass mich raten. Es gefällt dir nicht im Wild Rover. Du hast mir erst meinen Mann weggenommen, und jetzt willst du meinen Job!«

Elaine funkelte die andere an.

Kura verdrehte die Augen.

»Du warst immer schon gefühlsduselig, Lainie«, sagte sie lächelnd. »Und ein bisschen zu besitzergreifend. ›Mein Mann‹, ›mein Job‹ … dabei hat William dir nie gehört. Und dieser Job hier …« Kura ließ den Blick spöttisch über die Einrichtung des Lucky Horse schweifen. »Nun, es ist wohl nicht der prestigereichste des britischen Empire. Oder siehst du das anders?«

Elaine wusste nichts zu antworten. Sie spürte nur ohnmächtige Wut und wünschte sich zum ersten Mal seit dem entsetzlichen Morgen im Stall auf Lionel Station eine Waffe. Sie hätte jetzt auftrumpfen müssen, stattdessen begann sie zu flehen – und hasste sich selbst dafür.

»Kura, ich brauche den Job! Du kannst überall singen ...«

Kura lächelte. »Vielleicht würde ich aber gern *hier* singen«, bemerkte sie. »Und die Gattin von Thomas Sideblossom wird doch nicht auf eine Stellung im Puff angewiesen sein.«

Elaine ballte hilflos die Fäuste. Aber dann bewegte sich etwas auf der Treppe zum oberen Geschoss. Charlene kam herunter, und sie musste die letzten Worte gehört haben.

Elaines lodernde Wut wich eiskaltem Schrecken. *Die Gattin von Thomas Sideblossom* ... Wenn Charlene sich das merkte und sie an Madame Clarisse verriet ...

Charlene musterte jedoch nur Kura von oben nach unten, wofür die Treppe ihr eine exzellente Plattform bot. Das dralle, dunkelhaarige Freudenmädchen taxierte die mögliche Konkurrenz gnadenlos und ohne jede Scham.

»Wer ist das denn, Lainie?«, fragte sie dann gelassen, ohne der Neuen auch nur einen Gruß zu gönnen. »Der Ersatz für Chrissie Hamilton? Tut mir leid, Kleine, aber Madame Clarisse sucht eine Blonde. Schwarzhaarige haben wir schon genug. Es sei denn, du kannst was Besonderes.« Charlene leckte sich die Lippen.

Kura blitzte sie empört an. »Ich bin Sängerin!«, fuhr sie auf. »Ich habe es nicht nötig, als ...«

»Ach so, das Maori-Mädchen, das bei Holloway klimpert!« Charlene verdrehte die Augen. »Das ist natürlich ein Sprungbrett für die Weltkarriere. Du kannst dir die Jobs aussuchen, Süße, ich versteh schon. Und du beweist einen exzellenten Geschmack.«

Kura hatte sich inzwischen wieder gefangen. Sie war nie schüchtern gewesen, und in Rodericks Ensemble hatte sie gelernt, sich durchzusetzen. Auch und gerade unter Mädchen.

»Ich kann dir gern vorspielen, wenn du hier was zu melden hast«, sagte sie. »Ich fürchte allerdings, du bist nur eine Hure unter vielen.«

Charlene zuckte die Achseln. »Und du bist eine Klavierspielerin unter vielen. Gut, vielleicht sind wir ja beide etwas besser als der Durchschnitt. Aber das merkt der Kunde erst im Bett. Bei mir jedenfalls, bei dir merkt er's gar nicht. Für die Kerle hier klingt ein Klimperkasten wie der andere. Also mach kein Theater und troll dich zu deinem Traumjob. Für Mädchen, die Ärger machen, wenn sie nur hier reinkommen, hat Madame Clarisse sowieso nichts übrig!«

Kura wandte sich um, den Kopf königlich hocherhoben. »Wir sehen uns noch, Elaine ...«, grüßte sie.

Aber dann war Charlene blitzschnell die Treppe herunter, huschte an ihr vorbei und stand in der Tür. Ihr Blick war kalt vor Zorn, ihre Finger zu Krallen gekrümmt.

»Ihr Name ist Lainie«, sagte sie ruhig. »Lainie Keefer. Und sie war und ist niemandes Frau. Verbreite also keine Lügen. Dann reden wir auch nicht über dich. Denn du rennst genauso vor irgendwas weg, Allerschönste! Und wenn ich will, dann krieg ich auch raus, wovor du davonläufst! Mal ganz abgesehen davon«, Charlene streckte ihre Krallen, »dass Schönheit nicht unendlich ist ...«

Kura blitzte sie an. Aber dann floh sie und gab den Gedanken auf, sich noch einmal wegen eines Jobs an die Chefin des Etablissements zu wenden. Sie hatte Mädchen wie Charlene noch nie kennen gelernt, aber sie hatte die Tänzer von ihnen reden hören. Mädchen, die anderen die Tanzschuhe präparierten, damit sie ausrutschten und fielen. Mädchen, die ihren Feindinnen das Gesicht zerkratzten oder mit ihren Partnern schliefen und die Jungs überredeten, sie bei gefährlichen Tanzfiguren fallen zu lassen. Und Charlene war nicht die Einzige. Madame Clarisse' ganzes Bordell mochte voller aggressiver Miststücke sein, die ihre Pfründe verteidigten. Und Elaines.

Elaine brach in Tränen aus, als Kura gegangen war.

»Ich wollte nicht ... ich wollte sie eigentlich gleich rausschmeißen oder ihr die Haare ausreißen. Aber es kam so plötzlich, und sie ...«

»Sie ist ein eiskaltes Biest«, erklärte Charlene und nahm ihre Freundin in den Arm. »Aber mach dir keine Sorgen. Egal, mit wem du verheiratet warst und wie du richtig heißt, ich verrate nichts, und diese kleine Ziege auch nicht. Ich hab ihr Angst gemacht. Außerdem wär's Madame Clarisse egal. Die mag dich. Und ich mag dich auch. Und die Gäste mögen dich ... und Mr. Tim ...«

Charlene wiegte die krampfhaft schluchzende Elaine wie ein Kind in ihren Armen. Sie spürte, wie das Mädchen sich zuerst entspannte und dann wieder starr wurde, als Tim Lamberts Name fiel. Richtig, der wollte ja heute Abend bei Holloway spionieren. Charlene seufzte. Hätten sie nur früher herausgefunden, dass da irgendetwas zwischen Lainie und diesem Maori-Mädchen war! Das hieß, eine reine Maori war diese Kura nicht, ein Elternteil musste eindeutig weiß gewesen sein. Schon diese Augen ...! Und wenn Charlene sich nicht völlig täuschte, gab es entfernte Ähnlichkeiten zwischen Lainie und dem Mädchen. Charlene überlegte, ob sie gleich fragen sollte oder besser wartete, bis Lainie sich beruhigt hatte. Das zog sich allerdings hin. Das Mädchen weinte jetzt zwar nicht mehr, wirkte aber nach wie vor weggetreten. Sie gab zwar vor, für ihren Osterauftritt in der Kirche üben zu wollen, saß aber nur regungslos vor dem Klavier und starrte ins Nichts. Charlene brachte ihr heißen Tee, dann einen richtigen Whisky.

»Hier, du siehst ja aus wie ein Gespenst. Trink das. Nachher kommt dein Mr. Tim, dann kannst du wieder mit ihm rumalbern. Das war süß gestern, mit dem Pferdeflirt im nächsten Leben! Jetzt lach mal wieder, Lainie!«

Elaine trank, aber sie glaubte nicht, dass sie heute noch etwas zu lachen finden würde. Tim Lambert ging an diesem Abend ins Wild Rover, und da würde er bleiben. Genau wie Matt Gawain. Die Männer würden Lainie und Charlene sofort vergessen. Sie fragte sich vage, warum ihr das nicht egal war. Im Grunde wäre es sogar gut, wenn sie Tim loswürde. Hatte sie nicht oft darüber geklagt, dass er zu aufdringlich wurde?

Elaine begann brav zu spielen, als die ersten Gäste eintrafen. Aber sie spielte mechanisch und unkonzentriert, was die Männer sofort zu merken schienen. An diesem Abend gab es kaum Drinks für Lainie und keine Musikwünsche. Elaine registrierte das nur nebenbei, doch es erschien ihr normal. Ein paar Häuser weiter spielte und sang Kura-maro-tini. Warum also sollten die Leute ihr zuhören?

Elaines Gesicht war bleich und unbeteiligt. Sie schien durch das Klavier und die Wand des Pubs hindurchzusehen – in andere Welten und andere Zeiten. Die Sperrstunde näherte sich quälend langsam. Und dabei wollte Elaine nur noch in ihr kleines Zimmer verschwinden, sich mit Callie im Arm unter den Decken vergraben und diesen Tag einfach vergessen. Morgen musste sie dann Pläne machen. Vielleicht eine andere Stadt, ein anderer Pub … aber kein anderer Timothy Lambert …

»Guten Abend, Miss Lainie!« Tims fröhliche Stimme riss sie aus ihrer Lethargie.

Elaine brach das Lied ab, das sie gerade spielte. Fast ungläubig wandte sie sich um. »Guten Abend, Mr. Tim …«

Ihre Stimme klang tonlos.

Tim Lambert sah sie forschend an. »Stimmt etwas nicht, Miss Lainie?«

Elaine schüttelte den Kopf. »Es ist nur ... es ist gar nichts«, sagte sie dann entschlossen, begann wieder zu spielen und spürte, wie die Farbe in ihre Wangen zurückkehrte. Ihr Herz klopfte wild. Obwohl ... natürlich hatte Tim heute sowieso wiederkommen müssen, er hatte Madame Clarisse schließlich versprochen, ihr zu berichten. Elaine versuchte, ein paar Worte davon aufzuschnappen, doch freitagabends ging es im Pub sehr laut zu. Immerhin verriet auch Madame Clarisse gleich ihre Neugierde, indem sie Tim und Matt sofort einen Tisch anwies und mit der Whisky-Flasche herüberkam. Der Flasche mit dem besseren Whisky ...

»Tut mir leid, dass es so spät geworden ist«, meinte Tim und roch angenehm überrascht an dem teuren Getränk. »Aber wir haben Caleb Biller getroffen und natürlich die Chance genutzt, ihn ein bisschen über die Mine seines Daddys auszuhorchen.« Dabei musste auch schon Whisky geflossen sein; ganz nüchtern waren die beiden nicht mehr.

»Ja, der alte Biller lässt sämtliche Lüftungsschächte erneuern«, berichtete Matt. »Sie hatten wohl vor kurzem einen Gasaustritt. Seitdem hat Biller Muffensausen. Und Klein-Caleb weint, dass er die Sache beaufsichtigen muss ...«

»Während wir es mit Freuden beaufsichtigen *würden*, wenn mein alter Herr sich bloß auch mal bequemte.« Tim schaute betrübt in sein Glas.

Madame Clarisse verdrehte die Augen. »Hab ich euch in das Rover geschickt, weil mich die Wetterschächte bei Biller so brennend interessieren, Jungs? Nein! Also, was ist mit dem Mädchen? Der Kleinen am Klavier?«

Elaine sackte in sich zusammen. Sie wusste nicht, wie viel Charlene ihrer Chefin über Kuras nachmittäglichen Auftritt erzählt hatte. Doch es war unwahrscheinlich, dass sie die Sache ganz für sich behalten hatte.

Tim zuckte die Achseln. »Die Kleine ist hübsch«, konstatierte er.

Matt wandte den Blick gen Himmel. »So kann es nur jemand ausdrücken, der ernstlich verliebt ist. Madame Clarisse, das Mädchen ist schön. Als sie geboren wurde, hatten alle bösen Feen Ausgang. Sie ist ein Traum!«

Madame Clarisse runzelte die Stirn, und Charlene, die eben zum Stammtisch tänzelte, blickte geradezu mörderisch drein.

»Soviel ich weiß«, bemerkte sie sarkastisch, »ziehen die meisten Männer Damen aus Fleisch und Blut vor.«

Matt grinste sie an. Er genoss ihre Eifersucht sichtlich.

»Oh, sie ist durchaus sinnlich, Charlene. Wenn du sie singen hörst ... da ist Leidenschaft. Ein Vulkan unter einer sanften Oberfläche!«

»Sanft?«, fragte Charlene. »Manchmal wünschte ich mir, Männer wären nicht gar so leicht zu täuschen ...«

»Dann würdest du aber weniger verdienen!«, sagte Madame Clarisse lachend. »Aber weiter, Jungs, was soll die Schwärmerei? Habt ihr euch nicht an sie rangeschmissen? Wer ist sie, und woher kommt sie?«

»Na, na, Madame Clarisse, Sie wollten doch wohl nicht, dass wir die Kleine verführen!« Matt amüsierte sich königlich. »Was ist das überhaupt für eine Wortwahl? Tim und ich würden uns doch niemals an jemanden ›ranschmeißen‹.«

»Wobei wir in diesem Fall auch erst mal an Caleb Biller vorbeimüssten«, fügte Tim hinzu. »Was sicher nicht schwierig ist. Aber wenn er sich schon mal für ein Mädchen interessiert ...«

Die Männer lachten, auch die an den umliegenden Tischen. Bei Madame Clarisse verkehrten vor allem die Männer der Lambert- und der Blackburn-Mine. Zwischen ihnen und den Leuten von Biller gab es stets Konkurrenz, die zwar nicht in offenen Zorn umschlug, aber doch zu gegenseitigen Neckereien führte. Der als »weibisch« geltende Caleb Biller war da ein beliebtes Opfer.

»Auf jeden Fall kommt sie aus der Gegend von Canterbury.

Das hat sie Caleb zwar nicht ausdrücklich gesagt, aber er konnte es der Vorgeschichte entnehmen.« Tim erzählte ruhig, was er über Kura erfahren hatte. Offensichtlich hatte er Biller nicht nur nach der Mine seines Vaters ausgehorcht. »Sie ist mit einem Opernensemble herumgereist. Südinsel, Nordinsel, sogar Australien. Aber nach England wollte sie dann nicht mit. Oder die Leute wollten sie nicht mitnehmen, das könnte ich mir eher vorstellen. Seitdem zieht sie allein herum – ein hartes Brot. Auch wenn sie nicht klagt, Caleb ist überzeugt, sie lebt ein herrliches Leben. Aber man braucht doch nur zu sehen, wo sie gestrandet ist. Das Wild Rover ist so ziemlich das Letzte. Dabei singt und spielt sie wirklich gut. Zum Schluss hat sie mit Caleb zusammengespielt. Der spielt auch nicht übel. Jedenfalls spielt er dreimal so gut Klavier, wie er reitet, und da reden wir gar nicht von Bergbau ...«

Elaine hörte nicht weiter zu. Natürlich, er war beeindruckt von Kura. Und sie hatte tatsächlich Opern gesungen, wo doch alle stets bezweifelt hatten, dass es dazu reichte. Aber diese Engländer hatten sie trotzdem nicht mitgenommen. Das konnte sie ihr aufs Butterbrot schmieren, wenn sie noch mal hier auflief. Falls es ihr dann einfiel. Aber das musste es! Sie musste stark sein, viel mehr wie Charlene, der Matts Schwärmereien für Kura gar nicht so viel auszumachen schienen. Elaine atmete auf, als der Abend endete. Und morgen ...

Der Samstagabend im Pub war turbulent wie immer, und Elaine, die fest entschlossen war, sich auf keinen Fall unterkriegen zu lassen, und nun in ihrem hübschesten Kleid am Klavier saß, erfüllte einen Musikwunsch nach dem anderen. Sie zwang sich auch wieder, etwas fröhlicher zu sein – und lächelte dann sogar, als sich gegen neun die Tür öffnete und Tim Lambert hereinkam. Es hatte wieder einmal den ganzen Tag geregnet, und er hatte seinen Regenmantel und den Südwester im Stall gelassen. Aber auch die Sachen, die er darunter trug, waren nach dem kurzen Weg vom Stall durch den Wolkenbruch fast völlig durchnässt. Tim lachte und schüttelte sich wie ein junger Hund, bevor er zu Elaine hinüberschlenderte. Elaine musste sich eingestehen, dass er gut aussah, trotz der nassen Haare und der Regentropfen an den Wimpern, die langsam durch seine Lachfältchen abliefen. Schließlich rieb er sich das Wasser mit dem Hemdsärmel aus dem Gesicht. Er wirkte unbekümmert, jung und lebendig.

»Guten Abend, Miss Lainie.«

Sie nickte ihm zu. Mit einem Mal fühlte sie sich, als habe jemand eine Last von ihr genommen. »Guten Abend, Mr. Tim. Soll ich etwas für Sie spielen?«

Tim lächelte. »Sie wissen doch, worum es geht, Miss Lainie. Beschwören Sie also erneut für mich die sieben Jahre, die John Riley auf seine Liebste warten musste ...«

Elaine runzelte die Stirn. »Ließ John Riley nicht eher die Liebste warten?«

Tim grinste. »Eben das sollte Ihnen zu denken geben!«, sagte er mit gespieltem Ernst. »Aber entschuldigen Sie mich kurz, ich muss mit Matt sprechen, bevor der sich heute gänzlich dem Whisky ergibt. Grund genug hätte er ja. Und ich auch ...«

Lainie schaute ihn fragend an. »Ist etwas mit der Mine?«

Tim nickte. »Mein Vater hat wieder einen Vorstoß von Matt abgeschmettert, die Wetterschächte auszuweiten. Wir haben nur einen neuen, und der funktioniert gut, aber wenn wirklich mal Gas austritt, ist das viel zu wenig. Und wenn man Caleb Biller glauben darf, besteht akute Gefahr. Mensch, der alte Biller ist doch genauso geizig wie mein Erzeuger! Wenn *der* schon Geld für Sicherheit ausgibt ...« Tim wirkte ernsthaft besorgt.

»Gibt es nicht so was wie Gasmasken?«, fragte Elaine. Sie hatte mal davon gehört und auch Zeichnungen in einem

Magazin gesehen. Die Männer, die diese Schutzmasken trugen, sahen damit aus wie hässliche Rieseninsekten.

Tim freute sich sichtlich über ihr Interesse. »Die haben wir auch nicht, Miss Lainie. Außerdem würden sie nicht viel helfen. Das Vertrackte an den Gasaustritten ist die Explosionsgefahr. Meistens ist es nur Methangas. Das ist nicht giftig, aber brennbar, und es entzündet sich leicht. Dem ist nur halbwegs sicher vorzubeugen, indem man den Kohlestaub in der Mine verringert, zum Beispiel durch Berieselung mit Wasser, und die Luftzirkulation sichert. Beides wird bei uns nur ungenügend betrieben.«

Elaine blickte ihn besorgt an. »Sie selbst sind aber nicht oft da unten, oder?«

Tim strahlte. »Das rettet mir jetzt den Tag, Miss Lainie! Sie haben Angst um mich! Davon werde ich noch stundenlang zehren!«

Mit diesen Worten verließ er sie und war wenige Minuten später in eine eifrige Diskussion mit Matt Gawain verwickelt. Der Steiger war nahe daran, mit Kündigung zu drohen. Marvin Lambert hatte ihn vor seinen Männern lächerlich gemacht und erklärt, eine Verbesserung der Sicherheit sei nur bei Absenkung des Stundenlohns möglich. Die Bergleute müssten sich entscheiden, ob sie feige oder hungrig wären. Natürlich hatte niemand für einen Lohnverzicht gestimmt.

Tim kam erst später zu Lainie zurück und trank ihr zu, während sie ein weiteres Mal *John Riley* zum Besten gab. Inzwischen war der Abend fortgeschritten, und sie hatte ein bisschen Mut gefasst. Soweit es zu erkennen war, hatte niemand aus dem Lucky Horse ins Wild Rover gewechselt, und inzwischen redete hier auch kaum noch jemand von der Sängerin im Pub nebenan. Vielleicht war es also ganz unverfänglich, Tim ein paar Fragen zu stellen. Elaine nahm sich vor, diplomatisch zu sein, doch ihre Stimme klang provozierend.

»Haben Sie denn gestern auch *John Riley* spielen lassen?«, erkundigte sie sich.

»Gestern?« Tim musste offensichtlich erst nachdenken, was am Vortag so Besonderes gewesen war. Aber dann zwinkerte er spitzbübisch. »Ach, Sie meinen im Wild Rover. Es wird immer besser, Miss Lainie. Erst sorgen Sie sich um mich, und dann werden Sie eifersüchtig!«

Elaine kaute auf ihrer Oberlippe. »Nein, im Ernst«, brach es aus ihr heraus. »Fanden Sie ... die Frau schön?«

Tim blickte sie forschend an, als er die Dringlichkeit in ihrer Stimme hörte. Ihre zarte, durchscheinende Gesichtshaut wechselte schon wieder zwischen blass und rot. Ihre Lippen bebten leicht, und ihre Augen flackerten.

Tim wollte seinen Arm um ihre Schultern legen und seine Hand auf ihre Hand, doch er spürte ihre instinktive Abwehr und berührte nur hilflos den Rand des Klaviers.

»Miss Lainie«, sagte er sanft. »Natürlich ist sie schön, und sie singt auch schön. Das wird jeder Mann bemerken, der nicht blind und taub ist. Aber Sie, Miss Lainie, sind noch viel schöner und spielen noch viel anrührender, und deshalb würde ich auch nie ein anderes Mädchen *John Riley* für mich spielen lassen ...«

»Aber ... ich bin nicht schöner, ich ...« Elaine wand sich auf dem Klavierstuhl. Hätte sie bloß nicht gefragt!

»Für mich sind Sie schöner«, meinte Tim ernst. »Das müssen Sie mir glauben. Ich will Sie schließlich heiraten. Das heißt, ich werde Sie auch noch schön finden, wenn Sie irgendwann siebzig Jahre alt sind und grauhaarig und runzelig ...«

Elaine versteckte sich wieder hinter ihren Haaren. »Reden Sie doch nicht immer so ...«, flüsterte sie.

Tim lächelte. »Das können Sie mir nicht verbieten! Und jetzt spielen Sie bitte ein fröhliches Lied für mich, und vergessen Sie die Kleine am Klavier im Wild Rover! Ich hab sie doch auch schon vergessen.«

Elaine schob ihr Haar zurück und lächelte schüchtern. Sie spielte ein paar belanglose Weisen; man merkte, dass sie nicht mit den Gedanken bei der Sache war. Und als Tim Lambert sich schließlich verabschiedete, geschah ein kleines Wunder.

Tim grüßte wie immer mit »Gute Nacht, Miss Lainie«, doch Elaine holte tief Luft und warf ihm einen scheuen Blick zu. Beinahe furchtsam ob ihrer eigenen Courage, entschied sie sich dann doch für ein Lächeln.

»Gute Nacht, Tim.«

HEILUNG

Greymouth
Ende 1896 – Anfang 1898

1

Timothy Lambert war allerbester Laune, als er am Montag zur Mine seines Vaters ritt. Und das, obwohl immer noch keine Einigung über die fälligen Umbauten erzielt war. Tim hatte am Sonntag deshalb heftig mit seinem Vater gestritten, doch Marvin Lambert hielt weitere Investitionen in die Sicherheit seiner Mine nach wie vor für überflüssig und erklärte den alten Biller für verrückt.

»Vielleicht dreht er jetzt ganz durch, wo sein Sohnemann jeden Tag im Pub Klavier spielt. Kein Wunder, dass der Alte sich irgendwas einfallen lässt, den Junior wenigstens in den Randgebieten der Kohlegewinnung zu beschäftigen.«

Tim hatte daraufhin vorgeschlagen, er selbst könnte ja ebenfalls anfangen, Klavierstunden zu nehmen. Vielleicht würde er wenigstens im Pub gebraucht, nachdem seine Vorschläge in Sachen Arbeitssicherheit schon nicht erwünscht waren. Warum um Himmels willen hatte Lambert ihn Bergbautechnik studieren lassen, wenn er jetzt jeden Rat in den Wind schlug? Das Ganze war dann zu der üblichen Diskussion eskaliert, dass die Mine angeblich keinen Techniker brauche, sondern einen cleveren Kaufmann, und dass Tim die dazu nötigen Kenntnisse leicht erwerben könne, würde er sich nur öfter im Büro sehen lassen …

Tim war wütend gewesen, aber jetzt, im hellen Sonnenschein, der die Landschaft um Greymouth wie frisch gewaschen erscheinen ließ, vergaß er seine Sorgen. Er dachte allenfalls belustigt daran, was Lainie wohl zu einem Klavierschüler sagen würde, und beim Gedanken an Lainie hob seine Stimmung sich gleich noch weiter. Auf jeden Fall würde er sie am Abend wiedersehen. Er würde zu ihr gehen, ihr zulächeln und »Guten Abend, Lainie« zu ihr sagen. Und sie würde vielleicht wieder lächeln und ihn »Tim« nennen. Ein kleiner Schritt weiter, aber ein wichtiger Schritt. Vielleicht war ja jetzt der Knoten geplatzt. Lainie hatte so gelöst und glücklich gewirkt, nachdem er ihr die dumme Idee mit der anderen Pianistin ausgeredet hatte.

Das war allerdings eine seltsame Geschichte. Warum reagierte das Mädchen so panisch auf eine Konkurrentin, die es gar nicht kannte? Oder war da früher schon mal etwas zwischen ihr und dieser Kura gewesen? Möglich wäre es; zumindest das Maori-Mädchen war weit herumgekommen. Und ob das Opernensemble all seine Musiker mit aus Europa gebracht hatte? Vielleicht hatte Lainie ja für die Sänger Klavier gespielt, und es hatte Streit gegeben. Womöglich wusste Kura sogar, wer dem Mädchen so wehgetan hatte, dass es sich seither vor Männern fürchtete. Tim erwog kurz, selbst mit der Sängerin zu sprechen, aber dann erschien ihm das doch wie ein Vertrauensbruch. Allerdings konnte er mit Caleb Biller reden! Der Junge war zwar ein bisschen weibisch, aber Tim persönlich hatte nichts gegen ihn. Im Gegenteil, er war weitaus angenehmer im Umgang als sein herrischer Vater, und er war nicht dumm. Wenn Tim ihm von Lainie erzählte, würde er Kura vielleicht vorsichtig aushorchen.

Tim pfiff vor sich hin, während Fellow durch das Bergarbeiterlager trabte. Hier hatte er immerhin kleine Erfolge erzielt. Die Straßen waren im Rahmen der Vorbereitungen für das Sankt-Barbara-Fest trockengelegt worden. Man kam gut voran, und das Ganze war auch ein Fortschritt in Richtung Minensicherheit. Bisher hatte es praktisch keine sicher begehbaren Rettungswege in Richtung Greymouth gegeben. Nicht auszudenken, wenn es im Arbeiterlager gebrannt hätte! Und die Mine selbst …

Tim schaute mit einer Mischung aus Besitzerstolz und

Abscheu auf den Förderturm und die anderen Minengebäude, die jetzt in Sicht kamen. Man hätte einen Musterbetrieb daraus machen können, ein modernes Bergwerk mit hohen Sicherheitsstandards, mit Anbindung ans Schienennetz … Tim hatte auch durchaus Ideen zur Vergrößerung der Fördermenge, zu neuen, effizienteren Fördertechniken und Erweiterung der Schächte. Aber das würde wohl warten müssen, bis Marvin sich zur Ruhe setzte. Immerhin hatte sein Vater sich heute noch einmal zu einem Rundgang bereit erklärt. Tim wollte ihm zumindest von oben zeigen, wo es im Belüftungsbereich haperte und welche Ausbaumöglichkeiten für die Stollen bestünden, wenn man hier Geld und Arbeit investierte. Er fühlte sich so aufgekratzt und gut gelaunt, dass er fast an einen Erfolg glaubte.

Marvin Lambert schaute seinem Sohn eher griesgrämig entgegen.

»Typischer blauer Montag!«, schimpfte er. »Wir haben Ausfälle ohne Ende. Von den faulen Säcken in der Siedlung sind heute zehn Prozent nicht erschienen! Die Frachtwagenfahrer schimpfen, weil ihre Karren im Sumpf stecken bleiben – dieser verfluchte Regen! Hätte ich bloß die Wege zur Bahnlinie machen lassen statt die Straße durch die Siedlung! Und der Steiger hat sich auch abgemeldet. Ja, richtig, abgemeldet, nicht etwa gefragt, ob es mir genehm ist, dass er sich selbst um diese Schalholzlieferung kümmert, die noch aussteht … und dann weigert der Kerl sich tatsächlich, den Streb weiter vorzutreiben, bis …«

Tims gute Laune verflog. »Vater, ohne Stützbalken *kann* er den Streb nicht weiter vortreiben, das habe ich dir gestern schon erklärt. Und der hohe Krankenstand liegt wahrscheinlich an diesem endlosen Regenwetter. Das geht den Leuten auf die Lunge, zumal sie ohnehin schon angeschlagen sind. Aber heute scheint ja zum Glück die Sonne, da wird es ihnen morgen besser gehen. Pass auf, in der nächsten Schicht fahren sie wieder ein, die Männer brauchen doch das Geld. Aber jetzt komm, Vater, du hast mir versprochen, du schaust dir die Pläne für die Minenerweiterung an ...«

Lambert hätte wohl lieber seinen Tee ausgetrunken; Tim roch besorgt, dass er ihn schon morgens mit Whisky versetzte. Aber schließlich gab er dem Drängen seines Sohnes nach und folgte ihm in den hellen Sonnenschein.

»Schau, Vater, du musst es dir vorstellen wie Durchzug bei geöffnetem Fenster. Nur ein Fenster reicht nicht, und auch nicht nur eins im ersten Stock des Hauses. Wenn das ganze Haus mit frischer Luft versorgt werden soll, braucht man ausreichend Öffnungen. Wenn wir also die Stollen weitertreiben, das Haus sozusagen erweitern, müssen wir auch neue Wetterschächte bohren. Und je größer die Gefahr ist, dass irgendwo Gas austritt, desto massiver muss der Durchzug sein. Zumal bei dem hiesigen Wetter. Die Außentemperaturen und der Luftdruck spielen ja auch eine Rolle ...« Tim erklärte geduldig, bezweifelte allerdings, dass sein Vater ihm zuhörte. Je länger er seinen Vortrag zog, desto verzweifelter wurde er, zumal ihm erst hier oben, bei Helligkeit und Weitsicht richtig klar wurde, wie verzweigt und gefährlich das Netz aus Schächten und Stollen da unten schon war.

Und dann vernahm er plötzlich dieses Grollen, fast als zöge irgendwo ein Gewitter auf. Auch Marvin schaute irritiert zum Himmel und zog schon mal vorsichtshalber den Kopf ein. Doch über Greymouth, dem Gebirge und der See stand keine einzige Wolke. Tim war alarmiert. Das kam nicht von oben, das spielte sich unter ihren Füßen ab!

»Vater, die Mine ... Da unten passiert etwas. Hast du irgendwas angeordnet? Eine Sprengung? Oder ... doch nicht womöglich eine Schachterweiterung? Mit dem veralteten Sprengstoff? Ist etwas anders als sonst?« In Tims Blick lag äußerste Dringlichkeit.

Marvin winkte gelassen ab. »Der junge Steiger, Josh Kennedy, treibt Stollen neun weiter«, sagte er beinahe stolz. »Das ist kein so Zögerlicher wie Gawain. Der war gleich dabei, als …«

Tims Miene spiegelte Entsetzen. »Als du angeordnet hast, Stollen neun weiter zu öffnen? Mein Gott, Vater, bei Stollen neun gab es noch keinerlei Probebohrungen! Dabei vermutet Matt Hohlräume. Lass uns Alarm geben, Vater, da unten passiert was!« Matt ließ Marvin stehen und machte sich im Laufschritt auf den Weg zum Mineneingang, doch die Explosionen holten ihn ein. Das Gelände der Mine lag weiter harmlos und still unter dem Frühlingshimmel, doch unter der Erde brach infernalischer Lärm los, als hätte man zehn Stangen Dynamit gezündet. Erst einmal, dann ein zweites Mal, noch bevor Matt den Eingang erreichte.

Die Männer, die den Förderkorb bedienten, standen schreckensbleich am Einstiegsstollen und hatten die Maschinen zum Heraufholen des Korbes schon in Gang gesetzt.

Während die Seile sich in Bewegung setzten, kam es im Berg zu einer dritten Explosion.

»Das ist nicht hier drunter!«, rief einer der Männer. »Das ist weiter weg, eher südlich …«

Tim nickte. »Das ist Stollen neun … oder das war er, viel kann davon kaum übrig sein. Ich hoffe, die Männer sind noch rausgekommen und dass es keinen Gas- oder Wassereinbruch gegeben hat! Ich muss da runter! Besorgen Sie mir eine Lampe.« Er warf einen Blick auf die Männer an der Haspel. Einer davon war ein alter walisischer Bergmann mit schwer geschädigter Lunge, der nicht mehr einfuhr. Der andere war ein junger Bursche. Tim meinte, ihn schon einmal unter Tage gesehen zu haben. »Sind Sie sonst nicht in Stollen sieben? Was tun Sie hier oben? Sind Sie krank?«

Der Mann schüttelte den Kopf – und machte auch schon ungefragt Anstalten, sich aufs Einfahren vorzubereiten.

»Meine Frau kriegt ein Kind. Sie glaubt, dass es heute so

weit ist. Da meinte der Steiger, ich sollte heute hier helfen. Stollen sieben ist doch sowieso gestoppt, wegen der Schalholzlieferung. Also könnte ich auch näher bei Cerrin bleiben, hat der Steiger gesagt.«

Tim biss sich auf die Lippen. Vielleicht hatte das Kind seinem Vater das Leben gerettet. Und jetzt setzte er es wieder aufs Spiel ...

»Sie müssen trotzdem mit. Bis weitere Helfer da sind, kann es zu spät sein.«

Tim bestieg den Förderkorb vor dem werdenden Vater. Der alte Bergmann machte eine segnende Bewegung, und Tim ertappte sich selbst bei einer Anrufung der heiligen Barbara. Das hier war ernst, und je tiefer der Korb sich in den Berg senkte, desto ernster erschien es ihm. Vom Lärm des Förderkorbs abgesehen herrschte Totenstille in der Mine. Die sonst üblichen Geräusche, das ständige Hämmern, das Rattern der Loren auf den Gleisen, das Geräusch der Schaufeln beim Wegschaffen des Abraums, die Stimmen von sechzig bis hundert hier arbeitenden Menschen – alles war verstummt.

Der junge Mann bemerkte es ebenfalls, blickte Tim mit schreckgeweiteten Augen an und flüsterte: »Mein Gott ...«

Sie fanden die ersten Toten in dem relativ weiten Raum vor dem Förderkorb. Zwei Männer, die es im Rennen erwischt hatte. Sie mussten vor irgendetwas geflohen sein, aber es war zu spät, den Korb zu rufen.

»Gas«, flüsterte Tim heiser. »Es ist hier abgezogen, in diesem Bereich funktioniert die Belüftung ja noch. Aber sie hatten wohl schon zu viel davon eingeatmet.«

»Kann auch eine Art Druckwelle gewesen sein«, vermutete der junge Mann. »Was machen wir jetzt, Sir? Gehen wir weiter?«

Tim wusste, dass der Mann am liebsten gleich wieder ausgefahren wäre. Und wahrscheinlich hatte er damit sogar Recht. Wenn es hier Tote gab, war es höchst unwahrscheinlich, dass tiefer in der Mine jemand überlebt hatte. Aber wenn doch? Wenn es Luftblasen gab?

Tim biss sich auf die Lippen. »Ich sehe mir das genauer an«, sagte er leise. »Aber Sie können gehen, wenn Sie wollen.«

Der Mann schüttelte den Kopf. »Ich komme mit. Das sind doch meine Kumpel hier unten ...«

Tim nickte. »Wie heißen Sie?«, fragte er, während die Männer dem stockdunklen und totenstillen Schacht folgten. Die Lampen an ihren Helmen tauchten ihre unmittelbare Umgebung in ein fahles, gespenstisches Dämmerlicht.

»Joe Patterson. Schauen Sie, da sind ... da sind noch zwei.«

»Drei ...«, flüsterte Tim.

Zwei der Männer hatten wohl versucht, einen Verletzten zu stützen.

»Joe, wir müssen uns aufteilen, schon um das schneller hinter uns zu bringen. Gehen Sie zu Schacht sieben, ich nehme Nummer neun.«

Der Stollen gabelte sich hier. Tim fragte sich, ob die Männer von rechts oder links gekommen waren. Er wandte sich schließlich nach rechts. Der widerstrebende Joe – allein weiterzugehen war ihm offensichtlich unheimlich – bog nach links ab. Allzu viele Männer konnte es in Schacht sieben nicht getroffen haben. Tim dankte dem Himmel für die Verzögerung der Holzlieferung.

In Schacht neun fand er schnell weitere Tote – und dann auch die ersten Einbrüche. Hier näherte er sich unverkennbar dem Ursprung der Explosion, deren Druckwelle Gas und Trümmer in der ganzen Mine verteilt hatte. Immer noch herrschte Stille. Irgendwann konnte Tim sie nicht mehr ertragen und begann zu rufen.

»Ist da jemand? Ist hier noch jemand am Leben?«

Und dann antwortete plötzlich eine junge Stimme, noch kindlich und völlig verschreckt. »Ich bin hier! Hilfe! Bitte! Ich bin hier ...«

Der Ruf endete in einem Schluchzen.

Tim schöpfte plötzlich wieder Hoffnung. Also doch Überlebende! »Es kommt Hilfe, nur die Ruhe!«, rief er in die Finsternis vor ihm. Schacht neun war auch vor der Explosion nicht gerade übersichtlich gewesen. Der Junge konnte sonst wo stecken. »Wo bist du genau? Bist du verletzt?«

»Es ist so dunkel ...« Der Knabe klang hysterisch. Tim folgte dem Klang seiner Stimme immer tiefer in einen Blindstollen und hoffte, dass der Junge nicht verschüttet war. In der Eile hatten Joe und er nicht mal Grabwerkzeuge mitgenommen. Die Stimme klang nicht gedämpft, und sie kam jetzt deutlich näher.

»Bleib, wo du bist, Junge, aber sag was!«, rief Tim. »Ich hole dich raus ...«

Gleich darauf sah er einen großäugigen Dreizehnjährigen im Dunkel des Schachtes. Roly O'Brien – Tim erinnerte sich, dass Matt ihm den Jungen vor ein paar Tagen vorgestellt hatte. Roly hatte gerade als Lehrling in der Mine angefangen. Sein Vater arbeitete allerdings schon jahrelang hier. Tim lief es kalt den Rücken herunter. Wo war Frank O'Brien?

Roly schluchzte vor Erleichterung und wäre Tim beinahe um den Hals gefallen.

»Es hat gekracht«, berichtete er zitternd. »Ich war hier drin ... sie hatten mich reingeschickt, weil ich das mit dem Hauen noch ein bisschen üben sollte. In den Hauptschächten hielte ich sie nur auf, meinte mein Vater, aber hier im Streb könnte ich die Reste abräumen ...«

Der Schacht – zwar mit den anderen verbunden, aber ein wenig abgelegen – war im Grunde ausgebeutet. Die Männer hatten ihn nie gemocht. Da er tiefer lag als die anderen Schächte, war die Luft hier immer abgestanden. Gerade das mochte Roly heute jedoch das Leben gerettet haben. Offenbar war kein Gas in diesen Tunnel geströmt, und eingestürzt war auch nichts. Roly war völlig unverletzt, aber halb tot vor Angst. Als sämtliche Lampen nach der Explosion ausfielen, hatte er sich nicht mehr orientieren können und nur noch zitternd in der Ecke gehockt, bis er Tim rufen hörte.

»Alles wird gut, Roly, beruhig dich ...« Tim wusste nicht, ob er sich selbst oder den schlotternden Jungen beruhigte. »Aber jetzt erzähl mehr. Warst du der Einzige hier? Wo waren die anderen? Woher kam die Explosion? Hast du danach noch was gehört?«

»Mein Vater und der Steiger haben sich gestritten«, berichtete Roly. »Der neue Steiger, nicht Mr. Matt. Vielleicht ... vielleicht haben sie mich auch deshalb weggeschickt. Mr. Josh ... äh ... Kennedy war ziemlich wütend. Und mein Vater auch. Mr. Josh wollte, dass sie den Schacht erweitern. Mit Sprengstoff. Aber mein Vater meinte, da wäre ein Hohlraum, er sei sich ganz sicher, und das sollte man nicht so einfach sprengen oder aufhauen, da bräuchte man eine ... eine ...«

»Probebohrung«, seufzte Tim. »Weiter, und dann?«

Roly schniefte. »Dann hat mein Vater gesagt, Mr. Josh soll es doch selbst machen, und hat mich hierhin geschickt. Ich glaub, er ist in den anderen Schacht gegangen, der hier darüberliegt. Und ... und ich hab da was gehört, Sir. Bestimmt. Als ich hier allein war ...«

Tims Gedanken arbeiteten fieberhaft. Konnte noch jemand verschüttet sein? Der Eingang des Schachtes war bei der Explosion zusammengebrochen, das hatte er eben im Vorbeilaufen bemerkt. Aber vor oder nach dem Einströmen des Gases?

»Was hast du gehört, Roly?«

Der Junge zuckte die Schultern. »Klopfen ... Stimmen ...?« Seine Stimme klang fragend. Er konnte sich das auch nur eingebildet haben. Tim griff trotzdem nach dem Pickel und den anderen Grabwerkzeugen, die Roly mit in seinem Schacht hatte. Der Junge schluchzte, als er den verschütteten Schachteingang sah.

»Da drin ist mein Daddy. Bestimmt…«

Tim räumte versuchsweise etwas Abraum beiseite, der ziemlich lose war, und so konnte er ein bisschen graben. Vielleicht kam er dann ja den geheimnisvollen Zeichen näher. Eigentlich glaubte er nicht wirklich an Überlebende. Die Schächte waren zwar nicht weit voneinander entfernt, aber dazwischen lag festes Gestein. Unwahrscheinlich, dass Roly wirklich Klopfen aus dem nächsten Schacht gehört hatte. Andererseits, in dieser Grabesstille…

Roly war jetzt neben ihm und griff zu einer Hacke. Er war erstaunlich kräftig für sein Alter und seine schmächtige Gestalt. Bald schlug er mehr weg als Tim. Inzwischen klang es hohl, wenn die Hacke gegen die Trümmer traf. Gänzlich eingestürzt war der Stollen also nicht.

»Vorsichtig, Roly«, mahnte Tim, als der Junge immer verzweifelter arbeitete. »Wenn jemand verschüttet ist, kannst du ihn verletzen. Und sonst…« Tim empfand immer noch nagende Zweifel. Was war, wenn sie hier eine Gasblase freilegten? Sie mussten langsam vorgehen, besser ausfahren, weitere Helfer holen, eine Probebohrung durchführen. Verdammt, vielleicht gab es ja Gasmasken in irgendeiner Mine der Umgebung, in der nicht mit jedem Cent gespart wurde!

Als er Roly gerade zur vorläufigen Einstellung der Grabung auffordern wollte, stieß der Junge einen Schrei aus.

»Ein Mann … Hier ist jemand, ein Mann…« Der Junge räumte mit zitternden Fingern Steine und Erde vom Körper des Verschütteten. Doch Tim sah keine Hoffnung mehr. Der Mann war getroffen worden, als die Mine einstürzte. Wenn er nicht gleich tot gewesen war, musste er inzwischen unter all dem Gestein erstickt sein. Aber Roly schien jetzt seine ganze Energie auf die Bergung dieses Mannes zu konzentrieren. Er legte seine Schultern frei, nahm ihn unter den Armen und zog ... zerrte, brachte das Gestein über dem Körper in Bewegung ...

»Raus, Junge, der Schacht stürzt ein!« Tim wollte den Jungen wegreißen, dachte zuerst nur an Steinschlag. Aber dann roch er es auch, oder meinte zumindest etwas wahrzunehmen, was das Atmen schwerer machte.

»Roly ...« Tim schaffte es eben noch, dem sich öffnenden Hohlraum den Rücken zuzuwenden. Dann hörte er die Explosion, fühlte sich durch die Luft geschleudert. Er fiel auf die harte Erde, arbeitete sich auf die Knie. Roly keuchte neben ihm, Tim zerrte ihn hoch.

»Schnell, das Gas ...« Eine Wiederholung des Albtraums, aber jetzt war Tim mittendrin. Er hörte das Poltern des Gesteins und sah das Auflodern der Flammen hinter ihm nicht mehr aus sicherer Entfernung, sondern floh genauso verzweifelt wie die Männer, deren Leichen er zuvor entdeckt hatte, es getan haben mussten.

Der Förderkorb war nicht zu erreichen, das Gas entwich durch die Hauptschächte ... Hoffentlich erwischt es Joe Patterson nicht, hoffentlich ist der schon wieder oben betete Tim im Stillen.

Tim zerrte Roly durch die Schächte, suchte einen Seitenstollen, einen wie den, in dem er den Jungen gefunden hatte ... aber es gab keinen, es gab nur den neuen Wetterschacht! Angelegt in einem Bereich, in dem Matt und Tim die Erweiterung der Mine planten. Wenn sie Glück hatten und Tims Berechnungen stimmten, gab es dort frische Luft.

Roly stolperte, doch Tim rannte jetzt zielstrebiger. Hinter ihnen kam es zu weiteren Explosionen. Roly wollte geradeaus Richtung Förderkorb flüchten, doch Tim zog ihn in den neuen Stollen. Er sah den Wetterschacht, stürzte darauf zu, nahm einen Atemzug frischer Luft. Sofort spürte er Erleichterung.

Und dann brach die Welt über ihm zusammen.

2

Die Nachricht von den Explosionen in der Lambert-Mine verbreitete sich in Windeseile. Matt Gawain hörte in Greymouth davon und begann sofort mit der Organisation von Rettungsmaßnahmen. Sie würden einen Arzt brauchen, einen Bergungstrupp und die Hilfe der anderen Minenbesitzer. In einem solchen Fall gab es kein Konkurrenzdenken mehr. Jeder würde Leute und Material schicken, um Verschüttete zu bergen. Über das Ausmaß der Katastrophe machte Matt sich keine Illusionen. Hier war nicht einfach ein Schacht eingestürzt. Wenn tatsächlich Explosionen bis an die Erdoberfläche gehört werden konnten, gab es Schwerverletzte und Tote – vielleicht Dutzende. Matt informierte den Arzt in Greymouth und veranlasste, dass Boten zu Biller und zur Blackburn-Mine geschickt wurden. Auch die Holzhandlung ließ er informieren. Vielleicht wurde Stützmaterial gebraucht, egal zu welchem Preis.

Als er schließlich die Mine erreichte, wimmelte es da schon vor Männern, die jedoch verwirrt und führerlos wirkten.

»Tim Lambert und Joe Patterson sind vor knapp einer Stunde runter«, erklärte der alte, für den Förderkorb zuständige Bergmann. »Und vor zehn Minuten hatten wir eine weitere Explosion. Da schick ich jetzt keinen runter, Mr. Matt, das müssen schon Sie entscheiden. Oder Mr. Lambert, aber der ist ja völlig außer sich. Tobt herum, was für ein Wahnsinn es von seinem Sohn gewesen sei, da runterzufahren. Aber er macht keine Anstalten, irgendwelche Anweisungen zu erteilen.«

Matt nickte. »Wir überprüfen jetzt erst mal die Wetterschächte, ob sie noch offen sind und auf Gasaustritt. Dann sehen wir weiter. Ich hoffe, dass zumindest Blackburn ein paar Gasmasken hat. Das ist eine große Mine, eigentlich müsste sie modern ausgerüstet sein, wenn wir es schon nicht sind. Zumindest haben sie die neuen Grubenlampen, die kein Gas entzünden und vor Methangasaustritt warnen. Die hat Biller auch, hat Caleb neulich erzählt. Wenn sie da sind, fahre ich ein. Sammeln Sie schon mal Freiwillige, und rüsten Sie die Männer entsprechend aus. Und die Leute, die hier herumrennen, sollen sich nützlich machen und Schuppen freiräumen, wir benötigen den Platz für Verwundete und Tote. Und wir brauchen Decken und Liegen. Jemand soll zum Reverend reiten, der wird auch gebraucht. Und sein Hausfrauenverein. Und die Mädchen bei Madame Clarisse. O Gott, Tim ist da unten, was wird Lainie sagen? Und hat jemand seine Mutter verständigt?« Matt versuchte, einen klaren Kopf zu behalten, und bald hatte er das Durcheinander vor der Mine tatsächlich in zielstrebiges Handeln verwandelt. Die ersten Helfer von anderen Minen trafen ein, allen voran Caleb Biller mit einem ganzen Wagen voller Bergleute, die Grubenlampen, Seile und Tragen mitbrachten. Matts Hochachtung vor dem jungen Mann wuchs. Er mochte zwar nichts für Bergbau übrig haben, aber zumindest seine Männer lagen ihm am Herzen. Oder war der alte Biller auch hier vernünftiger als sein Konkurrent?

Matt wäre gern bereit gewesen, sich die Verantwortung für die Bergungsarbeiten mit Caleb zu teilen, aber der wehrte entsetzt ab, als Matt auch nur mit ihm darüber reden wollte.

»Ich hab keine Ahnung von Bergbau, Mr. Gawain. Und ehrlich gesagt will ich gar nicht so genau wissen, was da unten vorgegangen ist. Auf jeden Fall gehe ich nicht runter. Ich krieg schon in Minen Platzangst, in denen keine Gefahr besteht. Vielleicht kann ich mich ja anderweitig nützlich machen ...«

Klavierspieler brauchen wir nicht, dachte Matt respektlos. Aber das brachte nichts – er würde Caleb Biller nicht ändern. Und vielleicht brachte der junge Mann hier oben ja wirklich etwas zustande.

»Dann kümmern Sie sich um das Nothospital, solange der Doktor noch nicht da ist«, schlug Matt schließlich vor. »Schauen Sie nach, welches Gebäude dafür geeignet ist.«

»Die Büros«, sagte Caleb ohne langes Nachdenken. »Die Schuppen sind nicht heizbar, da können wir höchstens die ... ich meine, es wird doch Tote geben, oder?«

Matt nickte müde. »Ich befürchte es. Also schön, ich rede mit dem alten Lambert. Er muss mir sowieso die Verantwortung übertragen. Und er wird genau wissen, was ich dabei denke. Da kann ich ihn auch gleich aus seinem Büro werfen. Kommt nicht mehr drauf an ...«

Marvin Lambert wanderte ziellos in seinem Büro herum; anscheinend betäubte er sich auch mit Whisky. Als Matt hereinkam, machte er Anstalten, sich auf ihn zu stürzen.

»Sie! Wenn Sie da gewesen wären, hätte mein Sohn sich nicht auf diesen Wahnsinn eingelassen! Aber Sie mussten sich ja rumtreiben, mussten sich eigenmächtig von der Mine entfernen ... Sie ... Sie sind entlassen!«

Matt seufzte. »Sie können mich morgen entlassen«, bemerkte er. »Aber jetzt werde ich versuchen, Ihren Sohn zu retten. Und die anderen, die da unten vielleicht noch am Leben sind. Sie sollten sich übrigens mal draußen zeigen. Die Männer sind alle gekommen, um ihren Kumpeln zu helfen, auch die Leute, die eigentlich krank sind. Sie brauchen ein paar aufmunternde Worte – zumindest könnten Sie Ihre Dankbarkeit zeigen.«

»Dankbarkeit?« Marvin Lambert schwankte. »Dafür, dass die faule Bande mich heute Morgen im Stich gelassen hat und ...«

Matt wurde wütend. »Seien Sie froh um jeden, der heute Morgen nicht eingefahren ist, Mr. Lambert. Mich eingeschlossen. Nicht auszudenken, wenn hier überhaupt niemand wäre, der sich da unten auskennt. Aber wenn Sie keine Ansprache halten wollen ... auch gut. Nur hören Sie auf, sich mit Whisky zuzuschütten! Außerdem will der junge Biller in den Büroräumen ein Hospital einrichten. Also ...«

Matt hörte nicht zu, als Lambert daraufhin zu lamentieren begann, Caleb Biller wolle sicher nur die Möglichkeit nutzen, seine Geschäftsbücher einzusehen. Irgendjemand hatte inzwischen sicher seine Frau informiert. Vielleicht erwies Tims Mutter sich der Sache ja eher gewachsen.

Caleb Biller betrat eben das Kontor, als Matt herauskam. Zwei kräftige Männer folgten ihm. Der junge Mann blickte sich sachkundig um.

»Ich lasse Betten hereinbringen, aber vorher schaffen wir ein bisschen Platz. Sehr groß ist die Anlage ja nicht ...«

Matt nickte. Sollte Caleb sich selbst mit Lambert herumschlagen. Und was die Menge der benötigten Krankenbetten anging: Wenn wirklich massiv Gas ausgetreten war, würde man wahrscheinlich nicht viele brauchen.

Auf dem Hof traf eben der Arzt ein, auch er mit einem Wagen voller Decken, Verbandmaterial und Medikamenten. Matt begrüßte ihn erleichtert. Dr. Leroy war ein Krimkrieg-Veteran, den das improvisierte Hospital vermutlich nicht schrecken würde. Dazu hatte er seine Frau mitgebracht, ebenfalls kriegserprobt. Berta Leroy war noch von der legendären Florence Nightingale zur Krankenschwester ausgebildet worden. Sie hatte an der Front gearbeitet und dort ihren Mann kennen gelernt. Auf der Suche nach einer friedlicheren Umgebung waren sie anschließend nach Neuseeland ausgewandert und führten gemeinsam die Praxis in Greymouth. Besonders die Frauen im Ort behaupteten, Mrs. Leroy sei mindestens so kundig wie ihr Gatte. Jedenfalls hatte sie keine Berührungsängste. Sie brachte Madame Clarisse und drei ihrer Mädchen mit. Charlene schmiegte sich spontan in Matts Arme.

»Ich bin froh, dass du am Leben bist«, sagte sie leise. »Ich dachte, du ...«

»Ein glücklicher Zufall, Miss Charlene, für den Sie Gott zu gegebener Zeit ausführlich danken sollten«, bemerkte Berta Leroy. »Aber jetzt haben wir anderes zu tun. Betten beziehen sollten Sie ja können, bei Ihrem Beruf ...«

Mrs. Leroy scheuchte Charlene und die beiden anderen ins Kontor. Dr. Leroy lächelte Matt fast entschuldigend an. »Meine Frau lernt lieber die Mädels vom Lucky Horse an als die ehrbaren Damen. Die kennen sich einfach besser in der männlichen Anatomie aus ... ihre Worte, nicht meine.«

Matt musste beinahe grinsen.

»Wie schlimm ist es denn, Mr. Matt?«, fragte Madame Clarisse, bevor sie dem Arzt und seiner energischen Gattin folgte. »Ist es wahr, dass Timothy Lambert vermisst wird?«

Matt nickte. »Tim Lambert hat die ersten Rettungsversuche unternommen. Aber danach gab es eine weitere Explosion. Ob sie ihn und den anderen Helfer getroffen hat, wissen wir nicht, aber bislang kein Lebenszeichen. Wir beginnen jetzt erst mit den Bergungsmaßnahmen. Wünschen Sie uns Glück, Madame Clarisse. Wo ist übrigens Miss Lainie? Weiß sie ...?«

Madame Clarisse schüttelte den Kopf. »Wir haben sie zum Reverend geschickt, gleich als wir von dem Unglück hörten. Mit ihrem Pferd und meinem Wagen. Von Mr. Tim haben wir da noch nichts gewusst. Aber sie müsste gleich kommen. Ich bring es ihr schonend bei ...«

Matt fragte sich, wie man jemandem eine solche Nachricht schonend beibringen konnte. Auf dem Hof vor der Mine hatten sich inzwischen mehrere Frauen eingefunden, die zu den Männern in der Mine gehörten. Eine davon, die zierliche Cerrin Patterson, wurde dann gleich die erste Patientin in Dr. Leroys Hospital. Ihre Wehen setzten ein, als sie die Nachricht vom Minenunglück bekam. Wie als Ironie des Schicksals würde an diesem Ort des Todes als Erstes ein Kind zur Welt kommen.

Nellie Lambert war ebenfalls eingetroffen, doch sie brauchte eher selbst einen Arzt, als sich in irgendeiner Weise nützlich machen zu können. Schon jetzt schluchzte sie hysterisch. Matt schickte sie zu ihrem Mann. Auch um dieses Problem sollten sich andere kümmern.

Und dann gab es endlich Informationen aus der Mine.

»Mr. Matt, wir wären jetzt durch mit den Wetterschächten«, meldete ein älterer Bergmann. »Die im Bereich von Schacht eins bis sieben sind unversehrt, in der Gegend von acht und neun sind zwei eingestürzt, einer intakt. Und der neue ist auch in Ordnung ... aber das sollten Sie sich vielleicht selbst ansehen. Einer der Jungs, die sie überprüft haben, meint, er hätte Klopfzeichen gehört.«

Elaine lenkte Madame Clarisse' Wagen zur Mine; der Reverend folgte mit seinem eigenen. Mit ihnen fuhren vier ehrbare Helferinnen vom Hausfrauenverein und zwei weitere Freudenmädchen. Ihre Aufteilung auf die Wagen hatte endlose diplomatische Anstrengungen des Reverends erfordert, da die Damen einerseits ihre unsterbliche Seele gefährdet sahen, wenn sie ein Gefährt mit Madame Clarisse' Mädchen teilten, Madame Clarisse' Kutsche aber andererseits viel bequemer war als der Kastenwagen des Reverends. Schließlich drängten sie sich doch stöhnend auf der Ladefläche zusammen und überließen Elaine und den Mädchen den Transport der Unmengen an rasch bereitgestellten Lebensmitteln. Mrs. Carey, die Frau des Bäckers, brachte gleich körbeweise Brot und Pasteten; schließlich mussten die Helfer verpflegt werden. Niemand würde an diesem Tag die Zeit in Schichten aufteilen und zwischendurch nach Hause gehen. Auch für die Angehörigen der Opfer und mögliche Verletzte musste gesorgt werden – wobei eher Madame Clarisse' und Paddy Holloways Spenden dienlich wären: Beide hatten etliche Flaschen Whisky beigesteuert.

Elaine trieb Banshee an und dankte dem Himmel für die neu befestigten Straßen zwischen Greymouth und der Mine. Sie war nervös und sorgte sich um die Männer, die sie kannte. Natürlich kreisten ihre Gedanken vor allem um Tim Lambert. Der war ja eigentlich kein Bergmann; mit ziemlicher Sicherheit hatte er im Büro gesessen, als die Mine explodiert war. Aber wirklich erleichtert würde sie sich erst fühlen, wenn sie ihn gesund und munter vor sich hatte. Tatsächlich sah sie sich sogar in seine Arme fliegen, doch diesen Tagtraum untersagte sie sich sofort. Sie würde sich nicht mehr verlieben. Nicht in Tim und in niemand anderen. Es war zu gefährlich, es kam nicht in Frage.

Auf dem Minengelände herrschte reger Betrieb. Die Frauen und Mädchen der verschütteten Männer hatten sich in einer Ecke zusammengefunden und starrten schweigend und entsetzt auf den Eingang zur Mine, wo sich eben ein Bergungstrupp zum Einfahren vorbereitete. Einige der Versammelten ließen Rosenkränze durch die Finger gleiten, andere hielten sich aneinander fest. In manchen Gesichtern stand Resignation, in anderen verzweifelte Hoffnung.

Der Reverend nahm sich sofort ihrer an, und die couragierte Mrs. Carey teilte ihre Frauen zum Teekochen ein.

»Finden Sie mal heraus, wo wir eine Suppenküche eröffnen können!«, wies sie eine der Helferinnen an, geflissentlich über Madame Clarisse' Mädchen hinwegsehend. Die luden erst mal Elaines Wagen aus. Elaine selbst konnte sich nicht darauf konzentrieren. Sie sah sich immer noch nach Tim um, entdeckte zunächst aber nur Fellow, der angebunden vor den Bürogebäuden stand. Tim musste also hier sein. Bestimmt drinnen – oder fuhr er mit dem Rettungstrupp ein?

Elaine wandte sich den Männern zu, die auf den Förderkorb warteten, während sie sich lederne Schürzen umbanden, Helme aufsetzten und sich mit den neuartigen Grubenlampen aus der Biller-Mine vertraut machten.

»Ich suche Tim Lambert«, erklärte sie und errötete dabei. Wenn die Männer ihm das weitererzählten, würde er sie wieder necken ...

Der angesprochene Bergmann schüttelte jedoch nur ernst den Kopf. »Wir wissen noch nichts, Miss Lainie. Nur dass er nach der ersten Explosion runter ist, zusammen mit Joe Patterson ...«

Elaine fühlte plötzlich eine eisige Kälte in sich, die rasch wuchs und sie erstarren zu lassen drohte. Er war unten in der Mine ...

Die Welt schien um sie zu kreisen. Halt suchend griff sie nach einem Eisengeländer und beobachtete beinahe unbeteiligt, wie der Förderkorb heranratterte. Wider Erwarten war er nicht leer; die Männer brachten die ersten Leichen.

»Lagen gleich im Eingangsbereich ... Gas«, erklärte der Hilfssteiger, der mit den Tragen heraufgekommen war. »Mit dem nächsten Transport kommen noch drei. Die anderen müssen wir wohl ausgraben.«

Elaine starrte in die verzerrten Gesichter der Männer, die man jetzt aus dem Aufzug trug. Sie kannte zwei von ihnen – und Joe Patterson.

»Sagten Sie nicht ... Joe wäre mit Tim Lambert ... zusammen gewesen?«, Elaine stammelte die Frage, obwohl sie genau wusste, was der Bergmann gesagt hatte.

Der Hilfssteiger nickte. »Ja, Miss Lainie. Verdammt, und seine Frau bekommt ein Kind. Matt hatte ihn extra freigestellt. Und dann das ...« Er fuhr hilflos über das vom Steinstaub verschmutzte Gesicht des jungen Kumpels.

»Aber jetzt verlieren Sie mal nicht die Hoffnung, Kleine!«, meinte einer der Helfer, während er den Förderkorb erneut betrat. »Irgendjemand hat an einem Wetterschacht Klopfzeichen gehört. Meint er jedenfalls. Also gibt's vielleicht doch noch Überlebende. Kindchen, du bist ja weiß wie die Wand ... Schaff doch mal einer das Mädchen hier weg, die ist mir auch viel zu nah an der Mine. Frauen im Bergwerk bringen Unglück!«

Während der Korb wieder in die Tiefe ratterte, führte jemand Elaine heraus, sanft und respektvoll – während in ihrem Kopf immer nur die Frage kreiste, wie viel Unglück sie hier wohl noch bringen konnte.

Madame Clarisse nahm sie im Hospital in Empfang, wo es nach wie vor nichts zu tun gab.

Mrs. Leroy kümmerte sich um die gebärende Cerrin Patterson, unterstützt von Charlene, die sich offenbar nicht nur mit männlichen Körpern auskannte.

»Hab meiner Mutter schon bei ihren Sprösslingen Nummer neun bis zwölf beigestanden, als ich ein kleines Mädchen war. Kam ja sonst keiner zu uns«, erklärte sie kühl.

Dr. Leroy selbst hatte bislang nur mit gelegentlichen Schwächeanfällen der Angehörigen von Verschütteten zu tun. Er warf auch einen kurzen Blick auf Elaine, verordnete aber nur einen Whisky und wies auf die Frauen und Kinder vor der Mine.

»Die Leute da machen das alle durch. Mehr als warten können Sie nicht.«

Inzwischen wurde die Identität der ersten Toten bekannt gegeben, und das erstarrte Schweigen der Frauen wich Wehklagen und Weinen. Die Angehörigen der Toten wollten zu ihnen. Mrs. Carey wies ihre Frauen an, sie beim Aufbahren und Waschen der Leichen helfen zu lassen. Der Reverend sprach Gebete und versuchte zu trösten. Für die meisten Menschen vor der Mine gab es schließlich noch Hoffnung. Doch die älteren Bergmannsfrauen, die ihren Männern schon aus England gefolgt waren, wussten die Lage realistisch einzuschätzen: Wenn das Gas bis zum Förderschacht gedrungen war, gab es kaum noch Hoffnung für die Männer tiefer in der

Mine. Einige jüngere Mädchen klammerten sich an die Nachricht mit den Klopfzeichen.

Auch Elaine hoffte inständig. Vielleicht war da wirklich noch jemand am Leben. Aber wie viele von all den Männern, die am Morgen eingefahren waren? Sie versuchte herauszufinden, mit wie vielen Opfern überhaupt zu rechnen war, doch wie sich herausstellte, wusste es niemand.

»Jemand muss das doch notiert haben!«, meinte Elaine. »Die Leute werden schließlich nach Stunden bezahlt.« Nach längerem Suchen, das sie immerhin beschäftigte, trieb sie einen Bürodiener auf. Der Mann verwies sie an Tims Vater.

»Das hat Mr. Lambert heute notiert. Er hat sich noch aufgeregt, dass es so wenige waren. Fragen Sie ihn, wenn er noch so weit bei sich ist. Ich hab eben versucht, was aus ihm rauszukriegen. Einer von der Minenleitung muss unbedingt zu den Frauen reden. Aber Mr. Lambert ist völlig verwirrt.«

Marvin Lambert war nicht nur verwirrt, sondern auch betrunken. Er starrte ins Leere und murmelte Unverständliches, während seine Frau Nellie schluchzte und immer wieder Tims Namen rief. Beide Lamberts waren nicht ansprechbar, zumindest nicht für Lainie. Sie musste ihnen Mrs. Carey schicken oder den Reverend ... aber erst musste sie die Anwesenheitslisten finden. Tatsächlich entdeckte sie eine Kladde auf Marvin Lamberts Schreibtisch.

20. Dezember 1896 – das war es. Und gleich darauf eine ordentliche Auflistung der erschienenen Arbeiter. Zweiundneunzig. Und Tim ...

Elaine nahm das Buch kurzerhand mit – und erntete fast so etwas wie Begeisterung, als sie Caleb Biller davon berichtete. Der junge Biller wirkte deplatziert in all dem Treiben rund um die eingebrochene Mine. Im Gegensatz zu fast allen anderen Männern, die pausenlos ins Bergwerk ein- und wieder ausfuhren, war er sauber, gut gekleidet und wirkte unbeteiligt. Ähnlich wie beim Rennen; auch da hatte er den Eindruck erweckt, lieber woanders zu sein. Immerhin schien er über die wichtigsten Vorgänge informiert zu sein. Koordinationsaufgaben schienen ihm zu liegen.

»Das ist eine unschätzbare Hilfe, Miss Keefer!«, meinte er höflich und nahm die Anwesenheitslisten in Empfang. »Die Männer wissen dann zumindest, wie lange sie suchen müssen, bis alle gefunden sind. Allerdings dürften kaum alle zweiundneunzig eingefahren sein. Einige haben sicher am Förderkorb gearbeitet oder Frachtwagen beladen. Ich werde mal versuchen, das herauszufinden.«

Elaine warf einen Blick auf den Eingang der Mine, aus der soeben weitere Tote gebracht wurden.

»Kann es denn noch Überlebende geben, Mr. Biller?«, fragte sie leise.

Caleb zuckte die Achseln. »Eher nein. Aber sicher ist man da nie, manchmal gibt es Hohlräume, Luftblasen ... selbst bei Gasexplosionen. Aber es sieht nicht gut aus.«

Kurze Zeit später stand fest, dass am Morgen sechsundsechzig Männer eingefahren waren, später noch Joe und Tim. Zwanzig Tote hatte man bereits gefunden, davon die meisten im Bereich der Schächte eins bis sieben, die nicht eingestürzt waren. Im Bereich von Schacht acht und neun wurde gegraben, Stunden um Stunden.

Elaine wusste später nicht, wie der Tag vergangen war. Sie half beim Teekochen und bereitete Sandwiches, doch bei all dem schien sie nicht wirklich zugegen zu sein. Irgendwann bat der Reverend sie, in die Stadt zu fahren, um weiteren Proviant zu holen. Die Angehörigen der Opfer brachten zwar nichts herunter, die Bergleute jedoch vertilgten Unmengen. Inzwischen arbeiteten rund hundert Mann in der Mine, die sich ständig abwechselten, um einander nicht auf den Füßen zu stehen. Die Menge an Abraum war gigantisch; etliche Teile der Stollen waren völlig verschüttet. Immer wieder wurden Tote heraufgebracht.

Lainie schirrte Banshee an und stieß dabei wieder auf Fellow, der immer noch gesattelt wartete. Anscheinend traute sich niemand, ihn wegzubringen; wahrscheinlich befürchteten die Helfer wieder ein schlechtes Omen. Auch Elaine kämpfte mit der aberwitzigen Hoffnung, Tim könnte gleich wiederkommen und sich auf sein Pferd schwingen, solange Fellow nur wartete. Aber dann gab sie sich einen Ruck, sattelte den Wallach ab und führte ihn in die Ställe der Mine.

»Hier findet dein Herr dich auch …«, sagte sie leise und spürte plötzlich die Tränen. Leise weinte sie in die weiche Mähne des Pferdes. Dann straffte sie sich und machte sich auf den Weg in die Stadt.

Greymouth wirkte wie betäubt ob der Katastrophe in der Lambert-Mine. Das Lucky Horse blieb geschlossen, im Wild Rover war es still. Elaine nahm weitere Lebensmittel in Empfang. Die restlichen Damen vom Hausfrauenverein waren nicht untätig gewesen und hatten gekocht. Zwei von ihnen schlossen sich an, obwohl Elaine sich fragte, wozu weitere Helferinnen gebraucht wurden. Zuerst hatte man ja an Krankenpflege gedacht, aber bislang behandelte Dr. Leroy lediglich kleine Verletzungen der Helfer. Die Verschütteten, die man heraufbrachte, waren sämtlich tot.

Als Elaine am Wild Rover vorbeikam, sah sie Kura. Die junge Frau wollte wohl eben ihren Dienst am Piano antreten, doch der Pub war wie ausgestorben, und Kura schien zu schwanken, ob sie überhaupt hineingehen sollte, als sie Elaine erblickte.

»Ich habe von der Mine gehört«, sagte Kura. »Ist es schlimm?«

Elaine sah sie an und verspürte dabei zum ersten Mal weder Wut noch Neid oder Bewunderung. Ob dies ihre Cousine war oder eine lästige Fremde, Elaine war es egal.

»Kommt darauf an, was du unter schlimm verstehst«, bemerkte sie schmallippig.

Kura wirkte unbeteiligt wie immer. Nur in ihren Augen war so etwas wie Erschrecken zu erkennen. Zum ersten Mal kam Elaine der Gedanke, dass Kura nur durch ihren Gesang Gefühle ausdrücken konnte. Vielleicht brauchte sie die Musik deshalb so sehr.

»Soll ich mitkommen?«, fragte Kura. »Braucht ihr Hilfe?«

Elaine verdrehte die Augen. »Soweit ich weiß«, sagte sie schroff, »verfügst du über keine der Qualitäten, die jetzt an der Mine gebraucht werden. Derzeit sind weder Verführungskunst noch Operngesang vonnöten.«

Die Damen in Elaines Wagen spitzten erkennbar die Ohren.

Kuras versöhnliche Stimmung verflog.

»Es heißt, ich hätte auf Männer eine durchaus belebende Wirkung ...«, sagte sie mit ihrer dunkelsten, laszivsten Stimme und schob mit einer anmutigen Handbewegung ihr Haar zurück.

Kuras Auftrumpfen hätte Elaine am Tag zuvor noch sprachlos gemacht. Aber jetzt blickte sie das Mädchen nur kühl an.

»In diesem Fall könntest du dich durchaus nützlich machen. Wir haben bislang dreiunddreißig Tote. Wenn du dich daran versuchen willst ...«

Elaine schnalzte Banshee kurz zu, die daraufhin schwungvoll anzog. Kura blieb schweigend zurück. Elaine hatte das Wortgefecht gewonnen, doch ein Triumphgefühl wollte sich nicht einstellen. Im Gegenteil, sie spürte Tränen aufsteigen, als sie ihr Gespann zur Mine lenkte.

Die Bergungsarbeiten zogen sich hin bis weit in die Nacht, aber der einzige Lichtblick war die Geburt von Cerrin Pattersons Baby. Ein gesunder Junge, der seine Mutter vielleicht ein bisschen über den Verlust ihres Mannes hinwegtrösten würde. Vorerst hatte man ihr allerdings nichts von Joes Tod gesagt. Als Elaine das hörte, überprüfte sie voller Furcht die

Reihen der in einem Schuppen aufgebahrten Opfer. Womöglich hatten sie Tim ja auch schon gefunden und hielten es nur vor ihr und den Lamberts geheim. Diese Befürchtung bewahrheitete sich zwar nicht, aber Elaine war tief erschüttert über all die Toten. Sie fand Jimmy unter den Opfern, den riesigen Hauer, der ihr in bierseligen Nächten gestanden hatte, sich jeden Tag vor dem Einfahren in die Mine zu fürchten. Charlie Murphys Frau beweinte ihren Mann hysterisch, auch wenn er sie so oft geschlagen und es hinterher bitter bereut hatte. Elaine sah Lehrlinge unter den Toten, die an ihrem ersten Arbeitstag stolz das erste Bier im Lucky Horse getrunken hatten, und strebsame junge Vorarbeiter, die in ihrer Anfangszeit im Pub heftig um sie geworben hatten. Eines Tages würde er Steiger sein, hatte Harry Lehmann ihr stolz erzählt. Dann würde er ihr ein gutes Leben bieten können. Jetzt lag er hier mit zerschmetterten Gliedern, wie viele der zuletzt geborgenen Toten. Die Bergungsarbeiten drangen nun in Bereiche vor, in denen die Explosionen ausgelöst worden waren. Hier waren die Kumpel nicht an Gasvergiftungen gestorben, sondern vom Berg erschlagen oder verbrannt. Einen Teil der Leichen konnte man kaum identifizieren, doch sie hatten tief im Berg gelegen. Tim konnte kaum so weit vorgedrungen sein; er hätte eigentlich unter den früher geborgenen Toten sein müssen.

Gegen elf Uhr abends kam Matt Gawain endlich wieder aus der Mine. Er war mit seinen Kräften völlig am Ende. Die Männer hatten ihn schließlich gezwungen, eine Pause einzulegen.

Elaine traf ihn in Mrs. Careys improvisierter Teeküche, wo er Tee in sich hineinschüttete und Stew löffelte wie ein Verhungernder.

»Mr. Matt! Immer noch nichts von Tim Lambert?«

Matt schüttelte den Kopf. Sein Gesicht war eingefallen und schwarz von Kohlestaub. Gewaschen hatte er sich nicht. Das tat keiner der Kumpel, die hier hereintaumelten, um sich vor dem nächsten Einsatz kurz zu stärken.

»Wir dringen jetzt langsam in den Bereich vor, aus dem die Klopfzeichen kamen, falls es welche waren. Wir haben seit Stunden nichts gehört. Aber wenn es Überlebende gibt, dann dort, in der Nähe vom neuen Wetterschacht. Das sind neu gegrabene Stollen mit eigenem Belüftungssystem ... zumindest sollten sie eins haben. Aber es ist schwierig. Die Gänge dort sind völlig eingestürzt und oft noch glühend heiß nach den Bränden. Wir tun unser Bestes, Miss Lainie, aber wir könnten zu spät kommen.« Matt schlang ein Stück Brot herunter.

»Aber glauben Sie, dass Tim ...« Elaine wehrte sich beinahe dagegen, wieder Hoffnung zu schöpfen.

»Wäre ich an seiner Stelle gewesen, hätte ich versucht, dorthin zu flüchten. Aber ob er es geschafft hat? Es gibt noch Stollen, die wir nicht ausgegraben haben. Theoretisch könnte da noch jemand sein. Jedenfalls, am Wetterschacht sind wir jetzt bald. Wenn wir ihn da nicht finden ...« Matt senkte den Kopf. »Ich fahre gleich wieder ein, Miss Lainie. Wünschen Sie uns Glück.«

Matt fuhr tatsächlich ein, obwohl Dr. Leroy es ihm am liebsten verboten hätte. Schließlich wankte er vor Müdigkeit. Andererseits wollte er die letzten Spatenstiche miterleben – und eventuell Probebohrungen durchführen, falls sich ein verdächtiger Hohlraum auftat. Die Gefahr in der Mine war längst nicht gebannt.

3

Elaine zog ziellos über das Minengelände, wo die Angehörigen der Opfer und viele Helfer aus dem Dorf inzwischen ein wenig zur Ruhe kamen. Mrs. Carey und Mrs. Leroy schliefen auf den für Verletzte vorbereiteten Liegen. Dr. Leroy döste in Marvin Lamberts Sessel. Für die Lamberts selbst hatte er Feldbetten in einen Nebenraum bringen lassen. Marvin hatte sich letztlich in einen Dämmerschlaf getrunken, und Nellies Jammern hatte Mrs. Leroy irgendwann nicht mehr ausgehalten und mit Laudanum betäubt. Jetzt schlief Tims Mutter friedlich neben ihrem Mann, der sich unruhig hin und her warf und noch im Traum zu schimpfen schien.

Die meisten Frauen und Kinder der Opfer hatte man nach Hause gebracht. Einige hielten die Totenwache. Wer noch Hoffnung hatte, wartete nach wie vor im Hof. Es war eine warme Nacht; die Frauen zitterten eher vor Angst und Erschöpfung als vor Kälte. Dennoch hatte Mrs. Carey Decken verteilen lassen.

Madame Clarisse hatte ihre Mädchen nach Hause beordert. Hier gab es für sie nichts mehr zu tun, und sie ließ sie nachts nicht gern unbeaufsichtigt. Auch erschöpfte Männer waren Männer, und sie würden die Freudenmädchen als Freiwild betrachten. Der Reverend fuhr sie mit seinem Frachtwagen in die Stadt. Elaine dagegen hatte nur den Kopf geschüttelt, als Madame Clarisse sie bat, Banshee noch einmal anzuspannen.

»Ich bleibe hier, bis sie … bis sie …« Sie sprach nicht weiter, denn sie befürchtete, schon aus Erschöpfung in Tränen auszubrechen. »Mir tut schon keiner was«, sagte sie dann gefasster.

Letztendlich landete sie im Stall bei Banshee und Fellow, schmiegte sich in einen Bund Heu und umarmte wieder einmal nur Callie. Es schien ihr Schicksal zu sein, allenfalls bei den Tieren Trost zu finden.

Aber dann, fast schon gegen Morgen, schreckte ein Ruf sie aus dem Dämmerschlaf.

»Sie haben jemanden gefunden!«, meldete eine jubelnde Stimme. »Sie haben Lebenszeichen! Jemand scharrt von innen Schutt weg!«

Elaine eilte aus dem Stall; sie nahm sich nicht mal die Zeit, das Stroh aus ihren Haaren zu schütteln. Auf dem Hof traf sie einen jungen Bergmann in einer Traube von Frauen, die wieder Hoffnung schöpften.

»Wer ist es?«

»Sind es mehrere?«

»Sind sie verletzt?«

»Ist es mein Mann?«

»Ist es mein Sohn?«

Immer wieder diese Frage. Ist es Rudy, ist es Paddy, ist es Jay, ist es ...

»Ist es Tim?«, fragte Elaine.

»Ich weiß es doch nicht!« Der junge Mann konnte sich des Ansturms kaum erwehren. »Bis jetzt sind es nur Geräusche. Aber sie graben sie jetzt aus. Vielleicht noch eine Stunde ...«

Elaine blieb zitternd, weinend und betend bei den anderen Frauen. Alle waren am Ende ihrer Kräfte. Und dies war die letzte Chance. Mehr Überlebende würden sich kaum finden.

Schließlich dauerte es noch fast zwei Stunden, bis die Nachricht nach oben drang.

»Ein Junge, Roly O'Brien. Sagt der Mutter Bescheid! Der Kleine ist völlig am Ende, aber unverletzt. Und ...«

Die Frauen drängten zum Mineneingang und blickten erwartungsvoll dem Förderkorb entgegen.

»Der andere ist Timothy Lambert. Aber lasst den Doktor durch ... schnell, es ist eilig ...«

Elaine sah ungläubig auf die Trage, auf der sie Tim ins Freie trugen. Er rührte sich nicht, war ohne Bewusstsein, sah aber nicht aus, als läge er in tiefem Schlaf. Sein Körper schien keine Spannung zu haben. Elaine hatte fast den Eindruck, eine Gliederpuppe vor sich zu haben, die jemand weggeworfen und mit verrenkten Beinen achtlos liegen gelassen hatte. Aber er musste leben, er musste einfach!

Elaine wollte sich näher heranschieben. Aber dann war Dr. Leroy auch schon da und kümmerte sich um den Verletzten. Verängstigt beobachtete Elaine, wie er den Puls fühlte, auf den Atem des Kranken hörte und seinen Körper vorsichtig abtastete.

Schließlich richtete er sich auf. Elaine versuchte, in seinem Gesicht zu lesen, das wie versteinert wirkte.

»Doktor ...«, sagte sie verzweifelt. »Lebt er?«

Leroy nickte. »Ja. Aber ob das in diesem Fall eine gute Nachricht ist ...?« Leroy biss sich auf die Lippen, als er in Elaines entsetztes Gesicht blickte. »Ich muss ihn auf jeden Fall noch weiter untersuchen.« Der Arzt versuchte, Elaine nicht anzusehen. Stattdessen wandte er sich an die Männer mit der Trage. »Bringt ihn rein und legt ihn auf ein Bett ... aber vorsichtig, der Mann hat alle Knochen im Leib gebrochen.«

»Nun lassen Sie sich nicht verrückt machen, kleine Lady!« Berta Leroy, die couragierte Ehefrau des Arztes, sah das Mädchen schwanken, als die Männer die Trage mit Tim aufhoben. »Mein Angetrauter neigt manchmal zum Übertreiben. Vielleicht ist es gar nicht so schlimm. Nach der kurzen Untersuchung kann er sich kaum festlegen. Jetzt lassen Sie uns erst mal genauer nachsehen ...«

»Aber das heilt doch wieder?« Elaine stützte sich dankbar

auf den Arm der älteren Frau. Ihre Stimme klang verängstigt. »Ich meine, Knochenbrüche ...«

»Das wird schon werden, Mädchen«, beschwichtigte Berta. »Die Hauptsache ist, dass er lebt. Mrs. Carey, können Sie sich hier mal kümmern? Haben Sie vielleicht noch einen Tee für die kleine Lady? Auch gern mit einem Schuss Branntwein!«

Mrs. Leroy löste Elaines klammernde Hände sanft von ihrem Ärmel und machte Anstalten, ihrem Mann und dem Verletzten ins Kontor zu folgen. Elaine straffte sich und drängte ihr nach. Sie wollte sich auf keinen Fall abhängen lassen. Aus irgendeinem verrückten Grund hatte sie das Gefühl, als könne Tim nichts passieren, wenn sie nur bei ihm war.

»Nein, Sie nicht.« Berta schüttelte entschlossen den Kopf. »Da drin können wir Sie vorerst nicht gebrauchen. Wir müssen jetzt auch seine Eltern verständigen, und Sie ... verstehen Sie mich richtig, aber Sie sind nicht seine offizielle Verlobte. Und wir wollen doch keine Probleme mit den alten Lamberts!«

Elaines Verstand sah das ein, aber sie hatte trotzdem das unbändige Bedürfnis, auf die Tür einzuhämmern, die sich vor ihr schloss.

Dann erkannte sie Matt Gawain und einige andere Mitglieder des Bergungstrupps. Sicher wussten die Männer mehr über die Umstände der Rettung. Vor allem führten sie soeben den zweiten Überlebenden herein: Roly O'Brien betrat das behelfsmäßige Hospital auf eigenen Beinen. Er wirkte zwar etwas zitterig an der Seite seiner sich ständig bekreuzigenden und vor Freude schluchzenden Mutter, war aber völlig unverletzt. Er wirkte noch ein wenig desorientiert, doch auf die Dauer würde er sich zweifellos in der allgemeinen Aufmerksamkeit sonnen. Schon jetzt stürmten von allen Seiten Fragen auf ihn ein.

Matthew versuchte vorerst, Roly abzuschirmen. »Der Junge braucht dringend was in den Magen«, sagte der Steiger.

»Kümmern Sie sich darum, Miss Lainie? Übrigens, wir haben die beiden tatsächlich im Bereich dieses Wetterschachts gefunden. Dem Gas konnten sie entkommen, aber leider hat der Steinschlag nach der Explosion Tim erwischt. Der Junge dagegen saß sicher im Stollen. Er hatte sogar ziemlich viel Platz. Wegen der Einsamkeit hätte er vielleicht den Verstand verloren, aber er hätte tagelang überlebt.«

»Es war so dunkel ...«, flüsterte Roly. »Es war so entsetzlich dunkel, ich ... ich hab mich nicht getraut, mich zu rühren. Und zuerst hab ich auch gedacht, Mr. Lambert wäre tot und ich wäre ganz allein. Aber dann war er doch wach ...«

»Er war wach?«, fragte Elaine aufgeregt. »War er das mit den Klopfzeichen?«

Roly schüttelte den Kopf. »Nein, das war ich, er konnte sich ja nicht rühren. War bis hier verschüttet.« Der Junge zeigte bis zur Mitte seines Brustkorbs. »Ich hab versucht, ihn rauszuziehen, aber das ging nicht ... und er sagte, ich soll's nicht versuchen, es täte nur weh ... ihm tat überhaupt alles weh. Aber er hatte gar keine Angst ... er meinte, die Leute würden uns schon ausgraben. Ich sollte nur den Wetterschacht finden ... immer dem Luftzug nach. Und mit einem Stein gegen das Mauerwerk schlagen. Direkt darunter. Das hab ich gemacht ...«

»Und er war die ganze Zeit bei Bewusstsein?« Elaine klammerte sich an diese Annahme. Tim konnte keine schweren inneren Verletzungen haben, wenn er einen Tag und eine halbe Nacht lang mit diesem Jungen gesprochen hatte.

Mrs. Carey hatte inzwischen einen Tee und einen Teller mit Sandwiches vor den Jungen auf den Tisch gestellt. Roly trank durstig und versuchte, sich gleichzeitig die Brote in den Mund zu schieben. Dabei verschluckte er sich und musste husten.

»Iss langsam, Kleiner!«, brummte Matt. »Heute stürzt nichts mehr über dir zusammen. Und wenn meine Nase mich nicht täuscht, machen unsere Damen dir auch noch Suppe heiß.«

Elaine wartete ungeduldig, bis der Junge geschluckt hatte.

»Roly, was war mit Mr. Lambert?«, drängte sie dann. Sie hätte den Jungen am liebsten geschüttelt.

»Er war zwischendurch immer wieder wach. Am Anfang länger, aber dann ging's ihm ziemlich schlecht ... er hat gestöhnt und gesagt, wie dunkel es ist, und ich hab wohl auch geheult ... Aber dann hab ich gehört, dass irgendwo im Stollen gegraben wird, und da dachte ich, sie holen uns raus, und ich hab geschrien und getrommelt, aber Mr. Lambert hat das gar nicht mehr so mitgekriegt. Sie müssen ihm auch was zu trinken geben, unbedingt!« Das schien Roly jetzt erst einzufallen, und er schaute beinahe schuldbewusst auf seine Teetasse. »Er hat immer nur gesagt, wie durstig er ist.«

Rolys Worte machten Elaines Herz auch nicht leichter. Zumal sie jetzt laute Stimmen und Weinen aus dem Kontor nebenan hörte. Matt vernahm es ebenfalls und blickte besorgt.

»Vorhin hat sein Herz noch kräftig geschlagen«, meinte er dann, um Lainie zu trösten.

Die aber hielt es jetzt nicht mehr aus. Entschlossen ging sie auf die Tür zu und schob sich hinein. Sollte Dr. Leroy sie rauswerfen – erst wollte sie sehen, ob Tim lebte.

Doch der Arzt und seine Gattin hatten vorerst anderes zu tun, als Elaine auch nur zu bemerken. Berta kümmerte sich um Nellie Lambert, die jämmerlich weinte, während Dr. Leroy versuchte, den lamentierenden Marvin Lambert zu beruhigen.

»Das war typisch Timothy! Nur Unsinn im Kopf! Ich hab's ihm immer gesagt, die Kerle sind es nicht wert, dass man sich für sie einsetzt. Aber nein, er wollte sie partout ständig vor irgendetwas retten! Unter Einsatz der eigenen Gesundheit! Konnte er die Bergungsmaßnahmen nicht von hier aus leiten? Dieser Steiger, dieser Matt Gawain, der war schlauer! Der stürzt sich nicht gedankenlos in irgendwelche Abenteuer und kommt als Krüppel zurück!«

»Matt Gawain ist seit Stunden in der Mine«, begütigte Dr. Leroy. »Und Ihr Sohn konnte nicht wissen, dass es zu weiteren Explosionen kommt. Andere Leute würden sagen, er wäre ein Held.«

»Schöner Held!«, höhnte Marvin. »Wollte wahrscheinlich auf eigene Faust die Verschütteten ausgraben. Jetzt sehen wir ja, was er davon hat!« Er klang bitter, aber Elaine roch auch immer noch die Whiskyfahne. Wahrscheinlich machte sich hier nur Erleichterung auf bösartige Weise Luft.

Elaine folgte dem Blick des alten Lambert zu Tims schmaler Gestalt auf dem Bett. Gott sei Dank war er immer noch ohne Bewusstsein, sodass ihm die Reaktionen seiner Eltern erspart blieben. Sein Gesicht wirkte grau, ebenso sein Haar. Jemand hatte ihm den Kohlestaub zwar flüchtig abgewaschen, doch in den Poren und den Lachfältchen, die so charakteristisch für ihn waren, saß immer noch fettiger Schmutz. Zu ihrer Erleichterung sah Elaine, dass seine Brust sich gleichmäßig hob und senkte. Er war also am Leben. Und jetzt, da man eine Decke über ihn gebreitet hatte, sah er auch nicht mehr gar so verrenkt und zerschlagen aus.

Marvin Lambert hielt kurz den Mund, während seine Frau zu neuen Tiraden ansetzte.

»Und nun wird er lahm bleiben. Mein Sohn ... ein Krüppel!« Nellie Lambert schluchzte, während Berta Leroy aussah, als würde sie sich gleich auf beide Lamberts stürzen.

Theatralisch brach Nellie über Tims Bett zusammen. Der Verletzte stöhnte im Schlaf.

»Sie tun ihm weh!«, sagte Elaine, die den Wunsch verspürte, die hysterische Frau von ihrem Sohn wegzureißen. Doch sie nahm sich zusammen und zog Mrs. Lambert sanft fort, bevor Berta energischer einschreiten konnte. Nellie flüchtete sich in die Arme ihres Mannes.

Elaine warf einen flehenden Blick zu Dr. Leroy. »Was hat er denn nun wirklich?«, fragte sie leise.

»Komplizierte Beinbrüche«, antwortete Berta rasch. Anscheinend wollte sie nicht, dass die genaueren Auskünfte ihres Mannes noch jemanden in Hysterie stürzten. »Und eine gebrochene Hüfte. Ein paar Rippen hat's auch erwischt …«

»Ist er gelähmt?«, fragte Elaine. Das Wort »Krüppel« brannte in ihrem Kopf. Sie war inzwischen näher an Tims Bett getreten und verspürte das Bedürfnis, ihn zu berühren, über seine Stirn zu streicheln oder ihm den Schmutz von der Wange zu wischen. Aber dann wagte sie es doch nicht.

Dr. Leroy schüttelte den Kopf. »Gelähmt ist er nicht, da hätte er sich die Wirbelsäule brechen müssen, und das ist ihm wahrscheinlich erspart geblieben. Wobei man sich auch hier fragen muss, ob das ein Segen ist. Wenn jemand gelähmt ist, hat er wenigstens keine Schmerzen mehr. Aber so …«

»Aber Knochenbrüche heilen doch!«, warf Lainie ein. »Mein Bruder hat sich mal den Arm gebrochen, und das ist ganz schnell geheilt. Und mein anderer Bruder ist von einem Baum gefallen und hat sich den Fuß gebrochen. Da musste er länger im Bett liegen, aber dann …«

»Einfache Brüche heilen ohne Schwierigkeiten«, unterbrach Leroy sie. »Aber das hier sind Trümmerbrüche. Wir können sie natürlich schienen, aber ich weiß kaum, wo ich anfangen soll. Wir werden einen Spezialisten aus Christchurch kommen lassen. Ganz sicher werden sie irgendwie heilen …«

»Und er wird wieder laufen können?«, fragte Elaine hoffnungsvoll. »Natürlich nicht gleich, aber in ein paar Wochen oder Monaten …«

Leroy seufzte. »Mädchen, seien Sie froh, wenn er in ein paar Monaten in einem Rollstuhl sitzen kann. Dieses gebrochene Hüftgelenk …«

»Nun hör endlich mal auf mit der Unkerei, Christopher!« Berta Leroy war mit ihren Nerven am Ende. Ihr Mann war ein guter Arzt, aber ein chronischer Pessimist. Und auch wenn er meistens Recht behielt – zum jetzigen Zeitpunkt gab es keinen

Grund, die Angehörigen zu verschrecken. Dieses rothaarige Mädchen hier, das irgendwie zu Madame Clarisse gehörte, aber anscheinend keine Hure war, wirkte jetzt schon wie ein Blatt im Wind. Als Christopher den Rollstuhl erwähnte, war alle Farbe aus ihrem Gesicht gewichen.

Berta nahm sie energisch bei der Schulter. »Und Sie atmen mal tief durch, Kleines! Sie helfen Ihrem Freund nicht, wenn Sie uns auch noch umfallen. Wie gesagt, es kommt ein Spezialist aus Christchurch. Bevor der da ist, kann man gar nichts sagen.«

Elaine bekam sich wieder halbwegs unter Kontrolle. Natürlich, sie benahm sich albern. Sie sollte sich darüber freuen, dass Tim noch am Leben war. Wenn sie nur nicht ständig das Bild von diesem Pferderennen vor Augen gehabt hätte ... Tim als strahlender Sieger, der lachend vom Pferd gesprungen war, der leichtfüßig aufs Siegerpodest geklettert war, der Fellow umarmt und sich dann wieder in den Sattel geschwungen hatte. Sie konnte sich diesen Mann nicht im Rollstuhl vorstellen, zur Untätigkeit verdammt. Vielleicht hatte Dr. Leroy Recht, und das war für ihn schlimmer als der Tod.

Aber darüber würde sie sich später Gedanken machen. Erst musste sie Mrs. Leroy fragen, was sie für Tim tun konnte. Ob es noch irgendetwas gab, sich zu beschäftigen ...

Berta Leroy hatte sich jetzt aber zunächst Nellie Lambert vorgenommen. »Nun nehmen Sie sich endlich zusammen!«, zischte sie Tims schluchzende Mutter an. »Da draußen sind etliche Frauen, die heute ihre Männer und Söhne verloren haben! Und die obendrein nicht mal wissen, wie sie das Geld aufbringen sollen, um sie zu beerdigen! Sie dagegen haben Ihren Sohn wieder. Sie sollten Gott danken, statt hier sinnlos herumzujammern. Wo ist überhaupt der Reverend? Schauen Sie, ob Sie draußen jemanden finden, der Sie nach Hause fährt. Wir werden den Jungen hier erst einmal waschen, versorgen und ins Bett bringen, solange er noch bewusstlos ist. Er wird hinterher noch genug Schmerzen haben … Christopher?«

Dr. Leroy sichtete bereits seine Schienen und sein Verbandsmaterial. Mrs. Leroy vermerkte dies wohlgefällig und stürzte sich gleich wieder auf Elaine.

»Besser, Kleines? Gut. Dann schauen Sie doch mal nach Mrs. Carey! Wir brauchen hier noch jemanden, der anpacken kann!« Mrs. Leroy wandte sich Tims Bett zu und machte Anstalten, die Decken zu lüften.

»Ich kann helfen!« Elaine folgte ihr.

Berta Leroy schüttelte jedoch den Kopf. »Nein, Sie nicht. Das fehlt Ihnen heute Nacht gerade noch, an den Beinen Ihres Liebsten rumzuziehen und zu zerren. Dann kippen Sie mir doch noch um.«

»Er ist nicht mein Liebster …«, flüsterte Elaine.

Berta lachte. »Nein, ganz sicher nicht. Kleines, Sie sind kalt wie eine Hundeschnauze! Ganz unbeteiligt. Sie sind einfach nur zufällig hiergeblieben, weil Sie Tim Lambert ganz flüchtig kennen, ja? Erzählen Sie das Ihrer Großmutter! Aber erst mal spannen Sie Ihr Pferdchen an. Die Kutsche von Madame Clarisse ist doch noch hier, oder? Suchen Sie jemanden, der die Sitze rausnimmt, da muss eine Trage reinpassen.«

»Du willst den Mann heute noch nach Hause bringen, Berta?«, fragte Dr. Leroy unwillig. »In dem Zustand?«

Berta Leroy zuckte die Schultern. »Sein Zustand wird sich in den nächsten Wochen kaum ändern. Abgesehen davon, dass er morgen wach sein wird und jedes Schlagloch spüren kann. Diese Tortur können wir ihm doch wohl ersparen.«

Elaine fragte sich allmählich, wer in der Praxis der Leroys eigentlich der Arzt war.

»Aber diese Familie …«

Berta unterbrach ihren Mann und wandte sich energisch an Elaine.

»Worauf warten Sie noch, Mädchen? Ab in den Stall!«

Elaine lief hinaus. Im Grunde fand sie, dass Dr. Leroy Recht hatte. Wenn sie Tim ins Haus der Lamberts brachten, würde sein Vater ihn morgen mit Vorwürfen überhäufen, und seine Mutter würde sich vor Verzweiflung nicht einkriegen. Inzwischen verstand Elaine, weshalb Timothy jeden Abend in den Pub kam. Den Lamberts hilflos ausgeliefert zu werden musste die Hölle sein.

Banshee und Fellow wieherten, als Elaine in den Stall kam; außerdem fand sie dort etliche Bergleute, die sich nach den Bergungsarbeiten erschöpft hatten ins Stroh fallen lassen. Zuvor hatte sie die Männer gar nicht bemerkt – nicht auszudenken, dass sie im selben Raum furchtlos mit ihnen geschlafen hatte! Aber jetzt musste sie ein paar von ihnen wachrütteln. Allein würde sie es nie schaffen, Madame Clarisse' Kutsche für den Krankentransport herzurichten. Sie entschied sich für zwei ältere, ruhige Kumpel, die sie aus dem Pub flüchtig kannte. Die Männer zeigten sich zwar nicht begeistert, sahen aber die Notwendigkeit ein und holten Werkzeug.

Leider gingen sie nicht sehr sorgsam mit Madame Clarisse' roten Samtpolstern um, sondern hinterließen einen schmutzigen Fingerabdruck nach dem anderen. Das würde Lainie reinigen müssen. Sie seufzte. Würde dieser Tag je zu Ende gehen?

Als sie schließlich mit der für den Krankentransport präparierten Kutsche vor dem Kontor hielt, war die Auseinandersetzung zwischen den Eheleuten Leroy immer noch im Gange. Inzwischen ging es darum, dass Berta Tim am liebsten in der Arztpraxis pflegen wollte, in der die Leroys auch ein kleines Zwei-Betten-Hospital unterhielten. Der Doktor war dagegen der Ansicht, dass eine von den Lamberts eingestellte Pflegerin zu Hause ebenso viel für Tim tun konnte. Und Tim würde monatelang Pflege brauchen.

Berta schüttelte den Kopf vor so viel männlichem Unverstand. »Die Pflegerin kann ihn waschen und ihm die Verbände wechseln, aber sonst? Du hast die Lamberts doch gerade erlebt! Wenn du ihn da hinschickst, hast du in einer Woche auch noch die schönste Depression! Und glaubst du, da wagt sich einer der Kumpel hin, um ihn zu besuchen? Matt Gawain vielleicht, alle drei Wochen im Sonntagsanzug. Bei uns dagegen ist immer Betrieb. Seine Freunde können mal reinschauen, sämtliche ehrbaren Frauen im Ort werden ihre Töchter vorbeischicken, und die Mädels von Madame Clarisse kommen wohl auch ohne Anstandswauwau.« Berta lächelte, als sie Lainie in der Tür stehen sah. »Vor allem die eine«, fügte sie hinzu. »Die sich so gar nichts aus ihm macht ...«

Elaine wurde rot.

Dr. Leroy gab auf. »Also schön. Dann in die Praxis. Haben wir zwei Männer für die Trage? Und wir brauchen mindestens vier Helfer beim Umbetten.«

Tims Körper steckte jetzt in unförmigen Verbänden; auch seine Brust war bandagiert. Seine Arme jedoch schienen unverletzt zu sein. Elaine machte das Hoffnung. Aber sie wurde erneut blass, als die Leroys und ihre Helfer den Verletzten vom Bett auf die Trage hoben, denn er stöhnte laut auf.

»Ich hab die Kutsche mit Decken ausgelegt«, sagte sie.

Berta nickte ihr zu und folgte den Trägern zur Kutsche. »Schön, Sie denken mit. Ich fahre mit Ihnen und versuche, ihn möglichst ruhig zu halten. Wem gehört das zweite Pferd?«

Elaine hatte Banshee angespannt und Fellow hinten angebunden.

Jetzt wies sie auf Tim. »Es ist seins. Die Lamberts haben es vergessen. Aber es konnte doch nicht allein hierbleiben ...«

Berta grinste. »Sie sind wahrhaft eine Heilige. Kümmern sich um einen Mann, mit dem Sie gar nichts verbindet, und dann nehmen Sie sich sogar noch seines Gauls an. Vorbildlich! Vielleicht sollte der Reverend mal darüber predigen.«

Elaine ließ Banshee den ganzen Weg Schritt gehen, doch im Dunkeln schaffte sie es nicht, jedem Schlagloch auszuweichen. Trotz seiner Ohnmacht schrie Tim jedes Mal leise auf, und Elaine begriff allmählich, warum Berta Leroy auf dem Transport noch in dieser Nacht bestand. Schließlich trugen die Männer Tim in die Arztpraxis, und Elaine kümmerte sich um die Pferde. Als Banshee und Fellow zufrieden nebeneinander Heu knabberten, folgte sie den Leroys ins Haus.

»Kann ich noch irgendwas helfen?«

Berta Leroy warf einen Blick auf das zierliche Mädchen in seinem verschmutzten Reitkleid. Lainie wirkte blass und todmüde, doch sie hatte diesen Ausdruck in den Augen, der Berta erkennen ließ, dass sie in den nächsten Stunden sicher keinen Schlaf fände. Berta selbst dagegen brauchte ein Bett. Sie würde schlafen wie ein Stein.

»Sie können bei ihm bleiben, Kleines«, meinte sie nach kurzer Überlegung. »Jemand sollte da sein, wenn er aufwacht. Es kann nichts passieren, er ist nicht in Lebensgefahr. Und falls doch etwas sein sollte, wecken Sie uns.«

»Und was mache ich, wenn er aufwacht?«, fragte Elaine zögernd und folgte der Arztgattin in die Krankenzimmer.

Tim lag bewegungslos auf einem der Betten.

Berta zuckte die Schultern. »Reden Sie mit ihm. Geben Sie ihm etwas zu trinken. Und wenn er Schmerzen hat, soll er das hier nehmen.« Sie wies auf einen Becher mit einer milchigen Flüssigkeit, der neben einer Wasserkaraffe auf dem Nachttisch stand. »Er wird dann sehr bald wieder einschlafen, es ist ein starkes Mittel. Machen Sie ihm einfach ein bisschen Mut.«

Elaine zog sich einen Stuhl ans Bett und entzündete die Lampe auf dem kleinen Nachttisch. Das Hauptlicht hatte Mrs. Leroy gelöscht. Elaine hätte es auch nicht viel ausgemacht, im Dunkeln zu sitzen. Aber wenn Tim aufwachte ... es sollte nicht finster sein. Sie hatte Rolys Worte noch im Ohr. *Er hat immer gesagt, wie dunkel es ist ...*

Elaine saß bis zum Morgengrauen an Tims Bett. Sie war ausgelaugt, aber nicht wirklich müde; nach dem furchtbaren Tag kam sie erst jetzt zur Ruhe. Auch Tim sah erschöpft aus. Elaine registrierte jetzt erst, wie eingefallen seine Wangen waren, wie dunkel umrandet die Augen. Und der Steinstaub überall ... Elaine nahm eine im Zimmer bereitstehende Waschschüssel und goss Wasser hinein. Dann wusch sie den Staub aus seinen Augenwinkeln und führte den Waschlappen sanft über all die Fältchen, die sein Gesicht so lausbubenhaft aussehen ließen, wenn er lachte. Dabei achtete sie sorgsam darauf, ihn nur mit dem Tuch zu berühren. Sie fuhr zurück wie vom Blitz getroffen, als ihre Finger versehentlich seine Wange streiften.

Seit jenen entsetzlichen Nächten mit Thomas hatte sie keinen Mann mehr angefasst und war auch mit niemandem mehr allein gewesen. Erst recht nicht bei Nacht in einem dunklen Zimmer. Sie hatte das nie wieder tun wollen. Aber jetzt lächelte sie beinahe über ihre Ängste. Von Tim ging zurzeit nun wirklich keine Gefahr aus. Und sein Gesicht fühlte sich angenehm an. Die Haut war warm, trocken, ein bisschen rau ... Elaine legte den Lappen weg und streichelte zaghaft über seine Stirn, seine Augenbrauen, seine Wange. Sie strich ihm das Haar aus der Stirn und stellte dabei fest, wie weich es war. Schließlich tastete sie über seine Hände, die still auf der Bettdecke lagen. Kräftige braun gebrannte Hände, die zupacken konnten. Doch sie erinnerte sich auch an den sanften Griff dieser Hände an Fellows Zügel; sie hatte beim Rennen bewundert, wie leicht er das Pferd führte. Tims Finger waren dunkel vom Steinstaub, die Nägel abgebrochen. Hatte er tatsächlich versucht, Verschüttete mit den Händen auszugraben?

Sie streichelte über seinen Handrücken, nahm schließlich seine rechte Hand in die ihre – und schrie erstickt auf, als seine Finger sich um ihre schlossen. Es war verrückt, doch allein der schwache Griff des Verletzten reichte aus, dass sie hysterisch die Hand wegzog und aufsprang, um aus seiner Reichweite zu kommen.

Der Schrei ließ Tim die Augen öffnen.

»Lainie ...«, sagte er leise. »Ich träume ... wer hat geschrien, der Junge?« Tim blickte verwirrt um sich.

Elaine schalt sich für ihre unsinnige Reaktion. Sie trat näher und drehte die Lampe höher.

»Niemand hat geschrien«, sagte sie. »Und der Junge ist in Sicherheit. Sie ... Sie sind in Greymouth bei den Leroys. Matt Gawain hat Sie ausgegraben.«

Tim lächelte. »Und Sie haben sich um mich gesorgt ...«

Damit schloss er wieder die Augen. Elaine griff nach seiner Hand. Sie würde sie jetzt festhalten, bis er wieder erwachte, und dann würde sie ihn anlächeln. Sie musste ihre unsinnige Furcht überwinden. Sie musste nur aufpassen, sich ja nie wieder zu verlieben.

Als Tim das nächste Mal zu Bewusstsein kam, war es fast schon Morgen. Elaine hielt seine Hand nicht mehr; sie war im Sessel eingeschlafen. Nun fuhr sie auf, als er ihren Namen sprach. Eine Männerstimme, die sie aus dem Schlaf riss ... so hatte es immer angefangen, wenn Thomas ... Aber dies war nicht Sideblossoms harte, herrische Stimme. Tims Stimme war heller, freundlicher und sehr schwach. Elaine schaffte es, ihn anzulächeln. Tim zwinkerte ins Zwielicht.

»Lainie, kannst du ... können Sie das Fenster ... Licht ...«

Elaine drehte am Docht ihrer Lampe.

»Die Vorhänge ...« Tims Hand zuckte auf der Bettdecke, als wollte er sie selbst aufreißen.

»Es ist noch dunkel draußen«, sagte Lainie. »Aber es wird Morgen. Die Sonne geht gleich auf.«

Nervös erhob sie sich und schob die Vorhänge beiseite. Erstes Dämmerlicht fiel ins Zimmer.

Tim blinzelte. Seine Augen waren entzündet vom Staub.

»Ich dachte schon, ich sehe sie nie mehr ... die Sonne. Und ... Lainie ...« Er versuchte, sich zu bewegen, und verzog voller Schmerzen das Gesicht. »Was fehlt mir?«, fragte er leise. »Es tut höllisch weh.«

Elaine setzte sich wieder und griff nach seiner Hand. Ihr Herz klopfte heftig, doch Tim umfasste ihre Finger ganz vorsichtig.

»Nur ein paar Knochenbrüche«, behauptete sie. »Hier, wenn Sie ... wenn Sie das hier trinken ...« Sie griff nach dem Glas auf dem Nachttisch. Tim versuchte, sich aufzurichten und danach zu greifen, doch bei der kleinsten Bewegung durchraste Schmerz seinen Körper. Mühsam hielt er einen Aufschrei zurück; doch einen schwachen Schmerzenslaut konnte er nicht unterdrücken. Elaine sah Schweißtropfen auf seiner Stirn.

»Warten Sie, ich helfe Ihnen. Sie müssen ganz ruhig liegen ...« Vorsichtig schob sie eine Hand unter seinen Kopf, hob ihn leicht an und führte das Glas an seine Lippen. Tim schluckte mühsam.

»Schmeckt scheußlich«, sagte er und versuchte zu lächeln.

»Hilft aber«, behauptete sie.

Tim lag jetzt still und schaute aus dem Fenster. Er konnte vom Bett aus nicht viel sehen, gerade mal die Silhouetten der Berge, ein oder zwei Dächer, einen Förderturm. Doch es wurde nun rasch hell.

Elaine wusch ihm den Schweiß von der Stirn.

»Es tut gleich nicht mehr weh«, tröstete sie.

Tim sah sie forschend an. Sie verschwieg irgendetwas. Aber sie war hier. Er öffnete die Hand, die er eben bei dem Schmerzanfall zur Faust geballt hatte, und streckte sie ihr einladend entgegen.

»Lainie ... auch wenn es nicht schlimm ist, es fühlt sich

ziemlich schlimm an. Könnten Sie … könnten Sie vielleicht einfach noch einmal meine Hand halten?«

Elaine wurde rot, legte ihre Hand aber in seine. Und dann beobachteten sie schweigend, wie ein ausnehmend schöner Sonnenaufgang die Stadt vor dem Fenster zuerst in Morgenrot und dann in strahlendes Sonnenlicht tauchte.

4

Die Sonne erhob sich über einer verstörten, trauernden Stadt. Die Menschen in Greymouth, selbst die Händler und Handwerker, die nichts mit der Mine zu tun hatten, schienen müde und verzagt. Alles Leben lief verzögert ab, als bewegten Menschen und Fuhrwerke sich in dichtem Nebel.

Dabei schlossen die meisten privaten Minen nicht. Sogar die Arbeiter, die am Tag zuvor bei der Bergung geholfen hatten, mussten wieder einfahren, wollten sie ihren kargen Lohn nicht verlieren. Erschöpft und übernächtigt meldeten sie sich zu ihrer Schicht und konnten nur hoffen, dass ein verständnisvoller Steiger einen ruhigen Job für sie fand oder sie gar über Tage einsetzte.

Das taten Matt und seine Kollegen allerdings nicht gern. Wenn die Männer zu lange aussetzten, würden die Bilder der Verletzten und Toten sich in ihren Verstand einbrennen, und sie würden die Grube von nun an fürchten. Deshalb gab es immer Männer, die nach Grubenunglücken kündigten. Mancher fuhr täglich voller Angst ein, auch wenn es kaum einer zugab. Die meisten dieser Männer arbeiteten seit Generationen im Bergbau. Schon ihre Väter und Großväter hatten in den Minen von Wales, Cornwall und Yorkshire geschuftet, und ihre Söhne fuhren mit dreizehn zum ersten Mal ein. Etwas anderes konnten sich all die Paddys, Rorys und Jamies nicht vorstellen.

Matt und seine Leute gruben an diesem Tag die letzten Toten aus. Ein anstrengender und belastender Job, aber immer noch warteten Frauen und Kinder vor der Grube auf ein Wunder.

Der Reverend versuchte, ihnen beizustehen, gleichzeitig aber auch die anderen anstehenden Dinge rund um die insgesamt sechsundsechzig Todesfälle zu regeln. Er sandte die Damen seines Hausfrauenvereins zu den Familien der Toten – und beschwichtigte sie anschließend, wenn sie heimkamen, entsetzt über die Zustände in den Bergarbeitervierteln. All der Schmutz, die Armut und die teilweise verwahrlost aussehenden Kinder – Zustände, für die Greymouth' Matronen allerdings weniger die schlechten Löhne der Arbeiter und die Raffgier der Grubeneigner verantwortlich machten als die mangelnden häuslichen Fähigkeiten der Bergmannsfrauen.

»Überhaupt kein Gefühl für Schönheit!«, erregte sich Mrs. Tanner. »Dabei lässt sich doch auch die ärmlichste Hütte behaglich machen, wenn man nur hier und da ein Kissen platziert, ein paar Vorhänge näht ...«

Der Reverend schwieg und dankte dem Himmel für Madame Clarisse, die immerhin tätige Hilfe leistete, indem sie sich der früheren Freudenmädchen unter den Witwen annahm. Sie lieh beiden das Geld für die Beerdigung, versprach der jüngeren eine erneute Anstellung im Pub und der älteren, an deren Rockzipfel drei Kinder hingen, eine Anstellung in der Küche. Clarisse' Mädchen halfen auch bei der Identifizierung der Toten, die keine Angehörigen hatten. Bei fast der Hälfte der Opfer würde die Gemeinde für die Bestattung aufkommen müssen. Außerdem sollten ihre Angelegenheiten geordnet und Angehörige in Irland, England oder Wales ausgemacht und vom Tod der Männer benachrichtigt werden. Das alles war schwierig, langwierig und bitter. Am meisten aber grauste den Reverend vor einem Besuch bei Marvin Lambert. Ob es dem Mann passte oder nicht, er musste hier Mitverantwortung übernehmen. Die Frauen und Kinder brauchten Unterstützung. Aber wahrscheinlich würde Nellie Lambert nur endlos über das große Unheil jammern, das über ihre eigene Familie gekommen war. Dabei befand der junge

Lambert sich nach Angaben Dr. Leroys nicht mehr in Lebensgefahr. Der Reverend war extra noch mal in der Stadt vorbeigefahren, um nach dem Jungen zu fragen.

»Da kann natürlich immer noch was kommen«, beschied ihn der pessimistische Doktor. »Er wird sehr lange liegen müssen, und das begünstigt Lungenentzündungen. Andererseits ist er ein kräftiger junger Mann ...«

Der Reverend hielt sich nicht mit weiteren Erklärungen auf, sondern versuchte, Nellie Lambert gleich dahingehend zu beruhigen, dass es ihrem Sohn in Anbetracht der Umstände gut ginge. Das kam allerdings nicht an, und auch Marvin Lambert zeigte sich eher uneinsichtig.

»Warten wir erst mal die Ergebnisse der Untersuchungskommission ab«, brummte er. »Vorerst sage ich niemandem Geld zu. Das wäre ja wie ein Schuldbekenntnis. Später kann man über einen Spendenfonds nachdenken ...«

Der Priester seufzte und hoffte, zumindest die dringendsten Ausgaben aus der Kollekte bestreiten zu können. Die Damen seiner Kirchengemeinde planten schon eifrig Sammlungen und die ersten Basare und Picknicks für den guten Zweck.

Die Grubenaufsicht erschien ziemlich bald – tatsächlich trafen die Inspekteure genau in dem Moment ein, in dem Matt sich nach zwei Tagen unausgesetzter Arbeit endlich nach Hause ins Bett begeben wollte. Stattdessen führte er nun die Männer durch die Mine und nahm kein Blatt vor den Mund. Der abschließende Bericht rügte den Minenbetreiber dann auch für die mangelnden Sicherheitsvorkehrungen. Massiv hatte er jedoch nicht gegen die Auflagen verstoßen; da rettete Lambert der neue Wetterschacht, den er Tim so widerwillig genehmigt hatte und dem er nun auch das Leben seines Sohnes verdankte. Eine kleine Geldstrafe wurde nur deshalb verhängt, weil die Bergungsmannschaften unzureichend ausgestattet waren.

Marvin Lambert tobte, als er das las, denn eigentlich hatten die Kontrolleure nichts davon wissen können. Irgendjemand hatte geredet, er vermutete Matt Gawain, und das nahm Marvin natürlich übel. Mehrmals drohte er Matt mit Kündigung; er schien gar nicht zu erkennen, wie sehr er seine verbleibenden Arbeiter damit verschreckte.

»Dabei fragen viele sowieso schon in den anderen Minen nach Arbeit!«, klagte Matt, als er endlich ausgeschlafen hatte und Tim vor dem erneuten Arbeitsantritt besuchte. »Bisher habe ich es nie so bemerkt, aber irgendwie lebt Ihr Vater in einer anderen Welt.«

Tim nickte. Auch für seinen Unfall machte Lambert inzwischen alles und jedes verantwortlich, nur nicht seine eigene Gleichgültigkeit gegenüber den Sicherheitsmaßnahmen in der Mine. Lambert war sich keiner Schuld bewusst und gedachte auch nicht, sein Vorgehen bei der Erschließung neuer Schächte zu ändern.

»Aber damit kommt er diesmal nicht durch!«, erklärte Matt im Brustton der Überzeugung. »Wir müssen mindestens sechzig neue Leute einstellen. Das wird sowieso schwer genug – wir haben jetzt schließlich den Ruf der ›Todesmine‹. Wenn wir den noch weiter pflegen, muss Mr. Lambert seine Kohle bald selbst abbauen.«

Tim sagte nichts dazu; er war zur Genüge mit seiner eigenen misslichen Lage beschäftigt. Sich jetzt noch mit seinem Vater zu streiten ging über seine Kräfte. Zumal Marvin ihn kaum besuchte. Er schien das Unglück, das seinen Sohn getroffen hatte, genauso ignorieren zu wollen wie die Verantwortung für die Hinterbliebenen seiner Arbeiter.

Matt Gawain fragte sich bitter, ob Lambert die Vorstellung hegte, Tim würde irgendwann kerngesund wiederkommen, oder ob er seinen Sohn einfach abschrieb. Aber das besprach er natürlich nicht mit seinem schwer verletzten Freund, nur abends im Pub. Er betrank sich gemeinsam mit Ernie und Jay. Beide waren erschüttert über Tims Zustand und orderten einen Whisky nach dem anderen.

Die Möglichkeit dazu hatten sie. Sowohl das Lucky Horse als auch das Wild Rover hatten gleich am Tag nach dem Unfall wieder geöffnet. Allerdings lief der Betrieb leiser ab. Weder Lainie noch Kura spielten Klavier; die Männer unterhielten sich mit gedämpften Stimmen und tranken mehr Whisky als Bier, als hofften sie, damit ihre eigenen Ängste zu betäuben.

In den nächsten Tagen fanden die Minenarbeiter zur Routine zurück. Das Weihnachtsfest fiel in diesem Jahr aus. Mit dem Tag der Jahreswende würde es nicht anders sein. Niemand hatte das Bedürfnis zu feiern.

Matt machte sich auf die Suche nach neuen Arbeitskräften und klagte, dass er kaum erfahrene Bergleute fand. Die wenigen Bewerbungen kamen von Männern, die bisher vom Walfang bis zur Goldgräberei so ziemlich alles gemacht hatten; allerdings hatten sie noch nie eine Mine von innen gesehen. Diese Leute mussten jetzt angelernt werden – ein mühsames und langwieriges Geschäft.

Der Reverend setzte die Trauerfeier für die Opfer des Unglücks am folgenden Sonntag an, damit jeder daran teilnehmen konnte.

»Eigentlich sollten die Minen den Männern ja frei geben, zumindest Lambert«, erklärte er Lainie. »Aber bevor ich mich deshalb noch mal mit dem Kerl anlege, gebe ich klein bei.«

Elaine nickte. »Was soll ich spielen?«, erkundigte sie sich und suchte nach ihren Noten. Sie war zur Kirche gekommen, um dem Geistlichen das von Madame Clarisse gesammelte Geld für die Hinterbliebenen zu bringen. Was wieder mal einen Disput auslöste.

Eigentlich hatte der Hausfrauenverband das Spendenmonopol, und die Damen diskutierten hoch, ob man das »sündige Geld« aus dem Bordell überhaupt annehmen könne. Der Reverend selbst – sowie die praktisch veranlagte Mrs. Carey – waren dafür, zumal es sich um eine beträchtliche Summe handelte. Madame Clarisse hatte etwa dreimal so viel aufgebracht wie die ehrbaren Frauen.

»Sehen wir's doch einfach so«, erklärte Mrs. Carey schließlich, was allgemeines Einverständnis fand. »Madame Clarisse hat hier nur das Geld zurückerstattet, das die Verstorbenen früher im Pub gelassen haben. Das sollte die Männer auch von ein paar Sünden befreien, wo sie jetzt schon ohne Beichte vor ihren Schöpfer treten ...«

»Und was die Musik angeht, ist *Amazing Grace* immer gut«, regte Lainie an und blätterte in der Liturgie für Begräbniszeremonien.

Der Reverend biss sich auf die Lippen. »Bemühen Sie sich nicht, Miss Lainie. Ich hoffe, Sie nehmen es nicht übel, aber ich ... ich habe die Trauerfeier bereits mit Miss Martyn geplant ...«

Elaine blitzte ihn an. »Mit Kura? Schön, dass ich das auch mal erfahre!«

Der Reverend wand sich. »Wir wollten Sie nicht übergehen, Miss Lainie, wirklich nicht. Aber Miss Martyn spielt das Requiem von Mozart überaus ergreifend. Ich habe so etwas nicht mehr gehört, seit ich England verlassen habe. Und ich dachte, weil Sie doch ohnehin schon so viel getan haben ... und noch tun ...«

Elaine stand auf. Sie war so wütend, dass sie es vorzog, zu gehen, bevor sie den Reverend anschrie oder ihm zumindest den wahren Familienstand ihrer bezaubernden Cousine enthüllte.

»Was tue ich denn noch groß?«, fragte sie böse. »Ich hab das Geld hier nicht gesammelt, und ich koche auch nicht für die

Trauerfeier wie die Damen vom Kirchenvorstand. Aber ich sehe natürlich ein, dass ich ›Miss Martyn‹ an der Orgel nicht das Wasser reichen kann ... wo sie sich schon dazu herablässt, das niedere Volk an ihrem engelhaften Spiel teilhaben zu lassen. Passen Sie aber bloß auf, dass Mrs. Tanner nicht wieder konsequent am Ton vorbeisingt. Dann kann ›Miss Martyn‹ ziemlich ungemütlich werden!«

Damit rauschte Elaine hinaus. Sie hatte nicht übel Lust, Kura zur Rede zu stellen, überlegte es sich dann aber anders. Kura würde ihren Ausbruch nur genießen und wahrscheinlich ein paar spitze Bemerkungen zum Orgelspiel ihrer Rivalin machen. Elaine wusste schließlich genau, dass sie nicht perfekt war. Kura würde die Trauerfeier sehr viel festlicher gestalten. Allein ihr Anblick wirkte belebend.

So ritt Lainie stattdessen zu den Leroys und besuchte Tim, wie inzwischen jeden Nachmittag. Sie wusste, dass man in der Stadt darüber redete – wobei die Leute zum Teil der Ansicht waren, sie erfülle damit nur eine Christenpflicht, während die anderen tuschelten, Miss Lainie wolle sich zweifellos den Sohn des reichen Minenbesitzers angeln. Der blieb ja auch als Krüppel eine gute Partie ...

Am gelassensten reagierten noch die Bergleute. Sie hatten Tim oft neben dem Klavier im Pub stehen sehen, und einige wussten auch von seiner beharrlichen, aber bislang vergeblichen Werbung. Jetzt fragten sie Lainie jeden Tag nach seinem Befinden.

Elaine ermutigte die Männer dann, Tim ebenfalls zu besuchen, was viele auch taten. Mrs. Leroys Rechnung ging auf. In dem kleinen Hospital war er zumindest nicht völlig abgeschlossen von der Welt, und die Besuche seiner Freunde heiterten ihn auf. Das war dringend nötig, auch wenn Tim es sich nicht anmerken ließ. Er wartete auf den Experten aus Christchurch, aber der schien viel zu tun zu haben. Dabei setzte Tim größte Hoffnungen in ihn.

Die vorläufige Diagnose Dr. Leroys war ihm inzwischen zu Ohren gekommen, obwohl Lainie – wie auch Mrs. Leroy – sich eher vage geäußert hatten und selbst der Doktor seine schlimmsten Prognosen für sich behielt. Tims Mutter jedoch kannte keine Zurückhaltung. Nellie Lambert besuchte ihren Sohn jeden Tag und schien es als ihre Pflicht anzusehen, dabei eine Stunde lang unausgesetzt zu weinen. Waren die sechzig Minuten um, verabschiedete sie sich rasch, wobei sie meist ungeschickt gegen sein Bett stieß. Tim versuchte, dies von der komischen Seite zu nehmen, doch es war nicht immer einfach, zumal er jedes Mal große Schmerzen litt, wenn er auch nur leicht bewegt wurde. Dann brauchte er oft Stunden, bevor die Messer, die durch seinen Körper schnitten, endlich innehielten. Mrs. Leroy wusste das genau, und da auch sie ihm bei der täglichen Pflege unweigerlich wehtat, bot sie ihm Morphium an. Doch Tim lehnte konsequent ab.

»Ich mag ja zerschlagene Beine haben, aber das ist schließlich kein Grund, mir auch noch den Kopf zu benebeln! Ich weiß, dass man irgendwann nicht mehr damit aufhören kann, Mrs. L., und das will ich nicht!«

Manchmal wurde es allerdings so schlimm, dass er seine ganze Kraft brauchte, um nicht zu schreien. Mrs. Leroy gab ihm dann Laudanum, während Lainie still neben ihm saß, einfach nur wartete oder vorsichtig seine Hand nahm. Ihre zarten, zögernden Berührungen konnte Tim noch am ehesten ertragen; sie fasste niemals fest zu. Selbst wenn sie ihm zu trinken gab oder ihm nach einem Schweißausbruch bei einer Schmerzattacke die Stirn trocknete, blieben ihre Bewegungen federleicht.

An diesem Tag war Tim gut gelaunt, zumal der Spezialist aus Christchurch sich nun endgültig für den Tag nach der Trauerfeier angesagt hatte. Tim freute sich darauf und lächelte über Lainies Wut auf Kura und den Reverend.

»Irgendwann werden Sie mir verraten müssen, was Sie

gegen dieses Maori-Mädchen haben, das für Paddy Holloway Klavier spielt!«, neckte er sie, hörte aber gleich damit auf, als Elaines Miene sich versteinerte. Sie reagierte immer so, wenn er sie nach ihrer Vergangenheit fragte. »Sehen Sie es positiv, Lainie, Sie brauchen nicht zu dieser Trauerfeier zu gehen und zu weinen, sondern können stattdessen mir Gesellschaft leisten. Mrs. Leroy wird sich freuen. Die macht sich sowieso Sorgen, dass ich mich in Depressionen ergehe, wenn sie mich allein lässt. Andererseits kann sie als Arztfrau nicht wegbleiben. Sie war fast schon so weit, meine Mutter zu fragen, ob sie nicht bei mir bleiben wollte. Aber die lässt sich auf keinen Fall die Chance entgehen, gramgebeugt ihr neues schwarzes Spitzenkostüm vorzuführen. Sie hat es gestern schon getragen, als sie mich besuchte. Hoffentlich macht sie sich das nicht zur Gewohnheit.«

Elaine blieb dann wirklich bei Tim, was die klatschsüchtigen Matronen des Ortes zu großer Form auflaufen ließ. Mrs. Leroy erwischte schließlich zwei Damen beim Tratschen und stellte sie verärgert zur Rede.

»Der Mann kann sich kaum rühren! Sie sollten sich schämen, da irgendwelche unzüchtigen Handlungen anzunehmen!«

Mrs. Tanner lächelte wissend. »Mrs. Leroy, gewisse Sachen können Männer immer«, behauptete sie. »Und das Mädchen war mir schon nicht geheuer, als es damals so abgerissen hier ankam.«

Dafür konnte Kura diesmal in Sachen »Guter Ruf« punkten. Sowohl Mrs. Miller als auch Paddy Holloway sonnten sich in ihrem Glanz. Die junge Sängerin gestaltete die Trauerfeier so ergreifend, dass selbst der hartgesottenste Kumpel Tränen in den Augen hatte. Kura selbst weinte ebenfalls und nahm damit alle Herzen für sich ein. So verlor auch niemand ein böses Wort darüber, als Caleb Biller sie nach der Messe zu ihrem wunderschönen Vortrag beglückwünschte und ihr bei der anschließenden Beerdigung seine Begleitung antrug. Kura an seiner Seite bot ein ansprechendes Bild. Sogar seine Mutter, Mrs. Biller, schaute eher interessiert als ungnädig.

Elaine dagegen saß neben dem blendend gelaunten Tim, der sich von der Behandlung durch den Spezialisten aus Christchurch Wunderdinge zu versprechen schien. Der Arzt sollte die Brüche richten und gipsen. Er würde wahrscheinlich Stunden dafür brauchen, doch Tim war der festen Überzeugung, dass es danach schnell heilen würde.

»Ich war immer gesund, Lainie. Und als Kind habe ich mir schon mal den Arm gebrochen. Das war schnell wieder in Ordnung. Ein paar Wochen ...«

Elaine wusste, dass Dr. Leroy eher mit ein paar Monaten in Gipsverbänden rechnete, aber das behielt sie für sich. Sie legte die Zeitung weg, aus der sie Tim vorgelesen hatte, und zog die Vorhänge zu. Der junge Mann protestierte. »Ich kann jetzt unmöglich schlafen, Lainie. Es ist heller Mittag, ich bin doch kein Kleinkind! Kommen Sie, lesen Sie noch etwas, oder erzählen Sie was ...«

Elaine schüttelte den Kopf. »Sie brauchen Ruhe, Tim. Dr. Leroy sagt, es wird morgen anstrengend für Sie.« Sie strich ihm eine Locke aus der Stirn. Tim konnte die Arme bewegen, doch seine Rippen waren gebrochen, was alle anderen Bewegungen des Oberkörpers qualvoll machte. Elaine nahm ihm so viel ab wie möglich, obwohl Tim es hasste, wenn sie ihm beim Essen oder Trinken half. Die unvermeidlichen Pflegetätigkeiten ließ er sich nur von Mrs. Leroy gefallen, und selbst das war ihm überaus peinlich.

Elaine richtete vorsichtig seine Decke. Sie war so besorgt und nervös, dass sie hätte weinen können. Sie konnte Tims Optimismus nicht teilen. Außerdem hatte Dr. Leroy nicht

»anstrengend« gesagt, sondern »schmerzhaft«. Das Richten der Brüche würde eine Tortur, und es war ausgeschlossen, dass Tim sie dabei duldete. Elaine hoffte, dass es Berta Leroy gelang, auch Nellie Lambert zurückzuhalten.

Tim lächelte ihr zu, so unwiderstehlich wie früher. Elaine hatte wieder das Bild des gesunden Tim beim Pferderennen vor sich. Sie streichelte ihm beruhigend über die Stirn.

Er zwinkerte ihr zu. »Am besten kann ich mich ausruhen, wenn Sie meine Hand halten«, behauptete er. Plötzlich war dieses Funkeln in seinen Augen, das Elaine so oft bei Thomas Sideblossom gesehen und zu fürchten gelernt hatte. »Während es mich eher aufregt, wenn Sie so über meine Stirn streicheln. Ich bin trotz allem noch ein Mann ...«

Er tastete nach ihrer Hand, aber dann sah er ihr Gesicht und hätte sich für seine Worte ohrfeigen können.

Der sanfte, vertrauensvolle Ausdruck in Lainies Augen wich Argwohn und Angst. Sie zog ihre Hand so heftig zurück, als hätte sie sich verbrannt. Natürlich würde sie bei ihm bleiben; sie hatte es Mrs. Leroy schließlich versprochen. Aber sie würde ihre Hand an diesem Tag ganz sicher nicht mehr in seine legen.

Am nächsten Tag war sie allerdings wieder da und fragte sich reuevoll, wie sie so viel Angst vor Tim hatte verspüren können und warum es ihr obendrein nicht gelungen war, diese Furcht zu verbergen. Sie war auch den Rest des Tages ziemlich kühl mit ihm umgegangen, und er war ernüchtert gewesen, als sie ihn verließ. Dabei hätte er jeden Optimismus und jede Hilfe brauchen können. Elaine ahnte die Katastrophe schon, bevor sie ihn sah. Schließlich traf sie zunächst auf Nellie Lambert, die bei Berta Leroy saß und in ihre Teetasse heulte.

»Er wird nie mehr gesund!«, sagte sie anklagend zu Lainie. Die beiden Frauen hatten sich in den letzten Tagen manchmal in der Arztpraxis getroffen, doch Mrs. Lambert hatte offenbar keine Vorstellung von Elaines Beziehung zu Tim. Sie schien sie auch kaum wahrzunehmen; Lainie hätte ebenso gut ein Einrichtungsgegenstand des kleinen Hospitals sein können wie ein lebender Mensch. »Der Doktor aus Christchurch hegt die gleichen Befürchtungen wie mein Mann. Er hat die Brüche eingegipst, aber es sind Trümmerbrüche und Stauchungen, und man kann natürlich nicht hineinsehen – zumindest jetzt noch nicht, obwohl in Deutschland ein gewisser Röntgen kürzlich einen Apparat erfunden haben soll, der das kann. Dr. Porter war ganz aufgeregt deswegen. Nun, Tim hilft es jedenfalls noch nicht. Das Richten der Brüche geht also auf gut Glück, und die Wahrscheinlichkeit, dass alles perfekt zusammenheilt, ist gleich null. Immerhin hofft er, die Hüfte gut hingekriegt zu haben, also sollte es wenigstens mit dem Sitzen was werden. Aber man muss abwarten. Tim war jedenfalls sehr tapfer. Gehen Sie ruhig zu ihm, Lainie. Er wird sich freuen.«

»Aber strengen Sie ihn nicht an!«, forderte Mrs. Lambert. »Ich finde eigentlich nicht, dass er heute noch Besuch haben sollte.«

Tim lag im abgedunkelten Zimmer, und Elaine riss als Erstes die Vorhänge auf. Es war noch nicht spät, und es war Sommer – warum zum Teufel hatte diese Mrs. Lambert ständig das Bedürfnis, jedes Sonnenlicht auszusperren?

Tim blickte Elaine dankbar an, brachte aber kein Lächeln zustande. Seine Augen waren glasig; heute hatte er das Morphium geschluckt. Doch es schien nur ungenügend zu helfen, denn er wirkte ausgelaugt und krank. Selbst unmittelbar nach dem Unfall hatte er nicht so hager und gequält ausgesehen.

Elaine setzte sich zu ihm, fasste ihn aber nicht an, denn Tim machte den Eindruck, als wäre *er* es heute, der vor jeder Berührung zurückschreckte.

»Was hat der Arzt gesagt?«, erkundigte Elaine sich schließlich. Die neuen Gipsverbände um Tims Beine wirkten noch martialischer als Dr. Leroys Schienen, waren aber durch eine Decke verborgen. Tim würde sich weigern, sie ihr zu zeigen. Also fragte sie gar nicht erst.

»Viel Unsinn ...«, meinte Tim heiser. Er wirkte schläfrig und gedämpft durch das Morphium. »Genauso ein alter Pessimist wie unser Doktor. Aber da machen wir uns nichts draus, Lainie. Ich werde irgendwann schon wieder laufen können. Geht doch nicht, dass ich mich durch die Kirche schieben lasse. Ich will doch ... auf unserer Hochzeit tanzen.«

Elaine antwortete nicht, schaute ihn nicht einmal an. Aber das empfand Tim beinahe als tröstlich, viel besser jedenfalls als die nachsichtigen und mitleidigen Blicke anderer Besucher, wenn er den Prognosen der Ärzte widersprach. Lainie schien mehr mit ihren eigenen Dämonen zu kämpfen.

»Lainie ...«, flüsterte Tim. »Wegen gestern ... es tut mir leid.«

Sie schüttelte den Kopf. »Es braucht Ihnen nicht leidzutun. Ich war dumm.« Sie hob die Hand, als wollte sie über seine Stirn streichen, brachte es dann aber doch nicht über sich.

Tim wartete, bis er es nicht mehr ertragen konnte.

»Lainie, es war heute wirklich ein ... bisschen anstrengend. Könnten wir es vielleicht ... noch mal versuchen? Das mit dem Einschlafen, meine ich?«

Wortlos nahm sie seine Hand.

5

Kura-maro-tini war gereizt, wofür sie vielfältige Gründe hätte angeben können. Einmal hatte sie in der vergangenen Woche praktisch keinen Cent verdient. Madame Clarisse mochte ihre Mädchen weiterbezahlen, obwohl in der Trauerzeit nach dem Minenunglück kein Betrieb herrschte, doch Paddy Holloway zahlte nicht. Wenn Kura nicht spielte, gab es auch kein Geld. Das Problem war, dass Mrs. Miller die Miete natürlich weiterhin haben wollte, desgleichen der Mietstallbesitzer. Kura dachte inzwischen schon daran, das Pferd zu verkaufen, doch sie hatte sich an das Tier gewöhnt.

Sie war unschlüssig und ruhelos, aber zufrieden, dass wenigstens die Trauerfeier endlich vorüber war. Dabei hatte es ihr durchaus Spaß gemacht, die Orgel zu spielen – erst recht, da sie damit der widerwärtigen kleinen Elaine ein Schnippchen hatte schlagen können. Aber es war auch nett gewesen, mal wieder ernsthaft Musik zu machen. Obwohl lediglich Caleb Biller ihre Leistung richtig zu würdigen wusste.

Womöglich, gestand Kura sich ein, hing auch ihre innere Unruhe ein bisschen mit Caleb Biller zusammen. Kura war weit davon entfernt, in ihn verliebt zu sein, aber sie sehnte sich nach einem Mann! Solange sie unterwegs gewesen und mit der Organisation ihrer Unterkunft und ihrer Auftritte beschäftigt war, hatte sie es verdrängen können. Aber jetzt gab es keine Stunde mehr, in der sie nicht an William und die Freuden in seinen Armen dachte. Selbst Roderick Barrister erschien ihr im Nachhinein in einem besseren Licht. Und aktuell interessant war eben dieser Caleb Biller, der sie zu verehren schien.

Allerdings war der Knabe merkwürdig. Einerseits hatte er sich bei der Trauerfeier sehr ritterlich gegeben, andererseits blieb er kalt wie ein Fisch, auch als sie sich scheinbar trostbedürftig auf ihn stützte. Kura hatte auf ihrer Reise mit dem Ensemble Männer kennen gelernt, die »vom anderen Ufer« waren, wie man raunte. Doch Caleb verhielt sich nicht wie sie. Vielleicht brauchte er einfach noch ein paar Anstöße.

Immerhin erschien er gleich wieder im Wild Rover, als Kura erneut am Klavier saß, und wieder brauchte er seine zwei Single Malt, um Mut zu fassen, bevor er sie ansprach.

»Miss Kura, ich muss mich noch einmal für Ihre Einführung in das Flötenspiel der Maoris bedanken! Ich fand es sehr beeindruckend. Und überhaupt finde ich die Musik der … der ›Eingeborenen‹ faszinierend.«

Kura zuckte die Schultern. »Sie brauchen sich nicht dafür zu entschuldigen, dass die Maoris Eingeborene sind«, erwiderte sie. »Außerdem stimmt das gar nicht. Sie sind ebenfalls zugewandert. Im 12. Jahrhundert, von einer Insel in Polynesien, die sie Hawaiki nennen. Welche genau es war, weiß man nicht. Dafür sind die Namen der Kanus überliefert, mit denen sie anreisten. Meine Vorfahren zum Beispiel kamen mit der *Uruau* nach Aotearoa.«

»Aotearoa ist ihr Wort für Neuseeland, nicht wahr? Es heißt …«

»Große weiße Wolke«, meinte Kura gelangweilt. »Der erste Siedler hier hieß Kupe, und seine Frau Kura-maro-tini verglich die Inseln mit einer Wolke, als sie darauf zufuhren. Ich bin nach ihr benannt, um Ihre nächste Frage vorwegzunehmen. Soll ich jetzt ein Lied für Sie spielen?«

Caleb Billers Augen strahlten. Doch es schien ihm eher um die Auskünfte zu gehen als um ihre Person. Kura war der Mann ein Rätsel.

»Ja … nein. Also … diese Musik Ihres Volkes hat doch wahrscheinlich noch kein Mensch aufgeschrieben, oder?«

»In Notenschrift?«, fragte Kura. »Nein, meines Wissens nicht.«

Ihre Mutter war eine der besten Musikerinnen der Insel, aber Noten kannte Marama nicht. Auch Kura hatte die Lieder ihres Stammes immer nur nachgesungen; sie war nie auf die Idee gekommen, sie aufzuschreiben. Allerdings war ihre dahingehende Begabung auch beschränkt. Zwar konnte sie eine einfache Melodie in Noten fassen, doch die meist mehrstimmigen Darbietungen der Stämme hätten sie überfordert.

»Und das ist doch eigentlich schade, nicht wahr?«, erkundigte sich Caleb. »Wie wäre es, wenn Sie mir zum Beispiel mal so einen Kriegsgesang vortragen ... wie nennt man ihn gleich? *Haka*, nicht wahr?«

»Ein *haka* ist nicht zwangsläufig ein Kriegsgesang«, entgegnete Kura. »Eher eine Art Singspiel. Man drückt Gefühle und oft auch eine kleine Handlung durch Gesang und Tanz aus. Der Gesang ist in der Regel mehrstimmig.«

»Dann müssten Sie mir alle Stimmen nacheinander vorsingen!«, meinte Caleb eifrig. »Wobei es bei den Männerstimmen natürlich schwierig würde. Oder gibt es den *haka* auch allein für Frauen?«

Kura nickte. »Es gibt alle möglichen *haka*. Meistens mit verteilten Rollen. Dieser hier zum Beispiel wird bei Beerdigungen aufgeführt. Es gibt keine spezielle Choreographie. Jeder kann tanzen, wie er will, und die Sänger sind Männer und Frauen oder auch nur Männer oder nur Frauen.«

Sie spielte ein paar Töne auf dem Klavier und begann dann mit ihrer betörenden Stimme zu singen. Die Melodie passte gut zur derzeit gedrückten Stimmung im Pub; Kuras Stimme spiegelte die Trauer so eindringlich wider, dass bald alle Gespräche im Wild Rover verstummten.

Als Kura endete, hob ein alter Bergmann sein Glas auf die Opfer der Lambert-Mine. Danach wünschten sich die Männer *Danny Boy*.

Caleb wartete geduldig, bis auch der letzte alkoholselige Ire seine Trauer stimmlich ausgedrückt hatte. Es dauerte Stunden. Kura war dabei jedoch nicht unzufrieden. Die endlosen Trauerlieder fielen ihr zwar auf die Nerven, aber die Männer spendierten ihr einen Drink nach dem anderen. Dieser Abend würde ihre Taschen wieder mal füllen.

»Haben Sie es sich überlegt, Miss Kura?«, meinte Caleb schließlich und warf einen beinahe furchtsamen Blick zur Tür.

Ein kräftiger blonder Mann in reiferem Alter trat ein und begrüßte Paddy mit dröhnender Stimme.

»Holloway, alter Gauner! Ich hab das Gejaule bis auf die Straße gehört, und da dachte ich, ich hol meinen Sohn da besser raus, bevor er trübsinnig wird. Ist ja traurig, die Sache mit der Lambert-Mine, andererseits sind die Kerle selber schuld, hätten ja bei mir anheuern können! Wie all die guten, vernünftigen Hauer hier in diesem Pub! Einmal Freibier für die Männer aus der Biller-Grube!« Mit den letzten Worten wandte der Mann sich an die Trinker im Pub und erntete die erwarteten Ovationen. Kura erkannte ihn jetzt auch wieder: Josuah Biller, Calebs Vater. Sie hatte ihn auf der Trauerfeier kurz gesehen. Caleb schien allerdings nicht begeistert von seinem Auftauchen. Er machte den Eindruck, mit seinem Whiskyglas im Boden neben dem Piano versinken zu wollen.

Biller trank seinen Leuten kurz zu und gesellte sich dann zu Caleb. Er schien allerdings ganz angetan von dem, was er sah.

»Nanu, Junge, ich dachte, du begleitest das allgemeine Gejammer! Entschuldigen Sie, Miss, aber wenn mein Sohn in die Tasten greift, klingt es immer wie auf 'ner Beerdigung. Sie dagegen sind ja wenigstens ein hübscher Anblick, und Sie können doch bestimmt auch was Fröhliches spielen!«

Kura nickte steif. Dieser Mann gehörte zu dem Typ, der fast immer versuchte, sie anzutatschen, und die Sache derart plump einleitete, dass sich selbst eine eher aufgeschlossene Frau in ihr Schneckenhaus zurückzog.

»Sicher«, sagte sie. »Ihr Sohn und ich sprachen über die Musik der Maoris, speziell den *haka*. Dieser hier, Mr. Caleb, ist zum Beispiel ein fröhlicher Tanz. Er erzählt von der Rettung des Häuptlings Te Rauparaha, der sich in einem Erdloch vor seinen Feinden versteckt. Zunächst erwartet er, von ihnen gestellt zu werden, aber dann meldet ein Freund – in manchen Fassungen auch eine Frau –, dass die Männer abgezogen sind. Der Gesang drückt zuerst seine Furcht und dann seine Freude aus.«

Kura schlug in die Tasten und begann zu singen

»Ka mate, ka mate, ka ora, ka ora ...«

Caleb lauschte verzückt, sein Vater eher ungeduldig.

»Wie es scheint, dichten selbst die Maoris über nichts anderes als dunkle Löcher. Aber deine kleine Freundin ist entzückend, Caleb. Willst du sie mir nicht vorstellen?«

Kura glaubte es kaum, aber Caleb erhob sich tatsächlich formvollendet und präsentierte Kura seinem Vater wie ein Gentleman.

»Kura-maro-tini Martyn.«

»Josh Biller«, brummte der Alte. »Doch, sehr hübsch. Krieg ich jetzt einen Whisky, Paddy?«

Josuah Biller trank in aller Ruhe drei Gläser Scotch, wobei er kein Auge von Kura und seinem Sohn ließ. Caleb benahm sich dabei untadelig, während Kura auf die Dauer nervös wurde. Immerhin hatte sie zu tun; die Bergleute wollten mehr sentimentale Volkslieder – und Caleb traute sich sowieso nicht mehr, nach weiteren *haka* zu fragen. Nach einer Stunde verabschiedeten sich beide Billers förmlich, und Josh nickte Kura im Herausgehen noch einmal zu.

»Sehr hübsches Mädchen, Cal!«

Kura fand die beiden Männer eher seltsam. Aber das war noch nichts im Vergleich zu ihrer Überraschung am nächsten Tag. Sie hatte lange geschlafen – wie immer, wenn sie bis in die Nacht im Pub Klavier gespielt hatte. Das Frühstück ließ sie dann meist aus und aß nur ein paar Sandwiches zum Lunch. Aber diesmal klopfte das schüchterne Maori-Hausmädchen von Mrs. Miller an ihre Tür und überbrachte eine Einladung.

»Mrs. Miller hat Besuch und möchte Sie ebenfalls zum Tee bitten.«

Kura sah auf die jahrzehntealte Standuhr, die sie oft mit ihrem überlauten Ticken wach hielt, und registrierte die Zeit.

Elf Uhr. Optimal für einen Anstandsbesuch unter vornehmen Damen. Miss Witherspoon hatte ihr erklärt, dass es früher ungehörig sei, weil die Dame noch schlafen könnte. Und später würde der Besuch die Vorbereitungen des Mittagessens stören.

Kura zog sich etwas sorgfältiger an als sonst; allerdings waren ihre sämtlichen Kleider bereits ziemlich verschlissen. Auf die Dauer musste sie Geld zusammensparen und sich etwas Neues machen lassen. Sie ging hinunter, wobei das Mädchen sie nicht ins Frühstückszimmer führte, in dem Mrs. Miller gewöhnlich »empfing«, sondern gleich in den Salon.

Mrs. Miller saß mit dem Ausdruck einer zufriedenen Katze in einem Sessel. Auf dem Sofa balancierte eine schlicht, aber teuer gekleidete Dame ihre Teetasse. Die Frau erinnerte Kura sofort an Caleb Biller. Auch sie hatte dieses lange, ein wenig ausdruckslose Gesicht. Allerdings braunes Haar, kein blondes wie Caleb und sein Vater.

»Miss Martyn, dies ist Mrs. Biller. Ich habe sie erst mal mit Beschlag belegt, aber eigentlich wollte sie zu Ihnen!« Sie strahlte, als ob sie Kura damit eine besondere Freude machte.

Kura grüßte formvollendet, ließ sich anmutig auf den angebotenen Sessel sinken und nahm ihre dampfende Teetasse ebenso graziös zur Hand wie ihre Besucherin. Natürlich verbot es die Schicklichkeit, direkt nach Mrs. Billers Begehren zu fragen. So machte man erst einmal Konversation.

Ja, es war schrecklich, was in der Lambert-Mine geschehen war, vor allem mit Timothy Lambert. Eine Tragödie. Die Stadt würde natürlich einige Zeit brauchen, um darüber hinwegzukommen. Und war die Trauerfeier des Reverends nicht ergreifend gewesen?

»Dabei sind Sie mir natürlich besonders aufgefallen, meine liebe Miss Martyn!«, kam Mrs. Biller schließlich zur Sache. »Ihre wunderschöne Mozart-Interpretation ... ich konnte die Tränen nicht zurückhalten. Wo haben Sie das nur gelernt, Miss Martyn?«

Kura war auf der Hut, aber sie hatte ihre Geschichte schon so oft erzählt, dass sie ihr fast selbstverständlich über die Lippen kam.

»Oh, ich bin auf einer Farm in Canterbury erzogen worden. Ein wenig abgelegen, aber sehr hübsch. Mein Vater war kulturell sehr interessiert. Meine Mutter ist früh gestorben, und seine zweite Frau kam aus England. Sie war Gouvernante der Kinder auf einer der großen Stations, aber dann haben sie sich verliebt, und sie hat mich aufgezogen. Sie war eine begnadete Pianistin. Und meine wirkliche Mutter gilt bei den Maoris bis heute als eine Art Legende, was Tanz und Gesang angeht.«

Letzteres war nicht gelogen. Doch der erste Teil der Geschichte – mit ihrer angeblich verstorbenen Mutter – verursachte Kura immer Gewissensbisse.

»Wie außergewöhnlich!«, bemerkte Mrs. Biller, schien aber zufrieden. Kura hatte oft bemerkt, dass beispielsweise Reverends oder Kirchenvorstände, die sie wegen ihrer Gemeindesäle ansprach, sehr genau darauf achteten, ob sie ihre Geburt als ehelich oder außerehelich angab. Mrs. Biller schien es ähnlich zu gehen. Bei der Formulierung »seine zweite Frau« hatten ihre Augen aufgeleuchtet.

»Was ich fragen wollte ... Miss Martyn, ich gebe am Sonntag ein kleines Dinner. Nichts Besonderes, nur im Familienkreis ... und da wollte ich fragen, ob Sie nicht kommen möchten. Mein Sohn würde sich sehr freuen. Er spricht stets mit großer Hochachtung von Ihnen.«

»Wir haben mit der Musik ein gemeinsames Interesse«, bemerkte Kura höflich und versuchte so, kein weiteres Interesse an Caleb Biller auszudrücken.

»Also kann ich mit Ihnen rechnen?«, erkundigte sich Mrs. Biller erfreut.

Kura nickte. Ein seltsamer Beginn für eine Affäre. Aber gut, wenn Caleb eine Vorstellung im trauten Familienkreis wünschte ... Sie nahm sich vor, die Sache mit dem neuen Kleid vorzuziehen. Nach dem, was Mrs. Miller ihrer besten Freundin, der Gattin des Schneiders, gleich über ihre hoffnungsträchtigen Beziehungen zur Familie Biller berichten würde, bekam sie sicher Kredit.

Caleb Biller schien die Einladung zunächst eher peinlich zu sein. Aber dann überwand er sich und bat Kura, doch früher zu kommen und ihre Flöten mitzubringen.

»Vielleicht könnten wir die ersten Stimmen des ersten *haka* schon mal aufschreiben?«, fragte er eifrig. »Ich nehme dieses Projekt sehr ernst und hoffe, Sie dafür gewinnen zu können. Vielleicht könnten wir gemeinsam ein Buch herausgeben ...«

Kura erschien also in einem dunkelroten, neuen Kleid, das die Tönung ihrer Haut wunderbar zur Geltung brachte, zum Dinner bei den Billers. Josuahs Augen strahlten wie die eines Kindes unter dem Weihnachtsbaum, als er das bildschöne Mädchen begrüßte. Calebs Augen leuchteten ebenfalls. Begehren konnte Kura jedoch nicht darin erkennen, obwohl er ein paar artige Komplimente anbrachte, während sein Vater eher anzüglich wurde. Dabei wiederum errötete Caleb eher als Kura und zog sie rasch zum Flügel, um sie von Josuahs Gesellschaft zu befreien. Beim Anblick des Instruments strahlte dann auch Kura und dachte mit Bedauern an ihr Hochzeitsgeschenk auf Kiward Station. Zu traurig, dass den prachtvollen Flügel im Salon des Hauses nun niemand mehr spielte. Oder fand vielleicht ihre Tochter Interesse an der Musik? Aber Gloria war sicher noch zu klein, um überhaupt irgendetwas zu lernen ... Nach wie vor interessierte Kura sich kein bisschen für das Kind. Doch die Erinnerung an Glorias Zeugung ließ Williams Gesicht wieder vor ihr aufsteigen, und sie meinte fast, seine Berührungen zu spüren. Konnte dieser Caleb nicht ein bisschen sinnlicher sein?

Immerhin wirkten seine Finger beinahe zärtlich, als er sie jetzt auf den Tasten des Flügels platzierte und eine kurze Melodie anspielte. Verblüfft erkannte Kura das Hauptmotiv des Trauer-*haka*, den sie im Pub gesungen hatte. Der Mann war zweifellos hochmusikalisch, was Kura noch mehr begeisterte, als er gleich darauf ihren Gesang und ihr Flötenspiel in Notenschrift übersetzte. Caleb schrieb Noten nach »Diktat« wie andere Menschen Buchstaben. Als seine Mutter schließlich zum Dinner rief, hatte er bereits drei Singstimmen und den Flötenpart notiert und fügte sie nun zu einer Art Orchester-Partitur zusammen.

»Das wird wundervoll, Miss Kura!«, begeisterte er sich, während er Kura zu Tisch führte. »Nur schade, dass wir nicht auch den Tanz erfassen können. Obwohl Sie ja sagten, bei diesem Stück gäbe es keine festgelegte Schrittfolge. Schade, dass wir hier nicht die Möglichkeiten der großen Bibliotheken in Europa haben. Bestimmt könnte man Choreographien niederschreiben. Ich weiß bloß nicht, wie es geht ...«

Caleb plauderte angeregt über Partituren und Kompositionen, bis seine Mutter ihn dezent darauf hinwies, dass er damit die gesamte Tischgemeinschaft langweilte. Dabei hatten die anderen Gäste auch keinen interessanteren Gesprächsstoff zu bieten. Außer Kura waren tatsächlich nur Familienangehörige anwesend, die einander kaum etwas zu sagen hatten. Caleb stellte ihr seinen Onkel und dessen Gattin vor sowie seinen Cousin Edmund, der das nichtssagende blonde Mädchen an seiner Seite wohl kurz zuvor geheiratet hatte. Kura erfuhr, dass sowohl Onkel als auch Cousin ebenfalls in der Mine arbeiteten – der Onkel im Kontor, der Cousin wie Caleb in der Leitung der Mine. Im Gegensatz zu Caleb schien er sich allerdings für seine Arbeit zu interessieren und tauschte sich ausführlich mit Josuah über die Versäumnisse und geologischen Gegebenheiten aus, die zum Unfall in der Lambert-Mine geführt hatten. Für die Damen war das genauso uninteressant wie Calebs Gedanken zum zeitgenössischen Opernschaffen.

Die drei Biller-Damen konzentrierten sich deshalb ganz auf die Konversation mit Kura, wobei Calebs Mutter sich größte Mühe zu geben schien, die junge Sängerin im besten Licht darzustellen. Die Fragen der Tante und angeheirateten Cousine konnte man dagegen fast schon als Sticheleien bezeichnen.

»Es muss interessant sein, bei den Eingeborenen aufzuwachsen!«, meinte die junge Mrs. Biller mit unschuldigem Augenaufschlag. »Wissen Sie, wir haben überhaupt keine Maoris in unserem Bekanntenkreis! Ich habe nur gehört«, sie kicherte, »sie hätten sehr freizügige Sitten …«

»Ja«, antwortete Kura kurz angebunden.

»Es muss Ihrer Mutter schwergefallen sein, sich an das Leben auf einer englischen Farm anzupassen, nicht wahr?«, erkundigte sich die Tante.

»Nein«, erklärte Kura.

»Sie tragen aber keine traditionelle Kleidung, oder? Nicht mal bei Ihren Auftritten?« Die junge Biller betrachtete Kuras Mieder, als würde sie es gleich herunterreißen und barbusig einen *haka* tanzen.

»Das hängt von den Auftritten ab«, meinte Kura geruhsam. »Als ›Carmen‹ trug ich ein spanisches Kleid …«

»Miss Kura ist in der Oper aufgetreten!«, vermittelte Calebs Mutter. »Sie war mit einem internationalen Ensemble auf Tournee. Auch in Australien und auf der Nordinsel. Ist das nicht aufregend?«

Die Damen pflichteten ihr bei, schlugen dabei aber einen so gönnerhaften Ton an, als bestätigten sie einer wandernden Prostituierten, dass sie zweifellos ein abwechslungsreiches Leben führte.

»Man lernt sicher interessante Männer kennen!«, bemerkte die Tante denn auch gleich.

Kura nickte. »Ja.«

»Unser Greymouth muss dagegen fast abfallen!«, kicherte die Cousine.

»Nein«, sagte Kura.

»Was treibt Sie überhaupt hierher, Miss Martyn?«, erkundigte die Tante sich zuckersüß. »Ich meine, die Arbeit in einem Pub ist doch mit der großen Kunst auf der Opernbühne kaum zu vergleichen.«

»Kaum«, bestätigte Kura.

»Obwohl Sie zweifellos auch hier schon interessante Männer kennen …«, sagte die Cousine lächelnd und warf einen vielsagenden Blick auf Caleb.

»Ja.«

Caleb hatte bisher schweigend gelauscht und Kura fast so anbetend angesehen wie im Pub beim Absingen der *Habanera*. Ihr Talent zur Abtötung jeglicher Konversation beeindruckte ihn offensichtlich ebenso wie ihre musikalische Begabung.

Jetzt meinte er allerdings, eingreifen zu müssen.

»Miss Kura reist auf der Südinsel herum, um das Liedgut der verschiedenen Maori-Stämme zu sammeln und zu katalogisieren«, erklärte er. »Das ist sehr interessant, und ich fühle mich ausgesprochen geehrt, dass sie mich daran teilhaben lässt. Wollen wir noch ein bisschen an diesem *haka* arbeiten, Miss Kura? Vielleicht ein weiterer Flötenpart? Das durfte auch unsere Zuhörer erfreuen ...«

Er zwinkerte ihr zu, als er sie von den Damen loseiste. Kura wirkte gelassen wie immer.

»Das ist mir äußerst peinlich, Miss Kura. Meine Verwandten scheinen Ihnen zu unterstellen, Sie ... äh ... und ich ...« Caleb errötete.

Kura schenkte ihm ihr bezauberndstes Lächeln.

»Mr. Caleb, egal was Ihre Verwandten meinen, aber eine Heirat mit Ihnen ist so ziemlich das Letzte, was ich in diesem Leben plane.«

In Calebs erstaunten Blick mischten sich Erleichterung und leichte Kränkung.

»Finden Sie mich so abstoßend?«

Kura lachte hell auf. Merkte dieser Mann denn gar nichts? Ihre sanfte Annäherung bei der Gedenkfeier, ihr Flirten im Pub und die Tatsache, dass sie heute überhaupt gekommen war, sollten doch eigentlich jeden Mann von ihrem Interesse an ihm überzeugen. Kura hob die Hand und strich ihm langsam und laszi v von der Stirn über die Wange zum Mundwinkel, beschrieb dort einen kleinen Kreis und ließ den Finger dann zu seinem Hals wandern. William hatten solche Liebkosungen verrückt gemacht. Caleb schien nicht recht zu wissen, was er damit anfangen sollte.

»Ich finde dich überhaupt nicht abstoßend«, hauchte Kura. »Aber Heiraten kommt für mich nicht in Frage. Als Künstlerin ...«

Caleb nickte eifrig. »Selbstverständlich. Das habe ich mir auch schon gedacht. Also, Sie nehmen ... das hier ... nicht übel?«

Kura verdrehte die Augen. Sie hatte diesen Kerl berührt, gestreichelt, versucht, ihn zu erregen. Und er machte sich nur Gedanken um gesellschaftliche Konventionen!

Als er sie kurz darauf formvollendet hinausführte und sich höflich von ihr verabschiedete, versuchte sie es noch einmal. Sie schob sich näher an ihn heran, lächelte und hob ihm das Gesicht entgegen, die Lippen halb geöffnet.

Caleb errötete, machte aber keine Anstalten, sie zu küssen.

»Vielleicht können wir morgen Nachmittag im Pub mit der Arbeit an dem *haka* fortfahren?«

Kura nickte resigniert. Caleb war ein hoffnungsloser Fall. Aber zumindest das Musizieren mit ihm machte Spaß. Sie fand es faszinierend, zuzusehen, wie der Sprechgesang und die Musik der Maoris plötzlich lesbar und damit auch für andere Musiker verständlich und spielbar gemacht wurde. Noch interessanter mochte es sein, diese Musik mit europäischen Instrumenten zu verbinden und zu verfremden. Kura hatte sich bislang nie für Komposition interessiert, aber das hier reizte sie.

In den nächsten Wochen füllte die Beschäftigung mit den Liedern ihrer Ahnen die Tage aus, doch die Nächte blieben einsam, egal wie sehr sie Caleb ermutigte. Schließlich schöpfte sie Hoffnung, als er sie bat, Verbindung mit einem örtlichen Maori-Stamm aufzunehmen.

»Ich kann mir sehr gut vorstellen, wie so ein *haka* klingt. Sie bringen die verschiedensten Stimmen ja exzellent zusammen, Miss Kura. Aber einmal würde ich sie doch gern in natura hören und die Tänze sehen. Meinen Sie, die Stämme würden einen *haka* für uns aufführen?«

Kura nickte. »Ja, sicher. Es gehört zum Begrüßungsritual, wenn sich geehrte Besucher ansagen. Ich weiß bloß nicht, wo hier der nächste Stamm lebt. Vielleicht wären wir mehrere Tage unterwegs …«

»Wenn Ihnen das nichts ausmacht«, meinte Caleb. »Ich bin sicher, mein Vater würde mir frei geben.«

Calebs Vater, das hatte Kura schon herausgefunden, war äußerst großmütig, was die Zeit seines Sohnes anging – jedenfalls, wenn er sie mit Kura verbrachte. Sie fragte sich oft, ob die Mine wirklich fast jeden Morgen oder Nachmittag auf eine Führungskraft verzichten konnte. Schließlich konnte die Arbeit an den *haka* nur stattfinden, wenn der Pub geschlossen war. Mrs. Biller lud Kura auch immer wieder zum Tee ein – eigentlich verschwendete Zeit, doch Kura fand es weitaus angenehmer, im Salon der Billers an Calebs perfekt gestimmtem Flügel zu arbeiten als in Paddys verräuchertem Pub. Also verabredete sie sich oft zuerst mit Caleb zum Musizieren und trank anschließend Tee mit seiner Mutter. Das Ganze hatte den angenehmen Nebeneffekt, dass Mrs. Biller ausgesprochene Leckereien zum Tee servierte. Kura sparte das Essen für den ganzen Tag.

»Ich mag es, wenn junge Leute kräftig zulangen!«, begeisterte sich Mrs. Biller, wenn Kura ihre Sandwiches und Teekuchen zwar mit anmutigsten Bewegungen, aber in Mengen vertilgte.

»Danke«, sagte Kura.

Sie spürten den nächsten Maori-Stamm in der Nähe von Punakaiki auf, einem winzigen Ort zwischen Greymouth und Westport. Die Felsformation der »Pancake Rocks« in der Gegend sei berühmt, wie Caleb sofort begeistert erzählte, als Kura ihm den Ort nannte. Obwohl kaum am praktischen Bergbau interessiert, war er doch ein begeisterter Geologe und schlug vor, den Besuch bei dem Stamm mit einer Besichtigung zu verbinden. Vielleicht fände sich dort in der Nähe ja auch ein Gasthof, in dem man die Nacht verbringen könne.

»Der Stamm wird uns einladen, bei ihm zu nächtigen«, bemerkte Kura.

Caleb nickte, wirkte allerdings ein wenig nervös. »Ich weiß

nicht ... wäre das denn schicklich? Ich möchte Ihnen auf keinen Fall zu nahetreten.«

Kura lachte und versuchte wieder einmal, ihn durch Streicheln übers Haar und den Nacken aus der Reserve zu locken. Dabei streifte sie ihn obendrein mit ihren Hüften, doch er wirkte allenfalls peinlich berührt.

»Caleb, ich bin zur Hälfte Maori. Alles, was für mein Volk schicklich ist, ist auch für mich akzeptabel. Und Sie werden sich ebenfalls mit den Sitten meiner Leute anfreunden müssen. Wir wollen den Stamm schließlich bitten, uns sein typisches Liedgut, seinen ganz speziellen Stammes-*haka* zugänglich zu machen. Und das geht nicht, wenn Sie die Leute wie exotische Tiere behandeln.«

»Oh, ich habe größten Respekt ...«

Kura hörte nicht weiter zu. Vielleicht würde Caleb sich ja aus Respekt vor den Bräuchen ihres Volkes endlich einmal gehen lassen. Vorerst jedoch verbrachte sie ihre Nächte weiter damit, sich selbst zu streicheln und von William zu träumen.

Die Reise zu den Pancake Rocks nahm mit Kuras Kutsche und ihrem Pferd fast einen ganzen Tag in Anspruch. Eigentlich hatte sie auf ein schnelleres Gespann aus den Ställen der Billers gehofft. Aber Caleb verstand sich fast ebenso wenig auf Pferde und Kutschieren wie das Mädchen. So waren beide ganz froh zu hören, dass man die Pancake Rocks besser erwanderte, als den schwierigen Weg mit dem Wagen anzugehen. Zumal stürmisches Wetter herrschte, was Kuras Pferd immer ein wenig irritierte.

Für die Pancake Rocks sei ein solches Wetter allerdings ideal, erklärte ihnen der Wirt des Pubs in Punakaiki, der auch ein paar Zimmer vermietete.

»Richtig spektakulär ist die Wirkung nur bei hohem Wellengang. Dann sieht's so aus, als würden die Pfannkuchen auf Geysiren gegrillt!«, sagte der Mann lachend und strich begeistert das Geld für zwei Einzelzimmer ein. Natürlich war er davon überzeugt, dass dieses junge Paar eigentlich nur eines gewollt hatte, und wo die zwei letztlich nächtigen würden, war ihm herzlich egal. Das hatte ihn allerdings nicht gehindert, bei ihrem Eintreffen mit strengem Gesicht nach einem Trauschein zu fragen. Der Erfolg dieses Coups hob seine Laune, woraufhin er sich bereitwillig als Fremdenführer betätigte.

Kura und Caleb schlenderten also zwischen den seltsamen, pfannkuchenrunden Felsschichten am brausenden Meer entlang. Kuras offenes Haar flog im Wind. Sie sah hinreißend aus. Auf Caleb hatte das allerdings keine Wirkung; er dozierte nur hochinteressiert über die Dichte von Kalkstein und die Wirkung von Wasserkraft.

Dafür lockte Kuras Schönheit zwei junge Maoris an, die kurz mit ihr sprachen und die beiden Wanderer dann zu ihrem Stamm einluden. Dabei stellte sich heraus, dass sie schon von Kura gehört hatten. Spätestens seit ihrem Gastspiel beim Stamm bei Blenheim war sie als *tohunga* anerkannt, und die jungen Männer taten zumindest so, als könnten sie es kaum erwarten, ihre Musik zu hören. Tatsächlich sprachen ihre Blicke auf Kuras Brüste und Hüften allerdings eine andere Sprache. Caleb bemerkte es peinlich berührt. Er drängte darauf, der Einladung nicht sofort zu folgen, sondern erst am nächsten Tag zum Dorf der Maoris aufzubrechen.

»Die beiden Jungs erschienen mir nicht sehr vertrauenerweckend«, meinte er besorgt, als er Kura zum Pub zurückführte. »Wer weiß, was sie mit uns angestellt hätten, wenn wir ihnen einfach so in die Wildnis gefolgt wären. Schließlich wird es bald dunkel.«

Kura lachte. »Sie hätten gar nichts mit uns angestellt, obwohl sie mit *mir* zweifellos gern etwas anstellen würden.

Nun gucken Sie nicht so, Caleb, das ist doch nur schmeichelhaft für mich! Wahrscheinlich hätten sie uns auf dem ganzen Weg irgendwelche waghalsigen Kunststücke vorgeführt, um mich vielleicht doch noch aus Ihrem Bett weg und in das eigene zu locken …«

»Kura!« Caleb blickte sie entrüstet an.

Kura kicherte. »Nun seien Sie doch nicht so prüde! Oder soll ich erzählen, wir wären verheiratet? Dann lassen sie mich in Ruhe …«

Caleb wirkte beinahe gequält, und Kura ärgerte ihn nicht mehr. Er rührte sie zwar auch an diesem Abend nicht an, erwies sich aber als äußerst großzügig und kultiviert, indem er Kura zum besten Essen und zum besten Wein einlud, den Punakaiki zu bieten hatte. Das war zwar nicht viel, doch seit Kura ein weitgehend mittelloses Wanderleben führte, wusste sie auch kleine Gesten zu schätzen.

Am nächsten Morgen folgte Kura der Beschreibung der beiden Maoris zu ihrem *kainga* und fand das Dorf sofort. Caleb war überrascht von seiner Größe. Bisher war er anscheinend der Ansicht gewesen, die Maoris lebten in Zelten wie die Indianer in Amerika. Die Vielfalt der Einzelhäuser, Schlafhäuser, Kochhäuser und Vorratshäuser erstaunte ihn.

Kura fragte sich wieder einmal, wie weltfremd manche *pakeha*-Kinder aufwuchsen. Sicher, unmittelbar bei Greymouth gab es keine feste Maori-Siedlung, aber soweit sie wusste, war Caleb durchaus schon in mehreren Städten der Südinsel und sogar in Wellington und Auckland gewesen. Hatte es da wirklich keine Möglichkeit gegeben, die Kultur der Maoris kennen zu lernen? Andererseits war Caleb damals noch ein Kind gewesen. Fast seine gesamten Jugendjahre hatte er, wie Tim Lambert, in englischen Internaten und Universitäten verbracht.

Wie erwartet wurden sie gastlich aufgenommen und mussten die Dörfler gar nicht erst bitten, ihnen die wichtigsten *haka* zu zeigen. Stattdessen wurden sie gleich mit dem ersten empfangen.

»Diese Stammes-*haka* haben eine seltsame Geschichte«, erklärte Kura dem interessierten Caleb, während die Männer und Frauen ihren persönlichen Tanz zeigten. »Ursprünglich wurden sie von verfeindeten Stämmen verfasst und dienten dazu, den Stamm zu verhöhnen. Aber dann übernahmen die Stämme sie selbst, aus Stolz, dass jemand genug Angst oder Respekt vor ihnen hatte, um einen Wehrgesang zu dichten.«

Kura sprach natürlich fließend Maori, aber zur Begeisterung der Dörfler hatte auch Caleb schon etliche Brocken aufgeschnappt und lernte im Laufe des Tages einiges dazu. Selbst Kura war überrascht, wie leicht es ihm fiel. Auch sie war hochmusikalisch und hatte während ihres Gesangsstudiums deutsche und französische Texte gelernt und gesungen. So akzentfrei wie Caleb jetzt die Worte der Maoris nachsprach, war ihr das allerdings nie gelungen.

Schließlich saßen die beiden mit dem Stamm in seinem mit prächtigen Schnitzereien geschmückten Versammlungshaus und ließen die mitgebrachte Whiskyflasche kreisen. Schon nach kurzer Zeit hatte Kura einen Schwips und wählte sich schließlich einen kräftigen jungen Tänzer aus, mit dem sie zur allseitigen Begeisterung nach draußen verschwand. Caleb wirkte wieder einmal peinlich berührt, aber nicht eifersüchtig. Kura registrierte das ein wenig verärgert, der Maori-Stamm eher überrascht.

»Ihr nicht ...?«

Kura sah gerade noch, wie der Mann neben Caleb eine obszöne Geste machte und Caleb rot anlief.

»Nein, wir sind nur ... Freunde«, stammelte er.

Der junge Mann machte daraufhin eine Bemerkung, die großes Gelächter auslöste.

»Er sagt, wir Maoris auch nicht machen mit Feinden!«, übersetzte eine Frau.

Am nächsten Tag erklärte Kura dem leicht indignierten Caleb in vollem Ernst, sie habe ihrem Begleiter nur ein spezielles Liebeslied entlocken wollen. Der junge Tänzer sang auf Verlangen auch gern eines vor, nachdem er sich vor Lachen ausgeschüttet hatte. Der Gedanke, einem Mann ein Liebeslied vorzutragen, erschien ihm wohl zu außergewöhnlich. Dann aber sang und tanzte er mit beinahe übertriebenen Gesten. Kura fiel auf, dass Caleb vor Bewunderung kaum dazu kam, die Musik in Noten zu fassen. Endlich einmal bekam er leuchtende Augen, was Kura endgültig klarmachte, warum all ihre Reize an ihn verschwendet waren. Später drängte er sie, ihm die Texte zu übersetzen, doch Kura drückte sich um die obszönen Inhalte lieber herum.

Kurz bevor die beiden sich schließlich wieder auf den Weg nach Greymouth machten, hatte Kura allerdings noch eine Begegnung, die ihr mehr zu denken gab als Calebs offensichtliche Bevorzugung des männlichen Geschlechts.

Die Gemahlin des Häuptlings, eine resolute, kräftige Frau, die den *haka* stets in der ersten Reihe getanzt hatte, sprach sie an, während sie ihre Sachen zusammensuchte.

»Ihr kommt doch aus Greymouth, nicht wahr? Weißt du, ob das flammenhaarige Mädchen noch da ist?«

»Ein rothaariges Mädchen?« Kura dachte sofort an Elaine, tat aber unschlüssig.

»Ein zierliches kleines Wesen, sieht dir sogar ein bisschen ähnlich – wenn man gute Augen hat!« Die Häuptlingsfrau lächelte, als sie Kuras beinahe empörtes Gesicht sah.

Kura nickte. »Elaine? Die ist noch da. Spielt Klavier in einem Pub. Warum? Kennt ihr sie?«

»Wir haben sie damals gefunden und nach Greymouth geschickt. Es ging ihr ziemlich schlecht. Sie war tagelang durch die Berge geirrt, mit ihrem kleinen Hund und ihrem Pferdchen. Ich hätte sie gern bei uns behalten, aber die Männer fanden es zu gefährlich. Und das war auch richtig so, er sucht sie ja immer noch. Aber solange sie bleibt, wo sie ist, sollte sie sicher sein …«

Die Frau wandte sich ab. Kura bezähmte ihre Neugier und verzichtete auf die Frage, was Greymouth so viel sicherer machte als jedes andere Kaff an der Westküste und wer Elaine überhaupt suchte. Wahrscheinlich ihr Ehemann, dem sie entlaufen war. Aber das war lange her. Er sollte sich allmählich damit abfinden, dass Elaine nicht wiederkam.

Was Liebe und Ehe anging, war Kura ganz von der Kultur ihrer Mutter geprägt. Ein Mädchen suchte sich den Mann aus, zu dem sie gehören wollte, und wenn er dann ihren Vorstellungen nicht entsprach, nahm sie sich einen anderen. Warum das bei den *pakeha* bloß immer gleich mit Heirat verbunden sein musste! Kura warf einen ungnädigen Blick auf Caleb Biller. Irgendwann würden dessen Eltern darauf drängen, ihn zu verheiraten.

Die Hochzeitsnacht des betroffenen Mädchens mochte Kura sich kaum ausmalen.

6

William Martyn hatte die Nordinsel mit Nähmaschinen geradezu überschwemmt. Zunächst hatte man ihm einen wenig attraktiven Bezirk an der Ostküste zugeteilt. Doch getreu den Lehren des Verkaufsgenies Carl Latimer, der selbst an der frauenarmen Westküste der Südinsel massenhaft Nähmaschinen loswurde, reiste William gelassen von Farm zu Farm. Zwischendurch informierte er sich über die wichtigsten Neuigkeiten und hatte immer etwas mit der Herrin des Hauses zu plaudern, bevor er seine Wundermaschine auspackte.

Die Begehrlichkeiten der Dame waren dann schnell geweckt – und auch hier hatte Latimer nicht übertrieben. Abgelegene Bezirke boten zwar weniger Märkte, dafür aber immer ein kostenloses und mitunter sogar angewärmtes Nachtlager. William überzeugte seine Gastgeberinnen denn auch in jeder Beziehung. Manchmal fragte er sich, ob besonders die gut betuchten, aber einsamen Frauen auf den größeren Höfen nicht nur deshalb eine Maschine kauften, um seinen »Kundendienst« beim nächsten Halt in der Gegend noch einmal nutzen zu können.

Ärmere Frauen und Mädchen köderte er eher mit dem Argument der Geldersparnis beim Selbernähen und einer möglichen weiteren Verdienstmöglichkeit durch die Anfertigung von Kleidern für Nachbarsfrauen. Schließlich sprengten seine Verkaufszahlen alle Erwartungen, und die Firma versetzte ihn in den weitaus attraktiveren Bezirk um Auckland. Hier verlegte William sich zusätzlich auf die Anregung industrieller Produktion von Kleidungsstücken. Statt nur Frauen zu seinen Demonstrationen einzuladen, wandte er sich mit

Flugzetteln an Einwanderer, die im neuen Land eine Existenz gründen wollten. Mittels Ankauf von drei oder vier Nähmaschinen konnte William zufolge jeder Kleider en gros produzieren und gewinnbringend vertreiben. William versprach, beim nächsten Stopp in der Gegend die Näherinnen persönlich zu schulen, und das tat er dann auch. Trotzdem machten die meisten Betriebe mangels kaufmännischer Begabung der Betreiber bald pleite. Doch zwei oder drei Kleinunternehmen arbeiteten erfolgreich, und einer seiner Kunden orderte alle paar Monate neue Nähmaschinen, da er sein Geschäft ständig ausweitete. Die Idee, auf diese Art gleich mehrere Maschinen auf einmal loszuschlagen, sorgte bei der Vertriebsleitung für eine kleine Sensation. Man lud William ein, im Schulungszentrum der Nordinsel Vorträge darüber zu halten, und betraute ihn mit einem weiteren interessanten Bezirk. Inzwischen fuhr William mit einem standesgemäßen Wagen und einem eleganten Pferd davor durch die Lande, kleidete sich nach neuester Mode und genoss sein neues Leben. Lediglich die Tatsache, dass er Kura und ihr Opernensemble nicht hatte aufspüren können, war ihm ein Dorn im Auge – obwohl er streng genommen gar nicht gewusst hätte, wie sein und ihr Leben sich wieder hätten verbinden können. Nähmaschinenwerbung und Operndarbietungen wären kaum vereinbar gewesen, und bestimmt hätte Kura keine Lust gehabt, sich gleich wieder von ihrer Karriere zu verabschieden. Inzwischen, überlegte William, als er sein Pferd auf der Suche nach der Hauptvertretung der Firma Singer durch die belebten Straßen Wellingtons lenkte, waren die Sänger längst in Australien, auf der Südinsel oder gar in Europa. Ob sie Kura mitgenommen hatten? William glaubte es eigentlich nicht. Der Chef der Truppe hatte nicht den Eindruck gemacht, als dulde er irgendwelche Götter neben sich. Und Kura hätte in Europa sicher das Zeug zu einem Star. Selbst wenn es für die große Oper nicht reichte – allein ihr Aussehen würde ihr den Weg ebnen.

William fand schließlich das Bürohaus und einen Platz für Pferd und Wagen im Hinterhof. Der Verkaufsdirektor der Firma hatte ihn persönlich zu einem Gespräch gebeten, und William war gespannt, aber nicht besorgt. Er kannte seine Verkaufszahlen und rechnete eher mit einer Prämie als einer Ermahnung. Vielleicht gab es auch neue Aufgaben. Er band das Pferd an, nahm die Mappe mit seinen letzten Abschlüssen aus dem Wagen und strich rasch das letzte Staubkörnchen von seinem grauen Dreiteiler. Der Anzug stand ihm vorzüglich – und war natürlich nicht, wie er stets behauptete, in einer der neuen Manufakturen mit Singer-Nähmaschinen gefertigt, sondern von Aucklands bestem Herrenschneider.

Daniel Curbage, der Verkaufsdirektor, begrüßte ihn freundlich.

»Mr. Martyn! Nicht nur pünktlich auf die Minute, sondern auch noch mit einem Schwung neuer Kaufverträge unter dem Arm!«

Der Mann erfasste den Inhalt von Williams Mappe sofort. »Ich muss Ihnen nicht sagen, wie sehr uns Ihr Einsatz immer wieder imponiert! Kann ich Ihnen etwas anbieten? Kaffee, Tee, ein Drink?«

William entschied sich für Tee. Zwar war der Whisky hier sicher hervorragend, aber er hatte längst gelernt, dass erfolgreiche Verhandlungen einen klaren Kopf verlangten, wobei es stets einen besseren Eindruck machte, nicht gleich zum Alkohol zu greifen.

Mr. Curbage nickte denn auch wohlgefällig und wartete, bis sein Sekretär den Tee gebracht hatte. Erst dann rückte er mit seinem Anliegen heraus.

»Mr. William, Sie wissen selbst, dass Sie eine Spitzenkraft in unserem Gewerbe darstellen – und man hat Sie während der Ausbildung selbstverständlich auf mögliche Aufstiegschancen innerhalb der Firma hingewiesen.«

William nickte, obwohl er sich kaum erinnerte. Damals

hatte er sich eher mit dem Nähen von Hohlsäumen herumgeplagt als mit Karriereplanung.

»Vom Vertriebsleiter für größere Bezirke bis ... ja, bis zu meinem Posten hier können Sie aufsteigen.« Mr. Curbage lachte herzlich, als wäre Letzteres natürlich ein allzu gewagter Griff nach den Sternen. »Und ich hatte Sie eigentlich schon für eine leitende Position hier im Hause vorgesehen.« Er sah William beifallheischend an.

William bemühte sich, den Blick angemessen interessiert zu erwidern. Im Grunde war er gar nicht so wild auf einen Schreibtischjob. Der Posten musste schon sehr gut dotiert sein, um ihn von der Straße fortzulocken.

»Allerdings meinte der Vorstand in England – Sie wissen ja, wie diese Leute sind –, dass Sie mit nur gut einem Jahr Erfahrung vielleicht doch noch ein bisschen zu ... nun, zu grün für eine solche Aufgabe wären. Außerdem scheinen die Herren zu glauben, in der Umgebung größerer Städte wie Auckland verkauften die Maschinen sich von selbst.«

William wollte etwas einwenden, doch Curbage gebot ihm mit einer beschwichtigenden Handbewegung Einhalt. »Sie wissen und ich weiß, dass es nicht so ist. Aber wir kommen ja auch beide aus der Praxis. Die Herren im Vorstand dagegen ...« Curbages Gesichtsausdruck machte deutlich, was er von den Bürohengsten im fernen London hielt. »Nun, darüber lohnt sich nicht zu reden. Wichtig für Sie und mich ist nur, dass ich Ihnen nun doch noch eine Art Bewährungsprobe abfordern muss. Bitte sehen Sie das nicht als Affront oder gar als Bestrafung an. Im Gegenteil, nehmen Sie es als ein Sprungbrett! Ihr Vorgänger, Carl Latimer, hat kürzlich die Leitung des Ausbildungszentrums auf der Südinsel übertragen bekommen.«

Williams Gedanken arbeiteten rasch. »Carl Latimer? Der bereiste doch die Westküste der Südinsel.«

Curbage nickte strahlend. »Sie haben ein exzellentes Gedächtnis, Mr. Martyn. Oder kennen Sie ihn? Sie kommen auch von der Südinsel, nicht wahr? Nun, vielleicht freut es Sie ja sogar, dorthin zurückzukehren ...«

William biss sich auf die Lippen.

»Mr. Curbage, Latimer hat die Westküste mit Nähmaschinen gepflastert!«, wagte er einzuwenden. »Der Kerl ist ein Genie, der hat praktisch jedem menschlichen Wesen eine Singer angedreht, das auch nur andeutungsweise weiblich war!«

Mr. Curbage lächelte. »Nun, da bleibt Ihnen noch der fünfzigprozentige männliche Anteil der Bevölkerung«, scherzte er. »Und wie man den anpackt, haben Sie doch hier in Auckland bewiesen!«

William unterdrückte ein Seufzen. »Kennen Sie die Westküste, Mr. Curbage? Wahrscheinlich nicht, sonst hätten Sie den Männeranteil höher eingeschätzt. Ich denke mal, er liegt bei achtzig bis neunzig Prozent der Bevölkerung. Und das ist der harte Kern von Kiwi-Land! Seehundjäger, Walfänger, Bergleute, Goldgräber ... und sobald sie einen Cent in der Tasche haben, tragen sie ihn in den nächsten Pub. Garantiert lässt sich da keiner auf die Idee ein, eine Näherei aufzumachen. Wo sollte er auch die Näherinnen hernehmen? Wenn ein Mädel nicht prüde ist, verdient sie im Pub viel mehr.«

»Wieder eine Möglichkeit für Sie, William, zu expandieren«, meinte Curbage salbungsvoll, zu einer vertraulicheren Anrede übergehend. »Retten Sie diese Mädchen vor sich selbst! Machen Sie ihnen klar, dass ein ehrbares Leben als Näherin sehr viel erstrebenswerter ist als das Dasein in Sünde! Außerdem wandern doch immer mehr Bergarbeiter zu, manche mit ganzen Familien. Deren Frauen sollten sich freuen, wenn sie etwas dazuverdienen können.«

»Nur haben die keine hundertfünfzig Dollar für die Maschine. So viel kostet sie ja mittlerweile«, bemerkte William trocken. »Ich weiß nicht, Mr. Curbage ...«

»Sagen Sie bitte Daniel zu mir. Und sehen Sie nicht so schwarz. Sobald Sie Ihren neuen Bezirk kennen lernen, wird Ihnen schon etwas einfallen! Wobei ich auch an ein neues Abzahlungsschema speziell für Bergarbeiterfamilien denke. Machen Sie etwas aus Ihrer neuen Aufgabe, William. Lassen Sie mich stolz auf Sie sein. So, wie wäre es jetzt mit einem Drink? Ich habe erstklassigen Whisky.«

William war ein wenig niedergeschlagen, als er das Kontor schließlich verließ. Der neue Bezirk reizte ihn wenig. Und er würde ganz von vorn anfangen müssen: Selbst wenn er Pferd und Wagen mit auf die Südinsel nehmen könnte, eigneten sich das feurige Tier und die schnittige kleine Chaise kaum für die verschlammten Wege der Westküste. Ebenso wenig wie seine elegante städtische Kleidung. Er würde wieder Stiefel, Ledersachen und Wachsmäntel brauchen. Dreihundert Regentage im Jahr und kaum Schaffarmen mit einsamen Herrinnen – dafür Hotels mit Wucherpreisen, die ihre Zimmer gewöhnlich nur stundenweise vermieteten. William graute es vor den ungezieferverseuchten Unterkünften. Andererseits musste er positiv denken, sonst konnte er seine Umsätze vergessen. Schließlich hatte auch Carl Latimer an der Westküste annehmbar verkauft, und die Städte dort prosperierten. Das hieß, dass es immer mehr Damen gab – und damit Kundinnen für William.

Der junge Mann straffte sich. Sein Ehrgeiz war geweckt. Wahrscheinlich ließen sie ihn kaum länger als ein Jahr an der Westküste, und in dieser Zeit würde er sein Bestes tun, Latimers Wundertaten noch zu überbieten. Was war überhaupt mit den Maoris? Hatte schon mal jemand eine Singer an eine Eingeborene verkauft?

Noch am gleichen Tag erkundigte William sich nach Fährverbindungen nach Blenheim. Eine Woche später übergab er seinen Bezirk an seinen Nachfolger und verkaufte ihm auch gleich Pferd und Wagen. Schließlich trat er nur mit seiner alten Demonstrationsmaschine die Reise zur Südinsel an. Das Gerät mochte er nicht austauschen, obwohl es inzwischen modernere Modelle gab. Aber die alte Maschine hatte ihm Glück gebracht. William war entschlossen, die Südinsel zu erobern. Dabei würde er sicher auch etwas von Kura hören. Eigentlich konnte er Gwyneira McKenzie sogar wieder mal anschreiben und sich nach Gloria erkundigen. Sicher wusste sie von Kuras Verbleiben. Und womöglich hatte sie noch keine Nähmaschine …

Gwyneira McKenzie Warden stand der Sinn nach allem Möglichen, nur nicht nach einer Nähmaschine. Sie hätte sich allerdings selbst damit anfreunden können, hätte Williams Brief nur einen kleinen Anhaltspunkt bezüglich des Aufenthaltsortes ihrer Enkelin Kura enthalten. Ansonsten freute sie sich durchaus darüber, mal wieder von Glorias Vater zu hören, und atmete auf, als er nach wie vor keine Ansprüche auf das Kind erhob. William tappte in Sachen Kura ebenso im Dunkeln wie sie. Lediglich darüber, dass Kura nicht mit dem Opernensemble nach England gereist war, konnten beide sich relativ sicher sein.

»Auf meiner Rechnung tauchte sie jedenfalls nicht auf«, erklärte George Greenwood. »Und Barrister hätte garantiert versucht, sie mir unterzujubeln. Der war doch mit allen Wassern gewaschen! Unter eigenem Namen ist sie auch nicht gefahren, meint die Reederei. Aber sie kann natürlich einen anderen angegeben haben. So genau registrieren die das nicht.«

»Aber warum sollte sie?«, fragte Gwyn nervös. »Vielleicht, weil sie noch minderjährig war?«

»Das hätten die kaum nachgeprüft«, meinte George, versprach aber, auch in England die Fühler auszustrecken.

Ein paar Wochen später brachte er Gwyn die Ergebnisse.

»Es gibt keine Kura-maro-tini oder ein anderes Maori-Mädchen in der seriösen Londoner Musikszene«, verkündete er. »Diesen Barrister haben meine Leute an einem ziemlich miesen Theater an der Cheapside gefunden. Und Sabina Conetti singt in einem Musical – das ist leichte Unterhaltung, eine Art Operette. Zwei Tänzerinnen aus dem Ensemble sind da auch untergekommen. Aber nichts von Kura. Sie ist definitiv nicht in England. Bleiben also noch die Westküste, die Nordinsel, Australien und der Rest der Welt.«

Gwyneira seufzte. George schien die Sache gelassen zu sehen, aber sie machte sich um Kura fast so viele Sorgen wie um Elaine.

James teilte ihre Befürchtungen nicht. »Wenn es um ihre Tugend ginge«, meinte er trocken, »könnte ich's nachvollziehen. Dafür würde ich keinen Pfifferling geben. Aber das nackte Überleben – möglicherweise im wahrsten Sinne des Wortes! Da mache ich mir um Kura keine Gedanken. Das Mädchen ist unverwüstlich, auch wenn es noch so zart und weltfremd wirkt.«

Gwyneira schalt ihn herzlos, hoffte aber im Stillen, dass er Recht behielt. Kuras Tugend war ihr herzlich egal; sie wollte sie nur möglichst bald gesund und wohlbehalten wiederfinden.

Schließlich war es Marama, die eine Spur entdeckte. Kuras Mutter trauerte zwar um das Verschwinden ihrer Tochter, machte sich aber keine Sorgen um ihr Leben.

»Ich würde wissen, wenn ihr etwas zugestoßen wäre!«, erklärte sie im Brustton der Überzeugung – und wurde schließlich in ihren Erwartungen bestätigt. Ein wandernder Maori-Stamm erzählte von einer *tohunga*, die bei Blenheim ein paar Tage in ihrem Dorf gelebt hatte. Kura habe wunderschön gesungen, viel Spaß mit ihnen gehabt und von ihrer Herkunft aus Maramas Stamm erzählt. Ein Irrtum bezüglich ihrer Identität war unmöglich. Aber was sie sonst tat, wo sie herkam und wo sie hinwollte, hatte man nicht gefragt. Und wann genau das Treffen stattgefunden hatte, wussten die Maoris auch nicht mehr.

»In Blenheim legt die Fähre zur Nordinsel an«, meinte Gwyneira resigniert. »Also ist Kura womöglich übergesetzt. Aber was will sie da? Und wem meint sie etwas beweisen zu müssen? Mein Gott, sie konnte doch einfach herkommen und …«

»Sie ist fast neunzehn«, bemerkte Marama. »Sie ist dickköpfig und noch ein bisschen wie ein Kind. Sie will alles haben, und wenn etwas schiefgeht, stampft sie mit dem Fuß auf und schreit. Dabei spielt sie dauernd die Erwachsene. Aber irgendwann wird sie alles einsehen und zurückkommen. Sie müssen nur warten, Miss Gwyn.«

Warten war noch niemals Gwyneiras starke Seite gewesen. Doch während Kuras Verschwinden nur ihre Geduld auf eine harte Probe stellte, sorgte sich die ganze Familie ernsthaft um Elaine. Ruben O'Keefe ließ einen Privatdetektiv auf der Nordinsel nach ihr fahnden, alles mit äußerster Diskretion.

»Wir wollen ja schließlich weder Sideblossom noch der Polizei in die Hände arbeiten«, meinte er seufzend. »Der Alte sucht sie doch auch. Auf keinen Fall überlässt der alles dem Constabler – zumal nach der Erfahrung mit James.«

John Sideblossom hatte sich eine wesentlich härtere Bestrafung des Viehdiebs gewünscht, nachdem er McKenzie damals gefangen hatte. Doch zum einen war die Haftstrafe nicht allzu hart ausgefallen, zum anderen hatte der Gouverneur sie auch noch in lebenslange Verbannung umgewandelt. James hatte schließlich einige Zeit im Gefängnis und eine Weile in Australien verbracht, war dann aber zurückgekehrt und schließlich auf Bitten Gwyneiras und der O'Keefes begnadigt worden. John Sideblossom fuchste das heute noch. Er glaubte nicht mehr an die Strenge der Justiz; er hätte das Recht auch im Fall von Elaine gern selbst in die Hand genommen. Aber nach wie vor fehlte von dem Mädchen jede Spur, und Fleurette O'Keefe fehlte der felsenfeste Glaube Maramas an die übersinnliche Verbindung zwischen Mutter und Kind. Sie sah Elaine in ihren Albträumen tot – mal verirrt und erfroren in den Bergen, mal erschlagen und irgendwo verscharrt von John Sideblossom, mal missbraucht und ermordet in irgendeinem Goldgräberlager an der Westküste …

»Manchmal hätte ich lieber Gewissheit, als mir jede Nacht ein anderes Schreckensbild auszumalen«, schrieb sie an Gwyn und James, und diesmal nickte McKenzie. Er hatte mit Sideblossom so seine Erfahrungen gemacht und konnte sich vorstellen, wovor seine Enkelin floh.

Das erste bekannte Gesicht, das William Martyn auf der Südinsel entdeckte, gehörte zu jemandem, den er längst in England glaubte. Aber es gab kein Zweifel: Die junge Frau, die dort mit zwei niedlichen kleinen Mädchen an der Hand über die Küstenstraße von Blenheim flanierte, war Heather Witherspoon. Sie wandte sich auch sofort um, als William sie ohne große Überlegung mit diesem Namen anrief. Und zumindest stand kein Hass in ihren Augen, als sie ihn erkannte.

»Redcliff«, verbesserte sie allerdings sofort und mit einem gewissen Stolz. »Heather Redcliff. Ich habe geheiratet.«

William hatte jetzt Zeit, sie genauer zu betrachten, und er sah, dass die Ehe ihr guttat. Heathers Gesicht wirkte runder und weicher, ihr Haar war nicht mehr gar so straff zurückgekämmt, und der Stil ihrer Kleidung war völlig verändert. Heather trug nun keine langweiligen grauen oder schwarzen Röcke mehr zu Seidenblusen und wirkte nicht mehr altjüngferlich streng, sondern war dezent modisch gekleidet. Ihr blassblaues Kostüm, unter dem sie eine altrosafarbene Bluse trug, stand ihr hervorragend. Ihre hohen Schnürschuhe hatten einen kleinen Absatz, der ihren Gang graziöser wirken ließ – und sie trug dezenten Goldschmuck.

»Du siehst großartig aus!«, sagte William. »Aber du kannst unmöglich schon zwei kleine Mädchen haben. Obwohl sie dir irgendwie ähnlich sehen ...«

Die Kinder waren tatsächlich ebenfalls hellblond und blauäugig. Allerdings versprach zumindest die ältere, weniger verwaschene Züge zu entwickeln als Heather, und die Jüngere hatte weiche Locken, die ihr noch kindlich rundes Gesicht umspielten.

Heather lachte. »Danke, das höre ich oft. Aber ihr sagt jetzt mal artig Guten Tag zu Mr. Martyn, Annie und Lucie. Starrt ihn nicht so an, das ist nicht damenhaft. Nein, Annie, gib ihm das schöne Händchen!«

Das kleine Mädchen, es mochte fünf Jahre alt sein, verwechselte zwar noch rechts und links, zeigte sich aber willig und hielt William gleich darauf die richtige Hand entgegen. Ihr Knicks verrutschte auch noch ein wenig. Die vielleicht achtjährige Lucie dagegen grüßte formvollendet.

»Die Mädchen sind meine Stieftöchter – ganz wundervolle Kinder, wir sind wirklich stolz auf sie.« Heather fuhr der Jüngeren übers Haar. »Aber wollen wir uns nicht lieber unter einem Dach weiterunterhalten? Es regnet gleich wieder.«

William nickte. Er hatte eine höllische Überfahrt hinter sich und konnte jetzt sämtliche Schauergeschichten bestätigen, die er je über die unberechenbare See zwischen den beiden Inseln gehört hatte. Ein hübscher Teesalon wäre ihm da sehr recht gewesen. Aber wohin führte man hier eine ehrbare Frau?

Heather hatte ihre eigenen Vorstellungen, was das Ziel betraf. »Komm einfach mit zu uns, wir wohnen nur zwei Straßen weiter. Schade, dass du meinen Mann nicht kennen lernen kannst, aber er ist auf Reisen. Bleibst du länger in der Stadt?«

William erzählte zuerst ein bisschen von sich, während er

Heather und den Mädchen in eine ruhige Wohnstraße folgte. Die Familie bewohnte hier ein hochherrschaftliches Haus. Um Heathers Ruf brauchte William sich ebenfalls keine Sorgen zu machen; ein Hausmädchen öffnete den beiden, knickste und nahm ihm seinen Mantel ab. Heather schaute wohlgefällig zu, wie er seine Visitenkarte in der dafür vorgesehenen Schale deponierte.

»Bring uns Tee und Gebäck in den Salon, Sandy«, wies Heather das Mädchen an. »Die Kinder nehmen ihren Tee auf ihrem Zimmer. Du kannst sie beaufsichtigen, wenn du serviert hast.«

Das Mädchen knickste. William kam das Ganze ein bisschen unwirklich vor.

»Es ist eine große Erleichterung, wenn man nicht mit Maori-Personal arbeiten muss!«, plauderte Heather, während sie William in ihren kostbar eingerichteten Salon führte. Die Wohnung war mindestens so gediegen eingerichtet wie die Räume auf Kiward Station. Allerdings nicht von Heather selbst. Deren Geschmack kannte William schließlich von ihren gemeinsamen Bemühungen um Kuras Wohnung. Bei diesem Mr. Redcliff hatte sie sich buchstäblich ins gemachte Nest gesetzt. »Sandy ist zwar auch ein einfaches Mädchen – sie kommt aus einer Bergarbeiterfamilie in Westport –, aber man kann sie zumindest auf Englisch ansprechen und muss sie nicht immerzu daran erinnern, Schuhe anzuziehen.«

William hatte das Maori-Hauspersonal auf Kiward Station zwar nie als besonders unzivilisiert empfunden, nickte Heather jedoch aufmunternd zu. Vielleicht erzählte sie jetzt ja endlich, wie sie nach Blenheim gekommen war.

»Oh, ich hatte einfach Glück!«, erklärte sie, als der Tee schließlich vor ihnen stand und sie an einem der Küchlein knabberte. »Nachdem du kein Interesse gezeigt hattest, mit mir weiterzureisen«, sie warf ihm einen kalten Blick zu, und William senkte schuldbewusst die Augen, »habe ich mich von einer Kutsche aus Haldon nach Christchurch mitnehmen lassen. Ich wollte zurück nach London, aber das nächste Schiff fuhr erst ein paar Tage später, sodass ich mich erst mal im White Hart einmietete. Tja, und da traf ich Mr. Redcliff. Julian Redcliff. Er sprach mich im Frühstückszimmer an ... äußerst höflich, nachdem er mich durch die Wirtin um ein Gespräch hatte bitten lassen. Julian ist sehr darauf bedacht, dass alles korrekt abläuft.«

Wieder ein vielsagender Blick zu William, der sich bemühte, noch zerknirschter auszusehen. Zumal er die Botschaft »Im Gegensatz zu dir ist Mr. Redcliff ein Gentleman« durchaus verstanden hatte.

»Jedenfalls wollte er mich bitten, während der Überfahrt nach London ein Auge auf seine Töchter zu haben. Sie sollten allein reisen und in England ein Internat besuchen.« Heather spielte an ihrer Frisur herum, bis sich eine Haarsträhne löste und über ihr rechtes Ohr fiel.

Hübsch sah das aus. William wagte ein bewunderndes Lächeln.

»Die kleinen Mädchen?«, fragte er dann ungläubig.

»Das hat Mr. Redcliff ja auch das Herz gebrochen!«, erklärte Heather eifrig. »Aber seine Frau war kurz zuvor verstorben, und er arbeitet bei der Eisenbahn.«

»Vermutlich nicht an den Schienen ...«, bemerkte William und ließ den Blick durchs Zimmer schweifen.

Heather lächelte stolz. »Nein, bei der Bauleitung. Sie verbinden die Ostküste jetzt mit all den Bergwerksorten an der Westküste. Das ist ein Riesenprojekt, und Mr. Redcliff ist an verantwortlicher Stelle tätig. Er muss dabei leider sehr viel reisen ... absolut unmöglich, die Kinder allein großzuziehen.«

William schwante es. »Es sei denn, man hat eine vertrauenswürdige, wohl beleumundete Gouvernante.«

Heather nickte eifrig. »Er war entzückt, als er von meinen

Referenzen hörte, und ich war auch gleich ganz hingerissen von Annie und Lucie. Sie sind ...«

Sie sind ganz anders als Kura, vervollständigte William in Gedanken, sprach es diesmal aber nicht aus. Heathers Zuneigung zu ihren Stiefkindern war offensichtlich echt.

»Wir sind dann also nicht nach England gefahren, weder die Kinder noch ich. Stattdessen habe ich Mr. Redcliff hier den Haushalt geführt. Dabei sind wir einander auch gefühlsmäßig nähergekommen. Nach Ablauf des Trauerjahres haben wir geheiratet.« Heather strahlte William an, der ihr Lächeln erwiderte. Er dachte an Mr. Redcliff. Der leidenschaftlichste aller Männer konnte der jedenfalls kaum sein – wenn er seine Frau nach all der Zeit immer noch nicht dazu gebracht hatte, ihn mit dem Vornamen anzureden.

»Du bist mir also nicht mehr böse?«, fragte er schließlich. Dieses Haus gefiel ihm. Es war warm, die Bar bestimmt gut bestückt – und Heather war hübscher denn je. Vielleicht hatte sie Lust, ihre frühere Bekanntschaft aufzufrischen. William rückte ein bisschen näher an sie heran. Heathers Spiel mit ihrem aufgesteckten Haar löste die nächste Strähne.

»Warum sollte ich dir böse sein?«, bemerkte sie. Die kühlen Blicke, die sie ihm kurz zuvor noch zugeworfen hatte, schien sie bereits vergessen zu haben. »Im Nachhinein war es doch eine sehr glückliche Fügung. Wären wir zusammengeblieben, wo wäre ich dann? Die Frau eines Handelsvertreters ...« Es klang ein wenig verächtlich, aber William lächelte nur. War doch klar, dass sie mit ihrem neuen Reichtum prahlte. Jetzt war sie die Besitzerin des herrschaftlichen Hauses. Sein Rang war niedriger, mochte er noch so erfolgreich Nähmaschinen verkaufen. Wahrscheinlich würde er es niemals aus eigener Kraft zu einem solchen Anwesen bringen – selbst dann nicht, wenn er in der Hierarchie von Singer aufstieg.

Dafür hatte er andere Qualitäten. William legte eine Hand leicht auf Heathers und spielte mit ihren Fingern.

»Dafür wärest du aber als eine der ersten Frauen der Südinsel in den Besitz einer Nähmaschine gelangt«, scherzte er. »Das sind kleine Wunderwerke, und im Gegensatz zum Umgang mit Nadel und Faden bleiben deine Hände dabei so weich und zart, wie sie sind.« Er streichelte jeden Finger einzeln, wobei er mit sanfter Stimme aufzählte, wie viele Stiche eine moderne Singer der gepflegten Frauenhand ersparte, und ihr schließlich konkreter, aber schon mit etwas schwererem Atem erklärte, für welche wundervollen anderen Dinge man die ersparte Zeit nutzen konnte.

Am Ende kamen Heathers Köchin und ihr Hausmädchen zu einem unerwartet freien Abend, die Kinder zu einem mit einem winzigen Schuss Laudanum versetzten Schlaftrunk und William zu einer äußerst erquicklichen ersten Nacht auf der Südinsel. Heather erinnerte sich an alles, was er sie gelehrt hatte – und sie schien ausgehungert nach Liebe. Mr. Redcliff war zweifellos ein Gentleman, aber auch kalt wie ein Fisch.

»Dir obliegt doch auch der Kundendienst, nicht wahr?«, fragte Heather, als sie sich im Morgengrauen ein letztes Mal voneinander lösten. »Man kann sich an dich wenden, wenn etwas an diesen ... äh ... Nähmaschinen kaputtgeht?«

William nickte und streichelte ihren noch flachen Bauch. Ein weiteres Kind schien Mr. Redcliff noch nicht angelegt zu haben, doch Heather hatte ihm erzählt, dass sie es durchaus versuchten. Womöglich war man dem Ziel ja heute etwas nähergekommen ...

»Bei normalen Kunden komme ich dann bei der nächsten Gelegenheit vorbei«, wisperte William und tastete sich tiefer. »Aber bei besonderen Kunden ...«

Heather lächelte und bog sich seiner Hand entgegen.

»Ich brauchte natürlich noch eine ausführliche Einführung ...«

Williams Finger spielten mit ihrem weichen, blonden Schamhaar. »Einführungen sind meine Spezialität ...«

Heather benötigte zwei Nachmittage in seinem Hotelzimmer, bevor sie die Technik vollständig beherrschte. Danach unterschrieb sie den Kaufvertrag für eine Nähmaschine.

William sandte ihn triumphierend nach Wellington. Der Aufenthalt auf der Südinsel ließ sich hervorragend an.

7

Timothy Martyn lag seit fünf Monaten im Gipsbett. Er überstand die rasenden Schmerzen der ersten Monate und die bohrende Langeweile der letzten Wochen, die ihn rastlos und unleidlich werden ließ. In der Lambert-Mine lief nichts wirklich so, wie es sollte. Viele Chancen zur Erneuerung und Veränderung nach dem Unfall wurden bei den Instandsetzungsarbeiten nicht genutzt. Tim brannte darauf, sich wieder einzumischen. Aber wenn sein Vater sich überhaupt bei ihm blicken ließ, schien er sich vorher Mut antrinken zu müssen, blickte mit glasigen Augen durch seinen Sohn hindurch und beantwortete dessen Fragen nach der Mine mit Gemeinplätzen. Tim machte das rasend, doch er überstand auch die Ignoranz seines Vaters und das Gejammer seiner Mutter – und schaffte es überdies fast immer, zu lächeln, zu scherzen und Optimismus zu zeigen, wenn Lainie am Abend vorbeikam.

Berta Leroy bemerkte fasziniert, dass Tim seine schlechte Laune niemals an ihr ausließ – wie manchmal an anderen regelmäßigen Besuchern. Und wie schlecht es ihm in der ersten Zeit auch gehen mochte, wie verzweifelt er manchmal die Fingernägel in die Bettdecke schlug – um Lainies Hand legte er seine Finger stets so behutsam wie um ein ängstliches Vögelchen. Lainie selbst schien den ganzen Tag mit nichts anderem beschäftigt zu sein, als Geschichten zu sammeln, um Tim aufzumuntern. Sie lachte mit ihm und kommentierte den Dorfklatsch mit scharfen und treffenden Worten, las ihm vor und spielte mit ihm Schach. Es wunderte Tim, dass sie das Spiel beherrschte, doch die Geschichte über ihre Herkunft – Lainie pflegte zu behaupten, sie käme aus einem Arbeiterhaushalt in Auckland – glaubte er ohnehin nicht. Da reichten zwei Fragen nach wichtigen Aucklander Bauvorhaben. Das Mädchen hatte die Stadt offensichtlich nie gesehen.

Lainies tägliche Besuche hielten Tim aufrecht, doch während die Wochen sich in quälender Langsamkeit dahinzogen, wuchs seine Hoffnung auf den Tag, an dem er endlich von den Verbänden befreit würde. Als der Experte aus Christchurch das Datum schließlich festlegte und sein Erscheinen für Mitte Juli ankündigte, konnte Tim sich vor Freude kaum halten.

»Ich kann es gar nicht abwarten, dir endlich wieder auf Augenhöhe zu begegnen«, sagte er lachend, als Lainie am Nachmittag kam. »Es ist grässlich, zu allen Leuten hochblicken zu müssen!« Sie waren längst zu dem vertraulicheren Du übergegangen. Das konnte das Mädchen sich glücklicherweise abringen.

Elaine runzelte die Stirn. »Wenn du so klein wärst wie ich, hättest du dich längst daran gewöhnt«, neckte sie ihn. »Außerdem soll auch Napoleon ein ziemlich kleiner Kerl gewesen sein.«

»Immerhin konnte er auf einem Pferd sitzen! Was macht Fellow? Freut er sich auf mich?«

Elaine hatte Tims Wallach nach dem Unfall behalten. Niemand von den Lamberts hatte je nach dem Pferd gefragt, und so blieb der Grauschimmel einfach im Stall von Madame Clarisse. Die beschwerte sich nicht, solange Elaine für das Futter aufkam, aber das setzte der Getreidehändler auf Tims Geheiß ohnehin auf die Rechnung der Lamberts. Banshee war froh über die Gesellschaft, und Elaine ritt die Pferde abwechselnd. Tim freute sich über ihre täglichen Berichte. Schon das war die Mehrarbeit wert.

»Bestimmt«, meinte Elaine. »Aber glaubst du, dass du gleich wieder reiten kannst?«

Elaine wollte Tims Optimismus nur zu gern teilen, aber sie

hatte immer noch die schlechten Prognosen der beiden Ärzte im Ohr. Was war, wenn Tims Knochen doch nicht so gut verheilt waren, wie er hoffte? Wenn er doch nicht mehr gehen konnte oder allenfalls auf Krücken? Sie mochte Tim nicht an Dr. Leroys Befürchtungen erinnern, doch sie hegte ebenso viel Furcht wie Hoffnung, wenn sie an den Tag dachte, an dem die Gipsverbände entfernt werden sollten.

»Wenn ich nicht mehr reiten kann, bin ich tot!«, sagte Tim, und Elaine musste lachen. Sie kannte den Spruch von ihrer Großmutter Gwyn; nur zu gern hätte sie Tim von der unverwüstlichen alten Dame erzählt. Doch Vorsicht ließ sie innehalten. Es war besser, niemanden in ihre wahre Lebensgeschichte einzuweihen. Und dass ein Arbeiterkind aus Auckland keine Schafbaronin zur Großmutter haben konnte, wusste wohl auch der Dümmste.

»Es muss ja vielleicht nicht gleich am ersten Tag sein ...«, meinte sie vage.

Tim verbrachte die folgenden Wochen nur noch damit, Pläne für die Zeit nach seiner Befreiung zu machen, während Berta Leroy immer sauertöpfischer dreinschaute. Schließlich nahm sie Elaine am Tag vor dem Besuch des Spezialisten beiseite.

»Seien Sie morgen bloß hier, wenn sie die Verbände abnehmen. Er wird Sie brauchen«, meinte sie grimmig, mit fast drohendem Unterton.

Elaine blickte verwirrt zu ihr auf.

»Er will mich nicht dabeihaben«, sagte sie mit leichtem Bedauern. »Ich soll erst später kommen ...«

»Er glaubt, dass er Ihnen strahlend entgegengehen kann«, bemerkte Berta bitter und wies auf ein paar Krücken, die neben der Tür zu Tims Krankenzimmer lehnten. »Hier, die hat Matt vorhin vorbeigebracht. Der Tischler hat sie nach Bildern in entsprechenden Katalogen angefertigt. Weil Dr. Porter keine mitbringen wollte. Nellie Lambert hat Tim erzählt, sie wären zu sperrig für den Transport. Aber die konnte ja noch nie mit der Wahrheit umgehen ...«

»Mit welcher Wahrheit?« Elaine lief es eiskalt über den Rücken. »Es hieß doch, niemand könnte genau wissen, wie gut die Brüche verheilen. Und jetzt ... Tim ist sich so sicher, er hat seit Wochen keine Schmerzen mehr ...«

»Kindchen ...« Berta seufzte und schob Elaine sanft in Richtung ihrer Wohnräume hinter der Praxis. »Ich glaube, wir trinken erst mal einen Tee ... und dann versuche ich Ihnen begreiflich zu machen, was da auf ihn zukommt. Tim will es ja nicht hören, und Nellie ...«

Elaine folgte der Arztgattin beklommen. Sie hatte gewusst, dass es nicht so einfach sein würde, wie Tim hoffte. Aber das hier klang weitaus ernster als ihre Befürchtungen.

»Lainie«, begann Berta schließlich, als zwei dampfende Tassen vor ihnen standen, »selbst wenn Tim Recht hätte mit seinem Optimismus, was ich ihm von Herzen wünsche ...«

... aber nicht glaube, ergänzte Lainie im Stillen.

»... selbst wenn alles perfekt verheilt wäre, könnte er morgen trotzdem nicht gehen. Nicht morgen, nicht übermorgen und auch nicht in einer Woche oder einem Monat ...« Berta rührte in ihrem Tee.

»Aber mein Bruder konnte nach seinem Beinbruch gleich wieder laufen«, wandte Lainie ein. »Sicher, er hat ein bisschen gehumpelt, aber ...«

»Wie lange lag Ihr Bruder im Bett? Fünf Wochen? Sechs Wochen? Wahrscheinlich noch nicht mal, so ein Junge ist doch nicht im Haus zu halten. Lassen Sie mich raten. Er war nach drei Wochen mit zwei Krücken und auf einem Bein ganz vergnügt wieder unterwegs, stimmt's?«

Lainie lächelte. »Nach einer. Durfte meine Mutter bloß nicht wissen ...«

Berta nickte. »Da haben Sie 's. Meine Güte, Lainie, Sie können doch nicht so naiv sein. Dieses Pferd, von dem Sie ihm da dauernd erzählen. Sie trainieren es. Warum tun Sie das?«

Elaine blickte verwirrt. »Damit es seine Kondition nicht verliert. Wenn die Pferde nur herumstehen, bauen sie Muskeln ab.«

»Sehen Sie?«, meinte Berta zufrieden. »Und was meinen Sie, wie viele Muskeln der Gaul erst abbauen würde, wenn er fünf Monate nur herumläge!«

Lainie lachte. »Dann wäre er tot. Pferde können nicht so lange flach liegen ...« Plötzlich verstand sie, was Berta sagen wollte, und ihre Miene wurde ernst. »Sie meinen, Tim wird zu schwach sein, um sich zu bewegen?«

Berta nickte wieder. »Seine Muskeln sind verkümmert, seine Sehnen verkürzt, die Gelenke völlig unbeweglich. Bis das alles wieder in Ordnung kommt, dauert es. Und es geht nicht von selbst, Lainie. Gegen das, was Tim in den nächsten Monaten vor sich hat, wenn er wirklich wieder laufen lernen will, waren die letzten Wochen ein Zuckerschlecken. Er wird unglaublich viel Courage brauchen, und Kraft, und vielleicht auch jemanden, der ihm – Verzeihung, junge Dame – gelegentlich in den Hintern tritt. Am Anfang wird alles wehtun, und er wird um jeden Zoll kämpfen müssen, um den er ein Gelenk bewegen kann. An Arbeiten oder gar Reiten ist vorerst nicht zu denken. Und das wird ihm morgen schlagartig zu Bewusstsein kommen. Seien Sie bloß da, wenn das passiert, Lainie, seien Sie bloß da!« In Bertas Stimme lagen Besorgnis und äußerster Ernst.

»Aber er will doch gleich nach Hause«, meinte Lainie. »Ich ...«

»Auch wieder so eine Idee!«, schnaubte Berta. »Ich darf gar nicht daran denken, ihn in diesem Zustand Nellie auszuliefern! Die hat sich doch längst damit abgefunden, dass er ein Pflegefall bleibt, und es scheint ihr immer besser zu gefallen. Sie langweilt sich zu Tode in dem großen Haus. Wenn sie da jemanden hat, dem sie nach Belieben auf die Nerven gehen kann … sie wird aufblühen! Eine Pflegerin für die weniger angenehmen Arbeiten hat sie schon bestellt, die kommt morgen mit Dr. Porter. Ebenso ein Rollstuhl. Und sie hat jetzt schon angefangen, Tim ›Baby‹ zu nennen. Lainie, wenn wir Tim denen überlassen, liegt er in zwei Wochen nur noch herum und betäubt sich mit allem, was er kriegen kann! Morphium gebe ich ihm nicht mit, aber Laudanum hat Nellie in ausreichenden Mengen, und Männer bevorzugen ja sowieso meistens Whisky …«

»Aber was soll ich denn machen?«, fragte Elaine mutlos. »Ich kann natürlich zu den Lamberts reiten, aber …«

»Erst mal müssen Sie morgen da sein«, erklärte Berta. »Warten wir ab, was passiert.«

Elaine beobachtete vom Pub aus, wie die Kutsche mit dem Arzt aus Christchurch und dann eine Chaise mit Nellie Lambert und einer vierschrötigen jungen Frau in Schwesterntracht das kleine Hospital verließen. Dann lief sie hinüber. Berta Leroy erwartete sie im Vorraum. Die große, kräftige Frau schwankte zwischen lodernder Wut und abgrundtiefer Verzweiflung.

»Gehen Sie rein zu ihm, Lainie«, sagte sie tonlos. »Sie wollen ihn erst morgen holen. Sowohl Dr. Porter als auch mein Mann haben ihn heute erst mal für nicht transportfähig erklärt …«

»Ist es so schlecht verheilt?«, fragte Lainie leise.

Berta schüttelte den Kopf. »Ach was. Ganz gut sogar. Über die Hüfte ist Dr. Porter ganz begeistert, auch wenn sie natürlich leicht verschoben ist. Aber auch sonst findet er, dass Tim zu den schönsten Hoffnungen berechtigt ist. Wobei seine schönsten Hoffnungen in zwei Schritten an Krücken zwischen Rollstuhl und Bett bestehen. So drastisch hätte das nicht mal mein Christopher ausgedrückt. Tim ist natürlich am Boden zerstört. Mit Nellie hatten wir das übliche Heulkonzert … Gib ihm auf keinen Fall Morphium oder irgendwas anderes in die Hand, mit dem man sich etwas antun kann. Ich fürchte, er ist da zu allem entschlossen.«

Elaine kämpfte mit den Tränen, als sie die Tür zu Tims Zimmer öffnete. Doch sie griff entschlossen zu den Krücken und nahm sie mit hinein.

Im Zimmer musste sie erst einmal blinzeln. Tim lag im Halbdunkeln – wie so oft, wenn Nellie ihn verließ. Aber gewöhnlich pflegte er dann gleich nach Berta zu rufen und sie zu bitten, das Fenster wieder zu öffnen. Jetzt hätte er die Lampe auf dem Nachttisch allerdings auch selbst erreichen können. Er lag nicht wie sonst flach im Bett, sondern war in halb sitzender Lage auf Kissen gestützt. Er wandte jedoch nicht den Kopf, als Lainie eintrat. Stattdessen starrte er regungslos auf die Wand ihm gegenüber.

»Tim …« Elaine wollte sich spontan an sein Bett setzen; dann aber sah sie sein Gesicht und den altbekannten Ausdruck von Schmerz und mühsamer Beherrschung. Er würde jetzt keine Berührung ertragen.

»Tim …« Elaine stellte die Krücken neben das Bett und zog die Vorhänge auf. Tims Gesicht war totenblass und wirkte abwesend. Elaine lächelte ihm zu. »Das sieht doch schon ganz gut aus«, meinte sie freundlich. »Sieht fast aus wie Sitzen … womit du meine Augenhöhe mühelos erreichst, wenn ich mich ebenfalls hinsetze.«

Über Tims Züge ging ein schwaches Lächeln.

»Mehr wird es aber kaum werden«, sagte er leise. »Ich werde nie wieder gehen können.« Er wandte ihr jetzt immerhin das Gesicht zu.

Elaine strich ihm vorsichtig über die Stirn. »Tim, du bist jetzt müde und enttäuscht. Aber so schlimm ist es gar nicht. Miss Berta war ganz optimistisch … und schau, was ich dir mitgebracht habe!« Sie zeigte auf die Krücken. »Pass auf, in ein paar Wochen …«

»Ich schaffe das nicht, Lainie. Sagt mir doch einfach die Wahrheit!« Tim wollte wütend klingen, doch seine Stimme klang erstickt. Elaine sah Tränen in seinen Augen und erkannte jetzt auch, dass sie rot gerändert waren. Er musste geweint haben, als er allein war. Sie kämpfte gegen das Verlangen an, ihn wie ein Kind in den Arm zu nehmen. Aber so durfte sie nicht an ihn denken! Wenn jeder nur einen hoffnungslosen Krüppel in ihm sah …

»Die Wahrheit hängt ganz von dir allein ab!«, erklärte sie fest. »Es kommt darauf an, wie lange du übst, wie viel du aushältst … und du hältst eine Menge aus! Soll ich dir jetzt mal helfen, dich wieder hinzulegen? Du hast doch Schmerzen. Wieso haben sie dich überhaupt so liegen lassen?«

Tim gelang ein knappes Lächeln. »Ich hab sie rausgeworfen. Ich konnte es nicht mehr ertragen – worauf mich beide Doktoren für nicht zurechnungsfähig erklärten. Nur deshalb bin ich noch hier. Ansonsten hätten sie mich gleich in dieses Ding da gepackt …« Elaine erfasste lodernde Wut, als sie den Rollstuhl sah, den Mrs. Lambert und die Pflegerin in einer Ecke des Zimmers deponiert hatten. Ein voluminöses Ding, mit Kopfstütze und Blütenpolster. Elaine hätte so etwas für eine alte Dame ausgesucht, die nur noch von einem Zimmer zum anderen geschoben wird. Es selbst mit Hilfe der Arme zu bewegen, wie sie es gelegentlich bei Gelähmten auf den Straßen von Queenstown gesehen hatte, war fast unmöglich. Tim würde in dem Stuhl mehr in weichen Polstern liegen als sitzen.

»Mein Gott, gab es denn da kein anderes Modell?«, brach es aus ihr heraus.

Tim zuckte die Schultern. »Das hier entsprach offensichtlich ganz dem Geschmack meiner Mutter«, sagte er bitter. »Lainie, da komme ich nie mehr heraus! Aber vielleicht hilfst du mir jetzt wirklich. Wenn ich liege, brauche ich es wenigstens nicht mehr anzusehen.«

Elaine stützte seinen Kopf und versuchte, die Kissen so vorsichtig unter seinem Körper wegzuziehen, dass er langsam zurück in liegende Position kam. Das war allerdings nicht so einfach. Sein Oberkörper wog schwer, und schließlich schob sie ihren Arm unter seinem Kopf durch, bis er letztlich an ihrer Schulter ruhte. Sie fühlte seine Nähe so intensiv wie noch nie, und es war angenehm, ihn zu halten und seine Wärme zu spüren. Bevor sie ihn zurück auf das Kissen gleiten ließ, wandte sie ihm den Kopf zu und gab ihm einen schüchternen Kuss auf die Stirn.

»Du bist nicht allein«, flüsterte sie ihm zu. »Ich bin da. Ich kann dich genauso gut zu Hause besuchen wie hier. Schließlich habe ich immer noch zwei Pferde ...«

Tim lächelte mühsam.

»Du wirst ja richtig zudringlich, Lainie«, neckte er sie und löste sich erkennbar ungern aus ihrer Umarmung. »Was wird meine fabelhafte neue Pflegerin Elizabeth Toeburton dazu sagen?«

Elaine strich ihm über die Wange. »Hoffentlich nichts. Sonst werde ich eifersüchtig.«

Sie versuchte, seinen scherzhaften Tonfall nachzuahmen, obwohl ihr eher nach Weinen zumute war. Er wirkte so müde und hilflos und versuchte trotzdem, sie aufzumuntern. Sie hätte ihn gern noch einmal in die Arme genommen – und plötzlich konnte sie sich auch vorstellen, irgendwann von ihm umarmt zu werden.

Elaine holte tief Luft. »Oder willst du jetzt Miss Toeburton heiraten?«

Tim schaute zu ihr auf, und sein Gesicht wurde plötzlich ernst. »Lainie, soll das heißen ...? Du sagst das nicht aus Mitleid oder so? Ich verstehe dich jetzt doch nicht falsch? Und du nimmst morgen auch nichts zurück?«

Sie schüttelte den Kopf. »Ich werde dich heiraten, Timothy Lambert. Aber den da«, sie wies auf den Rollstuhl, »den heirate ich nicht! Also sieh zu, dass du ihn nicht allzu lange brauchst. Verstanden?«

Tims erschöpftes Gesicht leuchtete auf.

»Du weißt, was ich dir versprochen habe«, sagte er heiser. »Ich werde auf unserer Hochzeit tanzen! Aber jetzt will ich einen richtigen Kuss. Nicht auf die Stirn oder auf die Wange. Du musst mich auf den Mund küssen!«

Er sah ihr erwartungsvoll entgegen, doch Elaine zögerte. Plötzlich erinnerte sie sich wieder an Williams Küsse – verräterisch süß. Und an Thomas' gewaltsames Eindringen in ihren Mund und in ihren Körper. Tim sah die Angst in ihren Augen und wollte die Bitte schon zurücknehmen. Aber dann überwand sie sich und küsste ihn doch, zögernd und vorsichtig. Ihre Lippen streiften gerade eben die seinen, bevor sie sich scheu zurückzog und sich plötzlich fast panisch umsah.

»Callie?«

Verwirrt beobachtete Tim ihre Suche nach dem Hund, der sich gleich bei ihrem Eintreten unter sein Bett verzogen hatte. Berta Leroy sah das Tier nicht gern auf ihrer Krankenstation, was Callie zu verstehen schien. Sie ließ sich von den Leroys praktisch nie sehen, kam jetzt aber wedelnd hervor und drückte den Kopf gegen Tims herabhängende Hand. Aus irgendeinem Grund schien es Lainie zu beruhigen, dass er das Tier kurz kraulte, bevor er dem Mädchen die Hand entgegenhielt. Elaine kam wieder näher und schob ihre Finger vertrauensvoll in seine.

»Das wird alles noch besser, Lainie«, sagte er zärtlich. »Wir müssen das Tanzen und das Küssen einfach noch ein bisschen üben.«

Und während er sie hielt und in dem kleinen Stück Himmel vor seinem Fenster langsam die Sterne aufgehen sah, überlegte er, dass Lainies Weg zum Tanz auf ihrer Hochzeit vielleicht ebenso lang und hart war wie seiner.

Als Elaine am nächsten Tag gegen Mittag in der Arztpraxis vorbeischaute, fand sie Miss Berta nicht wie sonst üblich in der Ambulanz. Doch die Türen waren nicht verschlossen, und Elaine wusste, dass sie bei Tim willkommen war. Auf das Bild, das sich ihr in seinem Zimmer bot, war sie allerdings nicht vorbereitet. Tim war verschwunden, ebenso der Rollstuhl. Stattdessen lag Miss Berta auf dem Bett, von Kissen gestützt, und Roly O'Brien legte soeben ungeschickt den Arm um sie. Er ließ ihren Kopf auf seine Schulter gleiten, fasste nach ihrer Taille ...

Elaine starrte die alte Krankenschwester fassungslos an. Aber bevor sie die Tür entsetzt wieder schließen konnte, erblickte Berta sie und lachte schallend.

»Guter Gott, Lainie, es ist nicht, was Sie denken!«, kicherte sie. »Oh, Sie sollten Ihr Gesicht sehen, ich fasse es nicht. Haben Sie wirklich gedacht, ich gäbe mich hier mit einem Halbstarken unzüchtigen Handlungen hin?«

Elaine wurde glühend rot.

»Guten Tag, Miss Lainie«, grüßte Roly unbefangen. Ihm war offenbar weder die Zweideutigkeit noch die Komik der Situation aufgegangen.

»Ich kann Sie beruhigen, Kindchen. Das ist nur ein Krankenpflegekurs, für den sich kein Freiwilliger als Patient gefunden hat. Dabei brauchte mein Gatte heute Morgen gar nicht sooo dringend zu den Kellys hinaus, der wollte sich nur drücken! Aber er hat eine ähnliche Einstellung zu männlichen Krankenschwestern wie Nellie Lambert.«

»Vielleicht könnte ja Miss Lainie ...?«, erkundigte Roly sich hoffnungsvoll und warf einen begehrlichen Blick auf Elaines schlanken Körper.

Berta sprang auf. »Das könnte dir so passen! Und hinterher erzählst du im Pub, Miss Lainie hätte sich von dir betatschen lassen! Jetzt verzieh dich erst mal. Wir machen nachher weiter. In einer Stunde oder so, vielleicht ist mein Mann dann ja zurück und bewahrt uns vor solchen Überraschungen wie eben.« Sie kicherte wieder, und Elaine fiel auf, dass sie Berta lange nicht so vergnügt gesehen hatte. »Nicht auszudenken, wenn Mrs. Carey oder Mrs. Tanner uns so antreffen ... Und Sie kommen jetzt und trinken einen Tee mit mir, Lainie. Ich will wissen, was Sie mit Tim gemacht haben.«

Roly zog ab, und Miss Berta schob Elaine erneut in ihre Wohnräume. Vorher schloss sie die Praxis ab.

»Wer was will, kann klingeln. Und jetzt erzählen Sie! Wie haben Sie das geschafft?«

Elaine schwirrte der Kopf. »Männliche Krankenschwestern?«, fragte sie. »Für ... für Tim?«

Berta nickte und strahlte dabei wie ein Kind unter dem Weihnachtsbaum.

»Tim war heute wie ausgewechselt. Sie haben ihn gleich morgens abgeholt. Sie wollten ihn auf einer Trage befördern, aber er bestand darauf, dass sie ihn in dieses Monstrum von Stuhl setzen. Er sagte, er hätte sich hier nicht fünf Monate herumgequält, um dann genauso rausgetragen zu werden, wie er reingetragen worden ist. Tja, und dann hat er erst mal die Krankenschwester gefeuert ...«

Lainie lächelte. »Die fabelhafte Miss Toeburton?«

Berta lachte. »Genau die. Sie sagte so was wie ›Und jetzt legen wir ein schönes, weiches Kissen unter Ihre Hüfte, Mr. Tim‹, woraufhin er antwortete, er habe ihr nicht erlaubt, ihn beim Vornamen zu nennen. Seine schreckliche Mutter sah ihn dann an wie einen trotzigen Dreijährigen und sagte wörtlich: ›Nun sei aber artig, Baby!‹ Daraufhin ist er explodiert! Und ich sage Ihnen, ein Erdbeben ist nichts dagegen! Er hat Nellies Gejammer jetzt fünf Monate an sich abprallen lassen, aber das war zu viel. Man hat sein Gebrüll bis auf die Straße gehört, und ich hab jedes Wort genossen! Er schickte zuerst Miss Toeburton zum Teufel. Sie fährt gleich mit dem Christchurcher Experten wieder ab. Aber erst wird dieser Wunderdoktor Tim noch Beinschienen anpassen. Auch wenn er meint, das wäre zu früh oder überhaupt sinnlos. Doch mein Mann hat sich auf Tims Seite geschlagen. Wenn Dr. Porter ihm nicht die Schienen anlegt, hat er gesagt, würde er es selbst tun. Und Dr. Porter riskiert natürlich nicht, dass ein Dorfarzt wie Chris die Lorbeeren einheimst! Außerdem verlangte Tim einen männlichen Pfleger. Wenn es den nicht gäbe, müsste man eben jemanden ausbilden. Und genau das habe ich vorhin mit Roly getan. Und jetzt erzählen Sie, wie Sie das gemacht haben, Lainie! Ich brenne vor Neugier.«

Doch Elaine war immer noch mit dem männlichen Pfleger beschäftigt. »Wie sind Sie auf Roly gekommen?«

Berta verdrehte ungeduldig die Augen. »Mrs. O'Brien war gerade in der Praxis, als die Bombe platzte. Und wie gesagt, Tims Geschrei konnte man sich nicht entziehen, da mag man es noch so indiskret finden, zu lauschen. Jedenfalls kam Emma hinterher ganz schüchtern zu mir und fragte, ob wir es nicht mit ihrem Roly versuchen könnten. Der Junge will seit dem Unfall partout nicht mehr in eine Mine einfahren. Verstehen kann man's, aber das stellt die Familie natürlich vor ziemliche finanzielle Probleme. Der Vater tot, der älteste Sohn ohne richtigen Job ... Roly schlägt sich seitdem als Laufbursche durch, aber da verdient er ja fast nichts. Ihm würde es auch nichts ausmachen, wenn sie ihm den ›Krankenbruder‹ vorhalten. Nicht bei Timothy Lambert. Sie wissen ja, er vergöttert Tim ...«

Roly gehörte zu Tims treuesten Besuchern. Der Junge war fest davon überzeugt, ihm sein Leben zu verdanken. Er hätte alles für Tim getan.

»Jetzt sagen Sie schon, Lainie! Was war gestern zwischen

Ihnen und Tim? Sie sind ziemlich lange geblieben, nicht wahr? Ich musste dann ja mit Christopher weg …«

Dr. Leroy war zu einer schweren Geburt gerufen worden, und da fuhr Berta immer mit.

»Ich bin geblieben, bis er eingeschlafen ist«, sagte Elaine. »Aber das war gar nicht so lange, er war ja todmüde.«

»Mehr war da nicht?«, fragte Berta ungläubig. »Sie haben nur ein bisschen Händchen gehalten, und damit war alles wieder gut?«

Elaine lächelte. »Nicht ganz. Nebenbei haben wir uns … so ein bisschen … verlobt.«

8

»Sie müssen mir helfen, Kura! Sie sind die Einzige, die mir helfen kann!« Caleb Biller erschien an einem Donnerstag kurz vor Mitternacht im Wild Rover, viel später als gewöhnlich und völlig aufgewühlt. Er wirkte auch ungewöhnlich elegant gekleidet für einen Besuch im Pub. Sein grauer Dreiteiler passte eher zu einem förmlichen Abendessen. Und er konnte es kaum abwarten, bis Kura ihr Stück zu Ende gespielt hatte, bevor er sie ansprach, schaffte es aber immerhin, zwischendurch noch einen Whisky herunterzuschütten.

»Was ist denn los, Caleb?«, fragte Kura belustigt. Sie war inzwischen an Calebs mitunter seltsame Reaktionen auf mehr oder weniger läppische Probleme des Alltags gewöhnt, wie sie den jungen Mann in den letzten Monaten überhaupt näher kennen gelernt hatte. Seit dem Tanz des Jünglings im Maori-Dorf hatte sie jegliche Anstrengungen eingestellt, ihr Bedürfnis nach körperlicher Liebe von Caleb Biller stillen zu lassen. Für sie stand inzwischen fest, dass er die Neigungen einiger Mitglieder des Barrister-Ensembles teilte, sich also eher zum eigenen Geschlecht hingezogen fühlte. Kura registrierte dies völlig vorurteilsfrei, weil die behütet aufgewachsene Warden-Erbin nie mit Ressentiments über Homosexualität konfrontiert worden war. Sie hatte diese Eigenart menschlichen Glücksstrebens überhaupt erst unter den Künstlern kennen gelernt, und da nahm man sie als alltäglich hin. Kura verstand deshalb nicht, warum Caleb ein solches Geheimnis daraus machte, aber sie begriff inzwischen ihre Rolle im Hause Biller: Calebs Eltern waren sogar bereit, eine hergelaufene Barsängerin mit Maori-Ahnen zu akzeptieren, solange es nur ein Mädchen war.

»Sie wollen, dass ich mich verlobe!«, brach es aus Caleb heraus. Viel zu laut eigentlich, doch an einem Wochentag um diese Zeit war im Pub nichts los. Die Bergarbeiter waren bereits gegangen, und die paar letzten Zecher an der Bar hatten anscheinend genug mit eigenen Problemen zu tun. Nur Paddy Hollister schaute feixend hinüber, was Caleb allerdings gar nicht auffiel.

»Im Ernst, Kura, sie haben es natürlich nicht so gesagt, aber diese Anspielungen! Und das Mädchen ... wie es sich verhielt. So als wüsste sie genau, dass sie die künftige Mrs. Biller sein wird. Das ist alles abgesprochen, und ...«

»Langsam, Caleb. Welches Mädchen?« Kura wechselte einen Blick mit Paddy, der ihr damit wortlos zu verstehen gab, dass er keine Einwände erheben würde, wenn sie die Arbeit für heute einstellte. Stattdessen brachte er zwei Gläser für Kura und Caleb an einen abgelegenen Tisch.

»Sie heißt Florence ...« Caleb schüttete den zweiten Whisky herunter. »Florence Weber, von der Weber-Mine bei Westport. Und sie ist wirklich ganz hübsch, sehr gebildet ... man kann sich über alles mit ihr unterhalten, aber ...«

Kura nahm ebenfalls einen Schluck und vermerkte wohlgefällig, dass Paddy auch ihr Single Malt eingeschenkt hatte. Der Wirt meinte wohl, sie könnte es brauchen.

»Also noch mal, Caleb. Ihre Eltern haben heute ein Dinner gegeben, ja?« Das war unschwer an Calebs Kleidung abzulesen. »Für diese Familie Weber aus Westport. Und dabei hat man Ihnen das Mädchen vorgestellt ...«

»Vorgestellt? Sie haben sie präsentiert wie eine Debütantin. Sogar im weißen Kleidchen ... na ja, fast weiß, ein bisschen grün war auch dabei. So Applikationen am Ausschnitt, wissen Sie ...«

Kura verdrehte die Augen. Auch das war typisch für Caleb. Er würde es nie schaffen, sich auf das Wesentliche zu konzentrieren, sondern wurde immer wieder von Details in Anspruch genommen. Bei ihrer gemeinsamen Arbeit war das hilfreich – und vor allem die Maoris wussten es zu schätzen. In den letzten Monaten hatten Kura und Caleb häufiger Dörfer aufgesucht, um *haka* zu studieren, und Caleb konnte stundenlang mit irgendeinem *tohunga* in dessen Arbeit versinken und über die Stilisierung eines Farns in einer typischen Schnitzerei debattieren. Er hatte in Windeseile die Sprache der Maoris gelernt und merkte sich selbst ausgefallene Begriffe – fast eher als Allerweltsworte wie »Wasser« und »Dorf«. Besonders alltagstauglich machte Calebs Akribie ihn allerdings nicht, und in Situationen wie dieser konnte er seine Zuhörer zum Wahnsinn treiben.

»Kommen Sie zur Sache, Caleb!«, mahnte Kura.

»Jedenfalls ... sie wurden nicht müde, von den Minen zu erzählen, von Florence' und meiner, und von den gemeinsamen Vertriebswegen. Und sie taxierte mich dabei mit so einem milden Blick ... Nicht mal wie auf dem Pferdemarkt, eher als ob man mit einem lahmen Gaul schon gestraft wäre. Aber man macht halt das Beste draus.«

Kura musste lachen. »Sie sind aber doch sicher kein lahmer Gaul«, bemerkte sie dann.

»Nein, aber ein warmer Bruder, wie man so sagt«, flüsterte Caleb und ließ den Kopf tief übers Glas sinken. »Ich stehe nicht auf Mädchen ...«

Kura runzelte die Stirn. »Das nennt man ›warmer Bruder‹? Hab ich noch nie gehört. Aber sonst ist es nicht gerade eine Überraschung.«

Caleb blickte verwirrt auf. »Sie ... wussten es?« Sein langes Gesicht lief feuerrot an.

Kura musste lachen. Es war unfassbar, dass dieser Mann ihre Verführungsversuche nicht bemerkt hatte! Aber es brachte nichts, ihn jetzt damit zu necken. Also nickte sie nur und wartete, bis Calab nicht mehr nach Luft schnappte und sein Gesicht wieder eine halbwegs normale Farbe annahm.

»Wie gesagt, es ist mir nicht entgangen«, sagte sie schließlich. »Aber was stellen Sie sich denn jetzt vor? Soll ich ... ich meine, möchten Sie, dass ich das Bett mit Ihnen teile? Das funktioniert nicht, das kann ich Ihnen gleich sagen. Bernadette, eine der Tänzerinnen im Ensemble, war in Jimmy verliebt, aber der war ... so wie Sie. Bernadette hat alles versucht, hat sich schön gemacht, ihn angefasst, ihn betrunken gemacht. Aber es klappt nicht. Die einen sind eben so, die anderen so.«

Für Kura war das problemlos zu akzeptieren. Caleb bedachte sie wieder einmal mit schmachtenden Blicken, wenn auch leicht peinlich berührt.

»Ich würde Ihnen nie auf diese Weise zu nahetreten, Kura«, versicherte er ihr dann. »Allein das Ansinnen wäre unschicklich.«

Kura konnte sich das Kichern kaum verbeißen. Hoffentlich hörte Paddy Holloway nicht zu und verbreitete dieses Gespräch später im Pub.

»Es ist nur ... Kura, würden Sie sich mit mir verloben?«

Jetzt war es heraus. Caleb blickte sie erwartungsvoll an, doch das hoffnungsvolle Leuchten in seinen Augen erlosch, als er ihr Gesicht sah.

Kura seufzte. »Was soll das denn helfen, Caleb? Ich werde Sie nicht heiraten, ganz sicher nicht. Selbst wenn ich könnte ... ich meine, selbst wenn ich mich mit dem Gedanken anfreunden könnte zu heiraten. Dann will ich aber was davon haben. Für eine Josefsehe bin ich nicht geschaffen. Da fragen Sie besser diese Florence. *Pakeha*-Mädchen sind ja oft ziemlich ... prüde erzogen.«

»Aber die kenne ich doch gar nicht.« Caleb klang fast kindlich, und Kura wurde schlagartig klar, dass er sich vor der Weber-Erbin zu Tode fürchtete. »Und ich dachte ja auch gar nicht ans Heiraten. Nur ans ... hm ... Verloben. Oder so tun als ob. Bis mir was Besseres einfällt.«

Kura fragte sich, was Caleb dazu wohl noch einfallen sollte;

andererseits war er zweifellos hochintelligent. Vielleicht fand sich ja tatsächlich eine Lösung, wenn er sich erst mal beruhigte.

»Bitte, Kura«, sagte er, »kommen Sie wenigstens am Sonntagabend zum Dinner. Wenn ich Sie förmlich einlade, ist das doch so etwas wie ein Zeichen ...«

Kura sah es persönlich mehr als Kriegserklärung, doch eine Florence Weber machte ihr keine Angst. Wahrscheinlich suchte die Kleine sich allein schon bei ihrem Anblick das nächste Mauseloch. Kura wusste, wie eher durchschnittliche Mädchen auf sie reagierten, und sie würde mit Florence Weber genauso fertig werden wie mit Elaine O'Keefe.

»Also schön, Caleb. Aber wenn ich deine Verlobte spielen soll, musst du aufhören, mich ›Miss Kura‹ zu nennen. Sag einfach Du zu mir.«

Florence erwies sich allerdings als anderes Kaliber als Elaine. Dabei war sie alles andere als schön. Man brauchte schon Calebs freundliche Weltsicht und seinen mangelnden Sinn für weibliche Attraktivität, um das Mädchen auch nur als »hübsch« zu bezeichnen. Florence war klein und hatte jetzt noch ansprechende Formen, die aber spätestens nach dem ersten Kind der ausgesprochenen Rundlichkeit ihrer Mutter weichen würden. Die blassroten Sommersprossen in ihrem ovalen, etwas teigigen Gesicht wollten nicht so recht zu ihrem dicken braunen Haar passen. Die dunklen Locken wirkten ebenso unzähmbar wie Elaines Schopf, umtanzten ihre Züge aber nicht, sondern schienen ihr Gesicht eher zu erdrücken. Dazu war das Mädchen kurzsichtig – vielleicht einer der Gründe, weshalb Kuras Anblick sie nicht gleich vollständig demoralisierte.

»Also, Sie sind Calebs ... Freundin«, bemerkte Florence kurz, als sie Kura begrüßte. »Ich hörte, dass Sie singen.« Dabei betonte Florence die Worte »Freundin« und »singen«, als bezeichneten sie ein Höchstmaß an Unsittlichkeit. Dennoch schien sie der Umstand, dass Caleb mit Barsängerinnen herumzog, nicht zu schockieren. Kura kam zu dem Ergebnis, dass Florence Weber nicht so leicht zu schocken war.

»Florence hat natürlich auch ein paar Gesangsstunden gehabt!«, flötete Mrs. Biller. Während sie beim letzten Dinner noch Kuras Vorzüge herausgestrichen hatte, war sie jetzt offensichtlich wild entschlossen, die Weber-Erbin anzupreisen. »In England, nicht wahr, Florence?«

Florence nickte mit züchtig niedergeschlagenen Augen. »Aber nur zum Zeitvertreib«, sagte sie lächelnd. »Man kann eine Oper oder ein Kammerkonzert sehr viel mehr genießen, wenn man zumindest eine Ahnung davon hat, welch harte Arbeit und welch lange Studien in einer solchen Produktion stecken. Finden Sie nicht, Caleb?«

Caleb konnte da nur zustimmen.

»Sie haben Gesang aber auch nicht wirklich studiert, Miss Martyn?«

Kura blieb oberflächlich gelassen, ärgerte sich aber. Dieses Mädchen hatte keinen Funken Respekt oder gar Angst vor ihr. Und man konnte sie nicht einmal mit dem üblichen Ja oder Nein abspeisen. Florence schien den Trick zu kennen und stellte nur Fragen, die ganze Sätze oder möglichst längere Rechtfertigungen verlangten.

»Ich wurde privat unterrichtet«, erklärte Kura kurz.

Woraufhin Mrs. Biller, Mrs. Weber und Florence auf die nicht zu leugnenden Vorteile einer Internatserziehung hinwiesen.

Caleb lauschte mit Leidensmiene. Ihm hatte seine Internatserziehung in England immerhin zu einer frühzeitigen Erkenntnis seiner Veranlagung verholfen. Kura hatte er das an jenem Donnerstag im Pub noch gestanden, aber hier konnte er damit natürlich nicht argumentieren. Stattdessen bemühte er sich an diesem Abend derart um eine glaubwürdige schauspielerische Darstellung von Verliebtheit in Kura, dass es fast schon peinlich war. Ein Gentleman hätte seine Gefühle niemals so zur Schau gestellt, aber hier fehlte es dem sonst so feinsinnigen Caleb an jedem Sinn für das Passende. Kura überlegte, dass wohl jedes andere Mädchen schreiend davongelaufen wäre, hätte man ihr einen solchen Heiratskandidaten präsentiert. Florence Weber jedoch betrachtete die Darstellung mit stoischem Lächeln und offensichtlicher Gemütsruhe. Sie plauderte geziert über Musik und Kunst und schaffte es dabei mühelos, Caleb wie einen verliebten Kindskopf aussehen zu lassen und Kura wie Jezabel persönlich: »Ich verstehe, dass Sie die ›Carmen‹ besonders lieben, Miss Martyn. Sie geben ihr sicher ein sehr glaubwürdiges … Gesicht. Nein, ich denke nicht, dass Don José wirklich zu verdammen ist. Wenn die Sünde in einem so verführerischen Gewand daherkommt wie bei dieser Zigeunerin! Und immerhin kommt er am Ende über sie hinweg! Wenn auch mit … nun ja, ein wenig drastischen Mitteln …« Dabei lächelte sie, als wäre sie jederzeit bereit, Caleb den Dolch zu schärfen, damit er ihn Kura endlich zwischen die Rippen stieß.

Kura war schließlich froh, als sie entfliehen konnte, während Caleb der reizenden Florence weiter ausgeliefert blieb. Die Webers waren Hausgäste bei den Billers, während sie sich nach einem eigenen Domizil in Greymouth umsahen. Mr. Weber hatte Anteile an der neuen Eisenbahnlinie erworben und wollte geschäftliche Dinge regeln. Es war gut möglich, dass die Webers ein paar Wochen bei den Billers residieren würden, bevor sie nach Westport zurückkehrten, und in dieser Zeit hofften sie sicher auch, in Sachen Florence und Caleb ihr Schäfchen ins Trockene zu bringen.

Der junge Mann erschien dann am folgenden Montagabend niedergeschlagen im Pub, um Kura sein Leid zu klagen. Seine Mutter hatte ihm schon am Abend nach dem Dinner härteste Vorwürfe gemacht, während sein Vater die Sache subtiler anging. Er hatte ihn am Morgen in sein Kontor bestellt, um von Mann zu Mann ein paar ernste Worte mit ihm zu reden. »Junge, natürlich zieht diese Kura dich an. Sie ist zweifellos das schnuckeligste Ding, das man sich vorstellen kann. Aber wir müssen doch auch an unsere Zukunft denken. Mach dieser Florence ein oder zwei Kinder, dann ist sie beschäftigt, und du suchst dir eine hübsche Mätresse.«

Caleb wirkte daraufhin so verzweifelt, dass selbst Paddy ein Einsehen hatte und Kura gleich vom Klavier wegwinkte.

»Heitere den Knaben mal etwas auf, Mädchen, das ist ja nicht zum Ansehen ... aber dabei verkaufst du ihm gefälligst eine ganze Flasche Malt, verstanden? Sonst trägst du den Verdienstausfall!« Kura verdrehte die Augen. Paddy war wirklich ungemein feinfühlig. Dabei nahm er wahrscheinlich schon Wetten darauf an, ob und wann es dem Weichei Caleb Biller jemals gelingen würde, Florence Weber zu schwängern.

»Sie ist furchtbar«, murmelte Caleb und schien sich beim Gedanken an das Mädchen geradezu zu schütteln. »Sie wird mich gänzlich unter sich begraben ...«

»Das kann passieren«, meinte Kura trocken, wobei sie an Florence' zu erwartende Körperfülle dachte. »Aber du musst sie ja nicht heiraten. Keiner kann dich zwingen. Pass auf, Caleb, ich hab nachgedacht.«

Das hatte sie tatsächlich, und sie hatte dabei zum ersten Mal im Leben die Probleme anderer Leute gewälzt! Kura konnte das selbst kaum fassen; andererseits kam das Ergebnis ihrer Bemühungen auch ihr selbst zugute. Nun schenkte sie Caleb ein großes Glas Whisky ein und breitete ihre Überlegungen vor ihm aus.

»Du könntest hier in Greymouth nie und nimmer mit einem anderen Mann zusammenleben«, erklärte sie. »Die Leute würden über dich reden, und deine Eltern würden dir eine Florence Weber nach der anderen ins Haus schleppen. Irgendwann wärst du mürbe, Caleb. Das geht nicht. Also bliebe dir nur ein Leben als Junggeselle. Aber du bist ein Künstler. Du spielst sehr gut Klavier, du komponierst, arrangierst. Und es besteht kein Grund dafür, dass du deine Begabungen nur an die Öffentlichkeit bringst, nachdem du dich im Pub betrunken hast.«

»Ich bitte dich, Kura! Hast du mich jemals betrunken gesehen?« Caleb sah sie indigniert an, schenkte sich dann aber den dritten Whisky ein.

»Na ja, nicht betrunken, aber angesäuselt«, entgegnete Kura. »Ein Künstler braucht allerdings den Mut, sich auch ganz ohne Whisky ans Klavier zu setzen. Worauf ich hinauswill ... Wir könnten einen Vortragsabend zusammenstellen, Caleb. Du arrangierst ein paar *haka* sowie Lieder, die wir gesammelt haben, für Klavier und Gesang. Oder für zwei Klaviere mit Gesangsbegleitung oder für zweihändiges Spiel. Je mehr Stimmen, desto besser kommt es an. Wir erproben das Programm hier und in Westport, und dann gehen wir auf Tournee. Erst auf der Südinsel, dann auf der Nordinsel. Dann geht es nach Australien, nach England ...«

»England?« Caleb blickte hoffnungsvoll. Er träumte wohl nach wie vor von seinen Freunden im Internat. »Du meinst, wir könnten so viel Erfolg haben?«

»Warum nicht?«, entgegnete Kura selbstbewusst. »Mir gefallen deine Arrangements, und es heißt doch, die Londoner mögen es exotisch. Einen Versuch ist es allemal wert. Du musst dich nur trauen, Caleb. Dein Vater ...«

Caleb kaute auf der Unterlippe. »Mein Vater wird nicht begeistert sein. Aber zuerst könnten wir ja im Rahmen von Wohltätigkeitsveranstaltungen auftreten. Meine Mutter ist da engagiert, und Mrs. Weber ...«

Kura lächelte sardonisch. »Vor allem *Miss* Weber wird zweifellos entzückt sein. Also, machen wir's? Wenn du willst, können wir jeden Abend üben. Nachdem die Mine geschlossen hat, und bevor der Pub öffnet.«

Wie erwartet machte Florence Weber gute Miene zum bösen Spiel und tat, als begeistere sie sich regelrecht für die Musik der Maoris. Die Webers hatten inzwischen glücklicherweise ein Haus in Greymouth gemietet, und Florence und ihre Mutter verbrachten ihre Zeit schwerpunktmäßig mit dessen Einrichtung. Mrs. Biller schwärmte Caleb täglich vor, wie viel Geschmack und Geschick Florence dabei entwickele, während Florence ihn spielerisch um Rat fragte, wenn es um Tapetenfarben oder Sesselbezüge ging.

Kura registrierte belustigt, dass ihm das sogar Spaß machte. Caleb war ein Schöngeist; er konnte jeder auch nur entfernt künstlerischen Tätigkeit etwas abgewinnen, wenngleich sein Hauptinteresse der Musik galt. Florence dagegen studierte mit ernstem Gesicht Calebs Partituren, obwohl zumindest Kura bezweifelte, dass das Mädchen sie lesen konnte. Miss Weber war eine eher praktische Natur und machte sich denn auch bald zur Gewohnheit, Caleb zu seinen Übungsstunden mit Kura zu begleiten. Das fachte natürlich den Dorfklatsch an, und Caleb ging durch die Hölle. Kura betrachtete es eher gelassen. Ihr neuer Partner musste sich sowieso daran gewöhnen, vor Publikum zu spielen. Da konnte er auch gleich mit der schwersten Prüfung anfangen. Und das war Florence Weber zweifellos. Sie kritisierte hemmungslos und traf dabei sogar oft den Punkt. Kura nahm viele ihrer Anregungen an, auch wenn die Kritik weniger konstruktiv als böswillig gemeint war.

»Müssten Sie dieses Lied nicht durch ein paar ... wie soll ich es ausdrücken ... sprechende Gesten begleiten?«, erkundigte sie sich nach dem Liebeslied von Kuras Gespielen bei den Pancake Rocks. Es war inzwischen sowohl zu Kuras als auch Calebs Lieblingsstück avanciert. Calebs Arrangements klangen kunstvoll und verspielt und standen damit in krassem Gegensatz zu den sehr eindeutigen Worten. Caleb verstand sie inzwischen, hätte sie Florence aber selbstverständlich nie übersetzt. Doch Kuras Stimme hatte Ausdruck, und Calebs mal aufpeitschende, mal fragend umschmeichelnde Läufe brachten Florence ganz von selbst auf die richtige Spur. Caleb errötete zutiefst, als sie mit harmloser Miene ihre Frage stellte, doch Kura lächelte nur, sang das Lied noch einmal und ließ die Hüften dabei so aufreizend schwingen und stoßen, dass Paddy Holloway fast die Augen aus dem Kopf fielen, und Florence Weber erst recht.

»Beim Reverend halte ich mich natürlich ein bisschen zurück«, sagte Kura anschließend, als Florence ausnahmsweise mit hochrotem Kopf verschwunden war. Inzwischen war ihr erstes Konzert in Greymouth anberaumt. Sie würden beim Kirchenpicknick ihr Programm vortragen; die Einnahmen kamen erneut den Angehörigen der Unglücksopfer aus der Lambert-Mine zugute. Außerdem war, dank Mrs. Billers Vermittlung, eine Aufführung in einem der Hotels am Kai geplant. Kura freute sich auf diese Auftritte; Caleb dagegen starb fast vor Nervosität.

»Nun stell dich nicht so an, du Künstler!«, neckte Kura ihn schließlich. »Denk lieber an den wunderschönen Körper von unserem Maori-Freund und wie nett es wäre, wenn er jetzt hier sein und zu deinem Lied tanzen könnte. Aber fang dabei nicht an, mit den Hüften zu stoßen, sonst kippst du das Klavier um!«

William Martyn ließ die größeren Orte an der Westküste erst einmal links liegen. Er ging davon aus, dass Latimer dort bereits jeder auch nur halbwegs interessierten und zahlungsfähigen Frau eine Nähmaschine verkauft hatte. Blieben also nur die Bergarbeiterfrauen, und bei denen war vermutlich nichts zu holen. Stattdessen konzentrierte William sich auf Einzelansiedlungen und hatte unerwartete Erfolge in Maori-Dörfern. Gwyneira McKenzie hatte ihm einmal gesagt, dass die Eingeborenen auf Neuseeland sich ungewöhnlich schnell den Sitten der *pakeha* anpassten. Schon jetzt trugen fast alle Maoris westliche Kleidung; warum sollten die Frauen also nicht lernen, diese Sachen selbst zu nähen? Natürlich war auch hier das Geld ein Problem. Es würde kaum möglich sein, den Maoris das System der Ratenzahlung nahezubringen. Allerdings waren die Stämme zum Teil durch Landverkauf zu Geld gekommen, das dann meist der Häuptling verwaltete.

William entwickelte rasch ein System, den Stammesführern klarzumachen, dass sie in der Gunst der Damen im Stamm blitzartig aufsteigen und obendrein den Respekt der *pakeha* erwerben könnten, indem sie sich den Segnungen der modernen Welt nicht weiter verschlössen. Wenn er hier seine Singer vorführte, stand meist der ganze Stamm wie gebannt um ihn herum und betrachtete die rasch genähten Kinderkleidchen mit großen Augen, als hätte William sie aus der Luft gezaubert. Die Frauen erlernten den Umgang mit der Maschine schnell, und sie konnten sich wie Kinder daran begeistern. Womit die Singer natürlich sofort zum Statussymbol avancierte. Es war selten, dass William einen Stamm ohne Vertragsabschluss verließ; obendrein waren die Maoris gastfreundlich und aufgeschlossen. Verpflegungs- und Übernachtungskosten fielen nicht an. William verfluchte nur manchmal seine schlechten Sprachkenntnisse. Er hätte sich sonst leichter nach Kura erkundigen und die Spur wieder aufnehmen können, die bei Gwyneiras letzter Suche bei den Maoris von Blenheim geendet hatte. Nun ging das natürlich auch auf Englisch. Die meisten Maoris sprachen die Sprache der *pakeha* zumindest gebrochen und verstanden fast alles. Aber William hatte oft den Eindruck, dass die Leute ihm nicht alles erzählten oder sogar misstrauisch wurden, wenn ein Fremder sich nach einer Angehörigen ihres Stammes erkundigte.

Besonders auffällig war dies bei einem Stamm zwischen Greymouth und Westport. Die Leute zogen sich praktisch sofort zurück, als William in seinem schlechten Maori nach einem Mädchen fragte, das seinem *pakeha*-Mann weggelaufen sei und nun Musik mache. Während andere Stämme laut lachten, sobald er Kuras Flucht aus der Ehe erwähnte, wurden diese Leute nervös und schweigsam. Erst die Häuptlingsfrau klärte die Sache.

»Er will nichts von dem flammenhaarigen Mädchen, er fragt nach der *tohunga*«, erklärte sie ihrem Stamm. »Du suchen Kura? Kura-maro-tini? Ist sie weggelaufen diese Mann, der nicht mag …«

Die Leute lachten dröhnend über ihre erklärende Geste; nur William schaute verwirrt und ein wenig beleidigt.

»Hat sie das gesagt?«, erkundigte er sich. »Aber wir …«

»Sie war hier. Mit große blonde Mann. Sehr klug, macht auch Musik, auch *tohunga*. Aber schüchtern!«

Die anderen kicherten wieder, mochten sonst aber offensichtlich nichts über Kuras Besuch preisgeben. William machte sich da seine eigenen Gedanken. Kura war also wieder mit einem Mann zusammen! Allerdings nicht mit Roderick Barrister; den hatte sie ebenso schnell ersetzt, wie sie ihn, William, der Opernbühne wegen verlassen hatte. Und jetzt also ein schüchterner blonder Musiker …

Williams Bedürfnis, seine Frau wiederzufinden – und ihr gründlich den Kopf zu waschen, bevor er sie in die Arme schloss und von seinen eigenen, unbestreitbaren Vorteilen überzeugte –, wuchs mit jedem Tag.

9

Elaine machte sich Sorgen um Tim, der bei jedem ihrer Besuche hagerer, verbissener und erschöpfter wirkte. Die Lachfältchen um seinen Mund waren in den letzten Wochen jenen tiefen Furchen gewichen, die bei vielen Bergleuten von ständiger Überanstrengung und Müdigkeit zeugten. Natürlich freute er sich nach wie vor, Lainie zu sehen, aber es fiel ihm doch schwerer als früher, mit ihr zu lachen und zu scherzen. Nun mochte das auch an einer gewissen Entfremdung liegen – die alte Vertrautheit zwischen beiden schwand mit jedem Tag, an dem sie einander nicht sahen. Und diese Tage häuften sich, was jedoch nicht daran lag, dass Lainie es nicht versuchte. Die Entfernung war kein Problem; das Haus der Lamberts lag gerade mal zwei Meilen vom Stadtzentrum entfernt, und Banshee und Fellow trabten diese Strecke in zwanzig Minuten. Dann aber musste Elaine an Nellie Lambert vorbei, und das war eine weit schwierigere Hürde.

Manchmal öffnete Nellie erst gar nicht, wenn Elaine den schweren, kupfernen Türklopfer betätigte. Roly und Tim schienen es nicht zu hören; das Geräusch erreichte nur die Empfangszimmer, allenfalls noch den Salon. Eigentlich sollte sich hier immer ein Hausmädchen oder Nellie selbst aufhalten, doch Elaine nahm an, dass man sie schlichtweg nicht hören wollte. Und auch sonst fand Nellie tausend Entschuldigungen dafür, die »Freundin« ihres Sohnes – das Wort »Verlobte« brachte sie nicht über die Lippen, obwohl Timothy aus seinen Heiratsabsichten keinen Hehl machte – von ihm fernzuhalten: Timothy schlief, Timothy fühlte sich nicht wohl, Timothy wurde von Roly spazieren gefahren, und sie habe keine Ahnung, wann die beiden zurückkämen. Einmal erschreckte sie Lainie beinahe zu Tode, als sie erklärte, Tim läge mit schwerem Husten im Bett und könne sie nicht empfangen. Elaine jagte daraufhin zurück in die Stadt und schüttete Berta Leroy in Panik ihr Herz aus.

Die konnte Elaines Befürchtungen allerdings zerstreuen.

»Ach was, Lainie, Ihr Tim kriegt nicht schneller eine Lungenentzündung als Sie und ich. Er war zwar gefährdeter, solange er im Bett lag, aber nach dem, was ich höre, bewegt er sich heute ja mehr als wir alle zusammen. Wir werden es auch gleich aus erster Hand erfahren: Christopher ist eben bei den Lamberts. Den hat Nellie auch verrückt gemacht. Angeblich hatte Tim Schmerzen beim Husten, da muss Christopher natürlich nachsehen. Hoffentlich holt er sich dabei nicht selbst den Tod, bei diesem Regen ...«

Tatsächlich stürmte es draußen heftig, und auch Elaine war nach ihrem schnellen Ritt völlig durchnässt. Berta rubbelte ihr Haar trocken und wies ihr einen Platz am Kamin an, während sie Tee kochte. Trotzdem zitterte Elaine immer noch, als Dr. Leroy schließlich wutentbrannt zurückkam.

»Dafür berechne ich der Dame das doppelte Honorar, Berta, das kann ich dir flüstern!«, polterte er und gab einen Schuss Brandy in seinen Tee. »Vier Meilen durch den Sturm wegen einer kleinen Erkältung!«

»Aber ...« Elaine wollte etwas einwenden, doch Dr. Leroy schüttelte nur den Kopf.

»Wenn dem Jungen beim Husten alles wehtut, liegt es daran, dass seine Muskeln infolge dieses überzogenen Trainingsprogramms völlig verspannt sind. Als ich da ankam, stemmte er gerade Gewichte ...«

»Wozu das denn?«, fragte Elaine. »Ich denke, er will laufen lernen.«

»Wissen Sie, was allein die Beinschienen wiegen, die er bei jedem Schritt stemmen muss?« Dr. Leroy nahm sich einen weiteren Tee und gab auch einen Schuss Brandy in Elaines Tasse. »Im Ernst, Mädchen, ich habe noch nie einen Mensch so hart und diszipliniert arbeiten sehen wie Timothy Lambert. Inzwischen habe ich kaum noch Zweifel, dass er Sie tatsächlich auf eigenen Beinen zum Traualtar führt. Was er mir heute gezeigt hat, trotz Husten und Schnupfen – Respekt! Ich hab ihn jetzt trotzdem zwei Tage ins Bett geschickt, damit er die Erkältung und den ärgsten Muskelkater auskuriert. Aber ob er sich daran hält? Immerhin hab ich ihm angekündigt, Sie kämen das morgen kontrollieren. Im Beisein des Drachens, der sich seine Mutter nennt – sie kann Sie also kaum abweisen!«

Am liebsten hätte es Nellie Lambert gesehen, wenn Lainie nur bei besonderen Gelegenheiten und auf ihre persönliche Einladung hin ins Haus der Lamberts gekommen wäre. Ungefähr alle zwei Wochen empfing sie das Mädchen zum Tee – entsetzlich steife Veranstaltungen, die Lainie hasste. Auch deshalb, weil die Lamberts sie dabei natürlich ausfragten. Nach ihrer angeblichen Kindheit in Auckland, nach ihren Verwandten, ihrer Herkunft in England – Elaine verstrickte sich mehr und mehr in ein Lügengebäude, dessen Einzelheiten sie immer wieder vergaß. Dann musste sie improvisieren und wand sich dabei nicht nur unter Mrs. Lamberts ungnädigen Blicken, sondern auch unter Tims belustigtem Augenzwinkern.

Tim durchschaute ihre Schwindeleien, und Elaine fürchtete, dass er diese als mangelndes Vertrauen zu ihm deutete. Sie rechnete ständig damit, dass er sie darauf ansprach, und war deshalb auch nervös und verspannt, wenn sie mal mit ihm allein war. Tim seinerseits hasste es, Lainie im Rollstuhl gegenüberzusitzen oder sich gar von ihr schieben zu lassen. Sein Hanteltraining trug deutlich Früchte; er schaffte es inzwischen sogar, das Monstrum von einem Stuhl ein paar

Meter zu bewegen. Aber Drehungen und selbst das schlichte Manövrieren um Möbelstücke herum waren Schwerstarbeit. Dazu hasste Tim es, sich jedem Betrachter sofort als »Krüppel« zu präsentieren. Wenn Elaine ihn in seinen eigenen Räumen besuchte, half Roly ihm meist einfach in einen normalen Sessel. Aber die Stühle um den Esstisch im Salon waren unbequem, Sessel und Sofas zu niedrig. Tim fügte sich also in den Krankenstuhl, nervös und angespannt. Eine normale Unterhaltung kam dabei nicht zustande. Manchmal weinte Elaine anschließend enttäuscht und hilflos in Banshees oder Fellows Mähne, während Tim seine Wut an den Hanteln und Gehhilfen in seinem Zimmer ausließ und noch verbissener trainierte.

Beiden graute es deshalb auch schon vor dem festlichen Weihnachtsessen, zu dem Mrs. Lambert förmlich geladen hatte.

»Eine kleine Gesellschaft, Miss Lainie. Ich hoffe, Sie haben etwas Passendes anzuziehen ...«

Elaine geriet sofort in Panik, denn natürlich hatte sie keine Abendgarderobe. Die Einladung war auch sehr spät erfolgt. Sie hätte sich nichts mehr schneidern lassen können, selbst wenn ihr Geld dafür gereicht hätte.

Verzweifelt probierte sie ein Kleid nach dem anderen an, und schließlich fand Charlene sie in Tränen.

»Alle werden mich schief angucken«, jammerte Elaine. »Nellie Lambert will der ganzen Welt demonstrieren, dass ich nur ein Barmädchen ohne Umgangsformen bin. Es wird schrecklich!«

»Mach dich nicht verrückt«, tröstete Charlene. »Es ist doch nicht mal eine Abendeinladung, nur ein Lunch. Außerdem wird kaum alle Welt da sein. Mich zum Beispiel hat sie nicht eingeladen.«

Elaine hob den Kopf. »Warum sollte sie dich ...«

»Als Mr. Matthew Gawains offizielle Verlobte!« Charlene strahlte sie an und drehte sich stolz vor dem Spiegel. »Schau mich an, Lainie Keefer, hier steht eine ehrbare junge Dame. Mit Madame Clarisse ist es schon besprochen: Ab heute bediene ich zwar noch im Pub, aber die Kerle nehme ich nicht mehr mit hinauf! Ich fürchte, Matt zahlt etwas dafür, aber ich will's gar nicht wissen. Im Januar jedenfalls wird geheiratet! Na, ist das eine Überraschung?«

Elaine vergaß ihre Sorgen und umarmte die Freundin.

»Ich dachte, du wolltest gar nicht heiraten«, neckte sie das Mädchen.

Charlene ordnete ihr dunkles Haar und wand es schon mal probeweise zu einem strengen Knoten, wie Berta Leroy ihn trug.

»Ich wollte nicht um jeden Preis ehrbar werden. Aber Matt ist Steiger. Er wird sich irgendwann mit Tim die Leitung der Mine teilen, das haben die zwei schon abgesprochen. Also erwartet mich kein armseliges Leben in einer Kate mit zehn Kindern am Rockzipfel, sondern ein richtiger Aufstieg. Wart's ab, Lainie, in ein paar Jahren stehen wir zwei den Wohltätigkeitsbasaren in der Kirche vor! Außerdem liebe ich Matt – und das hat ja schon andere Leute dazu gebracht, ihre Meinung zu ändern, stimmt's, Lainie?«

Elaine lachte und wurde rot.

»Bis jetzt kann die alte Lambert sich aber noch nicht mit meinem Anblick anfreunden«, führte Charlene aus und musterte Elaines Kollektion an Kleidern. »Deshalb ist jetzt auch Matt in Acht und Bann und darf nicht mitfeiern. Tut ihm richtig leid …« Sie grinste. »Hier, das ziehst du an!« Sie hielt das hellblaue Sommerkleid hoch, das Madame Clarisse bei Lainies Einzug für sie hatte schneidern lassen. »Und dazu meinen neuen Schmuck. Hier, schau mal, Matts Verlobungsgeschenk!« Charlene hielt ihr stolz ein Schmuckkästchen hin, das ein fein ziseliertes Silberhalsband mit Lapislazuli-Steinen enthielt. »Du wärst zwar für mich mehr der Aquamarin-Typ, aber schrecklich züchtig wirkt das allemal. Auch wenn der

Ausschnitt vielleicht ein bisschen zu tief ist. Aber es ist Sommer, was soll's!«

Elaine klopfte das Herz bis zum Hals, und sie senkte die Augen vor Scham, als sie Mr. und Mrs. Lambert am 25. Dezember die Hand reichte und Frohe Weihnachten wünschte. Entsprechend kühl und reserviert fiel auch ihr Kuss für Tim aus, der unglücklich in seinem Rollstuhl saß. Er schwitzte jetzt schon in seinem dreiteiligen Anzug, den die Etikette offenbar trotz hochsommerlicher Temperaturen für diesen Anlass vorschrieb. Obendrein bestand seine Mutter darauf, seine Beine mit einem karierten Plaid zu verdecken – als wären sie irgendetwas Anstößiges, das den Augen der Besucher entzogen werden musste.

Elaine hätte Tim gern getröstet und ihm mit irgendeiner vertraulichen Geste bewiesen, dass er nicht allein war. Aber sie war wieder einmal wie erstarrt – erst recht, als sie dann auch noch den anderen Gästen gegenübertrat. Marvin und Nellie Lambert hatten die Webers eingeladen, außerdem die Billers, da die beiden Familien nun einmal befreundet waren und es sich deshalb kaum vermeiden ließ. Letzteres behagte offensichtlich weder Marvin Lambert noch Josuah Biller. Beide hatten sich daher schon ein wenig Mut angetrunken, und ihre Frauen würden den ganzen Tag damit verbringen, sie vorsichtig aneinander vorbeizulavieren, damit es nicht wegen einer Nichtigkeit zum Streit kam.

Die Webers dagegen wirkten beherrscht und distinguiert. Allerdings schauten Frau und Tochter gleichermaßen irritiert auf Lainies etwas unpassendes Kleid. Schließlich tuschelten sie mit Mrs. Biller, was weitere ungnädige Blicke zur Folge hatte. Elaines Aufzug war allerdings in dem Moment vergessen, in dem Caleb Biller für einen echten Eklat sorgte. Mrs. Lambert hatte ihm Florence Weber als Tischdame zugedacht, doch er erschien mit seiner angeblichen »Verlobten« Kuramaro-tini Martyn.

Elaine verschluckte sich beinahe an dem Champagner, den das Hausmädchen ihr eben serviert hatte.

»Halt bloß den Mund!«, zischte Kura, als man sie ihr förmlich vorstellte und die beiden Cousinen einen wenig innigen Händedruck tauschten. »Wenn du darauf bestehst, kann ich dir das alles irgendwann erklären, aber heute musst du mitspielen. Ich sitze sowieso schon auf einem Pulverfass!«

Lainie erfasste auch gleich, wer die Lunte hielt. Die Eiseskälte zwischen Kura und Florence Weber war nicht zu übersehen – wobei Florence ihre Abneigung auch gleich auf Elaine ausdehnte. Da beide Mädchen Barpianistinnen waren, ging sie automatisch von einer Freundschaft zwischen ihnen aus, und Kuras Freundin war ihre natürliche Feindin. Dabei kamen die Angriffe für Lainie völlig unerwartet. Sie war nahe daran, sich wieder hinter ihrem Haar zu verstecken, zu erröten und in ihre alte Starre zu fallen, aber dann schaute sie in Kuras verärgertes Gesicht und erinnerte sich an andere Strategien.

»Sie haben also auch Opernambitionen, Miss Lainie?«, fragte Florence zuckersüß.

»Nein«, antwortete Lainie.

»Aber Sie werden doch ebenfalls dafür bezahlt, dass Sie Klavier spielen! Und ist das Lucky Horse nicht obendrein … wie soll ich sagen? Ein ›Hotel‹?«

»Ja«, bestätigte Lainie.

»Ich war noch nie in einem solchen Etablissement. Aber …« Florence warf einen verschämten Seitenblick auf ihre Mutter, als wolle sie sich vergewissern, dass die nicht hinhörte. »Man ist selbstverständlich neugierig! Werden die Männer sehr zudringlich? Ich weiß natürlich, dass Sie selbst niemals … aber …«

»Nein«, sagte Lainie.

Kura blickte sie über den Tisch hinweg an, und plötzlich mussten beide Mädchen sich das Lachen verbeißen. Elaine konnte es kaum glauben, aber sie empfand so etwas wie Komplizenschaft mit ihrer ältesten Feindin.

Auch unter den anderen Gästen lief das Gespräch eher mühsam an. Mr. Weber fragte Marvin nach dem Wiederaufbau der Mine nach dem Unfall – und als Tim antwortete, starrte er ihn an, als überrasche es ihn, dass Lamberts invalider Sohn noch sprechen konnte. Marvin Lambert selbst vermochte das nach etlichen Gläsern Whisky, Champagner und Wein nicht mehr, woraufhin Nellie, Mrs. Biller und Mrs. Weber die Unterhaltung an sich zogen. Die Damen sprachen über Einrichtungsideen und englische Möbel – und schauten Caleb an wie eine Monstrosität, als der sich harmlos einmischte. Ein Mann, der das Wort »Tapete« kannte, gehörte wohl ebenso ins Kuriositätenkabinett wie ein Bergbauingenieur im Rollstuhl. Elaine hatte Mitleid mit Tim, dessen Miene Überdruss und Erschöpfung ausdrückte. Kura hingegen amüsierte sich über Caleb. Er wirkte wie ein gescholtenes Kind.

Und über all dem stand Florence Weber und plauderte mit demselben Gleichmut über Lampenschirme, die neue Technik der Elektrizität, die italienische Oper und die Effizienz von Belüftungsschächten in Kohlebergwerken. Letzteres schien sie am ehesten zu interessieren, führte aber nur dazu, dass die Herren überlegen lächelten und die Damen indigniert schwiegen.

»Ich muss hier raus«, flüsterte Tim, als Lainie ihn nach dem Essen ins Herrenzimmer schob. Nellie hatte eigentlich ihren Mann darum gebeten, doch Mr. Lambert hätte das kaum geschafft, ohne dabei die Möbel zu rammen. Tim warf Elaine einen so dringlichen, beinahe flehenden Blick zu, dass sie rasch einsprang. Unfälle mit diesem Rollstuhl waren schmerzhaft und nicht ungefährlich. Erst vor wenigen Wochen hatte Dr. Leroy Tim behandeln müssen, nachdem es seiner Mutter gelungen war, das ebenso schwere wie instabile Möbel mit Tim darin umzuwerfen.

»Was soll ich denn machen?«, fragte Lainie verzweifelt. Sie bekam den Stuhl auf den dicken Teppichen der Lamberts kaum vorwärts. »Wir könnten sagen, wir gehen in den Garten, aber da krieg ich das Ding nie im Leben hin! Wo ist denn bloß Roly?«

»Hat heute frei«, meinte Tim zähneknirschend. »Schließlich ist Weihnachten. Er war zwar morgens da und hat mir geholfen, und abends kommt er auch noch mal. Der Junge ist treu wie Gold, aber er hat schließlich auch Familie ...«

Bei seinen letzten Worten blickte Tim drein, als hielte er eine Familie für ungefähr so erstrebenswert wie Zahnschmerzen. Dann schwieg er, als Caleb Biller auf ihn und Lainie zutrat.

»Darf ich Ihnen behilflich sein, Miss Lainie?«, fragte der junge Mann freundlich und ohne Anzeichen von Verlegenheit. »Ich fände einen Verdauungsspaziergang im Garten eine gute Idee. Wenn es Ihnen also recht ist, Tim ...«

Caleb fasste selbstverständlich die Griffe des Rollstuhls und schob Tim, dem dies alles andere als recht war, aus den stickigen Zimmern in den brüllend heißen Sommertag. Elaine fand Caleb sehr fürsorglich. Er hob den Stuhl vorsichtig über Treppenabsätze und wich behutsam Unebenheiten auf den Gartenwegen aus.

Kura folgte den Männern und warf dabei nervöse Blicke über die Schulter.

»Entwischt!«, bemerkte sie schließlich. »Wir sind Florence Weber erfolgreich entkommen. Wahrscheinlich nur für ein paar Sekunden, aber man muss auch für kleine Dinge dankbar sein.« Sie schob ihr prächtiges schwarzes Haar zurück, das sie provozierend offen trug. Auch Kuras Halsausschnitt war zu tief und ihr dunkelrotes Kleid zu aufreizend geschnitten, um wirklich damenhaft zu sein. Doch sie wirkte atemberaubend.

»Immerhin weiß ich jetzt, warum sie sich das antut«, führte Kura aus und wanderte ganz selbstverständlich neben Lainie her. »Wochenlang habe ich mich gefragt, was sie an Caleb findet. Sie muss doch merken, dass er sich nichts aus ihr macht. Aber sie will seine Mine – um jeden Preis! Wahrscheinlich würde sie ihr Leben dafür geben, ihren Daddy selbst zu beerben, aber sie ist eben ›nur ein Mädchen‹. Caleb dagegen wäre Wachs in ihren Händen. Wenn sie ihn vor den Traualtar schleppt, hat sie die Biller-Mine. Tim Lambert käme natürlich auch in Frage. Lass sie besser nicht mit ihm allein!«

Der Rat aus Kuras Mund klang für Elaine ein bisschen seltsam, doch erstaunlicherweise musste sie darüber lachen, statt sich verletzt und an William erinnert zu fühlen.

»Du bist da ja Expertin«, bemerkte sie spitz – und stellte verblüfft fest, dass Kura betroffen wirkte. Sie schien Tränen in den Augen zu haben. Elaine beschloss, irgendwann mit ihr zu reden. Bisher war sie immer davon ausgegangen, Kura habe William verlassen. War es vielleicht umgekehrt?

Es wurde später Nachmittag, bis die Gäste endlich gingen. Nellie Lambert widmete sich daraufhin sofort den Pflichten einer Hausfrau und beaufsichtigte die Aufräumarbeiten. Marvin zog sich mit einem letzten Drink ins Herrenzimmer zurück.

Elaine war unschlüssig. Einerseits erwartete man jetzt sicher von ihr, sich ebenfalls zu verabschieden. Andererseits wirkte Tim dermaßen abgekämpft und müde in seinem Stuhl, dass sie es nicht über sich brachte, ihn zu verlassen. Vorhin im Garten hatte er sich angeregt mit Caleb über die Biller-Mine unterhalten, doch in den letzten Stunden hatte er kaum noch etwas gesagt, als brauche er seine ganze Kraft, um sich aufrecht zu halten. Allerdings hätten Lambert, Biller und Weber ihn ohnehin nicht beachtet. Sie machten nicht einmal Anstalten, ihm ein Glas Whisky oder eine der Zigarren anzubieten, zu deren Genuss sie inzwischen übergegangen waren. Dafür bediente ihn Florence, die den Männern ins Herrenzimmer gefolgt war. Anscheinend hielt sie es nicht mehr aus, allein über Vorhänge und Bädereinrichtung zu plaudern. Die Fachsimpelei über Kohlevermarktung zog sie deutlich mehr an.

Elaine linste eifersüchtig durch die offene Tür ins Herrenzimmer und vermerkte, dass Florence ein paar Worte mit Tim wechselte – wahrscheinlich, weil der Rest der Versammlung beide gleichermaßen ignorierte. Tim war jedoch nicht bei der Sache. Lainie registrierte besorgt, wie fahrig seine Hände an den Lehnen des Rollstuhls spielten. Er versuchte immer wieder, seine Lage in den viel zu weichen Kissen zu verändern, um dann voller Schmerzen das Gesicht zu verziehen, wenn es wieder nicht gelang. Jetzt saß er am Fenster, starrte mit grauem Gesicht in den Park und schien verzweifelt darauf zu warten, dass die Sonne endlich unterging.

Elaine zog sich einen Stuhl zu ihm heran und ließ ihre Finger zaghaft über seine Hand gleiten.

»Tim ...«

Er entzog ihr seine Hand und begann sein Jackett aufzuknöpfen.

»Du erlaubst?«, fragte er höflich.

Elaine stand auf, um ihm zu helfen, doch er wehrte sie unwirsch ab.

»Lass das, ich hab gesunde Hände ...«

Entmutigt zog sie sich zurück und versuchte es mit Konversation, während er ungeschickt einen der vielen Knöpfe nach dem anderen aufnestelte und sich damit wenigstens ein bisschen Kühlung verschaffte.

»Caleb Biller ist ein netter Kerl ...«

Tim riss sich zusammen und nickte. »Ja, aber seine beiden Frauen sind mindestens eine Nummer zu groß für ihn.« Er lächelte mühsam. »Entschuldige, Lainie. Ich wollte dich nicht anfahren. Aber es geht mir nicht gut.«

Elaine strich ihm sanft über die Schulter und öffnete dann rasch auch die Knöpfe seiner Weste. Dabei dankte sie dem Himmel für ihr leichtes Sommerkleid – offizielle Herrenkleidung bei diesen Temperaturen war die reinste Tortur. Allerdings hatten die anderen Männer zumindest ihre Jacketts nach dem Dinner abgelegt. Tim hätte dabei Hilfe gebraucht, aber er wäre eher gestorben, als jemanden darum zu bitten.

»Es war ein langer Tag. Und die Leute waren schrecklich«, sagte sie leise. »Kann ich irgendwas tun?«

»Vielleicht könntest du … du könntest zu den O'Briens reiten und Roly bitten, etwas früher zu kommen? Ich …« Er versuchte erneut, seine Position zu verändern, kämpfte jedoch aussichtslos gegen die tiefen Polster.

»Vielleicht kann ich dir helfen?«, fragte Lainie und wurde rot. Tim sollte bloß nicht annehmen, sie wollte ihn ausziehen und zu Bett bringen! Aber vielleicht ließ er zu, dass sie ihm irgendwie aus diesem verdammten Stuhl half. »Ich kann dich natürlich nicht heben, aber …«

Tim lächelte, und zum ersten Mal an diesem Tag sah sie etwas wie Freude, ja Triumph in seinem Blick.

»Oh, du brauchst mich nicht zu heben! Ich kann es fast allein, nur das Aufstehen aus diesem Ding ist schwierig. Vor allem sehe ich keine Möglichkeit, in mein Zimmer zu kommen.«

Das Schieben des Stuhls erwies sich wirklich als das Schwierigste. Allerdings wurde es leichter, als sie den Salon verließen und damit von den voluminösen Teppichen herunterkamen. Tim hatte früher im oberen Stockwerk gewohnt, wo auch seine Eltern ihre Schlafzimmer hatten. Jetzt hatte man frühere Dienstbotenquartiere zwischen Küche und Stallungen für ihn hergerichtet. Nellie hatte darüber schon wieder Tränen vergossen, aber Tim fand es nicht schlimm, dass es manchmal ein wenig nach Heu roch. Elaine schob ihn in seinen kleinen Salon, in dem er sie auch meistens empfing, wenn sie ihn besuchte.

»Wenn du mir hier aufs Sofa hilfst?«, fragte er mit belegter Stimme.

Elaine nickte. »Was soll ich tun?«, erkundigte sie sich und befreite ihn dabei schon einmal von dem verhassten Plaid.

»Du hast ja deine Schienen um!«, bemerkte sie verwundert. Sie sah die Stahlgerüste um Tims Beine zum ersten Mal, und die Notwendigkeit des Hanteltrainings wurde ihr schlagartig klar. »Ist das nicht unbequem?«

Tim lächelte gequält. »Ich wollte mir eine Fluchtmöglichkeit offen halten. Wobei ich leider nicht mit meiner Mutter gerechnet hatte ...« Er wies auf seine Krücken, die an der Wand seines Zimmers lehnten.

Elaine spürte wieder brennende Wut auf Nellie Lambert in sich aufsteigen. Selbst wenn Tim nur ein oder zwei Schritte gehen konnte, so hätte es ihm doch unendlich geholfen, wenn er die Gäste wenigstens im Stehen hätte begrüßen können.

»Wenn du sie mir bitte zureichst ...« Tim klemmte sich die Krücken unter die Arme und versuchte, sich aus dem Stuhl hochzustemmen, doch die rechte Gehhilfe rutschte weg, und er griff Halt suchend nach Elaines Arm. Elaine legte die Arme um ihn und stützte ihn, bis er auf die Beine kam. Und dann stand er zum ersten Mal seit einem Jahr neben ihr, an sie gelehnt, aber deutlich größer als sie. Tim verlor auch die linke Krücke, als ihm dies bewusst wurde. Elaine hielt ihn, aber jetzt schlang auch er einfach die Arme um sie.

»Tim, du kannst stehen! Das ist ein Wunder!« Elaine sah zu ihm auf und strahlte. Sie fand keine Zeit, sich Sorgen zu machen, weil ein Mann sie umfasste. Es war einfach nur schön, Tim wieder aufrecht neben sich zu haben und sein Lachen aufleuchten zu sehen wie damals beim Rennen.

Tim spürte sie in seinen Armen und konnte nicht anders. Er senkte sein Gesicht zu ihr herab und küsste sie. Zuerst sanft auf die Stirn und anschließend, mutig geworden, auf den Mund. Und dann geschah das wirkliche Wunder. Elaine öffnete ihm ihre Lippen. Ganz ruhig, ganz selbstverständlich ließ sie sich küssen und erwiderte den Kuss sogar zaghaft.

»Das war herrlich«, sagte Tim heiser. »Lainie ...«

Er küsste sie noch einmal, bevor sie für ihn nach den Krücken angelte. Woraufhin er ihr vorführte, dass er die zwei Schritte zum Sofa mühelos schaffte.

»Mein Rekord sind elf!«, meinte er lächelnd und ließ sich dann aufatmend aufs Sofa sinken. »Aber von einem Ende der Kirche zum anderen sind es achtundzwanzig. Roly hat es für mich ausprobiert. Ich muss also noch ein bisschen üben.«

»Ich auch«, flüsterte Elaine. »Das Küssen, meine ich. Und von mir aus können wir gleich damit anfangen ...«

10

Tim platzte fast vor Tatendrang, als Roly O'Brien am nächsten Tag zur Arbeit kam.

»Wir machen heute zuerst die gewohnten Übungen«, erklärte er dem verblüfften Jungen, der eigentlich mit einem ruhigen Morgen gerechnet hatte. Tim hatte am Abend zuvor zwar zufrieden, aber völlig erschöpft ausgesehen. Roly war der Meinung, er sollte heute ruhen. »Und dann holst du mittags Fellow von Miss Lainie.«

»Das ... äh ... Pferd, Mr. Tim?« Roly klang unsicher. Pferde waren ihm nicht geheuer; das Bergmannskind hatte nie mit Tieren zu tun gehabt, die größer waren als eine Ziege oder ein Huhn.

»Genau. Mein Pferd. Lainie wird sich vielleicht schwer davon trennen, aber das kann ich nicht ändern. Mir geht das zu langsam mit dem Laufen, Roly. Ab heute üben wir Reiten!«

»Aber ...«

»Nichts aber, Roly! Fellow tut dir nichts, der ist ein ganz braver Kerl. Und ich muss unbedingt eine Möglichkeit finden, hier rauszukommen. Ich will Lainie mal für mich haben, etwas mit ihr unternehmen. Ich will mit ihr allein sein!« Tim richtete sich ungeduldig auf; er konnte es kaum erwarten, dass der verwunderte Roly ihm endlich aus dem Bett half.

»Vielleicht versuchen Sie es erst mal mit Kutschieren?«, fragte Roly ängstlich.

Tim schüttelte den Kopf. »Dann kann ich sie ja gleich bitten, mich im Rollstuhl spazieren zu schieben! Nein, keine Widerrede. Ich werde die Lady zu einem Ausritt abholen wie ein

Gentleman. Ich mag nicht mehr warten, bis sie mich besucht oder bis meine Mutter sie vorbeilässt.«

Roly verdrehte resigniert die Augen. Er fand Lainie zwar ganz attraktiv, aber den Aufwand, den Mr. Tim für sie betrieb, konnte er kaum nachvollziehen. Zumal sein Chef sich doch einfach von einem der Mädchen aus Madame Clarisse' Etablissement besuchen und verwöhnen lassen könnte ... Um solche Dinge kreisten neuerdings Rolys Tagträume. Aber wahrscheinlich würde es Jahre dauern, bis er sich das nötige Kleingeld zusammengespart hätte. Womöglich war es wirtschaftlicher, ein bisschen um Mary Flaherty von nebenan zu werben ...

Lainie schüttelte den Kopf, als Roly Fellow bei ihr abholte.

»Das ist Wahnsinn, ohne Lehne kann Tim doch bis jetzt noch nicht mal sitzen«, wandte sie ein.

Roly zuckte die Schultern. »Ich tu nur, was er sagt, Miss Lainie«, verteidigte er sich. »Wenn er reiten will, soll er reiten.«

Elaine hätte sich dem Jungen am liebsten angeschlossen, um die gefährlichen Reitversuche zu überwachen. Doch sie konnte sich Tims Reaktion nur zu gut vorstellen. Also blieb sie, wo sie war, und machte sich wieder einmal Sorgen.

Und nicht zu Unrecht. Tims erster Versuch, sich im Sattel aufzusetzen, verlief katastrophal. Schon das Aufsteigen über eine provisorische Rampe, die Roly ihm aus Brettern und Strohballen errichtete, war schwierig. Und als das irritierte Pferd ein paar Seitenschritte machte, während Tim versuchte, im Sattel Halt zu finden, fiel er über Fellows Hals und stöhnte vor Schmerzen. So sehr hatte er die gerade erst geheilte Hüfte noch nie belastet, und die plötzlich überdehnten Muskeln und Sehnen protestierten heftig.

»Soll ich Ihnen runterhelfen, Mr. Tim?« Roly hatte fast so viel Angst, sich dem Pferd zu nähern, wie davor, sein Herr könnte fallen und sich erneut etwas brechen.

»Nein, ich ... noch ein paar Minuten ...« Tim versuchte ächzend, sich aufzusetzen, doch es war hoffnungslos. Schließlich gab er Rolys Drängen nach und wehrte sich nicht mal, als der ihn gleich darauf nötigte, sich hinzulegen und auszuruhen. Allerdings setzte er sich kurz danach wieder auf und griff nach Zeichenstift und Papier.

Als Roly aus dem Stall zurückkam, wo er Fellow in Todesangst von Sattel und Zaumzeug befreit hatte, hielt Tim ihm eine Skizze entgegen.

»Hier, das bringst du heute noch zu Ernest Gast, du weißt schon, den Sattler. Frag ihn, ob er so einen Sattel fertigen kann. Und zwar möglichst bald. Ach ja, und Jay Hankins soll mal schauen, ob er solche Kastensteigbügel schmieden kann.«

Roly musterte die Zeichnung skeptisch. »Das sieht komisch aus, Mr. Tim. So 'n Sattel hab ich noch nie gesehen.«

Der Sattel auf dem Bild hatte mehr die Form eines Sessels als eines gewöhnlichen Reitsattels. Ein hoher Vorder- und Hinterzwiesel würde den Reiter abstützen und fest auf seinem Sitz halten. Dafür hatte der Sattel kaum Pauschen. Tims Beine konnten, von breiten Steigbügeln gestützt, lang herunterhängen.

»Ich schon«, meinte Tim. »In Südeuropa sind solche Sättel praktisch Standard. Im Mittelalter hatte man auch solche Modelle. Die Ritter, weißt du.«

Roly hatte noch nie von Ritterkämpfen gehört, nickte aber brav.

Tim konnte kaum erwarten, bis Roly am nächsten Tag mit Ernies Stellungnahme wiederkam.

»Mr. Ernest meint, er kann das bauen, aber es wäre keine gute Idee. Das Ding hält Sie fest wie ein Schraubstock, sagt er, fast so wie ein Damensattel. Und wenn Ihr Pferd mal fällt, und Sie kommen nicht raus, brechen Sie sich hier das Rückgrat.« Er wies auf die »Lehne« des Sattels.

Tim seufzte. »Schön, dann bestell ihm mal, dass Fellow erstens nicht stolpert und zweitens jede englische Lady im Damensattel reitet. Die wichtigsten Familien sind trotzdem noch nicht ausgestorben. So hoch kann das Risiko also nicht sein. Und was das gebrochene Rückgrat angeht – mir wurde von zwei Ärzten versichert, dass einem anschließend zumindest nichts mehr wehtut. Und das fänd ich heute beinahe erstrebenswert …«

Nach dem ersten Reitversuch schmerzte Tims Hüfte rasend, doch am Nachmittag zwang er Roly trotzdem wieder in den Stall und wiederholte die Aktion. Immerhin blieb Fellow ruhig und trat jetzt schon artig an die Rampe.

Der Spezialsattel wirkte keine Wunder, doch Tims Beharrlichkeit siegte letztendlich über den Schmerz und die Unbeweglichkeit seines Körpers. Sechs Wochen nach dem ersten Versuch, aufs Pferd zu kommen, lenkte er Fellow stolz vom Hof – zwar immer noch unter Schmerzen; an eine schnellere Gangart als Schritt war nicht zu denken. Aber doch aufrecht und halbwegs sicher.

Das Gefühl, hoch zu Ross die Stadt zu durchqueren, wog alle Mühen auf. Am Nachmittag waren zwar nicht viele Leute unterwegs, doch alle, die Tim kannten, strahlten ihn an und feierten ihn. Mrs. Tanner und Mrs. Carey bekreuzigten sich allerdings auch, und Berta Leroy schalt ihn als »leichtsinnig«, obwohl ihre Augen fröhlich funkelten.

»Und jetzt sollte vielleicht noch jemand der Prinzessin Bescheid sagen, dass ihr Ritter da ist«, sagte sie. »Denn das Absteigen funktioniert ja wohl noch nicht …«

Das musste Tim gestehen. Auf dem Pferd konnte er die Beinschienen nicht tragen; beim Auf- und Absteigen brauchte er deshalb Roly, der ihm die Schienen an- und abschnallte.

Elaine kam allerdings schon aus dem Hotel auf die Straße, als Tim sein Pferd von dem kleinen Hospital zum Pub wandte. Die Nachricht von seinem Abenteuer hatte sich schneller verbreitet, als Fellows Hufe ihn tragen konnten.

Elaine sah fassungslos zu ihm auf. Er schaffte es nicht, sich herabzubeugen und sie zu küssen, doch sie nahm seine Hände und schmiegte sich an sein Bein und seine gesunde Hüfte.

»Du bist hoffnungslos!«, rügte sie ihn. »Wie kannst du nur …«

Tim lachte. »Erinnerst du dich? Wenn man nicht mehr reiten kann, ist man tot. Darf ich meine höchst lebendige, wunderschöne Lady also zu einem Ausritt einladen?«

Lainie zog seine Hand an ihre Wange und drückte einen schüchternen Kuss darauf.

»Dann hole ich Banshee!«, sagte sie lächelnd. »Aber du darfst nicht versuchen, mich zu verführen, wenn ich ohne Anstandsdame mit dir losziehe!«

Tim blickte sie mit gespieltem Ernst an. »Du willst keine Anstandsdame mitnehmen? Das finde ich unschicklich. Komm, fragen wir mal Florence Weber. Bestimmt kommt sie mit!«

Elaine lachte unbeschwert. Sie machte sich nicht die Mühe, Banshee zu satteln, sondern schwang sich von der Aufstiegshilfe vor Madame Clarisse' Hotel einfach auf ihren blanken Rücken. Die Leute auf der Straße applaudierten gutmütig.

Elaine winkte ihnen, als sie Banshee über die Main Street lenkte. Noch vor einem Jahr hätte sie sich gefürchtet, auch nur von der Kirche bis zum Dorf neben Timothy Lambert zu reiten. Jetzt genoss sie es, Banshee ruhig neben ihm herschreiten zu lassen und den braunhaarigen Mann neben sich so glücklich strahlen zu sehen wie damals beim Rennen. Sie hielt ihm die Hand hin, als sie den Ort verließen, und lächelte ihm zu. Es war wie im Märchen. Eine Prinzessin und ihr Ritter.

»Ich wusste gar nicht, dass du so viel Sinn für Romantik hast«, neckte sie ihn. »Das nächste Mal reiten wir an den Fluss und machen ein Picknick.«

Tim verzog das Gesicht. »Ich fürchte, ich müsste im Sattel

essen«, bemerkte er dann. Elaine registrierte erst jetzt seine Lage und wurde rot.

»Ich lass mir schon was einfallen«, versprach sie, als sie sich vor dem Haus der Lamberts von ihm trennte. »Am nächsten Sonntag!«

Der Sonntag war ihr einziger freier Tag im Pub, und sie hatte auch sonst keine Verpflichtungen, seit sie das Amt der Kirchen-Organistin kampflos an Kura abgegeben hatte. Zum ersten Mal ärgerte sie sich an diesem Tag nicht darüber. Sollte Kura Orgel spielen – Elaine unternahm lieber etwas mit dem Mann, den sie liebte. Sie fühlte sich plötzlich herrlich frei und ungestüm. Sie ließ Banshee nah an Fellow herantreten und küsste Tim, lange und zärtlich, wie sie es Weihnachten geübt hatte.

Tim war glücklich über Lainies neues Zutrauen, atmete jedoch auf, als sie seine Einladung ablehnte, noch auf einen Tee mit hereinzukommen. So musste sie nicht mit ansehen, wie mühsam er aus dem Sattel kam. Das Absteigen war immer noch eine ziemlich entwürdigende Prozedur. Tim war allerdings dabei, das Problem in den Griff zu bekommen. Jay Hankins arbeitete an einer Rampe, von der aus es leichter sein musste, aufs Pferd und wieder herunterzukommen.

Elaine fand Tims Reiterei zwar verfrüht, doch der Gedanke, der dahinterstand, war vernünftig. Sie mussten eine Möglichkeit finden, sich außerhalb des Hauses der Lamberts zu sehen; Nellies Fluidum wirkte erdrückend.

Für ihre sonntägliche Unternehmung lieh sie sich schließlich ein Gig, einen leichten, zweirädrigen Wagen. Ideal war das Gefährt nicht; es war kaum gefedert, dafür aber niedrig. Tim sollte imstande sein, ohne größere Hilfe ein- und auszusteigen. Außerdem konnten sie bequem nebeneinandersitzen; es gab keine Trennung zwischen Bock und Passagierraum wie bei gewöhnlichen Kutschen.

Tim lächelte ihr anerkennend zu, als sie ihr Wägelchen vor seinem Haus anhielt.

»Ein Gig! Wenn das meine Mutter wüsste!« Er lachte und versuchte, sich Callies zu erwehren, die vergnügt an ihm hochsprang. Bis vor kurzer Zeit wäre er dabei noch ins Taumeln geraten, inzwischen aber beherrschte er seine Gehhilfen wirklich gut. »Und wie praktisch, dass Mutter nach wie vor auf meine Begleitung beim Kirchgang verzichtet!« Bisher hatte ihn das eher geschmerzt. Zwar überstand er die Woche auch ohne den Segen des Reverends, aber er hasste es, von selbstverständlichen Dingen ausgeschlossen zu werden, nur weil Nellie der Ansicht war, er sei zu schwach.

»Tja, wegen des Kirchgangs konnte ich leider auch Florence Weber nicht zum Mitfahren bewegen!«, kicherte Elaine. »Dabei wäre es doch Christenpflicht, auf den Anstand seines Nächsten Acht zu geben. Aber Gott wird ihr diese Sünde vergeben, da bin ich sicher, ebenso wie er bei den diversen Vergehen einer gewissen Kura-maro-tini Martyn zweifellos ein Auge zudrückt ...«

Tim hätte gern gefragt, was Kura denn nach Lainies Ansicht auf dem Kerbholz hatte, doch er hielt sich zurück. Lainie hatte sich hier zweifellos verplappert. Wenn er nachfragte, verzog sie sich womöglich wieder in ein Schneckenhaus.

»Wir sollten ebenfalls beichten, denn ich habe gestohlen«, bemerkte er stattdessen. »Hier, nimm mir mal die Tasche ab, aber vorsichtig. Da drin ist der beste Wein meines Vaters.«

Lainie dachte flüchtig daran, wie sie früher die Vorräte ihres Vaters für ihre Abenteuer mit William geplündert hatte. Doch das wollte sie jetzt vergessen.

»Ich habe auch welchen, und meiner ist sogar gekauft. Er war allerdings nicht sehr teuer«, gestand sie. »Wahrscheinlich ist er schrecklich.«

Tim lachte. »Dann beten wir in diesem Fall für die Seele des Winzers.«

Banshee stand vorbildlich still, während Tim sich auf den Sitz des Wägelchens zog. Es klappte tatsächlich ganz gut, und Lainie war stolz auf ihren Einfall, als er glücklich neben ihr saß.

»Wohin entführst du mich?«, erkundigte Tim sich, als sie anfuhr. Er versuchte, sich zu entspannen, aber das schwach gefederte Gefährt war nur wenig bequemer als der Sitz auf Fellow.

»An den Fluss, oberhalb eurer Mine. Es ist nicht weit, und die Wege sind einigermaßen. Ich hab da zufällig einen wunderschönen Platz gefunden ...«

Tatsächlich hatte sie die ganze Woche danach gesucht, aber das verschwiegene Eckchen abseits einer Biegung des geschotterten Hauptweges zwischen Mine und Eisenbahnlinie war wirklich ideal. Elaine erreichte es in wenigen Minuten und half Tim noch auf der Straße beim Absteigen.

»Ich kann auch ganz hinfahren, aber das wird holperig. Also dachte ich, wir holen Banshee und den Wagen lieber nach. Bis zum Fluss laufen wir. Über den direkten Weg zwischen den Bäumen sind's genau elf Schritte.«

Tim lachte über ihre Fürsorglichkeit, aber tatsächlich schaffte er nun schon zwischen fünfzehn und zwanzig ohne allzugroße Mühe. Hier war es allerdings schwierig, und er stolperte mit den Krücken durchs Unterholz. Der Picknickplatz selbst war dann aber zauberhaft. Ein winziger Strand am Fluss, davor eine Art grasbewachsene Lichtung in den Ausläufern des Farnwaldes. Baumhohe Farne ließen ihr Grün wie Weiden über den Lagerplatz und den Fluss hängen. Ihre seltsam geformten Schatten tanzten im Sonnenlicht über das Gras und das Flussufer, wenn der leichte Wind die riesigen Pflanzen wiegte.

»Das ist wunderschön!«, meinte Tim andächtig.

Lainie nickte und breitete geschäftig eine Decke aus.

»Hier ... setz dich und warte, ich hole Banshee und den

Wagen. Die muss ja nicht jeder gleich sehen, der auf der Straße vorbeikommt.«

Am Sonntag dürften das zwar nicht viele Leute sein, doch Elaine wollte auf Nummer sicher gehen. Kura kam zwar kaum auf solche Gedanken, aber Florence Weber konnte Caleb durchaus zu einem Picknick am Fluss zwingen. Und Charlene schwärmte geradezu von solchen Unternehmungen mit Matt.

Tim errötete. »Ich weiß nicht, ob ich ohne Hilfe wieder hochkomme, wenn ...«

»Du kannst dich an dem Stein da abstützen. Hab ich alles geplant, Tim. Und im allerschlimmsten Fall zieht Banshee dich hoch. Mein Großvater hat mir mal erzählt, wie sein Pferd ihn aus einem Schlammloch gezogen hat. Er hielt sich einfach am Schweif fest, und das Pferd kletterte heraus. Das hab ich mit Banshee auch geübt, als ich sie zugeritten habe. Ja, ich weiß, ich bin kindisch ...« Sie lächelte verschämt.

Tim machte sich allerdings keine Gedanken, ob sie albern war, sondern eher über den abenteuerlustigen Großvater. Ein Bauarbeiter in Auckland fiel unter Umständen mal in Schlammgruben, aber er hatte ganz sicher kein Pferd, das ihn dann herauszog ...

Tim sprach die Sache allerdings nicht an, sondern ließ sich auf der Decke nieder und fühlte sich gleich besser. Er schnallte die Beinschienen ab und kraulte Callie, während Lainie den Wagen geschickt auf die Lichtung kutschierte und ihr Pony ausspannte.

»Banshee ist dir sehr böse, weil du ihr Fellow entführt hast«, bemerkte Elaine, als sie sich ebenfalls setzte und den Picknickkorb zwischen ihnen platzierte. »Sie fühlt sich einsam, so allein im Stall von Madame Clarisse.«

»Sie wird ihn ja bald wiederbekommen. Wenn wir heiraten, ziehst du zu uns und bringst sie mit«, meinte Tim.

Elaine seufzte. »Kannst du nicht lieber zu Madame Clarisse

ziehen?« Der Gedanke, demnächst ein Haus mit Nellie Lambert zu teilen, machte ihr fast so viel Angst wie die Ehe an sich.

Tim lachte und nahm ihr Gesicht zwischen die Hände. »Nein, das wäre doch etwas unpassend.« Er küsste sie. »Aber ich könnte mir ein eigenes kleines Haus für uns vorstellen. Vielleicht näher an der Mine. Der Weg dahin wird mir sonst ziemlich lang, wenn ich wieder arbeite. Wovon mein Vater allerdings vorerst nichts wissen will ... Ach, lass uns von etwas Schönerem reden! Erst der billige Wein oder der gestohlene?«

Sie tranken den billigen Wein zum Essen; dann bestand Tim darauf, den guten Wein zu öffnen. Er passte nicht recht zu den Whiskygläsern, die Elaine aus dem Pub mitgebracht hatte, aber das fanden sie beide nur komisch. Schließlich lagen sie nebeneinander, nachdem sie noch ein wenig das Küssen geübt hatten. Elaine stützte sich auf den Ellbogen und streichelte verstohlen Tims Brust.

»Du hast ganz schön Muskeln ...«

Tim verzog das Gesicht. »Ich stemme ja auch täglich Gewichte.« Mit einer Handbewegung wies er auf die Beinschienen.

Elaine betrachtete das Muskelspiel unter seinem leichten Seidenhemd. Doch in dem Moment, in dem er nach ihr fassen und sie an sich ziehen wollte, sah sie plötzlich wieder Thomas' starke Arme vor sich, die Muskelpakete, auf die sie manchmal hilflos eingeschlagen oder in die sie schmerzerfüllt ihre Fingernägel geschlagen hatte. Und Thomas hatte nur gelacht ...

Tim bemerkte das Flackern in ihren Augen – und dann das altbekannte ängstliche Zurückweichen vor seiner Berührung.

Er seufzte und stützte sich auf den Stein, um sich etwas aufzusetzen.

»Lainie«, sagte er geduldig. »Ich weiß nicht, was ein Mann dir einmal Schreckliches angetan hat. Aber nichts liegt mir ferner, als dir etwas Böses zu tun. Du weißt, dass ich dich liebe. Außerdem bin ich ziemlich hilflos. Wenn du mir nachher nicht hilfst, diese Dinger da wieder umzuschnallen, kann ich nicht mal aufstehen. Ich kann dir selbst beim allerschlechtesten Willen nichts tun. Kannst du nicht einfach mal darauf vertrauen, wenn du sonst schon das Schlimmste von mir denkst?«

»Ich denke doch gar nicht.« Elaine wurde rot. »Es passiert einfach. Ich weiß, ich bin dumm.« Sie schmiegte ihr Gesicht an seine Schultern.

Tim streichelte sie. »Du bist nicht dumm. Dir ist nur irgendwann einmal etwas Furchtbares passiert. Leugne es nicht, eine andere Erklärung gibt es nicht. Denn du liebst mich doch auch, Lainie. Oder nicht?«

Lainie hob den Kopf und sah ihm in die Augen. »Ich liebe dich sehr. Glaube ich ...«

Tim lächelte und schob sie sanft auf den Rücken. Dann küsste er ihr Gesicht, ihre Lippen, ihren Hals, ihren Ausschnitt. Er öffnete vorsichtig ihre Bluse und liebkoste den Ansatz ihrer Brüste. Elaine verspannte sich sofort, doch dann wurde ihr bewusst, dass er ihr nicht wehtat, sondern nur ihre Haut mit hingehauchten Küssen verwöhnte und dabei Koseworte flüsterte.

Elaine musste ihm helfen, ihr Korsett zu lösen, und beide lachten dabei schüchtern. Dann lag sie da, und ihr Atem ging schneller, während er die Konturen ihres Körpers mit den Fingern nachzeichnete. Tim sagte ihr, wie schön und zart sie sei, streichelte und küsste sie, bis das wohlig warme Gefühl in ihr aufstieg, das sie fast schon vergessen hatte. Elaine fühlte sich wieder feucht werden und zog sich erneut ein wenig zurück. Tim merkte es und ließ von ihr ab.

»Wir müssen nicht weitermachen«, flüsterte er heiser. »Wir ... können gern bis zur Hochzeitsnacht warten.«

»Nein!« Elaine schrie es beinahe auf. Noch einmal in einem

neuen Nachthemd im Bett liegen und auf einen Mann warten? Davor zittern, was er vielleicht gleich mit ihr anstellte? Ihm hilflos ausgeliefert sein? Bei dem bloßen Gedanken verkrampfte sich alles in ihr.

»Nein was?«, fragte Tim liebevoll und begann wieder, sie sanft zu streicheln.

»Keine Hochzeitsnacht!«, stieß Lainie hervor. »Ich meine, keine solche. Es ist besser, wir machen es gleich ...«

Tim küsste sie. »Das hört sich ja an, als wollte ich dir einen Zahn ziehen«, scherzte er sanft. »Bist du noch Jungfrau, Lainie?«

Er konnte es sich nicht vorstellen, obwohl sie schüchterner war als jedes andere Mädchen, das er je geliebt hatte. Alle anderen waren ängstlich gewesen, aber auch neugierig. Lainie war nur voller Furcht.

Sie schüttelte den Kopf.

Tim küsste sie noch einmal, streichelte und liebkoste erneut ihre Brüste, ihren Bauch und ihre Hüften und zauste schließlich das krause rote Haar zwischen ihren Beinen. Lainie rührte sich nicht, verkrampfte sich aber auch nicht völlig. Tim fuhr fort, sie mit zärtlichen Fingern und Küssen zu erregen. Erst als sie zitterte und ihren Körper nicht mehr anspannte, drang er langsam und vorsichtig in sie ein, blieb erst ruhig in ihr und bewegte sich dann behutsam und zärtlich, bis er sich nicht mehr zurückhalten konnte und nach einem heftigen Ausbruch von Lust und Leidenschaft erschöpft neben sie sank.

Elaine hörte sein Keuchen und streichelte ihm ängstlich über den Rücken.

»Was ist mit dir? Hast du Schmerzen?«

Tim lachte. »Nein, Lainie, heute nicht. Heute bin ich nur glücklich. Es war wunderschön. Aber wie war es für dich?«

»Mir hat es gar nicht wehgetan«, sagte Lainie ernsthaft. Es klang erstaunt, beinahe ungläubig.

Tim zog sie an seine Schulter und streichelte ihr Haar.

»Lainie, es darf nicht wehtun. Nur beim ersten Mal ein bisschen, danach aber sollte es schön sein, für dich und für mich … als würde alles Schöne, das du jemals erlebt hast, auf einmal auf dich einstürmen … als würde es sich zu einem Feuerwerk steigern.«

Elaine runzelte die Stirn. Ein Feuerwerk? Nun, sie hatte eine Art Kribbeln empfunden …

»Vielleicht muss man einfach mehr üben.«

Tim lachte. »Das muss man. Im Ernst, es ist ein bisschen eine Kunst. Du musst dich nur loslassen, mir ein bisschen mehr Vertrauen schenken. Du darfst keine Angst mehr haben.«

Er hielt sie im Arm und wiegte sie, während er wieder zu Atem kam und sein heftig pochendes Herz sich beruhigte. Lainie wirkte jetzt völlig entspannt und vertrauensvoll. Er überlegte, ob er noch einmal versuchen sollte, sie zu erregen, beschloss dann aber, sich auf noch dünneres Eis zu wagen.

»Willst du es mir nicht erzählen, Lainie?«

Der Körper des erschöpften Mädchen in seinem Arm verspannte sich.

»Was erzählen?«, fragte sie atemlos.

Tim streichelte sie weiter. »Was dir geschehen ist, Lainie. Was dir so schreckliche Angst gemacht hat … und was du wie eine Last mit dir herumträgst. Ich sage es niemandem. Bestimmt nicht. Aber irgendwann musst du es jemandem anvertrauen, bevor es dich auffrisst.«

Lainie löste sich ein wenig von ihm, zog sich aber nicht völlig zurück. Anscheinend war das, was sie zu sagen hatte, so bedeutsam, dass man es nicht nebenbei besprach, während man sich Arm in Arm im Sonnenschein räkelte. Tim verstand und setzte sich ebenfalls ein wenig auf. Er rechnete damit, dass sie sich ihm gegenüberhockte, doch sie lehnte den Kopf wieder an seine Schulter und schaute ihn nicht an. Ihre Haltung wirkte jetzt auch nicht mehr entspannt und vertrauensvoll, sondern drückte eher Resignation aus.

Lainie holte tief Luft.

»Ich bin nicht Lainie Keefer aus Auckland, sondern Elaine O'Keefe aus Queenstown, Otago. Ich war verheiratet mit Thomas Sideblossom von Lionel Station. Und ich habe meinen Mann erschossen.«

DIE STIMMEN DER GEISTER

Greymouth, Otago, Blenheim, Christchurch
1898

1

»Aber es war Notwehr, Lainie! Dafür wird dich niemand verurteilen!« Tim Lambert hatte sich Elaines Geschichte ruhig angehört – ohne ein Zeichen von Abscheu oder Entsetzen über ihre Gewalttat. Er trocknete ihre Tränen und streichelte sie tröstend, als sie bei der Schilderung ihrer schlimmsten Erlebnisse unkontrolliert zitterte. Schließlich lag sie erschöpft und ausgebrannt an ihn geschmiegt und umklammerte mit einer Hand seinen Arm. Mit der anderen drückte sie Callie an sich. Die kleine Hündin war gleich leise winselnd zu ihr gekommen, als Elaine zu erzählen begann.

»Es war keine Notwehr«, beharrte Lainie. »Nicht im Sinne des Gesetzes. Thomas hat an diesem Tag nur mit mir gesprochen, er hat mich nicht einmal berührt. Als ich geschossen habe, war er mindestens zwei Meter von mir entfernt. Das lässt sich nachprüfen, Tim. Damit lässt mich kein Richter durchkommen.«

»Aber der Mann hat dich vorher immer wieder bedroht und verletzt! Und du wusstest, er würde es noch einmal tun! Gibt es denn niemanden, der dir das bestätigt? Keinen, der von all dem wusste?«

Tim zog die Decke über Lainies und seinen Körper. Es wurde kühl; im Frühherbst wärmte die Mittagssonne nicht lange.

»Zwei Maori-Mädchen.« Elaines Antwort kam so schnell, als habe sie dieses Gespräch in Gedanken tausendmal durchgespielt. »Eine der beiden spricht kaum Englisch und arbeitet als Sklavin für Sideblossom, weil er ihren Stamm beim Viehdiebstahl erwischt hat. Großartige Zeuginnen. Selbst wenn sie eine Aussage wagen würden! Und zwei Stallburschen können berichten, dass mein Mann mir verboten hat, alleine zu reiten. Kaum ein Grund, ihn zu erschießen.«

»Aber es war Freiheitsberaubung!« Tim gab nicht so leicht auf. »Der Kerl hat dich auf der Farm praktisch eingesperrt. Da kann einem keiner einen Vorwurf machen, wenn man ausbricht und dabei ... na ja, wenn dabei jemand zu Schaden kommt.«

»Das müsste ich auch wieder beweisen, was ohne Zeugen nicht möglich wäre. Und Zoé und John Sideblossom würden es mir wohl kaum bestätigen. Außerdem bin ich ja nicht gekidnappt worden. Ich war Thomas' Ehefrau. Wahrscheinlich ist es nicht mal verboten, seine Ehefrauen einzuschließen ...« Elaines grimmiger Miene nach schien sie ihr Eheversprechen gegenüber Tim gerade noch einmal zu überdenken.

»Und dieser Paddy? Der Fahrer von deinem Vater? Der hat doch gesehen, wie Sideblossom dich behandelt hat.«

Tim wälzte den Fall in Gedanken hin und her. Es durfte nicht sein, dass Elaine völlig hilflos war.

»Nein, er hat auch nicht gesehen, wie Thomas auf mich einprügelte. Und ganz abgesehen davon ... In dem Moment, in dem ich geschossen habe, war ich nicht unmittelbar bedroht. Natürlich hätte Thomas mich später umgebracht. Aber so etwas wie ›vorbeugende Notwehr‹ gibt es nicht. Gib dir keine Mühe, Tim. Ich habe nächtelang hin und her überlegt. Wenn ich mich stelle und der Richter mir wenigstens einen Teil der Geschichte glaubt, ende ich vielleicht nicht am Galgen. Aber ich verbringe garantiert den Rest meines Lebens im Gefängnis, und da zieht mich wenig hin.«

Tim seufzte und versuchte, seine Beine in eine andere Lage zu bringen, ohne Elaine dabei zu stören. Langsam wurde es ungemütlich auf der Lichtung. Lainie bemerkte das auch. Sie küsste Tim flüchtig, als sie sich aus seinen Armen wand und sich daranmachte, die Picknicksachen einzusammeln.

Tim überlegte, ob er seine Gedanken aussprechen sollte. Es würde Elaine zweifellos ängstigen. Aber dann tat er es doch.

»Wenn wir die Sache weiter geheimhalten wollen, wird das zu Komplikationen in unserem Zusammenleben führen.« Tim sprach mit ruhiger Stimme, aber natürlich löste er eine Explosion aus.

Elaine wirbelte herum. Ihr Gesicht verzerrte sich, und sie hielt die leere Weinflasche, als wollte sie das Ding nach ihm schleudern. »Du musst mich ja nicht heiraten!«, stieß sie hervor. »Vielleicht war's ja gut, dass wir vorher noch darüber gesprochen haben …«

Tim duckte sich und machte eine Friedensgeste. »He! Nun schrei mich nicht gleich an! Natürlich will ich dich heiraten. Mehr als alles auf der Welt! Ich meine nur, dass du hier niemals völlig sicher sein kannst. Du kannst dich vielleicht als Barpianistin vor der Welt verstecken, aber nicht als Mrs. Timothy Lambert. Wir sind Unternehmer, Lainie, wir führen ein offenes Haus. Die Zeitungen schreiben über die Lambert-Mine. Du wirst dich im Wohltätigkeitsbereich engagieren müssen. Und mit jedem Erscheinen in der Öffentlichkeit wächst das Risiko, entdeckt zu werden! Wie wolltest du es denn überhaupt mit deinen Eltern halten? Dich nie wieder melden?«

Elaine schüttelte wild den Kopf. »Ich dachte, ich lasse vielleicht noch ein Jahr verstreichen, und dann schreibe ich ihnen. Und jetzt, da wir heiraten wollten …«

»Jetzt, da wir heiraten *werden*«, verbesserte Tim.

»… wollte ich ihnen gleich nach der Hochzeit schreiben. Absender: Mrs. Lambert. Da kann doch nichts passieren …« Elaine ging zu ihrem grasenden Pferd und nahm es am Halfter.

»Du rechnest also damit, dass jemand die Post deiner Eltern überwacht«, stellte Tim fest. »Du lebst auf einem Pulverfass, Lainie!«

»Was soll ich denn machen?«, fragte sie verzagt. »Ich will nicht ins Gefängnis ...«

»Aber vielleicht könntest du dir vorstellen, irgendwo anders mit mir zu leben?« Die Idee war Tim gerade erst gekommen, aber je länger er darüber nachdachte, desto reizvoller erschien sie ihm. »In England zum Beispiel. Da gibt es viele Bergwerke. Ich könnte mir einen Job suchen. Wenn nicht an einer Mine, dann vielleicht an einer Universität. Ich bin ein sehr guter Ingenieur.«

Elaine ließ sich gerührt wieder neben ihm nieder und wehrte Banshee ab, die sofort das beste Gras unter ihrer Decke vermutete.

»Du würdest wirklich alles für mich verlassen? Das Land, deine Mine ...?«

»Ach, meine Mine. Du hast doch Weihnachten gesehen, was mein Vater von mir hält. Und dieser unsägliche Mr. Weber. Ich könnte hier noch zwanzig Jahre im Rollstuhl sitzen und zuschauen, wie mein Vater meine Mine in den Ruin wirtschaftet. Es sieht ziemlich schlecht aus, meint Matt. Seit dem Unfall machen wir Verlust.«

»Aber Weber und Biller haben auf Caleb genauso reagiert«, gab Lainie zu bedenken. »Und auf Florence, wenn sie sich eingemischt hat ...«

Tim lächelte müde. »Eingemischt? Florence Weber spricht fachkundiger über Bergwerke als mein Dad und der alte Biller zusammen! Das Mädchen ist zwar eine Nervensäge, doch sie versteht eine Menge von Minenführung. Wenn sie sich das nur aus Büchern angelesen hat – Respekt! Aber ihre Situation lässt sich mit meiner nicht vergleichen. Caleb hat keine Ahnung, und Florence nimmt keiner ernst, weil sie eine Frau ist. Doch die Lage wird sich in dem Moment ändern, in dem sie Caleb heiratet und damit diskret die Zügel übernimmt! Wenn Caleb dann plötzlich konstruktive Vorschläge macht, wird der Alte auf ihn hören, verlass dich drauf. Aber ich bleibe immer lahm, Lainie. Mein Vater wird mich als Invaliden betrachten, bis die Sonne verbrennt. Eine Alternative in Europa könnte ich mir gut vorstellen. Wie wär's mit Wales? Genauso viel Regen wie hier, viele Bergwerke, viele Schafe.« Er streichelte Callie.

»Viele Cob-Hengste«, sagte Lainie lachend. »Banshee würde es gefallen! Meine Großmutter kommt übrigens von dort. Gwyneira Silkham aus …«

»Die Großmutter von dem Großvater, den das Pferd aus dem Schlammloch gezogen hat?«, fragte Tim. Er kämpfte verbissen mit seinen Beinschienen.

Lainie nickte und brachte Banshee in Positur, um ihm aufzuhelfen. Beide lachten, als er nach ihrem Schweif griff.

»Genau die.«

Es war schön, nicht mehr lügen zu müssen. Es war schön, von Gwyneira und James und ihrer großen Liebe zu erzählen und von Fleurette und Ruben und ihrer Flucht nach Queenstown. Es war gut, nicht mehr allein zu sein.

Tim wollte den Hochzeitstermin auf einen Tag mitten im Winter festlegen, doch seine Mutter stellte sich quer. Zwar sah sie inzwischen ein, dass sie Tim nicht mehr an der Hochzeit mit dem Barmädchen hindern würde, aber wenn es schon sein musste, so sollte es doch nicht überstürzt stattfinden.

»Es sieht ja sonst aus, als *müsstet* ihr heiraten!«, bemerkte sie mit strengem Blick auf Elaines flachen Bauch.

Vor der Hochzeit, so belehrte sie ihren Sohn, stehe eine Verlobung. Mit Ball und Anzeigen und Geschenken – schlicht mit allem Drum und Dran. An die Hochzeit könne man dann einige Monate später denken. Am besten im Sommer, dann sei das Fest auch viel schöner.

»Warum nicht gleich am Jahrestag des Minenunglücks?«, brummte Tim, als er später mit Lainie allein war. »Es ist völlig unmöglich, dass wir in den nächsten Jahren um diese Zeit herum Feste feiern. Aber dafür hat meine Mutter nicht das geringste Gespür. Sie hat die toten Bergleute längst vergessen.«

»Von mir aus können wir uns ruhig erst verloben«, meinte Elaine. Ihr war es eigentlich gleich. Im Gegenteil, je später sie sich ein Haus mit Nellie Lambert teilen sollte, desto lieber war es ihr. Und zurzeit gefiel ihr das Leben mit Tim ohnehin genau so, wie es war. Der junge Mann betrieb immer noch äußerste Anstrengungen, möglichst bald besser laufen und reiten zu können, aber er kämpfte nicht mehr so verbissen wie bisher. Wenn er sein Trainingsprogramm am Morgen beendet hatte, gönnte er sich am Nachmittag Ruhe – oder zumindest Entspannung. In der Regel begann das damit, dass Elaine für ihn kochte. Sie entdeckte ihre hausfrauliche Seite erneut, die ja auch William kurzfristig in ihr erweckt hatte. Anschließend landeten sie dann in Lainies Bett, zunächst zwecks Mittagsschlaf, aber später auch zu anderen Aktivitäten.

Tim tat es gut, verwöhnt zu werden. Er nahm zu, und sein Gesicht verlor den ständig angespannten Ausdruck. Seine Lachfalten kehrten zurück, und seine Augen funkelten wieder so schalkhaft wie früher. Es klappte noch nicht mit dem Tanzen, aber zu Pferde wurde er immer sicherer. Inzwischen gab es auch in Madame Clarisse' Stall eine spezielle Auf- und Abstiegsrampe – Jay Hankins, der Schmied, dachte mit. Oft holte Lainie Tim jedoch einfach mit dem Gig ab, egal wie säuerlich Nellie guckte. Und neuerdings übte Roly sich im Kutschieren. Dabei hatte der Junge es meist genauso eilig wie das Pferd; Fellow war zum Fahren eigentlich zu lebhaft. Aber wenn Roly weit genug von den nach wie vor gefürchteten Pferdehufen und -zähnen entfernt war, gefiel der inzwischen Vierzehnjährige sich durchaus als furchtloser Wagenlenker. Der zweirädrige Wagen, der sich in Lamberts Remise gefunden hatte, hüpfte dann rasant über Stock und Stein, und Tim war wie gerädert, wenn er bei Lainie ankam.

»Ich könnte die Strecke genauso gut auf dem Pferd galoppieren«, stöhnte er und rieb sich die schmerzende Hüfte. »Aber Roly hat Riesenspaß. Und er muss manchmal Dampf ablassen. Als ›männliche Krankenschwester‹ hört er sich nun wirklich genug Spott an.«

Auch am Spott und Tratsch der Stadt nahm Tim wieder teil. Seine Freunde begrüßten ihn mit Hallo am Stammtisch im Pub. Madame Clarisse machte eine große Sache daraus, die harten Stühle rund um den Tisch in der Ecke durch bequeme Sessel zu ersetzen.

»Ein spezieller Service für unsere treuesten Kunden«, bemerkte sie. »Kommt sonst nur den Herren zugute, die auf die Gesellschaft unserer Damen warten ...« Die Sessel stammten aus einem Aufenthaltsraum im ersten Stock. »Fühlen Sie sich ganz wie zu Hause!«

Ernie, Matt und Jay machten mit und ließen sich mit großer Geste und noch größeren Zigarren und Whiskygläsern in ihrem speziellen »Herrenzimmer« nieder. Tim war dankbar dafür. Mit seinen Krücken fiel er so schon genug auf. Er kam kaum durch die Stadt oder den Barraum, ohne angesprochen zu werden.

Im Gegensatz zu seinem Status bei den Minenbesitzern war der Respekt der Bergleute ihm gegenüber seit dem Unfall gestiegen. Jeder hatte den langen Kampf um Genesung unter der Fuchtel von Berta Leroy verfolgt, und selbst jedem neuen Bergmann wurde als Erstes erzählt, wie der Sohn des Minenbesitzers als Erster in die Unglücksmine eingefahren war und mit eigenen Händen und unter Einsatz seines Lebens versucht hatte, die Leute auszugraben. Tim war seitdem einer der ihren. Einer, der wusste, wie gefährlich ihr Dasein war, mit wie viel Angst und Unsicherheit sie jeden Tag lebten. Deshalb grüßten sie ihn respektvoll, fragten ihn mitunter aber auch um Rat oder baten um Fürsprache beim Steiger oder bei der Minenleitung. Was Letzteres betraf, musste er sie allerdings durchweg abschlägig bescheiden. Tims Einfluss auf seinen Vater war nach wie vor gleich null, und auch sonst sah es schlecht aus mit Vergünstigungen rund um die Mine der Lamberts. Matt kam immer öfter mit ernstem Gesicht in den Pub und schilderte Tim die katastrophale wirtschaftliche Lage des Unternehmens.

»Das fängt damit an, dass wir keine Leute kriegen. ›Lambert zahlt schlecht, und die Mine ist gefährlich.‹ Das ist das Erste, was hier jeder neue Arbeiter zu hören kriegt. Und das wird sich auch nicht ändern. Ihr Vater ist bei seinen Leuten unten durch. Die Hilfsleistungen an die Hinterbliebenen nach dem Unglück waren ein Witz! Sie deckten kaum die Begräbniskosten, und seitdem sind die Frauen und Kinder auf Wohltätigkeit angewiesen. Dazu dieser völlige Entscheidungsmangel. Wir müssten neu aufbauen, Geld investieren, alles erneuern bis hin zur letzten Grubenlampe. Aber da kommt gar nichts. Ihr Vater ist der Ansicht, er müsse erst aus den Miesen rauskommen; dann könne er wieder über Investitionen nachdenken. Aber das ist der falsche Weg …«

»Zumal, wenn er bis dahin noch mehr Geld in Whisky investiert.« Tim seufzte. Er wusste, dass er zu seinem Angestellten nicht so vertraut reden sollte, doch Matt musste die Alkoholfahne seines Chefs genauso riechen wie er selbst. »Wenn er mittags nach Hause kommt, ist er meist schon angetrunken. Nachmittags geht es dann weiter. Wie soll er da vernünftige Entscheidungen treffen?«

»Das einzig Richtige wäre, Ihnen so schnell wie möglich die Minenleitung zu übertragen«, meinte Matt. »Dann könnten wir uns vor Arbeitern kaum retten. Und ein Bankkredit wäre sicher auch kein Problem …«

»Steht es so schlimm, dass wir einen Bankkredit brauchen?«, fragte Tim alarmiert. »Ich dachte, mein Vater hätte Rücklagen?«

»Soviel ich weiß, stecken die in einer Eisenbahnlinie, die zurzeit noch im Schlamm versinkt ...«, murmelte Matt. »Aber ich bin mir nicht sicher. So genau hat er mich nicht über seine Verhältnisse informiert.«

Tim prüfte die Angelegenheit daraufhin nach und war ziemlich erschrocken. Natürlich würden Lamberts Investitionen in den Gleisbau irgendwann Geld abwerfen. Eisenbahnbau war eine sichere Sache. Aber bis dahin waren sie ziemlich mittellos; eine Erneuerung der wichtigsten Minenbauten würde tatsächlich über Kredite finanziert werden müssen. Eigentlich auch kein Problem, schließlich gab es ausreichend Sicherheiten. Aber bekam Marvin Lambert von den Bankern von Greymouth noch Kredit?

Als er seinen Vater darauf ansprach, kam es wieder zu einem heftigen Streit. Tim war drauf und dran, gleich eine Überfahrt nach London zu buchen.

»Und dann nach Cardiff, Lainie! Wir sparen uns das ganze Theater mit Verlobung und sonst was und heiraten in Wales! Ich habe da Bekannte. Wir könnten selbst dann unterkommen, wenn uns die Silkhams ihr Schloss nicht öffneten! Und stell dir mal die Überraschung vor, wenn du deiner Grandma Gwyn eine Karte aus ihrer alten Heimat schickst.«

Elaine lachte nur, aber Tim war die Sache bitterernst. Es waren nämlich längst nicht nur die Mine und der Ärger über seinen Vater, die ihm den Schlaf raubten, sondern auch die Sorgen um Lainie. Inzwischen hatte sie ihm ausführlich von ihrer Familie erzählt, und ihm war himmelangst, wenn er nur daran dachte. Schafbarone aus Canterbury, ein Handelshaus und ein Hotel in Otago, Verbindungen zu den bekanntesten Familien der Südinsel ... und dazu noch die seltsame Geschichte mit ihrer Cousine Kura, die es ausgerechnet ebenfalls nach Greymouth hatte verschlagen müssen! Irgendwann würde jemand Elaine erkennen ... erst recht dann, wenn sie ihrer Mutter und Großmutter tatsächlich so verblüffend ähnlich sah, wie sie behauptete. Bei einer Barpianistin sah vielleicht niemand genau hin. Aber bei einer Mrs. Lambert Verbindungen zu den besten Familien des Landes anzunehmen war durchaus normal. Jemand würde die Ähnlichkeit bemerken und Elaine darauf ansprechen. Womöglich schon bei dieser unseligen Verlobungsfeier! Tim hätte sich lieber heute als morgen mit Lainie nach Cardiff abgesetzt. Er meinte, die Bombe ticken zu hören …

»Noch immer nichts aus Westport?«

John Sideblossom hatte seinem Informanten keinen Whisky angeboten, trank selbst aber schon das zweite Glas während dieses Gesprächs. Der Mann war nicht dumm, aber anscheinend schien die Zeit an der Westküste stehen zu bleiben. Weder erwiesen sich Sideblossoms Investitionen in die Eisenbahnlinie als lohnend, noch hatte jemand von seiner flüchtigen Schwiegertochter gehört. Der große, inzwischen fast grauhaarige Mann schlug verärgert mit der Faust auf den Tisch.

»Verflucht, ich war mir so sicher, dass sie an der Westküste auftaucht! Dunedin ist zu nahe an Queenstown, in Christchurch ist sie bekannt wie ein bunter Hund, und die Gegend um Blenheim … das Gebiet beobachte ich eigentlich ständig. Auch die Fähren zur Nordinsel lasse ich überwachen. Im Grunde kann sie nicht entwischt sein!«

»Jede Ecke auf der Insel überblicken Sie aber auch nicht«, meinte der Mann. Er war nicht mehr jung, aber ein typischer Coaster in abgetragenen Lederhosen und einem schmutzigen Wachsmantel, der ihn wohl schon auf Walfang, Seehundjagd und auf der Suche nach Goldnuggets begleitet hatte. Seine Züge waren hart und wettergegerbt, seine Augen hellblau und aufmerksam. Sideblossom wusste, warum er ihn bezahlte. Diesem Kerl entging so leicht nichts. »Sie könnte auf irgendeiner Farm sein oder bei den Maoris …«

»Die Farmen hab ich durch«, erklärte Sideblossom kühl. Er hasste es, wenn man seine Kompetenz anzweifelte. »Es sei denn, sie verstecken das Aas auf Kiward Station. Aber das kann ich mir nicht denken, dann würde George Greenwood nicht auch nach ihr fahnden. Die Wardens tappen genauso im Dunkeln wie ich. Und die Maoris ... irgendetwas sagt mir, dass sie keine zwei Jahre mit denen herumzieht! Schon deshalb, weil die ja auch keine zwei Jahre am Stück wandern. Sie kommen doch immer wieder in ihre Dörfer zurück. Natürlich könnten sie das Luder von einem Stamm an den anderen weiterreichen. Aber das passt nicht, das geht über deren Horizont. Nein, ich hätte geschworen, sie wäre in irgendeinem Goldgräberlager oder Bergbaukaff untergekommen. Wahrscheinlich in einem Puff. Westport, Greymouth ...«

»Da Sie Greymouth gerade erwähnen ...« Der Mann suchte in den Taschen seines Regenmantels. »Ich weiß, Sie haben da Ihren eigenen Mann. Aber das hier stand vor ein paar Tagen in der Zeitung. Wahrscheinlich hat es nichts mit unserer Kleinen zu tun, aber es erschien mir doch seltsam. Die Namen sind sich so ähnlich ...«

Mr. Marvin und Mrs. Nellie Lambert, Lambert Manor, Greymouth, geben die Verlobung ihres Sohnes Timothy Lambert mit Lainie Keefer, Auckland, bekannt ...

John Sideblossom las mit gerunzelter Stirn.

»Marvin Lambert ... Den kenne ich flüchtig, noch aus den alten Tagen an der Westküste ...«

Aus dieser seiner wilden Zeit kannte er auch sein Gegenüber. Doch im Gegensatz zu Sideblossom und Lambert hatte das Schicksal es mit diesem Mann nicht gut gemeint. Als fühlte er sich beinahe schmerzlich daran erinnert, hob Sideblossom die Flasche und schenkte seinem Informanten nun doch einen Whisky ein. Dabei dachte er nach, und ein beinahe fiebriger Glanz trat in seine Augen.

»›Lainie‹...«, murmelte er. »Das passt. Ihre Familie hat sie so genannt. ›Keefer‹ ... hm ... auf jeden Fall eine interessante Spur. Ich werde der Sache nachgehen.« Sideblossom grinste sardonisch. »Mal sehen, vielleicht statte ich dieser ›Verlobungsfeier‹ einen kleinen Überraschungsbesuch ab ...«

Zufrieden füllte er die Gläser ein weiteres Mal, bevor er dem Mann seine Belohnung auszahlte. Er überlegte, ob er einen Bonus dazulegen sollte, fand dann aber, dass eine kleine Geste reichen sollte.

»Nehmen Sie die Flasche nachher mit«, erklärte er und gab der Whiskyflasche einen Stups, der sie in Richtung des Besuchers rutschen ließ. »Ich denke, wir sehen uns an der Westküste.«

Als der Mann ihn schließlich verlassen hatte, las Sideblossom die Verlobungsanzeige ein weiteres Mal.

»Lainie Keefer.« Es war möglich ... ja, es war mehr als wahrscheinlich. Sideblossom überlegte, ob er gleich nach Greymouth aufbrechen sollte. Er spürte das Jagdfieber in sich glühen, fast so wie damals, als er James McKenzie nachgesetzt war. Aber hier hieß es kühlen Kopf bewahren. Dieser Vogel würde nicht entfliegen, dafür fühlte er sich zu sicher in seinem Nest.

Marvin und Nellie Lambert geben die Verlobung ihres Sohnes bekannt ...

Der alte Coaster knirschte mit den Zähnen. Elaine musste sich sehr sicher fühlen, wenn sie eine solche Anzeige zuließ. Aber er würde sie kriegen und das Vögelchen dem Nest entreißen! Und dann ...

Sideblossoms Faust schloss sich um das Zeitungsblatt. Er knüllte es zusammen, bevor er es in kleine Stücke zerriss.

2

William Martyn hatte genug von den Maoris. Nicht, dass er sie nicht mochte, im Gegenteil. Sie waren gastfreundlich, meist gut gelaunt und bemühten sich sichtlich, den vornehmen *pakeha* – William verfolgte die Strategie, auch an der Westküste durch besonders elegantes Auftreten Seriosität zu demonstrieren – nicht durch allzu abweichendes Brauchtum zu irritieren. Tatsächlich sprachen sie so viel wie möglich Englisch mit ihm, imitierten seine Gesten und Redewendungen und konnten gar nicht genug davon bekommen, sich an seinen Nähmaschinen zu versuchen. Nach zwei Wochen Reise zu drei verschiedenen Stämmen hatte William aber genug von ihren *haka* – ihren langen, mit großer Gestik vorgetragenen Geschichten, deren Sinn sich ihm nur unzulänglich erschloss – und der zwar wohlschmeckenden, aber immer gleichen Verpflegung: Süßkartoffeln mit Fisch folgte auf Fisch mit Süßkartoffeln. William sehnte sich nach einem ordentlichen Steak, ein paar Whiskys in Gesellschaft angetrunkener Engländer und möglichst einem richtigen Bett in einem abgeschlossenen Hotelzimmer. Am nächsten Tag würde er dann eine Demonstration im Pub oder im Gemeindehaus organisieren. Die Ortschaft Greymouth schien ihm groß genug, um über beides zu verfügen. Womöglich gab es auch ein Hotel, das seinen Namen verdiente und seine Zimmer nicht nur stundenweise abgab.

Es regnete, als er Greymouth erreichte, aber das Städtchen entpuppte sich tatsächlich als mittlere Ansiedlung und hatte anscheinend sogar noblere Viertel aufzuweisen. Jedenfalls schien ein Passant, den William nach einem Hotel fragte, zu schwanken.

»Soll es etwas Besseres sein, mit Portier und so? Oder eher ein Pub?«

William zuckte die Schultern. »Ordentlich, aber erschwinglich.«

Der Mann zuckte die Schultern.

»Dann käme am ehesten Madame Clarisse' Hotel in Frage«, meinte er. »Aber ob Sie da die ganze Nacht unterkommen ...?«

Das Schild ›HOTEL‹ leuchtete William dann auch gleich entgegen, als er die angegebene Richtung einschlug, doch die bunte Bemalung und der angeschlossene Pub Lucky Horse versprachen nicht unbedingt Nachtruhe. Dafür bekam man vielleicht ein Steak ...

William hielt unschlüssig an; dann aber trieb der Gesang aus dem Pub ihn weiter. Die Leute, die hier *Auld Long Syne* zu mittelmäßigem Klavierspiel intonierten, waren eindeutig mehr als nur ein bisschen betrunken. Natürlich, es war Samstag – eigentlich ein guter Zeitpunkt. William konnte am kommenden Morgen gleich die Messe besuchen und mit dem Reverend wegen des Gemeinderaums reden.

Vorerst jedoch spornte er sein Pferd wieder an. Vielleicht gab es ja weitere Pubs, in denen es ruhiger war.

Ein paar Straßen weiter fand sich tatsächlich die nächste Kneipe, das Wild Rover. Auch hier drang Musik bis auf die Straße. Aber hier war es seltsam ... William hielt seinen Wagen an, band das Pferd fest und warf ihm eine Regendecke über. Dabei lauschte er auf die ungewöhnlichen Klänge aus dem Schankraum. Ein Klavier, virtuos gespielt, und dazu eine Flöte. Ein Maori-Instrument. Aber diese Musik war anders als die verhältnismäßig primitiven *haka*, von denen William in den Wochen zuvor so viele gehört hatte. Zwar erkannte er Parallelen, aber hier hatte jemand an Melodie und Ausdruck gefeilt. Die Zwiesprache zwischen den Instrumenten wirkte mal aufrüttelnd, mal rührend. William erkannte jetzt die *pecorino*, und der Flötenspieler entlockte ihr die weibliche

Stimme. Hoch und fordernd, beinahe zornig, aber auch werbend, unzweifelhaft erotisch. Das Klavier antwortete dunkel – die Männerstimme in dieser Konversation. Die Instrumente schienen zu flirten, einander zu necken, bis sie sich zu einem gemeinsamen Schlusston verbanden, den die Flöte dann jäh abbrach, um zu schweigen, während der Pianist in meisterhaften Läufen in eine höhere Tonlage überwechselte. Dann antwortete wieder *pecorino*. Erneut ein Dialog, diesmal ein Streit. Lange Erklärungen, kurze, schroffe Antworten, Annähern und Entfernen – und schließlich ein Bruch. Ein klagendes, ersterbendes Klavier, während die Flöte innehielt, um dann plötzlich wieder einzusetzen.

William lauschte fasziniert. Die Geisterstimme. Er hatte immer wieder davon gehört, war bisher aber nie auf einen Stamm gestoßen, dessen Musiker dem Instrument die dritte Stimme abzuringen wussten. Und jetzt schwebten diese Töne aus einem heruntergekommenen Pub in Greymouth ... William trat neugierig näher. Die Geisterstimme schien tatsächlich nicht von der Flöte auszugehen, sondern aus den Tiefen des Raumes beschworen zu werden. Sie klang hohl, ätherisch. Man meinte, die Stimme einer mystischen Traumzeit zu hören, das Flüstern der Ahnen, das Anbranden der Wellen am alten Strand von Hawaiki ...

William betrat den Pub und ließ den Blick durch den verräucherten Schankraum schweifen. Soeben applaudierten die Gäste. Einige standen dabei auf; das seltsame Lied hatte sogar die ungeschlachten Männer ergriffen. Und dann sah William den blonden, blassen Pianisten, der eine steife Verbeugung andeutete, und das Mädchen, das der Stimme der Flöte nachzuhorchen schien.

»Kura!«

Kura sah auf. Ihre Augen wurden riesig, als sie William erblickte. Soweit er es im Funzellicht des Pubs erkennen konnte, schien sie zu erblassen.

»William ... das ist nicht möglich ...« Sie trat näher und blickte ihn mit einem Ausdruck an, als wäre sie noch zu sehr in der magischen Welt ihrer Musik gefangen, um die Wirklichkeit begreifen zu können. »Als wir dieses Lied arrangiert haben«, sagte sie schließlich, »habe ich an uns gedacht. An das, was uns zusammenbrachte ... und trennte. Und dann bat ich die Geister, dich zurückzurufen. Aber das kann doch nicht sein! Es ist doch nur ein Lied ...« Sie stand wie erstarrt, die Flöte in der Hand.

William lächelte.

»Man sollte die Geister eben nie unterschätzen«, sagte er und küsste sie freundschaftlich auf die Wange. Dann aber nahmen ihre Haut und ihr Duft ihn wieder so sehr gefangen, dass er nicht widerstehen konnte. Er drückte seine Lippen auf die ihren.

Die Männer rundum johlten und applaudierten.

»Noch einmal!«

William war nicht abgeneigt, aber inzwischen hatte sich der Pianist erhoben. Er war groß und schlank, hatte ein langes, nichtssagendes Gesicht. Ihr Liebhaber?

»Kura?«, fragte Caleb verwirrt. »Willst du uns ... nicht vorstellen?«

Ein Gentleman. William hätte beinahe gelacht.

Kura wirkte abwesend. Sie hatte Williams Kuss erwidert, aber die Situation war derart unwirklich ...

»Entschuldige bitte, Caleb«, sagte sie. »Das ist William Martyn. Mein Mann.«

Der Pianist starrte William fassungslos an; dann fing er sich und streckte ihm die Hand entgegen.

»Caleb Biller.«

»Miss Kuras Verlobter!«, bemerkte Paddy Holloway.

»Es ist nicht, was du denkst«, flüsterte Kura in das peinliche Schweigen hinein.

William beschloss zu handeln. Was immer hier ablief, es sollte nicht vor aller Augen und Ohren besprochen werden. Und es hatte garantiert Zeit bis später …

»Das kann warten, Süße«, flüsterte er zurück und verstärkte den Griff, mit dem er Kura immer noch wie zum Kuss umarmt hielt. »Wir sollten erst mal diesen himmlischen Auftrag erledigen …«

Lächelnd löste er sich von ihr und wandte sich Caleb zu.

»Es war nett, Sie kennen zu lernen. Ich hätte mich gern länger mit Ihnen unterhalten. Aber die Geister, Sie verstehen. Am besten, Sie halten jetzt eine oder zwei Stunden die Stellung hier …« William fischte zwei Dollarscheine aus der Tasche und legte sie aufs Klavier. »Sie können auch gern einen Whisky auf meine Rechnung trinken. Aber meine Frau muss ich Ihnen leider ein wenig entführen. Wie gesagt, die Geister … Man sollte ihrem Ruf nicht zu lange widerstehen …«

William ergriff die Hand der verwirrten Kura und ließ einen völlig verblüfften Caleb zurück. Auf dem Weg zur Tür drückte er auch Paddy einen Schein in die Hand. »Hier, Buddy, bring dem Jungen am besten gleich die ganze Flasche. Er wirkt ein bisschen blass. Wir sehen uns später.«

Kura kicherte hysterisch, als er sie aus dem Pub zog.

»William, du bist schrecklich!«

Er lachte. »Ich stehe dir in nichts nach. Darf ich dich daran erinnern, wie du dich damals aufgeführt hast? Ich denke nur an diesen Kuss mitten auf der Tanzfläche von Kiward Station. Ich dachte, du reißt mir gleich die Kleider vom Leib.«

»Ich war nahe daran …« Kura rieb ihren Körper an seinem, dachte dabei aber fieberhaft nach. Sie konnte ihn unmöglich mit zu Mrs. Miller nehmen. Herrenbesuch war ihr ausdrücklich untersagt; wahrscheinlich hätte es nicht einmal geholfen, wenn sie ihren Trauschein hätte vorweisen können. Der Mietstall? Nein, dann konnten sie es auch gleich auf offener Straße treiben. Schließlich zog Kura ihren Mann in Richtung Lucky Horse. Madame Clarisse' Stall! Soviel Kura wusste, stand da nur Lainies Pony. Und Elaine spielte mindestens noch zwei Stunden Klavier ...

Kura und William kicherten wie Kinder, als Kura die Tür zu Madame Clarisse' Stall suchte und daran rüttelte. Beim zweiten Versuch gab das Schloss nach, und die beiden schlüpften in den trockenen Stall. William küsste Kura einen Regentropfen von der Nase. Er selbst war trocken, hatte seinen Wachsmantel gar nicht erst ausgezogen.

Im Stall standen dann doch ein paar mehr Pferde als nur Lainies Schimmel. Wahrscheinlich gehörten sie Gästen im Pub. Das Publikum des Lucky Horse bestand nicht nur aus Bergarbeitern, sondern auch aus Handwerkern und kleinen Geschäftsleuten, die Reitpferde besaßen. Kura überlegte kurz, ob sie das Risiko trotzdem eingehen sollte, aber William küsste bereits ihre Schultern und machte Anstalten, ihr Kleid herunterzuziehen.

Kura schaffte es gerade noch in eine abgetrennte Box, ein Heulager, bevor sie seinem Drängen nachgab. William warf seinen Mantel ab und öffnete ihr Mieder. Und dann vergaß Kura alles um sich herum, konnte nur noch fühlen und brennen und lieben ...

Roly O'Brien hörte Stöhnen und Lachen und starrte verblüfft auf das Pärchen im Heu. Matt Gawain hatte den Jungen in den Stall geschickt, um ein paar Papiere aus seiner Satteltasche zu holen. Und jetzt das ... Roly zog sich leise zurück, allerdings nicht so weit, dass ihm weitere Einblicke verborgen blieben.

Natürlich war er als Bergarbeiterkind, das in einer Kate aufgewachsen war, in der Eltern und fünf Kinder einen einzigen

Raum teilten, nicht völlig überrascht von dem, was er da beobachtete. Aber das fantasievolle Spiel dieser beiden hatte mit der schnellen, verschämten Liebe seiner Eltern, der er früher oftmals gelauscht hatte, nicht viel gemeinsam. Roly versuchte, die Liebenden zu erkennen. Langes tiefschwarzes Haar ... nein, das war keins von Madame Clarisse' Mädchen, das hier ihre Gunst gewährte. Und der Mann ... Er war blond, aber viel mehr konnte Roly nicht erkennen. Schließlich sah er das Gesicht des Mädchens. Miss Kura! Die Pianistin vom Wild Rover.

Roly wusste nicht, wie lange er in seinem Versteck ausharrte und den beiden fasziniert zusah. Aber irgendwann ging ihm auf, dass Mr. Tim und Mr. Matt ziemlich dringlich nach den Papieren in Gawains Satteltasche verlangt hatten. Wenn er nicht bald erschien, würden sie ihm jemanden hinterherschicken ... Bedauernd riss Roly sich los und tastete sich möglichst lautlos zu den Pferden. Matts Fuchsstute war auch ohne Stalllaterne leicht zu erkennen. Um keinen Lärm zu machen, wühlte Roly gar nicht erst in ihren Satteltaschen, sondern löste rasch die Lederschlaufen und nahm gleich die ganzen Taschen mit. So gelang es ihm, ungesehen ins Freie zu schlüpfen. Er grinste wie ein Honigkuchenpferd, als er den Schankraum betrat.

»Warum hat das so lange gedauert?«, fragte Matt Gawain unwirsch, als Roly die Taschen vor ihn auf den Tisch legte. »Hast du die Pläne nicht gefunden?«

Roly schlug verschämt die Augen nieder, doch um seine Lippen spielte ein Lächeln. »Nein, Mister ... äh ... Matt.« Es fiel ihm immer noch schwer, den Steiger bei seinem Vornamen zu nennen. »Es war nur ... ich war nicht allein im Stall.«

Tim Lambert verdrehte die Augen. »Wer war denn noch da? Musstest du ein längeres Gespräch mit Fellow führen? Oder mit Banshee?«

Roly kicherte. »Nein, Mr. Tim. Aber ich wollte nicht stören.

Weil nämlich ... im Stall treibt es die Klavierspielerin aus dem Rover mit 'nem blonden Mann! Und sie treiben es toll!«

Die Männer am Stammtisch blickten einander an – dann lachten sie auf.

»Stellen wir hiermit also fest«, bemerkte Ernie Gast, »dass wir Caleb Biller durchweg unterschätzt haben!«

Elaine war erschrocken und aufgewühlt, als sie William wiedersah – allerdings längst nicht so betroffen, wie sie vorher befürchtet hatte. Vielleicht war es hilfreich, dass sie ihm hoch zu Ross entgegenkam, während er die Main Street zu Fuß entlangspazierte. Und bestimmt war es hilfreich, dass Timothy Lambert neben ihr ritt. Zudem traf es sie nicht unvorbereitet, denn die Geschichte von Kura Martyns plötzlich aufgetauchtem Ehemann hatte sich natürlich in Windeseile verbreitet. Matt hörte sie am Morgen von Jay Hankins, der eine Lieferung Eisenteile in die Mine brachte, und Tim erfuhr die Story dann gegen Mittag von Matt. Daraufhin ließ er alles stehen und liegen und bat Roly, Fellow zu satteln. Er musste Lainie unbedingt erwischen, bevor sie William begegnete, und tatsächlich riss er sie schließlich aus dem Schlaf, denn der Abend im Pub war lang gewesen. Lainie freute sich über den Besuch, doch Tims Information ließ sie dann erblassen.

»Irgendwann musste so etwas passieren, ich sag es dir ja schon seit Wochen!« Tim streckte sich neben ihr aus. Er hatte es geschafft, Fellow fast die Hälfte der Strecke im Galopp zu halten und danach ohne Hilfe vom Pferd und wieder auf die Beine zu kommen. Seine Gehhilfen pflegte er jetzt hinter dem Sattel festzuschnallen. Die Sache mit William beschäftigte ihn allerdings so sehr, dass er jetzt weder allzu große Schmerzen noch Stolz über seine Leistung empfand. »Jetzt haben wir einen Mitwisser mehr, und wer weiß, ob der Kerl schweigen kann.«

»Er war bei den Feniern, den irischen Terroristen. Natürlich kann er schweigen …«

Elaine beschäftigten ganz andere Dinge. Wie würde sie reagieren, wenn sie William wiedersah? Würde sie vor Herzklopfen kein Wort herausbekommen und abwechselnd rot und blass werden? Sie hasste sich für ihre Unfähigkeit, Gefühle zu verbergen. Und wie würde William reagieren? Er musste wissen, dass sie Thomas Sideblossom getötet hatte. Würde er sie dafür verurteilen? Sie womöglich drängen, sich zu stellen?

»Na, dann hat er ja hoffentlich selbst genug Dreck am Stecken«, meinte Tim. »Aber das ist der Anfang vom Ende! Wenn die zwei sich jetzt hier ansiedeln, werden sie auch wieder Kontakt mit deiner Familie aufnehmen. Erst recht, wenn das mit den Auftritten so weitergeht.«

Kura und Caleb hatten ihr Musikprogramm »Pecorino meets Piano« inzwischen erfolgreich in Greymouth, Punakaiki und Westport vorgestellt, stets im Rahmen von Wohltätigkeitsprojekten; Zeitungen hatten noch nicht über sie geschrieben. Es gab ja auch keine großen Zeitungen an der Westküste. Aber die beiden waren erstklassige Musiker, und ihr Programm war etwas ganz anderes, etwas Neues. Kura hatte Elaine gegenüber angedeutet, dass ihre weiteren Pläne eine Tournee durch Neuseeland, Australien und England vorsahen. Bislang scheiterten weitere Auftritte allerdings an mangelnden Kontakten und vielleicht auch an Calebs Lampenfieber. Er starb beinahe vor Angst, die sich in körperlichen Symptomen äußerte. Fast vor jedem Auftritt war Caleb krank.

»Wenn das so weitergeht, hat er Magengeschwüre, bevor wir auch nur nach Auckland kommen«, beschwerte sich Kura. Sie nahm Caleb nicht sonderlich ernst. Doch Mrs. Biller und die Damen Weber, auf deren Kontakte zu Wohltätigkeitsvereinen Kura und Caleb vorerst angewiesen waren, bemerkten sein Unbehagen und organisierten vorerst keine weiteren Konzerte.

»Wenn Caleb und Kura wirklich auf Tournee gehen, sind sie doch weg«, gab Elaine zu bedenken und streichelte Tim. »Du machst dir zu viele Sorgen. Schau, ich bin jetzt über zwei Jahre hier, und nichts ist passiert.«

»Was mich auch schon wundert«, grummelte Tim, ließ das Thema vorerst aber fallen und küsste Lainie. Er würde sein Bestes tun, all ihre Erinnerungen an William Martyn zu löschen.

Schließlich brachte Elaine Tim nach Hause. Dabei begegneten sie William. Der junge Mann war bester Laune. Er hatte eben ein Zimmer bei Mrs. Miller angemietet, dabei deren beste Freundin kennen gelernt und ihrem Mann, dem Schneider, gleich eine Nähmaschine verkauft. Allerdings würde es endlos dauern, bis Mr. Mortimer sich eingearbeitet hatte; er wirkte eher wie ein Herren- und Damenschneider alter Schule. Doch William erklärte ihm, dass man auch in seinem Gewerbe mit der Zeit gehen müsse; schließlich wolle er gegenüber der Konkurrenz nicht zurückbleiben. Darüber vergaß Mr. Mortimer völlig, dass er bis weit über Westport hinaus gar keine Konkurrenz hatte ... aber das gedachte William auf die Dauer ja zu ändern. Nun freute er sich erst einmal aufrichtig, Elaine O'Keefe wiederzusehen – »Lainie Keefer.« William rief sich zur Ordnung. Jeder hatte seine Geheimnisse ...

»Lainie!« William strahlte das Mädchen an und vertraute auf die bewährte, alles entschuldigende Wirkung seines Lächelns. Natürlich hatten sie sich nicht gerade als Freunde getrennt, aber das konnte Elaine ihm nun wirklich nicht mehr übel nehmen.

»Kura erzählte mir, du wärst auch hier, aber ich konnte es kaum glauben! Gut siehst du aus!« William streckte ihr spontan die Hand entgegen. Wenn sie nicht auf dem Pferd gesessen hätte, hätte er sie wahrscheinlich zur Begrüßung auf die Wange geküsst.

Elaine merkte verwirrt, dass sie das ebenso kalt gelassen hätte wie sein Lächeln. Zwar empfand sie ihn immer noch als gut aussehenden Mann, doch sein Anblick erregte sie nicht mehr. Im Gegenteil, sie erkannte jetzt den Anflug von Leichtsinn in seinen Augen, seine Oberflächlichkeit und seinen Egoismus. Früher hatte sie das alles für Abenteuerlust gehalten; es war herrlich aufregend und ein bisschen gefährlich gewesen. Aber das Spiel mit dem Feuer lockte sie inzwischen nicht mehr. Eigentlich hatte es sie nie wirklich befriedigt. Elaine wollte sich geliebt und geborgen fühlen. Sie wollte sich sicher fühlen.

Lainie erwiderte Williams Händedruck, doch ihr Lächeln galt Tim.

»Darf ich dir Timothy Lambert vorstellen? Er ist mein Verlobter.«

Schien es ihr nur so, oder flackerte da Verwunderung oder gar Missfallen in Williams Augen auf? Passte es ihm womöglich nicht, dass die kleine Elaine einen äußerst vorzeigbaren Verlobten besaß? Keinen zerlumpten Goldgräber, sondern den potenziellen Erben eines Kohlebergwerks? Elaine fuhr sofort die Krallen aus, während Tim William höflich zunickte. Vielleicht wirkte es ein wenig arrogant, aber Tim schaffte es noch nicht, sich vom Pferd aus zu einem Fußgänger herunterzubeugen.

William zog die schon fast ausgestreckte Hand zurück.

»Dann darf man ja gratulieren«, sagte er steif.

»Man darf!«, bemerkte Lainie honigsüß. »Wir feiern die Verlobung am 16. August. Auf Lambert Manor. Ihr seid natürlich auch eingeladen, Kura und du. Bestell ihr das bitte. Wir haben ihr nämlich keine förmliche Einladung geschickt ... Schließlich dachten wir, sie käme mit Caleb.«

Damit schenkte sie ihm ein strahlendes Lächeln und ließ Banshee antreten. »Man sieht sich, William!«

Tim lachte, als sie außer Sicht waren. »Du entwickelst dich zu einer richtigen kleinen Hexe, Lainie! Ich werde aufpassen müssen, wenn ich mit dir verheiratet bin. Wo ist eigentlich diese Pistole?«

3

Kura hörte verwundert von Williams Karriere als Nähmaschinenvertreter und verfolgte seine Demonstration im Gemeindesaal. Das Ganze litt etwas darunter, dass die beiden immer noch kaum die Hände voneinander lassen konnten. William musste sich deutlich mehr anstrengen als sonst, sein weibliches Publikum glaubhaft zu umgarnen. Immerhin verkaufte er zwei Maschinen an Hausfrauen und landete den ganz großen Coup, indem er den Reverend dafür gewann, eine Nähwerkstatt für die Witwen des Minenunglücks zu gründen.

»Schauen Sie, ich weise die Damen ein – sehr viel ausführlicher als sonst. Ich werde ja einige Zeit mit meiner Frau in der Gegend bleiben. Und dann sollten sie befähigt sein, den Unterhalt für sich und ihre Familien selbst zu finanzieren. Über die Organisation des Ganzen müssen Sie sich natürlich mit Ihrem Spendenkomitee einigen ...« William nickte Mrs. Carey zu, die eben eine Maschine erstanden hatte. »Ob Sie die Damen fest anstellen oder ihnen die Maschinen sozusagen in Kommission überlassen ... Nein, unter drei Maschinen lohnt es sich nicht anzufangen. Und für fünf könnte ich Ihnen einen ordentlichen Preisnachlass anbieten ...«

»Du bist unwiderstehlich!«, wunderte sich Kura, als die beiden zusammen nach Greymouth zurückfuhren, die Hände ineinander verschlungen und beide auf der Suche nach einer Möglichkeit, unauffällig von der Straße abzufahren und sich irgendwo im Grünen zu lieben. »Die Leute fressen dir tatsächlich aus der Hand. Glaubst du wirklich, Mrs. Carey lernt noch, mit dieser komischen Maschine zurechtzukommen?«

William zuckte die Achseln. »Manchmal geschehen Zeichen und Wunder. Außerdem ist es mir völlig egal. Wenn sie das Ding bezahlt hat, kann sie damit nähen oder sich die Schuhe damit putzen. Hauptsache, ich kriege meine Provision. Und die Damen wirkten doch nicht unglücklich, oder?« Er grinste.

Kura lachte auf. »Du hast es immer schon verstanden, die Damen glücklich zu machen«, sagte sie und küsste ihn.

William hielt es nun auch nicht mehr aus. Er fuhr den Wagen auf einen Seitenweg und zog Kura unter die Plane. Das war zwar nicht übertrieben bequem, aber man konnte sich ausstrecken, und draußen war es um diese Jahreszeit einfach zu kalt. Er schlief auch während seiner Reisen mitunter im Wagen.

Was ein gemeinsames Zimmer anging, war die Lage hoffnungslos. Weder Mrs. Tanner noch Mrs. Miller wollten irgendwelche Kuppelei riskieren, und eine Suite in den noblen Hotels am Kai war zu teuer. William dachte schon darüber nach, stundenweise ein Zimmer im Lucky Horse zu mieten, doch Kuras Beziehung zu Madame Clarisse' Etablissement war zwangsläufig ein wenig gespannt.

»Was ist aus deiner Begeisterung für Schafe geworden?« Kura kraulte Williams Nacken.

»Ein offensichtlicher Irrweg«, bemerkte er. »Meine Familie betreibt schon sehr lange Viehzucht. Ich dachte, es müsste mir liegen. Aber in Wirklichkeit ...«

»In Wirklichkeit betrieben eher eure Pächter die Viehzucht, und als du feststellen musstest, dass Schafmist stinkt, hast du die Lust verloren.« Kura redete nur wenig, aber wenn, fasste sie Dinge treffend in Worte.

»Das kann man so sagen«, gab William zu. »Und was ist aus deiner Begeisterung für die Oper geworden?«

Kura zuckte die Schultern. Dann erzählte sie von Barrister und ihren erfolglosen Bemühungen, als Sängerin auf eigenen

Beinen zu stehen. »Es ist das falsche Land«, seufzte sie. »Das falsche Land, die falsche Zeit ... was weiß ich. Neuseeland braucht offensichtlich keine Carmen. Ich hätte Miss Gwyns Angebot annehmen sollen. Aber da hatte ich's noch nicht erkannt.«

»Da hast du vor allem noch geglaubt, Roderick Barrister würde dir die Welt zu Füßen legen.« William grinste.

»Das kann man so sagen«, erwiderte Kura lächelnd und verschloss seinen Mund mit einem Kuss.

Sie liebten sich stürmisch, und dann erzählte Kura William von ihrem Projekt mit Caleb Biller. William lachte schallend über ihre »Verlobung«.

»Das heißt, wir müssen den Knaben nun bald in den Rang eines ›Künstlers‹ erheben, damit die Leute nicht tuscheln, du hättest ihm das Herz gebrochen. Oder er heiratet die fabelhafte Florence Weber. Vor der würde ich mich auch zu Tode fürchten!« Florence hatte die Nähmaschinendemonstration besucht und bohrende Fragen gestellt.

»Oh, Caleb ist wirklich ein Künstler. Du hast ihn doch am Samstag gehört. Er ist der beste Pianist, den ich kenne, und er hat das absolute Gehör ...« Kura ließ nichts auf Caleb kommen.

»Aber wenn er vor mehr als drei Leuten spielen soll, hat er die Hosen voll. Großartig. Am Samstag habe ich übrigens nur dich gehört, Allerschönste. Aber ich denke, der wunderbare Caleb Biller wird mir heute Abend nicht erspart bleiben. Wollen wir jetzt ... den Geistern noch ein bisschen huldigen?«

Caleb Biller und William Martyn verstanden sich erstaunlich gut. Kura hatte sich zuerst Sorgen gemacht, William könnte ihren Partner aufziehen und sich über ihn lustig machen. Tatsächlich aber erkannte er Calebs Potenzial binnen kürzester Zeit. Am Montag war kaum etwas los im Pub. Die wenigen Zecher hatten keine Musikwünsche, sondern vertranken still ihre Wettgewinne vom Wochenende oder versuchten, die Verluste im Whisky zu ertränken. So hatten Kura und Caleb Zeit und Paddys Segen, William ihr gesamtes Programm vorzutragen. Kura sang und spielte die *pecorino* sowie die *koauau*, eine handgroße, reich verzierte Flöte, die mit der Nase geblasen wurde. Caleb begleitete sie und geriet dabei mitunter aus dem Takt, weil sein kundiger Zuhörer ihn nervös machte. Es war auch nicht sein Klavierspiel, das William überzeugte. Es mochte ja sonst besser sein, aber im Grunde fand man einen Pianisten wie Caleb in jeder besseren Musikschule. Doch was das Arrangement der Stücke anging, war Caleb zweifellos der Kopf des Duos. Die Verbindung der einfachen Melodien der *haka* mit komplizierten Läufen am Klavier, das Zwiegespräch zwischen den so unterschiedlichen Instrumenten, der musikalische Brückenschlag zwischen den Kulturen entsprang dem kreativen Geist Caleb Billers. Kura war eine begnadete Interpretin; sie würde die Seele einer jeden Musik perfekt verkörpern. Aber diese Seele zu formen, herauszuarbeiten und auch den Ohren von Laien zu erschließen, dafür brauchte es mehr als Stimme und Ausdruck. Caleb Biller war zweifellos ein Künstler, wenn auch vom Lampenfieber geplagt.

»Da müssen Sie drüber wegkommen«, sagte William, nachdem er seiner Faszination Ausdruck verliehen hatten. »Beim letzten Mal, als ich draußen zugehört habe, war es viel besser. Und Sie haben doch keinen Grund, nervös zu sein! Was Sie machen, ist großartig. Damit können Sie nicht nur hier Furore machen, das wird Europa erobern!«

Kura warf ihm einen ungläubigen Blick zu.

»Dafür reicht es nicht, großartig zu sein«, sagte sie dann. »Auch wenn ich das früher gedacht habe. Aber Konzertorganisation ... das geht nicht so einfach. Dafür muss man Räume anmieten, Werbung machen und gute Konditionen aushandeln. Man braucht einen Impresario, wie damals Roderick Barrister.« Sie seufzte.

William verdrehte die Augen. »Süße, vergiss mal deinen Roderick Barrister! Der hat überhaupt nichts getan, außer in Europa ein paar drittklassige Sänger und ein paar hübsche Tänzerinnen anzuwerben. Es reicht aber nicht, ein paar Handzettel zu verteilen. Es muss auch mit der Presse gesprochen werden; man muss Mäzene gewinnen, die richtigen Leute in die Konzerte locken ... in eurem Fall vielleicht örtliche Maori-Stämme zum Mitmachen bewegen. Die gesamte Organisation lag in den Händen von George Greenwood. Deshalb war es auch erfolgreich. Ihr braucht einen Geschäftsmann an eurer Seite, Kura, keinen Vorsänger. Und keine Wohltätigkeitsdamen und Reverends. Das hat immer den Ruch von ›Wollen und nicht Können‹. Ihr braucht große Säle, Hotels oder Kongresszentren. Schließlich wollt ihr bei der Sache ja auch mal was verdienen.«

»Sie hören sich an, als ob Sie was davon verstehen«, bemerkte Caleb zögernd. »Haben Sie so etwas schon mal gemacht?«

William schüttelte den Kopf. »Nein. Aber ich verkaufe Nähmaschinen. In gewisser Weise ist das auch eine Show – und wir hatten durchaus ein paar Leute in den Schulungen, die regelrecht Lampenfieber hatten. Ich verrate Ihnen nachher mal ein paar Tricks, Caleb. Auf jeden Fall hat man dabei nichts zu verschenken. Man kann natürlich mal einen sozialen Aspekt einfügen ...«

»Wie hier bei der Manufaktur für die Grubenopfer?«, fragte Caleb schmunzelnd.

William nickte ernst. »Aber im Vordergrund steht die Verkaufsabsicht. Ich brauche einen günstigen Raum für die Demonstrationen, preiswerte Unterkunft für mich und mein Pferd ... Wobei das alles aber auch nicht schäbig wirken darf.

Auf die Dauer entwickelt man ein Gespür dafür. Ich sehe sofort, in welchem Pub ich eine Verkaufsschau veranstalten kann und in welchen sich keine ehrbare Frau reintraut. Euch zum Beispiel würde ich nie im Wild Rover auftreten lassen. In diesen Schuppen führt niemand seine Liebste zwecks Kulturgenuss. Ins Lucky Horse natürlich auch nicht. Hier in Greymouth kommen höchstens die großen Hotels in Frage. Aber alles in allem ist es nicht die richtige Stadt ...« Williams letzte Worte klangen beinahe träumerisch. Er schien die Tournee bereits zu planen, die Orte Revue passieren zu lassen, die er kannte und die sich eigneten.

Kura und Caleb sahen sich an.

»Warum verkaufst du dann nicht zur Abwechslung mal uns?«, fragte Kura schließlich. »Zeig uns, wie es geht! Organisier ein großes Konzert in einer richtigen Halle, in einer großen Stadt ...«

»Na ja, die allergrößten Städte hat die Südinsel ja nicht gerade«, schränkte William ein, »und ich habe natürlich nicht die Kontakte von George Greenwood. Aber gut, wir beginnen in ...« Er runzelte die Stirn; dann ging ein Leuchten über sein Gesicht. »Wir starten in Blenheim! Da kenne ich eine Dame ... eigentlich kennen wir da beide eine Dame, Kura, die dringend eine Beschäftigung braucht ...«

So denke ich, dass Du, liebe Heather, in einer solchen Aufgabe große Befriedigung finden würdest. Außerdem solltest Du bedenken, dass die Stellung Deines Gatten Dich auf die Dauer zu kulturellem oder sozialem Engagement zwingt. Wobei das Prestige einer gefeierten Kunstmäzenin sicher das eines schlichten Mitglieds im Beirat des örtlichen Waisenhauses übersteigt. Schließlich prädestiniert Dich auch Deine außergewöhnliche Bildung zu einer Betätigung, die über reine Wohlfahrtsanstrengungen hinausgeht. Wobei die Präsentation des Projekts »Ghost Whispering – Haka meets Piano« auch des-

halb einen hervorragenden Einstieg darstellt, da Du persönlich am musikalischen Werdegang und an der Formung der künstlerischen Persönlichkeit Kura-maro-tinis wesentliche Verdienste erworben hast. Ich bin sicher, dass Dein Gatte mir hier beipflichten würde, und verbleibe mit untertänigsten Grüßen, Dein William Martyn.

»Na, wie hört sich das an?« William schaute beifallheischend von Kura zu Caleb, der eben den dritten Whisky orderte. Kuras Gatte war mitreißend und seine Formulierungen unwiderstehlich. Aber Caleb hatte das Gefühl, in einen Strudel gerissen zu werden, in dem er unweigerlich ertrinken würde …

»*Whaikorero,* die Kunst der schönen Rede!«, sagte Kura. »Du beherrschst sie, keine Frage. Hat Heather Witherspoon wirklich einen reichen Eisenbahner geheiratet und führt in Blenheim ein großes Haus?«

»Die Wege der Geister«, sagte William dramatisch. »Also, soll ich es abschicken? Dann machen Sie mir aber keinen Rückzieher, Caleb! Wenn Heather richtig arbeitet – und das wird sie, das traue ich ihr zu –, spielen Sie vor hundert oder zweihundert Leuten. Schaffen Sie das?«

Nein, dachte Caleb, aber er sagte natürlich: »Ja.«

Kura orderte daraufhin Whisky für alle. Auch sie wollte an diesem Tag mittrinken. Vielleicht lief ihre Karriere ja wirklich an!

William beobachtete Caleb mit skeptischen Blicken. Der Mann war zu nervös, zu blass, zu wenig euphorisch. Auf die Dauer würden sie ihn ersetzen müssen. Eine Europatournee hielt er niemals durch. Doch am Anfang musste es mit Caleb Biller gehen. Sie brauchten einen Einstieg, einen großen Erfolg.

William warf seiner Frau eine Kusshand zu, als er aufstand, um die Getränke zu holen. Es würde nicht mehr lange Whisky sein. Wenn alles gutging, würde Kura bald Champagner trinken. William war endlich bereit, das Versprechen zu erfüllen, das er Kura vor ihrer Hochzeit gegeben hatte. Er wollte nach Europa. Mit ihr.

Heather Redcliff antwortete beinahe postwendend. Sie äußerte ihre Freude darüber, dass William Kura wiedergefunden hatte, und die Idee, ihrer einstigen Schülerin jetzt den Weg zum Erfolg zu ebnen, fand sie faszinierend. Schließlich hatte sie immer an Kura geglaubt und würde das auch gern der örtlichen Presse erzählen. Tatsächlich hatte sie es schon erwähnt – beim letzten Empfang anlässlich der Einweihung eines neuen Flügels des Krankenhauses. Heather war seit langem sozial engagiert. Aber die Kunst kam ihrem Wesen natürlich mehr entgegen; das hatte William ganz richtig erkannt! Und selbstverständlich wartete die Kulturszene von Blenheim geradezu ungeduldig darauf, Kura-maro-tini kennen zu lernen. Wobei sie, Heather, es als zusätzliche und besondere Freude werten würde, bei dieser Gelegenheit William wiederzusehen …

William lächelte. Er unterschlug den letzten Satz, als er Kura Heathers Brief vorlas. Auf jeden Fall hatte die rührige, künftige Mäzenin sofort einen Konzertsaal gebucht. Im besten Hotel der Stadt, etwa hundertfünfzig Plätze. Anschließend ein Empfang für geladene Gäste. Und am Abend zuvor gäben sich Mr. und Mrs. Redcliff die Ehre, die Künstler den Honoratioren der Stadt Blenheim persönlich vorzustellen. Sonntag, der 2. September, sei doch sicher passend …?

»Da hast du's, Kura. Du brauchst nur noch zu singen!«, bemerkte William.

Das Leuchten in Kuras Augen war überirdisch. William hatte sie seit ihrer Hochzeit nie so von innen heraus strahlen sehen. Und sie hatte ihn auch niemals wieder so glücklich und ehrlich geküsst. William erwiderte den Kuss erleichtert. Er wusste, dass Kura ihm damit alles verzieh. Die Lügen und

Hinhaltetaktik vor der Hochzeit, die ungewollte Schwangerschaft, die sie endgültig an Kiward Station binden sollte – und sogar den Betrug mit Heather Witherspoon. William und Kura machten einen Neuanfang, und diesmal würde es so traumhaft werden, wie Kura es sich gewünscht hatte. Wenn da nur nicht Caleb wäre. Er saß neben den beiden; als William Heathers Brief vorlas, hatte er nicht gelächelt, sondern war erblasst.

Überhaupt, Caleb gefiel William in der letzten Zeit gar nicht. Er wurde immer fahriger und verspielte sich am Klavier so oft, dass schließlich sogar Kura ihn anfuhr. Eigentlich wirkte Caleb erst halbwegs gelöst, wenn er die ersten ein oder zwei Whisky getrunken hatte und feststand, dass William an diesem Tag nichts von seiner hoffnungsvollen Mäzenin in Blenheim hören würde. Aber jetzt war Heathers Brief gekommen. Es wurde ernst. Caleb verzog sich, Entschuldigungen murmelnd, auf den Abtritt. Er wirkte noch mitgenommener, als er wiederkam.

»Diese hundertfünfzig Plätze ... die werden doch niemals ausverkauft sein, oder?«, fragte er und spielte mit seinem schon wieder leeren Glas.

William überlegte, ob er lügen sollte, aber das hatte keinen Sinn. Caleb musste sich seiner Aufgabe stellen.

»Blenheim sieht sich als aufstrebenden Ort, Caleb, aber unter uns gesagt: Es ist ein Kaff. Ein bisschen größer als Greymouth, und weiter in der Entwicklung. Aber es ist nicht London. Die Kulturangebote in Blenheim überschlagen sich nicht gerade. Wenn dann eine Honoratiorin des Ortes ein paar Künstler präsentiert ... Die Leute werden sich um die Karten für dieses Konzert reißen! Wahrscheinlich könntet ihr am nächsten Tag gleich noch eins geben.«

»Aber ...«

»Nun freu dich doch, Caleb!«, rief Kura. »Und wenn du dich schon vor Angst nicht freuen kannst, dann denk an das, was danach kommt. Du wirst ein anerkannter Künstler sein! Du kannst leben, wie du willst, Caleb! Denk an die Alternative …«

»Ja«, sagte Caleb schwach. »Ich kann leben, wie ich will …«

Er schien tatsächlich nachzudenken, doch William fühlte sich plötzlich genauso mutlos, wie Caleb sich anhörte.

Der Tag von Tims und Lainies Verlobung rückte näher, und Elaine hatte das Gefühl, der einzige ruhende Pol in einem Wirbel der Aufregung zu sein. Nellie Lambert war seit Wochen ein Nervenbündel und verbrachte Tage mit der Planung der Dekoration des Saales und der Speisefolge – oder doch lieber ein Buffet? Sie buchte eine Kapelle, die zum Tanz aufspielen sollte, obwohl sie das fast ein bisschen unpassend fand, da Tim und Lainie den Tanz natürlich nicht eröffnen konnten. Tim übte verbissen, um es trotzdem zu tun. Der arme Roly geriet aus der Rolle einer männlichen Krankenschwester auch noch in die einer Tanzpartnerin.

Tim bekam fast einen Panikanfall, als er die Verlobungsanzeigen in sämtlichen Zeitungen der Westküste las. Am liebsten hätte er Lainie kaum noch aus den Augen gelassen; jeder Fremde in der Stadt jagte ihm Angst ein. Tim plante jetzt auch ernstlich die Auswanderung. Obwohl er inzwischen durchaus fähig gewesen wäre, jeden Tag ein paar Stunden im Büro der Mine zu arbeiten, blockte sein Vater sämtliche Vorstöße in dieser Richtung weiterhin ab. Tim führte das inzwischen nicht mehr nur auf seine Behinderung zurück: Marvin Lambert wollte irgendetwas verbergen. Wahrscheinlich waren die Bilanzen noch schlechter, als Matt es schon andeutete. Die Mine machte Verlust, und der Eisenbahnbau kam in diesem sehr feuchten Winter kaum weiter. Mit schnellem Profit aus Lamberts Investitionen war nicht zu rechnen – und Nellie gab das Geld mit beiden Händen aus, um mit einer Verlobungsfeier zu protzen. Wenn das so weiterging, war nichts mehr zu retten. Tim rechnete damit, dass die Mine stillgelegt werden musste, noch während die wichtigsten Renovierungsarbeiten liefen. Das bedeutete einen enormen weiteren Verlust. Man würde es der Bank erklären müssen, und Tims Vater machte keine Anstalten, den dringend notwendigen Kredit auch nur zu beantragen. Dazu kam die ständige Gefahr, in der Lainie steckte.

Tim hatte genug. Er wollte weg, möglichst noch vor der Hochzeit. Oder gleich nach einer kleinen, geheimen Trauung und einem Umtrunk mit seinen Freunden im Pub. Die Überfahrt und die Organisation ihres neuen Lebens in England oder Wales wären einfacher, wenn sie bereits geheiratet hätten.

Elaine aber fieberte erst einmal der Verlobung entgegen. Sie konnte sich nicht helfen, irgendwie freute sie sich auf das Fest – auch weil Nellie Lambert sie nun endlich ernst nahm. Wirklich warm wurden die Frauen allerdings nicht miteinander. So stießen sie schon bei der Frage nach Lainies Kleid für die Feier wieder aneinander. Nellie wollte es bei Mortimer schneidern lassen oder noch besser einen fast unbezahlbaren Traum aus Tüll und Seide aus Christchurch kommen lassen. Lainie dagegen betraute Mrs. O'Brien und ihre neue Manufaktur mit dem ersten wirklich großen Auftrag. Auch hier hatte es in den letzten Wochen böses Blut gegeben. Die Nähmaschinen waren eingetroffen, und wie versprochen unterrichtete William die Frauen aus der Bergarbeitersiedlung. Als es dann aber um die Leitung des Unternehmens ging, geriet die überaus fähige Mrs. Carey mit der nicht minder fähigen Mrs. O'Brien aneinander. Rolys Mutter war eine geschickte Schneiderin, und sie hatte Sinn fürs Geschäft. So begann sie gleich mit der Produktion einfacher Kinderkleidchen, die so preiswert waren, dass es sich nicht mal für die ärmste Bergarbeiterfrau lohnte, selbst zu nähen. Mrs. Carey jedoch war dafür, zunächst die Ausbildung der Näherinnen abzuschließen und den Räumen der Manufaktur – für die Lambert widerwillig einen alten Schuppen bei seiner Mine zur Verfügung gestellt hatte – »etwas Seele zu geben«, wie sie es ausdrückte.

»Ich nähe doch nicht wochenlang Vorhänge für diesen Schuppen!«, beklagte sich Mrs. O'Brien beim Reverend. »Und die Wände streichen brauchen wir auch nicht, erst recht nicht in einem ›warmen Altrosa‹. Wenn überhaupt, werden sie gekalkt! Ich brauche Geld, Reverend! Seele hab ich schon!«

Mrs. O'Brien setzte sich schließlich durch. Mrs. Carey war beleidigt und sprach von »Undankbarkeit«. Die Frauen in der Manufaktur sahen es gelassen. Das Geschäft lief recht gut an. Wenn es so weiterging, würden sie dem Kirchenvorstand die Nähmaschinen in ein oder zwei Jahren abzahlen können.

Nun nahm Mrs. O'Brien bei Lainie Maß und begeisterte sich an dem blauen Samt, den das Mädchen für ihr Verlobungskleid gewählt hatte.

»Das ist wunderschön, und ich kann das Kleid auch später anziehen!«, begründete Elaine ihre Wahl gegenüber Tim. »Im Gegensatz zu diesen Flatterdingern aus Christchurch.«

»Zu unserer Hochzeit zum Beispiel«, bemerkte Tim. »Überleg dir das mit dem Durchbrennen, Lainie. Ich hab bei dieser Verlobungsgeschichte ein ganz schlechtes Gefühl ...«

Ein schlechtes Gefühl hatte auch William Martyn, als er Caleb Biller am Sonntag vor dem Verlobungsfest in der Kirche sah. Der junge Mann wirkte noch schmaler und nervöser als sonst; er schien seit der Sache mit dem Konzert in Blenheim immer dünner und blasser zu werden. Caleb führte Florence Weber am Arm. Das Mädchen wirkte überaus zufrieden und in sich ruhend, Caleb dagegen eher geschlagen. Die Eltern Biller und Weber folgten dem Paar stolz. William ahnte Schlimmes.

Kura beobachtete Calebs Auftritt von der Orgel aus und

brannte darauf, nach der Kirche den Klatsch zu hören. Sie schämte sich ein bisschen dafür, war sie doch sonst immer so stolz darauf, über diesen Dingen zu stehen. Aber das hier war seltsam und machte sie nervös. Schließlich war Caleb Florence noch am Sonntag zuvor ausgewichen ...

Als der Reverend seine Gemeinde schließlich entließ, gesellte Kura sich zu Lainie, William und Tim. Die drei plauderten am Rande des Geschehens, während Tim auf Roly wartete. Der Bursche flirtete noch auf dem Friedhof mit der kleinen Mary Flaherty. Tim sah es gelassen. Er hatte bereits auf dem Wagen Platz genommen, lachte mit Lainie und strahlte vor Stolz. Der heutige Sonntagsgottesdienst war ihre Generalprobe gewesen, und Tim schaffte es mühelos, die Kirche auf eigenen Beinen zu durchschreiten.

»Jetzt noch ein paar Tanzschritte, Lainie, dann kann die Trauung steigen. Überleg nicht so lange! Am 15. September geht ein Schiff nach London – ein Dampfer. Wir wären in höchstens sechs Wochen in England.«

Elaine sagte nichts dazu. Tatsächlich verfolgten auch ihre Augen eher Caleb Biller und Florence Weber.

»Was läuft da zwischen den beiden?«, fragte sie Kura. »Ich kann mir nicht helfen, aber das sieht verdammt offiziell aus!«

William folgte seiner Frau und Lainies Blick.

»Das sieht gefährlich aus. Aber schau, jetzt kommt er. Halt dich im Zweifelsfall bloß zurück, Kura! Was immer du tust, die Stadt wird es als Eifersucht auslegen ...«

Caleb Biller hatte sich tatsächlich von Florence gelöst und kam mit gesenktem Blick auf die Gruppe zu. Vielleicht wählte er gerade diese Situation, um nicht mit Kura und William allein zu sein. Florence schaute ihm ein wenig besorgt, vor allem aber triumphierend hinterher.

»Kura, William, Lainie ... wie geht's, Tim?«

Tim lächelte. »Ich würde sagen, mir geht es besser als Ihnen.

Sie haben sich am Arm Ihrer Florence ganz schön durch die Kirche geschleppt.«

»Seit wann ist sie ›seine Florence‹?«, fragte Kura.

Caleb errötete. »Nun, wie soll ich es sagen ... also, Florence und ich haben uns gestern verlobt.«

Für William kam das nicht sonderlich überraschend. Erst recht nicht für Tim. Die Mädchen dagegen starrten Caleb fassungslos an.

»Es ist so, Kura, dass ich mit ihr geredet habe«, sagte Caleb in das peinliche Schweigen. »Wir haben uns sozusagen ausgesprochen. Und es macht ihr nichts aus.«

»Was macht ihr nichts aus? Dass du ein warmer ...«

»Kura, bitte!«, fiel William ihr ins Wort.

»Florence meint, sie würde mir in unserer Ehe alle Freiheiten geben, wenn ich sie dafür ... na ja, ein bisschen mehr an der Minenleitung beteilige, als es für Frauen üblich ist ...«

»Sie wird es zweifellos hervorragend machen«, sagte Tim freundlich. »Da kann man die Biller-Mine nur beglückwünschen. Sie selbst sehen allerdings nicht so glücklich aus.«

»Na ja, wie das so ist ...«, meinte Caleb vage. »Aber ich kann mich weiterhin all meinen ... Interessen widmen. Der Musik, der Kunst, der Maori-Kultur. Da interessiert mich ja nicht nur die Musik, wie du weißt, Kura. Ich werde sozusagen ... als Privatgelehrter ...«

»Sehr schön«, unterbrach William entschlossen Calebs Gestammel. »Wir sprachen neulich schon darüber. Jeder sollte so leben, wie er es sich wünscht. Vielleicht werden Sie ja auch weiterhin für Kura Lieder arrangieren. Herzlichen Glückwunsch. Aber Sie lassen uns doch nicht im Stich mit dem Konzert in Blenheim, Caleb? Da verlassen wir uns auf Sie, so schnell kriegen wir keinen Ersatz.«

Caleb biss sich auf die Lippen. Er kämpfte sichtlich mit sich; dann aber schüttelte er den Kopf.

»Es tut mir leid ... Kura, William. Aber ich kann das nicht.

Ich habe es versucht, wirklich, aber ihr hört es doch selbst, ich treffe kaum noch einen richtigen Ton. Die Nervosität frisst mich auf. Ich bin dafür nicht geschaffen. Und Florence meint auch ...«

»Schieb es ruhig auf Florence!«, sagte Kura zornig. »Dann brauchst du nicht zuzugeben, dass du nicht nur ein warmer Bruder bist, sondern obendrein ein Feigling. Vor allem ein Feigling! Das andere wäre ja gar nicht schlimm.«

Elaine schob sich näher an Tim.

»Was ist ein warmer Bruder?«, wisperte sie.

Tim kämpfte mit dem Lachen, während Kura vergeblich gegen die Tränen kämpfte. Zum ersten Mal, solange Lainie sie kannte, begann sie zu weinen, noch dazu in aller Öffentlichkeit. Sie schluchzte wild und unbeherrscht. Das sonst so kühle, selbstbewusste Mädchen war nicht wiederzuerkennen.

»Du machst mein Leben kaputt, Caleb, weißt du das? Wenn wir das Konzert jetzt absagen ... die Chance kommt nie wieder! Verdammt, ich hab das alles für dich geplant! Das ganze Programm war zuerst nur dafür gedacht, dich als Künstler zu etablieren! Ich hab dich nicht im Stich gelassen, als du unbedingt ›verlobt mit Kura‹ spielen wolltest! Aber du ...«

»Es tut mir leid, Kura«, sagte Caleb peinlich berührt. »Es tut mir wirklich leid.«

Damit wandte er sich ab. Er vermittelte den Eindruck, als wäre eine Last von ihm abgefallen, als er zurück zu seiner Familie ging. Florence schob ihren Arm in den seinen – und bewies immerhin genug Anstand, Kura nicht anzusehen.

»Kriegt ihr denn wirklich keinen Ersatz?«, fragte Tim. Er machte sich nicht viel aus Kura, aber das Mädchen so verzweifelt weinen zu sehen ...

»In drei Wochen? An der Westküste? In Blenheim vielleicht, wenn wir gleich fahren würden. Aber dann wäre der Reiz des Neuen weg. Wenn wir da auftauchen, ohne richtiges

Konzept, mit einem einheimischen, hastig eingearbeiteten Pianisten ...« William schüttelte den Kopf.

»Miss Heather könnte spielen«, meinte Kura hoffnungsvoll.

»Wird sie aber nicht. Wir haben ihr gerade eine Karriere als Kunstmäzenin schmackhaft gemacht. Da stellt sie sich doch nicht selbst auf die Bühne! Was würde ihr Gatte dazu sagen? Vergiss es, Kura!« William nahm seine Frau in die Arme.

Elaine kaute auf ihrer Oberlippe.

»Ich hab ja noch nie gehört, was ihr da macht ...«, meinte sie dann. »Aber ist er denn wirklich so schwierig? Der Klavierpart, meine ich ...«

Kura sah sie an, und Elaine erkannte ein hoffnungsvolles Aufleuchten in ihren Augen. »Nicht extrem schwer. Manchmal ein bisschen unkonventionell, ziemlich rasche Läufe. Ein paar Jahre Klavierspielen sollte man schon als Voraussetzung mitbringen.«

»Nun, ich spiele zehn Jahre Klavier. Natürlich nicht auf deinem Niveau, wie du ja mehrmals die Freundlichkeit hattest, mich wissen zu lassen. Aber wenn ich drei Wochen übe ...« Elaines Lächeln nahm ihren Worten die Schärfe.

»Du bist viel besser geworden«, bemerkte Kura. »Aber im Ernst, Lainie – würdest du das machen? Du würdest mit nach Blenheim kommen und mich begleiten?«

»Wenn ich's vom Schwierigkeitsgrad hinkriege ...«

Kura sah aus, als wollte sie ihrer Cousine um den Hals fallen.

»Und sie ist auch sehr hübsch«, bemerkte William. »Wird ein deutlich schöneres Bild abgeben als Caleb.«

Elaine schaute ihn zweifelnd an. Hatte er »hübsch« gesagt? Drei Jahre zuvor hätte ihr Herz dabei getanzt, an diesem Tag jedoch wanderte ihr Blick nur von Williams jungenhaften Zügen zu Tims Gesicht – das jetzt aber nicht mehr freundlich und belustigt wirkte, sondern qualvoll verzerrt.

»Lainie, das kannst du nicht, so gern du Kura helfen möchtest. Natürlich würdest du zwanzigmal besser Klavier spielen als Caleb Biller und schöner aussehen als alle Pianistinnen dieser Welt, aber Blenheim ...? Die Reise, die große Stadt, das Risiko ...«

»Seit wann sind Sie so ängstlich?«, erkundigte sich William. »Im Vergleich zu dem Risiko, das Ihre Hochzeit darstellt ...«

»Was ist denn so gefährlich am Heiraten?«, schnappte Lainie. »Du hast mich letztens schon so komisch angeguckt!«

William verdrehte die Augen. »Na ja, ihr seid euch doch sicher bewusst, dass ihr damit eine Straftat begeht. Und auch wenn es euch egal ist ... ich meine, ihr wollt doch wahrscheinlich mal Kinder haben.«

Lainie lachte, wenn auch etwas gepresst. »Meine Güte, William! Meinen Kindern ist es doch egal, ob der Mädchenname ihrer Mutter nun O'Keefe war oder Keefer. Das können wir sogar als Schreibfehler ausgeben!«

William runzelte die Stirn und blickte sie beinahe ungläubig an. »Aber es ist den Kindern bestimmt nicht egal, wenn sie irgendwann feststellen, dass sie Sideblossom heißen statt Lambert und dass sie eine Farm in Otago erben, während ihre Mine an irgendeinen fernen Verwandten geht. Diese Ehe ist ungültig, das muss euch doch klar sein!«

Elaine erblasste. Ihre Pupillen weiteten sich.

Tim schüttelte den Kopf. »Aber Thomas Sideblossom ist tot«, sagte er ruhig.

»Ja?«, fragte William. »Seit wann? Er mag sich das zwar jeden Tag wünschen, aber soviel ich weiß, ist er so lebendig wie Sie und ich.« William ließ den Blick von einem zum anderen schweifen. Konnten Lainie und Tim ihm etwas vorspielen? Aber er erkannte ungläubig, dass zumindest das Entsetzen in Elaines Gesicht echt war.

»Ich ... ich hab ihm ins Gesicht geschossen ...«, flüsterte sie.

William nickte. »Das ist nicht zu übersehen. Das Einschussloch war hier.« Er wies auf seine linke Wange. »Die Kugel ging wohl ziemlich flach durch die Nase und in den Kopf. Du hast von unten nach oben geschossen, wahrscheinlich auf die Brust gezielt, aber nicht mit dem Rückstoß gerechnet. Jedenfalls hast du ihn erfolgreich außer Gefecht gesetzt. Er ist rechtsseitig gelähmt, auf dem rechten Auge blind und links fast erblindet. Die Kugel soll noch drin sein und auf den Sehnerv drücken. Aber tot ist er nicht. Glaub mir, Lainie ...«

Elaine hob die Hände vor die Augen. »Das ist ja schrecklich, William! Warum hast du mir das nicht früher gesagt?«

»Ich dachte, du wüsstest es«, meinte William. »Du doch auch, Kura, oder?«

Kura nickte. »Die Einzelheiten kannte ich nicht, aber ich wusste, dass er nicht tot ist.«

»Und du hast zugelassen, dass ich mich verlobe?« Elaine versuchte, wütend zu klingen, doch in ihrem Kopf kämpfte Fassungslosigkeit mit Erleichterung und Hoffnung. »Ich habe mich zweieinhalb Jahre lang zu Tode gefürchtet!«

Kura zuckte die Schultern. »Entschuldige, Lainie, aber so intensiv hat mich keiner in deine Angelegenheiten eingeweiht. Ich hab mich ein bisschen gewundert ... aber du konntest ja geschieden sein. Oder dieser Sideblossom inzwischen gestorben. Ist er nicht auch geistesgestört?« Sie wandte sich an William.

»Soviel ich weiß, nicht. Obwohl er sich alle Mühe gibt, sich den Verstand wegzusaufen, vom Morphium ganz abgesehen. Er hat wohl ständig Kopfschmerzen und Halluzinationen. Aber bei all dem Morphium und dem Whisky hätte ich die wahrscheinlich auch.«

»Du hast ihn gesehen?« Elaine hielt krampfhaft Tims Hand, während sie William entsetzt anstarrte. »Du bist sicher?« Ihr Gesicht war totenbleich; ihre Augen wirkten riesig und schienen nur noch aus den Pupillen zu bestehen.

»Herrgott, Lainie, schau mich nicht so an! Natürlich bin ich sicher. Ich war zwei oder drei Wochen auf Lionel Station, und ein oder zweimal habe ich ihn gesehen. Sie bringen ihn nur selten dazu, rauszugehen. Angeblich kann er das Tageslicht nicht ertragen. Aber zu überhören ist er nicht! Er brüllt das Personal zusammen, schreit nach Whisky und seiner Medizin … ein ziemlich unangenehmer Patient, wenn du mich fragst. Aber nicht direkt verrückt, und vor allem ganz sicher nicht tot.«

»Das ändert natürlich alles«, meinte Tim ruhig und zog Lainie an sich. Sie zitterte jetzt unkontrolliert und weinte. »Solange du offiziell Mrs. Sideblossom bist, können wir nicht heiraten. Aber du hast auch keinen Mord begangen. Nun beruhige dich erst mal! Im Grunde sind das gute Nachrichten! Du wirst dich stellen und die Sache gestehen. Du kannst sagen, es sei ein Versehen gewesen. Die Waffe wäre einfach losgegangen. Wir werden mit einem Anwalt reden … darüber, ob es sinnvoller ist, die ganze Geschichte zu erzählen oder Reue zu mimen. Auf jeden Fall werden sie dich nicht dafür hängen. Du kannst dich scheiden lassen und ganz legal mit mir leben. Hier oder in Wales oder sonst wo.«

»Ich möchte lieber nach Wales«, flüsterte Elaine. Sie hatte plötzlich das dringende Bedürfnis, möglichst viele Meilen zwischen sich und Lionel Station zu legen. Ein Teil von ihr war erleichtert, keine Mörderin zu sein. Aber sie hatte sich trotzdem sicherer gefühlt, als sie Thomas Sideblossom tot wähnte …

»Können wir nicht einfach weglaufen, ohne dass ich mich vorher stelle?«

Tim schüttelte den Kopf. »Nein, Lainie. William hat Recht. Wir können unsere Kinder nicht als offizielle Nachkommen von Thomas Sideblossom aufwachsen lassen, egal wo. Wir stehen das schon durch, Lainie. Du und ich. Hab keine Angst!«

»Aber erst nach der Verlobung. Ja, Tim? Bitte! Ich halte es nicht aus, wenn das jetzt alles platzt. Deine Mutter ... die ganze Stadt wird über uns reden ...« Elaine weinte hemmungslos. Das alles war zu viel.

Tim streichelte sie und wiegte sie in seinen Armen. »Also gut, von mir aus nach der Verlobung. Obwohl es mir nicht gefällt. Ich mache mir Sorgen wegen dieser Feier ...«

»Aber sie findet in Greymouth statt!«, platzte Kura heraus. »Und solange Elaine in Greymouth ist, kann ihr nichts passieren!«

Drei verwirrte Augenpaare starrten sie an.

»Sagen das die Geister, oder was?«, versuchte William zu scherzen.

Kura schüttelte den Kopf. »Das hat mir eine Maori-Frau gesagt, vor ein paar Wochen. Man sucht Lainie immer noch, sagte sie, aber in Greymouth ist sie sicher ...«

4

Elaine klammerte sich an die Worte der Maori-Häuptlingsfrau, während sie Tim beunruhigten. »Man sucht Lainie immer noch« … und am 16. August würden die Lamberts das Mädchen der halben Westküste als seine Braut präsentieren. Tim versuchte, Elaine zumindest nicht aus den Augen zu lassen. Obwohl seine Mutter sich darüber aufregte, schlief er bei Lainie im Pub und versuchte, sie dazu zu bewegen, ihr Zimmer so selten wie möglich zu verlassen.

Natürlich ging das nicht. Elaine musste zu letzten Anproben des Verlobungskleides; Nellie Lambert erwartete Hilfe bei der Dekoration der Räume. Inzwischen füllte die Stadt sich mit Fremden, die Marvin Lambert geladen hatte. Sämtliche Zimmer in Greymouth waren längst belegt. Die Gäste wichen nach Punakaiki und sogar bis Westport aus. Es war unmöglich, sie alle vor der Feier in Augenschein zu nehmen. Tim würde die Gäste erst beim Defilee vor dem Brautpaar sehen, viele sogar dann erst kennen lernen. Lambert hatte eine ganze Reihe alter Bekannter eingeladen, denen sein Sohn vorher nie begegnet war. Das alles machte Tim sehr zu schaffen. Übernervös lieferte er sich mit seiner Mutter die letzte Schlacht vor der Veranstaltung. Nellie verlangte allen Ernstes, er solle um des besseren Eindrucks willen auf die Beinschienen und Krücken verzichten und seine Gäste im Rollstuhl begrüßen.

»Es ist doch keine Schande, Junge, dass du nicht laufen kannst …«

»Ich kann laufen!«, erregte sich Tim. »Mein Gott, Mutter, ich stehe hier vor dir! Begreift ihr denn alle nicht, dass ich nur normal sein will?« Tim hinkte aus dem Zimmer und wünschte sich, die Tür hinter sich zuschlagen zu können. Sekundenlang erwog er, den verlegenen Roly darum zu bitten, aber dann ging ihm die Komik dieses Einfalls auf, und er lächelte grimmig.

»Mach mir Fellow fertig, Roly, ich flüchte in den Pub ... oder nein, spann ihn an. Du siehst aus, als könntest du auch ein Bier gebrauchen. Du hast den ganzen Tag im Haus geholfen, nicht wahr? Wie viele Girlanden?«

»Zu viele, Mr. Tim.« Roly grinste. »Mit dem Zählen haben wir aufgehört, als Mrs. Lambert sie zum fünften Mal anders hingehängt hat. Ihr Anzug für morgen ist übrigens ziemlich weit, Mr. Tim. Sie könnten die Schienen im Prinzip darunter tragen ...«

»Jetzt erst recht nicht«, stieß Tim hervor. »In einem hat meine Mutter nämlich Recht. Es gibt nichts, wofür ich mich schämen muss ...«

Neben den Vorbereitungen für die Verlobung verbrachte Elaine viel Zeit am Klavier, was Tim zum einen beruhigte, zum anderen weiter nervös machte. Er hatte Madame Clarisse überredet, Kura und Lainie an ihrem Instrument üben zu lassen, wenn der Pub geschlossen war, und hielt Elaine damit mehrere Stunden täglich von der Straße fern. An den Auftritt in Blenheim wagte er kaum zu denken, allerdings wäre bis dahin das Schlimmste überstanden. Lainie hatte schließlich versprochen, sich gleich nach der Verlobung den Behörden zu stellen. Vielleicht ließ der Constabler sie dann aber gar nicht erst weg. Elaine und Kura schienen diese Gefahr nicht zu sehen; sie versenkten sich ganz in die Arbeit an Calebs Partituren. Lainie stellte dabei erleichtert fest, dass der Klavierpart an sich nicht schwer war. Sie spielte ihn nach wenigen Tagen flüssig vom Blatt und bald auch auswendig. Leider fehlte ihr jegliche Virtuosität. Obwohl eigentlich das sentimentalere der beiden Mädchen, hatte Elaine nicht den geringsten Sinn für Zwischentöne. Sie nahm die Seele des Stückes nicht auf, interpretierte nicht, sondern spielte es einfach herunter. Wo Caleb mit winzigen Variationen Akzente gesetzt hatte, etwa mit einem kaum wahrnehmbaren Vibrieren in einer Note oder einem leichten Zögern bei der Antwort des Pianos auf die Flöte, spielte Elaine bloß die Töne nach. Kura verzweifelte fast bei ihren Versuchen, ihr das zu erklären.

»Eine Pause? Ich soll nicht gleich losspielen, sondern erst noch abwarten? Wie lange? Einen Vierteltakt?«

»Einen Herzschlag«, seufzte Kura. »Einen Windhauch ...«

Elaine schenkte ihr einen verwirrten Blick. »Ich versuch mal eine Achtelnote.«

Kura gab es schließlich auf. Ihre Darbietung würde nicht perfekt sein. Immerhin zeigte Lainie kein Lampenfieber und würde sich bestimmt nicht verspielen. Und das Publikum in Blenheim war nicht verwöhnt. Besser als die meisten Opernarien, die Roderick und sein Ensemble auf der Hotelbühne vergewaltigt hatten, war Lainies Spiel allemal.

Schließlich wurde Elaines Verlobungskleid fertig. Sie sah wunderschön darin aus. Mrs. O'Brien hatte ihr dazu einen Haarreif aus dem gleichen azurblauen Samt gefertigt, aus dem auch das Kleid war. Elaine würde das Haar offen tragen und es nur mit dem schlichten Reif aus dem Gesicht halten.

»Wie eine Elfe sehen Sie aus, Miss Lainie«, meinte Mrs. O'Brien andächtig. »Sie haben wundervoll weiches Haar. Es umweht Sie, als würde Sie ständig ein Windhauch streicheln. Bei uns zu Hause in Irland haben wir jedes Jahr die Frühlingskönigin gewählt, und ich habe mir immer ein Mädchen vorgestellt wie Sie!« Mrs. O'Brien war so stolz auf die junge Braut in ihrem schönen Kleid, als wäre Elaine ihre eigene Tochter.

»Ich weiß nicht, Elfen sind so hilflos ...«, murmelte Lainie, der sofort ihre erste Begegnung mit William einfiel. »Ich glaube, ich wäre lieber eine Hexe. Aber das Kleid ist fantastisch, Mrs. O'Brien. Demnächst lässt sicher jede Frau bei Ihnen schneidern. Mr. Mortimer wird wütend sein.«

Mrs. O'Brien schnaubte. »Mr. Mortimer muss keine fünf Kinder durchfüttern! Der hat ein schönes Haus in der Stadt und nagt nicht am Hungertuch. Mein Bedauern hält sich in Grenzen.«

Als der Tag des Festes schließlich da war, holte Roly Elaine in Tims zweirädriger Chaise am Lucky Horse ab – und zu ihrer Verwunderung begleitete ihn Tim auf Fellow. Er trug schon seinen Abendanzug und wirkte verärgert.

»Ich weiß, ich sollte mich zurückhalten, gerade zu diesem Anlass, aber ich hatte eben noch einen Streit mit meinem Vater«, verriet er Elaine. »Er trinkt schon seit heute Morgen, und ich wusste nicht, warum. Schließlich hab ich ihm gesagt, dass es einen sehr schlechten Eindruck auf die Gäste machen würde, wenn er betrunken sei ... Na ja, und dann gestand er mir ausgerechnet heute, dass er Investoren für die Mine sucht! Teilhaber, verstehst du? Damit wirft er mich endgültig raus. Und wenn mein eigener Vater schon meint, ich wäre ein Versager, wird mich sicher kein Fremder einstellen.« Tim wirkte unglücklich und verletzt.

»Jedenfalls bin ich jetzt fest entschlossen. Wir klären das mit deiner Scheidung, Lainie, und dann verschwinden wir von hier. Ich hab das alles satt!«

Fellow tänzelte unter seinem ungeduldigen Reiter, als hätte er die Reise am liebsten gleich auf eigenen Hufen angetreten. Wenn das so weiterging, würde Tim schon vor der Feier völlig erschöpft sein. Selbst auf einem ruhigen Pferd war das Reiten nach wie vor eine Strapaze für ihn.

Elaine ging zu ihm, beruhigte Fellow und löste Tims verkrampfte Hand sanft vom Zügel. »Jetzt kommst du erst mal vom Pferd herunter. Deine Mutter kriegt Zustände, wenn dein guter Anzug gleich nach Stall riecht. Roly kann Fellow nach Hause bringen, und du kutschierst mich in der Chaise – das ist wunderbar romantisch! Vollmond haben wir auch. Wir könnten zwischendurch anhalten und den Verlobungskuss noch ein bisschen üben ...«

Tim lächelte schwach, und Elaine drückte einen leichten Kuss auf seine Hand.

»Und dann stehen wir erst mal diesen Abend durch. Alles andere findet sich.« Sie nahm in der Chaise Platz, wobei sie den weiten Rock ihres Kleides malerisch über den Sitz drapierte. Tim ritt derweil zu seiner Rampe in den Stall und nahm das Kunststück in Angriff, vom Pferd zu rutschen, seine Schienen vom Sattel zu schnallen, sie anzulegen und damit zu Elaine zurückzukommen.

»Du hast es gehört, Roly!«, sagte Tim zu seinem leicht indignierten Diener. »Die Lady möchte, dass du Fellow nach Hause reitest, während ich sie kutschiere. Willst du Callie wirklich mitnehmen, Lainie, oder soll Roly sie in den Stall bringen?«

Die kleine Hündin umtanzte die Kutsche begeistert und freute sich offensichtlich auf die Ausfahrt. Tim streichelte sie, als sie an ihm hochsprang.

»Mich stört sie nicht, aber du kennst ja meine Mutter ...«

»Die wird mit ihr leben müssen. Du weißt, Callie ist der Prüfstein für wahre Liebe. Wenn sie im entscheidenden Moment bellt, heirate ich dich nicht.« Elaine lachte nervös. »Was ist denn noch, Roly?« Sie wandte sich an den Jungen, der mit unglücklichem Gesicht neben der Kutsche stand.

»Ich kann doch nicht reiten!« Rolys Blick war mitleiderregend. »Ich werde den ganzen Weg laufen müssen!«

Seine säuerliche Miene heiterte selbst Tim ein bisschen auf. »Roly, wenn man nicht reiten kann, ist man tot!«, beschied er ihm mit Elaines leicht abgewandeltem Lieblingssatz. »Ich an deiner Stelle wäre froh und dankbar, wenn ich die zwei Meilen laufen könnte. Also bring das Pferd nach Hause. Wer wen trägt oder führt, ist mir egal.«

Roly wagte sich nicht in den Sattel, sondern lief die zwei Meilen tatsächlich durch den aufkommenden leichten Regen. Am Ende des Weges war er sauer. Sein neuer Anzug war nass, und er hatte Mary Flaherty verpasst, die er eigentlich an der Küchentür treffen und mit ein paar Leckereien vom Buffet milde genug stimmen wollte, dass sie ein paar Küsse mit ihm tauschte. Dafür rief ihn ein Reitknecht der Webers an, den er flüchtig kannte. Der junge Mann winkte mit einer Flasche Whisky.

»Komm, Roly, wir feiern auch ein bisschen. Heute Nacht wird dein Mr. Tim wohl keine Krankenschwester brauchen!«

Roly war sonst nicht pflichtvergessen, doch an diesem Abend ließ er Fellow gesattelt vor dem Haus. Zunächst natürlich mit der Überlegung, ihn später zu holen. Dann aber vergaß er ihn. Der Schimmelwallach wartete geduldig. Irgendwann würde jemand ihn erlösen; so lange döste er im Nieselregen vor sich hin. Fellow fiel niemandem auf, bis er – viel später – Gesellschaft bekam.

Nachdem der sechzigste oder siebzigste Gast an dem jungen Paar vorbeigeführt und mit ein paar Worten begrüßt worden war, begann Tim sich fast nach seinem Rollstuhl zu sehnen. Wer war nur auf den Gedanken gekommen, sie stundenlang im Eingang zum Salon stehen und sämtliche Gäste per Handschlag begrüßen zu lassen? »Defilee« nannte es seine Mutter. Elaine war bislang der Meinung gewesen, so etwas gäbe es nur an Königshöfen. Hatte sie wirklich mal davon geträumt, eine Prinzessin zu sein? Nun war es für sie nur langweilig, während Tim allmählich die Kräfte ausgingen. Er warf beinahe neidische Blicke auf Callie, die sich hinter ihnen auf einem Teppich zusammengerollt hatte und tief und fest schlief.

»Wie viele sind es denn insgesamt?«, erkundigte sich Lainie und schob sich etwas näher an ihn heran. Vielleicht konnte er sich ja auf sie stützen, aber eigentlich war sie dafür zu klein und zierlich.

»Fast hundertfünfzig. Der reine Irrsinn«, raunte Tim und lächelte bemüht für Familie Weber. Florence schwebte an Calebs Arm herein, und Caleb erging sich in Dankesworten für Elaine. Er schilderte anschaulich den gewaltigen Stein, der ihm vom Herzen gefallen war, als er von ihrem Einspringen bei Kuras Konzert hörte.

»Schaff nie einem Geologen Steine vom Herzen ...«, ulkte Tim mühsam, als das Paar sich endlich nach drinnen verzog. »Er wird genauestens analysieren, woraus sie bestehen, warum sie fielen und in wie viele Bestandteile sie sich aufgelöst haben.«

Die nächsten Gäste waren zum Glück Matt und Charlene – Letztere in einem hinreißenden grünen Kleid, ebenfalls aus Mrs. O'Briens Produktion – sowie Kura und William. Alle zum Glück nur hungrig statt gesprächig.

»Wo ist das Buffet?«, fragte Kura. Die Zeit, die sie auf der Straße gelebt hatte, hatte sie gelehrt, ein kostenloses Abendessen nicht zu verachten. William versorgte sie mit Champagner, und Lainie und Tim wandten sich den nächsten Gästen zu. Zum Glück waren nicht alle pünktlich. Als der Empfangsraum ein paar Minuten leer blieb, beschloss Tim, die Tortur zu beenden. Er ließ sich aufatmend in einem der Sessel im Salon nieder.

»Vor dem Tanzen muss ich mich erst mal erholen«, murmelte er und kraulte Callie, während Elaine sich nach Champagner umschaute.

Lainie schob sich durch die Menge ihrer Gäste zum Buffet im Herrenzimmer, sprach mit Charlene und Kura und bedankte sich für die Komplimente, die man ihr machte. Alles schien in Ordnung zu sein; aber sie verspürte eine unbestimmte Unruhe. Vielleicht, so dachte sie, ist das alles hier zu märchenhaft. Sie wusste genau, dass sie am kommenden Morgen vor dem Constabler in die Realität zurückgeschubst würde. Elaine lächelte dem Police Officer und dem Friedensrichter zu. Sie grüßten fröhlich zurück. Noch ...

Schließlich balancierte Elaine die soeben ergatterten Champagnergläser in Richtung Tim – und dann sah sie den großen grauhaarigen Mann, der eben mit Marvin Lambert den Salon betrat. Sein Anblick ließ sie versteinern. Alles in ihr drängte sie, die Flucht anzutreten. Aber nein, das war albern, sie musste sich irren, das konnte nicht sein ... Sie durfte auf keinen Fall kopflos fliehen. Sie musste näher heran und sich vergewissern, dass es auf keinen Fall John Sideblossom war ...

Elaine zwang sich vorwärts.

Im Salon begann in diesem Moment die Kapelle zu spielen. Die Menschen drängten in den Festsaal und verstellten Elaine den Blick auf den neuen Gast. Ihr Herzschlag beruhigte sich, während sie sich mit der Menge treiben ließ. Es war bestimmt ein Irrtum. Irgenwann erreichte sie Tim, der sich soeben auf die Beine quälte.

»Also, meine Schöne! Wirst du mit mir tanzen?«

Elaine wollte etwas erwidern, doch sie hatte das Gefühl, einen Eishauch im Nacken zu spüren. Nervös sah sie sich um – und Tims aufforderndes Lächeln erstarrte, als er den Ausdruck von Panik auf ihrem Gesicht sah. Elaine schien nichts als fliehen zu wollen – und gleichzeitig unfähig zu sein, sich auch nur einen Zoll weit zu rühren. Binnen Sekunden wich alle Farbe aus ihrem Gesicht.

»Lainie, was hast du?«

»Da ist … da ist …«

»Ah, da haben wir ja die beiden!«, erklang Marvin Lamberts dröhnende Stimme. »Darf ich euch einen Überraschungsgast vorstellen? Ein ganz alter Freund … wie lange haben wir uns nicht gesehen, John? Das ist John Sideblossom!«

Elaine streckte mechanisch die Hand aus. Vielleicht war das alles ja nur ein böser Traum. Vielleicht halluzinierte sie.

»Meine zukünftige Schwiegertochter Lainie, mein Sohn Tim.«

Elaine hatte das Gefühl, als würde der Saal sich um sie drehen. Vielleicht gar nicht die schlechteste Idee, jetzt ohnmächtig zu werden … Aber dann umfasste Sideblossom ihre Hand, und die rasende Angst, die Elaine dabei überkam, ließ ihre Sinne wieder erstarken.

»Meine wunderschöne Elaine«, sagte Sideblossom. Seine Stimme klang heiser. »Ich wusste, ich würde dich finden. Irgendwann … und in einem so ansprechenden Rahmen. Mr. Lambert.« Er wandte sich Tim zu, lächelte sein Raubtierlächeln. »Was für eine entzückende Eroberung. Wie schade, dass sich da doch noch Verteidiger finden. Sie sollten die Festung nicht beflaggen, Mr. Lambert, bevor sie nicht geschleift ist …«

Elaine verstand die Worte nicht, doch sie hörte die Drohung. Und dann hielt sie es nicht mehr aus. Sie wollte eine Entschuldigung murmeln, brachte aber nur ein Keuchen hervor. Panisch lief sie fort, verirrte sich zuerst in der Richtung. Beinahe wäre sie ins Herrenzimmer gerannt, von dem es keinen Weg nach draußen gab. Elaine schaute sich kopflos um – und prallte mit ihrer Cousine zusammen, die soeben mit zwei Gläsern Champagner in den Salon kam. Das Getränk spritzte auf ihr Kleid. Kura wollte schimpfen, aber dann sah sie das Entsetzen in Elaines Gesicht und hielt sie zurück.

»Lainie, was ist los mit dir? Hast du dich mit Tim gestritten?« Kura blickte sie prüfend an. Nein, das konnte es nicht sein. Nicht einmal damals auf der Straße in Queenstown, als Elaine Kura und William ertappt hatte, war ihr Gesicht so bleich und verzerrt gewesen, ihre Augen so riesig. Die Augen eines Tieres in der Falle.

»John Sideblossom. Er … er …« Elaine stammelte, bevor sie sich losriss und weiterrannte, hinaus aus dem Salon, durch die Empfangsräume. Sie brauchte Luft. Keuchend erreichte sie den hell erleuchteten Eingang, flüchtete sich hinaus aus dem Licht, sah Fellow und zwei andere Pferde vor einem Wagen am Anbinder. Callie bellte. Elaine hatte gar nicht bemerkt, dass die Hündin ihr gefolgt war. Sie beugte sich mechanisch herab, um sie zu streicheln … und hörte Schritte hinter sich. Sideblossom. Aber dann sah sie Callie wedeln und erkannte jetzt das Aufsetzen der Krücken und Tims typischen, schleppenden Schritt.

»Lainie, da bist du ja.« Tim lehnte sich an den Anbindebalken und nahm sie in die Arme. »Du meine Güte, du zitterst ja, als ob du gleich zusammenbrichst! Nun beruhige dich erst mal …«

»Ich kann mich nicht beruhigen.« Elaine spürte jetzt die Kälte; der Schweiß trocknete an ihrem Körper. »Das ist John Sideblossom … er hat … er wird …«

Tim erschrak, doch er besaß die Fähigkeit, kritische Situationen rasch einzuschätzen und zu meistern. In einer Mine konnte das lebenswichtig sein. Jetzt streichelte er Elaine und sprach beruhigend auf sie ein.

»Lainie, er wird gar nichts. Schlimmstenfalls kann er dieses Fest platzen lassen. Aber wenn er den Eklat wollte, hätte er es anders angefangen. Wahrscheinlich geht er erst morgen zum Angriff über, oder er nimmt sich gleich noch meinen Vater vor …«

»Er wird sich den Constabler vornehmen, und dann sperren sie mich ein«, flüsterte Elaine. Und dann merkte sie plötzlich, dass es ihr gar keine Angst machte. Sie fürchtete nicht die

Nacht in der Zelle, im Gegenteil. Da würde sie sich sicher fühlen.

»Schau, Lainie, der Constabler ist unter den Gästen, wir haben ihn doch vorhin noch begrüßt. Ebenso der Friedensrichter. Wenn du willst, trommele ich die jetzt beide zusammen. Dann verziehen wir uns unauffällig in meine Räume, und du machst dein Geständnis ...«

»Jetzt?«, fragte Elaine. »Gleich?« Sie schwankte zwischen Hoffnung und Angst.

»Damit kämen wir Sideblossom auf jeden Fall zuvor. Und morgen früh geht dieser Antrag auf Scheidung heraus, dann kann dir gar nichts mehr passieren ... Nun sei doch mal ruhig, Callie!«

Tim wandte sich ungeduldig an die Hündin, die plötzlich wild losbellte. Elaine löste sich von Tim, als sie Callies Kläffen hörte. Und wieder hatte sie diesen Ausdruck der Hoffnungslosigkeit im Gesicht, als sie über Tims Schulter hinweg auf einen der hinteren Wege zum Haus starrte.

»Wenn mein Sohn aber gar keine Scheidung wünscht, Mr. Lambert?«

John Sideblossom trat aus dem Schatten. Er musste einen der Nebeneingänge benutzt haben. Er trug einen langen dunklen Mantel über der Abendkleidung. Also wollte er gehen. Tim atmete auf. Callie kläffte.

»Wenn er stattdessen eine Familienzusammenführung erhofft? Tatsächlich ist es sein größter Wunsch, Lainie seit diesem verhängnisvollen Unfall ...«

Elaine brachte kein Wort heraus. Sie wich entsetzt zurück, als Sideblossom sich ihr näherte.

»Aber Elaine wünscht die Scheidung, Mr. Sideblossom«, sagte Tim ruhig. »Bitte seien Sie vernünftig. Lainie bedauert sehr, was sie getan hat, aber Ihr Sohn hat ihr unzweifelhaft einen Grund dafür gegeben. Bitte lassen Sie uns jetzt in Ruhe ...«

»Sie hat keiner gefragt!«, fuhr Sideblossom ihn an und

wandte sich dann wieder mit seiner heiseren, beschwörenden Stimme an Lainie.

»Du hast etwas an ihm gutzumachen, Elaine. Aber von jetzt an wirst du ihm eine gehorsame Frau sein. Thomas war immer ein bisschen ... hm ... weich. Nun werde ich mit auf dich Acht geben ...« Er griff nach Elaine, doch sie wich aus. Callie sprang zwischen die beiden und bellte hysterisch.

Tim schob sich vor Elaine. »So nicht, Mr. Sideblossom!«, sagte er mit entschlossener Stimme. »Verschwinden Sie!«

Sideblossom grinste. »Oder was? Wollen Sie mich daran hindern, unser Eigentum wieder an mich zu nehmen?«

Er schlug unvermittelt zu. Seine Faust traf Tims Kinn mit voller Wucht und schleuderte ihn zur Seite. Tim, der in keiner Weise darauf vorbereitet war, fiel schwer zu Boden. Als seine verletzte Hüfte aufschlug, konnte er einen Schmerzensschrei nicht unterdrücken. Sideblossom trat nach Callie, die noch immer kläffte.

»Tim!« Elaine vergaß alle Angst. Sie kniete neben Tim nieder – eine Situation, die Sideblossom sofort nutzte. Mehr noch, er schien sie einkalkuliert zu haben. Blitzschnell zerrte er Elaines Hände nach hinten und fesselte sie. Dann klemmte er ihr einen Knebel zwischen die Zähne – sie konnte nicht mal mehr schreien.

Tim wand sich am Boden, versuchte verzweifelt, irgendwo Halt zu finden, und musste doch hilflos zusehen, wie Sideblossom Elaine auf die Beine zerrte, hochriss und auf den Wagen warf.

»Vergiss sie einfach«, meinte Sideblossom höhnisch, während er die Pferde losband.

Tim versuchte, sich ihm in den Weg zu rollen und die Pferde zu stoppen, auch wenn Sideblossom sicher keine Skrupel hätte, sie über ihn hinwegzutreiben. Sideblossom versetzte ihm einen Tritt in die Rippen.

»Du willst dich doch nicht wirklich prügeln?« Er lachte und

schien zu überlegen, ob er noch einmal nachsetzen sollte. Dann aber ließ er Tim liegen. Er würde keinen Krüppel schlagen. Jedenfalls nicht öfter als nötig.

Der Wagen war ein leichter Lieferwagen. Eine kleine Ladefläche, davor der erhöhte Bock. Elaine lag hinten und rührte sich nicht. Sideblossom vermutete, dass er sie verletzt hatte, als er sie auf den Wagen geworfen hatte. Nun, darum konnte er sich später kümmern. Hauptsache, sie war vorerst still. In aller Ruhe wendete Sideblossom sein Gespann. Wozu Aufsehen erregen? Wenn nur dieser verfluchte Hund mit seinem Gekläff aufhören würde! Sideblossom tastete nach seiner Waffe. Aber wenn er das Biest hier und jetzt erschoss, würden die Leute im Haus den Schuss hören. Es war besser, den Köter abzuhängen. Sideblossom ließ die Pferde angaloppieren.

Kura suchte Elaine und Tim, stieß aber nur auf William, der an der Bar mit jemandem plauderte. Sie nahm ihn zur Seite.

»Lainie ist völlig außer sich! Sie meint, sie hätte Sideblossom gesehen. Und Tim kann ich auch nirgendwo finden.«

»Na, Tim kann dir kaum weglaufen ...« William war nicht mehr ganz nüchtern.

»William, das ist ernst! Elaine war verrückt vor Angst. Weiß der Himmel, wohin sie ist ...«

»Wenn ich mal raten soll: Hinter Madame Clarisse' Klavier. Elaine rennt immer weg, wenn sie sich vor irgendwas erschrickt, das weißt du doch. Und wie soll denn Sideblossom hierherkommen? Der ist gelähmt und so gut wie blind ...«

Kura schüttelte ihn. »Nicht der junge Sideblossom! Der Alte! Jetzt mach schon, William, wir müssen sie finden. Wenn es falscher Alarm war, umso besser. Aber ich sag dir, Elaine hat jemanden gesehen. Und wenn das nicht John Sideblossom war, dann der Leibhaftige!«

William nahm sich zusammen. Er hielt es immer noch für

unwahrscheinlich, dass John Sideblossom hier auftauchen konnte. Andererseits war der Kerl ein alter Coaster so wie Marvin Lambert. Eine Bekanntschaft war nicht auszuschließen.

Doch kopflos umherzurennen wie Kura, die sich eben wieder auf den Weg machte, war sinnlos. William dachte kurz nach. Was er über Lainie gesagt hatte, war richtig. Sie stellte sich den Problemen nicht, sondern flüchtete. Wenn sie wirklich John Sideblossom gesehen hatte, war sie jetzt schon unterwegs. Bloß wohin? Zu Madame Clarisse? Oder ganz weg von hier? William bewegte sich in Richtung Ausgang. Und dann hörte er Callie kläffen. Nicht sehr laut, eher ein sich entfernendes Bellen. William rannte los.

»Hierher! Hilfe!«

William hörte Tim rufen, als er noch im Eingang stand und versuchte, sich zu orientieren. Links von der erleuchteten Zufahrt, am Anbindebalken. Tim versuchte verzweifelt, sich daran hochzuziehen. Er schien das linke Bein kaum bewegen zu können.

»Warten Sie, ich helfe Ihnen ...« William wollte die Krücken aufheben, doch auf einmal kam ihm ein hässlicher Verdacht. Wenn Tim nur gestürzt wäre, hätte er sie bei sich ...

»Lassen Sie mich!« Tim wehrte heftig ab, als er ihm aufhelfen wollte. »Suchen Sie Lainie! Der Mistkerl hat sie entführt. Ein Frachtwagen, zwei Pferde, Richtung Westport. Den holen Sie ein, nehmen Sie mein Pferd!«

»Aber Sie ...«

»Nichts aber, ich komme allein zurecht. Nun reiten Sie schon!«

Tim stöhnte. Durch seine Hüfte schienen feurige Messer zu fahren. Es war völlig hoffnungslos, Sideblossom auf eigene Faust einholen zu wollen, selbst wenn er irgendwie aufs Pferd käme. »Reiten Sie!«

William setzte zögernd einen Fuß in den seltsamen Steigbügel.

»Aber Westport? Würde er nicht eher nach Süden ...«

»Herrgott, ich habe ihn wegfahren sehen! Und was weiß ich, was er in Westport will! Vielleicht hat er da Komplizen. Oder in Pukaiki. Finden Sie 's raus! Reiten Sie!«

Tim verlor den Halt am Balken und sank wieder zu Boden, doch William schwang sich jetzt endlich in den Sattel. Er stieß Fellow die Absätze in die Weichen, und das Pferd grunzte unwillig. Die schweren Kastensteigbügel schlugen schmerzhaft an seine Flanke. Fellow warf sich herum und preschte in vollem Galopp davon. William hatte vorerst keine Führung. Der Blitzstart brachte ihn völlig aus dem Gleichgewicht, doch aus dem Spezialsattel zu fallen, war so gut wie unmöglich. Tim dachte flüchtig an Ernests Bedenken beim Bau des Hilfsmittels. Fellow durfte jetzt nur nicht stolpern ...

Fellow stolperte nicht. Als er die letzten Häuser von Greymouth passierte, hatte William sich auf dem Rücken des Tieres eingerichtet. Der Sattel bot kaum Bewegungsfreiheit, doch in den Steigbügeln fand er erstaunlich viel Halt. Fellow rannte wie von Furien gehetzt, ließ sich aber leicht kontrollieren, als William es endlich schaffte, die Zügel zu ordnen. Die Straße war vorerst noch griffig und gut ausgebaut – ein Umstand, der sich bald ändern würde. Der Weg wich der Küstenstraße nach Pukaiki, eine sehr schöne Strecke mit atemberaubenden Ausblicken aufs Meer, sie war jedoch kurvig und uneben. Nach dem Regen konnte sie obendrein rutschig sein. William verkrampfte sich, doch Fellow störte sich nicht daran. Er verringerte sein Tempo kaum, als sie den unbefestigten Weg erreichten, und machte Boden gut. Kein Gespann vor einem Lieferwagen konnte so schnell sein wie der feurige Grauschimmel, und die Wahrscheinlichkeit, dass Sideblossom irgendwo abgebogen war, durfte man getrost außer Acht lassen. Die Sicht im Mondlicht war verhältnismäßig gut und die Straße regennass. William hätte Spuren eines jeden Ausweichmanövers gesehen. Außerdem hörte er jetzt Callies Bellen, das immer lauter wurde. Er kam also näher an sie heran.

Als Fellow in halsbrecherischem Tempo um eine Kurve bog, hinter der es bergab ging, bot sich William ein Blick auf einen Straßenabschnitt über ihm. Er sah einen unbeleuchteten Wagen, gezogen von zwei Pferden und gefolgt von einem kleinen schwarzen Schatten, der sich die Seele aus dem Hals kläffte. In ein paar Minuten würde William ihn eingeholt haben. Fellow jedenfalls strengte sich an. Die Aussicht, mit Artgenossen zusammen zu rennen, trieb ihn zu einem lebensgefährlichen Tempo an. William klammerte sich an den Sattel und dachte erst jetzt über eine Strategie nach. Es war verrückt gewesen, Sideblossom einfach so nachzusetzen! Der Mann war bestimmt bewaffnet, und wahrscheinlich hatte er keine Skrupel, eine Kugel auf William abzufeuern. Oder auf Fellow. Einen Sturz des Pferdes bei dieser Geschwindigkeit würde der Reiter kaum überleben.

Andererseits war es sicher nicht möglich, bei diesem Tempo und dem unebenen Boden ordentlich zu zielen. Sideblossom durfte mit seinem Gespann ohnehin genug zu tun haben. Wenn er die Schlaglöcher nicht umging, riskierte er einen Achsenbruch. Williams einzige Chance lag darin, den Wagen zu überholen, die Pferde zu stoppen und den Mann zu überwältigen, bevor er die Waffe in Anschlag bringen konnte. Dabei war das Überraschungsmoment zweifellos auf seiner Seite. Callie bellte immer noch wie verrückt; Sideblossom konnte den Hufschlag seines Verfolgers also nicht hören. Fellow holte weiter auf und galoppierte jetzt neben dem Wagen. William erschrak, als er registrierte, dass er mit seinem Pferd lange Schatten im Mondlicht warf, die dem Gespannführer auf Dauer nicht verborgen bleiben konnten.

Und er behielt Recht mit seiner Angst. Sideblossom wandte sich plötzlich um und sah den Reiter neben sich aufkommen. William konnte ihn jetzt genau erkennen. Sein Widersacher hielt keine Waffe in der Hand – aber eine Peitsche. Er begann, nach William zu schlagen.

Elaine erwachte von Callies Kläffen und davon, dass ihr Körper auf der harten Ladefläche des Wagens gnadenlos hin und her geschleudert wurde. Es gab zwar ein paar Decken, aber die hatte Sideblossom wohl eher dazu vorgesehen, sie zu verstecken, als ihre Lage zu verbessern. Ihr Kopf schmerzte; sie musste ihn irgendwo angeschlagen und kurz das Bewusstsein verloren haben. Aber das würde sie jetzt ignorieren. Sie musste nachdenken, etwas tun! Vielleicht könnte sie ja ihre Fesseln irgendwie lockern. Wenn sie die Hände frei hätte, würde sie vielleicht wagen, abzuspringen. Natürlich konnte sie dabei zu Tode stürzen, bei diesem Tempo und auf der unebenen Straße. Doch alles war besser, als Thomas Sideblossom wieder ausgeliefert zu werden.

Elaine bewegte ihre Hände in den Fesseln hin und her. Der Strick schnitt schmerzhaft ins Fleisch, doch tatsächlich lockerte er sich rasch. Sideblossom hatte ihn in der Eile wohl nicht fest genug zugezogen. Elaine rieb ihre kleinen Hände, versuchte, sie zu strecken und sich wie ein Schlangenmensch aus den Fesseln herauszuwinden. Und dann sah sie den Schatten eines Pferdes und seines Reiters neben dem Wagen auftauchen.

Sie erkannte Fellows edlen Kopf. Tim? Nein, das war unmöglich. John hatte Tim niedergeschlagen. Sie hoffte inständig, dass nichts Schlimmeres passiert war, dass er sich nicht wieder etwas gebrochen hatte. Elaine versuchte, den Reiter zu erkennen ... William! Und jetzt überholte er den Wagen, kam auf Höhe des Kutschbocks und ...

William konnte sich nicht wehren. Er besaß weder eine Reitpeitsche, um zurückzuschlagen, noch gab ihm der Sattel die Möglichkeit, sich unter den Schlägen zu ducken. Und Fellow wurde eher langsamer als schneller. Die Peitschenschläge trafen ihn an Kopf und Hals. Er scheute und versuchte, sich zurückfallen zu lassen. William trieb ihn an, doch das Pferd wurde nur konfus durch die einander widersprechenden Hilfen. Es musste anders gehen. William lenkte Fellow in einer verzweifelten Anstrengung möglichst nah an den Kutschbock heran und griff nach der Peitsche, als Sideblossom erneut ausholte. Er konnte das Gesicht seines Gegners jetzt sehen: John Sideblossoms Züge waren wutverzerrt. Er ließ die Zügel fahren, stand auf und legte seine ganze Kraft in die Schläge nach William, offensichtlich in der Hoffnung, ihn aus dem Sattel zu prügeln. Doch William sah ihm jetzt mutig entgegen, fixierte kaltblütig den auf ihn niedersausenden Peitschenschlag und fing ihn ab. Er spürte das Leder in der Hand, schlang es instinktiv darum, um es nicht mehr zu verlieren. Wenn er jetzt noch genug Kraft aufbringen könnte, die Peitsche zu sich herüberzuziehen …

Aber dann reagierte Fellow. Der Schimmel erschrak, als er den tanzenden Schatten der Peitsche über sich schweben sah und wich ruckartig zur Seite aus. William spürte enormen Zug an dem Lederband in seiner Hand. Unter anderen Bedingungen hätte es ihn aus dem Sattel gerissen, doch Tims Spezialsattel hielt ihn. Sideblossom würde nachgeben müssen, die Peitsche würde ihm aus der Hand gerissen …

Tatsächlich ließ der Zug plötzlich nach, und dann passierte alles gleichzeitig. Ein Schrei ertönte, ein lautes Poltern. William wollte sich umsehen, doch der völlig verschreckte Fellow beschleunigte noch einmal, um dem Lederriemen auszuweichen. Erneut blieb William nur im Sattel, weil Tims Spezialkonstruktion ihn hielt. Das Pferd brachte er erst wieder unter Kontrolle, als es ihm gelang, sein Handgelenk von dem Lederriemen zu befreien. Die Peitsche fiel zu Boden, und Fellow beruhigte sich sofort. Williams Herz schlug heftig, doch jetzt konnte er endlich zurückblicken.

Sideblossoms Pferde folgten ihm in halsbrecherischem Tempo, aber der Bock war leer. Sideblossom musste aus dem Gleichgewicht geraten und heruntergestürzt sein. Gott allein wusste, was mit ihm geschehen war …

William erlaubte sich ein kurzes Aufatmen. Dann erkannte er, dass die Gefahr für Elaine keineswegs gebannt war. Das Gespann vor dem Wagen war völlig außer Kontrolle, und die kurvige Straße führte jetzt steil bergab. William versuchte, Fellow zu regulieren, um die Pferde zu stoppen, aber auch das war riskant. Der Weg war zu schmal, um einander zu überholen. Wenn der Schimmel jetzt anhielt, und die Zugpferde bremsten nicht … oder sie konnten nicht anhalten, weil der Druck des schweren Wagens hinter ihnen zu groß wurde … William sah sich bereits umgerissen, vom Wagen überrollt oder über die Klippe geschleudert.

Elaine kämpfte mit ihren Fesseln. Sie hatte Sideblossom stürzen sehen und wusste, in welcher Gefahr sie schwebte. Zwar sah sie die abschüssige, kurvige Straße nicht vor sich, aber auch auf einem normalen, unbefestigten Weg war ein durchgehendes Gespann gefährlich. Außerdem war mit dem Wagen irgendetwas nicht in Ordnung. Etwas schien das linke Vorderrad zu blockieren. Wenn die Achse brach …

Aber dann, ganz plötzlich, gaben die Stricke nach. Sie lockerten sich gerade genug, dass Elaine die rechte Hand herausziehen konnte. Das Mädchen hielt sich kaum mit dem Knebel auf. Sie zog sich auf der Ladefläche hoch und versuchte, auf den Bock zu klettern. Aber dann bekam sie von hinten einen Zügel zu fassen, begann, auf die Pferde einzureden … schließlich erwischte sie den zweiten. Sie kniete noch halb auf der Ladefläche, während sie die Leinen ordnete und den Pferden die ersten Hilfen zum Durchparieren gab. Wenn die Straße nur nicht so abschüssig wäre! Elaine stemmte sich mit einer letzten Anstrengung höher auf den Bock und zog die Bremse. Der Wagen schlingerte ein wenig, doch die Pferde waren gut geschult. Jetzt, da der Wagen sie nicht mehr anschob, reagierten sie auf Elaines Hilfen. Sie parierten zum Trab durch, dann zum Schritt. William brachte Fellow vor ihnen im gleichen Rhythmus zum Stehen.

Plötzlich war alles still; selbst Callie kläffte nicht mehr. Man hörte nur noch ihr Hecheln, als sie aufholte und zu Elaine auf den Bock sprang, um ihr das Gesicht zu lecken.

»Mein Gott, Lainie …« William spürte sein Herz rasen. Er meinte jetzt erst ermessen zu können, wie knapp sie alle dem Tod oder zumindest einem schweren Unfall entronnen waren. Elaine befreite sich von den letzten Fesseln, lachend und weinend zugleich. Sie schaffte es kaum, Callie abzuwehren.

»Feine Callie, guter Hund. Jetzt lass, es reicht, du hast mich ja wieder …«

William betrachtete sie mit Sorge. Elaine wirkte unnatürlich entspannt, beinahe so, als wäre hier nur ein kleines Missgeschick passiert, das wahrscheinlich auf einen Defekt am Wagen zurückging.

»Kannst du mal nachschauen, was mit meinem linken Vorderrad ist? Irgendwas blockiert da.«

»Mein Gott, Lainie …« William wiederholte seine Worte von eben, aber jetzt klang seine Stimme noch heiserer, und er blickte starr auf den Wagen. Das linke Vorderrad …

Elaine machte Anstalten, herunterzuklettern und selbst nachzusehen.

»Nein, guck da nicht hin, tu dir das nicht an!« William keuchte, aber er musste ihr wenigstens das ersparen.

In den Speichen des Rades, gehalten von den Fetzen seines langen Wachsmantels, hingen die Überreste von John Sideblossom. William fiel eher vom Pferd, als dass er abstieg. Er taumelte an den Straßenrand, um sich zu übergeben.

Elaine blieb folgsam auf dem Bock. Doch sie las in Williams Gesicht, was er gesehen hatte. Sie hatte Sideblossom fallen sehen; sie musste wissen, was geschehen war. Schlagartig kam ihr nun auch alles andere zu Bewusstsein, und sie begann unkontrolliert zu zittern. William hob sie vom Bock und führte sie zur Seite.

»Es sind Decken im Wagen. Du solltest die Pferde eindecken ...« Elaines Zähne klapperten, doch sie hielt jetzt an dem fest, was man ihr beigebracht hatte. Wenn sie weiterdachte als nur daran, die Pferde zu versorgen, würde sie verrückt werden. William blickte sie jetzt schon an, als wäre sie nicht mehr bei Verstand. Er holte die Decken, legte eine um Elaine, die andere über die Leiche – die irgendjemand von diesem Wagen entfernen musste, bevor man ihn wieder in Gang setzen konnte. William sah sich mit dieser Aufgabe konfrontiert, brachte es aber nicht über sich.

»Würdest du bitte die Pferde eindecken«, sagte Elaine und blickte starr geradeaus.

Er konnte es genauso gut tun. Vor allem sollte er die Pferde irgendwo anbinden. Nicht auszudenken, dass das Gespann noch einmal durchging und die Leiche weiterschleppte. Ein paar Yards entfernt standen Bäume, aber dahin hätte er die Pferde führen müssen. Vielleicht konnte er sie ausspannen ... William machte sich ungeschickt an den Geschirren zu schaffen.

Zum Glück machten die Pferde keine Anstalten, sich vom Fleck zu bewegen, sondern standen keuchend und mit zitternden Flanken da. Nur Fellow tappte langsam zu Elaine. Sie griff seine Zügel. William versorgte die Pferde. Er arbeitete mechanisch ... nur nicht grübeln, nur nicht daran denken, was geschehen war ...

»Tim ...«, sagte Elaine. »... hast du ...«

»Ich habe mit ihm gesprochen, Lainie, er ist in Ordnung.«

Oder auch nicht. William dachte an Tims schmerzverzerrtes Gesicht. Nur nicht denken ... Er legte den Arm um Elaine. Callie begann zu bellen.

Lainie zog die Decke fester um sich.

Plötzlich spitzte Fellow die Ohren, und sogar die Wagenpferde rührten sich.

»Hufschlag«, flüsterte Elaine. Sie zitterte heftiger. »Glaubst du, er ...«

»Elaine, John Sideblossom ist tot. Er kann dir nichts mehr tun. Ich nehme an, Tim hat uns Leute hinterhergeschickt ... könntest du den Hund zum Schweigen bringen? Warum bellt er bloß immer, wenn ein Mann dich anfasst?«

William stand auf.

»Sie bellt nicht bei jedem«, flüsterte Elaine.

5

Jay Hankins, der Schmied mit seiner hochbeinigen Stute, war der Erste, der die beiden erreichte. In seinem Gefolge kamen der Constabler, der Friedensrichter sowie Ernie und Matt.

»Gütiger Himmel, Mr. Martyn! Wie haben Sie den Wagen denn hier gestoppt?« Hankins schaute auf den stark abschüssigen Weg. »Und wo ist der Kerl, der ...«

William zeigte auf die inzwischen durchgeblutete Decke. »Es war ein Unfall. Und den Wagen hat Lainie gestoppt ...«

Elaine schaute ihn verwundert an. Wo war der großspurige William, der Irland beinahe ganz allein von den englischen Besatzern befreit hatte?

»Trotzdem, ganz schön mutig, Mr. Martyn. Der Mann hatte doch bestimmt eine Waffe ... Sind Sie in Ordnung, Lainie?« Matt half Lainie auf, die schon wieder zitterte. Callie bellte diesmal nicht.

»Ich glaube, hier sind trotzdem noch einige Erklärungen fällig«, meinte der Constabler, hob eine Ecke der Decke hoch und verzog das Gesicht. »Aber erst müssen wir diese ... das alles hier aufräumen. Haben wir zwei Männer mit starken Mägen? Und wie kriegen wir das Mädchen nach Hause?«

Elaine lehnte sich an Matt Gawain. »Tim?«, fragte sie wieder.

Matt zuckte die Achseln. »Ich weiß nicht, Lainie. Der Doktor kümmert sich um ihn. Aber er war wach und ansprechbar und hat uns erzählt, was passiert ist. Wir schicken jetzt Hankins mit seinem Rennpferd nach Hause. Er soll eine Kutsche holen, und dann sind Sie bald wieder bei Tim. Vielleicht erfährt Jay ja auch schon Näheres ...«

Elaine schüttelte heftig den Kopf. Sie fror entsetzlich, und ihr war elend vor Angst, aber das wurde auch nicht besser, wenn sie hier noch eine Stunde am Straßenrand wartete.

»Ich habe selbst ein Rennpferd«, sagte sie und zeigte auf Fellow. »Das wird die Strecke wohl noch mal schaffen.«

»Sie wollen reiten, Miss Lainie?«, fragte der Constabler. »In Ihrem Zustand?«

Elaine sah an sich herunter. Ihr Kleid war schmutzig und zerrissen, ihre Handgelenke zeigten Spuren der Fesseln, und so, wie ihr Kopf sich anfühlte, hatte sie Blutergüsse und Abschürfungen im Gesicht. Aber sie wollte zu Tim ...

Und dann fiel ihr ihre Großmutter ein. Elaine versuchte ein Lächeln, aber ihre Worte klangen dann doch beinahe ernst: »Wenn man nicht mehr reitet, ist man tot.«

Elaine wäre am liebsten galoppiert, nahm aber Rücksicht auf Fellow und beschränkte sich auf leichten Trab. Matt und Jay, die sie begleiteten, schüttelten trotzdem noch den Kopf über das Tempo, das sie vorlegte.

»Sie können ihm doch nicht helfen, Miss Lainie«, meinte Jay.

Elaine warf ihm einen mörderischen Blick zu, antwortete aber nicht. Sie war zu müde und zu verfroren, um zu reden. Eigentlich hätte sie am liebsten geweint. Trotzdem beherrschte sie sich eisern und machte sogar Anstalten, Fellow in den Stall zu bringen, als sie endlich das Haus der Lamberts erreichten. Matt nahm ihr Fellow ab.

»Nun gehen Sie schon ...«

Elaine stolperte durch die Empfangsräume, den Salon ... es waren immer noch Gäste da, die aufgeregt durcheinanderredeten, doch sie nahm kaum wahr, wenn jemand sie ansprach. Schließlich gelangte sie in die Korridore vor dem Küchentrakt und zu Tims Räumen ...

Elaine brach erst zusammen, als sie Tim auf seinem Bett liegen sah. Genauso still und blass wie am ersten Tag nach dem Unfall. Das durfte nicht sein, nicht nach alledem! Sie schluchzte hysterisch, konnte sich nicht mehr aufrecht halten.

Berta Leroy fing sie auf.

»Na, na, Lainie ... nun wollen wir doch nicht schlappmachen! Roly? Habt ihr hier Whisky?«

»Lainie!« Tims Stimme.

Elaine wehrte Berta ab und schleppte sich zu Tims Bett. Er richtete sich auf, als sie sich daneben auf die Knie sinken ließ. »Dieser hoffnungslose William hat es tatsächlich geschafft? O Gott, ich dachte, ich müsste ihn mit meinen Krücken aufs Pferd prügeln! Und dann wollte er auch noch über die Richtung diskutieren!«

»Tim, du ...« Elaine schmiegte ihr Gesicht an seine Hände, tastete über seinen Körper ... keine Verbände ... auch wenn er leicht zusammenzuckte, als sie seine linke Seite berührte.

»Ziemlich schwere Prellungen«, meinte Berta Leroy und reichte Elaine ein Glas. »Aber gebrochen ist nichts, machen Sie sich keine Sorgen.«

Elaine weinte wieder, aber diesmal aus Erleichterung. Sie nippte an ihrem Glas und schüttelte sich.

»Das ist kein Whisky ...«

»Nein, das ist Laudanum.« Berta zwang sie, das Glas zu leeren. »Ich hab's mir überlegt mit dem Schnaps. Davon werdet ihr nur redselig – von rührselig mal ganz zu schweigen. Stattdessen wird jetzt geschlafen. Sie auch, Tim! Sonst nehme ich meinen Mann beim Wort und lasse Sie wirklich nicht mit zu dieser Vernehmung!«

Es war eine übernächtigte Gruppe, die sich am nächsten Morgen im Büro des Constablers zusammenfand.

Elaine war gegen Morgen trotz des Laudanums aufgewacht und direkt aus ihren Albträumen in Tims Bett gestolpert. Tim, der trotz des Morphiums wach lag und grübelte, rückte bereitwillig beiseite und hielt sie im Arm, während sie ihm stammelnd und schluchzend eine ziemlich wirre Version der Ereignisse um Sideblossoms Tod lieferte. Als sie schließlich an seiner Schulter einschlief, wagte er sich nicht mehr zu rühren, fand deshalb die ganze Nacht keine bequeme Liegeposition und war am Morgen entsprechend verspannt.

Elaine hatte auch am Morgen noch Kopfschmerzen und fiel von einem Weinkrampf in den anderen. Ihre gefasste Haltung gleich nach der Entführung war dem völligen Gegenteil gewichen. So brach sie schon beim Anblick ihres völlig ruinierten Verlobungskleides zum ersten Mal in Tränen aus und weinte dann gleich gerührt weiter, als Charlene mit Kleidung zum Wechseln erschien.

»Nun wein doch nicht! Mrs. O'Brien macht dir ein neues Kleid«, versprach Charlene hilflos. »Wenn sie sich beeilt, schafft sie es noch vor diesem Konzert in Blenheim. Da wolltest du es doch anziehen …«

»Wenn ich dann nicht im Gefängnis bin …«, schluchzte Lainie.

Charlene versuchte, sie wenigstens zu einem kleinen Frühstück zu überreden. Doch sie war nicht zu beruhigen und fasste sich erst wieder, als es Zeit für den Aufbruch wurde. Dann folgte sie dem hinkenden Tim durch den Salon und vorbei an der eisern schweigenden Nellie Lambert. Marvin Lambert ließ sich nicht blicken. Entweder war er zur Arbeit in der Mine oder betrunken – schon wieder oder immer noch.

William hatte die bloße Tatsache, am Leben zu sein, die ganze Nacht hindurch mit Kura gefeiert. Nach dem Gewaltritt und den nachfolgenden Anstrengungen, Kura seine Vitalität in jeder beliebigen Stellung zu beweisen, bewegte er sich fast so schleppend wie Tim.

Auch der Constabler war nicht gerade ausgeschlafen. Gemeinsam mit seinen Helfern hatte er die halbe Nacht mit der Bergung und Rückführung der Leiche und der Überprüfung der ersten Aussagen verbracht. Und Dr. Leroy wirkte nach der Untersuchung von Sideblossoms sterblichen Überresten ziemlich mitgenommen. Immerhin hatte er nichts gefunden, das Williams Darstellung der Ereignisse widersprach.

»Wir können also festhalten«, beendete der Friedensrichter – ein besonnener und freundlicher Mann, dem im Zivilberuf die Leitung der Telegrafenstation des Ortes unterlag – die Untersuchung des Todesfalls, »dass John Sideblossom im vollen Galopp, auf dem Bock seines Wagens stehend, versucht hat, dem neben ihm reitenden William Martyn wie in einer Art Tauziehen die Peitsche zu entreißen. Ein unerwarteter Ruck seitwärts brachte ihn aus dem Gleichgewicht. Beim Sturz blieb sein Mantel an der Peitschenhalterung hängen, und der Mann wurde zu Tode geschleift. Irgendwelche Einwände?«

Die Zuhörer schüttelten die Köpfe.

»Kein schöner Tod«, bemerkte der Constabler, »aber wohl auch kein sehr angenehmer Zeitgenosse ... Kommen wir zu Ihnen, Miss Lainie Keefer. Oder eher Elaine Sideblossom, wenn ich Sie heute Nacht richtig verstanden habe. Was war das mit dieser Schießerei? Warum haben Sie hier unter falschem Namen gelebt? Wieso war lediglich Greymouth ›sicher‹, und warum konnte dieser Sideblossom Sie nicht einfach zur Rede stellen, sondern musste Sie gleich entführen?«

Elaine holte tief Luft. Dann erzählte sie mit leiser, ausdrucksloser Stimme, den Blick zu Boden gesenkt.

»Werden Sie mich jetzt verhaften?«, fragte sie, als sie geendet hatte. Das Gefängnis schloss sich direkt an das Büro des Constablers an. Es war zurzeit leer, aber relativ weitläufig. Am Wochenende wurde hier jedes Eckchen als Ausnüchterungszelle gebraucht.

Der Constabler lächelte. »Ich denke nicht. Wenn Sie flüchten wollten, wären Sie schon weg. Außerdem muss ich das alles erst einmal nachprüfen. Es erscheint mir nach wie vor ziemlich wirr. Vor allem finde ich es seltsam, dass ich nie von der Sache gehört habe. Gut, dieses Lionel Station liegt am Ende der Welt, aber eine junge Frau auf einer Fahndungsliste, noch dazu wegen eines so spektakulären Verbrechens ... ich denke, das wäre mir aufgefallen. Auswandern sollten Sie allerdings vorerst nicht, Miss ...«

»Lainie«, flüsterte Elaine.

»Sie möchte auf keinen Fall weiterhin Sideblossom heißen«, interpretierte der Friedensrichter. »Durchaus verständlich, wenn all diese Geschichten der Wahrheit entsprechen. Und in Anbetracht dessen, dass sie sich gerade mit jemand anderem verlobt hat. Ich hoffe, Sie hatten nicht ernstlich daran gedacht, auch einfach zum zweiten Mal zu heiraten, Miss Lainie! Die Sache mit der Scheidung sollten Sie unbedingt heute noch angehen.«

Tim nickte. »Es gibt einen Anwalt in Westport, soviel ich weiß. Vielleicht können wir ihm telegrafieren ...« Er machte Anstalten, aufzustehen, während der Constabler Elaine das Protokoll zum Unterschreiben über den Tisch reichte.

»Aber wir müssen noch über Blenheim reden!«, warf William ein. »Ich verstehe ja, dass du im Moment auch noch andere Sorgen hast, Lainie ...«

»Sie glauben doch nicht wirklich, sie ginge nach alledem mit Ihnen nach Blenheim!«, fuhr Tim auf. Seine linke Seite schmerzte höllisch, und er wollte diese Unterredung nur noch hinter sich bringen. Elaine legte beruhigend die Hand auf seine.

»Natürlich gehe ich nach Blenheim«, sagte sie müde. »Wenn ich darf.« Sie schaute den Constabler ängstlich an. Tim dagegen erwartete dessen Urteil eher hoffnungsvoll.

Der Polizist schaute verwirrt von einem zum anderen. »Was ist nun wieder mit Blenheim?«

William klärte ihn auf, wobei er die Wichtigkeit von Elaines und Kuras Auftritt etwa in den Bereich der Rettung der Südinsel vor barbarischen Invasoren rückte. Tim verdrehte die Augen.

»Mein Gott, William, es ist doch nur ein Konzert …«

»Für Kura ist es mehr«, widersprach Lainie. »Und ich laufe bestimmt nicht weg, Constabler!«

Der Constabler schüttelte den Kopf und kaute auf seiner Oberlippe. Eine Gewohnheit, die er mit Lainie gemeinsam hatte. Sie lächelte ihn an.

»Das befürchte ich weniger, Miss Lainie«, meinte er schließlich. »Ich sorge mich mehr um Ihre persönliche Sicherheit. Dieser Thomas Sideblossom wird spätestens morgen vom Tod seines Vaters erfahren. Sind Sie sicher, dass er dann keinen Racheakt plant? Wäre er dazu fähig?«

Elaine wurde abwechselnd weiß und rot. »Thomas wäre zu allem fähig …«, flüsterte sie.

»Das war er vielleicht mal!«, warf William ein. »Aber nach diesem Vorfall mit der Pistole …«

Tim registrierte mit widerwilliger Bewunderung, wie vorsichtig er sich ausdrückte. Der Mann mochte ein zögernder Reiter sein, aber als Anwalt wäre er ein Ass gewesen.

»Er verlässt kaum das Haus und ist ständig auf Hilfe angewiesen. Constabler, er ist so gut wie blind!«

»Aber die Planung eines Anschlags wäre ihm zuzutrauen?«, beharrte der Constabler.

»Wir werden Lainie einfach nicht aus den Augen lassen!«, erklärte William.

Der Constabler warf seinen Besuchern skeptische Blicke zu. Der erschöpfte Tim auf seinen Krücken – und William, dem schon beim Anblick einer Leiche schlecht wurde. Als Leibwächter hätte er beide nicht eingestellt.

»Sie müssen es wissen, Miss Lainie«, meinte er schließlich. »Aber bedenken Sie, dass zumindest die Geister der Maoris

Sie nicht mehr beschützen, wenn Sie Greymouth verlassen.« Er lächelte mühsam.

»Die waren gestern auch nicht sehr hilfreich«, bemerkte Elaine.

William und Tim begannen sofort wieder zu streiten, als sie das Büro verließen und dem Friedensrichter zum Telegrafenamt folgten. Elaine hatte ein seltsam leichtes Gefühl, als ob sie über allem schwebte. Aber da war noch ...

»Mr. Farrier ... meine Eltern in Queenstown ... Können wir denen vielleicht auch telegrafieren? Wenn jetzt sowieso alles rauskommt ...«

Sie sah noch, dass der Friedensrichter antwortete, denn seine Lippen bewegten sich, doch irgendwie nahm sie seine Worte nicht wahr. Alles begann sich plötzlich zu drehen, ähnlich wie am Tag zuvor, doch Elaine fand diesmal nicht mehr in die Wirklichkeit zurück, sondern verlor sich in einer Wolke. Nicht unangenehm, aber weit, weit fort ...

Elaine hörte die Stimmen wie von fern, als sie langsam wieder zu sich kam.

»War wohl alles ein bisschen viel für sie ...«

»Die Kopfverletzung ...«

»Es darf nicht sein, dass ihr was passiert ...«

Die letzte Stimme gehörte Tim. Und sie klang leer, verzweifelt und müde.

Elaine schlug die Augen auf und sah sich Dr. Leroy gegenüber, der ihren Puls fühlte.

Tim und die anderen Stimmen waren nicht im Raum ... anscheinend hatte man sie in das kleine Hospital gebracht. Hinter dem Doktor hantierte Berta.

»Habe ich ... ist es was Ernstes?«, fragte sie leise.

Dr. Leroy lächelte. »Etwas sehr Ernstes, Miss Lainie! In der nächsten Zeit müssen Sie unbedingt ordentlich essen, sich nicht so fest schnüren ...«

Jetzt bemerkte Elaine, dass jemand ihr Mieder und Korsett geöffnet hatte, und errötete pflichtschuldigst.

»... und vor allem Ihre persönlichen Angelegenheiten in Sachen Scheidung und Ehe in Ordnung bringen. Sie sind schwanger, Miss Lainie! Und wenn ich das Kind hole, würde ich Sie lieber mit Misses ansprechen!«

»Wenn das Kind zur Welt kommt, sind wir längst in Wales!«, sagte Tim zärtlich. Berta Leroy hatte ihm die Nachricht überbracht und ihn zu Elaine vorgelassen. Der jungen Frau selbst würde sie erst wieder erlauben aufzustehen, wenn sie ordentlich gefrühstückt hatte. Roly war schon auf dem Weg zum Bäcker – und damit war die Nachricht schneller in Greymouth verbreitet, als jeder Telegraf es geschafft hätte. »Wir lassen das alles hier hinter uns. Ich will mich nie mehr vor diesem Sideblossom fürchten müssen.«

»Vielleicht bin ich im Gefängnis, wenn das Kind zur Welt kommt ...«, murmelte Elaine. »Es gibt doch einen Prozess, Tim, du kannst den Kopf nicht einfach in den Sand stecken ... oder in Waliser Kohlenstaub. Ich bin ja schon froh, dass ich überhaupt nach Blenheim darf.«

»Du willst doch nicht in Blenheim Klavier spielen? Jetzt, in deinem Zustand!« Tim sah sie fassungslos an.

Elaine strich über seine Wange.

»Ich bin nicht krank, Liebster«, meinte sie zärtlich. »Und Kura würde wahrscheinlich sagen: Wenn man nicht mehr Klavier spielen kann, ist man tot!«

Kura wartete auf Elaine und Tim, als sie endlich die Arztpraxis verließen.

»William hat mir von dem Baby erzählt«, sagte sie gepresst. »Du ... freust dich, nicht wahr?«

Elaine lachte. »Natürlich freue ich mich! Das ist das Wunderbarste, das mir in meinem Leben passiert ist! Aber mach dir keine Sorgen, ich komme trotzdem mit nach Blenheim. Ab morgen üben wir wieder, in Ordnung? Heute bin ich noch etwas schlapp. Und dann wollte ich auch noch telegrafieren ...«

»Das hat William mir schon erzählt«, meinte Kura, immer noch ziemlich gezwungen. »Also, das mit Blenheim und dem Telegrafieren ... Elaine, ich weiß, es ist viel verlangt. Aber könntest du nicht noch ein bisschen warten? Wenn du jetzt deine Eltern benachrichtigst, sind die doch in zwei Tagen da.«

»Na ja, zwei Tage ist vielleicht etwas knapp, aber ...« Elaine schaute ihre Cousine verwundert an. Sie verstand nicht, um was es Kura ging, doch ihr schien dieses Anliegen sehr wichtig zu sein.

»Elaine, wenn sie dich finden, dann finden sie mich auch. Dann geht das nächste Telegramm nach Haldon, und ich ... Versteh doch, Lainie, ich möchte nicht als Barpianistin aufgegriffen werden! Wenn dieses Konzert in Blenheim erfolgreich ist, bin ich eine Sängerin mit eigenem Programm, mit eigener Tourneeplanung. Dann habe ich Zeitungsausschnitte vorzuweisen. Ich kann sagen, dass wir nach London gehen werden ...« Kuras Augen strahlten allein bei dem Gedanken an ihre Erfolge, doch ihre Stimme klang zweifelnd und beinahe flehend. »Aber wenn deine Eltern mich im Wild Rover singen hören, wenn sie herauskriegen, dass ich ein Jahr lang völlig erfolglos getingelt bin ... bitte, Lainie!«

Elaine schwankte. Dann nickte sie.

»Auf eine Woche kommt es nicht an«, sagte sie schließlich.

»Ich hoffe bloß, es wird wirklich so erfolgreich. Ich habe mich irgendwie nie als Künstler gesehen …«

Kura lächelte. »Vielleicht wird das Baby ja mal einer. Oder eine. Ich werde ihm zur Geburt jedenfalls einen wunderschönen Flügel schenken.«

6

Elaine empfand die Reise nach Blenheim nicht als anstrengend. Im Gegenteil, sie genoss den Blick aus der Kutsche über die oft atemberaubenden Gesteinsformationen der Alpen und schließlich die Weinberge oberhalb Blenheims. Kura schien das alles gar nicht zu sehen. Sie blickte starr geradeaus und schien Melodien zu lauschen, die sich nur ihr erschlossen. In ihrer persönlichen Ewigkeit durchlebte sie abwechselnd die Hölle des Misserfolges und das Glück des tosenden Beifalls. William hatte nur Augen für Kura. Er schien dem Auftritt ebenso entgegenzufiebern wie sie – und natürlich war es auch für ihn ein Neuanfang. Wenn Kura jetzt Erfolg hatte, würde er das Nähmaschinengeschäft aufgeben und sich ganz der Aufgabe widmen, seine Frau bekannt und berühmt zu machen.

Beide schienen dieses Konzert als den entscheidenden Wendepunkt in ihrem Leben zu betrachten – und Elaine fühlte die Bürde manchmal ziemlich schwer auf sich lasten. Dazu sorgte sie sich um Tim, für den die dreitägige Reise zur Strapaze wurde. Dabei hatte Elaine extra darauf bestanden, die Tagesetappen kurz zu halten. Sie kamen fast so schleppend voran wie auf der unseligen Reise von Queenstown nach Lionel Station. Allerdings waren die Wege streckenweise uneben und schlecht ausgebaut. Auch Kura klagte nach der zweiten Etappe, ihr täten sämtliche Knochen weh. Tim sagte nichts, sah aber aus, als wäre bei ihm genau das der Fall. Er versuchte gute Laune vorzutäuschen, doch Elaine bemerkte seinen angespannten Ausdruck und die tiefen Schatten unter den Augen. Sie hörte ihn im Schlaf stöhnen, sofern er überhaupt Schlaf fand.

Wenn sie sich nachts in sein Hotelzimmer schlich, war er meist wach, in irgendeine Lektüre vertieft, um sich von den Schmerzen in der Hüfte abzulenken. Das alles waren denkbar schlechte Aussichten für seine immer wieder geäußerten Pläne zur Auswanderung.

Elaine grauste es vor der sechswöchigen Seereise. Sie stellte sich das Schiff als einen ständig schwankenden Kahn vor, auf dessen Deck Tim bei jedem Schritt ums Gleichgewicht kämpfen musste. Anschließend die Reise von London nach Wales, wahrscheinlich zu Pferde, und letztlich die Enttäuschung, wenn sich doch nicht alles so fügte, wie Tim es erhoffte.

Elaine war längst nicht so optimistisch wie ihr Verlobter. Natürlich glaubte sie ihm, dass er sich früher vor Angeboten kaum retten konnte. Aber würden die Minenbetreiber ihn jetzt noch einstellen? Einen Bergbauingenieur, der spätestens unter Tage auf die Augen und Ohren anderer angewiesen war? Der selbst Baustellen über Tage nur begrenzt inspizieren konnte? Hier in Greymouth hätte er Matt Gawain, dessen praktische Erfahrung sich mit Tims technischen Kenntnissen ergänzte und der ihm ehrlich und kompetent berichtete. Er hatte Roly, der ihm kleine Verrichtungen des Alltags inzwischen ungefragt und wie selbstverständlich abnahm. Würde er überhaupt ohne Roly zurechtkommen? Nach wie vor war der Junge fast immer um ihn, auch wenn seine Hilfestellung kaum noch auffiel. Aber wenn Roly nun nicht mehr da wäre? Wenn niemand mehr selbstverständlich Tims Pferd satteln und wegführen, seine Tasche tragen oder irgendwelche Kleinigkeiten für ihn holen würde? Elaine konnte zu Hause das meiste für ihn übernehmen. Aber an einem fremden Ort?

Tim musste das alles eigentlich auch durch den Kopf gehen, gerade jetzt, wo die Reise ihm seine mangelnde Belastbarkeit vor Augen führte. Vielleicht war auch das der Grund, warum er immer stiller, beinahe mürrisch wurde, je näher sie dem Ziel der Reise rückten. Besorgnis wegen Thomas Sideblossom konnte es eigentlich nicht sein. Der Friedensrichter hatte ihnen noch kurz vor der Abfahrt mitgeteilt, dass es bislang nicht gelungen sei, die Sideblossoms vom Ableben Johns zu unterrichten. Zwar war ein Bote nach Lionel Station geschickt worden, doch Zoé und Thomas Sideblossom weilten nicht auf der Farm.

»Sie sollen im Norden bei irgendeinem Arzt sein«, meinte Mr. Carrington. »Angeblich könnte der die Kugel aus Mr. Sideblossoms Kopf entfernen, jedenfalls haben die Maoris auf der Farm das so verstanden. Irgendeine Kontaktadresse haben die Leute wohl nicht, man wird abwarten müssen, bis sie zurückkehren, was hoffentlich nicht zu lange dauert. Wir würden ihnen den Leichnam ja gern nach Otago schicken, aber wenn da nicht bald konkrete Absprachen erfolgen, müssen wir ihn hier begraben.«

Elaine war sicher, dass die Maoris auf Lionel Station den Grund für Thomas Sideblossoms Reise sehr gut verstanden hatten. Dank seiner speziellen Personalpolitik gab es schließlich perfekt geschulte Diener wie Arama und Pai, von Emere ganz zu schweigen. Die hatte sicher auch von Johns Plänen gewusst. Ob sie um ihn trauerte? Und ob es ihr seltsam vorkam, dass die junge Zoé Sideblossom ihn begraben würde, nachdem sie, Emere, so viele Jahre sein Bett geteilt und seine Kinder geboren hatte?

Zoé Sideblossom selbst hatte keine Kinder. William wusste, dass ihr erstes Kind bei der Geburt gestorben war und dass sie danach eine Fehlgeburt erlitten hatte, das hatte er Elaine erzählt; jedenfalls gab es außer Thomas keine weiteren legitimen Erben. Seltsam, dass Zoé sich nun so um Thomas kümmerte ... aber vielleicht war sie einfach nur froh, die Farm aus irgendeinem Grund verlassen zu können.

Auf jeden Fall schmiedete, so dachten fast alle, sicher niemand dunkle Pläne gegen Elaine, weshalb die Männer den Vorsatz, sie nicht aus den Augen zu lassen, auch nicht mit großem Ernst verfolgten. Als sie schließlich Blenheim erreichten, zog Tim sich sofort ins Hotelzimmer zurück – ein Zeichen der Schwäche, das ihn sicher hart ankam. Elaine schickte ihm Roly nach.

»Sieh zu, dass er sich ein bisschen ausruht. Der Empfang heute Abend bei dieser Mrs. Redcliff ist auch wieder anstrengend.«

Roly hätte eigentlich keine Aufforderung gebraucht. Der Vorwand, Tim das Gepäck heraufzubringen, hätte ihm genügt, sich um seinen Patienten zu kümmern.

William verabschiedete sich unter fadenscheinigeren Gründen – die Kura sicher durchschaut hätte, wenn sie nur das geringste Interesse für etwas anderes aufgebracht hätte als das Konzert, das am kommenden Abend stattfinden würde. William wusste, was er Heather Redcliff, geborene Witherspoon, schuldig war. Zwar befand sie sich inmitten der Vorbereitungen für den Empfang am Abend, aber ihr »William, das kommt jetzt aber wirklich unpassend!« klang so einladend, dass er nur eine zerknirschte Mine aufsetzte, aber keine Anstalten machte, ihr elegantes Stadthaus sofort wieder zu verlassen.

Tatsächlich fand sich dann auch durchaus die Möglichkeit, die Dienstmädchen kurze Zeit allein werkeln zu lassen. Die Köchin war ohnehin froh, wenn ihr niemand in die Töpfe guckte, und die Kinder hatte man in Erwartung des Empfangs bereits bei Freunden untergebracht.

»Ich kann es kaum erwarten, Kura wiederzusehen!«, erklärte Heather schließlich und brachte ihr Haar in Ordnung, während sie William hinausbegleitete.

»Und ich freue mich darauf, den fabelhaften Mr. Redcliff endlich persönlich kennen zu lernen!«, sagte William lächelnd. »Wir kommen dann um acht.«

Kura und Elaine verbrachten den Nachmittag damit, sich den Konzertsaal im Hotel anzuschauen und ihr Programm noch einmal zu proben. Elaine war anfangs eingeschüchtert von der Größe und Eleganz des Raumes. Überhaupt imponierte ihr das Hotel. Es war weitaus mondäner als das White Hart in Christchurch und mit der Pension ihrer Großmutter erst recht nicht zu vergleichen.

»Die Akustik ist hervorragend!«, erklärte Kura, die mit Barristers Ensemble schon einmal in der Stadt gastiert hatte. »Und diesmal werden wir die Bühne für uns haben, ganz allein für uns. Keine anderen Sänger und Tänzer, die Leute werden nur auf uns hören! Ist das nicht ein herrliches Gefühl? Wie Champagner ...« Sie wirbelte auf der Bühne herum. Elaine fand das eher beängstigend. Sie hatte schon Herzklopfen, neigte aber nicht zu Calebs Angstzuständen. Ihr Lampenfieber würde ihr eher Auftrieb geben, und der Glanz um sie herum würde auf ihr Spiel abstrahlen. Kura machte sich da keine Gedanken. Sie hatte Tänzer im Ensemble erlebt, die jeden Abend vor Aufregung zitterten, um dann immer besser zu werden. Lainie war auch so ein Typ – bestimmt machte sie ihre Sache gut.

Elaine spielte schon jetzt, bei der Generalprobe, besser als in Greymouth; aber das lag vielleicht an dem tadellos gestimmten und sehr kostbaren Flügel, den das Hotel zur Verfügung stellte. Elaine betrachtete das Instrument voller Ehrfurcht und spielte es dann mit sichtlicher Freude.

Beide Mädchen waren in Hochstimmung, als sie schließlich auf ihre Zimmer gingen und sich für den Abend umzogen. Mrs. O'Brien hatte tatsächlich das Kunststück vollbracht, Elaine in nur einer Woche ein neues Kleid zu schneidern. Diesmal in dunklerem Samt; azurblauer war so schnell nicht ein zweites Mal aufzutreiben. Aber es sah auch so wunderschön aus. Das Nachtblau ließ Elaines Haar noch mehr leuchten und betonte ihren sehr hellen Teint. Es ließ sie ernster wirken und weniger mädchenhaft.

Kura hatte kein neues Kleid. Ihre und Williams Ersparnisse waren für die Reise und die Ankündigungen des Konzerts gänzlich aufgebraucht worden, und William musste passen, als sie ihn bat, ihr selbst ein Kleid zu nähen.

»Süße, ich beherrsche diese Wundermaschine nur unvollkommen. Und wenn du mich fragst, wird es auch nur ein Bruchteil aller Frauen jemals zu Mrs. O'Briens Fertigkeiten bringen. Ehrlich gesagt hätte ich das gar nicht für möglich gehalten, bevor die Dame Hand an die erste Singer legte. Eine Naturbegabung. Ich habe schon überlegt, ob man sie für Vertreterschulungen gewinnen kann ... Aber wenn wir in Blenheim Erfolg haben, hat es sich sowieso ausgesingert. Dann kaufst du deine Garderobe bald in London ...«

So würde Kura in ihrem alten weinroten Kleid auftreten, aber sie würde damit immer noch alle Frauen um sie herum in den Schatten stellen. Auch im Hause der Redcliffs folgten ihr schon bewundernde Blicke, bevor sie überhaupt als Ehrengast des Abends vorgestellt worden war. Heather Redcliff begrüßte sie überschwänglich, Kura ließ sich sogar von ihr umarmen.

»Du siehst hinreißend aus, Kura, wie immer!«, begeisterte sich Heather. »Erwachsener bist du geworden, und es steht dir großartig! Ich kann es kaum abwarten, dich singen zu hören!«

Kura konnte das Kompliment nur zurückgeben. Heather sah gepflegter aus, weicher – und heute strahlte sie von innen heraus. Ein Ausdruck, an dem William Martyn nicht ganz unschuldig war.

Mr. Redcliff erwies sich als schwerer, ein wenig korpulenter Mann in mittleren Jahren, rotgesichtig, aber eher vom vielen Aufenthalt in Wind und Wetter als von allzu intensivem Whisky-Genuss. Er hatte schütteres Haar, aufmerksame braune Augen und einen festen Händedruck. William fühlte sich von ihm abgeschätzt. Tim fand ihn auf Anhieb sympathisch. Letzteres beruhte auf Gegenseitigkeit. Die beiden waren bald in ein Gespräch über Schienenbau und die diversen Schwierigkeiten bei der Gleisführung über die Alpen vertieft.

»Wir trinken nachher was zusammen im Herrenzimmer«, meinte Redcliff beinahe verschwörerisch, als er merkte, dass Tim das Stehen schwerfiel. »Ich hab einen fantastischen Whisky. Aber erst mal muss ich die Begrüßung hier hinter mich bringen. Meine Frau hat so ziemlich jeden in Blenheim eingeladen, den ich kenne, aber nicht mag. Suchen Sie sich irgendeinen Platz, und essen Sie etwas. Nach dem, was diese Schwadron von Köchen gekostet hat, die uns heute den ganzen Tag auf die Nerven gegangen ist, muss das Buffet ein Wunder sein.«

Heather verbrachte den ganzen Abend damit, Kura und Elaine herumzureichen. Elaine kam kaum dazu, etwas zu essen. Kura versprühte unausgesetzt Charme und nahm jeden für sie ein, dem sie vorgestellt wurde. Dabei verfielen die meisten ihr allein schon wegen ihres Aussehens, doch einige wirklich Musikinteressierte bewunderten auch die reich verzierte *pecorino*-Flöte, die sie auf Williams Anraten mitgebracht hatte. Für viele Gäste war es ein Erlebnis, das Maori-Instrument von nahem zu sehen und sogar anfassen zu dürfen.

»Kann man damit wirklich die Geister beschwören?«, fragte eine junge Frau interessiert. »Ich habe so etwas gelesen. Die Flöte soll mit drei verschiedenen Stimmen singen, aber nur wenigen ist es gegeben, damit die Geister wecken zu können, sagt man.«

Kura wollte eben erklären, dass die Geisterstimme der *pecorino* eher eine Frage der Atemtechnik sei als der Spiritualität. Doch William unterbrach sie und ließ seinem Talent zum *whaikorero* wieder einmal freien Lauf.

»Nur Auserwählte – man nennt sie *tohunga* – entlocken der

Flöte diese ganz außergewöhnliche Musik. Wenn Sie diese Klänge hören, denken Sie nicht mehr an Aberglaube. Es mag nur eine Atemtechnik sein, aber diese Stimmen berühren den Menschen tief im Innern. Sie werfen Fragen auf, und sie geben Antworten. Manchmal erfüllen sie sehnlichste Wünsche ...« Er zwinkerte Kura zu.

»Machen Sie doch mal!«, meinte ein schon leicht angetrunkener junger Mann, der Begleiter der jungen Frau. »Beschwören Sie doch mal ein paar Geister!«

Kura wirkte peinlich berührt oder tat zumindest so.

»Das tut man nicht«, murmelte sie. »Ich bin keine Zauberin, und außerdem ... die Geister sind doch keine Zirkusponys, die man einfach so auftraben lässt.«

»Oh, zu schade, ich hätte gern mal einen echten Geist gesehen!«, witzelte der Mann. »Aber vielleicht klappt es ja morgen im Konzert.«

»Die Geister berühren einen Menschen dann, wenn er es am wenigsten erwartet!«, erklärte William ernst. Dann lachte er Kura unverschämt zu, als das Pärchen gegangen war. »So macht man das, Süße! Du musst dich ein bisschen geheimnisvoller darstellen. Die *Habanera* singen können viele. Aber Geister zu beschwören ist etwas Besonderes. Deine Ahnen werden es dir schon nicht übel nehmen.«

»Wenn das so weitergeht, musst du demnächst noch wahrsagen«, neckte Elaine ihre Cousine.

Kura verdrehte die Augen. »Er ist auch schon auf den Gedanken gekommen, wir sollten es zumindest offen lassen, ob ich nicht doch in traditioneller Maori-Kleidung auftrete.«

»Du sollst dich tätowieren lassen und mit ... unverhüllter Brust auf die Bühne gehen?«, kicherte Lainie.

»Ersteres wohl weniger, aber an Letzteres hat er zweifellos gedacht. Wörtlich sprach er von so etwas wie Baströckchen. Ich weiß nicht mal, was das ist!« Kura lächelte. Sie nahm William schon längst nicht mehr gar so ernst.

»Kura? Miss Keefer? Da sind Sie ja! Kommen Sie, ich muss Sie noch jemandem vorstellen!« Heather Redcliff wirbelte schon wieder auf sie zu. Diesmal hatte sie einen korpulenten Mann und seine nicht weniger rundliche Frau im Schlepptau. Den beiden folgte ein etwas seltsames Paar, das länger brauchte, bis es den Raum durchquert hatte. Der Mann stützte sich schwer auf die Frau und einen Gehstock; er war groß, wirkte aber irgendwie verwachsen. Sein Gesicht wurde von einer dunklen Brille beinahe verdeckt.

»Prof. Dr. Mattershine und Louisa Mattershine. Der Professor ist Chirurg an unserem neuen Krankenhaus. Eine Kapazität! Und seine Gattin ...«

Elaine hörte nichts von dem, was Heather ausführte. Sie blickte nur wie hypnotisiert auf die Frau, die sich hinter den Mattershines langsam und mit winzigen Schritten näher schob. Ein schmales, ebenmäßiges und klassisch schönes Gesicht. Goldfarbenes, weiches Haar, das im Nacken zu einem schweren Knoten zusammengesteckt war. Wunderschöne braune Augen, die einen faszinierenden Kontrast zu ihrem hellen Teint bildeten.

Zoé Sideblossom. Elaines Mund wurde trocken. Sie starrte auf den dunkelhaarigen Mann an ihrer Seite. Früher war er sicher schlank und muskulös gewesen, heute schien er verkrümmt und verwachsen. Körper und Gesicht waren eher schwammig und aufgedunsen. Doch der harte Zug um den Mund war immer noch da ... die Falte zwischen seinen Augen, die Konzentration verriet, wenn er Elaine ...

Elaine fühlte Kälte in sich aufsteigen. Sie wollte davonlaufen, konnte es aber nicht. Genau wie so oft auf Lionel Station ...

»Das sind unsere Gäste, Zoé und Thomas Sideblossom.« Die Frau des Arztes übernahm die Vorstellung. Sie schien überaus freundlich und fürsorglich zu sein, aber sie kolportierte auch gern Klatsch. So sprach sie nun hastig weiter, bevor

Zoé und Thomas die Gruppe erreichten und ihre Worte hörten.

»Wir haben sie mitgebracht, um sie ein bisschen aufzuheitern. Ein schweres Schicksal. Der junge Mann ist bei einem Unfall mit einer Waffe schwer verletzt worden und nur noch ein Schatten seiner selbst. Und sie ist seine ... hm ... Stiefmutter, eine späte Liebe seines Vaters. Tja, und nun musste sie gestern erfahren, dass ihr Gatte ... Ein schweres Schicksal! Kommen Sie, Zoé, meine Liebe, dies sind die Künstlerinnen ...«

Zoé und Elaine starrten einander an. Zoé trug Schwarz, also musste sie es wirklich wissen ... Natürlich, der Telegraf! Elaine hatte gleich nicht geglaubt, dass es dem Personal der Sideblossoms unmöglich wäre, sie irgendwo aufzutreiben.

»Du ...« Zoés Stimme klang tonlos. Sie schien Thomas ein wenig von sich zu schieben. Wahrscheinlich hoffte sie, er würde sich dann auf Mrs. Mattershine konzentrieren und ihr ein paar persönliche Worte mit Lainie erlauben. »Ich habe dich damals bewundert, weißt du? Aber du ... wir ... o Gott, wir sollten hier weg!«

Zoé schien genauso von Panik erfasst wie Elaine. Doch keine von beiden sah irgendeine Möglichkeit, der Situation zu entkommen.

»Miss Kura-maro ... Wie spricht sich das, meine Liebe? Und Miss Elaine Keefer ...«

Vielleicht hätte Thomas nicht aufgemerkt, hätte seine Gastgeberin Elaines Vornamen nicht zufällig richtig genannt. Eigentlich waren die Freunde übereingekommen, dass Elaine hier noch einmal Lainie Keefer sein sollte, doch Mrs. Mattershine schien »Lainie« doch zu exotisch zu sein. Oder war es irgendetwas in ihrer Aura ... dieser Aura der Angst, die Thomas nur zu gut kannte, das Elaine verriet?

»Elaine?« Es war die gleiche Stimme. Sie berührte Elaine

tief in ihrem Innersten, schien ihr Herz zusammenzudrücken. »Meine … Elaine?«

Der Mann ballte die linke Faust um den Stock.

Elaine schaute ihn mit schreckgeweiteten Augen an, konnte sich nicht losreißen.

»Thomas, ich …«

»Thomas, wir sollten jetzt gehen!«, sagte Zoé Sideblossom ruhig. »Wir hatten uns geeinigt, die Vergangenheit ruhen zu lassen. Wir alle bedauern, was geschehen ist …«

»*Du* wolltest vielleicht die Vergangenheit ruhen lassen, Zoé, meine Schöne!« Das letzte Wort klang drohend. Thomas Sideblossom richtete sich auf, so weit es ihm noch möglich war. Für die meisten Menschen mochte es kein besonders furchterregender Anblick sein, doch Elaine wich zurück, und ihre Hände griffen ins Leere. Es war, als hätte es Tim und die Zeit in Greymouth nie gegeben. Dies war Thomas, und sie gehörte ihm …

»Und du!« Er sprach in Elaines Richtung, als sähe er sie so deutlich vor sich wie damals. »Aber ich lasse nichts ruhen, meine geliebte Elaine. Mein Vater sucht dich, weißt du … oder suchte dich, jetzt soll er ja tot sein. Hast du damit vielleicht auch zu tun, du Hexe?«

Inzwischen verfolgten die Menschen um Elaine, Zoé und Thomas herum seinen Ausbruch, sahen das totenbleiche Mädchen vor ihm und die junge Frau, die verzweifelt versuchte, ihn wegzuziehen.

»Thomas, komm jetzt.«

»Aber zuletzt hat er dich gefunden, Lainie …«

Das Wort rollte über seine Zunge, als mache es ihm Appetit auf mehr. Er tat einen unsicheren Schritt in Elaines Richtung.

»Und ich hole dich. Nicht heute, nicht morgen, Lainie, sondern wenn es mir passt. Erwarte mich, Lainie … wie damals, weißt du noch? Dein weißes Kleid … so süß, so unschuldig …

aber schon damals ein Widerspruch. Immer Widersprüche.«

Elaine zitterte am ganzen Körper. Die Angst lähmte sie völlig. Wenn er sie jetzt haben wollte, würde sie mitgehen ... oder noch einmal die Waffe abfeuern. Aber sie hatte keine Waffe. Elaine hob hilflos die Hände.

Doch dann durchbrach ein dumpfer Ton, ein sich mühsames Materialisieren von Musik aus einer anderen Welt die angespannte Stille zwischen Lainie und Thomas. Zwischen Flüstern und Stöhnen erhob sich eine Stimme. Laut, heiser, bedrohlich ...

Elaine hatte diese Melodie nie zuvor gehört. Aber natürlich kannte sie das Instrument. Die Geisterstimme der *pecorino*.

Kura spielte konzentriert, zunächst in langen, anklagenden Tönen, die dann schneller wurden, unheimlicher. Allem menschlichen Empfinden nach hätten die Töne dabei schriller werden sollen, doch sie wurden hohler, beängstigender. Und sie umgaben Kura wie eine gespenstische Aura. Elaine trat neben Kura, dann zwischen sie und Thomas Sideblossom.

Der Mann verharrte in seiner Angriffsstellung, seit er die ersten Töne vernommen hatte. Doch sein Körper verlor dabei zusehends die Spannung, und sein drohender Ausdruck verwandelte sich in panische Angst. Schließlich verlor er die Brille, und sein zerstörtes Gesicht wurde für alle sichtbar – ein verzogenes, verkniffenes Gesicht, das unter den Klängen der Musik jegliche Konturen zu verlieren schien. Hinter den Zügen des harten, bösartigen Mannes Thomas Sideblossom erschien das Gesicht eines verstörten Kindes.

»Nicht ... bitte nicht ...« Der Mann wich zurück, verlor das Gleichgewicht, fiel ... Dann schrie er, versuchte, den Kopf zwischen den Armen zu verstecken, und wand sich am Boden.

Elaine verstand nicht, was sie sah und hörte, ebenso wenig wie die anderen Zuschauer. Aber sie spürte, wie sich alle rund um Kura und Thomas zurückzogen ... und sie hätte beinahe an die Magie der Flöte geglaubt, hätte Kura nicht ebenso verständnislos auf den sich krümmenden Mann vor ihr geblickt.

Thomas Sideblossom wimmerte nur noch, als Kura schließlich innehielt. Sie schien nicht recht zu wissen, was sie tun sollte, aber sie schleuderte ihm noch ein paar Worte Maori entgegen, die ihn völlig zu verstören schienen. Elaine hatte das Gefühl, etwas hinzufügen zu müssen. Sie sprach rasch und heiser den ersten Satz auf Maori, der ihr einfiel.

Dann ging sie rückwärts, zog sich genauso scheu zurück wie die anderen Leute im Raum. Kura dagegen hielt die Pose. Sie drehte Sideblossom den Rücken zu und verließ den Raum hocherhobenen Hauptes, jeder Zoll eine Siegerin.

»Ein Arzt, wir brauchen einen Arzt!« Elaine hörte Zoé Sideblossoms und dann auch Heather Redcliffs Stimme wie durch einen Nebel. Sie fragte sich flüchtig, wohin wohl Dr. Mattershine geflohen war, doch es war ihr egal. Sie rannte los, fand Tim Lambert im Herrenzimmer im entspannten Gespräch mit Mr. Redcliff, stürzte vor ihm nieder und verbarg den Kopf in seinem Schoß.

»Lainie? Was hast du denn, Lainie?«

Ein am Eingang des Raumes vorbeieilender Gast beantwortete die Frage. »Die Maori-Hexe hat einen Mann umgebracht!«

»Ach was, er ist nicht tot!« William Martyn stützte die völlig verwirrte Kura. Sie hätte sich wohl auch ohne ihn auf den Beinen halten können, doch er hatte das Gefühl, ihrer unnatürlich starren, aufrechten Gestalt Hilfestellung bieten zu müssen, wenn der Zauber oder was immer es war von Kura wich.

»Er hat bloß einen Schock. Aber wie das gekommen ist ...«

»Klären Sie das unter sich«, meinte Julian Redcliff, der in Tims Augen immer mehr Achtung gewann. Er hatte die völlig aufgelöste Lainie und die aufgewühlte Kura und ihre Begleiter zunächst in seinem Schlafzimmer in Sicherheit gebracht. Wobei er auch bei William Punkte machte, indem er die Flasche Whisky gleich dazustellte. Mit einem bewundernden Blick auf die Flöte in Kuras Händen nahm er selbst noch einen tiefen Schluck, bevor er sich verabschiedete. »Ich gehe mal raus und beruhige die Hysteriker. Allen voran meine Frau. Vielleicht können Sie mir ja nachher mal erklären, wie man mittels einer Flöte einen erwachsenen Mann auf die Bretter schickt. Ist ehrlich gesagt das erste Mal, dass Kunst mir wirklich imponiert.«

»Ich weiß es auch nicht ...« Kura griff nach der Flasche. »Ich habe keine Ahnung. Als der Kerl anfing, Lainie zu bedrohen, und sie den Eindruck machte, als ob sie gleich tot umfiele, hab ich einfach gespielt. Eigentlich in der Hoffnung, William anzulocken. Der Geisterstimme kann er doch nicht widerstehen ... ich dachte, wenn ich eine Kostprobe gebe, kommt er her, um den Leuten wieder die größten Bären aufzubinden ...« Kura lachte nervös. »Aber dann reagierte der Kerl so merkwürdig. Die Flöte hat ihm eindeutig Angst gemacht. Da hab ich natürlich weitergespielt.«

»Was war das überhaupt für ein Lied?«, fragte William. »Irgendeine Beschwörung?«

»Jetzt wirst du albern, William!« Kura schüttelte den Kopf. »Eine Totenklage. Aus einem *haka*, den Caleb notiert hat. Aber wir fanden ihn zu traurig für das Programm, und er ist auch ziemlich schwer zu spielen. Auf Zimmerlautstärke geht es, aber es füllt keine Säle ...«

»Dieser Sideblossom ist völlig hysterisch geworden, weil er so eine Art ... hm ... Choral gehört hat?«, erkundigte Tim sich ungläubig.

Kura nickte. »So könnte man sagen. Das war ungefähr so, als bräche ein Maori zusammen, weil ein *pakeha Amazing Grace* spielt.«

»Und der Fluch?«, fragte Tim weiter. »Angeblich habt ihr hinterher noch etwas gesagt ...«

Kura wurde rot. »Das kann ich nicht übersetzen. Aber es ist ... nun ja, ein *makutu*. Ich kann jedoch versichern, dass so etwas jeden Tag unter eifersüchtigen Männern oder Rotzbengeln gesagt wird, ohne dass es irgendwelche Folgen hat ... außer dass der eine dem anderen vielleicht auf die Nase haut.«

»Und was hast du gesagt?«, wandte Tim sich an Lainie. »Du hast doch am Schluss auch noch etwas gesagt!«

»Ich?« Lainie fuhr zusammen, als würde sie aus düsteren Träumen gerissen. »Ich kann doch kaum Maori. Ich habe gesagt, was mir gerade einfiel. So was wie ›Danke, Sie haben auch einen sehr hübschen Hund‹.«

»Das erklärt natürlich alles«, bemerkte William.

»Aber diese Maori, die bei Sideblossom den Haushalt führt, hat ebenfalls eine *pecorino* ...« Elaine sprach tonlos wie immer, wenn sie sich an die Zeit auf Lionel Station erinnerte. »Und ich hasste sie, weil ... immer wenn sie spielte, schien Thomas wütend zu sein, und dann war er schlimmer als sonst. Aber ich weiß nicht, ob sie die Geisterstimme gespielt hat. So genau hab ich nie hingehört.«

»Konnte sie wahrscheinlich gar nicht«, meinte Kura. »Das ist nicht einfach. Mir hat es meine Mutter beigebracht. Und ich fand es auch nie furchterregend. Marama hat mir die Geisterstimme vorgespielt, wenn ich nicht schlafen konnte. Sie sagte dann, die Geister sängen mich in den Schlaf.«

»Emere war Thomas' Kindermädchen. Vielleicht hat sie 's andersherum betrieben?«, überlegte Lainie. »Womöglich hat sie ihn damit eingeschüchtert?«

Tim zuckte die Schultern. »Wie auch immer, wir werden es

wahrscheinlich nie erfahren. Vielleicht hatte er einfach Angst, Lainie würde Callie auf ihn hetzen. Verdient hätte er's. Aber ich werde trotzdem froh sein, ein paar tausend Meilen zwischen uns und diesen Irren zu legen. Auch wenn er jetzt vielleicht eingeschüchtert ist. Tut mir bloß leid um euer Konzert, Kura. Nach der Geschichte heute wird wohl keiner mehr kommen.«

William grinste. »Da verlass dich mal nicht drauf!«

7

Gegen zehn am nächsten Morgen erschien der Geschäftsführer des Hotels mit der dringenden Bitte, fünfzig weitere Sitzgelegenheiten in den Konzertsaal bringen zu dürfen.

»Vielleicht stört es ja die Akustik, und das Gedränge ist bestimmt nicht gut für Ihre Konzentration, aber die Leute rennen Sturm! Heute Morgen gab es noch ein paar Restkarten, doch die waren um fünf nach neun weg. Jetzt stehen sie da unten Schlange, und wir haben keine Plätze mehr.«

Kura genehmigte es natürlich huldvoll. Elaine war es völlig egal. William strahlte, und Tim verstand die Welt nicht mehr.

Gegen zwölf kam der Mann wieder, brachte eine Flasche Sekt und das Angebot, kostenlos eine weitere Nacht im Hotel zu verbringen, sofern die Künstlerinnen am Montag ein zweites Konzert geben würden.

»Inzwischen sind sogar sämtliche Zimmer ausgebucht. Die Leute hoffen, von ihren Räumen aus etwas mitzubekommen. Für die Zimmer in der Nähe des großen Saals überbieten sie sich mit Angeboten! Ich habe keine Ahnung, was gestern bei diesem Empfang passiert ist, aber die ganze Stadt spielt verrückt wegen Ihres Konzerts.«

William versprach, sich die Sache zu überlegen, und zog dann mit der hochgestimmten Kura los, um die Stadt zu besichtigen und die Lage zu erkunden. Kura zeigte keinen Anflug von Lampenfieber, sie war ganz in ihrem Element. Auch bei Lainie hielt sich die Aufregung in Grenzen. Sie hatte vollkommen andere Sorgen. Schließlich hatte sie inzwischen erfahren, dass die Sideblossoms im gleichen Hotel wohnten, ein Umstand, der sie gänzlich lähmte. Elaine war nicht zu bewegen, auch nur einen Fuß aus ihrem Zimmer zu setzen, bevor es sich nicht mehr vermeiden ließ. Sie verschanzte sich in Tims Bett und fuhr bei jedem Laut zusammen – am liebsten hätte sie Roly vor der Tür postiert, um Wache zu stehen. Hier winkte Tim jedoch ab. Roly hatte schon den letzten Nachmittag mit seinem Herrn auf dem Zimmer verbracht. Er brannte jetzt darauf, die Stadt zu sehen, vor allem die berühmte Bucht, und wenn möglich die Wale. Tim zeigte Verständnis und drückte ihm ein paar Dollar für eine Bootsfahrt in die Hand. »Vom Ufer aus sieht man ja nichts.« Roly bedankte sich überschwänglich und zog mit dem Versprechen ab, pünktlich zum Konzert zurück zu sein.

»Wollten diese Sideblossoms nicht heute abreisen?«, fragte Tim unwillig, während Lainie sich unter der Decke verkroch. »Die haben doch weiß Gott anderes zu tun mit ihrem Todesfall in der Familie, als hier herumzuhocken und dir Angst einzujagen!«

»Thomas kann nicht reisen, hast du doch gehört ...« Elaine hatte die Information über die Sideblossoms dem langen Sermon des Geschäftsführers entnommen, der sich endlos darüber ausließ, dass er Zoés und Thomas' Suite heute dreimal neu hätte vermieten können. Aber der Kranke hatte wohl einen Zusammenbruch erlitten, weshalb Zoé den Aufenthalt verlängern musste. »Und da wirft man die Leute natürlich auch nicht aus dem Zimmer, Sie verstehen ...«

»Ich verstehe überhaupt nicht, weshalb er dir noch Angst macht!«, meinte Kura ungeduldig. Die Martyns waren am späten Nachmittag zurückgekehrt und brannten jetzt darauf, Neuigkeiten loszuwerden. Beide verdrehten die Augen, als Lainie sie stattdessen zitternd mit einem Bericht zum Thema Sideblossom erwartete.

»Im Zweifelsfall gebe ich dir die Flöte, du bläst einmal rein und machst ihm ein weiteres Kompliment zu seinem netten Hund, dann kippt er gleich wieder um! Der Mann ist verrückt, aber völlig ungefährlich. Du sagst doch selbst, er ist zu krank, um auch nur aus dem Zimmer zu gehen. Aber du solltest mal hören, was sie in der Stadt reden! Wie sie mich angucken! Selbst Miss Heather scheint ein bisschen ... abergläubisch zu sein.«

»Ein Teil der Leute sagt, Kuras Musik habe die Macht zu verfluchen, andere reden von Wunderheilungen«, freute sich William. »Auf jeden Fall will jeder sie sehen, aber wenn sie wirklich auftaucht, machen sie einen ehrfürchtigen Bogen um sie. Unglaublich! Wollen wir uns jetzt umziehen, Liebling? Wahrscheinlich werden die ersten Leute gleich kommen, und wir müssen uns auch noch was zu diesem Empfang nach dem Konzert überlegen ...«

Die Martyns schwebten heraus. Die Geister waren zweifellos auf ihrer Seite.

Tim warf Elaine einen gequälten Blick zu. »Lainie, ist es dir sehr wichtig, mich heute Abend in diesem Saal zu haben? Ich weiß, du wirst wundervoll spielen und hinreißend aussehen. Aber nach dieser Wunderheilergeschichte werden die Leute jeden wie mich anstarren, als wäre er das Kalb mit zwei Köpfen.«

Elaine vergaß erstmals an diesem Tag ihre eigene Panik und bemerkte das schmale, abgespannte Gesicht ihres Geliebten. Tim hatte in den letzten Tagen wieder Gewicht verloren. Die Aufregungen, die erneute Verletzung und die strapaziöse Reise hatten seine Kräfte erschöpft. Er sah aus, als könne er keine weitere Demütigung, keinen weiteren Schock mehr ertragen.

Elaine küsste ihn. »Von mir aus kannst du hierbleiben. Ich komme hinterher auch gleich herauf. Diesen Empfang tue ich mir nicht an, Kura wird schon allein zurechtkommen. Und was das Lampenfieber angeht: Ob heute Abend jemand neben Kura Klavier spielt oder ob ein Seehund einen Ball balanciert, ist völlig egal. Die Leute kommen doch nur wegen möglicher Wunder.«

Tim lächelte. »Insofern wäre der Seehund noch besser. Sie könnte ihn mit der Flöte kontrollieren wie ein Schlangenbeschwörer. Ich kann euch übrigens von hier aus gut hören. Roly und ich sind gestern schon in den Genuss der Generalprobe gekommen. Also denk dran, dass du nicht allein bist!«

Der Geschäftsführer hatte das Kunststück geschafft, zweihundertfünfzig zahlende Gäste in den Konzertsaal zu pferchen. Bevor Kura und Elaine auf die Bühne kamen, befürchtete William, das Rumoren im Publikum würde die Musik übertönen. Aber dann hätte man eine Stecknadel fallen hören können, als die Mädchen auftraten und Kura ein paar einführende Worte sagte.

Auch die Befürchtung, die Leute würden rasch das Interesse verlieren, wenn nicht spätestens nach den ersten Musikstücken ein Wunder geschah, bewahrheitete sich nicht. Im Gegenteil, Kura nahm ihr Publikum gefangen. Sie gab die Vorstellung ihres Lebens, und nach der Hälfte des Konzerts dachte niemand mehr an Flüche und Wunder, sondern ergab sich nur dem Zauber, den Kura wirken wollte. Sie riss Elaine dabei mit. Das Mädchen schien die Bedeutung ihrer Musik zum ersten Mal wirklich zu erfassen. Sie legte endlich Seele in ihr Spiel und fiel gegenüber Kura kaum ab. Den Unterschied bemerkte sogar Tim, der das Programm nun wirklich bis zum letzten Ton auswendig kannte. Jetzt stand er auf dem Balkon seines Zimmers, ließ die hypnotischen Beschwörungen auf sich wirken und genoss den atemberaubenden Blick über die Bucht und die Lichter von Blenheim. Die Melancholie der *haka*, die Kura für den Mittelteil des Konzerts gewählt hatte, rührte ihn. Tim war müde und mutlos; er sehnte sich danach, weit weg zu sein, empfand aber auch Angst vor dem Scheitern. Er würde sich der Herausforderung stellen – aber was sollte er tun, wenn man ihn in Europa ebenso wenig wollte wie hier? In Greymouth konnte er sich im Zweifelsfall im Haus seiner Eltern verkriechen, Calebs Beispiel folgen und sich irgendwie beschäftigen, um zumindest das Gefühl zu haben, seinem Leben einen Sinn zu geben. Aber in Wales – ohne Einkommen, dafür mit einer jungen Familie?

Roly folgte ihm auf den Balkon und erfasste seine Schwermut.

»Was ist, Mr. Tim?«, fragte er schüchtern. »Haben Sie Schmerzen?«

»Nur Sorgen, Roly«, sagte Tim leise. »Wie war dein Tag? Hast du Wale gesehen?«

Roly nickte eifrig. »Das ist unglaublich, Mr. Tim! Wie riesig die sind! Und dabei ganz friedfertig. Aber erst hab ich mich zu Tode gefürchtet, als einer auf dieses winzige Boot zuschwamm.«

Tim lächelte. »Sie sollen Menschen sehr ähnlich sein. Man sagt, dass sie singen ...«

»Hoffentlich nicht so eine Katzenmusik wie Miss Kura ... oh, entschuldigen Sie, Sir.« Roly war kein Anhänger der Oper. »Werden wir auch Wale sehen, wenn wir nach England fahren, Mr. Tim? Der Mann mit dem Boot meinte, es gäbe auch kleinere, Delphine, und die schwimmen mit den großen Dampfern.«

»Willst du denn mit nach England?«, fragte Tim verwundert. »Was ist mit deiner Mutter?«

Roly lachte. »Ach, die braucht mich nicht mehr, die macht jetzt richtig Geld mit ihrer Schneiderwerkstatt! Aber Sie, Sie brauchen mich doch! Oder, Mr. Tim ...?«

Der Junge schaute beinahe ängstlich zu ihm auf. Tim biss sich auf die Lippen.

»Ich kann dich vielleicht nicht mehr bezahlen ...«

Roly runzelte die Stirn und überlegte, während im Saal unter ihnen die Geisterstimme der *pecorino* die Wiederkehr einer Liebe beschwor. Aber dann hellte sich sein Gesicht auf.

»Aber Sie brauchen mich ja auch nicht mehr den ganzen Tag! Da kann ich mir noch eine andere Arbeit suchen und fall Ihnen nicht zur Last. Ich hab nur kein Geld für die Schiffspassage ...« Rolys Mine trübte sich wieder.

Tim fühlte tiefe Rührung, doch er zwang sich zu lächeln.

»Das schaffen wir schon, Roly!«

Roly strahlte. »Das schaffen wir!«

Die beiden genossen das tröstliche Gefühl der Sicherheit beim Gesang der Geister, dann aber rissen sie gedämpfter Lärm und Schreie aus ihrer Versenkung. In den Zimmern über ihnen oder am anderen Ende des Ganges schien ein Kampf stattzufinden. Es hörte sich an, als fielen Möbel um. Ein Mann brüllte etwas Unverständliches; dann erstarb seine Stimme. Eine Frau schrie hysterisch. Irgendetwas schien das Treppenhaus herunterzupoltern ...

»Geh raus und sieh nach, was da los ist!«, wies Tim Roly an. »Wo kommt das überhaupt her?« Er folgte Roly auf den Korridor vor seinem Zimmer, doch hier befand sich offensichtlich nicht das Zentrum der Ereignisse. Zimmermädchen und andere Hotelbedienstete eilten an ihnen vorbei in Richtung des Lärms. Roly wollte ihnen neugierig nachsetzen, doch Tim hielt ihn zurück.

»Warte, ich hab's mir überlegt. Was immer da passiert ist, gleich stehen genug Leute drumherum, die sowieso nicht helfen können. Hilf mir lieber, mich umzuziehen. Schnell, ich möchte zu Lainie. Wir gehen sie abholen. Ich hab ein ungutes Gefühl ...«

Tim und Roly erreichten den Saal pünktlich zum Ende des Konzerts, während vor dem Hotel Ambulanzen vorfuhren und die Flure von Lärm erfüllt waren. Tim nahm den Aufzug, was den Hotelangestellten anscheinend verboten war. Nur der aufgeregte kleine Liftboy konnte erste Auskünfte geben.

»Da hat irgendwer randaliert, dieser komische Kerl aus Suite drei, glaub ich. Der hat mir immer Angst gemacht! Madeleine sagt, alles ist voller Blut, und die Frau sieht fürchterlich aus ...«

Roly hätte sich von alledem sichtlich gern selbst überzeugt, doch Tim drängte zur Eile. »Das klingt verdammt nach diesem Sideblossom. O Gott, und was sagte Lainie da vorhin von dessen Zimmer? Der Geschäftsführer hätte es dreimal vermieten können, weil es direkt über dem Saal läge! Und selbst in unserem Zimmer hat man jeden Ton gehört ... Der Kerl muss rasend geworden sein, als Kura die *pecorino* gespielt hat!«

Kura und Elaine verbeugten sich noch strahlend vor ihrem Publikum. William stand am Rand der ersten Reihe und applaudierte, doch hinten im Saal kam bereits Unruhe auf. Der Geschäftsführer sprach mit Heather. Dr. Mattershine war aus dem Saal gerufen worden.

Tim und Roly nahmen Elaine in Empfang, als sie von der Bühne kam.

»Du bist doch gekommen!« Sie lächelte Tim strahlend an. »War das nicht wundervoll? Ich könnte mich fast daran gewöhnen! Auf jeden Fall weiß ich jetzt, was Kura daran findet. All die vielen Menschen ...«

Elaine umarmte ihn, aber dann merkte sie an seinem ernsten Blick, dass etwas nicht stimmte.

Heather Redcliff sprach aufgeregt mit William, der daraufhin versuchte, irgendetwas mit dem Geschäftsführer zu klären.

Julian Redcliff gesellte sich zu Tim und Lainie.

»Sie versuchen, andere Räume für den Empfang nach dem Konzert zu finden. Im Foyer kann er nicht stattfinden, da ist die Hölle los. Dieser Kerl von gestern, dieser Thomas Sideblossom, hat eben versucht, diese junge Frau und sich selbst umzubringen.«

»Er ist plötzlich durchgedreht«, berichtete Heather atemlos, »und ging auf die Frau los. Seine Schwiegermutter, nicht wahr? Seltsame Verhältnisse. Aber sie konnte flüchten, ist dabei die Treppe heruntergefallen ... und dann hat er versucht, sich die Pulsadern aufzuschneiden. Der Geschäftsführer ist außer sich. In dem Zimmer sieht es wohl aus wie auf dem Schlachthof ...«

»Ist er tot?«, fragte Elaine tonlos.

»Nein, beide leben«, antwortete Redcliff. »Aber so plötzlich ist er wohl nicht durchgedreht. Erst als ...«

»Sein Zimmer lag genau über dem Saal«, sagte Lainie leise. »Er hat die Geisterstimme gehört ...«

Elaine wollte auf keinen Fall ein weiteres Konzert geben, sondern so schnell wie möglich nach Hause – nach Queenstown. Tim konnte sie nur mühsam davon überzeugen, dass sie dringend nach Greymouth zurückmüsse, um keine Verhaftung zu riskieren. Aber auch ihn zog es dringend weg von Blenheim, von den Sideblossoms, von allen möglichen Geistern. William und Kura hingegen wollten vorerst bleiben. In Blenheim würde es einfacher sein, einen neuen Pianisten zu finden als an der Westküste; in der Zwischenzeit wollte Kura ein paar kleinere Konzerte geben.

»Im Moment ist es egal, ob sie Klavier spielt, singt, tanzt oder Seehunde dressiert, die Leute wollen Kura!«, fasste William es glücklich zusammen. »Ich hab's ja gesagt, das Konzert wird ein Erfolg. Und das wäre es auch ohne diese ... nun ja, Begegnung geworden. Aber so ist es sensationell!« Er sah aus, als wollte er Lainie nachträglich dafür küssen, dass sie damals Thomas Sideblossom erst geheiratet und dann niedergeschossen hatte.

Tim plante seinen Aufbruch für den nächsten Morgen, aber der verzögerte sich, weil Julian Redcliff erschien, ein gewaltiges Frühstück auf Tims Zimmer bringen ließ und bei Tee und Toast die letzten Neuigkeiten berichtete.

»Ich dachte, Sie wüssten gern, wie es gestern ausgegangen ist«, meinte er und breitete sich gelassen aus, während der übernächtigt wirkende Tim noch im Bett lag und Lainie blass aus dem Bad kam. Ihr war jetzt fast jeden Morgen übel, doch Kura versicherte ihr, das sei völlig normal. »Ich kann dir aber verraten, wie man dem vorbeugt!«, erklärte sie vergnügt. Elaine winkte müde ab. Von Tage zählen und Essigspülungen wollte sie nie wieder etwas hören.

Redcliff schob den Tisch mit dem Frühstück an Tims Bett und bediente ihn ganz selbstverständlich, dann begann er zu erzählen.

»Die Sideblossoms sind beide noch im Krankenhaus, aber im Grunde war es halb so schlimm. Die junge Frau hat Prellungen und ein blaues Auge. Und einen Schock natürlich. Aber heute Morgen ist sie ansprechbar, sagt Dr. Mattershine. Und den Mann hätten sie im Grunde gleich wieder entlassen können. Der Blutverlust ist nicht der Rede wert. Aber er ist geistig umnachtet. Sie haben ihn ruhig gestellt. Sobald die Wirkung des Mittels aufhört, schlägt er wieder um sich. Er kommt heute noch in eine Anstalt, die auf solche Fälle spezialisiert ist. Die Frau wird wohl nach Hause fahren – da sind ja auch noch unangenehme Dinge zu regeln, wenn ich Dr. Mattershine richtig verstanden habe. Aber ich ersticke an meiner Neugier! Was haben die Leute mit Ihnen zu schaffen, Miss Keefer?«

Elaine schwieg, und Tim schilderte ihm die Vorgeschichte in groben Zügen. »Wir hätten nie gedacht, hier auf die Sideblossoms zu treffen. Aber so etwas nennt man wohl Fügung.«

Redcliff lachte. »Die Geister haben es so gewollt! Und sie

haben Sie gerächt, Miss Lainie, wenn ich das mal so sagen darf. Zumindest brauchen Sie sich vor dem Mann nicht mehr zu fürchten. Wer einmal in so einer Anstalt ist, kommt so leicht nicht wieder raus. Und wenn sie doch mal einen entlassen, ist er nur noch eine leere Hülle. Wir hatten mal so einen Fall in der Familie. Wenn Sie in die Hände der Irrenärzte geraten, können Sie gleich mit dem Leben abschließen. Das ist schlimmer als Gefängnis!«

Wir werden sehen, dachte Elaine. Sie liebte Tim, aber im Moment wünschte sie sich nur zurück nach Queenstown, in die Arme ihrer Mutter Fleurette, in die Ordnung in Grandma Helens Pension und ins fröhliche Chaos auf Nugget Manor. Der Albtraum der Trennung von ihrer Familie war immerhin zu Ende. Sobald sie in Greymouth waren, würde sie ihren Eltern telegrafieren.

8

Elaine beugte sich mit gerunzelter Stirn über die Nähmaschine und versuchte, den Faden über den komplizierten Weg zwischen Garnrolle und Nadel zu führen. Das Garn war eben zum dritten Mal gerissen, und sie kam langsam zu dem Ergebnis, dass sie keinerlei Begabung zur Schneiderin besaß. Aber das hatte sie mit der Mehrzahl von Madame Clarisse' Mädchen gemeinsam. In den letzten Tagen versuchten sie sich alle an der Neuerwerbung ihrer rührigen Zuhälterin. Es hatte zu Williams letzten Anstrengungen in Greymouth gehört, Madame Clarisse seine Demonstrationsmaschine zu besonders günstigen Konditionen abzutreten. »Das könnte den Mädchen den Weg zurück in ein ehrliches Leben ebnen!«, behauptete er salbungsvoll. Madame Clarisse probierte das Ding daraufhin aus und kam zu dem Schluss, dass nichts ihre Mädchen sicherer im Pfuhl der Sünde halten würde als die Aussicht auf ein Leben mit der Singer.

Elaine zerriss einen weiteren Faden und fluchte.

»Kannst du mir nicht zeigen, wie es geht?«, wandte sie sich an Tim. »Du bist doch Techniker.«

Tim lehnte am Klavier im Schankraum des Pubs und übte sich im Dartspielen. Es war nicht leicht, ohne Krücken das Gleichgewicht zu halten, doch er entwickelte auch nicht allzu viel Ehrgeiz. Die meisten seiner Pfeile gingen daneben.

»Liebes, ich hab's doch schon mal versucht«, meinte er gutmütig. »Aber ich werde mit dem Ding auch nicht fertig. Allerdings könnte ich es vielleicht nachbauen.«

Tim hätte inzwischen einiges darum gegeben, überhaupt etwas bauen zu dürfen. Er sehnte sich nach einer Aufgabe, die ihn geistig mehr forderte als das tägliche Training seiner Beine, das ihn obendrein zur Verzweiflung trieb, weil es kaum noch vorwärtsging. Er hoffte, eines Tages ohne Schienen laufen zu können, aber es würde niemals ohne Krücken und niemals länger als ein paar hundert Meter gehen. Das Bewusstsein, an seine Grenzen zu stoßen, nahm ihm bei den täglichen Übungen den Mut.

»Dann hätten wir ja zwei von diesen Maschinen! Bloß nicht. Ich glaube, ich werde die Kleidchen für das Kind lieber kaufen. Oder strickt man nicht Babyjäckchen?« Elaine schien vor einer ihrer periodisch auftretenden Begeisterungsphasen für hausfrauliche Betätigungen zu stehen. Auf jeden Fall suchte auch sie verzweifelt nach irgendeiner Beschäftigung, die sie von ihren Ängsten und Grübeleien ablenkte.

Tim ließ das Dartspielen sein und schloss sie in die Arme.

»Ich wünschte, es würde endlich etwas passieren«, seufzte er dabei. »Dieses Warten macht mich wahnsinnig. Sie müssten in Otago doch mal zu einem Ergebnis kommen. Wenn dieser Prozess erst stattfände ... Und mit der Mine geht es auch nicht voran. Es gibt da wohl irgendeinen Interessenten für die Beteiligung, meint Matt, aber all das zieht sich endlos hin.«

»Andere Leute dagegen haben es eilig mit dem Heiraten!«, bemerkte Elaine und zog eine Einladung unter der Nähmaschine hervor. »Guck mal, die hat Florence Weber persönlich vorbeigebracht. Am 25. Oktober heiratet sie Caleb Biller. Genauso hat sie 's übrigens ausgedrückt. *Sie* heiratet ihn. Sie wird ihn fressen mit Haut und Haaren.«

Während Tim noch nach einer Erwiderung suchte, öffnete sich die Tür zur Straße, und Roly steckte den Kopf hinein.

»Beim Constabler sind gerade ein paar Leute angekommen. Aus Otago. Und sie wollen Sie gleich sprechen, Miss Lainie. Sieht alles ganz amtlich aus ... ein anderer Constabler und so ein Herr im Anzug. Ich dachte, ich sag eben Bescheid, bevor der Constabler persönlich ...«

»Das ist in Ordnung, Roly«, sagte Lainie leise. »Vielen Dank.« Sie griff nach ihrem Umhang. »Kommst du mit, Tim?«

Elaine hatte sich vor diesem Augenblick gefürchtet, aber jetzt war sie erstaunlich gefasst. Wie immer es endete – sie würde jedenfalls wissen, woran sie war.

Tim legte den Arm um sie. »Was für eine Frage! Wir stehen das durch, Lainie. Wir haben schon Schlimmeres geschafft.«

Elaine spürte zum ersten Mal Ungeduld über Tims Behinderung. Es schien endlos zu dauern, bis er auch nur sein Jackett übergezogen und die wenigen Schritte auf die Straße hinter sich gebracht hatte. Vor dem Büro des Constablers standen die Pferde der Ankömmlinge. Ein knochiger Schimmel und ein kompakter Rappe, der Elaine irgendwie bekannt vorkam.

Sie wäre am liebsten losgerannt. Tim dagegen hätte die Entscheidung gern noch verzögert. Er war eben noch ungeduldig gewesen und bereit, sich allem zu stellen. Jetzt aber meinte er, keinen Schlag mehr ertragen zu können. Der Prozess, vielleicht das Gefängnis ...

Elaine öffnete ihm die Tür zum Büro des Constablers. Tim sah den Polizisten von Greymouth im Gespräch mit einem Kollegen in ähnlicher Uniform. Der zivil gekleidete, schlanke Mann in mittleren Jahren, der mit ihnen am Tisch saß, wirkte ungeduldig.

Elaine trat gesenkten Hauptes ein. Plötzlich hörte sie Callie aufjaulen. Die kleine Hündin drängte sich an Tim vorbei und raste in den Raum. Elaine blickte verwirrt auf – und sah Callie begeistert bellend an jemandem hochspringen. Schwanzwedelnd und blaffend begrüßte die Hündin Ruben O'Keefe.

»Dad! Daddy!« Elaine flüsterte das Wort zuerst, rief es dann und flog in die Arme ihres Vaters.

»Deine Mutter und ich haben darum gepokert, wer den Constabler begleitet. Ich hab gewonnen!«, erklärte Ruben lächelnd. »Ich gestehe allerdings, gemogelt zu haben. Oh, Lainie, wir waren so glücklich, von dir zu hören. Wir haben schon gedacht, du wärst tot!«

»Habt ihr mich denn gesucht?«, fragte Elaine leise. »Ich wusste nicht ... ich dachte, ihr wärt mir böse.«

Ruben zog sie noch einmal an sich. »Dummerchen, natürlich haben wir dich gesucht. In aller Vorsicht allerdings, John Sideblossom war schließlich auch hinter dir her. Aber nicht mal Onkel George hat irgendetwas herausbekommen ...«

»Was auch kein Wunder ist«, mischte der Constabler sich ein. »Können wir jetzt vielleicht zur Sache kommen? Diese Angelegenheit ist ja höchst interessant, aber ich hätte auch noch geringfügige andere Aufgaben.«

Letzteres glaubte ihm niemand, nur sein Kollege nickte angestrengt. Es war ein noch junger, eifrig wirkender Mann, dessen Uniform trotz des Rittes wie frisch gebügelt wirkte.

»Jefferson Allbridge«, stellte er sich vor. »Sie sind Elaine Sideblossom?«

Elaine schluckte. Sie hatte diesen Namen so lange nicht mehr gehört. Nervös tastete sie nach Tims Hand, doch weil niemand ihn hereinbat, war er neben der Tür stehen geblieben.

Der Constabler nahm sich schließlich seiner an.

»Kommen Sie rein, Tim, setzen Sie sich. Jeff – das ist Mr. Timothy Lambert, Miss Lainies Verlobter.«

Ruben O'Keefe warf einen verwirrten Blick auf seine Tochter, dann auf Tim. Er hatte ruhige graue Augen, lockiges braunes Haar und einen Schnurrbart, der ihn älter aussehen ließ. Tim legte seine Krücken weg und nahm mühsam auf einem der Stühle im Büro Platz. Unter O'Keefes Augen war das ein Spießrutenlauf. Tim befürchtete Ablehnung, doch Elaines Vater schob ihm gelassen den Stuhl zurecht.

»Setz dich, Elaine«, sagte er freundlich. Lainie war die Einzige, die noch stand, als wollte sie ihr Urteil aufrecht entgegennehmen.

»Also, Miss Lainie ...« Der Constabler eröffnete mit ernstem Gesicht die Verhandlung, doch Tim sah den Schalk in seinen Augen. »Als Erstes darf ich Sie bitten, diese unsinnige Selbstanzeige zurückzunehmen, mit der Sie mich neulich konfrontiert haben. Ich nehme Ihnen das nicht übel, Sie waren nach dieser Entführung in einem geistigen Ausnahmezustand, und der Doktor hat mir versichert, dass Sie auch sonst ... aber das sollten Sie Ihrem Vater vielleicht selbst erzählen. Jedenfalls werden wir wegen der Falschaussage keine weiteren Schritte gegen Sie unternehmen ...«

Elaine wurde abwechselnd rot und blass. »Falschaussage? Aber wieso ...«

»Sie haben selbstverständlich nie auf Ihren Ehemann Thomas Sideblossom geschossen«, bemerkte Jeff Allbridge. »Natürlich gab es entsprechende Gerüchte, aber mein ... äh ... Vorgänger ist der Sache nachgegangen, und sowohl Mr. John Sideblossom als auch Mr. Thomas, als er schließlich vernehmungsfähig war, haben ausgesagt, dass es ein Unfall gewesen ist. Mr. Sideblossom hat seine Waffe gereinigt. Tja, so was kommt vor.«

»Ich ...«

»Es ist nie eine Anzeige erfolgt, Elaine!«, sagte Ruben O'Keefe. »Wir wussten das auch nicht, sonst hätten wir intensiver nach dir gesucht. Aber Sideblossom hat wohl von Anfang an beabsichtigt, die Angelegenheit sozusagen privat zu klären.«

»Aber es hat doch jeder gewusst ... William, Kura ...«

»Wo hast du denn William Martyn getroffen?«, fragte Ruben verblüfft. »Und Kura-maro-tini? Aber egal, darüber reden wir später. Jedenfalls, es hat natürlich jeder gewusst, einschließlich des Constablers. Hören Sie jetzt bitte einmal weg, Jefferson! Solche Dinge lassen sich in einem Haus voller Diener nicht geheim halten, erst recht nicht, wenn zwanzig Schafscherer so etwas wie Zeugen sind. Einer von denen hat Thomas gefunden – und eine Hebamme war auch dabei. Der Frau verdankt er wohl sein Überleben; sie hat sehr couragiert gehandelt. Aber natürlich konnte jeder sich einen Reim darauf machen, was geschehen war. Der Constabler hätte die Sideblossoms auch festnageln können, aber da gab es wohl Beziehungen und Abhängigkeiten.«

»Er ist letzten Sommer abgewählt worden«, bemerkte Allbridge. Es klang beinahe entschuldigend.

»Im Nachhinein ist es ja auch eine glückliche Fügung«, bemerkte Ruben.

»Jetzt habe ich die Sache jedenfalls ernsthaft untersucht«, fuhr Allbridge gewichtig fort. »Vor allem diese Geschichte mit der Entführung. Wie es aussieht, hat John Sideblossom die Schießerei zwar nicht angezeigt, aber er selbst hat sehr intensiv nach Ihnen fahnden lassen, Misses ... Miss ...«

»Einfach nur Lainie«, flüsterte Elaine.

»Nach dem, was ich an Aufzeichnungen gefunden habe, hatte er Informanten in praktisch jeder größeren Stadt auf der Südinsel ... der Kerl aus Westport hat dann wohl den entscheidenden Hinweis gegeben. Aber sein Mann hier in Greymouth, Miss Lainie, hat Sie gedeckt.«

»Er hat mich ... aber warum?« Um Lainie drehte sich wieder alles. Tim nahm ihre Hand.

»Es handelt sich um einen Bergbauarbeiter, unten in der Blackburn-Mine«, meinte der Constabler. »Der Mann ist Maori.«

»Und ein Sohn von dieser Emere, der Haushälterin von Sideblossom«, fügte Allbridge hinzu. »Deshalb hielt Sideblossom ihn wohl für loyal. Allerdings hatte er auch Beziehungen zu einem Mädchen, das Ihnen wohl als Zofe diente, Miss Elaine.«

Pai? Oder Rahera? Aber Pai war doch in Pita verliebt gewesen. Elaine hatte Schwierigkeiten, das alles zu ordnen.

»Und das Mädchen wiederum gehörte einem Stamm an,

mit dem Mr. Sideblossom seine Schwierigkeiten hatte, um es vorsichtig auszudrücken ...«

»Rahera!«, rief Elaine. »Mr. John hatte ihren Stamm beim Viehdiebstahl erwischt und Rahera daraufhin wie eine Sklavin gehalten. Sie hatte schreckliche Angst vor der Polizei. Dabei habe ich ihr immer gesagt, es sei besser, sich zu stellen ...«

»Auf den Rat hätten Sie auch mal selbst hören können«, brummte der Constabler.

Allbridge blickte ihn strafend an, brannte er doch darauf, seine Rede zu beenden. »Jedenfalls stand der junge Mann in seinen Loyalitäten zwischen seiner Verwandtschaft und seiner Liebsten, und als Sie auf der Flucht dann auch noch auf seinen eigenen Stamm stießen, Miss Lainie, der Sie wohl sehr freundlich aufnahm, war die Sache entschieden.«

»Deshalb meinte die Häuptlingsfrau, in Greymouth wäre ich sicher«, murmelte Elaine.

Der Constabler nickte. »Womit das brennendste Geheimnis geklärt wäre. Ich habe Stunden darüber gegrübelt, was ausgerechnet meine Stadt zu einem idealen Asyl für mehr oder weniger gefallene Mädchen macht!«

»Ihre Verlobungsanzeige hat Ihnen dann das Genick gebrochen«, führte Allbridge ungnädig weiter aus. Unterbrechungen waren ihm merklich verhasst.

Elaine wurde rot. Ihr Vater schaute schon wieder abwechselnd von ihr zu Tim.

»Meine Eltern wollten diese Verlobung unbedingt. Ich hätte das Ganze abgeblasen, nachdem ich erfuhr, dass Sideblossom am Leben war.« Tim hatte das Gefühl, sich rechtfertigen zu müssen.

»Und ich hätte mich auch gleich darauf gestellt!«, versicherte Elaine.

»Wenn Sie 's vorher getan hätten, wäre Sideblossom vielleicht noch am Leben«, meinte der Constabler streng.

»Und würde dir weiterhin nachstellen«, bemerkte Ruben O'Keefe. »Der hätte niemals locker gelassen. Wenn du dich bei uns gemeldet hättest, Lainie, hätten wir dich außer Landes geschickt. Hier hätte niemand dich geschützt.«

Tim nickte ihm zu. »Wir hatten da die gleiche Idee«, sagte er leise. »Wir ...«

»Der Tod von John Sideblossom scheint jedenfalls kein allzu großes Bedauern auszulösen«, bemerkte Allbridge sarkastisch. »Bei ihm zu Hause übrigens auch nicht. Die Angestellten schienen geradezu erleichtert. Allen voran diese Emere, die ich eigentlich für ziemlich loyal gehalten hatte. Aber sie erzählte irgendwas von Geistern, die sich gerächt hätten. Zoé Sideblossom war ebenfalls sehr gefasst. Sie kam eben erst aus dem Norden zurück, das hat die ganze Sache verzögert. Und der Sohn ist inzwischen wohl ganz durchgedreht. Ihren Angaben zufolge ist er in einer Anstalt in Blenheim. Zurzeit angeblich nicht ansprechbar. Tja, das war es im Wesentlichen. Noch irgendwelche Fragen?«

»Ich ... ich bin frei?«, fragte Elaine tonlos.

Allbridge zuckte die Schultern. »Kommt darauf an, was Sie darunter verstehen. Vom Gesetz her lag nie etwas gegen Sie vor. Allerdings sind Sie natürlich nach wie vor verheiratet ...«

»Würdest du mich bitte trotzdem in den Arm nehmen?«, flüsterte Elaine und rückte ihren Stuhl näher an Tims heran.

Tim zog sie an sich.

Ruben verabschiedete sich förmlich von den beiden Constablern und dankte vor allem Allbridge.

»Auch im Namen meiner augenblicklich anderweitig beschäftigten Tochter«, sagte er. »Das mit dieser Ehe werden wir klären ... und das mit dieser Verlobung. Wo kann ich mir denn jetzt für ein paar Tage ein Zimmer mieten?«

»Und diesmal ist es bestimmt der Richtige?«, fragte Ruben streng. Er hatte sich länger mit Tim unterhalten und nahm jetzt seine Tochter ins Gebet. Tim war nach Hause geritten. Die Köchin seiner Familie pflegte zwar stets Lebensmittel für ein ganzes Regiment aufzufahren, aber er wollte seine Eltern doch darauf vorbereiten, dass er eben den Vater seiner Zukünftigen zum Dinner eingeladen hatte. Nun, dachte Tim, zumindest wird dieser gelassene, distinguierte und durchaus vermögende Mr. O'Keefe Nellie gefallen. Bei Marvin wird es davon abhängen, um welche Zeit er heute mit dem Trinken angefangen hat...

»Diesmal ist es der Richtige!«, bestätigte Elaine strahlend. »Ich hab ziemlich lange gebraucht, um es herauszufinden. Aber ich bin mir sicher!«

Ruben zog die Augenbrauen hoch. »Wir werden sehen, was deine Mutter dazu sagt. Nach den bisherigen Erfahrungen würde ich weder meinem noch deinem Instinkt besonders trauen...«

Elaine lachte. »William würde dich da wahrscheinlich eher auf Callie verweisen!«, kicherte sie ausgelassen und kraulte ihren Hund.

Ruben verzog das Gesicht. Die Angelegenheit um William und Kura, mit denen Elaine plötzlich gut Freund zu sein schien, verwirrte ihn immer noch. Vorerst jedoch gingen andere Fragen vor. Eine wagte er kaum zu stellen.

»Und was ist mit seinem ... äh ... Zustand? Ich meine, der Mann ist sympathisch und scheint auch was im Kopf zu haben. Aber er ist doch unzweifelhaft ... invalid. Kann er denn überhaupt...?«

Ruben wand sich.

Elaine streichelte lachend über ihren immer noch ziemlich flachen Bauch.

»Oh ja, Daddy! Er kann!«

Kura und William kamen zu Caleb Billers Hochzeit. Schon um zu zeigen, dass sie ihm nichts nachtrugen. Kura war das aus persönlichen Gründen wichtig, William aus geschäftlichen. Calebs musikalische Arrangements sprachen das Publikum perfekt an; sie waren die ideale Mischung zwischen Kunst und Unterhaltung, zeitgenössischer Komposition und Folklore. Wenn es irgendwann ein Folgeprogramm zu »Ghostwhispering« geben sollte, wäre eine erneute Zusammenarbeit wünschenswert. Um die zu sichern, umgarnte William auch Florence Weber. Ihm war klar, wer hier in Zukunft die Zügel in der Hand hielt. An ihrem Hochzeitstag ließ Florence selbige aber erst einmal schleifen. Sie sah gelassen darüber hinweg, dass Caleb sich angeregt mit der jungen Pianistin unterhielt, die William und Kura aus Blenheim mitgebracht hatten. Das Mädchen war weißhäutig, hellblond und beinahe ätherisch schön, schien die Wirklichkeit aber nur in Harmonien und Noten wahrzunehmen. Im täglichen Leben erwies sie sich als fast noch konversationstötender als Kura – Marisa Clerk antwortete nicht einfach nur mit Ja oder Nein, sondern überhörte schon die Frage. Elaine fand sie ziemlich langweilig, doch dem Flügel der Billers entlockte sie geradezu überirdische Töne. Ihr Zwiegespräch des Pianos mit Kuras *pecorino* gewann eine ganz neue Dimension. Die Musik zog selbst Florence Weber in ihren Bann, auf deren gönnerhafte Bitte hin die Künstlerinnen eine kleine Probe ihres Könnens zeigten.

Doch Florence war an ihrem Hochzeitstag ohnehin nicht zu Kritik aufgelegt. Sie schwebte durch das Fest, und ihre strahlende Glückseligkeit ließ sie beinahe schön wirken. Dabei trug ihr viel zu aufwändiges und überladenes Hochzeitskleid voller Rüschen und Schleifchen, Perlenstickerei und Spitze kaum dazu bei, ihre wenigen Vorzüge zu betonen. Florence hatte das Kleid in Christchurch bestellt; es spiegelte den Geschmack der Damen Weber und Biller wieder. Caleb schien beim ersten Anblick in der Kirche kurz zu schaudern, beherrschte sich dann aber vorbildlich. Beide Partner setzten auf Harmonie – zumindest während des offiziellen Teils der Veranstaltung.

Caleb küsste die Braut pflichtschuldig in der Kirche und dann noch einmal nach der Trauung vor den versammelten Arbeitern seiner Mine. Später eröffnete er auch den Tanz mit Florence, die sich wirklich bemühte, nicht die Führung zu übernehmen. Danach verzogen beide sich zu ihren jeweiligen Interessensgebieten. Caleb plauderte mit Marisa über Musik, Florence mit dem Geschäftsführer der Blackburn-Mine über Abbautechniken. Mit Timothy Lambert redete sie nicht mehr. Jetzt, da man sie nicht mehr ignorierte, übernahm sie das Verhalten der anderen Bergbau-Bosse und behandelte ihn nachsichtig und freundlich wie ein Kind, das einfach nicht begreifen will, warum es nicht mitspielen darf.

Tim landete schließlich allein mit einem Glas Whisky am Rande des Festes. Vom Wintergarten des Stadthauses der Webers aus beobachtete er das lebhafte Treiben. Elaine tanzte ausgelassen mit ihrem Bruder Stephen, der zwei Tage zuvor ohne Voranmeldung eingetroffen war, um seine verlorene Schwester zu überraschen. Sie winkte Tim zwar manchmal zu, ging aber ganz im Wiedersehen mit ihrer Familie auf. Tim konnte es ihr nicht verübeln. Er mochte die O'Keefes und unterhielt sich gern mit ihnen. Aber heute war Ruben in ein Gespräch mit dem Friedensrichter von Greymouth vertieft, und Tim wollte nicht stören. Vielleicht war das Unsinn, und die Männer hätten ihn gern zugezogen, aber inzwischen wagte er kaum noch, sich zu irgendeiner Gruppe zu gesellen – zu oft provozierte er damit nur peinlich berührte Blicke auf seine Beine und seine Krücken. Die Frauen waren noch schlimmer als die Männer. Sie zeigten eher Mitleid als Verachtung und behandelten ihn wie ein krankes Kind.

Tim musste sich langsam mit der bitteren Erkenntnis abfinden: Für die Leute, die in Greymouth etwas galten, war der Erbe der Lamberts an jenem 20. Dezember in seiner Mine gestorben. Seinen noch existierenden Schatten mochten die Bergleute als Heiligen verehren, und die bessere Gesellschaft war auch durchaus bereit, ihm in gewisser Weise den Status eines Märtyrers zuzubilligen. Aber weder einem Märtyrer noch einem Heiligen gab jemand einen Job.

Schließlich gesellten sich Kura und William zu ihm, beide vom Tanzen erhitzt und eigentlich auf der Suche nach einem ruhigen Eckchen zum Austausch von Zärtlichkeiten. Seit Blenheim waren die beiden verliebter als je zuvor. Nicht einmal Ruben O'Keefe, mit dem William es sich damals wirklich verdorben hatte und der auch Kura nach wie vor kühl behandelte, konnte sich ihrer Ausstrahlung von ehelichem Glück und Zufriedenheit entziehen.

»Was machst du hier?«, fragte Kura und tippte Tim an die Schulter. »Sitzt herum und bläst Trübsal?«

Tim lächelte ihr zu. Sie trug ein neues Kleid – Seide in verschiedenen Blauschattierungen aus der Werkstatt der überaus talentierten Mrs. O'Brien – und Blumen im Haar wie eine Südseeschönheit. Seit sie als Künstlerin anerkannt war, gewandete sie sich mondän und verstand mit sicherem Geschmack, ihre Schönheit damit noch zu unterstreichen.

»Ich sitze herum und versuche, Florence Weber-Biller nicht allzu sehr zu beneiden.« Tim versuchte, es scherzhaft klingen zu lassen, doch seine Stimme klang bitter. »Ab morgen wird sie die Biller-Mine übernehmen, wahrscheinlich nicht auf einen Schlag, aber in spätestens einem Monat hat sie da ihr Büro. Während ich zusehen muss, wie fremde Investoren die Macht bei Lambert Enterprises übernehmen und mir irgendwelche fremden Ingenieure vor die Nase setzen, die mir nichts voraushaben, außer dass sie mich beim Wettlauf schlagen könnten ...«

»Hat dein Vater denn jetzt Käufer?«, erkundigte sich William. »Gehört habe ich noch nichts.«

Tim zuckte die Schultern. »Ich werde es wahrscheinlich

als Letzter erfahren. Auf jeden Fall nach Florence Weber-Biller.«

Kura lächelte. »Du kommst aber auch ein bisschen spät damit raus!«, neckte sie ihn. »Wenn du dein Interesse an ihrer Stellung etwas eher angemeldet hättest – Caleb hätte dich der lieben Florence zweifellos vorgezogen!«

9

»Willst du in die Stadt? Dann kann ich dich auch mitnehmen.«

Matthew Gawain, der mittlerweile ein guter Freund geworden war, dem Tim das Du angeboten hatte, beobachtete, wie dieser sich im Stall auf seinen Fellow kämpfte, während ein Stallknecht der Lamberts ein elegantes Kutschpferd vor Nellie Lamberts private Chaise spannte. Es war ein kalter, nasser Frühlingsmorgen, und Matt fand, dass die überdachte Kutsche dem Ritt durch den Regen deutlich vorzuziehen war.

Doch Tim schüttelte grimmig den Kopf. »Ich reite nicht zum Spaß, sondern zum Muskelaufbau. Hast du gewusst, dass selbst beim schlichten Draufsitzen im Schritt sechsundfünfzig Muskeln trainiert werden?«

Matt zuckte die Achseln. »Und wie viele bewegt das Pferd?«, erkundigte er sich desinteressiert.

Tim ließ das unbeantwortet, blickte aber verwundert auf das noble Gefährt, in das Matt soeben einstieg.

»Wie kommst du zu der Ehre, die Privatkarosse meiner Mutter fahren zu dürfen? Ausfahrt mit Charlene? An einem ordinären Mittwoch?«

»Du glaubst nicht wirklich, dass deine Mutter mir die Chaise für Charlene leihen würde! Nein, Rendezvous mit einem Investor. Ich soll den Herrn vom Bahnhof abholen und hierher kutschieren, bevor Webers ihn in die Finger kriegen. Der alte Weber hat irgendwie den Kontakt vermittelt, aber die Verhandlungen will dein Vater allein führen. Bislang ist er sogar nüchtern.« Matt nahm die Zügel. Tim ritt neben der Kutsche her.

»Bezeichnend, dass er mir kein Wort davon gesagt hat. Ich

bin es jetzt endgültig leid und würde lieber heute als morgen verschwinden. Nächste Woche geht sogar ein Schiff nach London. Aber wieder ohne uns.«

Tim ließ die Zügel locker und wurde schmerzhaft davon überrascht, dass Fellow gleichzeitig mit dem Kutschpferd antrabte. Matt sah sein verzerrtes Gesicht und holte den Braunen in den Schritt zurück.

»Auf die Dauer solltest du dir ein Pferd mit weicheren Gängen kaufen«, bemerkte er. »Du wirst in Europa sowieso ein neues brauchen.«

Tim zuckte die Achseln. »Das mach mal Lainie begreiflich. Die will unsere Pferde unbedingt mitnehmen. Da wäre sie wie ihre Grandma Gwyneira, sagt sie. Ein neues Land ja, aber nur mit ihrem Pferd und ihrem Hund. Keine Ahnung, wie ich das finanzieren soll!«

»Ich denke, ihre Familie hat Geld«, meinte Matt und ließ sein Pferd bummeln. Er war vorerst gut in der Zeit und saß im Trockenen. Tim dagegen sah aus, als fröre er, und Matt hatte ihn auch schon entspannter im Sattel sitzen sehen.

»Ob sie dieses Geld allerdings dafür ausgeben wollen, ihre endlich wiedergefundene Tochter nach Übersee zu schicken?« Tim hatte seine Zweifel. »Vorher will sie auf jeden Fall noch nach Queenstown und in die Canterbury Plains, um die ganze Familie erst einmal wiederzusehen, bevor sie sich dann verabschiedet ...«

»Ich glaube, deine Lainie will gar nicht weg aus Neuseeland«, sagte Matt. Eigentlich war er sich darüber sogar sicher, aber vielleicht musste man es Tim einfach schonend beibringen.

Tim seufzte. »Ich weiß«, murmelte er. »Aber was soll ich machen? Hier habe ich in meinem Beruf keine Aussichten. Und was anderes? Ruben O'Keefe hat mir ein Angebot gemacht, bei ihm einzusteigen. Sie eröffnen demnächst ein neues Geschäft in Westport. Da sind sie heute auch alle hin, um Räumlichkeiten anzumieten. Aber ich bin kein Kaufmann, Matt. Ich hab keine Begabung dafür … und ehrlich gesagt auch nicht die geringste Lust.«

»Aber Lainie …« Matt wusste durch Charlene von dem Angebot und versuchte, noch ein heikles Thema vorsichtig anzuschneiden.

Tim winkte ab. »Ja, ich weiß. Lainie hat im Laden ihres Vaters geholfen, seit sie klein war. Sie könnte das Geschäft führen, während ich bestenfalls Vogelhäuser baue …«

»Wozu mir Florence und Caleb Biller einfallen«, bemerkte Matt.

Tim nickte. »Mit dem kleinen Unterschied, dass Caleb dieses Leben gefällt. Der erforscht lieber die Kultur der Maoris, als sich mit Steinen zu beschäftigen. Und auf die Dauer wird er damit sogar Geld verdienen. Das tut er ja jetzt schon. William und Kura haben ihn ziemlich großzügig an den Einnahmen ihrer Konzerte beteiligt. Ich dagegen … Und außerdem gehöre ich nicht zu denen, die sich leicht damit einrichten, vom Erbe ihrer Frau zu leben oder von der Großmut des Schwiegervaters.«

»Und etwas anderes? Außerhalb der Bergwerke?« Matt spornte sein Pferd im Schritt etwas an, denn mittlerweile wurde es doch spät.

»Ich hab schon an Gleisbau gedacht«, meinte Tim. Im Grunde grübelte er seit Wochen über nichts anderes nach als irgendeine Beschäftigung. »Mr. Redcliff in Blenheim hat Andeutungen gemacht. Aber … ich kann mir da nichts vormachen, Matt! Im Eisenbahnbau haben sie keine festen Büros, bei der Inspektion der Anlagen reist man herum, schläft in Zelten oder Notquartieren. Es ist nass und kalt. Das schaffe ich nicht.«

Tim senkte geschlagen den Kopf. Er hatte das noch nie ausgesprochen, und er würde auch nie darüber klagen, wie sehr ihm allein der erste Winter nach dem Unfall zugesetzt hatte.

Aber das würde nicht besser werden, wie Dr. Leroy ihm brutal klargemacht hatte. Eher schlimmer.

»Wales ist auch nicht gerade für sein trockenes und warmes Klima bekannt«, bemerkte Matt.

Tim biss sich auf die Lippen. »Es muss ja nicht Wales oder England sein. Auch im Süden Europas gibt es Bergwerke ...«

... die nur auf jemanden warten, der an Krücken geht und nicht mal die Landessprache versteht. Die Männer teilten den gleichen, bitteren Gedanken, doch keiner sprach ihn aus.

Inzwischen hatten sie die Stadt erreicht, und Matt verhielt sein Gespann vor dem Bahnhof. Der Zug war bereits eingefahren, und Tim sah einen großen, schon etwas älteren, aber noch schlanken und erlesen gekleideten Herrn aussteigen. Vermutlich der Investor.

»Dann werde ich den Mann mal einladen«, seufzte Matt. »Und damit vermutlich meinen eigenen Abstieg einleiten. Der setzt mir garantiert einen Studierten vor die Nase, und ich kann wieder als Steiger Staub schlucken.«

In den letzten Monaten hatte Matthew de facto die Mine geleitet. Marvin Lambert war zwar fast jeden Tag im Büro, verhinderte Entscheidungen aber eher, als dass er sie fällte.

»Sehe ich dich nachher im Pub?«

Tim schüttelte den Kopf. »Eher nicht. Ich werde zwar zum Dinner in der Stadt sein, aber es ist ein Familienessen in einem der nobelsten Hotels am Kai. Ruben O'Keefe lädt ein. Sie erwarten irgendeinen Onkel aus Canterbury. Diesmal wahrscheinlich einen Schafbaron ...« Tim wirkte desinteressiert. Im Grunde graute ihm vor noch mehr Familie, die Elaine auf der Südinsel hielt.

Matt winkte ihm zu. »Dann amüsier dich gut! Und wünsch mir Glück! Ich erzähle dir morgen, wie es war.«

Tim sah seinem Freund nach, der lässig über eine Absperrung sprang, um den Bahnsteig schneller zu erreichen. Matt sprach den älteren Herrn höflich an und nahm dann lächelnd seinen Koffer. Der junge Steiger hatte zumindest die Chance, Marvins neuen Geldgeber beim Rundgang durch die Mine von seinen Fachkenntnissen zu überzeugen. Tim wünschte ihm wirklich Glück. Aber noch mehr beneidete er ihn.

Elaine sah reizend aus, als sie Tim vor dem besten Hotel der Stadt in Empfang nahm. Sie trug ihr dunkelblaues Kleid und streichelte das Pferd, mit dem ihr Vater gekommen war und das jetzt neben Banshee stand. Auch für die Vierbeiner war es ein Familientreffen. Der Rappe war Banshees Fohlen, das Elaine nach ihrer Heirat in Queenstown zurückgelassen hatte. Tim hoffte, dass sie ihn jetzt nicht auch mit nach Übersee nehmen wollte …

Tim hatte sich an diesem Abend von Roly kutschieren lassen. Der Ausritt am Morgen reichte ihm; um seine hilflose Wut abzureagieren, hatte er ihn diesmal auf mehr als zwei Stunden ausgedehnt. Außerdem trug er Abendgarderobe. Dieser Onkel war wohl eine wichtige Persönlichkeit, und Elaine hatte angedeutet, es gäbe auch etwas zu feiern. »Mir haben sie ja nichts gesagt, aber Onkel George hat meinem Vater gestern noch telegrafiert, und danach war er ganz fröhlich und hat mit dem Hotel wegen dieses Dinners verhandelt. Mit Champagner!«

Elaine freute sich auf den Abend, während Tims Begeisterung sich in Grenzen hielt. Er begann, Begegnungen mit neuen Menschen eher zu fürchten als herbeizusehnen. Zu oft schien es ihnen schon peinlich zu sein, ihm vorgestellt zu werden. Sie suchten angestrengt nach Gesprächsthemen, die keine Tabus verletzten, und es war ihnen sichtlich unangenehm, in Tims Anwesenheit aufzustehen oder herumzulaufen. Wenn das so weiterging, würde er zum Einsiedler!

Tim setzte entschlossen ein Lächeln auf und nahm Elaine in den Arm. Sie war vergnügt und ausgelassen und begrüßte ihn gleich mit ausführlichen Erzählungen von dem neuen Laden in Westport. Die Lage war angeblich ideal, mitten im Ort. Und der Ort war mindestens so groß wie Greymouth, lebendig und attraktiv. Elaine konnte sich offensichtlich gut vorstellen, dort zu leben und den Laden zu führen. Tim war nahe daran, zu resignieren. So schlimm konnte es nicht sein, Haushaltswaren und Kleider zu verkaufen.

Die beiden durchquerten das Foyer des Hotels – und Tim musste mühsam an sich halten, höflich zu bleiben, als ein Portier um ihn herumwuselte, als würde er ihn für ein Trinkgeld auch gern in sein Zimmer tragen. Er durfte nicht so empfindlich sein, jeden Weg in der Öffentlichkeit als Spießrutenlauf zu empfinden. Dennoch war Tim froh, dass der Tisch für Ruben O'Keefe und seine Gäste nicht im feudalen Speisesaal des Hotels gedeckt war, sondern in einem nicht minder elegant gestalteten Nebenraum. Elaines Vater, ihr Bruder Stephen und der angekündigte Onkel George standen bereits mit Drinks am Fenster, das einen Blick auf den Kai und das an diesem Tag bewegte Meer bot.

Alle drei schauten nach draußen und wandten sich erst zu Tim und Elaine um, als diese näher kamen. Tim begrüßte Ruben und Steve und blickte dann überrascht in die forschenden braunen Augen des Mannes, den Matt an diesem Morgen vom Bahnhof geholt hatte. Lainie kam ihm bei der Begrüßung jedoch zuvor und ließ sich erst einmal von ihrem Nennonkel in den Arm nehmen. Der ältere Herr drückte sie ausgiebig, bevor sie sich lachend befreite.

»Da haben wir dich ja endlich wieder, Lainie!«, bemerkte er dann. »Kompliment, Kleine, ich hätte nie gedacht, dass sich auf dieser Insel jemand vor mir verstecken kann!«

Lainie lächelte verschämt und nahm ein Glas Champagner von ihrem Vater entgegen.

Tim nutzte die Pause, um »Onkel George« endlich die Hand zu reichen.

»George Greenwood«, stellte der hochgewachsene ältere Herr sich vor. Sein Händedruck war fest, sein Blick selbstsicher. Tims Krücken und Beinschienen schien er gar nicht zu bemerken.

»Habe ich Sie nicht heute Morgen schon am Bahnhof gesehen?«, erkundigte er sich, bevor Tim seinen Namen nennen konnte. »Sie waren mit diesem Mr. Gawain zusammen, der mir die Lambert-Mine gezeigt hat.«

»Und? Gefällt sie Ihnen?«, brach es aus Tim heraus. Gleich darauf wurde er sich seines Fauxpas bewusst. »Entschuldigen Sie, ich sollte mich erst mal vorstellen. Timothy Lambert.«

»Elaines Verlobter«, bemerkte Ruben und lächelte. »Der angeblich endgültig Richtige. Mr. Greenwood hat Nachrichten, die Scheidung betreffend, Tim. Gute Nachrichten!«

Elaine sah aus, als brenne sie darauf, die Neuigkeiten zu hören, während Tim nur an die Mine denken konnte. Wie hatte Matt sich präsentiert? Und sein Vater? Wie liefen die Verhandlungen, und gab es womöglich bereits Ergebnisse?

»Lambert?«, fragte Greenwood und musterte Tim mit forschendem Blick. »Irgendwie verwandt mit den Minen-Lamberts?«

Tim nickte. »Der Sohn«, sagte er resigniert.

Greenwood runzelte die Stirn. »Aber das kann nicht sein ...«

Tim funkelte ihn an. Plötzlich stieg seine ganze Wut und Frustration in ihm auf, und er konnte nicht an sich halten.

»Mr. Greenwood, ich habe meine Probleme, aber über meine Abstammung kann ich noch ziemlich sicher Auskunft geben!«

Greenwood wirkte nicht verärgert. Er lächelte.

»Das zweifelt niemand an, Mr. Lambert. Ich war nur ein wenig verwundert. Hier ...« Er griff nach ein paar Papieren, die er vorher wohl achtlos auf den Tisch geworfen hatte. »Die Informationen in der Projektbeschreibung. Aber lesen Sie selbst.«

Tim griff nach der Akte und überflog den Abschnitt zum Thema »Erben«.

Marvin Lamberts einziger Sohn ist leidend und wird das Unternehmen nach menschlichem Ermessen niemals führen können. Der Wunsch der Familie, zumindest einen Teil der Mine schnell zu Geld zu machen, durfte auch auf die Notwendigkeit zurückgehen, den Lebensunterhalt des Kranken dauerhaft zu sichern …

Tim wurde blass.

»Es tut mir leid, Mr. Lambert«, meinte Greenwood. »Aber nach diesem Bericht hätte ich den Sohn der Familie eher in einem Sanatorium in der Schweiz vermutet als auf einem Pferd am Bahnhof von Greymouth.«

Tim atmete tief durch. Er musste sich beruhigen, diesen Abend irgendwie durchstehen …

»Verzeihung, Mr. Greenwood, aber ich konnte ja nicht wissen … Wem habe ich diese Schilderung meines Gesundheitszustandes zu verdanken? Meinem Vater oder Mr. Weber?«

»Sie wissen von der Vermittlungstätigkeit Mr. Webers?«, fragte Greenwood.

»Das pfeifen die Spatzen von den Dächern«, gab Tim zurück. »Und Florence Weber wäre zweifellos entzückt, die Verwaltung der Biller- und der Lambert-Mine zusammenzulegen. Dann hätte sie zwei Bergwerke.« Er wandte sich ab. »Vielleicht hätte ich Kuras Rat folgen sollen!«

»Kuras Rat?«, fragte Elaine eifersüchtig.

»Ein schlechter Witz«, meinte Tim müde.

»Und warum wollen Sie die Mine denn nun tatsächlich nicht leiten?«, fragte Greenwood. »Gänzlich andere Interessenslage? Ruben meinte, Sie würden vielleicht das Geschäft in Westport übernehmen.«

Tim straffte sich. »Sir, ich bin Bergbauingenieur. Ich habe Diplome von zwei europäischen Universitäten und praktische Erfahrung in Minen in sechs Ländern. Von nicht wollen kann keine Rede sein. Aber mein Vater und ich sind in einigen sehr wichtigen Dingen, das Management der Mine betreffend, verschiedener Meinung.«

Greenwoods wacher Blick wanderte über Tims Körper.

»Ist Ihr Zustand eine Folge dieser ... Meinungsverschiedenheiten? Sie können ganz offen sprechen, ich weiß von den Explosionen in der Mine und deren weitgehend verschleierten Ursachen. Und auch von zwei Männern der Minenleitung, die gleich nach dem Unglück eingefahren sind. Der eine ist tot ...«

»Für meinen Vater ist der andere auch tot«, sagte Tim heiser.

»Also erzählst du jetzt endlich was über die Sache mit der Scheidung, Onkel George?«, unterbrach Elaine. Sie hatte mit ihrem Bruder herumgealbert und war sich des Ernstes des Gesprächs zwischen Tim und Greenwood gar nicht bewusst. »Über die Mine könnt ihr doch nachher noch sprechen. Außerdem habe ich Hunger.«

Tim hatte keinen Hunger. Er blickte George Greenwood in die Augen.

»Wir reden morgen früh darüber«, meinte Greenwood. »Unter vier Augen. Kommen Sie um neun in meine Suite, und bringen Sie die Diplome mit. Aber ich denke, wir werden uns sehr schnell einigen. Ich habe übrigens sechzig Prozent der Anteile an Ihrer Mine gekauft, Mr. Lambert. Wer dort tot ist, bestimme ich.«

George Greenwood ließ sich Zeit mit seinen Neuigkeiten. Erst als der erste Gang vor ihnen stand, bequemte er sich, Elaines beharrliche Fragen zu beantworten.

»Thomas Sideblossom wird der Scheidung zustimmen«, erklärte er schließlich. »Einer unserer Anwälte hat mit Johns Witwe gesprochen. Sie hält sich zurzeit auf Lionel Station auf, wird aber nach Blenheim zurückkehren und mit ihm reden, sobald sie die Angelegenheiten in Otago geregelt hat.«

»Reden kann sie viel«, meinte Elaine zweifelnd. »Aber was berechtigt sie zu der Annahme, dass Thomas auf sie hört?«

»Oh, Mrs. Sideblossom zufolge liegt die Scheidung in seinem eigenen Interesse«, sagte George schmunzelnd. »Sobald sie durch ist, gedenkt er, seine ehemalige Schwiegermutter zu heiraten.«

»Was?« Elaine stieß die Frage so heftig heraus, dass sie sich an ihrem Krebsschwanzcocktail mit Zitronensauce verschluckte und husten musste. Als sie sich wieder gefangen hatte, stand Panik in ihren Augen.

»Das kann sie nicht machen«, flüsterte sie. »Zoé, meine ich. Sie ...«

»Ich habe auch zweimal nachgefragt«, gab George zu, »bevor mir die Zusammenhänge aufgingen.«

»Ja?«, fragte Stephen, der mit dem Essen auf seinem Teller spielte, verwundert. Er mochte keine Meeresfrüchte und versuchte, die Krebsschwänze unauffällig von den sonstigen Bestandteilen des Cocktails zu trennen. »Aber das ist doch offensichtlich. Der Dame bleibt eigentlich gar keine andere Wahl.« Stephen ließ einen Krebsschwanz unter dem Tisch verschwinden, wo Callie begierig danach schnappte.

»Aber Thomas ist ... er ist furchtbar ... ich muss ihr sagen ...«, stammelte Elaine und legte dabei ihr Besteck ab, als habe sie vor, aufzuspringen und sich sofort mit Zoé in Verbindung zu setzen.

»Thomas ist in einer Anstalt für geistig Kranke«, erinnerte Tim sie sanft und legte seine Hand auf ihre. »Er kann keinem mehr etwas tun.«

»Eben«, fuhr Stephen gelassen fort. »Aber er ist nach wie

vor der Erbe von Lionel Station. Und wie ich diesen John Sideblossom einschätze, hat er auch kein weiterführendes Testament gemacht, in dem er festgelegt hat, dass seine Ehefrau mit einem bestimmten Legat versorgt wird. So wie es zurzeit aussieht, ist sie fast mittellos. Sie kann allenfalls auf Lionel Station wohnen bleiben. Und selbst da könnte Elaine ihr Schwierigkeiten machen ...«

»Ich?«, fragte Elaine verblüfft. Sie schien sich wieder ein wenig gefangen zu haben.

»Natürlich du«, sagte ihr Vater. »Als seine Ehefrau giltst du bislang als Thomas' nächste Verwandte. Du hast die Verfügungsgewalt über seine Güter, und wenn er sterben sollte, bist du Alleinerbin.«

Elaine wurde erneut blass.

»Es kommt noch besser«, führte Stephen genüsslich aus. »Wenn es zum Beispiel den Ärzten in dieser Irrenanstalt gelingt, dem guten Thomas seinen letzten Rest Verstand auch noch auszutreiben – sie werden kaum länger als ein oder zwei Jahre dazu brauchen –, kannst du ihn entmündigen lassen. Und schon bist du dauerhaft Herrin über eine hübsche Farm und zwölftausend Schafe. Hast du dir das nicht immer gewünscht?« Stephen grinste.

Elaines Hände fuhren zitternd über das Tischtuch.

»Du solltest auch mal an Callies Bedürfnisse denken!«, fügte Stephen mit ernstem Gesicht hinzu. Die kleine Hündin wedelte, als sie ihren Namen hörte. Sie sah Stephen anbetend an und gierte nach weiteren Leckerbissen. »Sie ist immerhin ein Hütehund. Sie braucht ein paar Schafe.«

Elaine bemerkte jetzt erst, dass ihr Bruder scherzte, und versuchte ein klägliches Lächeln.

»Ganz im Ernst, Elaine, unter finanziellen Gesichtspunkten solltest du dir das mit der Scheidung noch einmal durch den Kopf gehen lassen«, meinte George Greenwood. »Wir sind da in einer exzellenten Verhandlungsposition. Vielleicht würde

Mrs. Sideblossom sich auf eine Unterhaltsvereinbarung einlassen.«

Elaine schüttelte heftig den Kopf. »Ich will kein Geld von ihnen«, flüsterte sie. »Soll Zoé es haben! Die Hauptsache ist, dass ich ihn nie wiedersehe.«

»Das dürfte sich auch ohne Zusatzvereinbarung machen lassen«, meinte Greenwood. »Meinem Anwalt zufolge plant Zoé eine Übersiedlung nach London. Sobald ihr künftiger Gatte reisefähig und die Ehe geschlossen ist. Ein entsprechendes Sanatorium in Lancashire, in dem man ihn in angenehmer Atmosphäre zuverlässig wegsperrt, hat sie schon gefunden. Angeblich sind die Anstalten in England moderner und bieten höhere Heilungschancen ...«

Stephen lachte. »Vor allem ist London weitaus attraktiver für junge Witwen als der letzte Winkel des Lake Pukaki.«

»Ich hoffe, sie wird glücklich«, meinte Elaine ernst. »Sie war nicht allzu nett zu mir, aber ich glaube, sie hat einiges durchgemacht. Wenn sie jetzt in England findet, was sie sucht, soll es mir recht sein. Wie lange meint der Anwalt, dass es dauern wird, Onkel George?«

»Du kannst also wieder tanzen üben!«, sagte Elaine zärtlich. Es war viel später an diesem Abend, und sie war ein bisschen beschwipst vom Champagner und der Aussicht, endlich frei zu sein. Tim küsste sie vor dem Stall des Hotels, während Roly Fellow vor die Chaise spannte.

»Und wenn ich Onkel George richtig verstanden habe, müssen wir nicht einmal nach Wales.«

Tim nickte und streichelte ihr übers Haar.

»Und wenn *ich* Onkel George richtig verstanden habe, lasse ich demnächst tanzen«, meinte er grimmig. »Florence Weber wird sich wundern, wie viel Leben noch in der Lambert-Mine steckt!« Er lächelte. »Es tut mir nur leid für Callie wegen der vielen entgangenen Schäfchen.« Callie hörte ihren Namen und sprang an ihm hoch. »Wir könnten ja ein paar anschaffen und auf dem Minengelände weiden lassen ...«

Elaine lachte und streichelte die Hündin. »Ach was, sie soll demnächst Kinder hüten!«

10

Tim Lambert nahm sein neues Büro in Besitz. Es war etwas kleiner als das seines Vaters, schon um den Schein zu wahren. Offiziell stand Marvin Lambert seiner Mine immer noch vor. Doch Tim verfügte über ausgedehntere Räume als sein Stellvertreter Matt Gawain, dessen Büro an sein eigenes grenzte. Beide Zimmer waren ebenerdig und hell und boten einen weiten Blick über die wichtigsten Bergwerksanlagen. Tim hatte den Förderturm im Blick, sah die Männer zur Schicht kommen und würde bald die Schienen vor sich sehen, über die man die geförderte Kohle demnächst direkt zur Bahnlinie schaffen wollte. Aber auch jetzt schon herrschte reges Treiben; neue Grubenlampen und modernere Schutzhelme und Loren zum Kohletransport unter Tage wurden angeliefert, und Matt Gawain sprach zu einer Gruppe neuer Bergleute. Zum Teil kamen sie direkt aus den Bergbaugebieten in England und Wales. George Greenwood ließ Neueinwanderer mit Fachkenntnissen in den Einwanderungshäfen von Lyttleton und Dunedin anwerben.

Tim atmete tief durch, fand aber keine Zeit, sich in seinem neuen Reich gründlich umzusehen, denn Lester Harding erschien, der Sekretär seines Vaters, um ihn in Empfang zu nehmen. Die aufgesetzte Servilität des Mannes raubte Tim sofort die gute Laune.

»Soll ich Ihnen einen Sessel bringen, Mr. Lambert? Sie würden es ein wenig bequemer haben. Möchten Sie ein Glas Wasser?«

Tim wollte sich eigentlich nicht ärgern, aber wenn er den Mann nicht gleich in seine Schranken wies, würde der ihm jeden Tag auf die Nerven gehen. So warf er nur einen abschätzenden Blick auf die sicher gemütlichen, aber niedrigen Ledersessel, die in einer Ecke seines Büros um einen kleinen Tisch und eine winzige Hausbar gruppiert waren.

»Ich weiß nicht, wie Sie es halten, aber ich arbeite im Allgemeinen lieber an meinem Schreibtisch als darunter«, erklärte Tim frostig. »Und da ich über eine normale Körpergröße verfüge, bietet der Schreibtischstuhl mir durchaus angemessene Konditionen. Nach ...«, er sah auf die Uhr, »nicht mal einer Minute Aufenthalt in diesem Büro benötige ich auch noch keine Erfrischung. Wenn Mr. Gawain nachher hereinkommt, dürfen Sie uns allerdings einen Tee servieren.« Tim lächelte, um seinen Worten die Schärfe zu nehmen. »Bis dahin bringen Sie mir nur die Bilanzen der letzten zwei Monate und die Kataloge unser wichtigsten Baustofflieferanten.«

Harding verschwand mit indigniertem Gesichtsausdruck.

Tim hatte ihn schon vergessen. Auf die Dauer würde sich erweisen, ob er mit dem Mann arbeiten konnte. Wenn nicht, würde sich ein anderer Sekretär finden. Er hatte Zeit. Er würde sein Büro und seine Mine nach eigenem Gutdünken formen.

Florence Weber betrat ihr neues Büro. Es war – schon um die Form zu wahren – ein bisschen kleiner als das ihres Mannes, mit dem es verbunden war. Außerdem viel kleiner als das seines Vaters, aber der hatte schon die Absicht geäußert, sich in der nächsten Zeit mehr und mehr aus dem Betrieb zurückzuziehen. Jetzt war schließlich sein Sohn da und arbeitete fleißig. Auch heute saß Caleb schon seit fast zwei Stunden an seinem Schreibtisch. Florence hatte nicht mal bemerkt, wann er das Haus verlassen hatte. Beinahe zärtlich blickte sie im Vorbeigehen auf seinen blonden Schopf, der tief über Bücher und sonstige Papiere gebeugt war, die allerdings nicht das Geringste mit Bergbau oder gar Kohle zu tun hatten. Caleb arbeitete an einer Abhandlung zur geologischen Verwandtschaft des Maori-Greenstone – oder Pounamu – und der chinesischen und südamerikanischen Jade sowie deren mythologische Bedeutung für die Maori- und Aztekenkultur. Das Thema fesselte ihn ungemein. Gestern Abend hatte er Florence längere Vorträge zum Verhältnis von Jadeit zu Nephrit in den verschiedenen Vorkommen gehalten. Als brave Ehefrau hatte sie ihm ergeben gelauscht, aber während der Geschäftszeiten würde er sie nicht damit behelligen. Florence schloss leise die Tür zwischen ihren Räumen.

Ihr Büro! Es war hell, freundlich und bot vor allem einen hervorragenden Überblick über die Bergwerksbauten. Die Kontore der Biller-Mine lagen im zweiten Stock eines Lagergebäudes, und von Florence' Fenster aus sah man den Förderturm, die Eingänge zur Mine und die Schienenstränge, die den raschen Transport der geförderten Kohle zu den Bahnanlagen gewährleisteten. Die modernste Anlage der Gegend ... Florence konnte sich nicht satt daran sehen, aber jetzt unterbrach sie das Eintreten eines Sekretärs.

Bill Holland, erinnerte sie sich. Ein noch recht junger Mann, aber seit längerem für Biller tätig.

»Ist alles zu Ihrer Zufriedenheit, Madam?«, erkundigte er sich servil.

Florence nahm die Einrichtung ihres Büros in Augenschein. Regale, ein Schreibtisch, eine kleine Sitzgarnitur in einer Ecke ... und eine Teeküche. Sie runzelte die Stirn.

»Es ist sehr schön, Mr. Holland. Aber wenn Sie den Teekocher und das Geschirr vielleicht doch bitte in Ihr Büro verlagern würden? Es stört meine Konzentration, wenn Sie hier damit herumhantieren. Sie können das in der Mittagspause erledigen ... oder nein, machen Sie es gleich.«

Der Mann musste in seine Schranken verwiesen werden.

Florence dachte an Caleb, der heute Morgen sicher das Frühstück vergessen hatte. Sie lächelte. »Anschließend bringen Sie meinem Mann eine Tasse Tee und ein paar Sandwiches. Und mir holen Sie bitte zunächst die Bilanzen der letzten zwei Monate und die Kataloge unserer wichtigsten Baustofflieferanten.«

Holland verzog sich mit indigniertem Gesichtsausdruck. Florence sah ihm nach. Auf die Dauer würde sich zeigen, ob sie mit ihm arbeiten konnte. Es wäre eigentlich schade, ihn zu entlassen. Er schien nicht dumm zu sein, und er war außerordentlich gut aussehend. Wenn er sich auch noch als diskret erwies, könnte er glatt in die engere Wahl kommen. Irgendwann würde sie sich schließlich entscheiden müssen, welcher ihrer ergebenen Mitarbeiter würdig wäre, Caleb Billers Erben zu zeugen...

Florence strich über ihren streng geschnittenen, dunklen Rock und ordnete den Ausschnitt ihrer adretten weißen Rüschenbluse. Einen Spiegel würde sie brauchen! Schließlich musste sie sich ihrer Weiblichkeit nicht schämen, auch wenn sich in den nächsten Jahren sicher mancher über die Leitung der Biller-Mine wunderte. Florence hatte Zeit. Sie würde ihr Büro und ihr Bergwerk nach ihrem Gutdünken gestalten.

Emere durchschritt die Räume von Lionel Station. Die alte Maori ging langsam und hielt die *pecorino*-Flöte dabei umklammert, als brauche sie eine Stütze. Lionel Station. Ihr Haus und das ihrer Kinder. Das Haus, in das John sie damals gebracht hatte – vor langer, langer Zeit, als sie noch eine Prinzessin gewesen war, eine Häuptlingstochter und Ziehkind der Zauberin. Sie hatte John Sideblossom damals geliebt – genug, um ihren Stamm zu verlassen, nachdem er ihr im Schlafhaus ihrer Familie beigelegen hatte. Emere hatte sich für seine Frau gehalten, bis er mit diesem Mädchen kam, dieser blonden *pakeha*. Als Emere ihre Ansprüche anmeldete, hatte er sie ausgelacht. Ihre Verbindung zähle nicht und auch nicht das Kind, das sie damals unter dem Herzen trug. Sideblossom wollte weiße Erben ...

Emere ließ die Finger über die neuen, mit Intarsien geschmückten Möbel wandern, die Zoé später in die Ehe gebracht hatte. Das zweite blonde Mädchen. Mehr als zwanzig Jahre, nachdem das erste gestorben war. Nicht ganz ohne Emeres Zutun – sie war eine geschickte Hebamme und hätte Johns erste Frau retten können. Aber damals hatte sie noch gehofft, alles könnte so werden wie früher.

Und nun war diese Zoé die Erbin – oder würde es zumindest schaffen, Erbin zu werden. Emere verspürte gewisse Hochachtung Zoé gegenüber. Sie schien so zart und zerbrechlich, aber sie hatte alles überlebt – das, was John unter »Liebe« verstand, und selbst die Geburten, bei denen Emere ihr »beigestanden« hatte.

Inzwischen hatte die alte Maori längst ihren Frieden mit ihr gemacht. Sollte sie die Erträge der Farm behalten! Arama würde das regeln, auf Heller und Pfennig. Emere wollte kein Geld. Aber das Haus und das Land wollte sie, und daran war Zoé nicht interessiert.

Emere betrat den nächsten Raum und riss die Vorhänge auf. Niemand sollte hier mehr die Sonne aussperren! Sie atmete tief ein, nachdem sie die Fenster geöffnet hatte. Ihre Kinder waren frei; kein John Sideblossom mehr, der sie erst wegschicken und dann versklaven würde. Emere wartete ungeduldig darauf, dass Pai mit dem letzten Kind zurückkehrte. Sie hatte das Mädchen nach Dunedin geschickt, um ihren jüngsten Sohn aus dem Waisenhaus zu holen. Das Kind, das sie einige Monate nach dem Weggang des flammenhaarigen Mädchens geboren hatte. Das Mädchen, mit dem der Fluch sich vollendet hatte, den sie damals auf John Sideblossoms Erben gelegt hatte. Damals, als sie ein einziges Mal etwas für eines ihrer Kinder gefordert hatte. Ein bisschen Land, überschrieben an ihren Erstgeborenen. Doch Sideblossom hatte wieder nur gelacht – und an diesem Tag hatte Emere gelernt, sein Lachen zu hassen. Emere könne froh sein, hatte Sideblossom gesagt, wenn er ihre Bastarde am Leben ließe. Beerben würden die ihn ganz sicher nicht!

In jener Nacht musste er Emere das erste Mal in sein Bett zwingen – und er schien es zu genießen. Seitdem hasste sie alles an Sideblossom, und sie wusste bis heute nicht, warum sie trotzdem geblieben war. Sie hatte sich tausendmal dafür verflucht, für diese Faszination, die er bis zuletzt auf sie ausgeübt hatte, für ihr würdeloses Leben zwischen Verlangen und Hass. Und noch mehr verfluchte sie sich dafür, dass sie seinen Sohn von dieser weißen Frau am Leben gelassen hatte. Aber damals hatte Emere noch Skrupel gehabt, ein wehrloses Kind zu töten. Bei Zoés Kindern längst nicht mehr.

Ihren Erstgeborenen hatte sie dann zu ihrem Stamm gebracht. Tamati, das einzige ihrer Kinder, das John Sideblossom nicht ähnlich sah. Und das nun sein Schicksal erfüllt hatte, indem es das flammenhaarige Mädchen schützte.

Emere hob die *pecorino*-Flöte und huldigte den Geistern. Sie hatte Zeit. Zoé Sideblossom war jung. Solange sie lebte und Lionel Station Geld abwarf, war Emere sicher. Niemand würde die Hand auf das Haus und das Land legen. Und später? Rewi, ihr Drittgeborener, war klug. John hatte ihn erst kürzlich auf die Farm geholt, doch Emere dachte nun daran, ihn zurück nach Dunedin zu schicken. Er konnte weiter zur Schule gehen, vielleicht den Beruf dieses Mannes ergreifen, der neulich mit Zoé gesprochen hatte. Rechtsanwalt ... Emere ließ das Wort über ihre Zunge gleiten. Jemand, der anderen zu ihrem Recht verhalf. Vielleicht erkämpfte Rewi sich irgendwann sein Erbe. Emere lächelte. Die Geister würden es richten.

11

Tim Lambert tanzte tatsächlich auf seiner Hochzeit. Zwar nur einen kurzen Walzer und schwer auf seine Braut gestützt, doch die Zuschauer applaudierten frenetisch. Die Minenarbeiter warfen ihre Mützen in die Luft und feuerten ihn an wie bei einem Rennen, und Berta Leroy hatte Tränen in den Augen.

Tim und Lainie heirateten am Tag der heiligen Barbara, genau zwei Jahre nach dem legendären »Lambert Derby«. Wieder gab es ein großes Fest auf dem Minengelände. George Greenwood präsentierte sich als neuer Teilhaber und führte sich und seinen Geschäftsführer Tim Lambert ein, indem er die gesamte Belegschaft und die halbe Stadt Greymouth zu Freibier, Barbecue, Wettspielen und Tanz einlud. Nur ein Pferderennen gab es diesmal nicht.

»Wir wollten einfach nicht riskieren, dass meine Braut mir wegreitet«, bemerkte Tim in seiner bejubelten Ansprache und küsste Lainie vor versammelter Mannschaft. Wieder grölten alle; nur Elaine wurde ein wenig rot. Schließlich waren diesmal auch ihre Mutter und Großmutter unter den Zuschauern. Fleurette und Helen winkten ihr jedoch aufmunternd zu. Beide mochten Tim. Auch Fleurettes berühmte Instinkte erhoben keine Einwände.

Der Reverend hatte diesmal nicht mit Gewissensnöten rund um die Wettleidenschaft seiner Schäfchen zu kämpfen. Dafür stand er vor dem Problem der Trauung einer geschiedenen Braut. Elaine trat immerhin nicht in Weiß auf, sondern trug ein lichtblaues Kleid, das mit dunkleren Borten verziert war – natürlich wieder aus Mrs. O'Briens Schneiderwerkstatt.

Auch auf den Schleier hatte sie verzichtet, zugunsten eines Kranzes aus frischen Blumen.

»Sieben Blüten müssen es sein!«, bestimmte sie und verursachte ihren Freundinnen damit einiges Kopfzerbrechen. »Dann kann ich sie in der Hochzeitsnacht unter mein Kopfkissen legen ...«

»Aber wehe, du träumst dann von jemand anderem!«, neckte Tim sie mit der Geschichte jener längst vergangenen Johannisnacht.

Der Reverend rettete sich schließlich ebenso durch die anstößige Trauung wie durch die Geschichte mit der heiligen Barbara, an die er als Methodist nach wie vor nicht glaubte. Er las einfach eine Messe unter freiem Himmel und versah die Stadt und die Versammelten anschließend mit einem allumfassenden Segen. Tim und Elaine beorderte er dazu in die erste Reihe, und Elaines Bruder Stephen spielte *Amazing Grace*.

Kura-maro-tini hätte das Fest gewiss um kompliziertere Rhythmen bereichert, doch sie war nicht anwesend. Tim und Elaine würden sie allerdings auf ihrer Hochzeitsreise treffen. Elaine wollte nicht nur Queenstown, sondern auch Kiward Station wiedersehen, und Helen interessierte sich brennend für Kuras Musikprogramm. Deshalb würden alle außer Ruben, der sich wieder um seine Geschäfte kümmern musste, nach der Hochzeit nach Christchurch fahren, um Kuras und Marisas groß angekündigtem Abschiedskonzert auf der Südinsel beizuwohnen. Anschließend würden die Künstlerinnen sowie William nach England reisen. Konzerttermine in London und verschiedenen anderen englischen Städten standen bereits fest. William hatte eine bekannte Konzertagentur aufgetan, die ihre Tournee plante.

»Kura bekommt also letztendlich genau das, was sie immer wollte«, meinte Fleurette O'Keefe missbilligend. Sie hatte Kura in Greymouth nicht mehr getroffen und war immer noch verstimmt. Gut, William als Schwiegersohn hätte ihr deutlich weniger behagt als Tim Lambert, für den sie rasch herzliche Sympathie entwickelt hatte. Doch Kura und William hatten ihrer Tochter wehgetan, und das verzieh eine Mutter nicht so schnell.

»Was machen sie denn jetzt mit dem kleinen Mädchen?« Fleurette erinnerte sich an Gloria. »Soll es mit nach Europa?«

»Soviel ich weiß, nicht«, antwortete Helen. Die Missstimmung zwischen ihr und Gwyneira McKenzie-Warden hatte nicht lange gehalten. Die Frauen waren zu enge Freundinnen, um sich durch irgendetwas entzweien zu lassen. Daher hatten sie ihren Briefwechsel sehr bald nach Kuras Hochzeit wieder aufgenommen und in den letzten Jahren ihren Kummer über Elaines Verschwinden miteinander geteilt. »Die Kleine bleibt auf Kiward Station. Vorerst jedenfalls. Bei Kura weiß man ja nie, was ihr einfällt. Aber bislang haben sich weder Vater noch Mutter auch nur im Geringsten für Gloria interessiert. Warum sollte sich das jetzt ändern? Und eine Dreijährige durch halb Europa zu schleppen wäre wirklich Unsinn.«

»Womit also auch Mommy genau das bekommt, was sie will!« Fleurette lächelte. »Eine zweite Chance, die Erbin von Kiward Station in ihrem Sinne aufzuziehen. Und Tonga wetzt schon die Messer ...«

Helen lachte. »So schlimm wird's schon nicht sein. Bei Kura hat er es ja auch eher mit Liebe versucht. Wie konnte er auch ahnen, dass sich jemand findet, der sich noch besser auf das *whaikorero* versteht?«

Die Bahnlinie zwischen der Westküste und den Canterbury Plains war bereits in Betrieb, und Elaine schaute ihrer ersten Bahnreise voller Spannung entgegen. Tim hoffte auf eine weniger strapaziöse Tour als die Fahrt nach Blenheim und wurde nicht enttäuscht. Ihre Hochzeitsreise war purer Luxus, zumal George Greenwood über einen privaten Salonwagen verfügte. Er stellte ihn dem Brautpaar großzügig zur Verfügung, und so liebten Tim und Lainie sich auf einem ratternden Bett und verschütteten lachend Champagner.

»Daran könnte ich mich wirklich gewöhnen!«, erklärte Elaine begeistert.

Tim lächelte. »Dann hättest du als Klavierspielerin bei Kura bleiben müssen. Die schwärmt doch immer vom Privatwaggon ihres Idols. Wie hieß die Frau noch ...?«

»Weiß nicht, irgendeine Operndiva ... Adelina Patti! Und reist die nicht sogar mit einem eigenen Zug? Vielleicht hättest du doch in der Firma dieses Mr. Redcliff anfangen sollen. Als Eisenbahner kriegt man die Züge wahrscheinlich billiger.« Elaine schmiegte sich glücklich in Tims Arme.

Die McKenzies erwarteten die Reisenden am Bahnhof in Christchurch, und Gwyneira schloss Elaine gerührt in die Arme. Im Gegensatz zu Helen, deren Züge in den letzten Jahren hagerer und strenger geworden waren, schien Gwyn kaum gealtert.

»Wie auch, mit einem Haus voller Kinder!«, meinte sie vergnügt, als Helen ihr ein Kompliment machte. »Jack und Glory ... und Jennifer ist ja auch noch sehr jung und ein so süßes Mädchen. Guck mal!«

Jennifer Greenwood, die immer noch die Maori-Kinder auf Kiward Station unterrichtete, begrüßte soeben errötend Stephen O'Keefe. Die beiden diskutierten in juristisch einwandfreier Argumentation, ob man sich in der Öffentlichkeit küssen dürfe oder nicht, und taten es schließlich hinter Jennys Sonnenschirm.

»Das wird die nächste Hochzeit. Stephen fängt nach dem Studium als Firmenanwalt bei Greenwood an.«

Helen nickte. »Sehr zum Missfallen seines Vaters, Ruben hätte ihn zu gern als Richter gesehen. Aber wo die Liebe hinfällt ... Das da ist wohl auch eine ganz große!« Sie wies lächelnd auf Jack und die kleine Gloria. Jack war inzwischen achtzehn, ein hoch aufgeschossener junger Mann mit wilden rotbraunen Locken, der Helen sehr an den jungen James erinnerte. Trotz seiner Schlaksigkeit bewegte er sich erstaunlich geschickt und steuerte seine winzige Begleiterin sicher durch das Bahnhofswirrwarr.

»Eisenbahn«, plapperte Gloria ein wenig desinteressiert nach und wies wie Jack auf das stählerne Ungetüm.

»Hund, komm!«, erklärte sie anschließend mit deutlich mehr Begeisterung und griff nach Callie. Elaine pfiff ihrer Hündin und bedeutete ihr, dem kleinen Mädchen Pfötchen zu geben. Doch Callie sah sich lieber anderweitig um, wobei vor allem Jacks eigener Hund ihr Interesse fand.

Elaine nahm Gloria auf den Arm. »Die ist ja niedlich!«, meinte sie. »Aber sie sieht Kura kein bisschen ähnlich.«

Das stimmte. Gloria ähnelte weder Kura noch William; ihr Haar war weder glänzend schwarz noch goldblond, sondern braun mit einem leichten Rotstich. Ihre Augen waren porzellanblau und standen ein wenig zu dicht beieinander, um ihrem Gesicht Ausdruck zu verleihen. Glorias Züge waren jetzt noch kindlich rund; später würden sie vielleicht ein wenig zu kantig werden, um schön zu sein.

»Gott sei Dank!«, bemerkte Jack. »Der Hund ist übrigens ziemlich schlampig ausgebildet, Lainie. Es geht nicht an, dass ein Kiward Collie über den ganzen Bahnsteig rennt und sich von wildfremden Leuten streicheln lässt. Das Tier braucht Schafe!«

»Wir sind ja ein paar Tage hier«, sagte Elaine und lächelte.

Kuras Konzert war ein Triumph. Sie hatte auch mit nichts anderem gerechnet. Eigentlich schwebte sie seit Blenheim von einem sensationellen Erfolg zum nächsten – wobei Kura und Marisa dies auf ihr Können als Musiker, William vor allem auf

Kuras Ruf als Geisterbeschwörerin zurückführte. Er erging sich in jedem Interview in obskuren Andeutungen, und Kura befürchtete, dass er auch schon die Agentur in England mit entsprechenden Geschichten versorgt hatte. Sie sprach ihn allerdings nicht darauf an. Warum die Leute kamen, war ihr egal. Hauptsache, sie klatschten und bezahlten ihre Eintrittsgelder. Kura genoss es, wieder reich zu sein. Und dieses Mal war sie es aus eigener Kraft geworden.

Marama und ihr Stamm hatten es sich nicht nehmen lassen, Kuras Konzert nicht nur zu besuchen, sondern mit der Darbietung zweier eigener *haka* zu bereichern. Letzteres auf Williams ausdrücklichen Wunsch. Marama verstand es als Abbitte für den Affront bei seiner Hochzeit und sagte gern zu. Sie war ein friedfertiger Mensch und verzieh leicht. Und als sich jetzt ihre hohe, wie auf Wolken treibende Singstimme mit Kuras kräftigem, dunklem Organ mischte, hätte William sie am liebsten gleich für die ganze Tournee angeheuert.

Überhaupt wirkte der Saal des White Hart an diesem Tag deutlich exotischer als sonst. Tonga war mit seinem halben Stamm nach Christchurch gekommen, um der Erbin von Kiward Station zu huldigen und sie gleichzeitig wohl auf immer zu verabschieden. Dabei fielen die meisten Maoris kaum auf. Fast alle trugen westliche Kleidung, wenn sie die Sachen mitunter auch ziemlich ungeschickt kombinierten. Tonga erschien allerdings in traditioneller Kleidung, und seine Tätowierungen – er trug sie praktisch als Einziger seiner Generation – ließen ihn martialisch aussehen. Die meisten Leute hielten ihn zunächst für einen der Tänzer. Als er sich dann zum Publikum gesellte, rückten sie unruhig von ihm ab.

Tonga war auch der Einzige, der über Kuras Vortrag die Stirn runzelte. Er hätte die Lieder der Maoris lieber unverfälscht bewahrt, statt sie mit westlichen Instrumenten zu verfremden.

»Kura wird in England bleiben«, sagte er zu Rongo Rongo, der Zauberin seines Stammes. »Sie singt unsere Worte, aber unsere Sprache spricht sie nicht, das hat sie nie getan.«

Rongo Rongo zuckte die Schultern. »Sie hat auch nie die Sprache der *pakeha* gesprochen. Sie gehört zu keiner unserer Welten. Es ist gut, dass sie sich eine eigene Welt sucht.«

Tonga warf einen vielsagenden Blick auf die kleine Gloria. »Aber sie lässt den Wardens das Kind.«

»Sie lässt *uns* das Kind«, berichtigte Rongo. »Das Kind gehört zum Land der Nghai Tahu. Zu welchem Stamm es sich schließlich wenden wird ...«

Gloria saß mit Jack in der zweiten Reihe, und er brachte ihr damit ein gewaltiges Opfer. Aus eigenem Antrieb hätte der Junge sich nicht mal in die Nähe eines Konzertsaales gewagt, in dem Kura-maro-tini spielte.

»Ich kann gut verstehen, dass der Kerl in Blenheim durchgedreht ist«, sagte er zu seiner Mutter. »Womöglich lande ich hinterher auch in einer Anstalt!«

Gwyneira erklärte, dass sie diese Befürchtung nicht teile, aber weder Drohungen noch Versprechungen konnten ihn überzeugen. Dann bestand Kura jedoch auf die Anwesenheit ihrer Tochter, und Jack änderte seine Meinung sofort.

»Gloria schreit doch nur wieder! Oder noch schlimmer, sie schreit nicht, und Kura hat plötzlich die Idee, sie wäre begabt und müsste mit nach England. Nein, nein, unter den Umständen gehe ich mit und passe auf sie auf.«

Gloria schrie diesmal nicht, spielte allerdings gelangweilt mit einem Holzpferdchen, das Jack mitgebracht hatte. Als Kura auf der Bühne die Geister beschwor, huschte sie aus der Stuhlreihe und lief durch den Gang nach hinten, wo die Maoris lagerten und Tonga mit bedrohlichem Ausdruck an der Wand lehnte. Jack folgte dem kleinen Mädchen nicht, beobachtete es aber aus dem Augenwinkel. Kein Wunder, dass Gloria dieser Katzenmusik entfloh und lieber mit anderen

Kindern spielte. Auch er selbst war froh, als das Konzert endlich zu Ende war. Neben seinen Eltern – James zwinkerte ihm ebenso erleichtert zu – verließ er den Saal und pickte Gloria davor wieder auf.

Die Kleine war mit einem etwas älteren Maori-Jungen zusammen, der zu Gwyneiras Verwunderung weder Höschen noch Hemd trug, sondern nur den traditionellen Lendenschurz. Der Kleine war überdies nicht nur mit den typischen Amuletten und Ketten eines Maori-Kindes aus guter Familie geschmückt, sondern wies bereits erste Tätowierungen auf. Viele *pakeha* fühlten sich dadurch abgestoßen, doch Gloria störte sich nicht daran.

Die Kinder spielten mit Holzklötzchen. »Dorf!«, sagte der Junge und zeigte auf die umzäunte Anlage, in die Gloria soeben ein weiteres Haus setzte.

»*Marae!*«, erklärte Gloria und wies auf das größte der Häuser. Neben dem Versammlungshaus hatte sie aber auch Vorratsräume und Kochhäuser eingeplant: »Hier *pataka*, hier *hanga*, und hier wohn ich!«

Ihr Traumhaus stand an einem mit Kreide auf den Boden gezeichneten See.

»Und ich!«, rief der Junge selbstbewusst. »Ich Häuptling!«

Tonga erschien hinter Gwyneira, die den Kindern lächelnd lauschte.

»Mrs. Warden ...« Tonga verbeugte sich formvollendet. Er verdankte Helen O'Keefe eine fundierte *pakeha*-Erziehung.

»Kura-maro-tini hat uns sehr beeindruckt. Es ist schade, dass sie uns verlässt. Aber Ihnen bleibt ja eine Erbin ...« Er wies auf Gloria. »Dies ist übrigens mein Erbe. Wiremu, mein Sohn.«

Helen trat hinter die beiden. »Ein hübscher Junge, Tonga!«, schmeichelte sie ihm.

Tonga nickte und blickte gedankenverloren auf die spielenden Kinder. »Ein hübsches Paar. Finden Sie nicht auch, Miss Gwyn?«

Wiremu reichte Gloria eben eine Muschel. Gloria gab ihm dafür das Holzpferd.

Gwyneira funkelte den Häuptling an. Aber dann beherrschte sie sich und suchte eher spöttisch seinen Blick.

»Es sind Kinder«, bemerkte sie.

Tonga lächelte.

NACHWORT

In diesem Roman wird der Alltag in einer neuseeländischen Bergwerkssiedlung Ende des 19. Jahrhunderts möglichst detailliert geschildert. Die Beschreibungen der Arbeit in der Mine und der nahezu unerträglichen Lebensbedingungen der Bergleute, ihr Bedürfnis nach abendlicher Trostsuche im Alkohol und die Darstellung des örtlichen Bordells als »zweite Heimat« sind geschichtlich ebenso belegt wie die oft menschenverachtende Raffgier der Minenbetreiber. Trotzdem ist *Das Lied der Maori* nur in begrenztem Maße ein historischer Roman. Die Sozialgeschichte ist genau recherchiert, doch viele Schauplätze und historisch bedeutsame Ereignisse wurden verändert oder sind rein fiktiv. So bestanden in der Gegend um Greymouth von 1864 bis in die Jetztzeit ungefähr hundertdreißig Kohlebergwerke – privat, genossenschaftlich oder staatlich betrieben –, doch keines gehörte einer Familie Lambert oder Biller, und kein ehemaliger Bergwerksbetreiber hat eine vergleichbare Familiengeschichte.

Das geschilderte Minenunglück ist allerdings der Katastrophe in der Brunner-Mine im Jahr 1896 bis ins Detail nachempfunden, was die Zahl der Toten, die ersten Bergungsversuche und die Unglücksursache angeht. Der einzige Unterschied zu den tatsächlichen Ereignissen besteht darin, dass in diesem Roman zwei Menschen überleben. In Wirklichkeit starben alle vierundsechzig Kumpel und die ersten beiden Retter. Das alles ist belegt; es existieren sogar Tonbandaufnahmen mit den Erinnerungen von Augenzeugen. Bei entsprechender Recherche hätte ich die Namen der Opfer und der Hinterbliebenen nennen können. Genau diese akribische Dokumentation der

Geschichte Neuseelands macht es für mich allerdings schwierig und ethisch bedenklich, einen wirklich *historischen* Roman in Neuseeland anzusiedeln – wobei ich unter einem historischen Roman eine Geschichte verstehe, in der einige wenige fiktive Charaktere vor realem, recherchiertem Hintergrund an Originalschauplätzen agieren. Die Handlung sollte nicht aufgesetzt wirken, sondern von tatsächlichen Geschehnissen deutlich mitbestimmt werden.

Neuseeland wurde erst 1642 von dem holländischen Seefahrer Abel Janzoon Tasman entdeckt und 1769 von Captain Cook in Teilen kartografiert. Erst ab 1790 wurde die Nordinsel von Weißen besiedelt; die ersten vierzig Jahre geben erzähltechnisch nur dann etwas her, wenn man sich für reine Abenteuergeschichten um die Jagd auf Wale und Seehunde begeistert. Eine echte Besiedelung fand erst ab etwa 1830 statt. Neuseelands Geschichte ist also relativ kurz, dafür aber umso genauer belegt. Praktisch jede Kleinstadt hat ihr Archiv, in dem die Namen der ersten Siedler, ihre Farmen, oft sogar Einzelheiten aus ihrem Leben nachzulesen sind.

Theoretisch könnte man sich als Autor also beliebig »bedienen« und der wirklichen Geschichte neues Leben einhauchen. Praktisch jedoch haben wir es hier nicht mit Menschen aus dem Mittelalter zu tun, deren Spur sich im Lauf der Jahrhunderte verliert, sondern ein Teil der Nachkommen dieser Menschen lebt noch heute auf Neuseeland. Sie würden es verständlicherweise übel nehmen, wenn ein Fremder ihre Urgroßeltern vereinnahmte und mit einem fiktiven Charakter versähe – erst recht, wenn es so unsympathische Charaktere sind wie beispielsweise die Sideblossoms.

Da das Land nicht so weitläufig ist wie etwa Australien, kann man nicht problemlos frei erfundene Farmen und Orte an tatsächlichen Schauplätzen ansiedeln. Deshalb habe ich auf den »Kick« verzichtet, meine Leser auf Wunsch auf den Spuren meiner Romanhelden wandeln zu lassen. Landschaften und Schauplätze – etwa das Umfeld und die Architektur von Farmen wie Kiward und Lionel Station – wurden verfremdet und historische Persönlichkeiten mit neuen Namen versehen.

Allerdings lassen sich einige Informationen trotzdem leicht verifizieren. So ist beispielsweise der Name des Schafzüchters, der den historischen James McKenzie fing, mit ein paar Mausklicks im Internet zu recherchieren. Ich versichere hier allerdings, dass er mit meinem John Sideblossom ebenso wenig zu tun hat wie der echte McKenzie mit seinem Pendant in diesem Roman. James McKenzie ist übrigens der Einzige, dessen Name nicht fiktiv ist, da sein Schicksal sich tatsächlich im Dunkel der Geschichte verlor. Zwei Jahre nach seinem Prozess wurde er begnadigt und verschwand auf Nimmerwiedersehen irgendwo in Australien.

Sollten sich ansonsten Ähnlichkeiten mit realen Farmen oder Persönlichkeiten finden, haben sie sich rein zufällig ergeben.

Ansonsten möchte ich auch diesmal wieder allen danken, die an der Entstehung dieses Romans beteiligt waren, allen voran meinen Lektorinnen Melanie Blank-Schröder, Sabine Cramer und Margit von Cossart, die wirklich jedes Detail auf seine Richtigkeit abklopfte. Mein wundertätiger Agent Bastian Schlück darf natürlich auch nicht unerwähnt bleiben. Klara Decker hat wie immer probegelesen und bei der Internet-Recherche geholfen – es erfüllt mich stets aufs Neue mit Ehrfurcht, wenn jemand mit drei Mausklicks den Namen des Chief Secretary for Ireland im Jahr 1896 aus dem Netz holt. Die Cobs – und natürlich auch die anderen Pferde – haben mich nicht abgeworfen, wenn ich auf ihrem Rücken in Tagträume von Liebe und Leid auf Neuseeland verfiel, und meine Freunde blieben geduldig, wenn ich mich mit der Bemerkung »Ich bin dann in Neuseeland ...« für ganze Wochenenden verzog.

Inspirierend und ein Vorbild für Callie war wieder meine Border-Collie-Hündin, die immer noch Cleo heißt. Bei Erscheinen dieses Romans wird sie ihre Namensvetterin im *Land der weißen Wolke* altersmäßig überholt haben. Die Rasse ist tatsächlich langlebig. Trotzdem danke an alle, die nachgerechnet und sich gefragt haben, ob ein Hund wirklich zwanzig Jahre alt werden kann. Es geht nichts über kritische Leser!

Eine farbenprächtige Familiensaga vor der atemberaubenden Kulisse Neuseelands

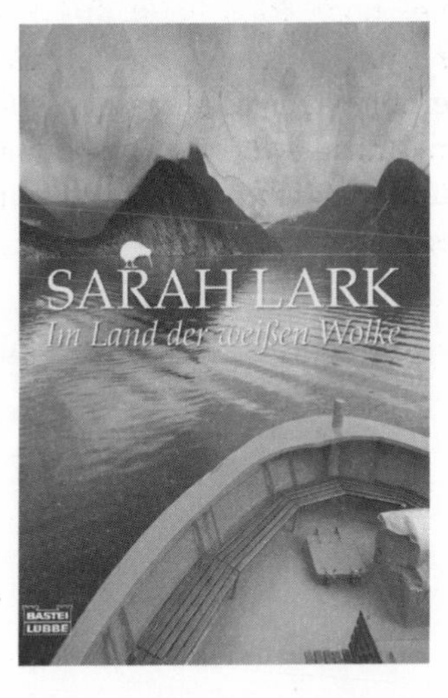

Sarah Lark
IM LAND DER
WEISSEN WOLKE
Roman
816 Seiten
ISBN 978-3-404-15713-6

London, 1852: Zwei junge Frauen treten die Reise nach Neuseeland an. Es ist der Aufbruch in ein neues Leben – als künftige Ehefrauen von Männern, die sie kaum kennen. Die adlige Gwyneira ist dem Sohn eines reichen »Schafbarons« versprochen, und die junge Gouvernante Helen wurde als Ehefrau für einen Farmer angeworben. Ihr Schicksal soll sich erfüllen in einem Land, das man ihnen als Paradies geschildert hat. Werden sie das Glück und die Liebe am anderen Ende der Welt finden?
Ein fesselnder Schmöker über Liebe und Hass, Vertrauen und Feindschaft und zwei Familien, deren Schicksal untrennbar miteinander verknüpft ist.

Bastei Lübbe Taschenbuch

Die neue Familiensaga von der Erfolgsautorin Jessica Stirling

Jessica Stirling
DIE MELODIE DER WELLEN
Roman
560 Seiten
ISBN 978-3-404-15730-3

Lindsay Franklin ist achtzehn Jahre alt und im heiratsfähigen Alter. Als ihr Großvater die Verantwortung für seine Schiffswerft an die nächste Generation weitergeben möchte, ändert sich Lindsays Leben schlagartig. Sie lernt ihren irischen Cousin Forbes kennen, der wie sie Anteile an der Firma erhalten hat. Während Lindsay sich ihren neuen Aufgaben im Geschäft stellt, entwickelt sich eine enge Bindung zu Forbes. Lindsay fühlt sich von dem attraktiven Cousin immer mehr angezogen. Doch Forbes verbirgt ein Geheimnis. Ist er wirklich der Mann ihrer Träume oder ein skrupelloser Geschäftsmann, der sie ins Unglück stürzen könnte?

Bastei Lübbe Taschenbuch

Der Zauber der Kindheit und die Kraft der Liebe – eine Reise zum Mittelpunkt des Herzens

Tamara McKinley
DAS LIED DES
REGENPFEIFERS
Roman
432 Seiten
ISBN 978-3-404-15594-1

Olivia lauschte dem Lied des Regenpfeifers. Hier war sie zu Hause, ungeachtet der schmerzhaften Erinnerungen und der Geheimnisse, die sie aufzudecken hatte. Wie die Bäume war auch sie in dieser Erde verwurzelt. Sie betete nur, dass die Wurzeln tief genug reichten, um dem drohenden Sturm standzuhalten.
Die junge Olivia Hamilton muss vielen Stürmen trotzen, bis sie in Australien ein neues Leben findet und endlich erkennt: Was zählt, ist die Liebe und dass man fähig ist, sie weiterzuschenken ...
Tamara McKinley verzaubert ihre Leser einmal mehr mit den Düften und Farben des roten Kontinents und schickt sie auf eine abenteuerliche Reise – zum Mittelpunkt des Herzens.

Bastei Lübbe Taschenbuch